Second Edition

The Shoulder Surgery
어깨외과학

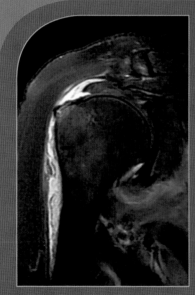
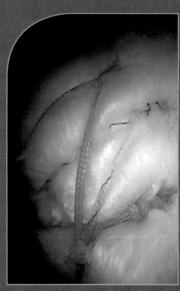
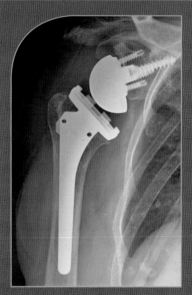

서울대학교 의과대학 정형외과학교실

어깨외과학_제2판

둘째판 1쇄 인쇄 | 2023년 01월 25일
둘째판 1쇄 발행 | 2023년 02월 20일

지 은 이 서울대학교 의과대학 정형외과학교실
발 행 인 장주연
출 판 기 획 한수인
책 임 편 집 박은선
편집디자인 유현숙
표지디자인 김재욱
일 러 스 트 김경열
발 행 처 군자출판사
　　　　　등록 제4-139호(1991.6.24)
　　　　　(10881) 파주출판단지 경기도 파주시 회동길 338(서패동 474-1)
　　　　　전화 (031)943-1888　팩스 (031)955-9545
　　　　　www.koonja.co.kr

ISBN 979-11-5955-955-6

정가 200,000원

집필진 Author (가나다순)

강유선	서울대학교 의과대학·영상의학과
공현식	서울대학교 의과대학·정형외과
권지은	이화여자대학교 의과대학·정형외과
김세훈	서울대학교 의과대학·정형외과
김재윤	김앤조 서울 정형외과
김한수	서울대학교 의과대학·정형외과
류혜진	서울대학교 의과대학·영상의학과
박주현	동국대학교 의과대학·정형외과
박진영	네온 정형외과
서중배	단국대학교 의과대학·정형외과
신창호	서울대학교 의과대학·정형외과
안중모	서울대학교 의과대학·영상의학과
여지현	하남S병원·정형외과
오주한	서울대학교 의과대학·정형외과
윤종필	경북대학교 의과대학·정형외과
이성민	경희대학교 의과대학·정형외과
이영호	서울대학교 의과대학·정형외과
임재영	서울대학교 의과대학·재활의학과
정석원	건국대학교 의과대학·정형외과
정현장	서울대학교 의과대학·정형외과
조태준	서울대학교 의과대학·정형외과
조현철	서울대학교 의과대학·정형외과
최자영	서울대학교 의과대학·영상의학과

머리말 Preface

정형외과 영역의 세부 분야 중 어깨관절 분야의 성장은 놀라울 정도입니다. 이는 노인 인구의 증가, 스포츠 및 여가 활동의 확대로 인한 어깨 사용의 증가와 함께 수술 방법 및 의료 기기의 발전에 힘입은 바가 큽니다. 그러나 최근 어깨관절 분야의 진료를 시작하는 많은 정형외과 의사들이 관절경 술식에만 매몰되어 정형외과적 지식의 기반을 이루는 기초 분야의 연구 결과를 상대적으로 소홀히 하는 경향이 있었기에, 이를 개선하고자 정문상 교수님을 필두로 "어깨외과학 초판"을 출간한 바 있습니다. 이는 수년간 많은 정형외과 의사들에게 학문적 그리고 임상적으로 많은 도움을 주는 길라잡이 역할을 해주었지만, 의학의 급속한 발전에 의해 새로운 지식을 다시 한번 체계적으로 정리할 필요가 있다고 생각하여 새로이 개정판을 출간하게 되었습니다.

최근 폭발적으로 늘어나고 있는 회전근 개 파열 등의 퇴행성 질환뿐 아니라, 골절 및 불안정성을 비롯한 외상, 신경혈관 질환, 종양 및 소아 질환 등 어깨 주위의 질환을 총망라하기 위해 노력하였습니다. 또한 여러 분야의 인 공관절 중 어깨 분야의 인공관절이 가장 빠른 속도로 증가하고 있는 것을 반영하여, 생역학을 비롯한 인공관절과 관련된 기초 의학 분야의 지견을 임상적 경험에 녹여내어 체계적으로 정리하였습니다.

새로운 "어깨외과학"은 또한 최근 주목받고 있는 재생의학적 측면에서의 접근 등 최첨단의 지식을 포함하고 있을 뿐 아니라, 실제 임상에서 빈번하게 행해지는 비수술적 기능회복 치료까지 포함하여 의료기관의 종별을 막론하고 두루 활용될 수 있는 교과서를 만들고자 하였습니다. 이를 위해 단순히 기존 교과서의 내용을 따라가기보다는 이 분야에 오랫동안 경험이 있고 명망 있는 저자분들의 의견을 수렴하여, 마치 옆에서 직접 알려주는 것과 같이 살아있는 지식을 전달하고자 노력하였습니다.

이 책은 어깨 분야의 진료를 새로이 시작하고자 하시는 정형외과 의사와, 어깨외과 분야에 관심이 있는 분들께서 어깨 질환을 이해하고 치료하는 데 있어 미약하게나마 도움이 되리라 생각합니다.

"어깨외과학"의 개정 작업은 많은 독자분의 애정 어린 충고가 그 바탕이 되었습니다. 독자의 눈높이에서 느꼈던 미흡했던 점을 보완하고자 많은 노력을 기울였으나 부족한 면이 없지 않으리라 생각됩니다. 하지만 저자들은 지속적인 보완과 수정을 통하여 더욱 뛰어난 책을 만들고자 최선의 노력을 다할 것이며, 독자분들의 관심 있는 충고를 언제나 겸허히 받아들이고자 합니다.

마지막으로 이 책의 출판을 처음 계획하신 서울대학교 의과대학 정형외과학 교실의 정문상 교수님, 개정 작업을 위해 불철주야 노력해주신 저자분들과 정형외과 의국원 모두에게 감사드리며, 좋은 책을 만들기 위해 많은 노력을 기울여 주신 군자출판사 관계자 여러분들께도 감사의 말씀을 전하고 싶습니다.

서울대학교 의과대학 정형외과 오 주 한

목차 Contents

PART

1

책임편집 ●
정문상 정현장 이성민 조현철 권지은 강유선 안중모 최자영 류혜진

총론

정문상

서론
Introduction

어깨관절의 질병과 이에 관련된 치료는 수술기구 및 술기의 발전과 함께 생물학적 보강인자 등을 비롯한 새로운 기술들의 도입으로 인해 하루가 다르게 변하고 있습니다. 이에 본 집필진들은 기존의 교과서를 보완 및 개정해야 할 필요성을 느끼게 되었고, 기존 교과서 출판 이후 변화되고 새로워진 지식과 술기 부분을 반영하고자 하였습니다. 그러나, 체계적이고 정확한 지식의 전달을 통해 최선의 진료를 수행할 수 있도록 하셨던, 이 교과서를 처음 출판하신 정문상 교수님의 뜻을 이어받고 그 출판 업적을 기리고자 본 서론은 교수님께서 직접 쓰셨던 초판의 내용(견부 서론)을 상하지 않는 선에서 그대로 인용하였습니다.

1. 어깨외과학 서론(Introduction to the shoulder)

견관절(shoulder joint)은 몸통과 상지를 연결하는 마디로서, 어깨관절이라고도 칭한다. 상지의 모든 부분은 만약 손목과 손을 제외한다면, 손을 작용할 수 있는 위치로 이동시키기 위한 마디와 지렛대로 간주될 수 있다. 원하는 위치로 손을 이동시켜 가는 데 있어, 가장 먼저 작동되는 기관은 견관절이다. 이 관절은 우리 몸의 어떤 부분에도 손이 도달할 수 있도록 하기 위해서, 인체에서 가장 넓은 운동범위를 가지고 있다. 이러한 넓은 운동범위를 향유하려면, 견관절의 골-관절성 안정성이 결여될 수밖에 없으므로, 대신 근육이나 건 및 인대 등 연부조직에 의한 안정성이 필요하게 된다. 그런데 연부조직은 골에 비해 상당히 약

하기 때문에, 어깨는 원천적으로 불안정하고, 그리 많지 않은 하중이나 외상만 주어져도 쉽게 손상되는 특징을 가지게 될 것이다. 견부는 해부학과 생체역학이 복잡하고, 근육과 건 및 인대의 중요성이 다른 부위에 비해 상대적으로 크다. 따라서 단순 방사선이나 관절조영술만을 이용하여서는, 그 진단이나 연구에 제한이 있을 수밖에 없었다. 어깨의 연부조직에 대한 보다 정확한 상황 판단을 위해서는, 이들의 정상 및 병적 해부학에 대한 가시적이고 객관적인 자료가 얻어져야 할 것이다. 이러한 가시적 판단은 초음파와 관절경 그리고 특히 MRI가 개발되기 전에는 불가능하였기 때문에, 어깨외과학의 발전은 다른 부위에 비해 지연될 수밖에 없었다.

현재 알려진 어깨의 질환은 노화나 외상과 관계되는 것이 주종을 이루고 있다. 인간의 수명이 짧고, 스포츠를 즐기지 못하던 시대에는 어깨질환이 드물 수밖에 없었다. 1945년 2차 세계대전이 끝나면서 몇몇 선진국에서는 스포츠 활동이 크게 증가하고 수명이 길어졌다. 그 결과 이로부터 30여년이 경과된 1980년대 들어서는 노인 연령층이 폭증하면서, 어깨질환의 빈도가 늘어났다. 또한 늘어난 환자 수와 MRI 등에 의한 진단방법의 객관적 가시화에 힘입어, 선진국에선 어깨만을 다루는 학술대회와 학술지가 만들어지기 시작하였다. 그리고 어깨만을 다루는 교과서가 1980년대 후반 Rowe, Post 그리고 Neer 등에 의해 처음으로 작성되었는데, 이는 다른 정형외과 분야에 비해 20년 이상 지연되었다고 볼 수 있다. 이러한 현상은 1990년대 들어서면

서 우리나라에서도 발생하기 시작하여, 현재 어깨 환자가 늘어나고, 이 부위 질환의 중요성이 강조되고 있는 상황에 있다.

어깨는 네 가지 골성 구조로 이루어져 있는데, 흉벽(thoracic wall)과 쇄골(clavicle), 그리고 견갑골(scapula)과 상완골(humerus)이 그것이다. 이 네 뼈에 의해 네 개의 관절이 만들어진다. 흉쇄관절(sternoclavicular joint)은 흉골의 상부와 쇄골 사이에 있으며, 흉벽과 견갑골 사이에는 견갑흉곽관절(scapulothoracic joint)이 있다. 그리고 견갑골과 쇄골 사이에는 견봉쇄관절(acromioclavicular joint)이 만들어지며, 견갑골과 상완골 사이에는 와상완관절(glenohumeral joint)이 있다.

2. 어깨외과학의 역사
(History of the shoulder surgery)

어깨의 원천적인 불안정성 때문에, 견관절의 탈구는 흔하게 발생하는 어깨질환 중 하나였음은 쉽게 짐작할 수 있으며, 방사선이 소개되기 전에는 탈구가 가장 흔하게 거론되는 어깨질환이었음이 틀림없다. Hussein은 기원전 1200년에 만들어진 Ramesses II의 무덤에서, 그로부터 3000년 이후에 개발된 코커 수기(Kocher maneuver)에 의한 정복 방법과 유사한 그림을 발견하였다.[1] 또한 300 BC에 Hippocrates는 어깨의 탈구를 정복하는 방법을 기술하고 있다.[2] 기원전 6세기 Sustruta와 Atroya는 견관절의 골에 대한 해부학을 처음으로 연구하였다고 알려져 있다. 르네상스 시절 Leonardo da Vinci는 견관절을 여러 방향에서 보고 그림을 그렸고, 그중에는 견봉골(os acromiale)이 그려진 것도 있다. 부인까지 죽여 해부해 보았던 Andreas Vesalius는 1537년 회전근 개와 상완이두근의 시작점과 끝 부착점을 표시한 그림이 들어 있는 책을 출판하였다. 동양에도 비슷한 진단과 치료가 있었을 것이 분명하나, 아직 기록들의 분석이 끝나지 않은 상태에 있다.

견관절에 대한 배농은 오래전부터 시행되었을 것이나, 이에 대한 마땅한 기록은 찾을 수 없다. 상완골 두 절제술은 괴사된 골 두를 제거할 목적으로 1770년 White에 의해

처음으로 시행되었다고 한다.[3] 그 후 정복이 불가능한 탈구나 결핵 또는 화농성 감염에서 상완골 두 제거술이 시행되어 왔다. 회전근 개의 파열은 1834년 Smith에 의해 보고되었으며, 1866년 Bardenheuer는 파열된 극상근은 봉합하여 재부착되어야 한다고 주장하였다. 한편 관절고정술은 1881년 Albert에 의해 시행되었다고 하며, 처음에는 어깨의 마비에 대해 시행되었으나, 그 후 결핵이나 관절염 등에서도 시행되기 시작하였다고 한다.[4] 견관절에 대한 최초의 재건술은 1894년 Ricord가 시행한 관절막봉합술이라는 주장이 있다.[2] 어깨에 대한 지식은 다른 정형외과 분야와 같이 방사선이 도입되면서 늘어나기 시작하였다. 1907년 Painter는 단순 방사선사진에서 석회화 건염의 존재를 최초로 발견하였다. 그 후 Codman 등은 회전근 개 파열의 복원술을 시도하였으며, Bankart 등 여러 저자들은 재발성 탈구에 대한 재건술을 시도하였다. 삽입형 관절성형술은 1914년 Brown에 의해 처음으로 시행되었으나, 기능적 대치물(functional prosthesis)을 고안하여 현재 사용되고 있는 형태로 개량한 것은 Neer이며,[5] 이후 여러 가지 인공관절이 개발되어 현재에 이르고 있다.

견관절 탈구에 대한 최초의 기록은 이미 언급한 바와 같이 Hippocrates에서 찾을 수 있다. 그 후 발전은 매우 미미하였으나, 1861년 Flower는 재발성 견관절 탈구 환자에서 상완골 두의 골성 결손을 보고하였고, Kocher는 1870년에 자신의 정복법을 소개하였다. 20세기에 들어서면서 Bankart는 재발성 탈구에서 관절와의 전방에 있는 섬유연골이 파열되어 자연 치유되지 않는 것을 발견하였으며, 이후 여러 저자들에 의해 재발성 탈구에 대한 재건술이 시도되었다. 즉, Bankart 복원술은 1923년에 보고되었으며, 1940년 Hill-Sachs 병변이 보고되었고, 1948년 Putti-Platt 봉합술이 Osmond Clarke에 의해 보고되었다.

회전근 개에 대한 최초의 보고는 1834년 Smith에 의해 이루어졌는데, 그는 여러 종류의 회전근 개 파열과 상완이두근 장두의 탈구에 대해 기술하였다. 그 후 Von Piths는 극상근과 극하근 및 소원근으로 구성된 회전근은 건성와 공동(tendinous glenoid cavity)을 형성하여, 깊지 않은 관절와 속에서 상완골들의 운동을 제한하는 기능을 한다고 기

술하였다. 그리고 Konig와 Ashurst는 각각 탈구와 동반된 회전근 개의 파열을 보고하였다. 1866년 Bardenheuer는 파열된 극상근은 봉합하여 재부착되어야 한다고 주장하였다. 회전근 개에 대한 기술이 있은 후, 70여년 간은 이에 대한 연구가 거의 진행되지 않았으므로, 견관절을 잊혀진 관절이라 간주하는 저자들이 있다. 견관절에 대한 최초의 재건술은 1894년 Ricord가 시행한 관절막봉합술이라는 주장이 있다.[2] 그러나 Perthes에 따르면, 최초의 회전근 개 봉합술은 1889년 Mueller에 의해 시행되었다고 한다. 그리고 20세기 초 Perthes와 Codman은 회전근 개 봉합을 다시 시작하였다. Codman은 1906년 극상근의 부분 파열을 외전 보조기를 이용하여 치료하려고 시도하였으며, 1911년 회전근 개 봉합술을 시행하였다. 그는 1934년 'The Shoulder: Rupture of the Supraspinatus Tendon and Other Lesion in or about the Subacromial Bursa'를 출판하였는데, 이는 견관절만을 다룬 최초의 영어책이다. 그 후 Codman의 제자인 Buchholz는 견봉과 상완골 사이에서 극상근과 견봉하점액낭의 외상성 포착이 발생할 수 있으며, 이것이 점액낭염의 원인이 될 수 있다고 생각하였다. 그리고 1923년 Meyer는 외상성 파열 이외에, 전층 및 부분층 파열이 골과의 마찰로 발생할 수 있다고 주장하였다. 1932년 Fowler는 급성 파열에 대하여 처음으로 봉합술을 시행하였다. 1940년 Bosworth는 그 전까지 각각의 근육 이름으로 불리든지, 또는 단회전근(short rotator)으로 불리던 근육들에 대해서 회전근 개(rotator cuff)라는 용어를 처음으로 사용하였다. 투수와 회전근 개의 관계나 오구돌기 충돌 현상은 1941년 Bennett에 의해 보고되었다. 1972년 Neer는 회전근 개 파열에 대한 관혈적 봉합술 시, 전방 견봉성형술(anterior acromioplasty)이 필수적이라고 주장하였다. 최근 회전근 개 봉합술은 대부분 관절경을 이용하여 시행되고 있다. 1922년 독일의 Bircher가 복강경을 이용하여 슬관절을 관찰한 이후, 1931년 Burman은 견관절에 진단적 관절경을 최초로 시행하였다. 1950년대 Watanabe가 보다 실용적인 관절경을 발전시킴으로써, 1970년대 슬관절경이 보편적으로 사용되는데, 견관절에서는 1970년대 후반에서 80년대 초반에 걸쳐

진단 및 치료용으로 널리 사용되기 시작하였다. 1980년대 Ellman은 관절경하 견봉성형술을 고안하였다.

삽입형 인공관절성형술은 1914년 Brown에 의해 처음으로 시행되었다고 하는데, 이 방법은 관절고정술보다 선호되지는 못하였다. 1951년 Boron과 Sevin은 어깨의 아크릴 대치물을 처음으로 성공적으로 삽입하였다고 하며, 같은 해 Kreuger는 Vitallium 관절성형술을 시행하였다. 그러나 기능적 대치물(functional prosthesis)을 고안하여, 세계에서 일반적으로 받아들이게 한 것은 Neer이다. 그는 근위 상완골 치환물을 만들고 그에 대한 초기 결과를 1953년 발표하였다. 하지만, 어깨의 인공관절성형술은 기존의 해부학적 인공관절 외에도 다른 관절 부위와 구별되는 특징적인 형태의 역행성 인공관절이 존재한다. 이는 봉합이 불가능한 회전근 개의 파열에서 어깨의 움직임에 필요한 회전근 개의 역할이 소실됨에 따라 삼각근을 이용하여 팔을 들 수 있게 만드는 기능적 인공관절치환술로 볼 수 있다. 역행성 인공관절은 오목한 접시형태의 관절와를 구형의 glenosphere로 대치하고, 구형의 상완골 두를 상대적으로 오목한 형태로 변형시켜 본래 상완골 두의 중심부에 위치한 어깨관절의 회전 중심(center of rotation)을 관절와의 인공관절치환물인 glenosphere의 기저부로 옮겨서 회전 중심을 내측으로 옮겨주게 된다(medialization). 역행성 인공관절성형술에 대한 최초의 개념은 1970년대에 발아하여 여러 시도들이 있었으나,[7] 현대적인 의미에서 임상적으로 확립된 형태의 역행성 인공관절성형술은 Grammont이 창안한 개념에 근간하여 개발되었다.[8] 이후 어깨의 인공관절성형술은 기존의 해부학적 인공관절성형술뿐 아니라 역행성 인공관절성형술까지 다양한 형태로 발전을 거듭해오고 있다.

어깨 부위의 수술을 비롯한 여러 치료는 정형외과의 다른 영역에 비해서도 매우 빠르게 발전하고 있으며, 시행 건수를 비롯한 양적인 성장률도 폭발적으로 증가하고 있는 만큼 적합한 적응증의 선택과 적절한 술기를 익히는 것이 필수적이라고 생각되며, 본 서가 그 길라잡이 역할을 해줄 것으로 기대한다.

■■■■ 참고문헌

1. Hussein MK. Kocher's method is 3,000 years old. J Bone Joint Surg Br. 1968;50(3):669-71.
2. Bick EM. History and source book of orthopaedic surgery. New York: Hospital for joint disease; 1933.
3. Morton LT. A medical bibliography. 3rd ed. Philadelphia: JB Lippincott Co.; 1970. 509.
4. Steindler A. Operative orthopaedics. New York: D. Appleton and Co.; 1925. 267, 315.
5. Krueger FJ. A vitallium replica arthroplasty on the shoulder; a case report of aseptic necrosis of the proximal end of the humerus. Surgery. 1951;30(6):1005-11.
6. Neer CS, 2nd. Articular replacement for the humeral head. J Bone Joint Surg Am. 1955;37-a(2):215-28.
7. Flatow EL, Harrison AK. A history of reverse total shoulder arthroplasty. Clinical orthopaedics and related research. 2011;469(9):2432-9.
8. Grammont P, Trouilloud P, Laffay J, Deries X. Concept study and realization of a new total shoulder prosthesis. Rhumatologie. 1987;39(10):407-18.

해부학
Anatomy

정현장

I 거시 해부학(Gross anatomy)

어깨는 목의 뿌리 부분인 경근(root of neck)과 흉강(thoracic cage)의 바깥쪽에서 시작하여, 상완골(humerus)의 근위 1/3 부위에 이르는 광범위한 부분이다. 넓은 의미에서의 어깨관절은 상완와관절(glenohumeral joint)을 포함하여 견갑흉부관절(scapulothoracic joint), 견쇄관절(acromioclavicular joint, 견봉-쇄골관절) 및 흉쇄관절(sternoclavicular joint)을 모두 포함하게 된다.

그러나 일반적인 의미에서 어깨관절은 상완와관절만을 의미하거나, 상완와관절과 그 상부에 존재하는 견봉상완관절(acromiohumeral joint)까지만을 포함하게 된다. 엄밀한 의미에서 견봉-상완관절을 구성하는 견봉(acromion)과 상완골 두(humeral head) 사이에는 근육 및 관절막(joint capsule)이 지나고 있기 때문에 관절로 간주될 수 없으며 견봉하공간(subacromial space)이라고 칭하는 것이 더 적합하다고 볼 수 있다. 견봉하공간은 임상적으로는 상완와관절과 함께 어깨 병변이 호발하는 부분인 만큼 중요한 관절 부위로 간주되는 경향이 있다.

1. 어깨의 국소 해부학
(Regional anatomy of the shoulder)

어깨는 크게 액와부(axillar region), 흉부(pectoral region), 삼각부(deltoid region), 견갑부(scapular region)로 나눌 수 있으며, 목의 후방 삼각부(posterior triangle of the neck)를 포함시킬 수도 있다.

1) 액와부 및 흉부(axillar and pectoral region)

액와(axilla, 겨드랑이)는 상완 근위부(proximal humerus)의 내측과 흉부(pectoral region)의 외측 상부 사이에 존재하는 피라미드 형태의 구조이다. 전벽은 대흉근(pectoralis major), 소흉근(pectoralis minor) 및 쇄골하근(subclavius)과 인접 연부조직으로 구성되어 있다. 후벽은 견갑하근(subscapularis)에 덮여있는 견갑골(scapula)과 광배근(latissimus dorsi) 및 대원근(teres major)으로 구성되어 있다. 내벽은 제2-5늑골(2nd-5th ribs)과 전방거근(serratus anterior, 전거근)으로 되어 있으며, 외벽은 상완골의 근위 내측, 오구상완근(coracobrachialis, 오훼완근) 및 상완이두근 단두(short head of biceps brachii)로 형성되어 있다.

액와의 꼭대기(정점, apex)는 쇄골(clavicle)과 견갑골의 상변 그리고 제1늑골 사이에 있는 삼각형 모양의 공간이며, 액와의 기저(base)는 흉곽과 상완 사이의 피부와 피하지방 및 액와근막(axillary fascia)으로 구성된다. 이 부위의 내용물은 액와동맥(axillary artery)과 정맥(axillary vein), 림프관과 몇 개의 림프절(lymph node) 그리고 상완신경총(brachial plexus)의 현(cord)과 여러 신경분지의 시작 부위이다. 이 액와혈관들과 상완신경총은 흉곽의 내부나 경부에서부터 액와의 정점을 통과하여 액와부로 들어온다(그림 2-1). 액와부의 림프절 주위로 장흉신경(long thoracic

A 액와부 전면

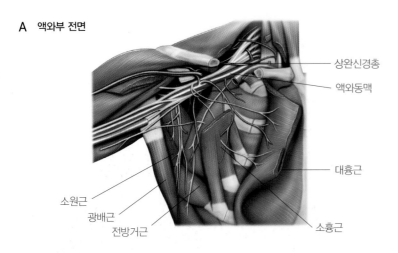

상완신경총
액와동맥
대흉근
소원근
광배근
전방거근
소흉근

B 액와부 단면

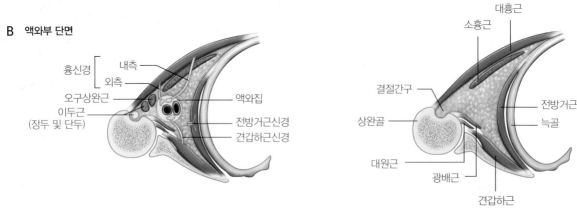

흉신경 { 내측 / 외측
오구상완근
이두근
(장두 및 단두)
액와집
전방거근신경
견갑하근신경

대흉근
소흉근
결절간구
상완골
전방거근
늑골
대원근
광배근
견갑하근

<u>그림 2-1</u> **액와(axilla)**
상완 근위부의 내측과 흉부의 외측 상부 사이에 존재하는 피라미드 형태의 구조이다. 이 부위의 내용(content)은 액와동맥과 정맥, 림프관과 몇 개의 림프샘, 상완신경총의 현(cord)과 여러 신경의 분지(branch)가 시작 부위이다.

nerve)이 주행하며, 이는 유방암 및 폐암 등으로 인한 림프절 제거 시 손상 가능성이 높아서 주의를 요한다. 장흉신경이 손상될 경우 지배하고 있는 전방거근의 기능부전으로 인한 익상견갑(winging scapula)이 발생할 수 있다.[1]

흉부는 액와의 전벽을 구성하며, 어깨 전방의 피부와 피하조직, 흉근근막(pectoral fascia), 대흉근과 소흉근 및 쇄골하근, 그리고 쇄골흉근근막(clavipectoral fascia)으로 구성되어 있다. 쇄골흉근근막은 쇄골에서 시작하여, 쇄골하근과 소흉근을 둘러싸면서 아래로 내려와서, 액와근막에 붙는 비교적 강한 심부 근막이다.

2) 삼각부 및 견갑부(deltoid and scapular region)

삼각부(deltoid region)는 상완골 근위부의 외측에 존재하는 부위이다. 이 부위는 피부와 삼각근(deltoid) 및 삼각근하낭(subdeltoid bursa)으로 구성되어 있다. 삼각부의 피부는 그 자체도 상당히 두껍고, 피하조직도 충분한 편이다. 그러나 섬유성 격막이 피부와 삼각근의 심부 근막을 연결하고 있기 때문에, 피부는 삼각근으로부터 분리되어 자유롭게 움직일 수 없다. 삼각근하 점액낭은 견봉하낭(subacromial bursa)이 외측으로 연결된 것으로 생각되는 구조이다. 이 부위의 심부 전방에는 관절와상결절(supraglenoid tubercle)에서 시작하여 결절간구(intertubercular groove, bicipital groove)로 진행하는 상완이두근 장두(long head of biceps brachii)와, 오구돌기(coracoid process, 오훼돌기)에서 기시하는 오구상완근 및 상완이두근 단두가 있다 (그림 2-2).

A **삼각근하 점액낭**

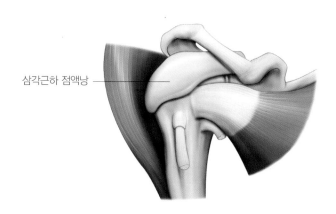

삼각근하 점액낭

B **견봉하점액낭**

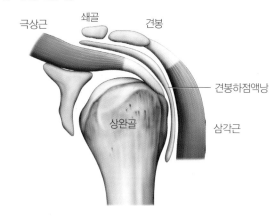

극상근　　쇄골　　견봉

견봉하점액낭

상완골

삼각근

그림 2-2 삼각부

삼각부(deltoid region)는 피부와 삼각근 및 삼각근하 점액낭(subdeltoid bursa)으로 구성되어 있다. 삼각근하 점액낭은 견봉하점액낭(subacromial bursa)이 외측으로 연결된 것으로 생각되는 구조이다.

　　견갑부(scapular region)는 액와의 후벽을 형성하는 부위 또는 견갑골을 포함하여 그 후방에 위치하는 부위이다. 이 부위는 피부도 두꺼우며, 심부 근막과 섬유성 격막으로 붙어 있기 때문에, 피부와 심부 근막이 쉽게 분리되지 않는다. 견갑골의 후방에 위치하는 근육으로는 위에서부터 극상근(supraspinatus)과 극하근(infraspinatus) 및 소원근(teres minor)이 있다. 견갑골의 외측에는 대원근(teres major)과 광배근(latissimus dorsi)이 있다. 그리고 견갑골의 전방에는 견갑하근(subscapularis)이 존재한다. 견갑하근과 견갑골 경부의 전방 사이에는 견갑하낭(subscapular bursa)이 있는데, 이는 정상적으로 상완와관절과 연결되어 있다.

3) 목의 후방 삼각부(posterior triangle of the neck)

　　목의 후방 삼각부는 쇄골의 상부에 위치하며, 꼭짓점은 유양돌기(mastoid process)의 바로 후방에 있다. 전방 변은 흉쇄유돌근(sternocleidomastoid)의 후방 가장자리가 되며, 그 후방 변은 승모근(trapezius)의 전방 변으로 구성되고, 하변은 쇄골 상변의 중앙 1/3 정도이다. 이 부위의 지붕은 피부와 피하 조직 및 활경근(platysma), 그리고 목의 심부 근막으로 이루어져 있으며, 바닥은 견갑거근(levator scapulae)과 그 상부의 판상근(splenius), 그리고 그 하부에 있는 사각근(scalenus)으로 이루어져 있다.

　　이 부위로 수많은 신경-혈관 구조물(neurovascular structure)들이 지나가는데, 그중 상완신경총(brachial plexus)과 부신경(accessory nerve)이 가장 중요하다고 할 수 있다. 외경정맥(external jugular vein)은 활경근의 바로 밑을 지나며, 턱의 각부 하방에서 시작하여 흉쇄유돌근의 표층을 가로질러 밑으로 내려온 다음, 이 근육과 쇄골 사이에서 심부 근막을 뚫고 깊은 곳으로 진행하여 쇄골하정맥(subclavian vein)에 합류한다. 견갑설골근(omohyoid)의 후방 근복(posterior belly)은 견갑상인대(suprascapular ligament)에 인접한 견갑골의 상변에서 나와, 후방 삼각의 후방 하각(posteroinferior angle)을 지나 후방 삼각으로 들어온 다음, 비스듬하게 전방 그리고 상방으로 진행하여 흉쇄유돌근 후변의 하 1/4 부위로 깊게 들어간다. 견갑설골근은 심부 근막의 바로 심층에 있으며, 상완신경총의 표층을 지나기 때문에 쇄골보다 윗부분에서 상완신경총에 도달하려면 이 근육을 외경정맥과 함께 잘라야 한다.

　　부신경(accessory nerve)은 이 삼각의 가장 위쪽에 있는 매우 중요한 구조이다. 이 신경은 흉쇄유돌근의 중앙부에서 심부로부터 표층으로 나와, 삼각 내에서는 심부 근막의 바로 아래에 위치하게 되는데, 비스듬하게 후방 그리고 하방으로 진행하여 승모근의 전방 섬유가 쇄골로 종지되는 부위의 약 3-5 cm 상방에서 이 근육의 심부로 들어간다.

이 신경의 진행경로에 몇 개의 림프절이 있는데, 이들을 생검하다가 이 신경이 잘려질 수 있다.[2] 기타 경부신경총에서 나온 몇 개의 표층신경들이 흉쇄유돌근 중앙부의 심층에서 후방으로 나오는데, 그중 하나가 쇄골상신경(supraclavicular nerve)이다. 다음으로 유의해야 할 구조로는 쇄골하동맥(subclavian artery)의 마지막 부분에서 나오는 갑상경동맥(thyrocervical trunk)의 분지인 두 개의 동맥이다. 이들은 사각근과 상완신경총의 전방을 지나 외측으로 진행한다. 이 중 경횡동맥(transverse cervical artery)은 견갑설골근보다 깊게, 그리고 상완신경총보다 표층을 지나, 후방 삼각의 아래쪽을 전방에서 후방으로 진행하여, 승모근의 심층으로 들어간다. 견갑상동맥(suprascapular artery)은 경횡동맥보다 약 1 cm 하방, 즉 쇄골의 직상부를 가로로 주행하여 외측으로 진행한 다음, 견갑상신경과 동행하여 견갑골의 상변 바로 위쪽으로 진행한다.

상완신경총과 쇄골하혈관(subclavian vessel)은 이 삼각의 하부를 지나는 가장 중요한 구조이다. 추간공을 나온 제 5-8경추 및 제1흉추의 신경근들은 전사각근(scalenus anterior)의 전방을 지나 측방으로 진행한 다음, 쇄골 중앙 정도에서 쇄골보다 깊게 들어가는데, 신경근들은 쇄골하혈관보다 후방에 위치하고 있다. 쇄골하동맥(subclavian artery)은

대체로 쇄골의 후방에 위치하고 있다. 이 동맥은 흉곽의 후방쪽 내부에서 나와, 처음에는 상방 외측으로 진행하다가, 제1늑골의 상부에서 구부러져 바깥쪽 아래로 내려오면서 액와동맥이 된다. 늑골의 상부를 지날 때 쇄골하동맥은 전사각근과 중간 사각근의 사이를 지나게 되며, 이후 쇄골의 중앙부와 견갑골 상변 사이를 통해 액와로 들어간다. 쇄골하정맥(subclavian vein)은 쇄골하동맥의 전방에 위치하며, 전사각근의 전방을 지난다(그림 2-3). 이 혈관들은 목의 후방 삼각의 최하부에서 제1늑골의 상부를 지나는 것만 부분적으로 관찰될 수 있다. 쇄골하혈관들은 쇄골의 골절에 대한 수술 시 손상 가능성이 있으므로 주의해야 하는데, 특히 쇄골하정맥이 쇄골하동맥에 비해 쇄골과의 거리가 더 가까우며, 내측 절반이 외측 절반에 비해 쇄골과의 거리가 가까우므로 쇄골 내측부(medial clavicle)의 수술 시에는 쇄골하혈관이 손상받지 않도록 주의해야 한다.[3]

2. 어깨의 골학(Osteology of the shoulder)

어깨를 구성하는 뼈는 흉강(thoracic cage), 견갑골(scapula), 쇄골(clavicle) 및 상완골(humerus)이다. 그러나 기능적으로 보았을 때 견갑골과 쇄골은 거의 동시성으로 움직

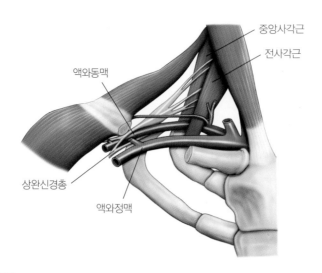

그림 2-3 상완신경총과 쇄골하혈관
상완신경총과 쇄골하혈관은 목의 후방 삼각(posterior triangle)의 하부를 지나는 가장 중요한 구조이다. 전방 변은 흉쇄유돌근(sternocleidomastoid muscle)의 후방 가장자리가 되며, 후방은 승모근의 전방 변으로 구성되고, 하변은 쇄골 상변의 중앙 1/3 정도로 경계지어지고 있다.

이며, 두 뼈 사이의 움직임은 거의 무시할 수 있을 정도이므로 하나로 움직이는 단위로 취급하여, 흉곽대(pectoral girdle) 혹은 견갑골-쇄골단위(scapuloclavicular unit)로 간주하기도 한다.

1) 견갑골(scapula)

견갑골은 날개뼈나 어깨뼈 또는 어깨 날(shoulder blade)이라고 부를 수 있으며, 역삼각형 모양의 납작한 편평골이다. 견갑골은 흉강의 후방 외측 상부에 위치하며, 대략 제2-7 늑골 사이에 위치하고 있다. 견갑골은 크게 체부(body)와 경부(neck) 및 관절와부(glenoid)로 나누어 볼 수 있다. 체부는 내변과 외변 및 상변의 세 변, 전방과 후방의 두 면, 그리고 부속돌기들로 구성되어 있다. 중립 위치에서 내변은 척추에 평행한 세로 수직선을 이룬다. 견갑골은 경사진 흉벽을 따라 위치하므로 흉부 방사선을 촬영하듯 정면으로 방사선을 조사하면 관절와가 겹쳐서 정확한 영상을 얻기 힘들다.

상변은 비교적 가로로 수평하게 바깥쪽을 향해 진행하나, 실제로는 약간 하방을 향하고 있어, 내변과 상변 사이의 각도는 70-80도 정도를 이룬다. 외변은 내변과 견갑골 가장 하방에서 만나고 있으며, 내변과 약 30-40도의 각도를 이루면서 바깥쪽 상부로 진행하여, 외변은 위로 올라갈수록 척추에서 멀어지게 된다. 내변과 외변은 하방에서 만나서 하각(inferior angle)을 형성하는데, 이 각은 대략 제6-7흉추와 같은 높이에 있다. 내변과 상변은 상각(superior angle)을 형성하며, 외변과 상변이 만나는 외각(lateral angle)에 관절와(glenoid)가 있다.

전면은 약간 오목한 견갑하와(subscapular fossa)로 되어 있고, 여기서 견갑하근이 시작된다. 후면은 견갑극(scapular spine)에 의해 극상와(supraspinatus fossa)와 극하와(infraspinatus fossa)로 나누어진다. 견갑극의 기시부는 내변의 상 1/3 지점의 후방에서 시작하여, 내변과 거의 90도를 이루면서 견갑골의 후면을 가로질러, 관절와에서 약간 떨어진 지점에까지 이른다. 여기서부터 가시 모양의 골성구조가 후방으로 튀어나오게 되며, 그 끝부분은 외측으로 돌출되면서 견봉(acromion)이 된다. 극상와에서는 극상근

(supraspinatus)이, 그리고 극하와에서는 극하근(infraspiantus)이 기시한다. 내변의 바깥쪽으로는 위에서부터 견갑거근(levator scapulae), 대능형근(rhomboid major) 및 소능형근(rhomboid minor)이 종지되며, 그 안쪽으로는 전방거근(serratus anterior)이 끝난다. 외변에서는 위로부터 소원근(teres minor)과 대원근(teres major)이 시작되며, 하각에 가까운 부위의 후방에서는 광배근(latissimus dorsi)의 일부가 기시된다.

관절와(glenoid)는 견갑골의 상변과 외변이 만나는 지점에 있으며, 상완골 두와 상완와관절(glenohumeral joint)을 이루는 오목한 부위이다. 성인에서의 관절와는 가로 2-2.5 cm, 세로 3.5-4 cm 정도의 타원 형태 또는 서양 배(pear) 형태이며, 위쪽이 아래쪽보다 약간 좁다. 따라서 관절와는 상완골 두의 극히 일부하고만 접촉하고 있어 근본적으로 불안정한 골성 구조를 가지고 있다. 정상 관절와의 관절면은 견갑골의 내변에 비해 약 5-10도 상방으로 향하고 있으며(inclination), 전방이나 후방경사(retroversion)는 거의 없는 상태에 있다. 관절와의 가장자리를 따라 관절와순(glenoid labrum)이 부착되는 부위가 융기되어 있는데, 관절와순은 최대 0.5 cm 정도의 반지 형태의 섬유연골이며, 상방과 하방은 두터운 편이고, 전후방의 것은 비교적 얇다. 이 관절와순은 골성 관절와의 길이를 75% 정도, 그리고 폭을 55% 정도 넓게 만들어, 와공동의 넓이를 170% 정도 더 넓게 하여 이 관절에 안정성을 높이는 데 매우 중요한 역할을 하고 있다. 관절와의 상단에는 상완이두근 장두가 시작되는 관절와상결절(supraglenoid tubercle)이, 하단에는 상완삼두근 장두(long head of triceps)가 기시되는 관절와하결절(infraglenoid tubercle)이 있다.

관절와를 견갑골 체부에 연결하면서, 이를 지탱하고 있는 부위는 견갑골의 경부(neck of scapula)라 하는데, 관절와에서 내측으로 1 cm 정도까지의 부위로서, 상완와관절의 관절막과 인대들이 부착되고 있다. 이 경부에서는 견갑극이 시작되지 않으며, 경부의 상방 내측 후방으로 견갑상신경(suprascapular nerve)과 혈관의 마지막 부분이 지나가고 있다. 경부가 시작되는 체부의 전방 상부와 상변에서는 새의 부리 또는 구부린 손가락같이 생긴 오구돌기(coracoid process)가 기시하는데, 이 돌기는 처음에는 전방으로 돌출하다가 외측으로 구부러지면서 끝난다. 이 돌기는 새끼손가락 정도의 굵기를 가지고 있으며, 그 구부러지는 부위에 소흉근과 오구쇄골인대(coracoclavicular ligament)가 붙고, 끝부분에서는 오구상완근과 상완이두근 단두가 시작된다. 오구돌기에는 3개의 중요한 인대가 부착되면서, 견관절의 안정성에 크게 기여하고 있다. 우선 오구상완인대(coraco-humeral ligament)는 오구돌기의 외측에서 시작하여, 상완골의 대결절 부위에 부착되어, 상완골 두의 수동적인 하방 전위를 어느 정도 방지한다. 오구견봉인대(coracoacromial ligament)는 오구돌기와 견봉을 연결하는 매우 강한 인대로, 상완골 두가 상방으로 밀려 올라가는 것을 막는 구조 중 하나이다. 오구쇄골인대는 오구돌기의 시작 부위와 쇄골의 외측 하방을 강하게 연결하는 인대로서, 내측은 원추인대(conoid ligament), 외측은 마름모꼴의 능형인대(trapezoid ligament)로 구성되어 있다. 이 인대들은 쇄골이 견봉의 상방과 전후방으로 빠지는 것을 방지하나, 견쇄관절에서 쇄골이 그 장축을 따라 축회전되거나 굴신되는 것은 가능하게 한다.

견갑극(scapular spine)은 견갑골의 후면을 가로로 진행하는 돌기인데, 내변과 약 90도를 이루면서 외측으로, 그리고 견갑면과도 약 90도를 이루면서 후방으로 돌출하고 있다. 그 피하면은 바깥쪽으로 갈수록 견갑골의 후면에서 멀어진다. 견갑극은 견갑골 내변의 상 1/3 부위에서 시작하여, 관절와에서 약 1 cm 내측이 되는 지점까지 존재하며, 이후 외측 및 상방으로 연장되면서 견봉(acromion)이 된다. 견봉은 어깨를 위쪽에서 덮기 위해 만들어진 구조로서, 어깨 정점의 내측으로 피하에서 만져지며, 그 전후 길이는 5-6 cm 정도이고, 내외측 넓이는 2.5-3 cm 정도에 이를 수 있다. 견봉은 견갑극의 외측 단이 연장되어 만들어진 부분으로, 처음에는 외측으로 진행하다가, 약 70-80도 전방으로 회전되면서, 상완골 두를 후방 및 상방에서 덮고 있게 된다. 견봉의 바깥 부위는 위아래로 납작하여 상면과 하면의 두 면을 가지게 되며, 내변과 전방변 및 외변을 가지게 된다. 견갑극과 견봉의 시작부는 어깨의 후방 피하에서 만져볼 수 있으며, 견봉은 어깨의 상방에서 촉지된다.

견봉의 길이는 한국을 비롯한 동아시아권의 인구에서 북미권의 인구보다 더 길다고 보고된 바 있다.[4] 견갑극의 상부와 견봉의 내측으로는 승모근이 종지되며, 견봉의 끝부분의 내측에 견쇄관절이 존재한다. 견갑극의 하방과 견봉의 외측에서는 삼각근이 시작된다.

태생기에 생기는 견갑골의 일차골화중심은 두 개로, 하나는 체부, 그리고 다른 하나는 견갑극에 생겨 서로 유합된다. 출생 후 내변과 관절와 그리고 오구돌기와 견봉 부위 등에 10개에 가까운 이차골화중심이 발생한다. 따라서 소아의 골절을 진단하기 위해서는 반드시 정상적인 반대쪽과 비교하여야 한다.

2) 쇄골(clavicle)

쇄골은 빗장뼈 또는 닫는 뼈라고도 부를 수 있다. 내측의 끝은 흉쇄관절(sternoclavicular joint)을 형성하여 흉골(sternum)의 상부와 연결되어 있고, 외측 끝은 견봉의 내측변의 앞쪽과 견쇄관절(acromioclavicular joint)을 형성하여 어깨의 끝을 연결하고 있다. 쇄골의 상부에 위치한 쇄골간인대(interclavicular ligament)는 양측 쇄골을 연결하여 안정성을 높이는 역할을 한다.[5]

쇄골의 단면은 내측은 원형이며, 외측은 납작한 형태를 하고 있으며, 쇄골의 내측은 전방으로 볼록하고, 외측은 후방으로 볼록하게 굽어져 있어, 위에서 보면 S자 모양을 하고 있다. 쇄골은 다른 장골(long bone)에 비해 해부학적 변이가 크다. 쇄골의 두께와 길이는 남성에서 여성에 비해 더 크고, 곡률(curvature)의 정도 또한 남성에서 더 큰 것으로 알려져 있다. 쇄골은 좌우측의 길이도 차이가 나는 것으로 보고된 바 있으며, 좌측의 쇄골이 우측에 비해서 더 길다.[6]

쇄골 내측부의 상방에는 흉쇄유돌근(sternocleidomas-toid)이 종지되어 있으며, 하방의 쇄골하구(subclavian groove)에서 쇄골하근(subclavius)이 기시한다. 쇄골 내측부의 전방에는 대흉근(pectoralis major)의 쇄골 두(clavicular head) 부분이 기시하고, 후방에는 흉설골근(sternohyoid)의 일부가 붙어있다. 쇄골 외측부의 전방으로는 삼각근(deltoid)이, 후방으로는 승모근(trapezius)이 부착되어 있다.

쇄골의 상변은 피하에 위치하여 잘 만져진다. 쇄골의 중앙 부위 아래쪽으로는 상지로 가는 액와혈관과 상완신경총이 지나가고 있다.

쇄골의 경우 장골로 분류가 되어있으나, 다른 장골들과는 달리 골수강(medullary cavity)을 통한 중심부의 영양동맥(central nutrient artery)을 통한 혈류공급이 존재하지 않는다. 쇄골은 골막(periosteum)을 통해 혈류공급을 받는 것으로 알려져 있으며, 견갑상동맥(suprascpular artery), 흉견봉동맥(thoracoacromial artery) 및 내흉동맥(internal thoracic artery)이 이에 관여하는 것으로 알려져 있다.[7]

쇄골은 하악골과 함께 태령 5주에 골화되기 시작한다. 쇄골은 처음에는 견봉과 제1늑골의 전방 사이에 위치한 밀집된 간엽세포(mesenchymal cell)로 구성된 띠 상태로 시작되어, 여기서 골이 직접 만들어지는 막내골화(intramembraneous ossification)에 의해 발생한다. 그러나 띠의 내측과 외측 끝부분은 일단 연골이 만들어진 다음 골로 변하는 연골내골화(enchondral ossification)에 의해 만들어진다. 따라서 쇄골의 길이 성장은 성장판의 세로 성장에 의하게 되는데, 내측에서 거의 대부분의 성장이 발생한다고 한다. 간엽세포로부터 직접 시작되는 일차 골화(primary ossification)는 외측과 내측 두 개의 일차골화중심(primary ossification center)에서 시작하는데, 생긴지 일주일 정도 후에 서로 융합된다. 이 합쳐지는 부위는 중앙 및 외측 1/3 부위의 연결 지점 정도이다. 이 합쳐진 중심이 내측 및 외측으로 자라서 골단 연골의 비후 지역(hypertrophic zone)에 이르게 되며, 이후 연골내골화로 길이가 성장된다. 이차골화중심(secondary ossification center)은 내측 및 외측에 각각 하나씩 생기게 되는데, 내측의 것은 18세경에 생겨 22-25세에 간부와 유합된다. 외측의 것은 발생하지 않는 경우도 있으며, 18-20세경에 발생하여 곧 유합되는데, 간혹 골절로 오인되는 경우가 있다. 쇄골두개이형성증(cleidocranial dysplasia)은 쇄골과 두개의 일차골화장애로 발생하며, 이 경우 쇄골은 전부 혹은 일부가 발생하지 않게 된다.[8]

3) 상완골(humerus)

상완골은 근위부, 간부 및 원위부로 세분될 수 있다. 근위부는 상완골 두(humeral head)와 대결절(greater tuberosity), 소결절(lesser tuberosity) 및 간부의 근위부로 구성되어 있다. 상완골 두와 결절 사이의 부분은 해부학적 경부(anatomical neck)라고 부른다. 상완골 두는 공의 1/3 정도를 잘라놓은 형태로서, 35-55 mm 정도의 크기를 가지고 있으며, 상방 내측을 향하고 있다. 이는 견갑골의 관절와강(glenoid cavity)과 접촉하면서, 상완와관절(glenohumeral joint) 즉, 협의의 어깨관절(shoulder joint)을 형성한다.

대결절(greater tuberosity)은 상완골 두의 외측과 후방 외측으로 위치한, 거칠면서 약간 튀어나온 부위이다. 대결절의 가장 근위에 위치하는 꼭대기에는 극상근(supraspinatus)이 끝나고, 그 후방으로는 극하근(infraspinatus) 그리고 그 하부에 소원근(teres minor)이 종지된다. 소결절(lesser tuberosity)은 두부의 전방 외측, 그리고 간부의 가장 근위부 전방에 위치하는 두드러진 부분으로, 견갑하근(subscapularis)의 종지부가 된다. 이 두 결절 사이에는 고랑이 존재하는데, 이를 결절간구(intertubercular groove) 또는 이두구(bicipital groove)라 부르며, 이 고랑의 표면은 횡상완인대(transverse humeral ligament)가 가로지르면서 터널을 형성하는데, 이 터널로는 상완이두근 장두(long head of biceps brachii)가 지나간다. 결절들과 간부 사이는 외과 경부(surgical neck)라고 칭해지는데, 이 부위는 액와혈관에 의해 둘러싸여 있으며, 액와신경(axillary nerve)은 그 바로 후방을 지나고 있다. 해부학적 경부 및 대결절, 소결절과 달리 외과 경부는 엄밀한 의미에서 해부학적 구조물로 구분할 수는 없으나, 임상적으로 근위 상완골의 골절이 발생할 경우 가장 호발하는 부위이므로 중요성이 높다.

간부는 근위부에서는 원통 구조를 하고 있으나, 중앙에서 아래로 내려갈수록 삼각형 모양이 되며, 주관절에 가까워지면 전후방으로 납작해진다. 간부는 세 개의 변(border)과 세 면(surface)을 가지고 있는 것으로 기술되고 있다. 세 변은 전방 변, 외측 변 및 내측 변으로 근위부에서는 구분이 불명확하나, 중앙 이하 원위부에서 보다 명확해진다. 전방 변(anterior border)은 대결절의 전방에서 시작하여,

13

간부의 전방을 따라 내려와, 구돌와(coronoid fossa)의 상부에서 끝난다. 내측 변은 소결절에서 시작하여, 원위로 올수록 보다 확실하게 두드러지며, 내측으로 심하게 돌출한 내측상과(medial epicondyle)가 되면서 끝난다.

내측 변의 중앙 부위에는 오구상완근(coracobrachialis)이 종지되는 약간 거친 면이 있으며, 내측상과에서는 손의 굴근-회내근 군(flexor-pronator group)이 공통적으로 시작하고 있다. 외측 변은 대결절의 후방에서 시작하여, 외측상과에서 끝난다. 외측 변의 중앙 부위에는 삼각근이 끝나는 역삼각형 모양의 튀어나온 거친 면이 있는데, 이를 삼각근 조면(deltoid tuberosity)이라 부른다. 외측 변의 원위 1/3 부위에서부터 아래쪽으로, 상완요골근(brachioradialis)과 장요측수근신근(extensor carpi radialis longus) 및 단요측수근신근(extensior carpi radialis brevis)이 차례로 시작되며, 외측상과에서는 전방에서 후방으로 공통수지신근(extensor digitorum communis)과 척측수근신근(extensor carpi ulnaris) 및 주근(anconeus)이 차례로 시작된다.

세 면은 각각 전방 내측면과 전방 외측면 및 후면으로 나눌 수 있는데, 전방의 면들에는 상완근(brachialis)이 시작된다. 후면은 내측과 외측 변 사이에 위치하고 있으며, 상완삼두근(triceps brachii)의 기시부가 된다. 후면의 중앙 1/3 부위에는 나선구(spiral groove)가 위치하는데, 근위 내측에서 원위 외측으로 진행하고 있는 비교적 넓고 얕은 고랑 형태의 구조이다. 이 부위에는 요골신경과 이를 동반하는 심부 상완혈관(deep brachial vessel)이 지나가고 있는데, 골과 요골신경은 골막과 지방층에 의해 분리되어 있다.

상완골의 원위단은 전체적으로는 앞뒤로 납작하며, 마치 콩알 모양의 낱알 두 개가 붙어있는 형태를 하고 있는데, 외측의 것은 외측과(lateral condyle), 그리고 내측의 것은 내측과(medial condyle)라고 한다. 원위부를 시상면으로 잘라보면 관절면을 이루기 위하여 원의 형태를 이루고 있다. 외측 관절면에 있는 공 모양의 융기는 상완골소두(capitulum)라고 하며, 요골 두와 관절을 이룬다. 소두의 전방 상부에는 요골와(radial fossa)가 있는데, 이는 주관절 굴곡 시 요골 두의 전방과 마주치는 부위이다. 내측 관절면은 실을 감는 실패 또는 도르래 같이 생겨, 활차(trochlea)라고

부른다.

여기에는 잘 구분된 두 개의 융기된 능선(crest)이 있고, 능선 사이에는 골짜기인 구(groove)가 있다. 또한 활차의 외측 능선과 소두 사이에도 다른 하나의 얕은 구가 만들어져 있다. 그리하여 활차의 외측 경계는 외측 능선에서 바깥쪽으로 만들어지는 얕은 구를 지난 다음, 소두로 연결된다. 내측 능선은 외측의 것보다 두껍고 원위 방향으로 튀어나와 있다. 활차 전방 상부에는 구돌와가 있고, 후방 상부에는 주두와(olecranon fossa)가 있는데, 두 와 사이는 얇은 골판으로 되어 있으나 때로는 구멍이 뚫려있는 경우도 있다. 구돌와는 완전 굴곡 시 척골의 구상돌기(coronoid process)와 접촉되며, 주두와는 완전 신전 시 주두(olecranon)의 끝부분과 마주 닿는다. 과의 양측은 내측과 외측으로 튀어나와 있어, 각각 내측상과(medial epicondyle) 및 외측상과(lateral epicondyle)라고 부른다. 이들은 근위부로 과상능선(supracondylar ridge)으로 연장된다. 내측상과는 외측상과보다 더 튀어나와 있으며, 내측측부인대(medial collateral ligament)와 회내전근 및 전완부의 공통 굴근이 기시하는 부위로, 그 후방에는 척골신경이 지나는 고랑 즉 척측구(ulnar groove)가 있다. 외측상과는 외측측부인대(lateral collateral ligament), 회외근과 공통 신근이 기시한다. 내측상과의 상방 5 cm 부근에, 길이는 2-20 mm이고, 전방 내측 하방으로 갈고리 모양으로 튀어나오는 과상돌기(supracondylar process)가 아주 드물게 발생할 수 있다. 이 돌기는 내상과와 섬유성 연결을 가지기도 하는데, 그러면 이를 과상인대(supracondylar ligament)라 부른다. 이 과상인대 밑으로 정중신경 및 상완동맥이 통과하여, 때때로 신경이나 혈관이 압박되는 원인이 되기도 한다.

상완골의 일차골화중심은 태생 8주경에 간부에 생긴다. 근위의 이차골화중심은 세 개가 생기는데, 출생 시 두부, 그리고 1세 이내에 대결절 및 소결절에 각각 하나씩 발생한다. 근위단의 세 이차 중심은 3-7세까지는 합쳐져서 하나의 골단을 형성한다. 이후 골단판의 모양은 내측 1/2 지점에서는 해부학적 경부를 따라 편평하게 진행하다가, 외측 1/2 지점에 이르면 바깥쪽 아래로 내려간다. 그리하여 전후면 방사선사진에서는 L자를 거꾸로 놓은 모양을 하고

있으며, 상완골의 골간부는 피라미드 같이 중앙부가 위쪽으로 돌출하고 있다. 이 이차골화중심은 17-20세경에 간부와 유합된다. 원위의 이차골화중심은 네 개가 발생하는데, 상완골소두는 2세, 활차는 10세, 내측상과는 5세, 그리고 외측상과는 12-13세에 생긴다. 16-17세경 외측상과와 상완골소두 및 활차가 유합되고, 내측상과는 18세경 유합이 이루어진다.

3. 어깨의 관절학(Arthrology of the shoulder)

상지의 관절은 어깨관절, 팔꿈치관절, 요척관절, 그리고 손목과 손가락을 이루는 관절들로 구성되어 있다. 어깨관절(shoulder joint)은 손에서부터 가장 멀리 떨어져 있으며, 손을 몸통으로부터 가장 멀리, 그리고 가장 넓은 범위로 이동시키는 관절이다. 어깨관절은 견갑골과 쇄골이 몸통과 만나서 만들어진 견갑쇄 단위 또는 광의의 견갑흉곽관절과 견갑골과 상완골 사이에서 만들어진 상완와관절로 구성되어 있다.

1) 견갑쇄 단위(scapuloclavicular unit)

견갑골과 쇄골은 거의 동시에 움직이며, 견쇄관절(acromioclavicular joint)에서 발생하는 두 골 사이의 움직임은 미미하다. 따라서 견갑골과 쇄골은 하나로 움직이는 단위로 보아서, 이를 견갑쇄 단위 또는 흉대(pectoral girdle)나 흉곽대 등으로 부를 수 있다. 이 관절은 견갑골과 늑골 사이에 만들어진 협의의 견갑흉곽관절(scapulothoracic joint), 흉골과 쇄골 사이에 있는 흉쇄관절(sternoclavicular joint), 그리고 쇄골과 견갑골 사이에 만들어진 견쇄관절(acromioclavicular joint)로 나누어 생각할 수 있다.

(1) 견갑흉곽관절(scapulothoracic joint)

협의의 견갑흉곽관절은 흉벽의 후상부와 견갑골의 내면 사이에 위치한 것으로, 어떤 의미에서는 관절이라고 생각하지 못할 수도 있다. 관절 사이의 간격은 근육과 섬유조직 및 지방조직으로 구성되어 있어, 일종의 섬유관절이라고 간주될 수 있으며, 넓은 운동범위를 가지고 있는 반면, 기

타 관절과 달리 골 구조물간 직접적인 연결이 없어 불안정한 구조를 가진다. 후상부의 흉벽은 그 상하 및 내외쪽으로 바깥쪽을 향하여 약간 볼록하다. 그리하여 흉벽에 대응되는 날개 뼈의 내측면은 약간 오목한 견갑하와(subscapular fossa)를 형성하고 있다. 이 두 뼈 사이에는 견갑하 오목에서 시작하는 견갑하근이 있으며, 견갑하근의 내부로 전방거근(serratus anterior)이 지나가고 있다. 견갑골은 전방거근과 소흉근에 의해 앞쪽으로 잡아당겨지며, 승모근과 능형근의 작용에 의해 후방으로 움직인다. 또한 승모근의 상부와 견갑거근에 의해 상방으로 잡아당겨지며, 소흉근과 승모근의 하부 및 팔의 무게 때문에 아래쪽으로 내려갈 수 있다. 어깨의 굴곡 시에는 견갑골의 하각이 전방으로 돌게 되는데, 이러한 동작은 전방거근의 하부에 의해 가능하다. 한편 승모근의 하부와 능형근이 수축하면 견갑하각은 후방으로 돌게 된다.

매우 불안정한 협의의 견갑흉곽관절에 안정성을 부여하기 위해서는 그 운동을 제한하고 조화하는 특수한 장치가 필요하다. 이에 견갑골은 쇄골을 통하여 흉골에 연결되어 있다. 견봉의 내측과 쇄골의 외측 단 사이에는 견쇄관절이 만들어져 있고, 쇄골의 내측단과 흉골 사이에는 흉쇄관절이 형성되어 있다. 한편 협의의 견갑흉곽관절을 관절로 보지 않고, 견갑골과 쇄골은 견쇄관절에서 거의 붙어 있다고 간주하면, 흉벽과 견갑골 사이에서 발생하는 움직임은 흉쇄관절의 운동으로 이해될 수도 있을 것이다. 그러면 견갑골은 쇄골을 따라서 움직이는 골로 생각될 수 있을 것이다.

(2) 흉쇄관절(sternoclavicular joint)

이 관절은 쇄골의 가장 내측에 있는 팽대부와, 흉골병(manubrium sterni)의 상방 외측에 비후된 부분 사이에 만들어진 아주 작은 관절로, 구형의 활액막 관절이다(그림 2-4). 이때 구는 쇄골의 내측 끝이며, 소켓은 흉골병 부위가 된다. 두 골의 관절면들은 서로 직접 접촉되고 있지는 않으며, 섬유연골인 관절원판(articular disc)에 의해 분리되어 있다. 따라서 관절막이 두 골과 관절원판을 연결하면서, 완전히 다른 두 개의 관절강(articular cavity)이 만들어져

있다. 관절의 안정성은 관절원판과 관절막 및 인대에 의해 얻어지고 있는데, 이들은 관절이 작은 것에 비해서는 매우 강하다. 관절막과 인대들은 각각 쇄골의 내측단을 흉골의 병 부위나 제1늑골의 내측단에 연결하고 있다. 쇄골과 흉골병 부위를 연결하는 것은 각각 전방 및 후방 흉쇄인대(anterior and posterior sternoclavicular ligament)라고 부르는데, 후방의 것이 훨씬 강하다. 쇄골간인대(interclavicular ligament)는 강한 섬유로서, 내측 쇄골단의 상방 및 약간 후방을 서로 연결하는 인대이다. 기타 제1늑골의 늑 연골(costal cartilage)의 상부와 쇄골의 내측단 하부 사이를 연결하는 강한 인대는 늑쇄인대(costoclavicular ligament)라고 부른다(그림 2-4).

이 관절은 몸통을 상지에 연결하는 유일한 관절로 간주될 수 있으며, 견갑골과 쇄골로 이루어진 흉곽대와 흉벽의 사이에서 발생하는 거의 모든 운동이 이곳에서 이루어지고 있다고 생각할 수도 있다. 그러나 상지에 주어지는 힘을 모두 소화하기에는 이 관절의 크기가 너무 작아서 흉벽과 넓은 접촉 면적을 가지고 있는 견갑골과 나눠서 힘을 부담하게 된다. 상지에서 올라오는 힘은 일단 상완와관절을 통해 견갑골로 전달되며, 이 힘의 대부분은 협의의 견갑흉곽관절에 의해 완충되고, 그 일부가 견쇄관절을 통해 쇄골에 주어진다고 볼 수 있다. 따라서 상지에 주어지는 힘의 1/3 이하만이 쇄골을 통해 흉쇄관절에 주어지고, 이것이 흉골로 전달된다고 보아 큰 무리는 없을 것이다.

흉쇄관절은 구형관절이기 때문에 여기서 직선운동은 발생하지 않고, 단지 세 종류의 회전운동만 일어나는 것이 가능하다. 즉, 쇄골의 내측 끝에 비해 외측 끝 위아래로 움직이는 동작, 전후방으로의 움직임, 그리고 쇄골의 장축을 따라 도는 축회전만이 있을 뿐이다. 그리고 이들 동작이 조합되어 나타나는 여러 가지 회전 조합(combination of rotation, circumduction)이 발생할 수 있다. 쇄골의 외측 단이 위로 올라가는 동작은 어깨의 외전에 해당되는데, 수평위치로부터 약 60-70도의 외전이 가능하다. 아래로 내려가는 내전은 수평위치까지만 가능하다. 쇄골의 외측단이 전방으로 움직이는 것은 어깨의 내회전 동작에 해당되며, 후방 움직임은 어깨의 외회전인데, 약 30-40도 정도의 움직임이 가능하다. 기타 쇄골의 축회전은 어깨의 굴신 동작에 해당되며, 약 30-40도 정도의 축회전이 가능하다고 한다. 견쇄관절에서는 각 방향으로 약 5-10도 정도의 움직임이 있는 것으로 이해되고 있다. 따라서 상술한 흉쇄관절의 움직임은 견쇄관절에 의해 약 10-20% 정도 증폭되므로, 흉골에 대한 견갑골의 운동은 위에 기재된 수치들보다는 더 커지게 될 것이다.

(3) 견쇄관절(acromioclavicular joint)(그림 2-5)

쇄골의 외측 단과 견봉의 내측 사이에 만들어진 비교적 작은 관절로서, 양쪽 면이 비교적 잘 맞아 있으나, 쇄골이 견봉의 위쪽으로 약간 돌출하고 있다. 이 관절은 평면구조를 가지고 있는 활액막관절이며, 중간에 불완전한 관절원판(articular disc)을 가지고 있는 경우가 많다.

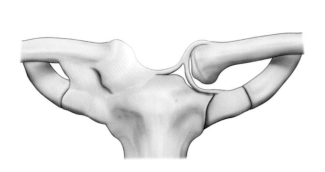

그림 2-4 흉쇄관절을 이어주는 인대 및 관절낭들

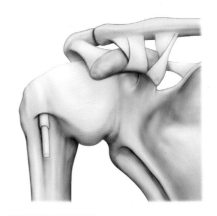

그림 2-5 상완와관절과 견쇄관절

관절원판은 둥글면서 중앙에 구멍이 있을 수도 있고, 윗부분에만 형성되어 있을 수도 있다. 관절피막은 비교적 느슨한 편이나, 관절의 위쪽에는 관절피막이 강화되어 있는데, 이 부분은 견봉쇄골인대(acromioclavicular ligament)라고 부른다. 견봉쇄골인대는 주로 견쇄관절의 수평방향의 안정성(horizontal stability)에 기여한다. 이들을 연결하는 가장 강한 인대는 쇄골 외측단의 하방과 오구의 기저부 상방 사이를 연결하고 있는데, 이를 오구쇄골인대(coracoclavicular ligament, 오훼쇄골인대)라고 칭한다. 오구쇄골인대는 원추인대(conoid ligament)와 능형인대(trapezoid ligament)의 두 부분으로 구분될 수 있다. 원추인대는 인대 중 후방 내측에 있는 원뿔 모양의 구조로서, 매우 강하며, 밑면은 오구돌기 기저부의 후내측에 있다. 능형인대는 전방 외측에 있으며, 마름모 모양으로 생겼다. 오구쇄골인대는 견쇄관절의 수직 방향의 안정성(vertical stability)에 기여한다.[9]

견쇄관절은 쇄골과 견갑골 사이의 운동을 약간 조화하기 위해 존재하는 것으로 생각되는 구조로서, 주위의 인대가 매우 강하여, 거의 무시할 만한 정도의 운동만이 일어나고 있다. 여기에서 가능한 운동은 세 종류의 직선운동과 세 종류의 회전운동이다. 직선운동은 견봉이 쇄골에 대해 약간 전후좌우 및 상하로 밀리는 평면 또는 활주운동(gliding motion)인데, 그 변위가 그리 많지는 않다. 회전운동은 쇄골에 대한 견봉의 외전과 내전, 굴곡과 신전 그리고 축회전이다.[10]

이상을 요약하면 다음과 같다. 쇄골과 견갑골은 견갑쇄골단위, 흉곽대나 흉대라는 하나의 골단위로 간주될 수 있는 것이다. 따라서 견갑흉곽관절과 흉쇄관절을 한 개의 관절로 간주하고, 견쇄관절은 두 골의 운동을 조화하는 관절로 보아서, 이들을 모두 넓은 의미의 견갑흉곽관절에 포함시킬 수도 있다. 그러나 흉쇄관절과 견쇄관절 및 견갑흉곽관절들은 독립시켜 따로 기술하는 것이 일반적이다.

2) 상완와관절(glenohumeral joint)

상완와관절은 협의의 어깨관절(shoulder joint)로 부르기도 하며, 견갑골의 관절와강(glenoid cavity)과 상완골 두가 접촉되면서 만들어진 활액막성 구형관절(ball-and-socket joint)이다. 이 구형관절에서 상완골 두가 구이며, 관절와는 소켓이다. 견갑골의 관절와는 약 2.5×3.5 cm 정도의 세로로 긴 서양배형 구조이며, 그 깊이는 매우 얕다. 관절와의 크기는 인종, 성별로 차이가 있으며, 한국을 비롯한 동아시아권에서 북미권에 비해 그 크기가 더 작다고 알려진 바 있다.[4] 관절와의 입구는 주로 외측을 향하고 있으며, 약간 상방으로 열려있는 경사를 가지고 있다. 관절와의 둘레에는 최대 0.5 cm 정도의 길이를 가지고 있는 관절와순(glenoid labrum)이 붙어 있어 관절의 넓이를 170% 정도 더 넓게 만들고 있으며, 깊이도 약간 증가시키고 있어 상완와관절의 안정성을 높이는 데 매우 중요한 역할을 하고 있다.

상완골 두부는 공의 1/3 정도를 잘라놓은 형태로, 그 직경은 3.5-5.5 cm 정도이다. 직경이 비교적 큰 공의 일부인 상완골 두는 얇고 오목하며, 크기가 작은 견갑골의 관절와강과 접촉하고 있다. 그런데 이들 관절면 사이의 접촉 면적의 비는 약 4:1로 작고 얕기 때문에, 매우 불안정하면서 운동범위가 매우 큰 관절을 이루게 된다.[11] 그리하여 환자를 마취시킨 상태에서 측방으로 잡아당겨 보면 관절면 사이가 2 cm 정도까지 떨어지게 할 수 있는 정도이며, 전후방 및 하방으로 많이 밀릴 정도로 매우 불안정한 상태에 있다. 따라서 많은 근육과 인대가 상완와관절 주변에 밀착되어 이 관절을 보호하고 있으며, 상방 안정성을 부여하기 위하여 견봉이 외측으로 많이 돌출되어 있다. 즉, 상완와관절의 안정성에는 관절의 피막인대(capsular ligament)와 주위의 근육 및 주변의 골성 구조가 관여하고 있다.

관절의 피막은 관절와의 경부에서 상완골의 해부학적 경부 사이를 연결하는 섬유성 구조로서, 매우 약하고, 그 내면은 얇은 층의 활액막에 의해 피복되고 있다. 이 중 두터운 부분은 피막인대라고 부르는데, 관절의 위쪽과 전방에는 비교적 잘 발달한 반면, 후방에는 별로 발달하지 않고 있다. 상완와관절의 피막과 인대는 대체로 상부에서는 견갑골의 경부에 부착되며, 상완골에서는 해부학적 경부에 부착된다. 관절의 상방에는 비교적 강한 오구상완인대(coracohumeral ligament)가 있는데, 이는 오구돌기의 외측에서 시작되고, 천층(superficial layer)은 견갑하근의 전면

(anterior surface)을 덮으며, 견갑하근과 이두근장두 사이로 진행하여 견갑하건의 종지부에 부착하고, 장두의 위쪽 후방에서 외측 하방으로 진행하면서 피막과 섞인 다음, 대결절의 정점에 부착된다.[12]

관절막 중 전방의 것은 비후되어 상부와 중앙 및 하부 관절와상완인대(glenohumeral ligament)를 형성한다(그림 2-6). 상부 관절와상완인대(superior glenohumeral ligament)는 관절와의 상부 내측, 즉 이두근 장두의 기시부 바로 윗부분과 오구돌기 사이에서 시작하여, 장두와 예각을 이루면서 전방 외측 그리고 하방으로 진행한 다음, 소결절의 상부에 붙는다. 중앙 관절와상완인대(middle glenohumeral ligament)는 관절와의 전방 변에서 시작하여, 견갑하근 위쪽 건성 부분의 아래에서 외측 하방으로 진행하여 소결절에 붙는다. 중앙 관절와상완인대의 경우 해부학적으로 변이가 크다.[13,14] Buford complex는 선천적으로 1-3시 사이의 전상방 관절와순이 결손되어 있으며, 중앙 관절와상완인대가 현(cord)처럼 두꺼워진 형태를 의미하는데 상부 관절와순의 파열로 오인하지 않도록 주의를 요한다.[15]

하부 관절와상완인대(inferior glenohumeral ligament)는 관절와의 전방 하부에서 시작하여, 상완골 경부의 하부에 붙는 약한 섬유이다. 이 이외에 두 개의 건들이 관절의 내부를 통과하거나, 또는 관절의 피막과 직접 섞이면서 이의 안정성에 직접 관여하고 있다. 첫째로 관절와의 직상부에

있는 관절와상결절(supraglenoid tubercle)에서 시작한 이두근 장두의 건은 관절 내부를 통과하여 결절간구로 들어가는데, 이 고랑 안에서의 건의 움직임을 제한하기 위하여, 구의 표면에는 강한 횡상완인대(transverse humeral ligament)가 가로지르고 있다.

또한 견갑하근의 건성 부분 중 가장 위쪽의 섬유는 관절 피막과 섞이면서 외측으로 진행하여, 소결절의 상부에 붙는다. 그리하여 정상적으로 상완와관절은 견갑하근 건의 상부를 따라 견갑하 점액낭(subscapular bursa)과 연결되고 있으며, 오구상완인대를 따라 오구하 점액낭(subcoracoid bursa)과 연결된다. 그러나 상술한 바와 같은 상완와관절의 형태나 관절막 및 인대에만 의해서는 이 관절의 충분한 안정성을 얻을 수 없다. 즉, 이러한 상태 하에서는 어깨의 마비성 질환에서 흔히 관찰되는 것과 같이, 어깨를 움직일 때 관절이 심하게 아탈구된다. 그리하여 마비성 견에서는 어깨의 적절한 사용이 불가능하게 되며, 또한 쉽게 손상이 발생할 수 있게 된다.

상술한 바와 같은 상완와관절의 골성 및 인대성 불안정성 때문에, 어깨를 사용할 때 상완골 두가 관절와에 잘 접촉한 상태를 유지하게 하기 위해서는 다른 안정화 방법이 필요하게 되는데, 그것이 회전근 개(rotator cuff)의 기능이다. 이 덮개 근육은 견갑하근과 극상근 및 극하근과 소원근으로 구성되어 있는데, 이들은 견갑골에서 시작하여 상

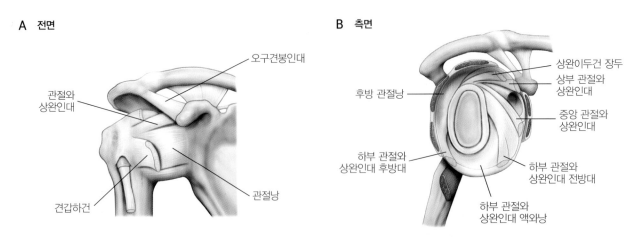

A 전면

오구견봉인대

관절와
상완인대

견갑하건

관절낭

B 측면

후방 관절낭

상완이두건 장두
상부 관절와
상완인대

중앙 관절와
상완인대

하부 관절와
상완인대 후방대

하부 관절와
상완인대 전방대

하부 관절와
상완인대 액와낭

그림 2-6 와상완관절의 관절막 중 전방의 것은 비후되어 상부와 중앙 및 하부 와상완인대를 형성한다.

완골의 해부학적 경부의 상방과 전후방에 부착되어 항상 어느 정도의 수축 상태를 유지함으로써, 상완골 두가 관절와에서 떨어져 나가지 못하도록 능동적으로 안정시키고 있다. 견갑하근은 소결절, 극상근은 대결절의 맨 꼭대기 부분, 극하근은 대결절의 후방 상부, 그리고 소원근은 대결절의 후방에 종지된다. 이러한 회전근 개 외에도, 이두근의 장두, 이두근의 단두 및 오구상완근, 삼두근은 각각 관절와의 직상방과 오구돌기의 끝 그리고 관절와의 직하방에 붙어 있으면서, 어깨가 움직일 때 필요한 정도로 수축하여, 관절와를 상완골 두 쪽으로 잡아당기는 역할을 하고 있다.

이에 상완골 두의 전후방 및 하방 불안정성은 관절의 모양과 관절인대 그리고 근육에 의해 안정된다. 그러나 상완골 두의 상방 이동은 이를 제어하는 적절한 인대와 근육이 없는 상태에 있는데, 이러한 안정성을 부여하는 것이 상완와관절보다 바깥쪽으로 돌출한 견봉과 오구견봉인대(coracoacromial ligament) 그리고 오구돌기다. 즉, 상완골 두가 상방과 후상방으로 이동하는 것은 견봉이 외측으로 튀어나와 있음으로써 수동적으로 억제되며, 전상방 불안정은 측방으로 돌출한 오구돌기와, 견봉의 전방과 오구의 끝을 연결하는 오구견봉인대에 의해 견제되고 있는 상태에 있는 것이다.

상완와관절을 움직이는 근육은 거의 대부분 두 겹으로 구성되어 있다. 한 겹은 상완골 두에서 비교적 멀리 떨어져서 종지되기 때문에, 강력한 운동을 일으키는 근육이다. 다른 한 겹의 근육은 관절 모서리에 붙어 있어, 그 근육의 기능 시 골 두가 관절와에서 떨어져 나가지 못하게 하는 역할을 하고 있다. 우선 외전은 주로 강력한 삼각근 기능에 의하며, 극상근의 보조를 받는다. 내전은 대흉근과 광배근의 기능이며, 기타 대원근과 오구상완근의 보조를 받는다. 굴곡은 대흉근의 쇄골 부위와 삼각근 전방 부위의 기능인데, 대흉근의 쇄골 부위는 특히 90도까지의 굴곡 시 주로 작동되며, 기타 오구상완근에 의해 보조를 받는다. 신전은 주로 삼각근 후방과 광배근의 기능이며, 기타 대원근의 보조를 받는다. 그러나 180도 굴곡된 상완골을 중립 위치까지 가져올 때는 대흉근 흉골부도 작용할 수 있다. 내회전은 광배근과 대원근의 작용인데, 견갑하근에 의해서도 도

움을 받는다. 외회전된 팔을 중립 위치까지 내회전시킬 때는 대흉근과 삼각근의 전방 부위도 작동될 수 있다. 외회전은 삼각근의 후방 부위에 의해 이루어지며, 기타 극하근과 소원근의 보조를 받는다.

4. 어깨의 근육학(Myology of the shoulder)

1) 어깨의 운동(movement of the shoulder)

어깨의 동작은 복잡하여 혼선을 일으키기 쉽고, 어깨를 형성하는 근육들의 기능을 기술하기 위해서는 어깨의 운동을 정의해 둘 필요가 있다. 정형외과에서는 어깨의 운동을 몸통에 대한 상완골의 움직임으로 정의하고 있다. 몸통의 축은 척추로 볼 수 있으며, 이에 실제 어깨의 움직임은 흉추에 대한 상완골의 이동 각도로 측정할 수 있을 것이다.

각도 측정의 기준은 서서 상지를 아래로 축 늘어뜨리고 엄지가 전방을 향하게 한 상태로서, 이를 해부학적 영도 위치(anatomical zero position) 혹은 중립 영도 위치(neutral zero position)라고 부른다. 이 기준 위치에서부터 팔을 전방으로 회전시키면 굴곡이며, 후방으로 움직이면 신전이라 한다. 팔이 외측으로 올라가면서 회전되면 외전, 몸통의 반대쪽을 향하여 회전되면 내전이라 부른다. 그리고 주관절을 90도 구부린 상태에서, 전완을 바깥쪽으로 돌리면 외회전이고, 안쪽으로 돌리면 내회전이다. 이러한 어깨의 운동은 약 60% 정도는 상완와관절(glenohumeral joint)에서 일어나고 있으며, 나머지 40% 정도는 견갑흉곽관절(scapulothoracic joint)에서 발생하고 있다. 상완와관절의 운동은 견갑골을 고정한 상태에서의 상완골의 움직임이며, 견갑흉곽운동은 상완와관절을 고정한 상태에서 흉추에 대한 견갑골의 움직임으로 정의할 수 있다.

이 관절들을 움직이는 견갑부 근육은 척추와 몸통에 견갑골과 쇄골을 연결시키는 근육과, 견갑골-쇄골단위에 상완골을 연결하여 상완와관절을 움직이게 하는 근육들, 그리고 몸통에 상완골을 연결하는 것의 세 종류로 구분할 수 있다(그림 2-7). 어깨의 근육들은 세 층을 형성하고 있는데, 승모근(trapezius)과 삼각근(deltoid) 그리고 광배근

(latissimus dorsi)과 대흉근(pectoralis major)은 표층을 형성하며, 나머지 근육은 중간층을 형성하고, 전방거근(serratus anterior)과 견갑하근(subscapularis)은 심층을 형성한다.

(1) 견갑쇄 단위를 몸통에 연결하는 근육(muscles connecting the scapuloclavicular unit to the body)

이 범주의 근육들은 신체의 몸통(body)을 형성하는 척추 및 흉벽을 견갑골 및 쇄골에 연결하는 역할을 한다. 견갑쇄 단위(scapuloclavicular unit)란 전술한 바와 같이 견갑골과 쇄골이 한 단위로 움직인다고 보아서 만들어진 명칭이다. 척추와 견갑골 및 쇄골을 연결하는 것들로는 승모근과 능형근(rhomboid) 및 견갑거근(levator scapulae)이 있으며, 견갑골과 쇄골을 흉벽에 연결시키는 근육으로는 전방거근과 쇄골하근(subclavius) 및 소흉근(pectoralis minor)이 있다. 이 근육들은 척추의 후방에서 시작하여 견갑골의 내변(능형근, 견갑거근)과 견봉-쇄골의 내측 상부(승모근)에 붙거나, 흉벽의 늑골에서 시작하여 견갑골의 내변(전방거근)과 쇄골의 하방(쇄골하근)에서 끝난다. 이 근육들은 견갑골-쇄골을 한 단위로하여, 이들을 머리쪽이나 꼬리쪽, 전방이나 후방, 시계침 방향이나 그 반대 방향으로 회전시키는 역할을 수행한다.

A 흉곽견갑 근육들

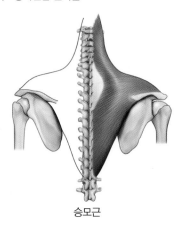
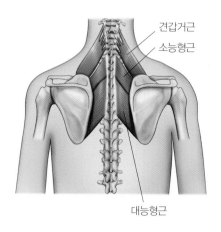
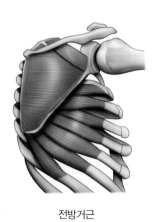

승모근

견갑거근
소능형근
대능형근

전방거근

B 와상완 근육들

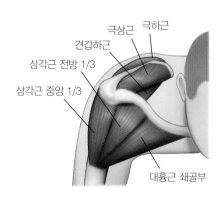

극상근
극하근
견갑하근
삼각근 전방 1/3
삼각근 중앙 1/3
대흉근 쇄골부

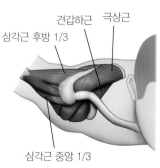

견갑하근
극상근
삼각근 후방 1/3
삼각근 중앙 1/3

C 흉곽상완 근육들

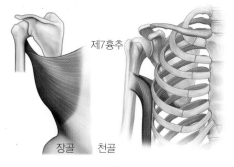

제7흉추
장골 천골
광배근

<u>그림 2-7</u> 어깨의 근육들은 견갑골과 쇄골을 척추와 몸통에 연결시키는 것과, 상완골과 견갑골-쇄골을 연결하여 와상완관절을 움직이는 것, 그리고 상완골을 몸통에 연결하는 것의 세 종류로 구분할 수 있다.

① 승모근(trapezius)

후두 및 경추와 흉추의 극돌기, 그리고 주변 인대성 조직에서 광범위하게 시작하여, 어깨의 정점을 향해 모여드는 피하에 존재하는 근육이다. 종지부는 쇄골의 외측 1/2의 후면, 견봉의 내변, 견갑극(scapular spine)의 상변과, 견갑극이 시작되는 삼각형 모양의 기저부이다. 승모근은 어깨의 후상방 및 목의 후방을 삼각형 모양으로 넓게 덮고 있다.

승모근은 견갑골을 안정화시키고 움직이는 역할을 한다. 상부의 근섬유는 견갑골의 외측 부위를 상방으로 올려 어깨를 외전시키고, 목을 신전시킨다. 중앙의 근섬유는 견갑골을 내측으로 당기고(retraction), 하부의 근섬유는 견갑부를 밑으로 끌어내려 어깨를 내전시키는 역할과 함께 상부의 근섬유가 팔을 들어올릴 때 견갑골이 움직이지 않도록 보조하고 어깨의 내회전에도 관여한다. 어깨의 신전 시에 승모근의 상부는 이완된 상태에서, 그 중앙부와 하부가 수축하여, 견갑골의 하부를 내측 후방으로 잡아당긴다.

이 근육은 11번 뇌신경(cranial nerve XI, CN XI)인 부신경(accessory nerve)의 지배를 받는다. 이 신경은 흉쇄유돌근의 머리쪽 심부를 지난 다음, 흉쇄유돌근의 후방 변의 중간 부위에서 이 근육을 떠나서 목의 후방 삼각(posterior triangle)으로 들어온다. 그 다음 이 신경은 후방 삼각의 전방 상부에서 후방 하부로 진행하여, 이 근육의 심부로 들어간다. 경부의 림프선 생검 시 부신경을 손상시켜, 이 근육이 마비되는 경우가 발생할 수 있다. 마비되면 견갑골을 내측 및 상방으로 당겨서 힘을 유지하는 승모근의 기능이 저하되고, 견갑골을 외측으로 당기는 전방거근, 대흉근 및 소흉근의 힘이 상대적으로 강해지면서 견갑골이 중앙선으로부터 멀리 떨어지면서, 그 골의 바깥쪽이 밑으로 쳐지는 외측 익상견갑(lateral scapular winging)이 초래된다. 또한 견갑부의 외회전이 불완전하게 된다. 승모근은 주로 경횡동맥(transverse cervical artery)으로부터 혈류공급을 받고, 상부는 견갑배동맥(dorsal scapular artery) 심부는 후늑간동맥(posterior intercostal artery)의 분지로부터 추가로 공급을 받는다.

② 능형근(rhomboid major & minor)

능형근은 승모근에 덮인 상태로, 그 심부에 위치하고 있다. 마름모 형태로, 대능형근(rhomboid major)과 소능형근(rhomboid minor)의 두 종류가 있는데, 대능형근은 소능형근의 하방에 위치하고 있다. 소능형근은 항인대(ligamentum nuchae), 제7경추(C7) 및 제1흉추(T1)의 극돌기에서, 대능형근은 제2-5흉추(T2-T5)의 극돌기에서 시작하고, 외측으로 진행하여, 견갑극 시작부보다 원위에 있는 견갑골 내측변의 후방에서 끝난다.[16] 이 근육은 견갑골을 척추 방향으로 잡아당겨 후퇴시켜, 쇄골을 후방 회전시키는 역할, 즉 어깨를 외회전시키는 기능을 가지고 있다. 또한 어깨의 신전 시에는 승모근의 중앙 이하 부분과 함께 작용하여, 견갑골의 하부를 내측 후방으로 잡아당겨, 어깨를 신전시키는 기능도 가지고 있다.

제5경추 신경근에서 나오는 견갑배신경(dorsal scapular nerve)의 지배를 받으며, 견갑배신경의 이상이 있을 경우 견갑골을 고정하는 힘이 저하되어 외측 익상견갑(lateral scapular winging)이 발생하게 되며, 잡아당기는 동작이나 투구 동작에서의 기능저하를 유발할 수 있다.[17,18] 견갑배동맥에서 혈류공급을 받으며 견갑배신경과 함께 능형근의 하부를 따라 주행한다.[19]

③ 견갑거근(levator scapulae)

제1-4경추(C1-C4)의 횡돌기에서 시작하여, 하방 및 측방으로 진행한 다음, 견갑골 내측변의 상방 각과 견갑극 기시부 사이에 붙는다.[20,21] 흉쇄유돌근과 승모근에 의해 덮여 있으며, 전방에는 사각근(scalenus)이 위치한다. 견갑골의 내측 변을 상방으로 올리므로, 견갑-쇄골단위를 위로 들어 올려, 결과적으로 어깨를 약간 외전시키는 역할을 한다.[22] 능형근과 함께 견갑배신경의 지배를 받으며, 경부신경총(cervical plexus)을 통해 제3-4경추 신경의 분지를 받을 수도 있다.[23] 견갑배동맥에서 혈류공급을 받는다.

④ 전방거근(serratus anterior)

흉벽과 견갑골의 사이에 위치한 근육으로, 상위 8-9늑골의 전방과 중앙 1/3이 이행되는 부위와 인접한 섬유성 조직에서 기시한다. 전방거근은 세 개의 무더기를 형성하면서 상방 그리고 후방으로 진행하여, 견갑골 내측 변의 안쪽에서 끝나는 부채 형태(fan-shape)의 근육이다. 상부(serratus anterior superior)는 제1-2늑골에서 시작하여 견갑골의 상방각 주위에, 중앙부(serratus anterior intermediate)는 제2-3늑골에서 시작하여 견갑골의 내측변을 따라, 하부(serratus anterior inferior)는 제4-9늑골에서 시작하여 견갑골의 하방각 주위에 부착한다.[24] 이 근육의 바깥쪽으로는 견갑하근(subscapularis)이 있으며 견갑하근하낭(subscapularis bursa, supraserratus bursa)에 의해 분리되어 있고, 심부의 늑골과는 견갑흉골하낭(scapulothoracic bursa, infraserratus bursa)에 의해 분리되어 있다. 가장 위쪽에 있는 근섬유들의 상부에는 액와혈관과 상완신경총의 시작부가 놓여 있다.

전방거근은 견갑골의 내측 변이 흉벽에 붙어있게 하는 역할을 하며, 전방거근의 상부는 중앙부가 견갑골의 내측 부위를 전방으로 당기거나, 하부가 견갑골의 내측 부위를 하방으로 잡아당길 경우 회전의 중심축으로서 작용한다.[25] 이는 결국 쇄골을 전방 및 하방으로 전위시키는 역할을 하며, 어깨 전체로 보았을 때는 내회전 및 내전 기능을 하게 된다.

장흉신경(long thoracic nerve)에 의해 지배되며, 이는 제5-7경추 신경근에서 시작하여, 추간공을 나오자마자 상완신경총과 쇄골하혈관의 후방을 경과하면서 하방으로 내려와, 늑골의 가장 외측 부위에서 전방거근의 바깥 면을 타고 지나게 된다. 장흉신경의 이상으로 전방거근이 마비되면 견갑골을 전방, 하방으로 잡아당기는 힘이 약해지고 내측으로 당기는 대, 소능형근 및 견갑골을 위로 당기는 승모근의 작용이 상대적으로 강해져서 견갑골의 내측 벽은 흉벽에서부터 떨어져 나와 새의 날개 모양이 되는데, 이를 내측 익상견갑(medial scapular winging)이라고 한다.[18] 이는 외측 익상견갑(lateral scapular winging)보다 비교적 흔하게 발생하는 것으로 알려져 있다. 또한 어깨의 완전한 굴곡이 어려워지며, 앞으로 나란히 한 동작에서부터 팔을 더 앞으로 뻗는 동작이 불가능해진다. 전방거근의 혈류는 부위에 따라 공급하는 혈관이 달라지는데 상부 1/2은 외측흉동맥(lateral thoracic artery), 최상흉동맥(superior thoracic artery)

으로부터, 하부 1/2은 흉배동맥(thoracodorsal artery)으로부터 공급받는다.

⑤ 쇄골하근(subclavius)

제1늑골의 전방 상변에서 시작하여, 상방 그리고 외측으로 진행하여, 쇄골 중앙부의 하면(subclavian groove)에 붙는 작은 근육이다(그림 2-4). 이 근육은 쇄골을 아래로 내리고 제1늑골을 위로 올리며, 견봉 쇄골 탈구 시에는 쇄골의 상방 전위를 줄여주는 역할을 할 것으로 생각된다. 또한 쇄골 골절 시 심부의 상완신경총 및 쇄골하혈관을 보호하는 역할을 한다. Erb 지점의 전방에서 나오는 쇄골하신경(subclavian nerve)의 지배를 받으며, 흉견봉동맥의 쇄골지(clavicular branch of thoracoacromial artery)로부터 혈류공급을 받는다.

⑥ 소흉근(pectoralis minor)

대흉근에 덮여 있으며, 제3-5늑골의 전방의 연골이행부(costochondral junction)에서 시작하여 상방, 외측으로 진행하여 오구돌기에 붙는 근육이다. 견갑골의 외측부를 전방 및 하방으로 잡아당기는 기능을 가지고 있어, 쇄골을 하방 및 전방으로 회전시켜, 어깨를 내전 및 굴곡시키는 기능을 갖게 된다. 따라서 주로 어깨를 내전시키는 기능을 하고 있으며, 기타 굴곡 및 내회전 기능도 약간 가지고 있다. 내측 현에서 나오는 내측흉신경(medial pectoral nerve)의 지배를 받는다. 흉견봉동맥의 흉근지(pectoral branch of thoracoacromial artery)로부터 혈류공급을 받으며, 이 근육의 후방에는 상완신경총의 현부(cord)와 분지(branch)들의 시작 부위 및 액와혈관의 제3구역이 있다.

(2) 견갑쇄 단위와 상완골을 연결하는 근육(muscles connecting the humerus to the scapuloclavicular unit)

이 범주의 근육들은 상완와관절운동에 관여하며, 시작부는 표층과 심층의 두 층을 이룬다. 표층 근육으로는 대흉근과 삼각근 및 광배근이 있으며, 나머지는 심층에 속한다. 종지부는 표층에서 시작한 것은 대개 상완골의 근위 1/4-1/3 부위에 붙으며, 심부의 것은 대결절과 소결절의 관절 가까운 부위에 부착된다. 대부분 견갑골이나 쇄골에서 시작하나, 대흉근이나 광배근의 일부는 몸통에서 시작되기도 한다. 이 근육들은 구형관절의 특성인 세 종류의 회전, 즉 상완와관절의 내전-외전, 굴곡-신전, 내회전-외회전을 시키는 역할을 수행한다.

상완이두근과 오구상완근 그리고 삼두근의 장두는 그 기시부가 상완와관절의 바로 근위에 있으므로, 상완와관절의 기능에 작용할 것은 분명하다. 이 중 이두근과 삼두근의 주요 기능은 각각 주관절을 굴곡 그리고 신전시키는 것이다. 그리고 파열되어도 어깨의 기능이 크게 감소하지 않는 것을 보면 상완와관절에 대한 중요한 기능은 가지고 있지 않은 것 같다. 그러나 이 근육들은 상완와관절의 수동적 안정성에 기여하는 것으로 생각되며, 주관절을 고정한 상태에서는 이두근은 외전, 삼두근은 내전기능을 어느 정도 가지고 있을 것이다. 더구나 팔을 뻗고 거꾸로 서기를 한 경우에는 이 근육들의 기능이 매우 중요할 것이다.

① 대흉근(pectoralis major)

가슴과 액와부를 전방에서 덮고 있으며, 내측이 매우 넓고 외측 종지부로 좁게 줄어든 부채 모양의 근육이다. 대흉근의 섬유는 상완의 근위 1/5 지점을 향하여 모여드는데, 오구돌기의 하방 원위부 근처에서 건성조직으로 변한 다음, 오구상완근과 이두근 단두의 표층, 그리고 삼각근의 심부를 지나, 결절간구의 외측 순(lateral lip)에 붙는다. 이때 가장 근위부에서 시작한 섬유가 가장 표층을 지나 가장 원위부에 붙고, 가장 원위부에서 시작한 근육은 가장 심층을 지나 가장 근위부에 종지된다. 대흉근은 크게 쇄골부(clavicular portion)와 흉골부(sternal portion)로 나누어 생각할 수 있는데, 두 부위는 기능과 신경지배가 각각 다르다.

쇄골부는 쇄골의 내측 2/3의 하변에서 시작하여, 외측 그리고 약간 하방으로 주행한다. 쇄골 부분은 견갑-쇄골단위와 상완골을 연결하고 있으며, 상완신경총의 외측 현에서 나오는 외측흉신경(lateral pectoral nerve)의 지배를 받는다. 쇄골부는 상완골을 굴곡시키는 역할을 한다.

흉골부는 흉골의 병부(manubrium)와 체부, 상위 6-7개 늑골의 연골부, 그리고 복부의 외부 사형근(external oblique muscle)의 건막에서 시작한다. 흉골부는 몸통과 상완골을 연결하는 근육으로, 상완신경총의 내측 현에서 시작하여 소흉근을 뚫고 나오는 내측흉신경(medial pectoral nerve)의 지배를 받는다. 흉골부는 상완골의 내전, 신전 및 내회전에 관여한다.

흉견봉동맥의 흉근지로부터 혈류를 공급받으며, 이 근육이 선천적으로 소실되면서 손에 기형이 동반되면 폴랜드 증후군(Poland's syndrome)이라고 부른다.

② 삼각근(deltoid)

어깨의 외측 표층에 있으며, 어깨의 둥근 모양을 만들어 내는 역삼각형 모양의 근육이다. 쇄골의 외측 1/3의 전방 변과, 견봉의 외측, 그리고 견갑극의 하변 전체에서 시작한다. 이 근육의 섬유는 상완골의 근위 1/3 부위의 외측을 향해 모여들어, 삼각 결절(deltoid tuberosity)에서 종지된다. 상완골의 강력한 외전 기능을 가지고 있으나, 0-15도 사이에서는 역할을 하지 못하고 15도를 넘어야 기능을 하게 된다.

삼각근은 크게 세 부분으로 나눌 수 있으며, 팔의 외전 시에는 세 부분이 모두 수축을 하게 되나 전방부 및 후방부는 주로 외전 과정 중 팔을 안정시키는 역할을 하게 되고, 중앙부의 근섬유가 주로 팔을 15도부터 100도까지 들어올리는 역할을 한다. 전방부는 상완골의 굴곡 및 약한 내회전 기능도 가지고 있으며 보행 시 대흉근과 함께 팔을 굴곡시킨다. 후방부는 신전 및 약한 외회전 기능도 함유하고 있으며 보행 시 광배근과 함께 팔을 신전시킨다.[26] 또한 팔을 내전한 상태에서 무거운 물건을 들 때 상완골의 하방 전위를 막는 역할을 수행한다.

액와신경(axillary nerve)은 후방 현에서 시작하여 후방으로 진행하며, 대원근과 소원근 그리고 삼두근의 장두와 상완골 경부의 내측으로 경계되는 사각공간(quadriangular space)을 통하여 후방으로 나오는데, 후방상완선회혈관(posterior humeral circumflex vessel)과 동반된다. 그 다음 소원근으로 가는 가지와 피부 분지를 내고, 270도 꺾여서 앞으로 진행하여, 삼각근의 내면을 지나면서 이 근육을 지배한다. 이때 신경은 견봉의 약 5 cm 하방을 지난다. 흉견봉동맥에서 주로 혈류공급을 받으며, 후상완회선동맥

(posterior circumflex humeral artery) 및 상완심동맥(deep brachial artery)으로부터 일부 공급을 받는다. 삼각근에 혈류를 공급하는 후상완회선동맥의 분지는 삼각근과 근위상완골의 사이를 주행하므로 견관절의 전방접근법(anterior approach, deltopectoral approach) 시 손상될 가능성이 있다.[27]

③ 광배근(latissimus dorsi)

하위 6개 흉추와 요추의 극돌기 및 이와 인접한 인대성 조직과, 하위 3-4늑골의 후방, 그리고 장골능선(iliac crest)의 후방에서 시작하는 매우 넓은 기시부를 가지고 있다. 종지부를 향하여 진행하는 동안 견갑골의 하방 각 표층을 지나게 되는데, 여기에서 시작되는 적은 부분도 있다. 흉추에서 시작하는 부위는 승모근에 덮여 있다. 요추와 장골능선에서 시작하는 부위는 건막성 구조를 이루고 있는데, 이 부분은 요천추 근막(lumbosacral fascia)의 일부로 알려져 있다.

이 근육은 상완골 근위부의 전방을 향해 모이면서 진행하는데, 견갑골의 후방 외측에서는 대원근의 밑에 있다가, 대원근의 하변을 축으로 180도 회전하여, 상완와관절 부위에 도달하면 원형근의 상부에 위치하게 된다. 종지부는 상완 근위부의 결절간구(intertubercular groove)의 내측에, 대

흉근의 바로 아랫부분에 만들어진다. 종지부 가까운 부위에서 이 근육의 전방에는 액와혈관과 상완신경총이 있으며, 후방에는 삼두근의 장두가 있다. 광배근은 대원근, 대흉근과 함께 상완골을 내전 및 내회전시키고, 대원근, 대흉근 흉골부와 함께 신전을 시킨다. 그 외에도 견갑골을 밑으로 잡아당기는 역할도 하고 있어, 상완골을 몸통에 연결하는 근육의 역할도 같이 하게 된다.

상완신경총의 후방 현에서 나오는 흉배신경(thoracodorsal nerve)의 지배를 받고, 주로 흉배동맥(thoracodorsal artery)으로부터 혈류공급을 받으나, 하부 3개의 후늑간동맥 및 상부 3개의 요동맥(lumbar artery)의 배측관통가지(dorsal perforating brach)에서도 일부 공급을 받는다.

④ 회전근 개(rotator cuffs)

회전근 개는 견갑하근, 극상근, 극하근, 소원근으로 구성되어, 상완와관절의 상방과 전후면을 직접 둘러싸고 있어, 근육으로 구성된 덮개를 형성하고 있기 때문에, 회전근 개(rotator cuff)라고 칭해진다(그림 2-8). 견갑하근만 상완골의 소결절에 부착되어 있으며, 나머지 3개의 근육은 대결절에 부착되어 있다. 회전근 개는 그 단면적이 그리 크지는 못하며, 강력한 작용을 하는 근육은 아니다. 그러나

A **후면**

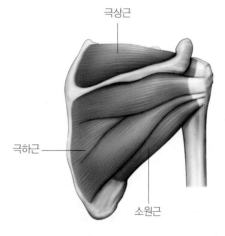

B **측면**

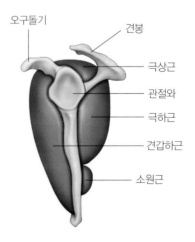

그림 2-8 극상근과 극하근 그리고 소원근과 견갑하근은 와상완관절의 상방과 전후면을 직접 둘러싸고 있어, 근육으로 구성된 와상완관절의 덮개를 형성하고 있기 때문에, 회전근 개(rotator cuff)라고 칭해진다.

상완와관절의 동작 시 상완골 두가 관절와로부터 떨어져 나가지 못하게 하는 중요한 기능을 가지고 있다. 어깨 표층의 근육들은 상당히 넓은 단면적을 가지고 있으면서, 그 지렛대의 팔이 길기 때문에, 강력한 힘을 발휘하는 근육이다. 그러나 강력한 효과를 나타내기 위해서는 해부학 및 생역학적으로 불안정한 상완와관절이 회전근 개에 의해 안정화되어야 하며, 회전근 개의 이상이 있을 경우 정상적인 어깨의 움직임이 불가능할 수 있다.

A. 견갑하근(subscapularis)

이 근육은 액와의 후면을 형성하는 근육으로, 견갑골의 전면에서 시작하며, 외측으로 진행하여 소결절에서 끝난다. 회전근 개 중 가장 크기가 크고 힘이 강하다. 타 회전근 개와 달리 소결절에 부착되어 있어, 회전근 개 중 유일한 상완골의 내회전근이며, 상완골의 전방 탈구를 막는 역할을 한다.[28] 후방 현에서 나온 견갑하신경(subscapular nerve)의 지배를 받고, 액와동맥의 분지인 견갑하동맥(subscapular artery)으로부터 혈류공급을 받는다.

B. 극상근(supraspinatus)

견갑골의 후면 극상와에서 시작하며, 외측으로 진행하여, 대결절의 가장 상부에 넓게 붙는다. 극상근은 전방 근복(anterior muscle belly)과 후방 근복(posterior muscle belly)이 융합된 구조로 되어있으며, 전방 근복의 건(tendon)은 후방 근복에 비해서 더 두껍고 둥근 형태를 보이며, 후방 근복의 건은 얇고 넓게 상완골 대결절에 부착한다.[29] 전방 근복의 건 섬유는 이중 구조로 짜여진 반면(double-layered interwoven pattern), 후방 근복의 건 섬유는 얇고 넓게 분산(thin, dispersed fibers)되어 있다. 이러한 조직학적 차이로 인해 전방 근복의 건 섬유가 후방 근복에 비해 더 강한 힘을 견딜 수 있다.[29,30] 극상건의 힘줄은 조직학적으로 고유건(tendon proper), 섬유연골 부착부(attachment fibrocartilage), 회전근 개 선(rotator cable) 및 관절낭(capsule)으로 나뉠 수 있으며, 회전근 개 선은 오구상완인대(coracohumeral ligament)가 고유건에 수직으로 연장된 것으로 추정된다.[30] 삼각근과 함께 상완골의 외전근으로 작용하며, 외

회전에도 일부 관여한다. 다른 회전근 개와 함께 불안정한 상완와관절을 안정화시키는 역할을 하며, 상완골 두의 하방전위를 제한한다. 견갑상신경의 지배를 받고, 견갑상동맥(suprascapular artery)과 견갑배동맥으로부터 혈류를 공급받는다.

C. 극하근(infraspinatus)

극하와에서 시작하여, 극상근보다 하방, 소원근보다는 상방의 대결절에 붙는다. 견갑하근에 이어 두 번째로 큰 회전근 개로, 소원근 및 대원근과는 근막(infraspinous fascia)으로 분리되어 있다.[31] 소원근과 함께 상완골의 외회전에 관여하고, 다른 회전근 개와 함께 불안정한 상완와관절을 안정화시키는 역할을 한다. 견갑골 경부의 위쪽을 지나온 견갑상신경의 마지막 분지에 의해 지배를 받고, 견갑상동맥과 견갑회선동맥(circumflex scapular artery)으로부터 혈류공급을 받는다.

D. 소원근(teres minor)

이 근육은 견갑골 외변의 중앙 1/3 부위에서 시작하며, 외측 상방으로 진행하여, 대결절의 최하방에 붙는다. 이 근육은 극하근과 더불어 상완골의 외회전 기능을 하며, 액와신경의 지배를 받고, 견갑하동맥과 견갑회선동맥으로부터 혈류를 공급받는다.

⑤ 대원근(teres major)

견갑골 외변과 인접한 후면의 하 1/3 부위에서 시작하여, 소원근 하부를 주행한다. 견갑골의 하방에서 삼두근장두는 대-소원근의 사이를 지난다. 소원근과 나뉜 다음, 대원근은 액와의 전방으로 나와서, 광배근의 건과 합해진 다음, 결절간구의 내측에 붙는다. 이때 광배근은 대원근의 하방을 돌아 전방으로 나오게 되며, 광배근이 상방에 대원근이 하방에 종지하게 된다. 상완골의 내회전 근육으로 주로 작용하며, 내전과 신전 기능도 가지고 있다.[32] 흉배신경(thoracodorsal nerve) 및 하견갑하신경(lower subscapular nerve)의 지배를 받고, 견갑하동맥의 분지인 흉배동맥 혹은 견갑회선동맥으로부터 혈류를 받는다.[33]

⑥ 오구상완근(coracobrachialis)

오구돌기에서 상완이두근 단두(short head of the biceps brachii)와 함께 시작하여, 상완골 중간의 내측 변에 종지된다. 이 근육은 상완의 굴곡 및 내전 기능을 하며, 근피신경의 지배를 받는다. 근피신경은 외측 현에서 나온 다음, 견봉 끝의 약 5 cm 하방에서 이 근육으로 가는 분지를 내며, 약 5-10 cm 지점에서 이 근육을 뚫고 외측 하방으로 진행하여, 상완이두근과 상완근을 지배한다. 상완동맥(brachial artery)으로부터 혈류공급을 받는다.

⑦ 상완이두근(biceps brachii)

두 개의 머리를 가지고 있어 상완이두근 혹은 이두박근이라고 불리며, 상완이두근 장두(long head of biceps brahcii)는 관절와의 상방에 있는 관절와상결절(supraglenoid tubercle)에서 시작하여, 상완와관절의 속을 통과한 다음, 결절간구를 지나 상완이두근 단두(short head of biceps brachii)와 합해진다. 단두는 오구돌기의 끝에서 오구상완근과 함께 시작하는데, 이때 단두는 오구상완근의 외측에 있다. 두 머리는 상완의 상 1/3 부위에서 합쳐져 하방으로 진행하여, 근위 요척골 사이를 통과한 다음, 근위 요골의 후면에 있는 요골 조면(radial tuberosity)에 붙는다.

이 근육의 일부 종지부는 전완의 근위부 전방에서 두꺼운 건막성 막을 만들면서 내측으로 진행하여, 전완 근위부 내측의 심부 근막에 붙는데, 이를 이두건막(bicipital aponeurosis) 또는 섬유건막(lacertus fibrosus)이라고 부른다. 팔에서 이 근육은 상완근의 전방에 위치하고 있으며, 그 내측으로는 상완혈관과 정중신경이 주행하고 있다. 전완부의 강한 회외근으로 작용하며, 상대적으로 약한 주관절의 굴곡근이다.[34] 그 회외 기능은 주관절이 90도 굴곡한 위치에서부터 더 펴진 상태에서 매우 강력하다. 근피신경의 지배를 받고, 상완동맥으로부터 혈류공급을 받는다.

상완이두근 장두건(long head of biceps brachii tendon, LHBT)은 상완와관절의 관절강의 상부에서 시작하여 결절간구를 통해 상완골을 통과하여 하방으로 진행하기에 불안정한 상완와관절의 동적 안정성(dynamic stability)에 관여할 것으로 생각되나 이에 대해서는 이견이 있다.[35,36] 상완이두근 장두건은 또한 전방 어깨 통증의 주요한 병인으로 추정되며, 이는 근위 1/3에서 교감신경계가 넓게 분포된 것과 연관이 있는 것으로 보인다.[37,38]

⑧ 상완삼두근(triceps brachii)

상완의 후방을 다 차지하고 있으며, 세 개의 머리를 가지고 있다. 장두(long head)는 관절와하결절(infraglenoid tubercle)에서 시작하여, 대소원근의 종지부 사이를 지나, 아래로 내려온다. 외측두(lateral head)는 요골신경이 지나는 나선구(spiral groove)의 외측 상방에서 시작한다. 그리고 내측두(medial head)는 나선구의 내측 하방에서 시작하며, 많은 부분이 장두에 덮여 있다. 상완 근위에서 한 개의 근육을 이룬 다음, 아래로 내려와 주두(olecranon)의 근위 정점 부분에서 끝난다.

이 근육은 주관절의 강력한 신전근이며, 장두의 경우 상완와관절과 연결되어 있어 어깨의 신전 및 내전에 관여하고 상완와관절의 동적 안정성에 기여한다. 그러나 외측두와 내측두는 견갑골에 부착되어 있지 않으므로 어깨의 움직임과는 연관이 없다. 상완삼두근은 상완 근위부의 후방에서 요골신경의 지배를 받게 되는데, 각 머리로 가는 분지는 따로 나오고 있다. 후방 현의 마지막 분지인 요골신경은 나선구로 들어가기 전에 장두로 가는 분지를 내며, 나선구의 근위부에서 나머지 삼두근으로 가는 분지를 낸다. 이 신경은 상완골의 하 1/3 부위에서 외측 근간 격막을 뚫고 전방으로 나와, 상완요근과 상완근 사이를 주행하게 된다. 상완심동맥에서 혈류를 공급받는다.

(3) 상완골을 몸통에 연결하는 근육
(muscles connecting the humerus to the body)

이 부류에 속하는 것으로는 대흉근의 흉골부분과 광배근의 대부분이 있다. 이 근육들은 상완와관절과 견갑흉곽관절을 함께 움직이는 작용을 가지고 있다. 각 근육에 대한 설명은 전술한 바 있으므로 생략한다.

5. 말초신경학(Peripheral neurology)

상지의 신경들은 거의 대부분 제5경추 신경근(C5)에서 제1흉추 신경근(T1)까지의 다섯 개 신경근에서 시작된 상완신경총에서 시작된다. 그러나 몇 개의 다른 신경에 의해서 지배를 받는 부위도 있다. 우선 부신경(accessory nerve, spinal accessory nerve)은 흉쇄유돌근(sternocleidomastoid)과 승모근(trapezius)을 지배하고 있다. 경부신경총(cervical plexus)의 분지인 여러 가닥의 쇄골상신경(supraclavicular nerve)은 흉쇄유돌근의 후방 중앙보다 약간 하부에서 나와, 어깨의 끝을 향해 주행하면서 어깨 상부 및 그 근위의 감각을 지배한다. 제2흉추 신경(T2)의 분지인 늑간상완신경(intercostobrachial nerve)은 상완부의 내측에 분포하고 있다.

말초신경 손상의 약 80%는 상지에서 발생하는 것으로 보고되어 있다. 상지에서는 상완신경총, 요골신경(radial nerve), 척골신경(ulnar nerve), 정중신경(median nerve)의 손상이 비교적 흔한 편이다. 단일 신경의 손상 중에는 손상이 되더라도 기능의 상실이 그리 심각하지 않은 것들이 있다. 이들은 횡격막을 지배하는 횡격막신경(phrenic nerve), 견갑거근(levator scapulae)으로 가는 신경, 능형근을 지배하는 견갑배신경(dorsal scapular nerve), 쇄골하근(subclavius)으로 가는 신경, 대흉근 및 소흉근을 부분적으로 지배하는 내측 및 외측흉신경(medial and lateral pectoral nerve), 견갑하근이나 대원근으로 가는 상-하견갑하신경(upper and lower subscapular nerve), 광배근으로 가는 흉배신경(thoracodorsal nerve) 및 순수한 피부신경 등이다. 한편 단독으로 손상되더라도 그 기능장애가 비교적 심각한 신경들도 있다. 이들은 부신경(accessory nerve), 장흉신경(long thoracic nerve), 견갑상신경(suprascapular nerve), 액와신경(axillary nerve), 근피신경(musculocutaneous nerve), 정중신경(median nerve), 척골신경(ulnar nerve) 및 요골신경(radial nerve) 등이다.

1) 상완신경총 이외에서 시작되는 상지의 신경 (nerves of upper extremity not originating from the brachial plexus)

(1) 부신경(accessory nerve)

제11번 뇌신경(cranial nerve XI, CN XI)으로 척추 부신경(spinal accessory nerve)이라고도 부른다. 경정맥공(jugular foramen)을 나온 다음, 부신경은 하악골각(angle of mandible)의 후방에서 흉쇄유돌근(sternocleidomastoid muscle)의 심부로 들어간다. 이 근육의 후방 변의 중앙보다 약간 위쪽에서 목의 후방 삼각(posterior triangle)으로 들어가서 피하에 위치하게 된다. 그 후 후하방으로 진행하여 승모근(trapezius) 근위 연의 중앙부에서 이 근육의 깊은 곳으로 들어가며, 이후 견갑골의 내측 연보다 약간 내측으로 주행한다. 이 신경은 흉쇄유돌기근과 승모근을 지배한다. 부신경의 손상은 이 신경이 피하에 있게 되는 목의 후방 삼각 부위에서, 림프선이나 종양을 절제할 때 손상되는 일이 흔한데, 이때에는 승모근만이 마비된다. 가끔 목 주위의 관통창이나, 깊은 열창 시에도 손상을 받을 수 있다. 승모근이 마비되면 어깨는 아래로 떨어지고, 견갑골은 외측과 하방으로 전위되어, 가벼운 익상견갑(winging scapula)이 발생한다. 견갑골의 고정 효과도 감소되어, 견관절을 90도 이상 외전시키는 것이나 굴곡시키는 것이 어렵게 된다.

(2) 경부신경총(cervical plexus)

제1-4경추 신경근에 의해 형성되며, 흉쇄유돌근과 중앙 사각근(scalenus medius, middle scalen) 사이에 위치하고 있다. 여기에서 표층 신경과 심층 신경이 나오는데, 표층 신경은 감각신경이며, 흉쇄유돌근의 중앙 1/2 부위에서 그 후방으로 나와서, 심부 근막을 뚫고, 귀나 머리쪽으로 가는 것, 목을 가로질러 가는 것, 그리고 몇 가지의 쇄골상신경 등이 있다. 심층 신경은 목의 근육들을 지배하는 운동신경이 주를 이루고 있으며, 이 중 어깨와 관련이 있는 것으로는 견갑거근(levator scapulae)이나 사각근들로 가는 분지들이 있다. 횡격막신경은 경부신경총의 분지로 처리할 수도 있고, 독립적인 신경으로 취급할 수도 있다.

(3) 횡격막신경(phrenic nerve)

주로 제4경추 신경근에 의해 시작되며, 그 외에 제3, 제5 경추 신경근의 신경섬유를 받는다. 이후 상완신경총과 전 사각근의 전방, 그리고 척추전 근막(prevertebral fascia)의 후방에서, 아래로 내려오면서 전사각근(scalenus anticus, anterior scalene)을 외측에서 내측으로 가로지른다. 목의 뿌리부에 이르면 이 근육의 내측에 위치하게 되며, 이후 쇄골 하동맥과 정맥 사이를 지나, 흉강으로 들어 간다. 다음으로 상행대동맥(ascending aorta)과 심장의 외측을 차례로 주행하여, 횡격막(diaphragm)에 도달한다.

이 신경이 손상되는 경우, 손상된 쪽의 횡격막이 약간 위로 밀려 올라가나, 대부분 수개월 후에는 정상 위치로 되돌아가는 것으로 알려져 있다. 또한 호흡에 심각한 지장을 초래하지 않기 때문에, 손상 시 복원수술은 필요하지 않다. 대신 상완신경총이 손상되어 신경이전술을 시행하는 경우에 공급 신경으로 흔히 사용되고 있다.

(4) 상완신경총(brachial plexus)

제5-8경추 신경근(C5-8) 및 제1흉추 신경근(T1)에서 시작하며, 이들은 목의 하부와 어깨에서 나뉘고 합해지는 과정을 계속하면서 상완신경총(brachial plexus)을 형성한다. 상완신경총에서 상지로 가는 개별 신경(individual nerve)들이 분지되어 나온다. 추간공(intervertebral foramen)을 나온 다섯 개의 신경근은 합해져서 3개의 간부(trunk) 또는 줄기를 형성하는데, 제5-6경추 신경근은 상부 간부(upper trunk), 제7경추 신경근은 중간 간부(middle trunk), 제8경추 신경근 및 제1흉추 신경근은 합해져서 하부 간부(lower trunk)를 형성한다.

세 개의 간부는 각각 둘로 나뉘어 분할(division)을 형성한다. 즉, 세 개의 간부들은 나뉘어져서, 3개의 전방 분할과 3개의 후방 분할을 만든다. 이 분할들은 쇄골의 바로 후방에 위치하고 있다. 분할은 다시 합쳐져서 현(cord)을 형성한다. 세 개의 후방 분할은 합해져서 후방 현(posterior cord)을 형성하며, 전방 분할의 상부에 있는 두 개는 합해져서 외측 현(lateral cord)을 형성한다. 그리고 전방 분할의 내측 하방에 있는 것은 단독으로 내측 현(medial cord)을

형성한다. 상지로 가는 상완신경총의 분지(branch)는 분할 부위를 제외한 모든 부분에서도 시작되고 있으며, 개별 신경의 이름을 가지고 있다.

상완신경총에서 시작되는 분지를 보면 우선 신경근에서는 장흉신경(long thoracic nerve, 제5-7경추 신경근)과 견갑배신경(dorsal scapular nerve, C5)이 분지된다. 제5 및 제6경추 신경근이 만나는 간부(trunk)는 어브 점(Erb's point)이라고 부르는데, 여기에서는 견갑상신경(suprascapular nerve, C5-6)과 쇄골하신경(nerve to subclavius, C4-5)이 분지된다.

현 부위에서는 상지로 가는 거의 모든 신경이 시작된다. 외측 현(lateral cord)은 소흉근의 내측에서 외측흉신경(C5-7)을 낸 다음, 소흉근의 후방에서 근피신경(C5-7)과 정중신경의 외측 두(lateral head to median nerve, C5-7)로 나뉘면서 끝난다. 내측 현(medial cord)은 소흉근의 후방에서 내측흉신경(C8-T1)을 낸 직후, 내측상완피부신경(medial brachial cutaneous nerve, T1)과 내측전완피부신경(medial antebrachial cutaneous nerve, C8-T1)을 내고, 소흉근의 하변 정도에서 마지막으로 정중신경의 내측 두(medial head to median nerve, C8-T1)와 척골신경(C7-T1)으로 나뉘어진다. 후방의 세 분할이 합쳐져서 만들어진 후방 현은 소흉근의 내측에서 차례로 상견갑하신경(upper subscapular nerve, C5), 흉배신경(thoracodorsal nerve, C7-8), 하견갑하신경(lower subscapular nerve, C5-6)을 내며, 소흉근의 후방에서 액와신경(C5-6)과 요골신경(C5-8)으로 나누어진다. 이때 상견갑하신경, 흉배신경, 하견갑하신경은 후방 현의 하방에서 나오며, 액와신경은 현의 외측에서 시작되고, 요골신경은 현이 계속되는 것 같은 모양을 하고 있다(그림 2-9).

2) 신경근과 간부에서 시작되는 신경
(nerve originating from the nerve roots and trunks)

(1) 장흉신경(long thoracic nerve)

제5-7경추 신경근에서 시작되며, 이들이 합해지는 지점은 중간사각근의 전방, 그리고 어브 점보다 약간 아래쪽 후방인 쇄골 내측 1/3 지점이다. 여기서부터 상완신경총의

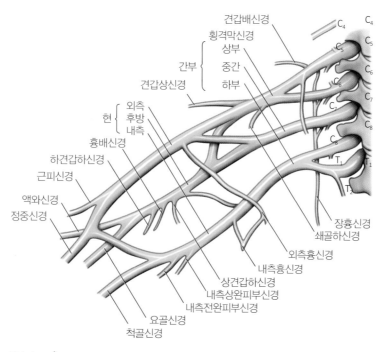

견갑배신경
횡격막신경
상부
간부
중간
견갑상신경
하부
외측
현
후방
내측
흉배신경
하견갑하신경
근피신경
액와신경
정중신경
장흉신경
쇄골하신경
외측흉신경
내측흉신경
상견갑하신경
내측상완피부신경
내측전완피부신경
요골신경
척골신경

그림 2-9 **상완신경총(brachial plexus)**
상지로 가는 신경들은 C5-8 및 T1의 5개 신경근(nerve root)에서 시작한다. 이들은 목의 하부와 어깨에서 나뉘고 합해지는 과정을 계속하면서 상완신경총 (brachial plexus)을 형성하는데, 여기에서 개별 신경(individual nerve)들이 분지되어 나온다.

간부와 액와동맥의 후방을 경과하면서, 하방 그리고 약간 외측으로 진행하여, 중간사각근 종지부의 외측 전방을 지나 견갑골의 내측 상부의 각과 전방거근 사이에서 액와로 들어온다. 그 후 액와 내측 벽의 중앙부를 지나게 된다. 이 내측 벽에서는 전방거근의 바깥쪽에서 이 근육에 붙어 하방으로 내려오면서 이 근육을 지배한다.

이 신경은 상완신경총의 신경근이 다치는 과정에서 동시에 손상되는 일이 흔하다. 드물게는 단독으로도 손상되는데, 무거운 물건을 어깨로 지는 경우, 무거운 물체를 갑자기 머리 위로 올릴 때, 어깨 위를 몽둥이로 맞은 경우 등에서 발생할 수 있다. 간혹 개흉술(thoracotomy)이나 근치적 유방절제술(radical mastectomy) 등을 시행할 때 사고로 절단된 것도 보고되어 있다.

장흉신경이 손상되면 전방거근이 마비되면서, 견갑골의 내측 모서리가 흉벽에서 떨어져 나와서 후방으로 돌출하게 되는 내측 익상견갑(medial scapular winging) 변형이 나타난다(그림 2-10). 이 신경은 가능하면 복원해 주는 것이 바람

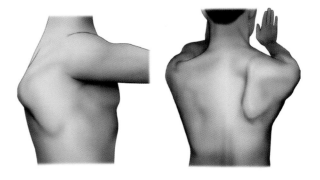

그림 2-10 **익상견갑**
장흉신경의 손상으로 인해 견갑골의 내측이 후방으로 돌출한다.

직하다. 만약 복원이 불가능하면 환자에 따라 견갑골의 내변을 늑골에 붙여주는 복원술의 대상이 되기도 한다.

(2) 견갑배신경(dorsal scapular nerve)

능형근신경(nerve to rhomboid)이라고도 칭하며, 제5경추 신경근에서 시작한다. 우선 부신경보다 약 1 cm 하방에서

이 신경과 거의 평행하게 진행한 다음, 상완신경총의 전방 그리고 견갑거근의 전방, 즉 심층으로 들어간 후 능형근의 심층 그리고 견갑골 내변의 내측을 따라 하방으로 내려 간다. 이 신경이 단독으로 손상된 경우에는 심각한 기능장애 는 발생하지 않는다.

(3) 견갑상신경(suprascapular nerve)

제5-6경추 신경근이 합해져서 만들어진 상완신경총의 상부 간부(upper trunk)의 위쪽에서 나온다. 경부의 후방 삼각(posterior triangle)의 아래쪽을 지나는데, 이때는 쇄골 의 직상부에서 이 골에 평행하게 외측으로 진행한다. 그 후 오구돌기의 바로 내측에 있는 견갑상절흔(suprascapular notch)을 통과하여 후방으로 간 다음, 극상근을 지배한다. 그리고 연속하여 견갑골의 경부 후방 위쪽을 지나, 극하근 을 지배한다.

이 신경은 견갑상절흔을 지날 때 눌려서 마비되는 경우 가 있는데, 특히 견갑상인대(suprascapular ligament)가 골화 되어 신경이 구멍 속을 지나게 되는 경우에 압축성 마비가 발생하기 쉽다. 외상은 매우 드문 편이며, 주로 목 부위의 자상(stab injury)에 의해 발생할 수 있다. 기타 경부의 후방 삼각 부위를 수술하는 도중, 그리고 이 신경이 지나가는 견 갑골의 외측 상부의 골절이나 견관절 전방 탈구 등에 의해 서도 손상을 받을 수 있다.

(4) 쇄골하신경(subclavian nerve)

제4-5경추 신경근에서 기인하여 상부 간부의 앞쪽에서 나와서, 상완신경총과 큰 혈관의 앞쪽에서 외측 하방으로 진행하여, 쇄골하근을 지배하는 아주 가느다란 신경이다.

3) 외측 현에서 시작되는 신경
(nerve originating from the lateral cord)

(1) 외측흉신경(lateral pectoral nerve)

외측전방흉신경(lateral anterior thoracic nerve)이라고도 불리는 이 신경은 제5-7경추 신경근에서 기인하며 외측 현 이 만들어지자마자 그 전방에서 시작되는 것이 일반적이 다. 그러나 전방 분할에서 두 개의 기시부를 가지고 시작되

는 경우도 많다. 액와혈관의 전방을 지난 다음, 소흉근의 내측에서 쇄골흉근근막(clavipectoral fascia)을 뚫고 전방으 로 나와서, 흉견봉동맥(thoracoacromial artery)의 흉곽분지 (pectoral branch)와 동행하며 전방으로 나와 대흉근의 상 부 내측 부분을 지배한다. 이 신경은 시작되면서 내측흉신 경과 만나서 고리를 형성하기도 한다.

(2) 근피신경(musculocutaneous nerve)

상완신경총의 외측 현(lateral cord)의 외측에서 분지되는 데, 주로 제5-6경추 신경근의 섬유를 함유하고 있으며, 제7 경추 신경근의 섬유를 가지고 있는 경우도 많다. 시작 부위 는 소흉근의 후방, 즉 오구돌기의 하방 정도이다. 그러나 정중신경의 외측두가 보다 근위에서 시작되는 경우에는 외 측 현이 가지고 있는 단 하나의 최종 분지로 인식될 수도 있다. 분지되면 외측 원위부로 진행하여, 오구돌기의 약 5-6 cm 하방에서 오구상완근(coracobrachialis)을 뚫고, 상 완이두근(biceps brachii)과 상완근(brachialis) 사이로 들어 간다. 진행 중 오구상완근, 상완이두근 및 상완근을 지배 한다. 특히 오구상완근으로 가는 분지는 근피신경이 이 근 육으로 들어가기 전에 2-3개를 내는 경우가 많다. 근육을 지배하고 난 종말 분지는 외측전완피부신경(lateral ante-brachial cutaneous nerve)이라 부르는데, 이 부분도 계속 외 측 하방으로 진행하여, 주관절의 외측 상부에서 두 근육 사이를 나온다. 나오는 부위는 팔꿈치의 가로 피부선보다 약간 상방이며, 상완이두근의 외측이다. 이후 전완의 외측 에 분포하는데, 손목의 전방 외측까지 이르는 분지도 있다.

근피신경의 손상은 자상(stab wound)에 의해 잘라지는 것이 가장 흔하고, 간혹 견관절 탈구나 상완골 근위 골절 시 압축되어 마비될 수도 있다. 또한 어깨관절의 전방 접근 시, 오구돌기를 절골하거나 또는 상완이두근 단두와 상완 이두근의 기시부를 잘라서 밑으로 내리는 경우가 있는데, 이때 근피신경이 잡아당겨지면서 손상될 수도 있으며, 삼 각흉접근법(deltopectoral approach)으로 수술 중 무리하게 내측의 견인기(retractor)를 잡아당길 경우 손상이 될 가능 성이 있다.

(3) 정중신경(median nerve)

외측 현 및 내측 현에서 각각 분지된 두 개의 두부(head portion)가 합해져서 만들어지며, 제5경추-제1흉추 신경근의 섬유를 함유하고 있다. 앞쪽에서 관찰할 때, 정상적인 상완신경총의 내측과 외측 현과 종말 분지들은 M 모양의 배열을 하고 있으며, 이 글자의 후방에 액와혈관이 위치하고 있다. 이 M의 중앙 하부의 꼭짓점이 정중신경의 시작 부위이며, 양측의 세로 줄은 각각 근피신경과 척골신경이다. 좌우의 사선은 각각 정중신경의 내측 및 외측두이다.

외측두(lateral head)는 제5-7경추 신경근의 섬유를 함유하고 있으며, 이 부분에 의해서는 원형회내근(pronator teres)과 요수근굴근(flexor carpi radialis)만이 지배를 받는다. 소흉근의 후방에서 시작되는 경우가 대부분이나, 보다 근위의 분할 부위에서 시작될 수도 있다. 내측두(medial head)는 제8경추-제1흉추 신경근의 섬유를 가지고 있으며, 역시 소흉근의 하변 근처에서 시작되고, 외측두보다 굵다. 내측두는 상술한 두 근육을 제외한, 정중신경에 의해 지배되는 거의 모든 근육을 지배하고 있다.

정중신경은 처음에는 액와동맥의 외측에 있으며, 상완부에서는 상완동맥의 외측에 있다가, 팔의 하 1/3 지점에서 동맥의 앞을 가로질러, 그 내측으로 오는 경우가 대부분이다. 이 신경은 상완부에서 상완이두근의 내측을 지나고 있으며, 그 후방에는 위에서부터 차례로 상완삼두근과 오구상완근 및 상완근이 있다. 주관절 부위에 이르면 이두건막(brachial aponeurosis, lacertus fibrosus)에 덮여 있는 상태에서 원형회내근과 표재수지굴근(flexor digitorum superficialis)의 심부로 들어간다.

4) 내측 현에서 시작되는 신경
(nerves originating from medial cord)

(1) 내측흉신경(medial pectoral nerve)

내측전방흉신경(medial anterior thoracic nerve)이라고도 부르며, 내측 현에서 나오는 첫 번째 분지로 제8경추 및 제1흉추 신경근의 섬유를 포함한다. 소흉근보다 근위에서 시작되나, 외측흉신경보다 약간 아래쪽인 경우가 보통이다. 그러나 분할부나 심하면 신경근 부위에서 시작되는 경우도

있다. 시작되면 액와동맥과 정맥 사이를 지나면서 전방으로 나와서, 소흉근을 뚫고 전방으로 나간다. 그러나 대흉근으로 가는 섬유들은 소흉근의 하방을 돌아서 가는 경우도 많다. 이 신경은 소흉근과 대흉근의 아랫부분을 지배한다. 진행과정 중 소흉근을 뚫기 직전에, 이 신경은 외측흉신경으로부터 일부 분지를 받아 고리를 형성하기도 한다. 대흉근과 소흉근의 기능이 소실된 경우에도 어깨의 기능은 어느 정도 유지된다. 따라서 내측흉신경의 급성 손상이 있는 경우에는 이를 이을 까닭이 있으나, 만성 손상에서 다른 신경을 희생하면서까지 이들을 재건할 필요는 없을 것이다.

(2) 내측상완피부신경
(medial brachial cutaneous nerve, medial cutaneous nerve of arm)

내측 현의 두 번째 분지로서, 그 내측 하방에서 시작되며, 제8경추 및 제1흉추 신경근의 섬유를 포함한다. 처음에는 액와정맥의 내측에서 하방으로 내려오고, 액와부를 떠나면서는 약간 뒤쪽으로 내려가서, 전완의 중앙부에서 심부 근막을 뚫고 나와 아래로 주행한다. 상완의 내측 및 주두의 내측과 후방 근처의 감각을 지배한다.

(3) 내측전완피부신경
(medial antebrachial cutaneous nerve, C8-T1)

내측 현에서 나오는 또 하나의 분지로 내측상완피부신경보다 약간 원위부에서 시작하고, 제8경추 및 제1흉추 신경근의 섬유를 포함한다. 시작된 다음, 액와동맥의 전방에 있다가 곧 동맥과 정맥의 사이에 위치하며, 상완 근위부에서는 상완동맥의 전방 내측으로 주행하다가, 상완의 하 1/3 지점에서 심부 근막을 뚫고 전방으로 나와, 기저정맥(basilic vein)과 동반되어 아래로 내려가면서, 상완의 원위와 전완 그리고 손목의 전방 피부에 분포된다.

(4) 척골신경(ulnar nerve)

상완신경총 중 내측 현의 가장 중요한 분지로서, 소흉근의 하변 근처에서 시작된다. 주로 제8경추 및 제1흉추 신경

근의 섬유를 포함하고 있으나, 간혹 제7경추 신경근의 섬유를 가지고 있는 경우도 있다. 처음에는 내측전완피부신경과 함께 액와동맥과 정맥 사이를 주행하다가, 상완동맥의 전방 내측을 따라 내려간다. 상완의 중간보다 약간 상방에서 상완동맥과 헤어져 내측근간격막(medial intermuscular septum)을 뚫고 후방으로 들어가서, 상완삼두근내측두(medial head of triceps brachii)의 전방에 위치하게 된다. 상완부에서 이 신경은 그 주행 과정 중 상부척골측부혈관(superior ulnar collateral vessel)과 만나서 함께 주행하며, 주관절 부위에서는 내측상과(medial epicondyle)의 후방에 있는 척골구(ulnar groove)를 지난 다음, 척수근굴근(flexor carpi ulnaris)의 두 시작부 사이로 뚫고 들어간다. 척골구의 후방과 척수근굴근을 뚫고 지나가는 부분을 통칭하여 주관(cubital tunnel)이라 부른다.

상완부에서는 척골신경이 그 내측을 지나가기 때문에 비교적 잘 보호된 위치에 있어, 손상의 빈도는 드물다. 이 부위에서는 간혹 인접해 있는 상완동맥이나 다른 신경과 함께 손상을 입는 경우가 있다. 주관절 부위에서는 주관절 탈구나 상완골 내과 골절(medial condyle fracture) 등이 발생할 때나 골절-탈구를 정복할 때, 척골신경이 잘리거나 눌려서 또는 늘어나면서 마비되는 일이 있으며, 회복기에 반흔 조직에 의해 눌리면서 손상을 입을 수 있다.

(5) 정중신경의 내측두(medial head of the median nerve)

이 내측두는 제8경추 및 제1흉추 신경근 섬유를 가지고 있으며, 척골신경과 나누어지는 내측 현의 마지막 분지이다. 나오자마자 내측두는 액와동맥을 전방으로 가로질러 외측으로 가서, 동맥의 외측에서 정중신경의 외측두와 만나 정중신경을 형성한다. 이후 정중신경은 액와 및 상완동맥을 따라 손으로 내려온다. 정중신경의 내측두는 척골신경이 지배하는 척수근굴근, 정중신경의 외측두가 지배하는 지배하는 원형회내근과 요수근굴근을 제외한 나머지 전방 전완부의 근육을 지배하며, 심수지굴근(flexor digitorum profundus)은 척골신경과 함께 지배한다.

5) 후방 현에서 시작되는 신경
(nerves originating from the posterior cord)

(1) 견갑하신경(subscapular nerve)

제5-6경추 신경근의 섬유를 포함하며, 상견갑하신경(upper subscapular nerve)과 하견갑하신경(lower subscapular nerve)의 두 종류가 후방 현에서 나온다. 상견갑하신경은 후방 현이나 후방 분할에서 시작하여, 하방으로 내려가서 견갑하근에 분포된다. 하견갑하신경은 후방 현이나 액와신경에서 시작하여, 견갑하 혈관의 후방을 지나, 하방으로 내려와서, 견갑하근의 하부와 대원근에 분포된다.

(2) 흉배신경(thoracodorsal nerve)

제7-8경추 신경근의 섬유를 포함하며, 중견갑하신경(middle subscapular nerve)이라고도 부른다. 대개는 두 견갑하신경 사이의 후방 현에서 시작되나, 어떤 한 견갑하신경과 함께 시작하기도 하고, 하견갑하신경과 바뀌어 있는 경우도 있다. 시작되면 견갑하동맥의 후방과 견갑하근의 하변을 따라 아래로 내려와서 광배근을 지배한다.

(3) 액와신경(axillary nerve)

제5-6경추 신경근의 섬유를 포함하며, 후방 현의 외측에서 시작되는데, 그 시작점은 대체로 소흉근의 후방 그리고 견갑하근의 전방이다. 액와혈관의 뒤쪽에서 원위 및 후방을 향하여 약 2-3 cm 진행한 다음, 상완골 경부와 삼두근의 장두 및 대원근 및 소원근 사이에 만들어지는 사각공간(quadrangular space)으로 후방상완회선혈관(posterior humeral circumflex vessel)과 함께 들어간다(그림 2-11). 이 지점에서 상방 및 하방 분지(inferior brach)로 나뉜다. 상방 분지는 90도 전방으로 꺾인 다음, 삼각근의 내면에 붙어 전방으로 진행하면서, 삼각근을 지배한다. 삼각근 내면에서는 견봉에서 약 4-5 cm 하방을 지나고 있다. 하방 분지는 소원근으로 가는 분지를 낸 다음, 삼각근의 하변을 돌아 상완 근위부의 후방에 분포되는 상외측 상완피부신경(upper lateral brachial cutaneous nerve)이 된다.

액와신경은 상완골 두의 전방 탈구나 상완골 경부 골절 시, 후방 현에서 기시하는 부위나 사각공간에서 손상을 받

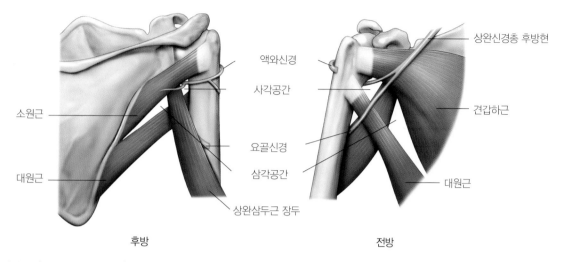

후방   전방

그림 2-11 사각공간(quadrangular space)과 삼각공간(triangular space)
액와신경은 후방에서 상완골 경부와 삼두근의 장두 및 대원근 및 소원근으로 구성된 사각공간을 통해 나온다.

는 경우가 많다. 상완와관절의 탈구 시, 20-30% 정도의 액와신경마비가 근전도 상에서 관찰된다고 한다.[39] 그러나 임상적으로 발견되는 일은 훨씬 적은데, 그 이유는 신경의 손상이 일시적인 압축에 의한 것이어서, 불완전 마비가 발생하거나, 또는 단기간 내에 회복되기 때문으로 생각된다. 또한 삼각근의 근위부를 통해 상완와관절에 접근할 때, 삼각근을 너무 심하게 하방으로 잡아당겨서 마비가 발생하는 경우도 있다.

(4) 요골신경(radial nerve)

요골신경은 액와신경과 함께 상완신경총의 후방 현에서 나오는 마지막 분지이며, 제5-8경추 신경근 섬유를 가지고 있다. 그 시작부는 소흉근의 하변 정도, 그리고 견갑하근의 전방 정도에 있으며, 전체적으로 액와혈관의 후방에 있다. 액와에서 이 신경은 견갑하근과 대원근 및 광배근의 종지부의 전방을 차례로 지난다. 그리고 상완부에 이르면 상완동맥의 후방 그리고 삼두근장두의 전방에 있다가, 아래로 내려가면서 삼두근장두의 심부로 들어가고, 다음으로 삼두근의 내측두와 장두 사이를 지나게 된다. 그리하여 원위부로 내려오면서, 처음에는 상완골의 내측에 있다가, 상완골의 상 1/3 지점에 이르러 상완심동맥(deep brachial artery)과 함께 상완골 간부의 후방에 있는 나선구(spiral groove)를 따라 길게 주행하여, 상완골의 하 1/3 지점에 도달하면 상완골의 후방 외측에 위치하게 된다. 나선구를 지나갈 때, 단지 골막과 얇은 신경주위의 지방에 의해서만 뼈와 분리되어 있기 때문에, 손상을 받기 쉽다는 주장이 있으나, 실제로는 삼두근 내측두의 시작 부위 위를 지나간다고 한다. 상완골의 하 1/3 지점에서 외측 근간막(lateral intermuscular septum)을 뚫고 전방으로 나와, 상완근(brachialis)과 상완요근(brachioradialis) 사이를 지나간다.

요골신경은 액와를 진행하는 동안에 삼두근장두와 내측두로 가는 분지를 내며, 나선구로 들어오기 직전이나 직후에 상완삼두근의 내측두 및 외측두로 가는 몇 개의 분지를 낸다. 또한 나선구를 지나기 전에 주근(anconeus)으로 가는 분지를 낸다. 또한 상완근과 상완요근 사이를 지나면서, 상완요근과 장요수근신근(extensor carpi radialis longus)에 분지를 준다. 요골신경은 상완골 외과의 바로 전방에서 표재요골신경(superficial radial nerve)과 후방골간신경(posterior interosseous nerve)으로 분지되는데, 이들은 각각 표재 분지와 심부 분지라고도 불린다. 표재 분지는 그냥 요골신경이라고도 부르며, 심부 분지는 과거 근나선신경(musculospiral nerve)이라고도 불렀었다.

요골신경은 긴 진행과정 중, 어느 곳에서나 손상될 수 있다. 그 원인은 골절이나 탈구 또는 열상과 같은 외상에 의

하는 경우가 흔하나, 내부의 압축에 의해 발생되는 수도 있다. 이 신경손상의 가장 흔한 원인은 상완골의 원위 1/3 골절이라고 알려져 있다. 그리고 상완골의 중앙 부위 후방에 나선구가 있는데, 이곳에서 요골신경은 골에 밀착되어 있기 때문에, 상완골 간부 골절 시 쉽게 손상될 수 있다는 주장도 있다. 또한 상완골의 원위부에서 이 신경이 외측근 간격막을 지나간 다음, 여러 개의 근육 분지를 내기 때문에 신경의 이동성이 부족하여, 골절 시에 발생된 날카로운 골절편에 의해 잘려나갈 기회가 비교적 많다는 주장도 있다.

6) 상완신경총과 액와혈관의 배열 관계
(the relationship between the brachial plexus and axillary vessels)

상완신경총은 목의 하부에서 시작하여 외측 하방으로 진행하는데, 하방 진행은 제5경추 신경근이 가장 심하며, 제1흉추 신경근은 처음에는 거의 수평 상태를 유지하고 있다. 한편 쇄골하혈관은 흉곽 내부로부터 올라와서, 제1늑골 위에서 90도 이상 꺾인 다음, 외측 하방으로 주행하여 다시 90도 정도 꺾인다. 그리하여 쇄골보다 상부에서는 상완신경총이 혈관의 상방과 후방 그리고 외측에 있다.

그러나 세 개의 현은 액와동맥 제2부분을 둘러싸고 있는데, 외측 현은 동맥의 외측에 있으며, 내측 현은 동맥의 내측에 있고, 후방 현은 액와동맥의 후방에 있다. 따라서 외측 현과 그 형성 부분은 항상 동맥의 외측에 있으며, 후방 현과 이를 형성하는 분할부들도 동맥의 후방에 위치하는 것이다. 그러나 내측 현은 쇄골의 후방 정도에서 동맥의 후방을 가로질러, 그 내측에 위치하게 된다. 최종 분지들은 대부분 소흉근의 후방이나 원위부에서 시작되는데, 근피신경과 정중신경은 동맥의 외측에 있으며, 내측전완피부신경과 더 심층에 있는 척골신경은 동맥과 정맥 사이에 위치하고 있다. 그리고 내측상완피부신경은 정맥의 내측에, 요골신경은 동맥의 후방 내측, 그리고 액와신경은 동맥의 후방에 위치하고 있다(그림 2-3).

6. 어깨의 혈관학(Angiology of the shoulder)

1) 어깨의 동맥(artery of the shoulder)

상행 대동맥(ascending aorta)은 제2늑골의 바로 후방 우측에서 대동맥궁(aortic arch)을 형성한다. 대동맥궁은 주로 기관(trachea)의 전방에 위치하고 있는데, 제4흉추의 좌측을 향해 주로 후방 그리고 약간 좌측으로 진행한다. 대동맥궁은 그 첨부에서 차례로 무명동맥(innominate artery)과 좌측 총동맥(left common carotid artery) 그리고 좌측 쇄골하동맥(left subclavian artery)을 분지한 다음, 후하방으로 돌아서 내려간다. 무명동맥은 우측 흉쇄관절의 바로 후방에서, 우측 총경동맥과 우측 쇄골하동맥으로 나뉜다. 쇄골하동맥은 제1늑골의 외측 경계를 지나면서, 그 이름이 액와동맥(axillary artery)으로 바뀐다. 액와동맥은 어깨로 가는 여러 가지 분지를 내고, 대원근의 종지부 아래에서 상완동맥(brachial artery)이 되면서 끝난다(그림 2-12).

(1) 쇄골하동맥(subclavian artery)

쇄골하동맥은 좌측은 대동맥궁에서 직접 시작하고 우측은 무명동맥에서 시작하며, 제1늑골의 외측에서 액와동맥이 되면서 끝나는 비교적 짧은 동맥이다. 이 동맥은 전사각근의 후방, 그리고 중앙 사각근의 전방을 통과하는데, 전사각근에 의해 세 부분으로 나누는 것이 보통이다. 전사각근의 내측에 있는 이 동맥의 제1부분에서는 세 개의 가지가 나오는데, 그 위쪽에서는 척추동맥(vertebral artery)과 갑상경동맥(thyrocervical trunk)이, 그리고 그 아래쪽에서는 내흉동맥(internal mammary artery)이 시작된다.

갑상경동맥에서는 경횡동맥(transverse cervical artery)과 견갑상동맥(suprascapular artery) 그리고 하갑상동맥(inferior thyroidal artery)이 나오는데, 앞의 두 동맥은 견갑부에 혈액을 공급한다. 그리고 전사각근을 지난 직후인 제3부분에서 늑경추동맥(costocervical trunk)를 내는데, 이 동맥은 항상 존재하는 것은 아니며, 약 70% 정도에서만 존재한다고 한다. 경횡동맥은 이 늑경추동맥의 분지로 나오는 경우도 있다(그림 2-13).

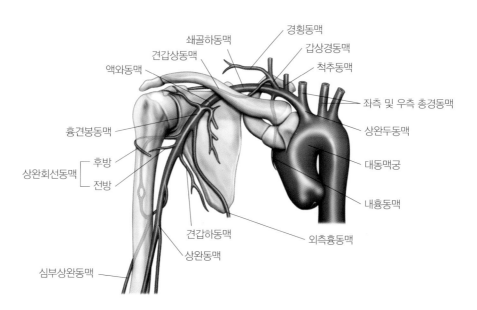

그림 2-12 어깨의 동맥
쇄골하동맥은 제1늑골의 외측 경계를 지나면서, 그 이름이 액와동맥(axillary artery)으로 바뀐다. 액와동맥은 어깨로 가는 여러 가지 분지를 내고, 대원근의 종지부 아래에서 상완동맥(brachial artery)이 되면서 끝난다.

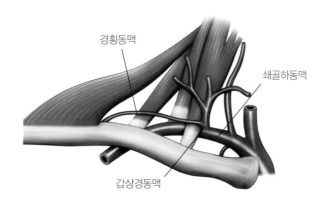

그림 2-13 쇄골하동맥
쇄골하동맥은 좌측은 대동맥궁에서 시작하고, 우측은 무명동맥에서 시작하여, 제1늑골의 외측에서 액와동맥이 되면서 끝나는 비교적 짧은 동맥이다.

(2) 경횡동맥(transverse cervical artery)

쇄골하동맥이 전사각근 뒤로 들어가기 전에 나오는 갑상경동맥(thyrocervical trunk)의 세 분지 중 하나이다. 경횡동맥은 사각근과 상완신경총의 표층에, 그리고 견갑설근과 흉쇄유돌근 및 외경정맥(external jugular vein)보다 깊게 위치하며, 경부의 후방 삼각의 아래쪽을 전방 내측에서 후방 외측으로 진행한다. 이 동맥이 후방 외측으로 진행할 때, 상완신경총의 표층을 지나기도 하나, 신경총 사이를 뚫고

지나가기도 한다. 상완신경총의 외측 후방에 도달하면 이 혈관은 부신경과 만난 다음 승모근의 심층으로 들어간다. 견갑배동맥(dorsal scapular artery)은 약 70% 정도에서는 경횡동맥으로부터 나오는데, 그 시작 부위는 견갑거근이 견갑골에 종지되는 부위보다 약간 전방 상부이다. 이 동맥은 약 30% 정도에서는 쇄골하동맥의 제3부분에서 단독으로 나오기도 하며, 늑경 간부에서 단독으로 시작되는 경우도 있다. 견갑배동맥은 전방거근과 능형근의 사이, 그리고 견

갑골 내측 변의 안쪽에서, 이 변에 평행하게 주행하면서 견갑배신경(dorsal scapular nerve)과 동행한다.

(3) 견갑상동맥(suprascapular artery)

이 동맥은 갑상경동맥에서 나오는 또 하나의 분지로서, 처음에는 경횡동맥보다 약 1 cm 하방, 즉 쇄골의 상변을 따라 외측으로 주행한다. 상완신경총의 전방을 지난 다음, 견갑상 신경을 만나서 이와 동행한다. 다음으로 견갑골 상변의 바깥쪽에서 시작되는 오구돌기의 내측에 있는 견갑절흔(scapular notch)의 바로 위쪽을 지나 극상와(supraspinous fossa)에 도달하고, 다시 견갑 경부의 위쪽 중 극상돌기의 기시부에 가까운 위치를 경과하여, 극하와에 도달한다. 상술한 경과 중, 견갑상신경은 견갑절흔의 내부를 통과하며, 동맥과는 견갑상인대에 의해 분리되어 있다.

(4) 액와동맥(axillary artery)

이 동맥은 쇄골하동맥의 연장으로서, 제1늑골의 외측에서부터 대원근의 하변까지 약 15 cm 정도의 길이를 가지고 있다. 그 진행과정은 처음에는 제1늑골과 쇄골의 중앙부 그리고 견갑골의 상변으로 구성된 삼각형의 내부, 즉 흉곽출구(thoracic outlet)의 안을 지난다. 액와로 들어온 후 이 동맥은 이두근의 단두와 오구상완근의 내측을 향하여 주행하는데, 이때가 동맥의 후방에는 전방거근과 견갑하근 그리고 광배근 및 대원근의 종지부들이 차례로 자리를 잡고 있다. 전방은 처음에는 대흉근의 쇄골 두에 덮여 있으며, 그 다음 소흉근의 종지부가 있고, 마지막으로 다시 대흉근의 종지부가 있다. 액와동맥의 외측으로는 오구돌기와 여기에서 시작하는 오구상완근이 있으며, 내측으로는 액와의 느슨한 지방조직이 있다. 진행과정 중, 액와정맥은 동맥의 전방에 위치한다. 쇄골의 하방을 지나면서, 액와동맥은 상완신경총에 의해 둘러싸이기 시작한다. 그리하여 현 부위에 이르면 외측 현은 동맥의 전방 외측, 내측 현은 전방 내측, 그리고 후방 현은 혈관의 후방에 있게 된다.

액와동맥은 소흉근에 의해 세 부분으로 나뉘며, 첫째 부분은 소흉근의 근위부, 두 번째 부분은 소흉근의 후방, 그리고 마지막 부분은 소흉근의 원위부에 있다. 이 동맥은

대략 6개 정도의 분지를 내는데, 상흉동맥은 첫째 부분에서 나오고, 둘째 부분에서는 흉견봉동맥과 외측흉동맥이 시작되며, 셋째 부분에서는 견갑하동맥과 전방 및 후방상완회선동맥이 나온다.

(5) 상흉동맥(superior thoracic artery)

이 동맥은 소흉근보다 근위부에서 시작된다. 이 혈관은 직경이 매우 작으며, 제1, 2늑간근을 향하여 내측 하부로 진행한다.

(6) 흉견봉동맥(thoracoacromial artery)

이는 상당히 굵은 동맥으로, 소흉근의 후방에 있다가, 이 근육을 내측으로 돌아서 나온 다음, 대략 네 개로 분지된다. 이 분지들은 흉곽, 견봉, 삼각 및 쇄 분지인데, 이 중 삼각분지는 두정맥(cephalic vein)을 동반하여 삼각흉구(deltopectoral groove) 속을 진행한다. 관절경하 견봉하공간 감압술을 시행하는 과정에서 전방의 오구견봉인대 주위를 박리할 때 갑자기 출혈이 심해져서 시야가 불량해질 수 있는데, 이는 흉견봉동맥의 견봉분지가 손상되어 발생한 것으로 전기소작기 등을 이용하여 출혈을 멎게 해야 한다.

(7) 외측흉동맥(lateral thoracic artery)

이 동맥은 소흉근의 후방에서 시작되어, 그 하변을 따라 진행하면서 흉벽의 전방 외측을 지배한다. 이 혈관은 간혹 흉곽의 외측 피부를 이식하는 미세수술 시 사용된다.

(8) 견갑하동맥(subscapular artery)

이 혈관은 액와동맥의 가장 큰 분지로서, 액와동맥의 제3부분 중 견갑하근의 하변 정도에서 시작되고, 그 아래쪽에서 시작된다. 그 시작부는 상완신경총의 후방 현(posterior cord)의 최종 분지인 요골신경과 액와신경보다 앞쪽에 있다. 시작되자마자 이 동맥은 흉배동맥과 견갑회선동맥의 두 가지로 나뉜다. 흉배동맥(thoracodorsal artery)의 전체적인 진행은 처음에는 액와의 후벽을 따라 아래로 내려간다. 견갑골 외측 변의 중앙 부위에 이르면 다시 두 가지로 나뉘어, 하나는 광배근의 내부를 타고 내려가며, 다른 한 가닥

은 흉곽의 바깥 벽을 향하여 건너간다. 즉, 처음에는 광배근의 심부에서 견갑 하근의 하변을 따라 하방으로 진행하면서, 액와 후벽의 근육들을 공급한다.

흉곽으로 건너간 분지는 흉벽의 전방거근의 바깥쪽에 도달한 다음, 이 근육을 지배하는 신경과 동반되어 더 아래로 내려간다. 흉배동맥의 마지막 부분은 견갑하각 부근에서 후방 견갑동맥과 만나면서, 견갑 교통에 참여하기도 한다.

견갑회선동맥(circumflex scapular artery)은 시작되자마자 후방을 향해 진행하여, 상완골의 소 조면 약 2.5 cm 밑에서 견갑하근과 대원근 사이의 삼각공간(triangular space)으로 들어간다. 후방 회선 상완동맥과 액와신경도 같은 삼각공간으로 들어가는데, 견갑회선동맥은 이들보다 약 1-1.5 cm 원위에서 들어간다. 어깨의 후방에서는 소위 후방의 삼각공간으로 나온다고 하는데, 그 경계는 소원근과 대원근 및 삼두근 장 두로 형성되어 있다.

이 삼각공간은 삼두근 장두의 아래쪽에 있으며, 사각공간은 장두의 위쪽에 위치하고 있다. 따라서 혈관이 후방으로 지나가는 지점은 삼두근 장두의 하방 내측에 위치하게 된다. 후방에 도달하면 견갑회선동맥은 견갑골 외변의 후방을 따라 아래로 내려가면서, 주위의 골과 근육 및 피부에 많은 가지를 주게 된다. 이 혈관은 흔히 시술되는 견갑 유리피판(scapular free skin flap)이나 부견갑 피판(parascapular skin flap)을 떼어낼 때 사용되는 혈관이다.

(9) 후방상완회선동맥
(posterior humeral circumflex artery)

후방동맥은 견갑하근의 하변 정도에서 시작되는데, 견갑하동맥보다 약간 원위에서, 상완골의 외과적 경부에 거의 붙어있는 상태로 액와동맥의 외측에서부터 시작된다. 시작되자마자 견갑하근과 대원근의 사이로 들어가서, 상완골 경부의 하방을 돌아, 후방에서는 액와신경과 함께 사각공간으로 나온다. 사각공간(quadrangular space)은 대원근과 소원근 및 삼두근의 장두와 상완골의 경부로 경계 지어지는 구조이다. 삼각공간과는 삼두근 장두에 의해 나누어지는데, 삼각공간은 이 근육의 아래쪽 내측에 있고,

사각공간은 장두의 위쪽에 위치한다.

(10) 전방상완회선동맥
(anterior humeral circumflex artery)

이 동맥은 후방 상완회선동맥과 같이 시작되기도 한다. 시작된 다음, 견갑하근의 하변을 따라 전방 및 외측으로 진행하여, 상완골의 외과적 경부의 전방을 돌아, 결국 후방동맥과 교통하게 된다. 이 동맥의 전방에는 상완이두근과 오구상완근이 지나가고 있으며, 후방에는 상완골 외과적 경부의 전면이 있다. 상완와관절을 전방으로 접근하여, 견갑하근을 그 종지부에서 자르는 경우에는 이 혈관이 잘려 대량 출혈되는 경우가 있으므로, 이 혈관을 잘 결찰하는 것이 안전하다.

(11) 견갑 교통(scapular anastomosis)

어깨 주위의 혈관들은 견갑골 주위에서 풍부한 교통을 한다. 그리하여 전사각근보다 내측에 있는 쇄골하동맥의 제1부위는 소흉근보다 원위부에 있는 액와동맥의 제3부위와, 견갑 교통에 의해 연결된다. 따라서 액와동맥이 만성 질환에 의해 서서히 막히는 경우, 손의 괴사는 발생하지 않으나, 대신 한냉 민감성 등이 발생하게 된다. 그러나 만약 액와동맥을 갑자기 결찰하게 되면 약 50% 정도에서 손목 이하나 또는 몇몇 수지에 괴사가 발생하게 된다.

견갑 교통을 근위에서 이루고 있는 구조들은 경횡동맥과 견갑상동맥인데, 이들은 쇄골하동맥의 근위부에서 나온 갑상경 간부에서 나온다. 이때 경횡동맥에서 나온 후방 견갑동맥은 견갑골의 내변과 인접한 관절와의 내측에 분포된다. 그리고 견갑상동맥은 극상와 및 극하와에 분포된다. 견갑 교통의 원위를 담당하는 혈관은 견갑하동맥에서 나온 견갑회선동맥과 흉배동맥이다. 이때 견갑회선동맥은 극하와에 분포되며, 흉배동맥은 견갑하와의 외측에 분포된다. 이외에 흉견봉동맥의 견봉분지와 전후방 상완회선동맥에서 근위부로 올라간 분지들도, 원위 교통에 참여할 수 있다(그림 2-14). 기타 흉벽의 후늑간동맥은 경횡동맥이나 상흉동맥 그리고 외측흉동맥이나 견갑하동맥과 교통하기도 한다.

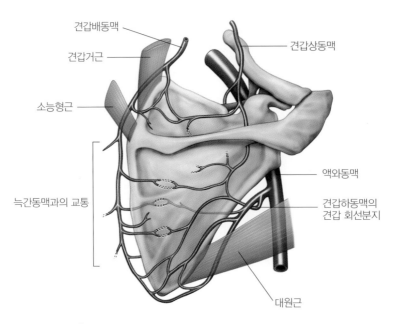

견갑배동맥
견갑거근
소능형근
늑간동맥과의 교통
견갑상동맥
액와동맥
견갑하동맥의
견갑 회선분지
대원근

그림 2-14 **견갑 교통**(scapular anastomosis)

(12) 상완동맥(brachial artery)

상완동맥은 액와동맥이 계속되는 동맥으로, 이들은 대원근의 종지부 아래에서 이름이 바뀐다. 시작되면 이 동맥은 상완이두근(biceps brachii)의 내측을 정중신경과 함께 주행하면서, 요골신경과 척골신경을 따라가는 동반 동맥과 인접한 근육분지들을 낸다. 이 동맥은 전주와(antecubital fossa)의 가로 피부 금보다 약 2 cm 하방에서, 요골동맥(radial artery)과 척골동맥(ulnar artery)으로 나뉘면서 끝난다. 시작되자마자 이 동맥은 우선 삼두근의 전방에 있으며, 다음으로 오구상완근과 상완근(brachialis)의 전방에 있게 된다. 그리고 대부분의 주행 과정 중, 이두근의 내측을 주행하게 된다. 동맥의 전방과 내측에는 피부와 심부 근막만이 있다. 이 동맥과 정중신경과의 위치관계는 변이가 심한 편이다. 정중신경은 상완 근위에서는 동맥의 외측에 있고, 중앙 부위에서 동맥의 전방을 가로지르며, 상완 원위에서는 동맥의 내측에 있는 것이 보통이다.

근육으로 가는 분지들을 제외하면 상완동맥의 분지는 심부상완동맥(deep bachial artery)과 상 및 하 척측측부동맥(superior & inferior ulnar collateral artery)이다. 심부상완동맥은 요측측부동맥(radial collateral artery)으로도 알려져

있으며, 대개 대원근의 하부에서 시작하여, 요골신경을 따라 약 2-3 cm 정도 하방으로 진행한 다음, 다시 하방과 후방 그리고 외측으로 진행하여, 상완골의 후방에 위치한 나선구(spiral groove)로 들어간다. 나선구로 들어가기 전에, 상향 분지를 내어 후 상완회선동맥과 교통한다. 그리고 나선구가 끝나는 부위에서 전방 및 후방 분지로 나뉘면서 끝난다. 상 척측측부동맥(superior ulnar collateral artery)은 상완의 중앙 부위에서 시작하여, 내측 근간막을 뚫고 후방 구획으로 들어가, 척골신경과 동반된다. 하 척측 측부동맥은 대 교통(anastomotica magna)이라고도 불리며, 주관절보다 3 cm 근위부에서 시작하여 상완 원위부의 전방과 내측을 지배하고, 주위의 여러 혈관과 교통한다.

2) 어깨의 정맥(vein of the shoulder)

어깨 부위의 동맥들은 대부분 동명의 정맥을 동반하고 있다. 정맥들은 대부분 하나의 동맥과 같이 주행하는 두 개의 동반 정맥(vena comitans) 형태를 하고 있으나, 쇄골하정맥이나 액와정맥은 단지 하나만 존재한다. 독립적으로 존재하는 정맥으로는 이두근의 외측과 삼각흉구를 차례로 지난 다음, 소흉근의 내측에서 액와정맥에 합류되는

두정맥(cephalic vein), 그리고 이두근의 내측을 주행하다가 상완의 중앙 1/2 부위에서 깊이 들어가 상완정맥에 합류하는 기저정맥(basilic vein) 등이 있다.

액와정맥(axillary vein)은 대원근의 하부에서 상완동맥을 따라 주행하는 두 개의 동반 정맥과 기저정맥의 세 정맥이 합해지면서 만들어진다. 액와정맥은 액와동맥보다 전방을 주행하여, 제1늑골에 이르면 쇄골하정맥(subclavian vein)이 된다. 팔을 외전시킨 상태에서는 액와정맥은 액와동맥의 바로 전방에 있으면서 서로 밀착되어 있다. 따라서 이 부위에서 동정맥누공(arteriovenous fistula)이 잘 발생하는 것으로 이해되고 있다. 쇄골하정맥도 동맥보다 전방을 주행하고 있다. 전사각근이 제1늑골에 붙는 부위에서는 쇄골하정맥은 이 근육의 전방을 지나는데, 동맥은 이 근육의 후방을 지나고 있다. 이 정맥은 이 부위에 있는 동맥의 동반 정맥 및 외경정맥(external jugular vein)을 받고, 마지막으로 내경정맥(internal jugular vein)과 합류하면서 무명정맥(innominate vein)이 된다.

3) 어깨의 림프계(lymphatic system of the shoulder)

상지의 림프관(lymph vessel)은 대부분 정맥을 따라간다. 두정맥(cephalic vein)을 따라온 림프관은 삼각흉구에 있는 몇 개의 림프절(lymph node)으로 들어가며, 기저정맥(basilic vein) 및 상완정맥과 동행한 림프관은 여러 개의 액와림프절(axillary lymph node)로 흘러들어 간다. 또한 유방이나 흉곽에서 올라온 림프관들도 몇 개의 림프절을 통과하면서 액와정맥 주변으로 모여든다. 이러한 많은 림프관들은 제1늑골에 이르면 모두 합쳐져서 쇄골하 간부(subclavian trunk)를 형성한다. 림프관이 목의 기저부에서 정맥으로 주입되는 양상은 양측에서 서로 다르다.

좌측에서는 쇄골하 간부가 얼굴이나 목에서 온 경 간부(jugular trunk)와 함께 흉관(thoracic duct)에 주입된다. 흉관은 식도를 따라 위로 올라온 다음, 큰 혈관들을 후방으로 돌아, 혈관의 상부에서 전방으로 나오면서 쇄골하정맥으로 주입된다. 주입은 쇄골하정맥과 내경정맥(internal jugular vein)이 합쳐져서 무명정맥(innominate vein)이 되기 직전에 이루어진다. 우측에서는 쇄골하 간부와 경 간부 및

내부 유방 간부(internal mammary trunk)와 합해지거나 또는 개별적으로 전술한 세 대형 정맥의 연결 부위로 주입된다.

Ⅱ 어깨의 발생학 (Embryology of the shoulder)

배아기(embryonic period)란, 배란이 된 후 8주까지를 말하며, 이 기간 동안에 적절한 발생(development) 또는 분화(differentiation) 과정을 거쳐, 한 개의 수정된 난자로부터 모든 외적 그리고 내적 기관들이 형성되는 시기이다. 분화의 기전에 대해 정확하게 알려진 것은 없으나, 형성과정(formation process)과 분리과정(separation process)이 주어진 유전적 정보에 따라 상호보조적으로 작용하여, 적절한 분화가 진행된다는 가설이 비교적 쉽게 이해될 수 있다.

형성은 뇌의 형성이나 간의 형성 및 손의 형성과 같이, 이전에는 없던 새로운 장기를 만들어내는 과정을 의미하며, 분리는 관절의 분리나 척추의 분리 및 손가락의 분리 등과 같이, 동일한 조직학적 특성을 가진 구조가 여러 개로 나뉘는 것을 의미한다. 분리는 분절(segmentation)과 동의어로 사용되는데, 대개는 형성된 기관의 일부가 세포괴사 또는 세포자멸(apoptosis) 과정을 거쳐, 괴사된 부분이 공동화되거나 다른 조직으로 변하는 과정을 의미한다. 약 8주 동안의 배아기가 끝나면 태아는 성인의 모든 구조를 거의 다 갖추게 되므로, 대부분의 선천성 기형은 이 기간 중에 발생하게 된다고 이해될 수 있다.

태아기(fetal period)는 태령 9주부터 출생까지를 말하며, 이 기간 동안에는 일단 형성된 장기나 해부학적 구조들이 단순히 성장(growth) 또는 조화과정(modulation process)만을 가지게 된다. 물론 이 태아기 동안에도 약간의 재성형(remodeling)과 재건과정(reconstruction process)은 가능한 것으로 이해되고 있다. 그리하여 이 기간 동안에는 골이나 근육이 성장하고, 이차골화중심이 발생하며, 인대에 교원질 양이 증가하는 것과 같은 성장이나 재성형이 발생하는 것이다. 그리고 이러한 성장과정은 생후에도 소아기간 동안 계속된다.

1. 상지의 발생
(Development of the upper extremity)

상지는 태령 26일인 4주 말에 출현하는 지아(limb bud)가 자라서 만들어진다. 지아의 발생을 이해하기 위해서는 그 삼차원적 방향을 설정해 두는 것이 필요하다. 우선 지아에서 어깨가 될 부분과 손이 될 부분의 중심을 연결하는 선을 근위원위 축(proximodistal axis), 또는 지아 축(axis of the limb bud)이라 칭한다. 그러면 몸통에 가까운 쪽은 근위 방향(proximal direction), 손끝을 향하게 되면 원위 방향(distal direction)이라 부를 수 있다.

지아에서는 무지(thumb)가 될 부분은 머리쪽을 향하고 있으며, 소지가 될 부분은 꼬리 방향을 향하고 있다. 따라서 근위원위 축과 90도를 이루면서, 무지와 소지를 연결하는 선에 평행한 선들은 머리와 꼬리를 연결하는 두미축(craniocaudal axis)이라 부를 수 있다. 이때 머리와 꼬리 방향은 두미 방향(craniocaudal direction)이라 칭할 수 있으며, 무지 방향은 두(cranial) 또는 축전(preaxial) 방향이라 부르고, 소지 쪽은 미(caudal) 또는 축후(postaxial) 방향이라고 부른다. 그리하여 무지 쪽의 피부는 축전 표면(preaxial surface) 또는 축전 변(preaxial border)이라고 부른다.

마지막으로 손바닥과 손등을 향하는 방향이 있는데, 이를 전후방 방향(anteroposterior direction)이라 칭하며, 이를 연결하는 선들을 전후방 축(anterioposterior axis) 또는 복배 축(ventrodorsal axis)이라 부를 수 있다. 상술한 바와 같이 지아의 XYZ 축을 설정해 두면 이후 지아의 어떤 부분도 공간 좌표에 의해 표시될 수 있을 것이다.

2. 어깨의 발생

수정 4주 말에 출현하는 지아는 후방부의 성장이 전방부 보다 약간 빠르다. 태아에서는 두부가 먼저 형성되기 때문에, 상지의 지아는 몸통의 중간 정도에 생기며, 하지의 것보다 약간 먼저 나타난다. 시간이 경과되면서, 상지의 지아와 몸통 연결부의 전방과 후방에 도랑같이 약간 들어간 부분이 형성되는데, 이 중 전방의 것은 액와 와(axillary fossa)라고 부른다.

혈관은 태아의 발생 중 난황낭(yolk sac)의 몸체와 벽에 혈관모세포(angioblast)가 모여서 덩어리 또는 줄 모양을 형성하는데, 이를 혈액섬(blood island)이라고 부른다. 이 혈액섬은 처음에는 단단하나, 차츰 구멍이 생기면서 혈관으로 분화가 진행되어, 접어놓은 그물 또는 얼기 모양의 모세혈관총(capillary plexus)을 형성한다. 이들은 차츰 동맥과 정맥으로 분화되면서 얼기 자체는 퇴화된다. 이러한 혈관총이 퇴화하지 않고 남으면 혈관종 또는 동정맥 기형이 발생하는 것으로 이해되고 있다.

태생 약 4주 정도 되면 대동맥과 주요정맥(cardinal vein)의 모양이 대부분 완성된다. 그리고 태령 31일이 되면 몸통으로부터 혈관이 상지의 지아로 자라 들어오기 시작한다. 5주 중간에 지아의 어깨가 될 부분이 전방으로 굴곡하게 되고, 동시에 혈관과 신경, 근육이 자라 들어오기 시작한다. 상지가 발생함에 따라 내려오는 혈관은 처음에는 단 하나만이 발생하여 축성 혈관(axial vessel)을 만든다. 지아에 있던 모세혈관 얼기는 최초로 쇄골하동맥(subclavian artery)으로 분화하며, 5주에는 액와동맥(axillary artery)과 상완동맥(brachial artery)이 차례로 발생하고, 전완부에서는 상완동맥의 연결 동맥으로 중앙동맥(central artery)이 생기며, 손에는 모세 혈관총이 있게 된다. 5주 말 상완동맥에서 정중신경을 따라가는 정중동맥(median artery)이 다시 나오기 시작한다.

또한 쇄골과 견갑골 및 상완골이 될 부분에서 간엽세포(mesenchymal cell)가 연골세포(chondrocyte)로 화생(metaplasia)되면서 연골화가 되기 시작한다. 관절이 생길 부위에는 간엽세포들이 밀집해 있는 구역간 간엽(interzonal mesenchyme)이 나타난다. 이어 쇄골에서는 5-6주에 일차골화 중심(primary ossification center)이 만들어지기 시작하는데, 이는 하악골(mandible)과 함께 가장 먼저 골화되는 뼈이다.

6주에는 쇄골의 연골모형(cartilage model)이 완성되고, 견갑골과 상완골의 골화와 연골모형의 완성은 6-8주에 이루어지는 것으로 알려져 있는데, 8주에는 견갑골과 상완골 및 전완골들이 골화되기 시작되며, 수지골들의 일차골화중심은 9-12주에 출현한다. 그리하여 골에 따라서 약간 다른 시기에 영양 혈관과 골막하골이 생기기 시작하게 된다. 골단에 생기는 이차골화중심은 12주 이후에 혈관이 침입하면서 출현하는데, 아주 늦은 것은 생후 15세 이후에 출현하는 것도 있다.

6주가 되면 정중동맥이 완성되고 중앙동맥은 짧아지며, 척골동맥(ulnar artery)과 수지동맥(digital artery)이 출현하여 완성된다. 7주에는 정중동맥이 짧아지며, 요골동맥(radial artery)이 형성되고, 8주에는 모든 상지의 동맥이 완성된다(그림 2-15). 완성된 혈관으로 전완부에서는 척골동맥과 요골동맥이 주로 역할을 하게 되며, 손의 근위부에서 이들은 서로 만나 전방에서 두 개 그리고 후방에서 한 개의 아치를 형성한 다음 각 수지에 수지동맥을 내게 된다. 그리하여 상지의 혈관은 주관절 부근에서 움직임이 가장 적도록 고정되어 있어, 이곳에서 혈관 문제가 흔히 발생한다. 즉, 소아의 상완골의 과상 골절(supracondylar fracture) 시 구획증후군(compartment syndrome)이 흔히 합병됨은 잘 알려진 일이다.

구역간 간엽은 관절의 종류에 따라 섬유관절(fibrous joint), 연골관절(cartilaginous joint) 혹은 윤활관절(synovial joint)로 분화된다. 윤활관절인 상완와관절(glenohumeral joint)이 발생할 부위에서는 시간이 지나면서 세포 밀집이 더 심해지다가 이어 세 층으로 나뉘는데, 태령 6주경 구역간 간엽에서 중앙에 성긴 이완층(loose layer)이 생기고 그 양측에 세포가 밀집된 연골발생층(chondrogenic layer)으로 구성된 세 층이 발생한다. 중앙의 이완층에서 괴사세포(apoptotic cell)가 출현하면서, 찢어진 파열(cleft)이 나타나 빈 공간이 생기는 공동화(cavitation)가 나타나고, 발생한 공동에 액체가 차면서 완전한 형태의 관절로 분화되어 가게 된다. 상완와관절의 경우 7주가 되면 공동화되고, 7주 말에는 비교적 완전한 관절로 분화된다. 흉쇄관절과 견쇄관절은 상완와관절과 비슷한 시기에 발생하며, 보다 원위부의 관절들은 며칠 정도 지연되어 나타난다.

근육은 몸통에서 어깨로 이주해 온 근육의 전구세포

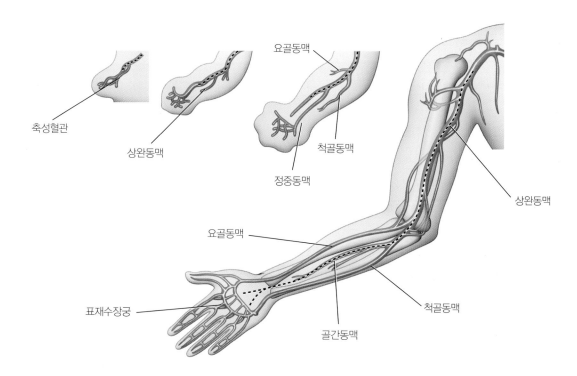

그림 2-15 상지혈관의 발생
6주가 되면 정중동맥이 완성되고 중앙동맥은 짧아지며, 척골동맥(ulnar artery)과 수지동맥(digital artery)이 출현하여 완성된다. 7주에는 정중동맥이 짧아지며, 요골동맥(radial artery)이 형성되고, 8주에는 모든 상지의 동맥이 완성된다.

(progenitor cell)로부터 발생되는데, 5주 말부터 전구세포로부터 변한 근모세포(myoblast)가 확인되며, 6주가 되면 근육으로 분화하기 시작한다. 이후 전방과 후방 근육으로 나누어진다. 그러나 몸통 근육들은 척수의 양측에 발달한 체절의 중간 부위에서 발생하는 근육분절(myotome)로부터 직접 만들어지는 것으로 이해되고 있다. 그러나 건은 지아의 간엽세포로부터 분화된 다음, 근육에 연결되는 것으로 생각되고 있다.

말초신경은 5주 말에서 6주 초에 어깨 부위로 자라 들어오기 시작한다. 7주 정도가 되면 상완와관절은 비교적 잘 형성되어 있으며, 주위에 있는 근육의 건들이 비교적 명확하게 보이기 시작한다.

8주가 되면 상완이 회내(pronation)되면서, 성인의 것과 비슷한 모양의 어깨가 발생한다. 그리하여 상완와관절도 성인의 것과 비슷한 모양이 되며, 와상완인대(glenohumeral ligament)들이 관절막의 두꺼워진 형태로 보이기 시작한다. 그러나 어깨의 모습이 완성되려면 4주는 더 필요하다. 그리하여 12주가 되어야 관절와순(glenoid labrum), 이두건(biceps tendon), 와상완인대(glenohumral ligament) 및 점액낭(bursa) 등이 완성되어 뚜렷해진다. 또한 발생되어 오던 견쇄관절(acromioclavicular joint)의 형태도 완성된다.

13주에 이르면 회전근 개(rotator cuff)와 오구견봉인대(coracoacromial ligament), 오구상완인대(coracohumeral ligament)가 완성된다. 또한 아직도 주로 연골로 구성되어 있는 견봉(acromion)이 충분히 굽으면서, 성인과 유사한 모양을 가지게 된다.

어깨는 처음에는 목 부위에 있다가, 나중에 흉추 상부로 내려온다. 그리하여 견갑골은 5주에는 제4-5경추 정도에 위치하고 있으며, 6주가 되면 그 크기가 매우 커지면서 제4경추-제7흉추 정도의 위치를 차지하고 있고, 7주 초에는 아래로 내려와서 제1-5늑골의 위치와 일치하게 된다. 견갑골은 이후 약간 더 내려오면서, 출생 시에는 제6늑골 수준까지 내려온다. 이러한 견갑골의 하향 이주가 불완전하게 이루어진 기형은 스프렝겔 변형(Sprengel's deformity)이라고 부른다.

참고문헌

1. Nevola Teixeira LF, Lohsiriwat V, Schorr MC, et al. Incidence, predictive factors, and prognosis for winged scapula in breast cancer patients after axillary dissection. Support Care Cancer. 2014;22(6):1611-7.

2. Gane EM, Michaleff ZA, Cottrell MA, et al. Prevalence, incidence, and risk factors for shoulder and neck dysfunction after neck dissection: A systematic review. Eur J Surg Oncol. 2017;43(7):1199-218.

3. Steinmetz G, Conant S, Bowlin B, et al. The Anatomy of the Clavicle and its In Vivo Relationship to the Vascular Structures: a 2D and 3D Reconstructive Study using CT Scans. J Orthop Trauma. 2019.

4. Cabezas AF, Krebes K, Hussey MM, et al. Morphologic Variability of the Shoulder between the Populations of North American and East Asian. Clin Orthop Surg. 2016;8(3):280-7.

5. Tubbs RS, Loukas M, Slappey JB, et al. Surgical and clinical anatomy of the interclavicular ligament. Surgical and radiologic anatomy : SRA. 2007;29(5):357-60.

6. Bernat A, Huysmans T, Van Glabbeek F, Sijbers J, Gielen J, Van Tongel A. The anatomy of the clavicle: a three-dimensional cadaveric study. Clinical anatomy (New York, NY). 2014;27(5):712-23.

7. Knudsen FW, Andersen M, Krag C. The arterial supply of the clavicle. Surgical and Radiologic Anatomy. 1989;11(3):211-4.

8. Modgil R, Arora KS, Sharma A, Mohapatra S, Pareek S. Cleidocranial Dysplasia: Presentation of Clinical and Radiological Features of a Rare Syndromic Entity. Mymensingh Med J. 2018;27(2):424-8.

9. Gottschalk HP, Browne RH, Starr AJ. Shoulder girdle: patterns of trauma and associated injuries. Journal of orthopaedic trauma. 2011;25(5):266-71.

10. Sahara W, Sugamoto K, Murai M, Yoshikawa H. Three-dimensional clavicular and acromioclavicular rotations during arm abduction using vertically open MRI. Journal of Orthopaedic Research. 2007;25(9):1243-9.

11. Rugg CM, Hettrich CM, Ortiz S, Wolf BR, Group MSI, Zhang AL. Surgical stabilization for first-time shoulder dislocators: a multicenter analysis. J Shoulder Elbow Surg. 2018;27(4):674-85.

12. Arai R, Nimura A, Yamaguchi K, et al. The anatomy of the coracohumeral ligament and its relation to the subscapularis muscle. J Shoulder Elbow Surg. 2014;23(10):1575-81.

13. Ide J, Maeda S, Takagi K. Normal variations of the glenohumeral ligament complex: an anatomic study for arthroscopic Bankart repair. Arthroscopy : the journal of arthroscopic & related surgery : official publication of the Arthroscopy Association of North America and the International Arthroscopy Association. 2004;20(2):164-8.

14. Beltran J, Bencardino J, Padron M, Shankman S, Beltran L, Ozkarahan G. The middle glenohumeral ligament: normal anatomy, variants and pathology. Skeletal Radiol. 2002;31(5):253-62.

15. Williams MM, Snyder SJ, Buford D, Jr. The Buford complex--the "cord-like" middle glenohumeral ligament and absent anterosuperior labrum complex: a normal anatomic capsulolabral variant. Arthroscopy : the journal of arthroscopic & related surgery : official publication of the Arthroscopy Association of North America and the International Arthroscopy Association. 1994;10(3):241-7.

16. Beger O, Dinç U, Beger B, Uzmansel D, Kurtoğlu Z. Morphometric properties of the levator scapulae, rhomboid major, and rhomboid minor in human fetuses. Surgical and radiologic anatomy : SRA. 2018;40(4):449-55.

17. Paine R, Voight ML. The role of the scapula. Int J Sports Phys Ther. 2013;8(5):617-29.

18. Martin RM, Fish DE. Scapular winging: anatomical review, diagnosis, and treatments. Current reviews in musculoskeletal medicine. 2008;1(1):1-11.

19. Verenna AA, Alexandru D, Karimi A, et al. Dorsal Scapular Artery Variations and Relationship to the Brachial Plexus, and a Related Thoracic Outlet Syndrome Case. J Brachial Plex Peripher Nerve Inj. 2016;11(1):e21-e8.

20. Anderson WS, Lawson HC, Belzberg AJ, Lenz FA. Selective denervation of the levator scapulae muscle: an amendment to the Bertrand procedure for the treatment of spasmodic torticollis. J Neurosurg. 2008;108(4):757-63.

21. Oladipo GS, Aigbogun EO, Jr., Akani GL. Angle at the Medial Border: The Spinovertebra Angle and Its Significance. Anat Res Int. 2015;2015:986029.

22. Eliot DJ. Electromyography of levator scapulae: new findings allow tests of a head stabilization model. J Manipulative Physiol Ther. 1996;19(1):19-25.

23. Frank DK, Wenk E, Stern JC, Gottlieb RD, Moscatello AL. A cadaveric study of the motor nerves to the levator scapulae muscle. Otolar-

yngol Head Neck Surg. 1997;117(6):671-80.

24. Nasu H, Yamaguchi K, Nimura A, Akita K. An anatomic study of structure and innervation of the serratus anterior muscle. Surgical and radiologic anatomy : SRA. 2012;34(10):921-8.

25. Gregg JR, Labosky D, Harty M, et al. Serratus anterior paralysis in the young athlete. J Bone Joint Surg Am. 1979;61(6a):825-32.

26. Klarner T, Barss TS, Sun Y, Kaupp C, Zehr EP. Preservation of common rhythmic locomotor control despite weakened supraspinal regulation after stroke. Front Integr Neurosci. 2014;8:95.

27. Smith CD, Booker SJ, Uppal HS, Kitson J, Bunker TD. Anatomy of the terminal branch of the posterior circumflex humeral artery: relevance to the deltopectoral approach to the shoulder. Bone Joint J. 2016;98-b(10):1395-8.

28. Kadi R, Milants A, Shahabpour M. Shoulder Anatomy and Normal Variants. J Belg Soc Radiol. 2017;101(Suppl 2):3.

29. Roh MS, Wang VM, April EW, Pollock RG, Bigliani LU, Flatow EL. Anterior and posterior musculotendinous anatomy of the supraspinatus. J Shoulder Elbow Surg. 2000;9(5):436-40.

30. Fallon J, Blevins FT, Vogel K, Trotter J. Functional morphology of the supraspinatus tendon. J Orthop Res. 2002;20(5):920-6.

31. Huegel J, Williams AA, Soslowsky LJ. Rotator cuff biology and biomechanics: a review of normal and pathological conditions. Curr Rheumatol Rep. 2015;17(1):476.

32. Donohue BF, Lubitz MG, Kremchek TE. Sports Injuries to the Latissimus Dorsi and Teres Major. Am J Sports Med. 2017;45(10):2428-35.

33. Dancker M, Lambert S, Brenner E. The neurovascular anatomy of the teres major muscle. J Shoulder Elbow Surg. 2015;24(3):e57-67.

34. Busconi BB, DeAngelis N, Guerrero PE. The proximal biceps tendon: tricks and pearls. Sports Med Arthrosc Rev. 2008;16(3):187-94.

35. Neer CS, 2nd. Anterior acromioplasty for the chronic impingement syndrome in the shoulder. 1972. J Bone Joint Surg Am. 2005;87(6):1399.

36. Jobe FW, Moynes DR, Tibone JE, Perry J. An EMG analysis of the shoulder in pitching. A second report. Am J Sports Med. 1984;12(3):218-20.

37. Alpantaki K, McLaughlin D, Karagogeos D, Hadjipavlou A, Kontakis G. Sympathetic and sensory neural elements in the tendon of the long head of the biceps. J Bone Joint Surg Am. 2005;87(7):1580-3.

38. Mazzocca AD, McCarthy MB, Ledgard FA, et al. Histomorphologic changes of the long head of the biceps tendon in common shoulder pathologies. Arthroscopy : the journal of arthroscopic & related surgery : official publication of the Arthroscopy Association of North America and the International Arthroscopy Association. 2013;29(6):972-81.

39. Visser CP, Coene LN, Brand R, Tavy DL. The incidence of nerve injury in anterior dislocation of the shoulder and its influence on functional recovery. A prospective clinical and EMG study. J Bone Joint Surg Br. 1999;81(4):679-85.

생역학
Biomechanics

이성민

I 견관절의 생역학
(Biomechanics of the shoulder)

상지의 모든 부분은 손을 움직이기 위해 있다는 것처럼 손을 작용하는 데 있어서 상지의 기능은 매우 중요하다. 그 중에서 특히 견관절은 손에서 가장 멀리 떨어져 있어 손이 움직일 수 있는 반경을 늘려주는 데 큰 기여를 한다. 또한, 우리 몸에서 가장 넓은 운동범위를 가지고 있다. 하지만, 동시에 가장 불안정한 관절이기도 하다.

견관절은 총 네 가지 관절로 구성되어, 견부 복합체 (shoulder complex)라고 부르기도 한다. 특히, 보다 많이 움직일 수 있도록 세 가지 관절은 활액관절로 구성이 되어 있으며, 상완골과 견갑골 사이에 와상완관절(glenohumeral joint), 견갑골과 쇄골 사이에 견봉쇄관절(acromioclavicular joint), 쇄골과 몸통의 흉골 사이에 흉쇄관절(sternoclavicular joint)이 있다. 나머지 한 가지의 관절은 견갑골과 흉벽 사이에 있는 섬유관절로 견갑흉곽관절(scapulothoracic joint)이다. 이 세 가지의 활액관절과 하나의 섬유관절의 복합적인 작용으로 견관절이 움직여진다.

손을 이용하여 상완골까지 올라온 힘은 와상완관절을 거쳐 견갑골에 전해진다. 견갑골에 전해진 힘은 견갑흉곽관절을 통하거나, 견봉쇄관절, 흉쇄관절을 통해 흉곽에 전달이 된다. 따라서 혹자는 와상완관절만을 외측 견관절 (lateral shoulder joint)이라 부르고, 나머지 세 관절은 내측 견관절(medial shoulder joint)이라 일컫기도 한다.

1. 와상완관절의 생역학
(Biomechanics of the glenohumeral joint)

어깨의 회전에는 두 가지가 있다. 하나는 와상완관절의 회전이며, 다른 하나는 흉벽 위에서의 견갑골의 회전이다. 활막관절에서는 관절의 한 면이 고정된 다른 면 위에서 미끄러지는 활주운동(gliding or sliding motion)과 흔들의자의 밑바닥이 움직이는 것과 같은 진동운동(rocking motion) 또는 구르기운동(rolling motion)이 발생할 수 있다(그림 3-1).

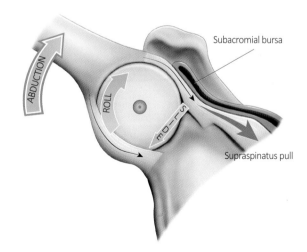

그림 3-1 우측 어깨에서 외전 시 구르기운동과 활주운동이 같이 작용하는 모습

1) 와상완관절의 안정성
(stability of the glenohumeral joint)

(1) 와상완관절의 방위
(orientation of the glenohumeral joint)

이 관절을 구성하는 상완골 두는 직경이 약 4 cm 정도 되는 공의 1/3 정도를 잘라 놓은 모양으로, 그 관절면의 단면은 약 120도 정도 되는 원 둘레에 해당된다.

견갑골의 관절와(glenoid)는 쉼표를 거꾸로 세워 놓은 것 같은 형태 혹은 배 모양의 얕은 접시를 연상하게 하는 구조이다. 골성와에 관절연골과 와순(glenoid labrum)이 붙게 되면, 관절면적은 상당히 늘어나게 된다. Saha는 와상완 비(glenohumeral ratio)를 측정하였는데, 상하로 0.8 정도 그리고 가로로 0.6 정도였다.[1] Hertz는 와부위와 골 두의 면적비(surface ratio of the glenoid and head)를 계측하였는데, 관절와순을 제거한 상태에서는 1:4.3, 순을 붙여놓은 상태에서는 1:2.8 정도였다.[2] 즉, 관절와순을 붙여놓은 상태에서도 골 두 관절면의 약 1/3만이 와강(glenoid cavity)과 접촉하게 되는 것이 정상적이다.

(2) 와상완관절의 안정성
(stability of the glenohumeral joint)

정상적인 상태에서 와상완관절은 상당히 안정되어 있는데, 그 이유는 골구조보다 주변 연부조직 구조가 안정적으로 와상완관절을 유지시켜 주기 때문이다.[3] 와상완관절 자체는 큰 구형의 상완골 두(20-24 cm^2)와 그보다 작고 얕은 관절와(6-7 cm^2)가 관절을 이루므로, 접촉 면적은 약 25-30%에 불과하다. 관절막과 관절인대들도 비교적 얇은 편이므로, 관절면과 관절을 싸고 있는 관절막과 인대와 같은 내적 구조(internal structure)는 원천적으로 불안정하다. 평면적인 구조상으로는 관절 내적 불안정성은 매우 심해 보이나, 어깨의 운동 시에는 견갑골이 움직여서 그 작은 접시 모양인 와부의 방향을 이동시키기 때문에, 방사선에서 보이는 것처럼 아주 불안정한 것만은 아니라는 주장이 있다. 예를 들어, 상지를 머리 위로 들어올리게 되면 와부의 관절면은 하늘 쪽을 향하게 되며, 상완골 두는 작은 접시 위에 올려놓은 공 같은 모양이 되어 그 안정성이 향상되는데, Rowe는 이를 이동성 받침(mobile base)이라 표현하고 있다(그림 3-2).

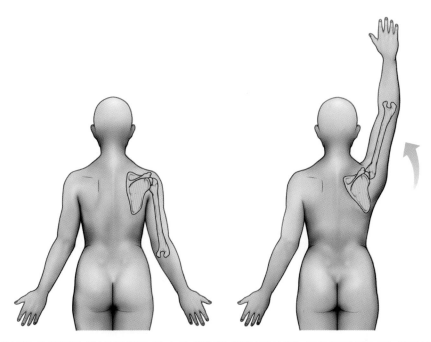

그림 3-2 상지를 머리 위로 들어올리면, 와부의 관절면은 하늘 쪽을 향하면서 상완골 두를 받치는 접시 형태가 된다. 이는 이동성 받침(mobile base)이라 표현되며 견관절의 안정성을 향상시켜 준다.

와상완관절의 안정성에 기여하는 인자들은 정적인 것과 동적인 것, 그리고 내적인 것과 외적인 것으로 나누어 고찰해 볼 수 있다. 정적 안정성(static stability)이란, 관절면의 모양과 상태, 근육을 제외한 관절 주위의 연부조직의 기능에 의해 얻어지는 수동적 안정성이다. 이는 관절의 내부구조와 외부구조로 인한 안정성으로 세분해 볼 수 있다. 동적 안정성(dynamic stability)은 근육의 작용에 의해 얻어지는 능동적 안정성인데, 회전근 개와 이두근 및 삼두근 등이 그 역을 하고 있다.

① 정적 안정성(static stability) 중 내적 안정성(internal stability)

내적 안정성(internal stability)은 관절면과 관계되는 것과 관절을 직접 둘러싸고 있는 막에 의한 것으로 다시 세분될 수 있다. 관절면과 관계되는 사항들로는 견갑골 견갑와의 모양과 경사 정도, 관절의 접촉상태, 그리고 음압을 유지하고 있는 관절내 압력 등이 있다. 견갑와의 모양은 그 면적이 넓거나 깊을수록 관절면들의 접촉이 좋아지면서 안정성이 증가될 것이다. 따라서, 견갑와의 손상으로 뼈의 결손이 심할 경우에는 불안정성이 야기될 수밖에 없다.[4] 그리고 견갑 경사(scapular inclination)가 높아져서 와의 관절면이 위쪽을 향할수록 관절은 보다 안정화될 것이다. 견갑와 관절면의 면적을 측정한 것을 보면, 관절와순이 있는 상태에서는 20-50세 정도에 11 cm^2, 그리고 70세 이상에서는 9.5 cm^{2}이었다. 그리고 관절와순이 없는 상태에서는 나이에 관계없이 6 cm^2 정도였다.[2] 그리하여 관절와순은 젊었을 때는 약 2배, 나이가 들었을 때는 약 1.5배 관절와의 면적을 늘이고 깊이를 깊게 하는 역할을 하고 있으며, 나이가 먹음에 따라 닳아서 감소하는 것을 알 수 있다.

만약 관절와순을 제거하면 안정성은 약 20% 감소된다는 주장이 있다.[5] 그리고 연골-순 결함(chondrolabral defect)이 발생하면 안정성이 더 감소된다는 보고도 있다.[6] 관절내 압력(intraarticular pressure)은 정상적으로 약간 음압(negative pressure)을 보이고 있는데, 상완골 두의 하방 전위를 막는 역할을 한다. 음압이 유지된 상태에서는 각종 회전근 개들이 이완된 상태로 있게 되며, 이러한 음압이 소실이 된다면 상완골 두의 하방 전위가 발생하게 된다.

와상완관절을 직접 둘러싸고 있는 관절막은 이 관절의 넓은 운동범위를 보장하기 위하여 매우 얇은 편이다. 하지만, 와상완관절의 안정성을 유지하는 데 중요한 역할을 한다. 특히, 상방 관절막의 역할이 중요한데, 사체 연구에서 상방 관절막을 제거하는 경우, 상방뿐만이 아니라 전후방 안정성이 약화가 되며, 특히 30도 외전 시에는 171%나 상방 전위가 증가한다 하였다.[7] 그리고 관절막을 보강하고 있는 와상완인대(glenohumeral ligament)는 상방과 중간 및 하방의 세 종류로 대별하는 것이 일반적인데, 이들은 외부에서 주어지는 힘을 막기에 그리 강력한 편은 못되는 것으로 이해되고 있다. 상 와상완인대(superior glenohumeral ligament)는 골 두가 밑으로 쳐지는 것을 막는 안정장치 중 하나다. 중간 와상완인대는 상완골 두의 전방 전위를 막는 것이 주요 기능으로 이해되고 있는데, 어깨를 외전시키고 외회전시키면 팽팽해진다. 하 와상완인대는 90도 외전 및 외회전시킨 상태에서 작동되며, 세 개의 상 와상완인대 중에 안정성에 가장 크게 기여한다.

② 정적 안정성(static stability) 중 외적 안정성(external stability)

와상완관절의 안정성에 기여하는 외적 구조(external structure)들로는 견봉이나 오구돌기 및 오구견봉인대와 같이 수동적인 것과 회전근 개(rotator cuff) 같이 능동적으로 작용하는 근육이 있다. 외적 수동적 구조 중, 골성 구조로는 견봉이나 오구돌기가 있으며, 인대성 구조로는 오구견봉인대 및 오구상완인대가 있다. 견봉(acromion)은 상완골 두의 상방 및 후상방 전위를 막는다. 오구돌기(coracoid process)는 골 두의 전상방 전위를 어느 정도 방해한다. 오구와 견봉의 전방을 연결하는 오구견봉인대(coracoacromial ligament)는 상완골 두의 전상방 전위를 막아 이 관절을 상방에서 안정화시키는 안정장치인 것으로 알려져 있다. 한편 오구돌기의 기저부와 대소 결절을 연결하는 오구상완인대(coracohumeral ligament)는 와상완관절이 외회전되어 있는 상태에서 골 두의 하방 이동을 막는 하방 안정장치(inferior stabilizer)로 이해되고 있다. 극상근과 견갑하근 사이의 공간을 회전근 간격(rotator interval)이라고 하는데, 이 부위는 관절막과 오구상완인대로 덮여있다. 이 부위도 견관절의 안정에 관여하는 것으로 알려져 있으나 세부적인 기능은 잘 알려져 있지 않다.

③ 동적 안정성(dynamic stability)

동적 안정성(dynamic stability)은 근육의 수축작용에 의해 얻어지는 능동적 안정성이다. 근육수축에 의한 와상완관절의 안정성은 회전근 개나 이두근이나 삼두근의 장두와 같이 관절의 바로 변두리에 붙는 근육들에 의해 얻어질 것이다. 상지를 거상할 때, 상완골 두에 근육의 힘이 작동되지 않는다면 상완골의 약 0.4-1.2 mm 정도의 상하방 이동이 가능하며,[8] 근육이 수축한 상태에서는 0.2-0.9 mm 정도의 이동이 관찰되었으므로,[9] 와상완관절의 안정성에 근육의 역할이 중요하다는 것을 알 수 있다. 근육의 작용은 능동적인 것과 수동적인 것으로 나누어 생각할 수 있다. 능동적 역할(active role)은 근육이 수축하는 방향으로 상완골 두가 움직이는 것이다. 한편 근육의 수동적 역할(passive role)은 근육의 인대 같은 기능을 말하는 것으로, 결함이 발생한 방향으로 상완골 두가 빠지게 되는 것, 그리고 상대적으로 근력이 약한 반대쪽으로 골 두가 밀려가는 것 등이 있다.

회전근 개의 능동적 역할은 복합적으로 일어나나 주로 견갑하근은 상완골의 내회전, 극상근은 상완골의 외전, 외회전 그리고 극하근과 소원근은 외회전시키는 것이다. 하지만, 견갑하근도 내전과 전방 거상에 일조하기도 하며,

따라서 명확하게 각각의 기능을 구분하는 것은 옳지 않다.[10] 회전근 개가 모두 능동적으로 수축되면, 내회전과 외전 및 외회전되려는 방향으로 상완골 두에 힘이 주어져서, 결국 골 두가 전후방 또는 하방으로 이동되지 못하게 되므로, 와상완관절에 발생할 수 있는 각 방향의 불안정성이 최소화된다. 최근 발표된 사체를 이용한 생역학 연구 결과에 따르면, 극상건의 완전 파열이 있는 경우에는 모든 외전 각도에서 상부 안정성을 잃게 되었으며, 극하근의 전방 1/2이 추가로 파열이 있는 경우에는 30도 외회전 시에 보다 더 많이 상완골의 상부 전위가 관찰된다 하였다.[11]

회전근 개의 회전 케이블(rotator cable)도 주목받고 있다 (그림 3-3). Burkhart가 처음으로 회전 케이블을 언급하였으며, 20구의 사체를 통하여 극상건의 앞쪽에 극상건과 평행하게 두꺼운 섬유조직이 있음을 발표하였다.[12] Burkhart는 회전근 개의 상부에 힘이 가해질 경우 힘의 부하를 처음으로 받는 곳이라 일컬었다.[12] 회전 케이블에 파열이 있는 경우, 회전근 개의 파열 크기가 더 커지면서 힘줄 자체의 강성도 떨어지고, 남아있는 힘줄에 가해지는 부하가 과하게 걸리게 된다.[13] 그뿐만 아니라 상완골의 전방 전위를 야기시켜 불안정성을 초래한다.[14]

회전근 개의 수동적 기능은 견갑하근은 과잉 외회전에 저항하는 것이며, 극상근은 과도한 내전을 방해하고, 극하근과 소원근은 과잉 내회전을 못하게 하는 것이다. 따라서 견갑하근에 결함이 발생하면 상완골 두가 과도하게 외회전되

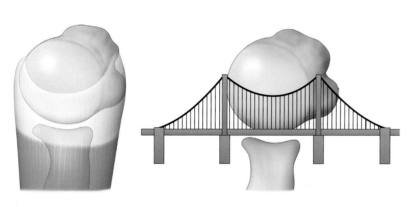
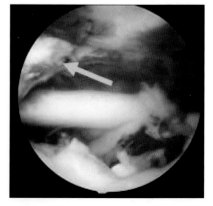

그림 3-3 Burkart가 처음으로 회전 케이블을 언급하면서 현수교 개념을 도입하였다. 관절경상 전방의 회전 케이블이 파열된 소견을 관찰할 수 있다.

면서 전방으로 탈구되며, 극상근에 큰 파열이 발생하면 골두가 상방으로 밀려 올라갈 수 있게 되는 것이다. 그리고 만약 C5, 6가 마비되어 삼각근과 극상근 및 극하근 그리고 상완이두근이 마비되면, 상완골 두는 팔의 무게 때문에 하방 아탈구를 일으키게 된다.

이두근과 삼두근의 장두들도 와상완관절의 안정성에 약간 도움이 될 수 있을지 모르는데, 이들의 역할에 대해서는 의견이 일치하지 않는다. 이두근 장두(long head of the biceps)는 와상완관절의 매우 약한 외전기능을 가지고 있다. 상완이두근 장두의 수동적 역할은 상완골 두의 전상방 전위를 어느 정도 방해하며, 상완골 두가 상방 전위되는 것을 막는 데 기여하는 것으로 이해될 수도 있다.[15] 또한, 인위적으로 사체에 전후방 상부 관절와순의 파열을 만들었을 경우에는 이두근 장두가 와상완관절의 안정성을 유지하는 데 보다 큰 역할을 한다고 보고되었다.[15] 그뿐만 아니라 외회전의 자세에서 이두근 장두가 상완골 두의 후방 전위를 막아줌으로써 후방 안정화에 기여한다고 언급되었다.[16] 단, 사체를 이용한 카데바 연구에서 이두근 장두가 없을 경우에는 내회전의 범위가 있는 경우보다 늘었으며, 이때 상완골 두가 상방으로 밀려 충돌을 일으킬 수 있다고 보고되었다.[17] 삼두근의 장두도 와의 아랫부분에 위치하여 하방의 안정성에 도움을 줄 가능성이 있으나, 손상 시 어깨 기능의 심각한 저하를 초래하지는 않는다. 이들 장두들의 또 하나의 수동적 작용은, 와의 바로 상부 및 하부를 척골의 최상 근위부의 전방과 후방을 연결하는 두 개의 줄로 작용하게 하여 이 줄 사이에 상완골이 위치하게 함으로써, 견갑골과 척골 사이에서의 상완골의 움직임을 조화롭게 하고 상완골 두가 회전하는 축으로 작동할 가능성이 높다는 것이다.

이러한 정적 안정성과 동적 안정성은 서로 상호작용을 하게 된다. 예를 들어 중간 정도의 관절범위에서는 정적 안정성을 가져다주는 구조물들이 편안하게 이완되어 있으나, 관절범위가 커질수록 긴장을 하게 되고 하나의 checkrein 으로 작용을 한다. 반대로 동적 안정성을 가져다주는 구조물들은 중간 정도의 관절범위뿐만이 아니라, 관절범위가 커질 때도 와상완관절의 안정성을 유지하게 해준다.[18]

한 연구에서는 견갑하근과 주변 구조물들의 정적 안정성과 동적 안정성의 상호작용에 대하여 논하였는데, 예를 들어 0도 외전 시에는 견갑하근이 와상완관절의 안정성에 많이 기여를 하나, 45도로 외전을 하게 되면 견갑하근뿐만이 아니라 중간 와상완인대(middle glenohumeral ligament), 그리고 하방 와상완인대(inferior glenohumeral ligament)의 전상방 섬유가 전방의 안정성에 관여하게 된다. 마지막으로 90도로 외전을 하게 되면 외회전 자세에서 하방 와상완인대가 주로 전방 안정성에 작용을 하게 된다.[15] 이러한 상호작용이 깨지고 반복적으로 스트레스를 전방에 받는 경우에는 방카르트 병변(Bankart lesion)이 생길 수 있으며, 탈구가 없었음에도 불구하고 전방 관절와순의 파열이 있는 경우를 예로 들 수 있다.[19]

2) 와상완관절의 운동
(motion of the glenohumeral joint)

와상완관절은 구형관절로서, 직선적 운동은 거의 일어나지 않고 회전운동이 주로 발생하고 있다. 만약 직선적 운동이 과도하게 발생한다면, 이는 불안정성이나 아탈구로 해석되어야 할 것이다.

(1) 와상완관절의 회전운동
(rotatory motion of the glenohumeral joint)

와상완관절이 주로 활주운동에 의해 움직인다면, 이러한 활주는 x, y, z라는 세 개의 축(axis)을 중심으로 일어날 것이다. 그중 한 개는 굴신 축(flexion-extension axis), 다른 하나는 내외전 축(adduction-abduction axis)이며, 마지막 하나는 내외회전 축(internal external rotation axis)이다. 세 종류의 축 중 굴신 축은 상완골 해부학적 경부의 중심과 골 두의 중심 및 관절면의 중심을 연결하는 선이다. 그리하여 굴신 축을 중심으로는 실을 감는 실패를 돌리는 것과 같은 형태의 회전이 발생하며, 회전 후 골 두의 모양이 거의 변하지 않는다. 이러한 회전을 축회전(spinning)이라 부르며, 이때의 회전의 축은 축회전 축(spinning axis)이라 부른다. 내외전 축은 전후면 방사선에 보아서 상완골 두의 중심 정도를 전방에서 후방으로 가로지르는 선이 될 것이다.

또한 내외회전 축은 골 두의 중심을 상방에서 하방으로 연결하는 직선이 될 것이다. 회전 중심은 상완골 두의 중심에 위치해 있으며, 이 중심은 와상완관절에 병리가 발생하면 변동된다.[20]

(2) 와상완관절의 삼차원적 운동
(three dimensional motion of the glenohumeral joint)

바로 일어선 상태에서 상지를 늘어뜨려 몸통에 붙이게 하고, 주관절을 신전시킨 후 전완부를 회외전시켜 고정하여 손바닥을 전면으로 향하게 한다. 이 위치에서 시작하여 와상완관절을 중심으로 상지를 90도 외전시킨 다음, 다시 팔을 90도 전방으로 보내고 그 다음 90도 신전시켜 상지를 다시 몸통에 붙인다. 그러면 엄지는 전면, 그리고 손바닥은 내측을 향하고 있어, 와상완관절은 원래의 위치로부터 90도 내회전된 상태에 있게 된다. 그리고 원래의 위치로 보내려면, 와상완관절을 90도 외회전시켜야 한다. 이러한 관계는 코드만의 모순(Codman's paradox)이라고 알려져 있다. 상술한 운동은 사실 공간에서 강체의 정상적인 움직임이며, 모순이나 역설이 될 이유가 없다. 즉, 어떤 물체가 공간 위에서 그 물체의 중심을 지나는 x, y, z 축을 중심으로 회전할 때, 각 축을 중심으로 90도씩 일회전시키면, 물체 자체는 90도 돌아 자전되어 있는 상태, 즉 90도 방향이 바뀌어 있는 상태에 도달하게 된다. 그리하여 물체를 원래의 위치와 방향으로 보내기 위해서는, 적당한 축을 중심으로 90도 다시 한 번 역회전시켜야 한다(그림 3-4).

또한 어떤 물체를 각 축을 중심으로 180도씩 회전시키면, 그 물체는 180도 반대 방향을 향하게 된다. 이 물체를 원래의 방향으로 되돌리려면, 그중 한 축을 중심으로 180도 회전시켜야 하는 것이다. 이는 공간 내에 있는 모든 물체 자체의 방향은, 그 물체의 공전에 의해 바뀐다는 사실에 지나지 않는다. 어떤 물체가 원래의 방향으로 되돌아가기 위해서는, 회전을 일으킨 축을 중심으로 360도 돌거나, 또는 회전된 각도만큼 역회전되어야 한다는 것이다. 물체가 원래의 위치와 회전을 되찾기 위해서는, x와 y 및 z 축 각각을 짝수만큼 회전시켜야만 가능해지는 것이다. 와상완관절을 예로 들면, 중립 위치에서 팔을 90도 들었다 놓으

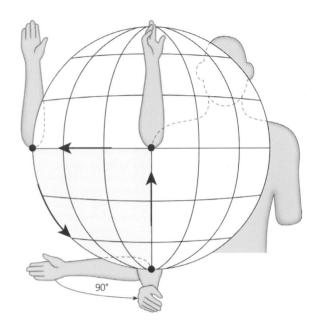

그림 3-4 코드만의 모순

면 이 관절은 원래의 위치와 방향으로 되돌아간다. 만약 팔을 90도 들고 다시 90도 외측으로 회전시킨다면, 팔을 내리는 동작과 함께 내측 회전시키는 움직임에 의해서만, 와상완관절은 원래의 위치로 되돌아가게 될 것이다. 이러한 관계는 비단 와상완관절뿐 아니라, 견갑흉곽관절이나 고관절과 같이 세 종류의 축회전(axial rotation)이 가능한 모든 구형관절에서 발생하는 움직임이다.

3) 와상완관절의 힘들
(forces related to the glenohumeral joint)

(1) 상지의 토크

토크(torque)는 모멘트 또는 회전 능률(torque)과 동의어로서, 회전을 야기하는 경향을 수치화한 것이다. 토크는 주어진 힘과 지렛대의 팔을 곱한 것, 즉 T = F × L로 정의되고 있다. 여기서 T는 토크이며, F는 힘이고, L은 지렛대 팔(lever arm)이다. 어깨에서의 F는 상지 무게에 의해 만들어지는 수치인데, 상완골의 장축에 90도를 이루면서 상지를 회전시키려고 하는 힘이다. 지렛대 팔은 능률 팔(moment arm)과 동의어로 사용될 수 있다.

(2) 근력(muscle force)

근력은 근육의 수축에 의해 발생된다. 마비시키지 않은 상태에서 살아있는 근육을 최대 한도까지 잡아당겨 끊어뜨리면서, 변하는 힘과 근육의 길이 관계를 연속적으로 그려보면, 길이-힘 곡선(length-force curve)이 그려진다. 이때 가로는 늘어난 길이의 양으로, 세로 축은 가해진 힘의 크기로 표시하면 근육은 위쪽을 향하는 두 개의 산을 그린 다음 파열되는 것이 관찰되는데, 이러한 곡선을 브릭스 곡선(Blix curve)이라 부른다(그림 3-5).

이 경우 앞에 생기는 산의 높이는 낮고, 파열되기 직전에 발생하는 산은 먼저 것에 비해 상당히 높게 나타난다. 이러한 관찰은 근육이 물질의 성질이 다른 두 종류의 조직으로 구성되어 있음을 나타내는 것이다. 즉 낮은 산은 근육섬유 사이에 있는 섬유성 조직이나 근막이 늘어나서 파열되면서 생기는 것이고, 높은 산은 끊어지기 직전에 근육이 강하게 수축되면서 발생된 것이다. 그리고 이때의 힘과 길이를 표준화하면, 응력 변형곡선(stress strain curve)이 된다.

근육이 발휘할 수 있는 최대 힘은 근육의 총 중량과 내부 배열상태 등에 의해 결정될 것인데, 이러한 인자들을 객관화하기는 매우 어렵다. 객관화하기 비교적 쉬운 인자로는 근육의 최대 단면적이 있으며, 이는 근력에 비교적 잘 비례하는 것으로 알려져 있다. 근육의 단면 1 cm^3가 발휘할 수 있는 최대 근력은 4-9 kg으로 보고되어 있다. 과거에

는 평방 센티미터 당 4 kg(/cm^3)에 가까운 것으로 받아들여져 있었다.[21] 최근에는 9 kg/cm^3가 더 적당한 값이라는 주장들이 있으며, 남자에서는 9.3 kg/cm^3 그리고 여자에서는 7.2 kg/cm^3 정도라는 보고도 있다.[22] 표 3-1은 Oh 등이 측정한 회전근 개 근육과 지방의 단면적이다. 이 표에 의해, 어깨 주위의 특정 근육이 낼 수 있는 최대 근력을 용이하게 구할 수 있다.[23]

그러나 최대 근력은 단면적에만 의해 단순히 계산될 수 있는 것은 아니다. 근육 자체의 탄성도 고려를 해야 할 것이다. 극상근의 전단탄성률(elasticity, 탄성체에 양 끝을 당기는 전단 변형력이 작용하였을 때, 전단 변형력과 당기는 정도에 따른 변형의 비)은 20-35세에서는 23.28 kPa인 반면, 60세 이상이 되었을 때는 17.9 kPa로 유의하게 줄어드

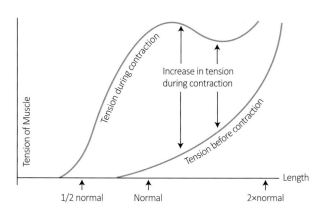

그림 3-5 브릭스 곡선(Blix curve)
변하는 힘과 근육의 길이 관계를 연속적으로 그린 것이다. 가로축은 늘어난 길이의 양이고, 세로축은 가해진 힘의 크기이며, 근육은 위쪽을 향하는 두 개의 산을 그린 후에 파열된다.

표 3-1 성별에 따른 회전근 개 근육 및 지방의 부피(평균과 표준편차)로 p value가 0.05보다 작은 경우 통계적으로 유의한 차이가 있음을 보여준다.

조직		부피(mL)	P value
근육	극상근	15.2±6.1	< 0.001
	남성	18.7±5.8	
	여성	10.5±1.7	
	극하근	20.9±9.3	< 0.001
	남성	25.7±9.2	
	여성	14.6±4.1	
	소원근	13.3±4.9	< 0.001
	남성	15.2±5.2	
	여성	10.8±2.9	
	견갑하근	29.7±14.5	< 0.001
	남성	36.0±15.5	
	여성	21.4±7.1	
지방	극상근	0.9±1.1	0.432
	남성	1.0±1.4	
	여성	0.7±0.6	
	극하근	1.0±0.7	0.690
	남성	1.1±0.9	
	여성	0.9±0.5	
	소원근	0.6±0.4	0.350
	남성	0.6±0.5	
	여성	0.5±0.4	
	견갑하근	2.2±2.5	0.660
	남성	2.6±3.2	
	여성	1.5±0.9	

는 것이 보고되었고, 나이를 먹을수록 근육을 수축하는 힘이 줄어든다 하였다.[24] 또한, 근육의 전체적인 모양, 근육섬유의 정렬 방향이나 섬유의 길이 등이 함께 고려되어 계산되어야 할 것이다. 근육의 섬유정렬 양상(fiber alignment pattern)에는 종적 섬유정렬(longitudinal fiber alignment)과 깃털 모양의 익형 섬유정렬(pennate fiber alignment)이 있으며, 삼각근과 같은 익형 섬유정렬은 종적 섬유정렬에 비해 더 많은 수의 근섬유를 가지고 있기 때문에 보다 큰 힘을 낼 수 있다(그림 3-6).

근육섬유는 단위 길이당 수축되는 최대 길이가 일정하다. 따라서 근섬유가 긴 것일수록 이동거리가 길고, 이동속도가 빠르게 될 것이다. 이러한 직선적인 근섬유의 운동 외, 관절을 움직이는 것과 같은 회전력도 고려해보아야 한다. 근력이 관절을 회전시키기 위해 작동되는 경우에는, 회전력의 크기인 토크(torque)는 근력의 크기에 지렛대의 길이(lever length)를 곱하여 얻을 수 있다. 지렛대의 팔은 어떤 특정한 근육이 움직이는 관절의 회전중심에서부터 근육의 종지부까지의 거리이며, 근력이 같은 경우 지렛대의 팔(lever arm)이 길어질수록 회전력이 증가하게 된다. 팔을 들어 돌리는 회전력에 대한 삼각근과 극상근의 작용을 생각해보자. 삼각근의 팔은 두부의 중심으로부터 그 종지부

까지의 길이가 약 10 cm 이상으로 매우 길기 때문에, 매우 큰 토크를 나타내게 된다. 한편 극상근의 지렛대의 팔은 대략 2.2 cm 정도로, 삼각근의 것에 비해 매우 짧기 때문에 그 회전력은 그리 크지 못하다. 따라서 삼각근은 그 단면적이 극상근의 약 3-4배에 지나지 않으나, 약 15배에 가까운 최대 외전 회전력을 나타낼 수 있게 되는 것이다.

마지막으로, 신경계적응(neural adaptation)을 고려해야 한다. 반복적인 운동을 통한 신경계적응은 활동전위(action potential)의 빈도를 늘리고, 초기 자극강도를 높여준다. 이는 결국 운동단위(motor unit)가 작용하게끔 지시를 내리며, 근소포체(sarcoplasmic reticulum)에서 칼슘을 분비하여 흥분수축결합(excitation-contraction coupling)을 하여 근력을 생성한다.[25] 근력운동을 한 경우 근력운동을 하지 않은 경우에 비하여 상지의 근육단위당 회전력이 유의하게 증가함을 관찰하였다.[26]

(3) 와상완관절의 근력
(muscle force of the glenohumeral joint)

삼각근(deltoid)은 정상적으로 약 19 cm의 길이인데, 최대 수축 시에는 13 cm까지 줄어들 수 있다. 따라서 약 33% 정도 짧아지는 것이며, 약 6 cm 정도의 이동거리(excursion)를 갖게 된다.[27]

삼각근의 단면적은 약 25 cm²이고, 상완골 두의 중심에서 종지부까지의 길이는 약 10 cm 정도로 상당히 길어서, 매우 큰 최대 토크를 만들어 낼 수 있다. 견갑면(scapular plane) 거상 시는 중앙 및 전방 삼각근이 주로 작동되며, 굴곡(flexion) 시는 전방 삼각근 및 대흉근의 쇄골 부분, 신전에는 후방 삼각근, 그리고 외전 시는 모든 삼각근이 작동된다. 극상근(supraspinatus)은 모든 종류의 거상에서 근전도상 작동되고 있음이 확인되고 있다. 그리하여 정상 상태에서는 항상 삼각근과 함께 작동되고 있는 것이다. 이 근육의 이동거리는 약 3 cm 정도밖에 되지 않는다.[27] 극상근의 단면적은 약 6 cm² 정도이며, 그 종지부는 상완골 두의 중심으로부터 약 2 cm 정도 떨어져 있다.

삼각근과 극상근의 두 근육이 동시에 작동되면, 수학적으로는 이들 근육들의 최대 근력의 1/3 정도만으로도 상지

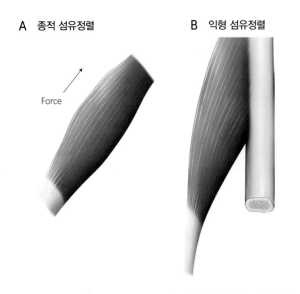

A 종적 섬유정렬

Force

B 익형 섬유정렬

그림 3-6 근육에는 대표적으로 종적 섬유정렬을 한 근육과 깃털 모양의 익형 섬유정렬을 한 근육이 있다.

거상이 가능하게 될 것이다. 팔을 들어올리는 데 기여하는 삼각근의 상대적인 힘은 만약 회전근 개가 완전히 없는 경우를 100%로 잡는다면, 극상근만 있는 경우는 72%, 극하근과 소원근만이 있는 경우는 64%, 그리고 모든 덮개 근육이 있는 경우에는 41%라고 주장한 보고가 있다.[28] 극상근과 삼각근이 근전도상 동시에 활동을 보임은 오래전부터 알려져 있으나,[29] 거상 시 작동되는 근육의 기여 정도는 실험 저자에 따라 일치하지는 않는다. 최근 사체를 이용한 연구에서는 광범위 회전근 개 파열이 있을 때, 있기 전과 같은 외전범위를 얻기 위해서라면 삼각근 자체에 57.2%의 힘이 추가로 필요하다는 것을 보고하였다.[30]

(4) 와상완관절의 힘(glenohumeral joint force)

와상완관절에 주어지는 힘은 압축력(compressive force)과 전단력(shear force)의 두 종류이다. 압축성 관절력은 와오목(glenoid fossa)에 직각으로 작용되는 힘을 말하는데, 이 힘은 상완골 두가 관절와를 향하여 압축되어 들어가게 하므로, 관절의 안정성에 보탬이 된다. 10 kg의 서류철 가방을 들 때는 압축력이 체중의 2.4배 정도 가해지며, 지팡이를 짚을 때는 체중의 1.7배 정도 가중이 된다고 하였다.[31] 한편 전단력은 관절면에 수평으로 작용하는 힘이며, 관절을 탈구시키는 방향으로 작용한다. 따라서 전단력이 주어지면, 관절은 불안정하게 된다. 하지만, 다행인 것은 대부분의 일상생활에서 압축력이 전단력보다 크게 작용을 하므로, 관절의 안정성이 유지가 된다.[31] 팔을 외전시키면 전단력은 줄어들고 압축력은 증가하게 된다. 60도 외전하면 압축력과 전단력이 거의 같아지며, 90도 외전하면 전단력은 매우 작아지고, 압축력이 더 커지면서 안정성이 더해진다.[32]

한편 회전근 개의 작용을 보면, 우선 극상근의 작용방향은 와상완관절과 약 70도를 이루고 있으므로, 수축하면 주로 이 관절을 압축하는 것이며, 약간 상방으로 잡아당기는 기능을 가지고 있다. 그리고 극하근과 소원근 및 견갑하근의 세 근육을 보면, 이들의 평균 작용방향은 몸통에 대해 약 45-50도 정도 내측 및 하방을 향하고 있다.[33]

그리하여 이들 근육이 동시에 수축하면, 와상완관절면에 대해 약 70% 압축력, 그리고 70% 정도의 하방 전단력이 작용하게 된다. 팔의 거상 시 삼각근과 회전근 개가 동시에 수축하며, 조화(balance)를 이루어 관절에 작용한다. 이러한 상향 및 하향 힘이 결합된 견부 힘 결합(shoulder force couple) 또는 Inman의 힘 결합이라 부른다. 실로, 사체를 이용한 최근 문헌에서 광범위 회전근 개 파열이 있는 경우, 하방 전단력이 줄어들므로, 상완골 두의 상방 전위가 8.3 mm나 되었다고 보고하였다.[30]

Inman 등은 상지의 무게를 체중의 9%로 간주하고, 와상완관절에 주어지는 압축력은 팔의 무게의 10배 정도라고 계산하였는데, 그러면 와상완관절에 주어지는 압축력은 대략 체중과 같아지게 된다. 또한 삼각근의 압축력은 90도 외전에서 최대이며, 이때 상지 무게의 8배 정도라고 주장하고 있다. 또한 회전근 개의 압축력은 60도 외전에서 최대이며, 체중의 9배 정도라고 주장하고 있다.[34] Poppen 등은 상지의 무게를 체중의 5%로 잡았으며, 와상완관절에의 압축력은 90도에서 최대이고, 이는 체중 무게의 80%에 육박한다고 하였다. 그리고 전단력은 60도에서 최대이며, 체중의 약 40%라고 주장하였다.[35]

2. 견갑흉곽관절의 생역학 (Biomechanics of the scapulothoracic joint)

상지에서 올라온 힘이 와상완관절을 통해 견갑골에 주어지면, 그 대부분은 견갑골의 내면을 통해 흉곽 벽으로 전달된다. 그리고 일부는 견봉쇄관절을 지나 쇄골로 전달되고, 다시 흉쇄관절을 통해 흉골로 전달된다. 와상완관절보다 내측에 있는 활막관절은 견봉쇄관절과 흉쇄관절이다. 그러나 이들은 와상완관절에 비해 그 단면적이 매우 적기 때문에, 만약 견갑골에 주어진 힘의 대부분이 이곳으로 집중된다면, 단위 면적당 해소해야 할 힘인 응력(stress)이 매우 커진다. 단순히 면적 비율로만 생각한다면, 상완골에서 와상완관절을 통해 견갑골에 주어진 힘의 약 1/10 정도만이 견봉쇄관절 및 흉쇄관절로 전달되어야 할 것이다.

그리고 이를 초과하면, 이 작은 관절이 파괴되는 현상이 발생할 것이다. 따라서 상완골에서 견갑골에 주어진 힘은 어떤 방법으로든 그 크기가 감축(reduction)되어, 이들 작은 관절에 주어져야 한다. 이러한 감축 수단으로 견갑골의 내면과 흉벽 사이에 약 50 cm² 이상 되는 넓은 접촉 면적이 형성되어 있다. 따라서 견갑골의 내면은 견봉쇄관절의 견봉 측 관절면에 비해, 약 50배에 달하는 힘을 해결할 수 있게 되는 것이다. 더구나 흉벽은 안과 밖으로 움직이는 것이 가능한 구조로서, 견갑골은 흉벽이라는 풍선 위에 놓여 있는 접시와 같다. 그리하여 상완골에서 견갑골로 힘이 주어지면, 견갑골은 주어지는 힘의 방향으로 미끄러지는 한편, 흉벽은 힘이 주어진 방향을 따라 어느 정도 밀려 들어가면서, 와상완관절에 주어지는 충격량을 상당히 흡수하여 감소시키게 된다. 또한 이러한 완충작용 후에는, 비교적 적은 양만의 힘이 남아서 쇄골로 전달된다. 이러한 흉벽의 풍선 효과(balloon effect)를 Rowe는 견갑골의 반동기전(recoil mechanism)이라 불렀다.[36] 견갑골과 흉곽 사이에 만들어진 이 연결 부위는 정형외과 분야에서는 소위 견갑흉곽관절(scapulo-thoracic joint)이라는 하나의 관절로 취급되고 있다. 견갑골과 흉곽 사이에는 전거근이 위치하고 있으며, '날개근(big swing muscle)'이나 '권투선수 근육(boxer's muscle)'으로도 불린다. 그 이유는 견갑골의 전인(protraction)을 담당하면서 펀치를 날릴 때 견갑골을 앞으로 당기고 흉곽(rib cage) 주변으로 당기기 때문이다.

견갑흉곽관절은 그 간격이 근육과 섬유성 조직으로 구성된 일종의 인대결합으로 생각될 수도 있다. 간격에 있는 근육들은 견갑하근과 전거근이 있다.

1) 견갑골의 방위(orientation of the scapula)

견갑골의 운동(scapular motion)을 분석하기 위하여는, 우선 견갑면(scapular plane)이라는 방위를 이해해야 한다. 견갑면이란 견갑골의 중립 위치(neutral position)를 말한다. 견갑골의 편평한 면은 몸통의 전방면(frontal plane) 또는 관상면(coronal plane)에 비해 그 외측이 내측 변에 비해 약 30도 전방 회전된 상태에 있다. 이 상태는 견갑극(spine of scapula)의 기저(base)가 30도 내측 회전 또는 전방 회전된

것으로도 기술될 수 있다. 또한 견갑골 내변의 아래쪽이 약간 넓어져서 열리면서 약 3도 외전되어 있고, 골의 윗부분이 전방으로 약 20도 돌아있는데, 이를 견갑골의 전방 경사(anterior tilting) 또는 전방 굴곡(anterior flexion)이라 부를 수 있다. 이러한 견갑면을 따라 상지를 거상하면, 견갑골은 약 50도 상방 회전, 약 25도 외측 회전, 그리고 약 30도 후방경사가 가능하다는 보고가 있다.[37] 이때 후방경사란 견갑골의 상변이 후방으로 기우는 것을 의미한다.

2) 견갑흉곽운동(scapulothoracic motion)

견갑흉곽관절의 움직임은 흉벽에 대한 견갑골의 운동(scapular motion)인데, 동작 시 실제로 어떤 순간에 어떤 부분이 어떻게 움직이는지는 정확히 알려진 바 없다. 견갑골과 흉벽 사이에 위치하는 관절로는 견갑흉곽관절과 견봉쇄관절 및 흉쇄관절이 있다. 일반적으로 상지를 최대한 외전시킬 때 견갑골은 흉곽 위에서 약 60도 정도 움직이며, 와상완관절은 최대 120도 정도가 움직여서 모두 약 180도의 움직임을 갖게 된다. 팔을 들어올릴 때 약 30도까지는 견갑골의 움직임이 적으나, 그 이후부터는 와상완관절과 조화를 이루면서 와상완관절이 2도 움직일 때마다 견갑골은 1도가 움직인다. 이를 견갑상완 율동(scapulohumeral rhythm)이라고 한다.

흉쇄관절(sternoclavicular joint)은 흉골과 쇄골 사이에 있는 활액막관절인데, 몸에서 유일하게 상지를 중축골격(axial skeleton)에 이어주는 관절이다. 그 직경이 1 cm를 조금 넘는 관절이다. 쇄골의 끝이 상당히 둥글고 뾰족하기 때문에 비교적 큰 운동범위를 가지고 있으나, 관절의 형태는 구조적으로 불안정하다. 하지만 쇄골과 흉골 그리고 쇄골과 제1, 2늑골 사이는 강한 인대에 의해 연결되어 있어 안정성을 준다. 이러한 안정성으로 인하여 충격을 받았을 때 탈구보다는 내측 쇄골의 골절이 발생하기도 한다.[38] 흉쇄관절은 또한 단면적이 작기 때문에, 단위면적당 이겨내야 할 힘이 와상완관절에 비해 굉장히 크다. 따라서 이 관절에는 퇴행성 변화가 호발하며, 50세 이상의 인구에서 쇄골의 내측 끝이 증식하여 팽대되는 현상을 흔히 관찰하게 된다. 내부에 있는 디스크는 무릎에서의 반월상연골판과 같은

기능을 하며 충격을 완화시켜 준다.[39]

흉쇄관절의 움직임은 흉골에 대한 쇄골의 움직임인데, 직선운동은 거의 불가능하고, 회전만 가능한 구형관절이다. 회전에는 상방 및 하방 회전, 전후방 회전, 그리고 쇄골의 길이를 축으로 한 축회전이 있다.

견봉쇄관절(acromioclavicular joint)은 그 내부에 디스크를 가지고 있고, 약 1 cm² 정도의 넓이를 보이는 일종의 평면관절 또는 평면에 가까운 구형관절이다. 이 관절의 주변에는 골성 방책(bony block)과 인대가 잘 발달하여 있다. 견봉을 기준으로 하여 쇄골이 아래로 움직이는 것은 오구돌기가 방해하고, 쇄골의 후방 이동은 견봉의 내측 변에 의해 막혀 있다. 쇄골의 전방이나 상방 그리고 회전운동을 억제하기 위하여, 쇄골의 외측과 오구돌기의 시작부 사이에는 매우 강한 원추형 인대(conoid ligament)와 승모형 인대(trapezoid ligament)가 잘 발달해 있고, 관절의 상부와 전방을 연결하는 견봉-쇄골인대도 비교적 강한 편이다. 이러한 인대 구조물들은 상당히 강한 안정성을 부여하며, 따라서 이 관절에서는 움직임이 거의 발생할 수 없도록 만들어져 있다. 한편, 한 연구에서는 견봉-쇄골인대가 상하방 움직임보다 전후방 움직임에 대하여 3배 이상 안정성을 부여한다고 하였다.[40] Rockwood 등은 견봉쇄관절의 움직임이 10도 이내로 견갑흉곽운동에 거의 영향을 끼치지 않는다고 하였으나,[41] Sahara 등은 팔의 외전 시 약 35도까지도 움직일 수 있다고 하였으며, 90도까지만 외전하더라도 약 13도의 움직임이 있다고 발표하였다.[42]

견갑흉곽관절(scapulothoracic joint)은 견갑골의 내면과 흉벽의 외면 사이에 거의 50 cm²에 이르는 방대한 접촉면을 가지고 있는 일종의 섬유관절성 평면관절이다. 이 관절은 상지에서 주어지는 힘을 흉벽에 전달하고, 그 힘의 크기를 축소시켜 쇄골에 전달하며, 흉쇄관절의 과도한 움직임을 막는 제동능력을 가진 구조로 생각할 수 있다.

이상 견갑흉곽관절의 운동은 여러 관절의 복합적인 움직임의 조화로 이루어진다. 즉, 만약 견봉쇄관절이 강직되거나 인위적으로 고정된 경우에는, 흉쇄관절에 비교적 많은 힘이 가해져서 조기 퇴행성 변화가 발생할 수 있다. 또한 어깨의 동작 중, 견갑골의 내면이 흉벽으로부터 약간씩 떨어져 나오면서, 이 관절에도 조기 퇴행성 변화를 유발할 수 있다.

3) 견갑흉곽관절의 기능
(function of the scapulothoracic joint)

견갑흉곽관절이나 흉쇄관절 그리고 견봉쇄관절을 움직이는 개개 근육의 근력은 어떠하며, 이들 관절에 어느 정도의 힘이 가해지는지 등에 대해서는 연구된 자료를 찾을 수 없다.

근육이 동작기능을 수행할 때는, 해당 근육은 특정한 동작을 할 때만 수축한다. 그러나 자세기능(postural function)을 수행할 때는, 해당 근육은 항상 어느 정도 수축하고 있는 상태를 유지하게 되는 것이다. 상지의 거의 모든 근육들은 동작과 자세기능 중, 동작기능만을 가지고 있다. 그러나 견갑흉곽관절의 근육들은 대개 두 가지 기능을 모두 수행하고 있다. 즉, 몸통과 견갑골을 연결시키는 근육들은 동작기능도 가지고 있으나, 또한 어느 정도의 자세기능도 가지고 있는 것이다. 서 있거나 앉아있을 때 어깨가 밑으로 떨어지지 않기 위해서는 견갑골과 쇄골 이하의 상지가 몸통에 수동적 및 능동적으로 매달려 있어야 한다. 이때 수동적 현수(passive suspension)는 목의 심부 건막의 기능에 의하며, 능동적 현수(active suspension)은 견갑거근과 능형근 및 승모근 상위 부분의 자세유지기능에 의하게 된다.

따라서 이 근육들은 사람이 누워있지 않은 한, 항상 어느 정도 수축하고 있는 상태에 있음을 근전도를 통하여 확인할 수 있다. 그러나 여타의 어깨 근육들은 근전도상에서 이러한 자세기능을 보이지 않는다. 따라서 상지의 자세가 불량하면, 즉 나쁜 자세에 의해 상술한 근육들이 너무 늘어나 있거나 또는 너무 수축된 상태가 지속되면, 문제가 발생될 수 있다. 즉, 이 두 근육이 긴장(stress)되면서 염증(inflammation)이 발생되거나, 또는 만성적으로 늘어나면서 염좌(sprain)되어, 급성 또는 만성적 통증의 원인이 될 수 있는 것이다. 이러한 통증은 직업적인 운전사나 컴퓨터 작업자에게서 흔히 발생할 수 있으며, 특히 스마트폰이 대중화되었기에 움츠린 자세가 지속되어 나타날 수 있다.

Ⅱ 견관절의 운동학
(Kinematics of the shoulder joint)

1. 견관절의 운동학적 특징
(Kinematic characteristics of the shoulder)

어깨의 특징은 이 관절이 몸통에 붙어 있고, 손에서부터 가장 멀리 떨어져 있으며, 인체에서 가장 넓은 운동범위를 가지고 있다는 것이다. 손에서부터 가장 멀리 떨어져 있기 때문에, 손은 어깨의 움직임에 의해 몸통으로부터 가장 멀리 이동될 수 있어서, 가장 넓은 삼차원적 공간 내에 있는 모든 물체를 잡을 수 있도록 고안되어 있다.

어깨 동작의 또 하나의 특징은 손을 사용할 때 가장 먼저 작동되는 기관이라는 것이다. 만약 몸통을 이동시키거나 움직이지 않고 몸에서 0.5-2 m 정도 떨어져 있는 어떤 물체를 손으로 잡으려고 하면, 보통은 우선 팔의 방향을 물체에 맞춘 다음, 적당히 어깨를 벌려 물체와 몸통 사이의 각도를 조정하고, 다음으로 차례로 팔꿈치와 손목을 움직여 물체에 도달한 후, 마지막 동작으로 물체를 잡게 되는 것이다. 만약 이러한 순서가 뒤바뀌면, 우리는 손을 원하는 위치로 가지고 갈 수 없게 되는 경우가 대부분이다.

보다 넓은 공간에 손의 도달이 가능하게 하기 위해서는, 견관절의 운동범위가 상당히 커야 한다. 실제로 어깨는 약 240도의 굴곡과 신전, 거의 같은 정도의 외전과 내전, 그리고 180도 정도의 내외회전 각도를 가지고 있어 우리 몸에서 가장 넓은 운동범위를 가지고 있다. 이러한 넓은 운동범위를 갖기 위해서라면, 견관절에는 안정성이 결여될 수밖에 없다. 실제로 구형관절인 와상완관절은 그 오목한 와부분의 깊이가 얕기 때문에 운동범위는 매우 큰 반면, 골-관절성 안정성이 거의 없다. 따라서, 와상완관절의 추가적인 안정성은 전술한 정적 안정성(static stability)과 동적 안정성(dynamic stability)이 추가되어야만 한다.

2. 견관절의 운동범위
(Range of motion of the shoulder)

어깨의 움직임 각도 측정은 똑바로 선 자세에서 팔을 늘어뜨려 몸통의 측면에 붙이고, 엄지를 전방으로 위치하게 한 상태를 중립 위치(neutral position)로 설정하고, 여기서부터 벌어진 각도로 계측한다. 상술한 상태에서는 주관절은 180도 신전되고, 전완과 수근관절은 중립 위치에 있게 된다. 견관절에서는 세 종류의 회전이 기본적 운동인데, 이들은 외전과 내전, 굴곡과 신전, 그리고 내회전과 외회전이다. 외전(abduction)은 중립 거상(neutral elevation)이라고도 하며, 팔을 중립 위치에서부터 측방으로 들어올려 머리에 붙이는 동작이다.

외전 때 들어 올리는 면은 신체의 관상면(coronal plane)과 평행해야 한다. 내전(adduction)은 외전의 반대 동작이다. 굴곡은 팔을 앞쪽으로 해서 귀에 접근시키는 움직임이며, 팔이 몸통의 시상면(sagittal plane)에 평행하게 움직이는 동작이다. 신전은 굴곡의 반대 방향으로 움직이는 팔을 후방으로 보내는 동작이다. 내회전은 팔을 늘어뜨리고 주관절을 90도 굴곡시키며 손이 전방을 향하게 한 상태에서, 손을 안쪽으로 돌리는 동작이다. 그리고 외회전은 상술한 상태에서 손을 바깥쪽으로 돌리는 운동이다. 기립하고 팔을 늘어뜨린 중립 위치에서 견관절은 약 180도의 외전과 45도의 내전, 약 180도의 굴곡과 60도의 신전, 그리고 약 80도의 외회전과 90도의 내회전운동 각도를 가지고 있다. 그러나 실제로 외전이나 굴곡 각도가 완전한 경우는 그리 많지 못하며, 평균 외전 각도는 대략 170도 정도인 것으로 알려져 있다.

어깨를 옆으로 들어올리는 데 대해서는 외전보다는 거상(elevation)이 더 중요하다는 의견이 있다. 이 견해는 견갑골의 외측은 몸통의 관상면에 대해 약 30도 전방을 향하고 있으므로, 팔이 약 30도 전방으로 와 있는 견갑면(scapular plane)을 따라 들어올리는 동작이 순수한 외전보다 중요하다는 것이다. 이러한 동작은 견관절의 거상(elevation of the shoulder)이라 칭하는데, 평균 거상 각도는 170도 정도라 한다.

두 팔을 90도 외전시켜 직선이 되도록 팔을 수평으로 올린 상태를 기준점으로 하여, 어깨의 운동을 정의하는 방법도 과거에 사용되었으나, 용어의 정의와 사용이 혼란스러운 점이 많았었다. 이 기준점에서부터 외전과 내전 동작의 방향은 중립 위치에서의 것과 동일한데, 그 각도는 달라서 외전은 90도 그리고 내전은 135도 정도가 가능하다. 이때의 내회전과 외회전은 수평 내회전(horizontal internal rotation)과 수평 외회전(horizontal external rotation)이라 칭한다. 어깨의 회전 각도는 팔을 늘어뜨린 중립 위치에서는 최대 160-170도 정도인데, 90도 외전시킨 상태에서의 수평 회전은 120도 정도이다. 또한 팔을 90도 외전시킨 상태에서 손을 수평하게 전방으로 보내는 동작이 있는데 이는 수평 굴곡(horizontal flexion) 또는 수평 내전(horizontal adduction)이라 칭할 수 있다. 그리고 이 반대 동작, 즉 팔을 90도 굴곡시킨 상태에서 손을 수평하게 후방으로 보내는 동작은 수평 신전(horizontal extension) 또는 수평 외전(horizontal abduction)이라 부를 수 있다. 그러나 인체 동작의 명칭은 척추의 배열을 기준으로 이루어졌기 때문에, 척추에 90도를 기준으로 삼는 것은 동작의 명명에 상당히 혼란스럽고 난해한 점을 가지고 있다. 기타 어깨의 정점이 전후로 움직이는 전진(forward movement, advancement, antepulsion, propulsion, protraction)과 후진(backward movement, backward translation, retropulsion, retraction), 그리고 어깨를 위로 으쓱 움직이는 어깨 으쓱하기(shrugging) 동작도 거론되고 있다. 견봉의 전진과 후진은 거의 10-15 cm에 이르며, 약 5-10 cm 정도의 으쓱하기가 가능하다.

3. 견관절운동의 분석
(Analysis of the shoulder motion)

일반적으로 받아들여지는 어깨의 운동 축은 와상완관절에 대해서는 상완골의 장축과 견갑골의 내측변이며, 견갑흉곽관절에 대해서는 척추체 또는 그 극돌기를 연결하는 선과 견갑골의 내측 변이다.

와상완운동(glenohumeral motion)은 공과 공 받침 모양의 와상완관절에서 발생하는 견갑골 외측에서의 움직임이다. 한편 견갑흉곽운동(scapulothoracic motion)은 견갑흉곽관절과 견봉쇄관절 및 흉쇄관절에서 복합적으로 발생하는 견갑골 내측에서의 운동이다.

1) 견관절의 외전(abduction of the shoulder joint)

견갑골을 고정한 신선한 사체에서, 와상완관절의 단독 외전은 100-120도에 지나지 않는다. 따라서 180도가 외전되기 위해서는 60-80도 정도의 외전이 견갑골의 흉곽에 대한 운동으로 발생하여야 한다. 상완신경총 손상으로 인하여 와상완관절의 관절유합술을 시행하는 경우에도 외전이 약 60도까지는 가능하다고 보고되었다.[43]

어깨의 외전 시 상완골과 견갑골의 기여도는 일정한 비율 또는 관계를 유지한다고 하는데, 이를 견갑상완 율동(scapulohumeral rhythm)이라 부른다. 이 동작 시 상완골이 견갑골에 비해 거상되고, 견갑골은 흉곽에 비해 거상된다. 동시에 약간의 견갑골 회전 및 전방 경사가 발생하고, 상완골의 외회전이 30도 이상 발생한다.

만약 상완골의 외회전이 없으면, 팔을 약 110도 거상한 위치에서 상완골의 대조면과 견봉의 하면이 서로 부딪히면서 충돌(impingement)이 발생하여, 더 이상의 거상이 불가능하게 된다.[44] 거상 시 와상완관절과 견갑흉곽관절의 기여도는 저자에 따라 약간씩 다른데, 2:1을 주장한 저자들이 많은 편이며,[20,45,46] 1.7:1을 주장하는 학자도 있다.[37] 비구속 전체 견관절(non-constrained total shoulder)을 시행한 다음에 이 수치가 1:2로 바뀐다는 보고도 있다.[47] 한 연구에서는 성인에서는 2.4:1으로, 아이들에서는 1.3:1로 보고하였다.[45] 서로 다른 견갑상완 율동비가 보고되는 이유는 측정자 간 측정방법이 다르고, 상완 거상 시와 하강운동에서의 차이, 운동 속도, 표식자의 위치, 프로그램의 알고리즘, 좌표계가 다르기 때문이다.

결핵이나 골절-탈구와 같이 와상완관절에 단독으로 발생한 문제 때문에 시행한 와상완관절 고정술(glenohumeral arthrodesis)의 경험에서 보면, 어깨의 운동범위의 약 60% 정도만이 소실되는 것을 관찰하게 된다. 이러한 관찰은 상술한 비율이 1.5:1 정도라고 주장할 수 있는 근거가 되기도 한다. 각 연구들이 주장한 견갑상완 율동의 평균을 내보면 약 1.5:1이라는 보고도 있다.[48] 그렇다면 견갑흉곽관절에서 매 2도 외전이 발생할 때마다 와상완관절에서 약 3도의 외전이 일어나고 있는 것이다. 그렇다면 180도 외전에 대한 기여도는 견갑흉곽관절이 약 72도, 그리고 와상완관절이 약 108도가 되는 것으로 생각해 볼 수 있다.

중립 위치에서 외전을 시작할 때, 견갑골의 참여 정도는 다양하여 움직이지 않는 경우도 있고, 약간 움직일 수도 있으며, 상완골보다 더 외전되기도 한다. 초기에 견갑골이 거의 움직이지 않는 경우에, 우리는 이를 초기 지연(initial lag)이라고 부를 수 있는데, 처음 60도 굴곡과 30도 외전 시에 나타날 수 있다. 외전 각도가 약 140-150도에 이르면, 상완골의 대결절이 견봉의 외측변에 붙어 밀착되어 충돌(impingement)되면서, 상완골이 더 이상 외전되지 않는 상태에 이른다. 이러한 충돌 시, 견갑골과 상완골의 각도는 대략 90도 정도가 된다. 더 팔을 들어 올려 마지막 외전을 가능하게 하려면, 이 시점에서 팔을 외회전시켜 대결절의 위치를 변경시킴으로써 충돌을 피하게 된다. 정상적인 어깨를 굴곡시킬 때는 팔이 이미 외회전되어 있으므로, 충돌 현상은 발생하지 않거나 매우 경하게 발생한다. 그러나 퇴행성 변화가 심해서 견봉의 전방에 큰 골극이 형성된 경우에는, 굴곡 시에도 통증이 유발되는 의미 있는 충돌이 발생할 수 있다. 그뿐만 아니라, 대결절에 골극이 형성되어 있는 경우 역시 외전하면서 충돌할 수 있을 것이다. 광범위 회전근 개 파열이 있는 경우에 대결절을 제거하는 것만으로도 임상적인 향상을 얻을 수 있는 이유로 볼 수 있다.[49] 완전한 외전에 접근할수록 견갑골의 움직임이 감소되면서 고원현상에 도달한다.

(1) 견관절의 거상(elevation of the shoulder)

견갑골의 외측은 몸통의 관상면에 대해 약 30도 전방을 향하고 있는데, 이는 견갑골이 놓여 있는 흉벽의 면과 일치하는 각도이다. 한편 상완골 두는 그 과간선(intercondylar line)에 대해 약 30도 후방경사(retroversion)되어 있어, 골 두 자체의 배열은 견갑골의 배열과 거의 일치된다.

따라서 팔의 외전은 상완골이 견갑골에 평행하게 움직이는 팔이 약 30도 전방으로 와 있을 때 측정해야 한다는

주장이 있으며, 이 거상 평면을 견갑면(scapular plane)이라 칭한다. 저자에 따라서는 이러한 상태에서 팔을 들어 올리는 동작을 거상이라고 표현하기도 한다. 평균 거상 각도는 외전이나 굴곡 각도와 같을 것인데, 남자에서는 167도, 여자에서는 170도 정도라고 보고되어 있다.[45] 이러한 거상의 측정은 표준화하기 힘들고, 오차가 많이 발생할 가능성이 있지만, 견관절의 외전은 관상면에 평행하게 측정하는 것이 보편화되어 있다.

2) 와상완운동(glenohumeral motion)

와상완관절은 주로 굴곡과 신전, 내전과 외전, 그리고 내외회전과 같은 회전운동을 하기 위한 관절이며, 과도한 전진이나 후진 그리고 상방 및 하방 이동과 같은 직선적 운동을 필요로 하는 마디는 아니다. 따라서 이 관절에서 과도한 직선운동이 발생하면, 이는 곧 불안정성으로 연결되고 만다. 와상완관절은 약 100도의 외전과 약간의 내전, 약 150도의 굴곡과 45도 정도의 신전, 그리고 약 80도의 내회전과 45도 정도의 외회전 각도를 보이고 있다. 어깨 운동 범위의 나머지 부분은 견갑흉곽관절에서 발생되고 있는 것으로 이해되고 있다.

와상완관절은 골과 인대에 의한 정적 안정성(static stabilization)과 근육에 의한 동적 안정성(dynamic stabilization)으로 안정성이 유지된다. 정적 안정성에는 와상완관절 자체의 구조에 의한 내적 안정성(internal stability)과 관절막 바로 외부에 있는 골과 인대의 형태에 의해 얻어지는 외적 안정화(external stabilization)가 있다. 이러한 정적 안정성은 균형을 이루고 있으나, 어느 하나가 깨진 경우 반대편 구조물에 과한 스트레스를 야기시키며, 그 결과 불안정성과 기능의 소실이 발생한다.[19]

동적 안정성은 견갑흉곽 근육 및 회전근 개 근육, 그리고 빠른 신경의 작용에 의해 이루어지며, 주로 하방과 전후방 이동이 제어된다. 각 근육들의 수축과 근육 혹은 인대 자체의 벽(barrier)으로서의 작용, 그리고 견관절 주변 근육의 조화(force couple)로 인한 상완골 두의 와에 대한 압박력은 모두 능동적 안정화에 기여를 하고 있다.[15] 따라서 이들이 마비되거나 파열되면, 상술한 비정상적인 운동이 발

생활 것이다.

와상완관절의 굴곡근으로는 삼각근의 전방과 대흉근의 쇄골 부분 그리고 오구상완근이 있고, 신전근으로는 광배근과 삼각근의 후방 부위 그리고 대원근이 있다. 외전근으로는 삼각근과 극상근이 있다. 내전근으로는 대흉근과 광배근 그리고 대원근과 삼각근의 전방과 후방 부분이 있다. 외회전근으로는 소원근과 극하근이 있고, 내회전근으로는 견갑하근과 대원근 및 광배근이 있다.

(1) 와상완 외전근에 대한 Saha의 기능적인 분류
(functional classification of Saha)

와상완관절에서는 우선 견갑하근, 극상근, 극하근 및 소원근으로 구성된 회전근 개가 관절인대의 도움을 받아서 상완골 두를 관절와에 밀착시켜, 상완골 두가 관절와에서부터 떨어져 나가지 못하게 해야 한다. 그리고 삼각근이 수축되면서 와상완관절의 외전이 시작된다. 이후 견관절의 외전운동은 회전근 개와 삼각근의 조화에 의해 계속된다. 견갑골을 고정한 상태에서 와상완관절의 외전이 90도 정도에 이르면, 상완의 대결절이 오구견봉궁(coracoacromial arch)에 걸리기 때문에, 팔을 외회전시켜 주어야만 그 이상의 외전이 가능하다. 와상완관절의 외전근육에 대하여 Saha는 기능적인 분류를 시행하였는데, 이는 견관절 주위의 근육을 이해하고, 마비 시 근육 이전술을 시행하는 데 매우 유용한 개념이다. 그는 와상완관절의 근육을, 주요 운동군(prime moving group)과 조정군(steering group) 및 저하군(depressor group)으로 나누었다.[18,50] 주요 운동군은 삼각근과 대흉근의 쇄골 두(clavicular head) 부분이다. 이들은 상완골의 근위 1/3 지점에 종지되면서, 상완골을 전방과 외측 및 후방으로 강력하게 들어올린다.

조정군에는 견갑하근, 극상근 및 극하근이 있다. 이들은 상완골의 두부와 경부 사이에 종지되면서, 운동 시 상완골 두가 관절와(glenoid cavity)에 붙어있게 함으로써 관절운동을 안정화시키는 역할을 한다고 이해된다. 저하군에는 대흉근의 흉골 두(sternal head)와 광배근 및 원형근이 있다. 이들은 상완골 경부와 상 1/3 부위 사이에 종지되면서,

그 1/4 부위에 힘을 전달한다. 이들은 팔을 들어올릴 때 상완골을 회전시키며, 마지막 단계에서 상완골 두를 내려 누르는 기능을 가지고 있다. 이 근육 힘이 소실되는 경우, 머리 위로 무거운 물체를 들어 올리는 기능이 약화된다는 것 이외에는 분명한 장애가 유발되지는 않는다. 따라서 이 근육들은 근육 이전술의 공급자로 사용될 수 있는 것이다. 최근에는 광범위 회전근 개 파열이 있어 기능의 손실이 심한 경우, 대흉근, 광배근, 원형근 및 승모근 등을 이전하여 기능을 복원하는 술식을 하며, 좋은 결과들이 보고되고 있다.[51,52] Saha의 이론에 의하면, 마비된 와상완관절을 재건함에 있어 주요 운동군은 재건되어야 하며, 적어도 1-2개의 조정군도 재건되는 것이 바람직하다고 생각된다.

3) 견갑흉곽운동(scapulothoracic motion)

견갑흉곽운동은 견갑골과 쇄골이 한 뭉치가 되어, 흉벽 위를 이동하는 움직임이다. 쇄골의 내측 끝과 흉골은 흉쇄관절을 이루고 있으며, 견갑골의 내면은 흉곽과 넓게 접촉되면서 좁은 의미의 견갑흉곽관절을 이루고 있다. 드물게 견갑골의 부정유합이 있거나 견갑골에 골연골종이 있는 경우 흉곽과 충돌하여 마찰음(crepitus)이 나면서 통증을 호소하기도 한다. 이는 'snapping scapula'라고 일컫는다.[53] 쇄골과 견갑골은 마치 두 개의 막대기가 일정한 각도로 만난 것 같은 구조를 이루고 있으며, 이때 견갑골 쪽의 막대기는 견봉과 견갑극이다. 이들은, 내측에서는 약 20 cm 정도 서로 떨어져 있으나, 외측에서는 쇄골과 견갑극이 약 30도의 각도를 이루면서 만나 견봉-쇄골관절을 형성하고 있다. 견봉쇄관절에서는 비교적 소량의 운동만 발생하고 있는데, 이는 어깨의 운동 시 견갑골과 쇄골 사이의 이동 방향을 조화하기 위하여 존재하는 것으로 이해될 수 있다. 흉쇄관절은 그 크기가 작고, 구조적으로 매우 불안정하다. 이렇게 약한 흉쇄관절이 적절히 움직이기 위해서는, 와상완관절을 지나온 힘을 상당히 완화시키는 완화 장치 또는 특수한 제동장치(brake system)가 필요한데, 이 중 가장 중요한 것이 견갑흉곽관절이라고 볼 수 있다.

(1) 견갑흉곽운동의 분석
(analysis of the scapulothoracic motion)

견갑골의 운동 방향은 그 정의가 불분명하고 통일된 것이 없으며, 운동을 표기하는 용어들에도 어느 정도 혼란이 있다. 팔을 몸통에 붙이고 편안하게 서 있는 자세에서, 어깨의 끝을 위로 올리면 이를 상진(upward movement, shrugging)이나 거상(elevation) 또는 상승이라 칭할 수 있는데, 이 동작은 어깨의 전체적인 외전 동작의 일부분이기도 하다. 한편 어깨의 끝이 아래로 내려가는 동작은 하진(downward movement)이나 낙하(dropping) 또는 하강(depression)이라고 부를 수 있으며, 어깨 전체로는 내전에 해당된다. 한편 어깨를 앞으로 밀거나 턱 밑으로 가져가는 동작은 전진(foreward movement, propulsion)이며, 어깨를 뒤로 빼는 동작은 후진(backward movement, retropulsion)이다. 어깨 전체의 동작으로 보면, 전진은 굴곡과 내전의 일부로 해석될 수 있으며, 후진은 신전의 일부로 볼 수 있다. Perry는 견갑골의 동작에 대해 상향 회전(upward rotation), '내뻗는다'는 의미의 전방 견인(protraction)과 후퇴(retraction) 그리고 침강(depression)과 같은 용어를 사용하였는데, 난해하여 일반적으로 받아들이기 어려운 면이 있다.[33]

(2) 견갑흉곽관절의 근육
(muscles of the scapulothoracic joint)

몸통에서 시작하여 견갑골에서 끝나는 근육들로는, 승모근(trapezius), 견갑거근(levator scapula), 능형근(rhomboid), 전방거근(serratus anterior) 그리고 소흉근(pectoralis minor)의 다섯 종류가 있다. 이러한 근육들은 단면적이 넓으며, 회전축과도 거리가 있으므로 큰 회전력을 가질 수 있다.[19] 이 중 전방거근이 견갑흉곽관절운동에 가장 중요하게 작용을 하며, 와상완관절의 움직임과 같이 동조운동(synchrony)을 하면서 회전과 거상에 관여한다.[40] 그리고 승모근은 넓게 시작되어 넓게 끝나면서 부위별로 그 기능이 달라서, 상방과 중간 및 하방 승모근의 세 종류로 나누어 생각하기도 한다. 이러한 근육들은 마비가 생겼을 때 익상견갑골(winging scapula)을 초래한다. 승모근에 이상이 있으면 견갑골은 외측으로 회전이 되어 견갑골의 하각(inferior angle)과 척추와의 거리가 멀어지게 된다. 반대로, 전방거근의 이상이 있으면 견갑골은 내측으로 회전하며, 견갑골 하각과 척추와의 거리가 좁아지게 된다.

몸통에서 시작하여 쇄골의 하면에서 끝나는 근육으로는 쇄골하근(subclavius)이 있다. 근육의 기계적 기능은 관절을 움직이거나 또는 특정한 자세를 유지하게 하는 것이다. 자세기능은 주로 척추 주위에 있는 근육과 상지와 하지를 몸통에 연결하는 근육에서 발견할 수 있다. 서 있거나 앉아있을 때는 어깨가 밑으로 떨어지지 않기 위해서, 견갑골과 쇄골 이하의 상지가 몸통에 수동적 및 능동적으로 매달려있어야 한다. 이때 상지는 목의 심부 건막에 의해 수동적으로 현수되며, 견갑거근과 능형근 및 상위 승모근의 자세 유지 기능에 의해 능동적으로 현수된다. 따라서 이 근육들은 사람이 누워있지 않은 한, 항상 어느 정도 수축하고 있는 상태에 있다. 자세가 불량하여 이 근육들이 너무 늘어나 있거나 또는 너무 수축된 상태로 오래 있게 되면, 이들에 긴장이나 염증 또는 염좌가 발생하여, 급성 또는 만성 통증을 일으킬 수 있다.

견갑흉곽관절의 운동기능에 의해, 견갑골에는 여섯 종류의 회전운동이 주로 발생하게 된다. 외전은 주로 견갑골의 외측을 위로 들어 올려 거상하는 근육에 의해 시행되며, 기타 견갑골을 외회전시키는 근육에 의해 약간 도움을 받을 것이다. 따라서 승모근이 주요 운동원이 되며, 견갑거근과 능형근이 조정근이 될 것이다. 내전은 하강 또는 하진이라고 볼 수도 있는데, 견갑골과 쇄골을 밑으로 잡아당기는 근육에 의해 이루어지며, 쇄골하근과 소흉근 및 전방거근의 하부가 여기에 속한다. 일어선 위치에서는 중력도 작동될 것이며, 와상완관절이 고정된 위치에서는 광배근과 대흉근의 하부도 약간 작동될 수 있다. 굴곡은 견갑골의 전진이라 부를 수 있으며, 전방거근과 소흉근에 의해 이루어진다. 그리고 신전 또는 후진 근육으로는 능형근과 승모근의 하부가 있다(표 3-2).

표 3-2 견갑흉곽관절의 운동과 근육

기능	근육
외전	승모근 상부, 견갑거근, 능형근
내전	소흉근, 쇄골하근, 승모근 하부, 전방거근, 중력
굴곡	전방거근, 소흉근
신전	능형근, 승모근의 중앙부
외회전	전방거근
내회전	소흉근

(3) 견갑골 운동이상(scapular dyskinesis)

견갑골 운동이상은 정상 견갑골의 운동 및 생역학에 이상이 생겼을 경우를 일컫는다. 'Dyskinesis'와 'Dyskinesia'로 혼동되어 사용이 되고 있는데, 일반적으로 'Dyskinesia'는 신경학적인 문제로 비정상적인 움직임이 있을 때를 말하는 것이므로 좀 더 포괄적인 'Dyskinesis'가 올바른 용어라 할 수 있다.[54] 임상적으로는 견갑골 내측 혹은 내하방이 튀어나올 수 있으며, 팔을 거상할 때 조기에 과도하게 빨리 견갑골이 상진(upward elevation)하거나, 팔을 내릴 때 과도하게 빨리 견갑골이 하진(downward movement)하는 경우가 많다.[55] 견갑골 운동이상이 있는 경우에는 견부의 기능의 효율성이 떨어지게 되는데, 와상완관절의 3차원적 평면에 이상이 생기고, 견봉쇄관절 및 견관절 주변 근육에도 과도한 부하가 걸릴 수 있다.

다양한 원인이 있는데, 크게 관절에 의한 것, 골격에 의한 것, 그리고 신경손상에 의한 것을 들 수 있다. 관절에 의한 것에는 견봉쇄관절의 심한 관절염 및 관절불안정, 혹은 관절내 문제로 인한 것이 원인에 들어갈 수 있으며, 골격에 의한 것으로는 흉부의 후만증, 쇄골의 불유합 및 쇄골 총 길이의 단축을 동반한 부정유합을 원인으로 생각해 볼 수 있다. 마지막으로 신경학적 원인으로는 장흉신경이나 척추부신경이 다쳤거나, 경추의 디스크 등으로 인한 신경 눌림으로 나타날 수 있다.[56]

대부분의 견갑골 운동이상은 견갑골을 전방견인(protraction)시키며, 결과적으로 견관절의 기능을 떨어뜨리고 견봉하공간을 줄이면서 충돌이 생기고 회전근 개에 과한 외부의 압박이 가해지게 해준다.[56] 견갑골이 전방견인이 되는 경우에는 전방 와상완인대에 과한 부하가 걸리기도 하며, 내부 충돌을 야기하기도 한다.[57]

■ 참고문헌

1. Saha AK. Dynamic stability of the glenohumeral joint. Acta Orthop Scand. 1971;42(6):491-505.

2. Hertz H. [Significance of the limbus glenoidalis for the stability of the shoulder joint]. Wien Klin Wochenschr Suppl. 1984;152:1-23.

3. Walch G, Boileau P, Noel E, Donell ST. Impingement of the deep surface of the supraspinatus tendon on the posterosuperior glenoid rim: An arthroscopic study. J Shoulder Elbow Surg. 1992;1(5):238-45.

4. Itoi E, Yamamoto N, Kurokawa D, Sano H. Bone loss in anterior instability. Curr Rev Musculoskelet Med. 2013 Mar;6(1):88-94. doi: 10.1007/s12178-012-9154-7. PMID: 23297102; PMCID: PMC3702759.

5. Lippitt SB, Vanderhooft JE, Harris SL, Sidles JA, Harryman DT, 2nd, Matsen FA, 3rd. Glenohumeral stability from concavity-compression: A quantitative analysis. J Shoulder Elbow Surg. 1993;2(1):27-35.

6. Lazarus MD, Sidles JA, Harryman DT, 2nd, Matsen FA, 3rd. Effect of a chondral-labral defect on glenoid concavity and glenohumeral stability. A cadaveric model. J Bone Joint Surg Am. 1996;78(1):94-102.

7. Ishihara Y, Mihata T, Tamboli M, et al. Role of the superior shoulder capsule in passive stability of the glenohumeral joint. J Shoulder Elbow Surg. 2014;23(5):642-8.

8. Harryman DT, 2nd, Sidles JA, Clark JM, McQuade KJ, Gibb TD, Matsen FA, 3rd. Translation of the humeral head on the glenoid with passive glenohumeral motion. J Bone Joint Surg Am. 1990;72(9):1334-43.

9. Wuelker N, Schmotzer H, Thren K, Korell M. Translation of the glenohumeral joint with simulated active elevation. Clin Orthop Relat Res. 1994(309):193-200.

10. Ackland DC, Pak P, Richardson M, Pandy MG. Moment arms of the muscles crossing the anatomical shoulder. J Anat. 2008;213(4):383-90.

11. Itami Y, Park MC, Lin CC, et al. Biomechanical analysis of progressive rotator cuff tendon tears on superior stability of the shoulder. J Shoulder Elbow Surg. 2021.

12. Burkhart SS, Esch JC, Jolson RS. The rotator crescent and rotator cable: an anatomic description of the shoulder's "suspension bridge". Arthroscopy. 1993;9(6):611-6.

13. Mesiha MM, Derwin KA, Sibole SC, Erdemir A, McCarron JA. The biomechanical relevance of anterior rotator cuff cable tears in a cadaveric shoulder model. J Bone Joint Surg Am. 2013;95(20):1817-24.

14. Pinkowsky GJ, ElAttrache NS, Peterson AB, Akeda M, McGarry MH, Lee TQ. Partial-thickness tears involving the rotator cable lead to abnormal glenohumeral kinematics. J Shoulder Elbow Surg. 2017;26(7):1152-8.

15. Abboud JA, Soslowsky LJ. Interplay of the static and dynamic restraints in glenohumeral instability. Clin Orthop Relat Res. 2002(400):48-57.

16. Pagnani MJ, Deng XH, Warren RF, Torzilli PA, O'Brien SJ. Role of the long head of the biceps brachii in glenohumeral stability: a biomechanical study in cadavera. J Shoulder Elbow Surg. 1996;5(4):255-62.

17. McGarry MH, Nguyen ML, Quigley RJ, Hanypsiak B, Gupta R, Lee TQ. The effect of long and short head biceps loading on glenohumeral joint rotational range of motion and humeral head position. Knee Surg Sports Traumatol Arthrosc. 2016;24(6):1979-87.

18. Saha AK. Surgery of the paralysed and flail shoulder. Acta Orthop Scand. 1967:Suppl 97:5-0.

19. Lugo R, Kung P, Ma CB. Shoulder biomechanics. Eur J Radiol. 2008;68(1):16-24.

20. Poppen NK, Walker PS. Normal and abnormal motion of the shoulder. Surg Forum. 1975;26:519.

21. Boone DC, Azen SP. Normal range of motion of joints in male subjects. J Bone Joint Surg Am. 1979;61(5):756-9.

22. De Duca CJ, Forrest WJ. Force analysis of individual muscles acting simultaneously on the shoulder joint during isometric abduction. J Biomech. 1973;6(4):385-93.

23. Jeong HJ, Kwon J, Rhee SM, Oh JH. New quantified measurement of fatty infiltration of the rotator cuff muscles using magnetic resonance imaging. J Orthop Sci. 2020;25(6):986-91.

24. Fontenelle C, Schiefer M, Mannarino P, et al. ELASTOGRAPHIC ANALYSIS OF THE SUPRASPINATUS TENDON IN DIFFERENT AGE GROUPS. Acta Ortop Bras. 2020;28(4):190-4.

25. Jones EJ, Bishop PA, Woods AK, Green JM. Cross-sectional area and muscular strength: a brief review. Sports Med. 2008;38(12):987-94.

26. Castro MJ, McCann DJ, Shaffrath JD, Adams WC. Peak torque per unit cross-sectional area differs between strength-trained and untrained young adults. Med Sci Sports Exerc. 1995;27(3):397-403.

27. McMahon PJ, Debski RE, Thompson WO, Warner JJ, Fu FH, Woo SL. Shoulder muscle forces and tendon excursions during glenohumeral abduction in the scapular plane. J Shoulder Elbow Surg. 1995;4(3):199-208.

28. Sharkey NA, Marder RA, Hanson PB. The entire rotator cuff contributes to elevation of the arm. J Orthop Res. 1994;12(5):699-708.

29. Basmajian JV, Luca CJd. Muscles Alive : their functions revealed by electromyography. Baltimore: Williams & Wilkins; 1985.

30. Dyrna F, Kumar NS, Obopilwe E, et al. Relationship Between Deltoid and Rotator Cuff Muscles During Dynamic Shoulder Abduction: A Biomechanical Study of Rotator Cuff Tear Progression. Am J Sports Med. 2018;46(8):1919-26.

31. Klemt C, Prinold JA, Morgans S, et al. Analysis of shoulder compressive and shear forces during functional activities of daily life. Clin Biomech (Bristol, Avon). 2018;54:34-41.

32. Culham E, Peat M. Functional anatomy of the shoulder complex. J Orthop Sports Phys Ther. 1993;18(1):342-50.

33. Perry J. Anatomy and biomechanics of the shoulder in throwing, swimming, gymnastics, and tennis. Clin Sports Med. 1983;2(2):247-70.

34. Inman VT, Saunders JBdM, Abbott LC. Observations of the Function of the Shoulder Joint. Clinical Orthopaedics and Related Research®. 1996;330:3-12.

35. Poppen NK, Walker PS. Forces at the glenohumeral joint in abduction. Clin Orthop Relat Res. 1978(135):165-70.

36. Rowe CR. FRACTURES OF THE SCAPULA. Surg Clin North Am. 1963;43:1565-71.

37. McClure PW, Michener LA, Sennett BJ, Karduna AR. Direct 3-dimensional measurement of scapular kinematics during dynamic movements in vivo. J Shoulder Elbow Surg. 2001;10(3):269-77.

38. Allman FL, Jr. Fractures and ligamentous injuries of the clavicle and its articulation. J Bone Joint Surg Am. 1967;49(4):774-84.

39. Levangie PK, Norkin CC. Joint structure and function: a comprehensive analysis. 2011.

40. Dawson PA, Adamson GJ, Pink MM, et al. Relative contribution of acromioclavicular joint capsule and coracoclavicular ligaments to acromioclavicular stability. J Shoulder Elbow Surg. 2009;18(2):237-44.

41. Tornetta P. Rockwood and Green's fractures in adults. 2020.

42. Sahara W, Sugamoto K, Murai M, Tanaka H, Yoshikawa H. 3D kinematic analysis of the acromioclavicular joint during arm abduction using vertically open MRI. J Orthop Res. 2006;24(9):1823-31.

43. Lenoir H, Williams T, Griffart A, et al. Arthroscopic arthrodesis of the shoulder in brachial plexus palsy. J Shoulder Elbow Surg. 2017;26(5):e115-e21.

44. Johnston T. The movements of the shoulder-joint a plea for the use of the plane of the scapula as the plane of reference for movements occurring at the humero-scapular joint. British Journal of Surgery. 1937;25(98):252-60.

45. Inman VT, Saunders JB, Abbott LC. Observations of the function of the shoulder joint. 1944. Clin Orthop Relat Res. 1996(330):3-12.

46. Laumann U. Kinesiology of the shoulder joint. Shoulder replacement: Springer; 1987. 23-31.

47. Friedman R. Shoulder biomechanics following total joint arthroplast. Trans Orthop Res Soc. 1989;14(4).

48. Catterall AC. Human Joints and their Artificial Replacements. Ann Rheum Dis. 1979;38(2):196-.

49. Lee BG, Cho NS, Rhee YG. Results of arthroscopic decompression and tuberoplasty for irreparable massive rotator cuff tears. Arthroscopy. 2011;27(10):1341-50.

50. WILSON CL, DUFF GL. PATHOLOGIC STUDY OF DEGENERATION AND RUPTURE OF THE SUPRASPINATUS TENDON. Archives of Surgery. 1943;47(2):121-35.

51. Elhassan BT, Alentorn-Geli E, Assenmacher AT, Wagner ER. Arthroscopic-Assisted Lower Trapezius Tendon Transfer for Massive Irreparable Posterior-Superior Rotator Cuff Tears: Surgical Technique. Arthrosc Tech. 2016 Aug 29;5(5):e981-e988. doi: 10.1016/j.eats.2016.04.025. PMID: 27909664; PMCID: PMC5123993.

52. Muench LN, Berthold DP, Kia C, Obopilwe E, Cote MP, Imhoff AB, Scheiderer B, Elhassan BT, Beitzel K, Mazzocca AD. Biomechanical comparison of lower trapezius and latissimus dorsi transfer for irreparable posterosuperior rotator cuff tears using a dynamic shoulder model. J Shoulder Elbow Surg. 2022 Jun 4:S1058-2746(22)00494-3. doi: 10.1016/j.jse.2022.05.003. Epub ahead of print. PMID: 35671930.

53. Henderson JM. Practical Evaluation and Management of the Shoulder. Archives of Family Medicine. 1995;4(2):170.

54. Kibler WB, Sciascia A, Wilkes T. Scapular dyskinesis and its relation to shoulder injury. J Am Acad Orthop Surg. 2012;20(6):364-72.

55. Kibler WB, Ludewig PM, McClure P, Uhl TL, Sciascia A. Scapular Summit 2009: introduction. July 16, 2009, Lexington, Kentucky. J Orthop Sports Phys Ther. 2009;39(11):A1-a13.

56. Roche SJ, Funk L, Sciascia A, Kibler WB. Scapular dyskinesis: the surgeon's perspective. Shoulder Elbow. 2015;7(4):289-97.

57. Mihata T, McGarry MH, Kinoshita M, Lee TQ. Excessive glenohumeral horizontal abduction as occurs during the late cocking phase of the throwing motion can be critical for internal impingement. Am J Sports Med. 2010;38(2):369-74.

CHAPTER 04

생물학 및 생물학적 치료
Biology of the shoulder and biological treatment

조현철

Ⅰ 생물학(Biology)

1. 힘줄 치유의 기초 과학

근골격계 부상은 흔한 질병으로 보건의료체계에 상당한 부담이 된다. 근골격계 부상 중 상당한 비중을 차지하고 있는 힘줄 혹은 인대의 부상, 즉 염좌, 좌상 및 파열로 미국에서는 한 해 1,840만 명 이상이 의료전문가를 방문하였으며 이마저도 공식 의료사이트 집계 수치만을 나타낸 것이다. 근골격계 부상에 대한 직접적인 치료 비용이 이미 2004년에 1,270억 달러를 넘어섰으며 이러한 비용은 10년 전 대비 37% 이상 증가한 수치임을 고려하였을 때 근골격계 부상은 향후 수십 년 동안 크게 증가할 것으로 예상된다. 이에 힘줄 및 인대의 회복과정에 대한 깊이 있는 이해가 필요한 실정임에도 불구하고 힘줄에 대한 분자 및 조직병리학적 연구가 부족하여 힘줄 치유의 기초가 되는 메커니즘을 이해하는 데 지장이 있다.[1] 따라서 본 장에서는 힘줄 치유 과정과 그에 따른 분자 변화 등 기초 과학 측면에서 다루려 한다.

1) 단계

일반적으로 손상된 힘줄의 치유 과정은 독특한 세포 및 분자 캐스케이드를 포함하는 세 가지 주요 단계를 거친다: (1) 염증, (2) 증식, (3) 리모델링.[1]

(1) 염증

부상 직후 시작되어 최대 7일까지 지속되는 염증단계는 (1) 지혈, (2) 혈관 네트워크 생성, (3) ECM 생성 순으로 세 가지 단계로 나뉜다. 지혈 단계에서 적혈구와 혈소판이 모집되며, 모집된 혈소판은 섬유소 응고를 형성하여 부상 부위 안정화를 시킨다. 후에, 분비된 혈관유발인자로 인하여 혈관 네트워크 형성이 시작되며 이는 부상 부위에 새로 형성된 섬유조직이 혈액을 공급받아 생존하기 위함으로 초기 혈관반응은 필수적이다. 다음으로, 건 세포가 상처로 이동하며, 콜라겐 타입 III가 주를 이루는 ECM 구성요소가 모집된 섬유아세포에 의해 합성된다.[2,3]

(2) 증식

부상 후 3-7일 후에 시작하여 수주 동안 유지되는 증식 단계에서 건세포와 대식세포는 증식하고 조직 합성이 시작된다. 콜라겐 타입 I의 생성은 초반에 감소하지만, 콜라겐 타입 III의 합성은 이 단계에서 최고조에 달한다. ECM은 무작위로 배열된 다량의 콜라겐, 프로테오글리칸 및 GAG를 포함한 비콜라겐성 단백질로 채워져 조직의 높은 수분 함량을 유지한다.[4]

(3) 리모델링

부상 후 대략 6주 후에 시작하여 1-2년 동안 유지되는 리모델링 단계는 환자의 연령 및 조건에 따라 달라지기도 한다.[1,2] 리모델링 단계는 통합 단계(consolidation stage)와 성숙 단계(maturation stage)로 나뉘어진다.

① 통합 단계(consolidation stage)

대략 6주차에 시작되어 최대 10주 동안 지속되며 이 기간 동안 회복 조직은 세포에서 섬유질로 변경되는데, 이는 콜라겐 타입 III가 콜라겐 타입 I으로 대체되어 조직이 섬유질화됨에 따라 세포질 및 기질 생성이 감소하며 세포에서 섬유질로 변하기 때문이다. 이 기간 동안 Tenocyte 대사는 높게 유지되며, Tenocyte와 콜라겐 섬유는 힘줄의 세로축을 따라 조직화되기 시작하여 힘줄의 강성과 인장력을 회복한다.[1,2]

② 성숙 단계(maturation stage)

성숙 단계는 약 10주 후에 시작되어 섬유조직이 흉터 같은 힘줄 조직으로 점차 변화되며 1년 동안 지속된다.[5,6] 성숙 단계의 후반부에는 Tenocyte 대사 및 건 혈관신생이 저하된다.[7] 이 증가된 조직은 정상적인 힘줄에 대한 인장 기계적 특성을 개선하지만, 회복된 조직은 섬유성 흉터이며 손상 전의 구조적, 구성적 또는 기능적 특성을 완전히 회복하지 못한다.[4]

2) 분자 변화

염증, 증식, 리모델링 단계를 거치는 힘줄 치유 과정은 생물학적 반응의 시작과 진행에 중요한 역할을 하는 다양한 분비 분자에 의해 복잡하게 조절된다.[8] 각 분자의 역할을 이해하면 성공한 혹은 실패한 힘줄 치유의 메커니즘을 설명할 수 있다.[4]

(1) 염증 단계

염증 단계에서는 염증성 인터루킨(IL)-6 및 인터루킨-1β와 같은 사이토카인이 침입한 염증세포에 의해 생성된다. 이 단계에 관련된 다른 분자들은 bFGF (기초 섬유아세포 성장인자), IGF-1 (인슐린유사 성장인자-1), NO (산화물), PDGF (혈소판유래 성장인자), PGE2 (프로스타글란딘 E2), TGF-β (변환성 성장인자 베타), TNF-α (종양괴사인자-α) 및 VEGF (혈관 내피세포 성장인자)이다.

(2) 증식 단계

증식 단계에서는 GDFs (성장분화인자) -5, -6, -7이라는 이름으로도 알려져 있는 bFGF, BMPs (골형성 단백질)-12, -13, -14, 그리고 IGF-1, MMPs, PDGF, substance P, TGF-β, VEGF 와 같은 많은 성장인자가 관여한다.

(3) 리모델링 단계

리모델링 단계에서는 GDF -5, -6, 7 그리고 IGF-1, TGF-β가 관여된다.

3) 내재성 힘줄 치유 대 외재성 힘줄 치유

참여되는 세포집단에 따라 내재성 및 외재성 두 가지 별개의 치유 메커니즘이 제안되었다.[9] 처음에는 힘줄이 주변 조직에서 세포의 이동에만 의존하여 고유 치유능력이 부족하다 생각되었지만 힘줄이 본질적으로 치유할 수 있는 능력을 가지고 있다는 것이 발견되었으며 이제 이 두 가지 메커니즘이 일반적으로 함께 작용한다고 여겨지고 있다.[10] 그러나 내재성 및 외재성 치유 모두 힘줄에서 발생할 수 있지만 부상 위치에 따라 다른 치유 패턴이 우세할 수 있으며 각 세포 유형의 기여는 지속된 외상의 유형, 해부학적 위치, 활막의 존재 및 손상 부위의 운동량에 의해 영향받을 수 있다.[4]

(1) 내재적 치유 메커니즘(Intrinsic healing mechanism)

내인성 치유에서는 조직 복구를 위한 콜라겐을 내놓는 에피테논(epitenon)과[4] 엔도테논(endotenon) TC의 증식이 있다.[11-13] 내재 세포는 손상 후 3일 후에 손상 부위로 이동하여 손상 후 7일까지 높은 증식 속도를 유지하는 반면[13,14] 외인성 세포는 손상 직후 손상 부위에서 더 두드러지는 특성을 보이지만 그 기간은 짧다.[4] 증식과 이동을 통해 에피테논 tenoblast는 복구 과정을 시작하는데[15-18] 내부 TC는 에피테논 세포보다 더 크고 성숙한 콜라겐 섬유를 분비하며 치유 과정에 기여한다.[13] 하지만 그럼에도 불구하고, 에피테논과 TCs의 섬유아세포는 치유기간 동안 콜라겐을 합성하고, 다른 세포 또한 다른 시점에서 다른 유형의 콜라겐을 생산할 것이라 예상된다. 콜라겐은 가장 처음 에피테논

세포에 의해 생성되고, 후에 엔도테논 세포에 의해 생성된다.[19-23] 각 세포 유형의 상대적인 기여도는 지속된 외상의 유형, 해부학적 위치, 활액막의 존재, 치유 후 움직임에 의해 유발된 스트레스의 양에 의해 영향을 받을 수 있다.[24] TC 기능은 세포의 유래부위에 따라 다를 수 있다. 건초(tendon sheath)에서 에피테논과 엔도테논 세포보다 콜라겐과 글리코사미노글리칸이 적게 생성되지만 굴곡건초(flexor tendon sheath)의 섬유아세포는 더 빠르게 증식한다.[25,26] 내재적 치유는 생체역학을 개선하고 합병증을 줄인다. 특히, 유착 감소로 인해 외부 치유에 비해 건초 내에서 더 나은 활공을 초래한다.[27,28]

(2) 외부 치유 메커니즘(extrinsic healing mechanism)

상주 세포의 낮은 활성/수복 능력을 감안할 때[29-33] 외인성 치유기전이 활성화되어 주변의 건초, 활액막 또는 힘줄막에서 힘줄 내로 세포가 침입하는 과정이다.[2] 이 이동된 세포는 콜라겐을 제공하여 힘줄 리모델링에 기여하지만, 또한 힘줄 활주를 방해하는 유착 형성을 초래할 수 있다. 외부 치유에는 염증세포의 침입도 포함되며, 이는 손상된 부위의 치유를 촉진하는 인자를 방출한다. 건주위막 세포에서 전구세포 마커의 발현이 더 높다. 또한, 건주위막 세포는 더 빠르게 이동하고, 복제하며, 내재 세포보다 근섬유아세포 표현형으로 더 높은 분화 가능성을 보인다.[4] 이는 힘줄의 리모델링과 이소성 분화로 인한 비정상적인 치유 모두에 잠재적으로 기여할 수 있음을 시사한다.[34] 외인성 치유 과정의 부산물은 조직화되지 않은 콜라겐이 다량 침착되어 흉터조직이 형성되고 이 신생조직과 주변조직 사이에 유착이 발생한다는 것이다.[9] 흉터조직은 전반적인 기계적 특성이 감소하며 후의 재파열 가능성 증가와 관련이 있다.[35] 또한, 치유 중 상처 부위에서 콜라겐 유형 III의 농도가 증가하면 기계적 특성이 감소할 수 있다.[28] 비콜라겐성 거대 분자의 존재 및 배열 또한 힘줄 치유 기간 동안 혹은 치유 기간 후에도 변경될 수 있다.[36] 예를 들어, 바이글라이칸(biglycan) 발현은 건 재생의 초기 단계에서 상향 조절되는 반면, 데코린(decorin) 발현은 리모델링 단계에서 증가한다.[37] 상처 부위에 외인성 세포의 유입은 일반적으로

건강한 힘줄에서 흔히 볼 수 없는 세포군(예: 혈관내피세포, 섬유아세포 및 줄기세포)의 수를 증가시킨다.[2] 이러한 세포는 특히 세포분비와 관련하여 내인성 TC를 지배하여 기능손상[38] 및 유착 형성[39]이 발생한다.

4) 이동 및 기계적 하중

치유 중 힘줄의 기계적 환경은 치유 과정과 그 결과에 큰 영향을 줄 수 있다.[40] 또한 부상의 유형과 위치에 따라 최적의 하중 환경이 크게 달라질 수 있다. 적절한 하중 환경을 이해하면 힘줄 치유를 위한 적절한 부상[41] 후 재활 전략에 도움이 될 수 있다.[4]

운동이 사람의 힘줄에 미치는 영향에 대한 데이터는 거의 없다. 따라서 현재 우리가 알고 있는 대부분의 지식은 동물연구 결과를 기반으로 한다. 그러나 훈련되지 않은 동물의 결과는 훈련된 동물의 결과와 직접 비교할 수 없으므로 동물연구를 해석할 때는 주의를 기울여야 한다.[2] 또한, 갇힌 환경에 있는 동물은 연결조직 질량과 힘줄 인장 강도가 감소되어 있을 가능성이 높으며, 신체훈련은 이러한 매개변수를 정상으로 되돌릴 수 있다.[42]

캐스트 고정(cast immobilization)은 회전근 개 파열에서 힘줄-뼈 치유를 개선하기 위한 방법으로 제안되었다. 쥐 실험모델에서 극상근건(supraspinatus tendon) 회복에 대한 고정효과를 평가하였을 때 다른 치료에 비해 초기 시점에서 매트릭스 조직이 개선되고 힘줄의 강성과 모듈러스(modulus)가 개선되었다.[43]

5) 힘줄 치유의 한계

파열된 힘줄은 광범위한 치유반응을 겪지만, 대부분의 환자, 특히 노년층에서 치유된 힘줄의 기계적, 구조적, 생화학적, 생물학적 특성은 손상되지 않은 조직의 특성과 결코 일치하지 않는다.[2,4] 절단된 자연 치유된 절단된 양 아킬레스건에 대한 연구에서 파열력은 12개월 때 정상의 56.7%에 불과했다.[16] 힘줄 치유의 한 가지 주요 제한사항은 활막 내 힘줄 손상 후 유착이 형성된다는 것이다.[44] 부상 또는 수술 시 활막의 파열은 육아조직(granulation tissue)과 주변 조직의 TC가 치유 부위를 침범한다. 외인성 치유반응은

외인성 세포가 내인성 TC보다 우세하여 주변 조직이 치유 부위에 부착되도록 하여 유착 형성을 초래한다.[2] 이러한 유착은 힘줄의 자연스러운 활공과 움직임을 억제하며 이는 적절한 기능에 필요하다.[45] 따라서 주사 가능한 시스템이나 이식 가능한 장치를 기반으로 하는 힘줄 치유 요법은 힘줄 기능을 더 잘 회복하기 위해 내인성을 강화하고 외인성 치유 모드를 억제해야 한다고 제안되었다.[46]

힘줄 치유의 또 다른 주요 합병증은 자연 힘줄을 대체하는 흉터조직의 형성이다. 치유의 리모델링 단계 동안 복구 조직은 콜라겐 I형 생성의 증가와 함께 세포에서 섬유로 전환된다. 그러나 이 섬유조직은 본래의 힘줄 조직이 아닌 흉터조직으로 발전하게 되는데, 결과적으로 힘줄이 두꺼워지고 뻣뻣해져 더 낮은 단위의 기계적 강도를 극복하게 되며 힘줄의 질과 기능적 활성은 건강한 힘줄보다 열등하다.

마지막으로, 본래의 힘줄조직 대신에 흉터조직이 형성되는 것 외에, 힘줄과 뼈의 접점이 파괴된 부상에서 자연적인 삽입 부위의 조직과 구성은 회복되지 않는다. 힘줄이 치유되면 힘줄과 뼈 사이의 전이 영역이 재생되지 않고 오히려 섬유성 흉터조직을 형성하는데, 이는 물질 간의 갑작스러운 인터페이스로 인해 기계적으로 더 약한 섬유성 흉터조직을 형성하여 재파열되기 더 쉽다.[4] 자연적인 힘줄-뼈 생성을 시도하는 보강 방법은 치유 결과를 크게 향상시킬 것이다.[47]

2. 어깨 연조직의 부상 및 치유

견갑관절 병리학 중 회전근 개 파열은 특히 노령화 인구에서 증가한다. 견갑관절 병리학의 치료적 기술발전을 위해선, 어깨의 퇴행성 변화와 치유에 관여하는 많은 요소들과 메커니즘을 이해하는 것이 중요하다.

1) 온전한 힘줄-뼈 인터페이스
(tendon-bone interface)의 4가지 영역

회전근 개의 힘줄-뼈 인터페이스는 힘의 전달이 경직성 (stiffness)이 낮은 부드러운 힘줄 조직에서 상대적으로 뻣뻣한 뼈로 향하기 때문에 생체역학적인 어려움을 나타낸다.

회전근 개에서 이러한 문제점은 힘줄과 뼈 사이에 있는 특별한 전이영역인 근육힘줄뼈부착부위(enthesis)로 불리는 결합조직을 통해 해결된다. 이 부위는 경직성을 힘줄에서 뼈로 점차 증가시키고 힘줄에서의 기계적 하중을 효과적으로 뼈에게 전달한다. 온전히 형성된 근육힘줄뼈부착부위는 일반적으로 1) 힘줄, 2) 비석회화 섬유연골, 3) 석회화 섬유연골, 그리고 4) 뼈 총 4개의 영역으로 구분된다. 상기 영역은 뚜렷한 경계가 존재하지 않기 때문에 아그레칸, 디코린, 비글리칸과 같은 다양한 콜라겐과 프로테오글리칸이 균일하게 분포돼 있지 않다.[7] 이렇게 뼈에서 힘줄로 자연스럽게 이어지는 변화가 뼈와 힘줄 사이의 하중전달을 가능하게 한다. 이러한 영역전환은 약 1 mm의 거리에 걸쳐 이루어진다. 힘줄-뼈의 치유 중 4개의 영역이 있는 근육힘줄뼈부착부위는 정상적으로 회복되지 않는 경우가 많아 비교적 높은 복원실패 발생률을 보인다. 배발생 단계에서의 힘줄과 근육힘줄뼈부착부위의 자연발달을 이해하는 것이 회복속도를 높임과 동시에 뼈와 힘줄을 연결하는 상기 4개의 영역을 재건하는 데 도움이 될 수 있다.

(1) 성인의 퇴행성 회전근 개 생물학

퇴행성 회전근 개의 발생원인은 아직까지 정확하게 단정 지을 수 없는 영역이지만, 현재는 크게 외적 그리고 내적 원인으로 나눠진다.

① 퇴행성 회전근 개의 외적 원인

극상근(supraspinatus muscle)의 손상을 초래하는 견봉하-충돌(subacromial impingement)은 Neer에 의해 처음으로 퇴행성 회전근 개의 외적원인으로 발표됐다.[8] 이 경우, 힘줄이 오훼견봉궁(coracoacromial arch)을 침범하여 힘줄이 퇴화되고 결국 파열한다. 한 연구에서 1단계 및 2단계 어깨충돌증후군 환자의 72%는 견봉하감압술 후 좋은 회복을 보였다는 점에서 극상근 손상은 퇴행성 회전근 개의 외적인 원인임이 뒷받침된다.[9]

② 퇴행성 회전근 개의 내적 원인

노화로 인한 점액성(mucoid) 침전 증가, 지방침윤(fatty

infiltration), 콜라겐 타입 I에서 III으로의 변화, 그리고 수산화인회석의 미세석회화는 널리 받아들여지는 내적 퇴행성 미세외상 모델이다.[10-12] 이러한 모든 변화는 힘줄의 재료적(material) 특성에 악영향을 미쳐 결국 회전근 개의 부분파열 또는 전층파열을 일으키지만, 상기 과정의 기본적인 세포적 그리고 분자적 원인은 현재까지도 제대로 정의되어 있지 않다. 현재 자료에 따르면 대사기능장애와 유전적인 요소가 이 과정을 가속시킬 수 있다고 밝혀졌다.[13-14] 퇴행성 회전근 개의 내적 원인에 관여하는 또 다른 요소로는 힘줄의 저혈관성(hypovascularity)이 있다.[15]

(2) 회전근 개 치유의 생물학

치유 과정은 크게 세 단계로 나뉜다. 초기 염증 단계의 첫 24시간에는 염증세포가 상처 부위에 침투한다. 그 과정에서 대식세포와 단핵구는 괴사조직을 제거하고 혈관화(vascularization), 세포 이동, 증식 및 분화에 영향을 미치는 사이토카인을 방출한다. 이러한 염증 단계는 며칠 동안 지속된다. 그 후 시작되는 증식 단계에서는 건세포(teno-cyte)와 섬유아세포(fibroblast)를 포함한 세포들이 회복 부위로 모집되고 콜라겐 유형 III의 초기 생산이 시작된다. 증식 단계는 몇 주 동안 지속된 뒤 개조 단계로 넘어간다. 개조 단계에서는 콜라겐 유형 III이 콜라겐 유형 I로 대체되고 조직의 세포질(cellularity)이 점차 감소한다.

상기 세 가지의 과정에서 힘줄-뼈 인터페이스는 반응성 흉터 형성(reactive scar formation)에 의해 복구된다. 이렇게 형성된 힘줄-뼈 인터페이스는 기존의 건강한 부위에 비해 낮은 재료적 특성을 가지게 된다. 그러므로 근육힘줄뼈부 착부위의 생리적 재구성에 도달하기 위해서는 치료에 필수적인 모든 조건을 해결한 새로운 생물학적 치료 전략이 필요하다. 이러한 필수 조건으로는 ① 내적 및 외적 세포, ② 적시에 최적의 농도로 방출되는 다양한 성장인자, ③ 세포외기질 단백질, 최적의 부하(load) 및 이동량(mobilization)을 포함한다.[16-22] 마지막으로 근육의 상태 또한 치유 능력에 영향을 미친다는 사실 또한 분명해지고 있다.[23]

어깨의 연부조직의 생물학적 손상과 회복은 복잡하며 아직까지도 많은 풀리지 않은 의문점들이 남아있다. 임상적

성공은 생물학적 치유에 관한 포괄적인 이해에 달려있다는 사실이 상기 회전근 개 치유의 과정을 중요하게 만든다. 이러한 이해 과정은 조직 치유를 증가시키는 새로운 경로를 발견하는 데 도움이 될 것이고, 어쩌면 손상되지 않은 연부조직과 유사한 생체역학적 성질을 회복시키면서 궁극적으로 조직 재생과 흉터조차 없는 치유를 가능하게 할 것이다.

Ⅱ 생물학적 치료(Biological therapy)

근골격계 질환은 기대수명을 낮추는 데 직접적인 영향을 미치지는 않지만, 근골격계로 질환으로 인한 통증은 일상생활과 정신건강에 악영향을 미치거나 연쇄적인 신체 이상을 야기할 수 있다. 그럼에도 별다른 검진을 하지 않기 때문에 조기 발견이 어려워 매년 근골격계 통증 환자가 늘고 있다. 질병분류정보센터에 따르면 근골격계 질환으로 병원을 찾는 환자가 2008년 2,170만 명에서 2014년 2,880만 명으로 약 30% 이상 늘었으며, 장기간 사무실에서 근무하고 스마트 기기의 활용이 잦은 현대인들의 고질적인 질환이 되어 환자는 해가 갈수록 증가 추세이다. 더욱이 근골격계 질환은 40대 이상에서 발병하며, 60대 이상 노년층에서 전체 환자의 약 80%를 차지하는 고령화 사회 관련 질환으로서, 고속화되는 고령화 사회에서 반드시 해결해야 할 질환 중 하나이다. 하지만 술기의 급속한 발전에도 불구하고 일부 정형외과적 수술의 결과는 불만족스러운 편이다. 그럼에도 외과적 수술이나 통증완화 치료 외에는 근본적인 치료방법이 없는 실정이다. 따라서 세계적으로 근골격계 질환에 대한 분자적인 메커니즘을 규명함으로써, 보다 더 근본적으로 예방 및 치료하려는 움직임이 생물학적인 치료법 중심의 재생의학을 바탕으로 일어나고 있다. 재생의학은 손상된 연골, 골, 그리고 힘줄을 건강한 조직으로 대체하거나, 조직의 재생을 증진시키는 데 그 목적을 두고 있다. 본 장에서는 줄기세포를 비롯한 세포치료제, 유전자치료제, 생활성물질 치료제, 지지체와 같은 조직공학 등을 활용하여 활발히 연구되고 있는 근골격계 생물학적 치료법에 관하여 논하고 있다.

1. 실험적 치료방법

1) 세포치료제(cell therapy)

세포치료제란 손상된 세포의 조직과 기능을 회복시키기 위하여 살아있는 자가(autologous), 동종(allogenic), 또는 이종(xenogeneic)세포를 체외에서 증식, 선별하거나 생물학적 특성을 변화시키는 등으로 만든 의약품으로서, 사용되는 세포의 출처에 따라 크게 줄기세포(stem cell)치료제와 체세포(somatic cell)치료제로 분류된다. 재생의학 분야는 이미 분화(differentiation)가 완료된 체세포에 비해 인체의 다양한 조직으로 분화가 가능하고, 스스로 자기와 동일한 세포를 복제(self-renewal)할 수 있으며, 주입 시 손상된 부위를 스스로 찾아가는 능력(homing effect)과 같은 고유한 특성을 보유한 줄기세포치료제에 주목하였다. 줄기세포 치료제는 분리되는 세포의 기원에 따라 배아줄기세포치료제과 성체줄기세포치료제로 분류된다. 초반의 줄기세포연구는 배아줄기세포(embryonic stem cell) 중심으로 이루어졌으나 생명윤리에 관한 심각성과 발암가능성 문제로 인하여 지속적인 연구에 어려움을 겪었다.[2] 체세포에 역분화를 유도하여 만든 '유도 만능줄기세포(induced pluripotent stem cell, IPSC)' 역시 윤리적 문제는 해결하였지만, 여전히 발암가능성에 관한 문제는 남아있는 상태이다. 이러한 이유로 윤리적 문제뿐 아니라 발암가능성에 관한 문제 역시 적은 성체줄기세포인 중간엽 줄기세포(mesenchymal stem cell, MSC)가 재생의학 분야에서 주목을 받게 되었다.[1-7] 특히, 골수(bone marrow), 지방(adipose), 제대(umbilical cord) 및 제대혈(umbilical cord blood) 등으로부터 쉽게 분리 가능한 중간엽 줄기세포는 다능성(multipotent) 세포로서 근육, 건, 연골, 뼈, 지방 및 섬유아세포로 분화가 가능하기 때문에, 근골격계 분야는 30년 가까이 중간엽 줄기세포연구에 매진하였고 점점 비수술적 재생치료에 중간엽 줄기세포를 적용하는 추세이다.[8] 본 장에서는 낮은 재생능력과 관련된 퇴행성 근골격계 질환에 적용되는 세포치료제에 관한 비임상 및 임상연구결과에 관하여 다룬다.

2) 건질환과 세포치료제

건의 세포외기질(extracellular matrix, ECM)은 주성분은 제1형 콜라겐(collagen type I), 제3형 콜라겐, 프로테오글라이칸(proteoglycan), 글리코사미노글리칸(glycosaminoglycan, GAG) 등이며, 섬유아세포(fibroblast)와 건의 약 90%를 구성하는 건세포(tenocyte)에 의해서 생성된다. 건 조직이 손상되면, 염증세포(inflammatory cells), 혈소판(platelets), 섬유아세포, 상피세포(epithelial cells), 그리고 혈관 내피 세포(vascular endothelial cells) 등에서 여러 성장인자(growth factor)가 분비되고, 이들을 통해 치유 과정이 촉진된다. 하지만 건 주변에는 혈관의 분포가 상대적으로 적기 때문에 치유에 중요한 역할을 하는 혈류가 부족하고, 무엇보다 기질을 생성하는 건 세포 수 또한 매우 적으므로 손상 시 치유가 어려운 편이다. 더욱이 최근 연구결과에 따르면 일정 시기의 성장기(13세) 이후에는 건의 세포외기질 교체는 일어나지 않기 때문에 성인의 경우, 건의 자연적 치유는 불가능할 뿐만 아니라 반복적인 손상에 의해 건세포에서 분비되는 사이토카인(cytokine)과 기질 분해제(matrix metalloproteinases, MMPs)에 의해 주변기질의 퇴행(degeneration)이 시작되면서 만성적 건병증(tendinophathy)이 유발된다.[9-13] 그러나 이에 적용되는 치료법은 대개 외과적 수술이나 통증완화를 위한 치료제가 주를 이루었기 때문에, 건의 근본적인 재생보다는 여전히 섬유혈관성(fibrovascular)의 반흔조직(scar tissue) 형성과 함께 기능적으로도 열등한 건이 형성되는 문제가 남아있다.[9,14] 따라서 보다 더 근본적인 치료를 위하여 다양한 종류의 세포치료제를 활용한 임상연구가 진행되었다.

최근 발표된 임상연구결과에 따르면, 극심한 상태의 만성저항성 측상골염 환자의 신근건 기시부에 자가유래 건세포를 이식한 결과 상당히 호전된 임상적 기능과 함께 MRI 건변증 점수가 개선되었다.[15] 다능성의 줄기세포 또한 손상된 건의 세포치료제로서 각광을 받고 있는데, 건 병변에 이식된 줄기세포는 직접 건 재생에 영향을 미칠 뿐 아니라 면역글로불린 생산과 관련 있는 T 및 B림프구의 G0/G1 세포주기를 통제함으로써 면역억제효과를 보이는 것으로 알려져 있다.[16-22] 더욱이 이식된 줄기세포는 주변분비효과

(paracrine effect)로 인하여, 성장인자, 면역조절(immuno-modulatory)물질, 혈관형성(angiogenic)물질, 항세포사멸물질(anti apoptotic substances) 등을 다량으로 분비시킴으로써, 손상된 건세포의 재생을 유도하기도 한다.[23-25] 특히, 건 특이단백질인 COMP와 SCX가 지방조직유래 중간엽 줄기세포에 과량으로 존재하는데,[24,26] 건병증 동물 모델에 지방조직유래 중간엽 줄기세포를 이식한 결과 건섬유의 배열이 개선되었으며, 염증상황이 상당히 호전되었고, 제1형 콜라겐 유전자 발현량이 대조군에 비하여 상당히 증가된 것이 확인되었다.[26-28]

3) 연골질환과 세포치료제

관절내 연골은 제2형 콜라겐(collagen type II)과 프로테오글라이칸(proteoglycan) 등으로 구성된 세포외기질과 연골세포(chondrocyte)로 이루어져 있다. 한 번 형성된 연골의 세포외기질의 반감기는 상당히 길기 때문에 낮은 교체율을 보이기는 하나, 보통 정상 연골세포에 의해서 지속적인 연골 교체가 유지된다.[29,30] 하지만 이와 같은 연골의 항상성에 문제가 생겨 뼈의 끝부분을 덮어 뼈를 보호해주는 연골이 닳아 없어지면서 골관절염(osteoarthritis)이 발생된다. 연골이 손상되면 파손된 연골 자체가 활액 내의 염증원이 되어, 연골세포 및 활액세포는 인터루킨1(interleukin1)이나 종양괴사인자(tumor necrosis factor) 같은 과량의 사이토카인(cytokine)을 분비하게 된다. 이로 인해 더욱 활성화된 연골세포에서의 콜라겐 합성은 억제되는 반면, 연골의 세포외기질 성분들을 직접적으로 분해하는 효소인 연골분해효소(MMPs, ADAMTSs)의 분비는 증가됨으로써 연골의 세포외기질은 더욱 파괴되고 관절연골의 손상도는 심해진다. 더욱이 이 과정에서 조직으로 침투된 면역세포에 의하여 연골세포는 사멸되고 결과적으로 세포외기질을 생성할 연골세포의 부족으로 인하여 골관절염의 악순환은 반복된다.[31,32] 손상된 연골을 재생하기 위한 여러 세포치료법이 개발되었는데, 크게는 외부(exogenous) 배양된 체세포 및 줄기세포를 주입하는 방법과 생체내(endogenous) 존재하는 줄기세포를 이용하는 방법이 있다.

자가연골세포이식술(autologous chondrocytes implanta-tion, ACI)은 환자자신의 연골조직으로부터 분리된 자가연골세포를 체외에서 배양 후 이식하는 방법으로써 가장 먼저 임상적으로 적용된 세포치료법이다. 자가연골세포이식술은 느린 증식속도와 계대 배양 수에 한계를 보이는 연골세포 특성상 대량생산이 어렵고 연골조직 채취와 이식을 위한 두 번의 수술이 요구되는 단점이 있으나, 안전하고 비교적 큰 부위에 적용가능한 장점이 있다.[33] 국내에서 최초로 승인된 자가연골세포치료제로는 콘드론(Chondron®)이 있는데, 무릎관절의 연골 부분손상(단독 병변의 경우 15 cm², 다발성 병변의 경우 20 cm²) 치료에 적용 가능하다. 피브린글루(fibrin glue)와 혼합한 젤 형태의 콘드론을 관절경하에서 이식한 뒤 5년간 추적한 결과, 임상적 및 방사선학적으로 유의미한 개선효과가 확인되었다. 더욱이 재생된 연골부위에서 제1형 콜라겐 타입보다 균일하게 생성된 제2형 콜라겐이 확인됨으로써 조직학적으로도 초자연골과 유사한 재생이 관측되었다는 데 의의가 있다.[34]

연골재생을 위한 줄기세포치료법으로는 골수유래 줄기세포, 지방조직유래 줄기세포, 제대혈 줄기세포 등을 이용한 방법이 있다.[35,36] 한 예로, 심각한 상태의 골관절염 환자 세 그룹에 각각 1회씩 저(2×106 cells), 중(10×106 cells), 고용량(50×106 cells)의 자가지방조직유래 줄기세포를 관절 내에 주입하고 6개월 후에 분석된 임상 1상 연구결과에 따르면, 모든 그룹에서 처음에 비하여 통증, 기능, 운동성 등이 개선됨이 보였다. 더욱이 저용량 그룹의 일부 환자들에게서 활액 내 염증수치뿐만 아니라 조직학적으로도 상당히 개선됨이 관측되었다.[37] 또한 '퇴행성 또는 반복적 외상으로 인한 골관절염 무릎연골결손의 치료'를 위한 동종제대혈유래 중간엽 줄기세포 치료제인 카티스템(Cartistem)이 관절염 무릎연골 손상 치료제로서 2012년 세계 최초로 승인이 된 바 있다. 히알루론산젤(hyaluronic acid hydrogel)과 혼합한 동종제대혈유래 중간엽 줄기세포를 심각한 골관절염 환자(grade 3)에게 이식한 결과, 3달 후부터 재생효과가 관절경 검사에서 보였고, 1년 후에 초자연골과 유사한 연골세포가 조직학적으로 관측되었다. 특히 7년 동안 추적 관찰한 결과 연골재생 효과가 지속적으로 유지되는 것이 확인되었다.[38] 이 제품 역시 외부에 배양된 줄기세포

치료제인데, 현재까지의 근골격계 질환 관련 줄기세포는 이처럼 '외인성 동종유래 줄기세포 치료제"가 주를 이루고 있다. 외인성 동종유래 줄기세포 치료제는 대량생산이 가능하다는 장점은 있으나, 공여자 및 미세 환경에 따른 세포 분화능의 차이, 종양형성, 면역반응, 배양으로 인한 감염 등의 한계점이 있다. 반면에 임상에서 시행되는 미세골절술(microfracture)은 골수 내에 원래 존재하던 '내재성 줄기세포'를 활용하는 치료법으로서, 미세골절술을 통해 손상 부위로 노출된 내재성 줄기세포는 세포외기질 등의 미세환경에 의해 스스로 연골세포로 분화함으로써 연골조직 재생에 관여하게 된다. 하지만 골수에는 원래 소수의 내재성 줄기세포만 존재(1,000-100,000개 골수세포 중 1개)하는 데다가, 나이가 들수록 골수 내의 내재성 줄기세포 수는 줄어들어 결과적으로 병변으로 동원되는 줄기세포의 수는 절대적으로 부족하다. 따라서 생역학적 및 생화학적 특성이 열등한 섬유성 조직이 형성되고, 임상 증상의 호전 지속 기간이 짧고, 병변이 큰 경우에는 적용이 어려운 한계점이 있다.[40,41]

이처럼 세포치료법을 통한 재생효과가 임상적 연구결과를 통해 나타나고 있다. 현재는 각 세포치료제가 가지고 있는 문제점을 보완하고, 조직재생효과를 증진시키기 위해서 유전자 및 생활성물질, 지지체(scaffold) 등을 접목한 융복합 연구가 활발히 진행되고 있는 추세이다. 이에 관하여 다음 장에서 다루도록 자세히 다루도록 하겠다.

4) 생물학적 치료제(biological therapeutics)

앞서 기술했듯이, 건병증이나 골관절염의 재생은 결과적으로 부족한 건세포 혹은 연골세포의 증식을 통한 자연치유과정이 필수적이므로, 이를 위해 손상된 부위에 직접 성장인자와 같은 여러 생활성물질을 주입한다.[42-45] 또는 면역억제효과와 주변분비효과의 특징을 보이는 다분화능의 중간엽 줄기세포를 이식함으로써 최대의 치료효과를 도모하기도 한다.[23-25] 하지만 미분화된 만능성의 중간엽 줄기세포가 조직 특이적으로 분화가 되려면 세포에서 분비되는 다양한 종류의 성장인자나 기계적 자극이 필요하다. 적절한 분화 자극 없이 이식된 줄기세포는 조직 특이적인 분화가

어려울 뿐 아니라, 오히려 석회화(calcification), 혈관침투(vessel invasion), 섬유조직(fibrosis) 및 이소성조직(heterotopic tissue formation) 형성 등의 문제를 야기할 수 있다.[39,46]

조직 손상 후 수일 이내에 증가되는 성장인자는 세포 증식, 재생 및 분화에 관여하며 조직의 치유에 절대적인 영향을 주는데, 특히, 섬유아세포성장인자2(fibroblast growth factors2, FGF2), 뼈형성단백질 12, 13, 14(bone morphogenetic protein, BMP12, BMP13, BMP14), 결합조직성장인자(connective tissue growth factor, CTGF), 인슐린유사성장인자1(insulin like growth factor1, IGF1), 혈소판유래성장인자(platelet derived growth factor, PDGF), 전환성장인자(transforming growth factor β, TGF-β), 그리고 혈관내피세포성장인자(vascular endothelial growth gactor, VEGF)는 건 재생에 직접적으로 영향을 주는 것으로 알려져 있다.[47-51] 예를 들어, 골수유래 줄기세포에 비해 높은 다분화능을 보이는 지방조직유래 줄기세포조차 골 및 연골세포로의 분화보다는 지방세포로의 분화능력이 뛰어나지만, IGF1, TGF-β, 또는 BMP-14가 처리 시 전사인자 Scleraxis (SCX)나 Tenomodulin (TNMD)과 같은 건 분화 관련 대표 유전자들의 발현이 증가하는 것으로 보인다.[52,53]

건 분화와 마찬가지로 다양한 종류의 성장인자가 연골 분화와 항상성에 관여하는 것으로 알려져 있는데, 그 중에서 TGF-β, BMP, FGF, IGF1, 헤지호그(hedgehog, HH), 윈트(Wnt)는 주로 연골의 합성대사작용과 관련이 있다.[36] TGF-β superfamily는 TGF-β family뿐 아니라, BMPs, 성장분화인자(growth/differentiation factor, GDFs, 액티빈(activin) 등 여러 성장인자들을 포함하고 있는데, 다양한 조직에서 널리 발현하여 발생을 포함한 여러 생리활동에 관여하는 조절인자이다. 특히, 중간엽 줄기세포의 연골분화요소 중 하나로 잘 알려져 있는 TGF-β의 신호전달은 serine/threonine 인산화효소인 TGF-β 수용체(receptor)와의 결합을 통하여 시작된다. 활성화된 TGF-β 수용체에 의해 인산화된 세포 내 smad 2/3 단백질은 smad 4 단백질과 복합체를 형성하여 핵내로 이동함으로써, 다양한 전사인자들과 함께 연골재생 관련 유전자의 발현을 증가시킨다.[54] 비임상연구결과에 따르면, 연골세포에 제2형 TGF-β

수용체가 제거된 형질전환 쥐에서 TGF-β 신호전달에 문제가 발생되어, 연골조직에서 Runx2 (runt-related transcription factor 2), MMP13 및 ADAMTS5와 같은 유전자의 발현이 증가되었고, 이와 함께 연골손상과 관절퇴행으로 인한 골관절염 증상이 관찰되었다.[55]

환자의 혈액에서 추출된 혈장이나 혈소판을 농축한 혈소판풍부혈장(platelet rich plasma, PRP)에는 성장인자를 포함한 다량의 생활성물질이 농축되어 있어 자연치유 과정을 활성화시키고, 손상된 조직의 재생에 관여하는 것으로 알려져 있다. 그래서 최근 손상된 건이나 연골의 임상연구에 많이 활용되고 있는데, 이에 관하여는 "제2부 PRP"장에서 상세히 다루도록 하겠다.

5) 유전자치료제(gene therapy)

유전자치료제란 환자의 결핍 또는 결함된 유전자를 교정, 교체 및 증폭시켜 질병의 근본적인 문제를 치료하는 치료제로서, 유전자 발현에 영향을 주기 위하여 투여하는 유전물질(치료 유전자와 유전자 전달체) 또는 유전자가 변형되거나 도입된 세포를 말한다. 연구자들은 유전자치료를 다양한 방법으로 접근하여 활용하고 있는데, 크게 투여방법에 따라 체내(in vivo) 또는 체외(ex vivo) 유전자치료법으로 분류된다. 체내 유전자치료법은 유전자가 포함된 전달체를 환자의 체내에 직접 주입하는 방식이고, 체외 유전자치료법은 유전자가 포함된 전달체를 채취된 환자의 세포에 주입한 후, 대량생산된 형질전환세포를 다시 환자의 체내에 이식하는 방법이다. 따라서 체내 유전자치료법은 환자의 세포의 채취 및 형질전환을 위한 과정이 생략되므로 경제적인 편이나, 목표 외의 조직이나 장기에서 치료 유전자가 발현될 가능성이 높으며 유전물질 주입으로 인해 유발되는 면역반응 등의 문제점이 있다. 반면에 체외 유전자치료법은 환자의 세포의 채취 및 형질전환을 위한 과정으로 인한 고비용이 요구되나, 체내 유전자치료법에서 나타나는 문제점은 피할 수 있고, 특히 형질전환 세포 선별과정을 통해 이식 전 세포의 효능 관련 기능성과 안정성 등의 평가가 가능하다는 장점이 있다.[56]

체내 유전자치료법의 한 예로, 현수근 인대 분기점(suspensory ligament branch)과 손가락 근육의 굴근(superficial digital flexor tendon)이 심각하게 손상된 말에 직접 VEGF164와 FGF2 유전자가 삽입된 플라스미드(plasmid) DNA를 1회 주입시킨 결과 2, 3달 내에 임상적으로 기능이 완전히 회복되었고, 심하게 손상되었던 인대와 근육이 완전히 복원된 것이 초음파상에 관측되었다.[57]

대표적인 유전자 도입세포로는 최근 개발된 국내 신약 인보사케이(Invossa-K; 성분명: tonogenconcel)라는 연골세포 치료제가 있다. 인보사케이는 항염작용과 관련된 TGF-β1 유전자가 도입된 동종 유래 연골세포를 주성분으로 하는 세계 최초의 무릎 골관절염 유전자치료제로서, 3개월 이상의 약물이나 물리치료에도 불구하고 통증이 지속되는 중등도 무릎 골관절염의 치료에 승인이 되었다. 이 약제는 레트로 바이러스 전달체를 통해 TGF-β1 유전자가 도입된 형질전환 연골세포와 정상 연골세포를 1대 3으로 혼합한 후, 무릎 관절강내에 1회(1.8×10^7 cells) 투여하는 주사제이다. 주사 1년 후의 임상결과, 무릎 기능성 및 활동성 평가지수는 위약군과 비교하여 약 3배가량 개선되었고, 골관절염 통증지수 역시 대조군 대비 2배가량 감소되었다. 그러나 손상된 연골재생 등의 구조적인 조직재생의 효과는 보이지 않았다.[58]

유전자가위를 활용하여 이상이 생긴 유전자를 수정하는 유전자교정법이 비교적 최근 개발이 되었는데, 징크핑거뉴클레이즈(zinc finger nucleases, ZFN), 탈렌(transcription activator-like effector nucleases, TALENs), 크리스퍼 유전자가위(clustered regularly interspaced short palindromic repeats-caspase9, CRISPR-Cas9, CRISPR-Cpf)가 그 유전자가위에 해당된다. 특히, 세균의 항바이러스 메커니즘에서 유래된 크리스퍼는 특정 염기서열에 특이적으로 결합하는 RNA와 특정 염기서열을 자르는 가위역할을 하는 Cas9 혹은 Cpf라는 핵산분해효소(nuclease)으로 구성이 되어있는데, 체내에 들어간 크리스퍼가 특정 유전자를 활성 혹은 저해시킴으로써 건 재생을 촉진하도록 할 가능성이 있다.[59]

6) 지지체(scaffold)

건이나 연골재생은 결국 기능적인 세포 수의 확보가 중요한 관건이다. 그럼에도 불구하고, 사실상 미세골절술을 통한 내재성 줄기세포 치료법이나 배양된 외인성 세포를 직접 손상 부위에 주입하는 방식 모두 체내에서의 소실가능성이 상당히 높은 편이다.[8,60] 따라서 손상된 조직의 재생을 위해 세포치료법을 임상적으로 적용하려면, 세포부착과 homing에 적합한 재질로 구성된 지지체를 활용하는 것이 효과적이다. 더욱이 지지체는 목표로 하는 재생조직의 생화학 및 물리적인 미세환경과 유사한 환경을 제공할 수 있기 때문에 중간엽 줄기세포의 분화를 도울 수 있다. 이를 위하여 줄기세포를 전달하는 지지체는 ECM, 히알루론산(hyaluronan), 피브린(fibrin), 콜라겐, polyglycolic acid (PGA), polylactic acid (PLA) 및 polycaprolactone (PCL) 등과 같은 다양한 재료들이 사용되고 있다.[61-65]

회전근 개 질환의 근본적인 치료를 위해서는 건-골 인터페이스의 복잡한 해부학적 구조가 재생되어야 한다. 최근 지방조직에서 분리한 ECM에 담금법으로 인산칼슘(calcium phosphate)의 농도구배를 형성한 HA-ECM 지지체를 사용하여 제대유래 중간엽 줄기세포를 부착한 결과, 성장인자 같은 자극 없이도 콜라겐과 GAG 및 칼슘과 같은 기질성분이 HA 농도에 따라 합성됨이 확인되었다. 게다가 이 복합체를 회전근 개 질환 동물모델에 이식하였더니, 4주 후부터 연골 형성이 관측되었으며, 8주 후에는 정상 그룹과 견줄 만큼 정렬된 콜라겐섬유가 관측되었다. 또한 장력 역시 4주에 대조군(회전근 개 질환 동물모델 그룹)에 비하여 약 30%가량 개선되고, 8주에는 정상그룹과 비슷할 정도로 회복이 되는 것으로 보아 조직학적뿐 아니라 생역학적으로 기능이 개선됨이 확인되었다.[66]

앞서 기술한 미세골절술 시 골수 내에 존재하는 줄기세포나 성장인자가 많이 유출되는데, 연골의 주요 세포외기질 성분인 제2형 콜라겐으로 구성된 생체재료 지지체를 활용하여 미세골절술을 시행하면, 지지체 없이 시행한 미세골절술에 비하여 연골 재생능이 훨씬 증진됨이 확인되었다.[67] 또한 ε-caprolactone monomer의 중합체인 polycaprolactone (PCL)는 생체적합성, 생분해성 및 비세포독성의

특징을 보이는데, 연골조직 재생에 적합한 재료로 잘 알려져 있다. 특히 콜라겐으로 코팅된 PCL 지지체에 골수유래 중간엽 줄기세포를 이식하면, 세포부착률이 증가되었고, 제2형 및 제5형 콜라겐 및 아그레칸(aggrecan), sox9(SRY-Box Transcription Factor 9)과 같은 연골분화 관련 유전자들의 발현이 증진되었다.[68]

7) 결론

이와 같이 손상된 근골격계 조직의 근본적인 재생을 도모하기 위해서 세포, 유전자, 생활성물질, 지지체 등을 활용한 비임상 혹은 임상적 연구가 상당히 많이 진행되어 왔고, 치료제로서의 충분한 가능성이 확인되었다. 향후 건이나 연골의 손상 및 퇴행 그리고 재생과 관련된 분자적 메커니즘 연구가 분명하게 밝혀진다면, 이들을 활용한 보다 더 근본적인 예방법이나 치료 연구가 진행될 수 있을 것이다.

2. 임상 사용 가능한 치료방법

1) 혈소판풍부혈장(platelet-rich plasma)

(1) 혈소판과 혈소판풍부혈장의 생물학적 특성

혈소판풍부혈장(이하 'PRP')은 소량의 혈장과 다량의 혈소판이 포함되어 있는 혈액 분리 생물학적 제제이다. 정상적으로 혈액 속에 존재하는 수는 150,000/μL에서 400,000/μL개 정도이다. PRP는 1,000,000 platelets/μL 이상의 혈소판으로 약 3-5배 이상의 혈소판이 농축되어 있다. 혈소판의 수명은 약 5-10일이며, 세망내피계(reticuloendothelial system)의 대식세포(macrophage)에 의해 제거된다. PRP에는 고농도의 혈소판 외에, 응고인자 및 혈액에서 분비된 혈장단백질(plasma proteins)을 포함한다. PRP는 혈소판 성장인자(platelet rich growth factors), 혈소판풍부피브린(platelet-rich fibrin, PRF) 기질 또는 혈소판 농축액(platelet concentrate)이라고도 불린다.[48] PRP는 근 20년 동안 재생의학에서 가능성 있는 재료로 사용되어 왔으며 특히 성형외과, 피부과 그리고 스포츠 재활에서 사용되어오고 있다.[49]

혈소판(platelet)에는 많은 수의 단백질, 사이토카인, 생

물학적 활성인자(bioactive factor)들을 포함한다. 혈소판 안에는 알파과립(alpha granule), 고밀도 과립(dense granule), o-과립(o-granules)과 리소좀(lysosomes)이라는 세포 구성물이 있으며, 혈소판마다 50-80개의 과립을 포함한다. 알파과립에는 지혈과 조직 치유에 중요한 역할을 하는 약 30여 종 이상의 성장인자를 비롯한 약 1,500종의 생물학적 활성 단백질(bioactive proteins)이 포함되어 있다. 대표적으로 혈소판유래 성장인자(PDGF), 전환성장인자-베타(TGF-β), 인슐린유사 성장인자-1(IGF-1), 혈관내피 성장인자(VEGF) 등의 성장인자가 함유되어 있다(표 4-1). 고밀도 과립에서는 히스타민이나 세로토닌과 같은 신경전달물질과 염증조절물질들이 포함되어 있다. 히스타민과 세로토닌은 모세관투과성을 증가시켜 염증세포가 상처로 접근할 수 있도록 하며, 대식세포(macrophage)의 활성을 유도한다. PRP는 알파과립으로부터 나온 다양한 성장인자와 사이토카인의 운반체로 작용하여 치유를 촉진한다고 알려져있다. 이 물질들은 세포의 증식과 분화, 화학주성(chemotaxis), 혈관신생(angiogenesis) 등에 중요한 역할을 하여 조직 치유 과정에 도움을 준다.[50]

혈소판은 교원질, 트롬빈 칼슘 등과 반응하여 활성화되어 과립내의 성장인자와 사이토카인을 분비한다. 이때 알파과립을 비롯한 과립의 막이 혈소판의 세포막과 융합되면서 과립내의 활성물질이 세포외로 분비된다. 분비된 활성물질은 주변 세포의 막관통 수용체와 결합하여, 세포내 신호전달 단백질을 활성화시키고 세포의 증식, 기질 생성 등을 일으킨다. 혈소판의 성장인자는 활성화 10분 내에 분비를 시작하고, 한 시간 이내에 이미 합성되어 있던 성장인자의 95%를 방출한다.[51] 활성화 초기 이후, 혈소판은 약 7일의 수명 동안 추가적으로 성장인자를 합성하고 분비한다. 이후에는 혈소판에 의해서 생성된 신생혈관을 통하여 대식세포가 손상부위에 오며, 대식세포에 의해 분비된 활성물질을 통해 조직치유가 조절된다.[52]

활성화된 혈소판에서 분비되는 여러 종류의 활성물질들은 조직치유의 여러 측면에서 영향을 준다. PDGF는 콜라겐 발현을 증가시키고 골세포 그리고 섬유아세포에 대하여 화학주성 그리고 증식 효과가 있다. VEGF는 혈관형성을

표 4-1 혈소판풍부혈장의 주요 성장인자[48, 50]

성장인자	주요 기능
PDGF	Increased hair growth Vascularization Angiogenesis stimulator
TGF-ß	Inhibits hair growth in vitro Hair-cell proliferation and regeneration
VEGF	Increases angiogenesis and vessel permeability Stimulates mitogenesis for endothelial cells
EGF	Angiogenesis stimulator Hair-cell proliferation and regeneration
HGF	Regulates cell growth and motility in epithelial/ endothelial cells Supporting epithelial repair and neovascularization during wound healing
FGF	Promotes growth and differentiation of chondrocytes and osteoblasts Promotes mitogenic for mesenchymal cells, chondrocytes, and osteoblasts
CTGF	Promote angiogenesis Cartilage regeneration Promotes fibrosis and platelet adhesion
IGF	Increases hair growth Maintains HF growth in vitro Angiogenesis stimulator
KGF	Regulates epithelial migration and proliferation
Ang-1	Induces angiogenesis stimulating migration Induces proliferation of endothelial cells Supports and stabilizes blood vessel development via the recruitment of pericyte
PF4	Calls leucocytes and regulates their activation Microbiocidal activities
SDF-1α	Calls CD34+ cells Calls mesenchymal stem cells and leucocytes
TNF	Regulates monocyte migration Fibroblast proliferation Macrophage activation Angiogenesis

유도하며 대식세포, 호중구의 화학주성을 유도한다. TGF-β는 제1형 콜라겐 합성을 증가시키고, 면역세포의 화학주성과 혈관형성을 촉진한다. 그리고 파골세포 생성을 억제하고 뼈의 재흡수를 억제한다. IGF는 혈소판이 아닌

혈장에 함유되어 있다. IGF는 세포증식에 관여하며 동화작용(anabolic effect)을 야기한다. 그 외의 활성물질의 역할은 (표 4-1)을 참고할 수 있다. 이러한 혈소판풍부혈장을 주입함으로써, 손상부에 다양한 성장인자와 염증조절물질이 공급되고, 이것이 긍정적인 치료효과를 나타낼 것이라는 가설하에 많은 연구들이 진행되어 왔고 현재도 진행 중이다.[49,53]

(2) 혈소판풍부혈장의 분류

여러 저자들은 여러 가지 혈소판풍부혈장의 특성을 제조 방식(원심분리 속도, 사용되는 항응고제), 성분(혈소판, 백혈구, 성장인자) 또는 적응증에 따라 분류하고자 하였다. 혈소판풍부혈장을 이해하기 위해서는 표준화된 용어를 파악하는 것이 중요하다. 혈소판풍부혈장은 제조 방식에 따라서 다양한 농축 물질이 생성되고, 이에 따라 생물학적 특성도 각기 다르며 그 결과도 다르다. 저자 Dohan은 혈소판풍부혈장을 4가지로 분류하였고, 제조된 PRP는 일반적으로 백혈구와 clotting의 여부에 따라 구분될 수 있다.[54] 1) 백혈구 희소 혈소판풍부혈장(leukocyte-poor or pure PRP), 2) 백혈구-혈소판풍부혈장(leukocyte platelet-rich plasma, L-PRP), 3) 순수 혈소판풍부피브린(P-PRF), 4) 백혈구-혈소판풍부피브린(L-PRF)으로 구분될 수 있다(표 4-2). 백혈구는 회복과 조직재생에 필수적이지만, 과도한 염증반응을 일으킬 수 있으므로 사용에 주의가 필요하다.[55]

(3) 혈소판풍부혈장의 제조

혈소판풍부혈장 제조 방법은 수동(manual) 방법과 분리 시스템(closed system or commercial kit)을 사용하는 방법으로 나눌 수 있다. 가장 일반적인 방법은 수동방법으로, 혈액내 혈구의 이동 속도의 차이를 이용한 원심분리 방법이 있다. 1차 원심분리를 통해 적혈구를 분리하고, 이때 (그림 4-1)과 같은 구획을 가지게 된다. 2차 원심분리에서는 혈장의 볼륨을 조절하여 농축된 PRP를 만들 수 있다. 두번째로는 시중에서 판매되는 PRP 제조 키트를 사용하는 분리 시스템 방법이 있다. 키트 또한 원심분리를 사용하지만, closed된 시스템을 사용하기 때문에 무균적이고 보다 간편하게 분리할 수 있다. 이때 1차 원심분리 후에는 가운데에 혈소판이 밀집된 층을 채취하고, 2차 원심분리에서는 농축을 시킬 수 있다. 일반적으로 전혈의 약 10% 정도의 볼륨의 PRP가 제조된다.[56]

혈소판풍부혈장 제조 시에는, 2차 원심분리 과정에서 원하는 만큼의 농도로 농축할 수 있기 때문에 혈소판의 농도보다 회수율로 시스템의 성능을 평가하여야 한다. 회수율(recovery rate)은 혈액 내의 혈소판의 몇 %가 실제 PRP에 포함되었는지를 나타낸다. 회수율은 80% 이상이면 excellent, 40-80%는 good, 40% 이하면 low로 분류할 수 있다. 또한, 적혈구는 가능한 완전히 제거되어야 한다. 이렇게 분리된 혈소판풍부혈장은 활성화하지 않고 사용하거나, 트롬빈 또는 칼슘을 통해 혈소판을 활성화한 후 젤을 사용하거나 또는 상층액을 사용할 수 있다.[54,57] 가장 흔히 이용되는 방법은 10% 염화칼슘과 1,000 IU/ml 트롬빈을 혈소판풍부혈장에 1:10 (염화칼슘, 트롬빈: PRP) 비율로 첨가하여 활성화한 후 사용하는 것이다.

표 4-2 **혈소판풍부혈장의 종류**[48]

혈소판풍부혈장	설명
Pure PRP or leucocyte-poor PRP	백혈구를 거의 포함하지 않으며, 활성화 후에 저밀도 피브린 네트워크를 보인다.
Leucocyte and PRP	백혈구도 포함하고 있으며, 활성화 후에 저밀도 피브린 네트워크를 보인다.
Pure PRF or leucocyte-poor PRF	백혈구를 포함하지 않으며, 고밀도 피브린 네트워크를 보인다. 주사형이 아닌 활성화된 젤(gel) 형태로 사용해야 한다.
Leucocyte-rich fibrin and PRF	백혈구를 포함하며, 고밀도 피브린 네트워크를 보인다.

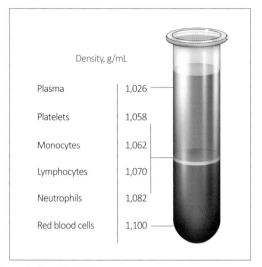

Density, g/mL

Plasma	1,026
Platelets	1,058
Monocytes	1,062
Lymphocytes	1,070
Neutrophils	1,082
Red blood cells	1,100

그림 4-1 **원심분리 후 혈액의 분포**

원심분리 후에 적혈구는 아래로 가라앉고, monocytes와 lymphocytes를 포함한 buffy coat층 위로는 혈소판풍부혈장으로 구분된다.[48]

(4) 혈소판풍부혈장의 이용한 치료

혈소판풍부혈장은 근골격계 질환에서 생물학적 치료 중 하나로 사용되고 있다. PRP는 in vitro 연구에서 건세포(tenocytes) 또는 근세포(myocytes)에 긍정적인 연구 결과에 기반을 두어 임상적인 사용을 하고 있다. In vitro 연구에 따르면, PRP 처리에 의해 건세포의 증식, 기질 합성능이 증가하여 건 재생 향상에 긍정적인 가능성을 보여준다.[58] 성인 건에서는 건 줄기세포(tendon stem and/or progenitor cells)는 매우 소량 존재하는데, PRP에 의해서 건세포의 활성화를 유도할 수 있다.[59,60] In vivo에서의 PRP의 작용을 살펴보면, 래트나 마우스의 여러 형태의 골격근 손상(절개, 열상, 타박상)에서 근육의 재생이 보고되었으며, 이는 제2형 대식세포가 상처 부위로 와서 기능을 하게 하며, 위성세포(satellite cell)를 활성화하여 근원성 반응(myogenic response)을 개시하곤 한다. 손상된 근육에서의 제1형 콜라겐의 축적을 감소화하여 섬유형성(scar formation)을 조절한다.[61] 아직 임상에서는 PRP의 효과에 대한 다양한 견해가 있다. 이는 질환 종류, 정도, 형태, 크기, 만성도에 따라서 PRP의 적용 방법 및 시기가 다를 수 있기 때문이고, PRP의 유효성을 보다 명확하게 구분하기 위해서는 PRP 제조에 대한 프로토콜 확립이 뒷받침되어야 한다. 따라서 더

많은 in vivo 및 임상연구가 근거가 되어야 한다. 회전근 개 질환에서 Sham et al은 40명의 환자에게 복원수술로 PRP 또는 corticosteroid를 투여 시, 두 군에서 모두 통증이 유의하게 감소하였음으로 스테로이드 사용이 어려운 환자에게 PRP를 사용할 수 있을 것이라고 보고했다. Jo et al은 PRP를 투여한 환자에서 회전근 개 복원수술 후에 적은 실패율(20% vs. 55.6%)을 보였다고 보고했고, 2018년도에는 동종 PRP를 회전근 개 환자에게 투여 시 통증과 기능에 스테로이드에 상응하는 효과가 있다고 보고하였다.[62] Saltzman et al은 회전근 개 복원술 후에 PRP 투여 시 유의한 결과가 나오지 않았다고 하였고, Kesikburun et al은 40명의 환자에게 PRP 또는 saline을 투여 후 1년 시점에서, 기능과 통증측면에서 두 군 간 차이가 없다고 보고했다. 최근 Hurley et al의 systemic review에서, 18개의 무작위 조절 연구(환자 1,147명 대상)에 따르면 PRP는 small to medium 회전근 개 파열에서 회복에 효과가 있다고 보고했다. 유착성 관절낭염(adhesive capsulitis)에 대한 보고는 비교적 적은 편인데, Kothari et al에 따르면, 195명의 환자에게 PRP 또는 corticosteroid를 intra-articular 투여하거나 초음파치료를 시행하여 12주까지 관찰하였을 때, PRP 투여군에서 유의하게 능동관절가동범위와 수동관절가동범위, 통증수치, 기능수치가 회복되었다고 보고되었지만, 보다 long term의 추적관찰이 필요하다고 말하고 있다.[63] 상완골외상과염(lateral epicondylitis)에서는 스테로이드 투여가 가장 많이 사용되고 있는 치료이다. Gosens and Peerbooms et al는 스테로이드가 초기 1개월에서는 PRP보다 통증완화에 효과가 있었지만, 2년 추적에서는 PRP 투여군에서 더욱 좋은 효과를 가졌다고 보고했다. Mi et al도 비슷한 결과로 투여 후 6개월에서 PRP 투여군이 스테로이드 투여군보다 VAS 및 DASH scores에서 유의한 호전을 보였다고 한다.[64] PRP는 현재까지 스테로이드 투여에 따른 합병증(skin strophy, discoloration and secondary tendon tears)이 유발되지 않는다고 보고되고 있어 PRP 사용이 스테로이드보다는 선호된다. 그렇지만 PRP 제조 과정에서의 다양성(heterogeneity)은 연구 간의 결과를 비교하는 데에도 큰 어려움을 주고 있음으로 해결되어야 하는 제한점이 된다.

(5) 혈소판풍부혈장의 부적응 대상

혈소판풍부혈장 치료의 부적응 대상으로는 혈소판감소증 환자 또는 현재 항응고 치료를 받고 있는 경우다. 염증 위험이 있는 감염 증세가 있는 환자는 시행을 금하며, 전이성 질환을 가진 환자에게도 사용을 제한한다. 태아에 미치는 영향에 대해서 아직 보고된 바는 없지만 임신한 여성에게는 주입을 권하지 않는다.[62]

(6) 혈소판풍부혈장의 한계 및 표준화

혈소판풍부혈장은 자가(autologous)형태로 치료 시점에 바로 제조되어 사용되는 경우가 많다. 따라서 제조 방법 및 환자 혈액상태에 제조 시마다 다르게 만들어지기 때문에 성분, 용량 및 효과가 규격화되는 것이 어렵다. PRP의 다양성(variability)에 기여하는 요인은 크게 1) 환자 특이적인 요인(patients specific factors)과 2) 제조 특이적인 요인(Preparation specific factors)으로 나눌 수 있다. 환자의 나이, 성별, 활동수준과 식이습관 등에 따라서 PRP의 상태가 달라질 수 있으며, 또는 제조 시 사용되는 튜브의 형태, 원심분리 속도, 원심분리 사이클 수가 다양성에 기여할 수 있다.[53,65] 또한 PRP 제제의 효과에 대해서 각 연구마다 다양한 결과를 보여주는 데에는, PRP 제제의 표준화가 이루지 않았기 때문이라는 의견이 크다. 생물학적 제제에 대한 표준화된 시스템의 결여는 기초와 임상연구의 발전을 가로막는 장벽으로 작용한다. 생물학적 제제에 있어서 세포 성상, 사이토카인 또는 성장인자의 함량에 대해서 표준화가 필요하다고 보고되고 있으며, 각 연구진의 제조 방법 또는 공여자에 따라 달라지는 생물학적 제제에 대해서 국제적으로 표준화의 확립이 필요하다고 권고되고 있다. 최근에는 MIBO (minimum information for studies evaluating biologics in orthopaedics) 가이드라인이 보고되었고, 이와 같이 표준화에 대한 가이드라인의 필요성을 통해 생물학적 제제의 효과를 이해하는 데에 도움이 될 것이다.[66,67]

(7) 혈소판풍부혈장의 전망

혈소판풍부혈장이 개발되어 사용된 지 약 20년이 되었으나 아직도 해결되지 않은 부분들이 있다. 여러 분야에서 PRP의 작용기전과 치료효과에 대한 가능성을 제시하였지만, 아직 국내에서는 사용에 제한이 있는 상태이다. PRP에 있어서 가장 모니터링하기 힘든 부분이 환자 간의 조성 차이인데, 이러한 차이를 줄이기 위해 최근에는 즉시 사용(off-the-shelf) 동종(allogeneic) 혈소판풍부혈장이 대두되고 있다. 동종 PRP은 사용 전에 성분 분석과 표준화가 가능하다는 장점이 있다.[53,68] 2019년 11월 국내에서는 팔꿈치 치료에 한해서 신의료기술로 자가 PRP 사용이 인정되었음으로 국내에서의 활발한 임상결과를 기대할 수 있을 전망이다.

2) 회전근 개 복원술의 생물학적 보강법

이미 여러 연구를 통해, 회전근 개 복원술 후 복원된 회전근 개의 구조적 연속성(integrity)이 잘 유지되면 수술 후 회전근 개의 근력의 회복 및 기능 회복에 긍정적 영향을 미치는 것이 확인되었다.[1,69-72] 이러한 연구 결과들을 토대로, 현재는 회전근 개 복원술 시행 시 환자의 증상에 대한 완화뿐만 아니라 수술 후 재파열 없이 회전근 개의 구조적 연속성을 잘 유지하는 것이 수술의 목표가 되었다.

(1) 회전근 개 복원술 재파열의 원인

생체역학 실험에서 재파열의 대부분 봉합-건 접촉면(suture-tendon interface)에서 발생하였다.[73,74] 이 부분의 조직병리학적 변화는 콜라겐 퇴화, 콜라겐 섬유의 배열이 흐트러짐, 그리고 파열된 힘줄의 건 세포(tenocyte)에 의해 생성되는 type III collagen의 증가와 type I collagen의 감소 등이 나타나며 파열의 크기가 증가함에 따라 섬유아세포 모집단과 혈관 수가 감소가 두드러진다. Codman은 나이가 들면서 회전근 개 힘줄에 퇴행성 변화가 일어나고 힘줄의 감소된 생체역학적 특성이 봉합을 유지하는 능력을 방해할 수 있다고 제안했다.

(2) 회전근 개 복원술 재파열의 시기

Miller 등이 시행한 연구를 살펴보면, 총 22건의 회전근 개 복원술 환자 중에서 9명(41%)에게서 재파열이 일어났는데 그중 7건(78%)은 수술 후 3개월 이내에 일어났고, 2건

(22%)은 수술 후 3개월에서 6개월 사이에 발생하였으며, 6개월 이후에 발생한 재파열은 1건도 없었다.[75] Iannotti 등이 시행한 다기관 연구에서도 비슷한 결과가 도출되었는데, 재파열의 약 42%가 첫 3개월 이내에 일어났고 68%가 첫 4개월 이내에 발생하였으며 재파열이 발생하기까지의 시간의 평균값은 19.2주였다.[71] 다른 연구에서도, 대부분의 재파열이 수술 후 첫 3-6개월에 발생한다는 결과를 도출하였다.[76] 이러한 연구 결과들은 회전근 개 복원술 후 골-건 부착부의 치유과정은 6개월에서 12개월 정도로 오래 걸리고, 재파열은 비교적 수술 후 빠른 시기에 일어남을 공통적으로 시사하고 있으며, 재파열률을 낮추기 위해서는 이 기간동안 대결절 위에 건이 오래 남아있도록 복원술을 물리적으로 강화하거나, 또는 재파열이 일어나기 전에 치유과정이 촉진할 수 있는 생물-화학적 자극을 가해야 함을 시사한다.

3) 생물학적 보강법의 종류와 방법

회전근 개 복원술 시행 후 건-골 치유를 촉진하기 위한 여러 생물학적 보강법들이 연구되고 있다. 많이 사용되고 있는 생물학적 보강법에는 다발성 골수 채널링, 혈소판풍부혈장, 간엽줄기세포 등이 있다.

(1) 다발성 골수 채널링(multiple channeling)

Snyder와 Burns는 대결절에 골수자극술(bone marrow stimulation)이라는 시술을 처음 시행하였는데, 이것은 대결절에 만든 미세한 구멍을 통해 간엽줄기세포(mesenchymal stem cell, MSC), 혈소판, 성장인자들이 골-건 경계부로 흘러나와 골-건 부착부의 치유를 촉진하는 것을 도모하는 수술법을 일컫는 용어이다. 흘러나온 골수가 대결절 부위를 덮는 모양을 본떠서 이를 "crimson duvet (진홍색 이불)"이라는 이름으로도 명명하였다.[77]

Taniguchi 등은 회전근 개 복원술을 시행한 광범위 파열 환자군에서 골수자극술을 함께 시행했을 때 회전근 개의 재파열률이 유의미하게 낮아짐을 확인하였다.[78] 그러나 Milano 등의 연구나 Osti 등의 연구에서는 골수자극술을 시행한 군과 시행하지 않은 군 간의 재파열률에 유의미한

차이를 보이지 않았으며 Milno의 연구에서는 회전근 개 대파열 환자군만 따로 분석하였을 때에만 골수자극술이 재파열률을 유의미하게 낮추는 결과를 도출하였다.[79,80]

이런 연구 결과들은 골수자극술이, 일반적으로 대파열 또는 광범위 파열에서만 골-건 부착부의 치유를 효과적으로 촉진할 수 있는 방법으로 의견이 수렴하는 듯하였으나 Jo 등은 124명의 회전근 개 전파열 환자를 대상으로 한 연구에서 다발성 골수 채널링(multiple channeling)을 시행한 경우 크기에 관계없이 유의미하게 재파열률이 감소하는 등의 결과를 발표하였다(그림 4-2).[81]

(2) 혈소판풍부혈장(platelet-rich-plasma, PRP)

혈소판풍부혈장(PRP)의 생물학적 특성 등에 대해서는 앞장에서 많이 다루었으므로 이 장에서는 회전근 개 복원술 후 생물학적 보강효과를 검증한 연구에 대해서만 간략히 소개하고자 한다. PRP에 대한 연구는 매우 많이 진행되었으나, 연구에 따라 임상증상의 호전 정도나 재파열률의 차이 정도 등에서의 결과가 상이하여 일관된 결론을 도출하지 못하였다. 연구결과의 불일치는 연구마다 PRP의 농도, 내용물, 준비방법, 주입법들이 조금씩 상이하기 때문으로 생각하고 있다. 비교적 최근에 Hurley가 18개의 무작위 대조시험을 메타분석한 연구결과를 살펴보면, 혈소판풍부혈장(PRP)이 회전근 개 봉합술을 시행받은 소파열 또는 중파열의 회전근 개 파열 환자군에서 재파열률을 유의미하게 낮추고, 통증을 줄이며, Constant 점수와 UCLA 점수를 높이는 것으로 나타났다. 이 연구에서는 또한 백혈구가 적은 PRP (leukocyte-poor PRP)가 백혈구 함량이 많은 PRP (leukocyte-rich PRP)보다 치유과정을 유의미하게 높임을 확인하였다.[82]

(3) 중간엽줄기세포(mesenchymal stem cell)

2006년 국제세포치료학회(International Society for Cellular Therapy)는 중간엽 줄기세포 혹은 다능성 기질세포를 다음과 같은 조건을 만족하는 세포들로 규정하였다. 첫째, 표준적인 배양 조건에서 바닥에 부착되는 성질을 갖고 자기재생(self-renewal) 능력이 있어야 한다. 둘째, 세포 표면

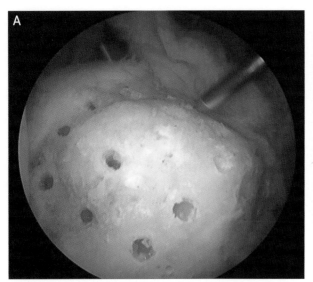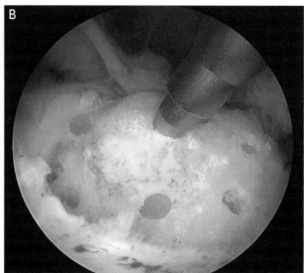

그림 4-2 다발성 골수 채널링(multiple channeling)을 시행하는 모습(A), 골수방울(bone marrow droplet)이 복원술을 시행하는 부분으로 스며 나오는 모습(B)

표지자 중 CD73, CD90, CD105를 발현하고, CD34, CD45, CD11B 또는 CD14, CD19 또는 CD79a, HLA-DR의 발현이 없어야 한다. 셋째, 시험관 내에서 골아세포, 연골아세포(chondroblast), 지방세포로 분화하는 능력이 있어야 한다.[83] 현재 일반적으로 적용 가능한 자가 줄기세포의 적용 방식은 두 가지이다. 자가골수 농축액(bone marrow concentrate, BMC) 또는 지방유래 줄기세포(adipose-derived stem cell)이다.[84] 두 가지 방식 모두 간단히 채취 및 준비가 가능하며 병변으로 재주입할 수 있다.

(4) 자가골수 농축액(bone marrow concentrate, BMC)

Hernigou 등의 연구에 따르면 회전근 개 복원술 시 BMC 주입을 함께 시행한 환자군에서는 수술 후 6개월째 100% 치유가 일어난 데에 반해 대조군에서는 67%에서만 치유되었다.[76] 또 수술 후 10년째 추시관찰에서 BMC 주입을 시행한 군에서는 재파열률이 13%였던 것에 반해, 대조군에서는 56%로 높은 재파열률을 보였다. 이 연구에서 BMC는 회전근 개 복원술 후 골-건 치유를 촉진시키고, 장기적으로 재파열을 줄인다는 결론을 얻을 수 있었다. 하지만 이 연구에서 저자는 연구에 사용한 세포가 국제세포치료학회가 제시한 중간엽줄기세포의 기준에 적합한지를 따로 기술하지 않았다는 한계가 있다.

Ellera Gomez 등은 14명의 환자에게 최소 절개 회전근 개 복원술을 시행하면서 BMC를 주입하였고 이 중 13명에서 탁월한 기능호전을 확인하였고 모든 환자에서 1년 후에 회전근 개의 연속성이 잘 유지됨을 확인하였으나 이 연구는 대조군이 부재하다는 한계를 갖는다.[85] 상기 발표된 연구들만으로는 아직 회전근 개 복원술에서 자가골수 농축액의 역할에 대한 근거가 불충분한 상태로 추가 연구가 필요한 실정이다.

(5) 지방유래 줄기세포(adipose-derived stem cells, ADSC)

Kim 등은 회전근 개 복원술에서 35명을 대상으로 지방유래 줄기세포를 함께 주입하는 연구를 2017년 처음 발표하였는데, 통증, 기능, 가동범위 등 임상결과에는 군 간에 유의미한 차이가 없었으나 MRI로 확인한 재파열률은 대조군 28.5%에 비해 지방유래 줄기세포를 주입한 군에서 14.3%로 유의미하게 낮았다.[86] 이후 추가 발표된 연구는 부재한 상태로, 지방유래 줄기세포가 회전근 개 복원술에서 미치는 영향을 확인하기 위해서는 역시 추가적인 연구가 필요하다.

4) 그 외 생물학적 치료제
(유착방지제, anti-adhesive agents)

(1) 유착의 원인과 임상 양상

유착은 보통 염증의 치유 과정에서 볼 수 있는 것으로 육아나 반흔 형성을 할 때 서로 엉겨 붙거나, 다량으로 생성되는 섬유소(fibrosis)가 엉겨 유착현상을 일으키는 것으로 보통 상처치유 과정 중 5-7일째에 많이 발생한다.[87] 정상 치유는 섬유소가 분해되면서 일어나는데, 섬유소 분해가 억제되면 유착이 발생하는 것이다. 유착이 일어나는 부위에 따라 증세도 다르나 일반적으로 동통이나 운동장애 등을 일으킨다.

어깨관절경 수술 후 어깨관절의 강직은 문헌에 따라 4.9%에서 32.7%까지 발생하는 것으로 보고되고 있으며 이러한 강직은 수술 후 발생한 주변 연조직의 유착 때문인 것으로 알려져 있다. 이런 수술 후 어깨관절의 강직은 수술 후 만족도를 떨어뜨리며 수술 후 운동치료의 장애가 되고 있어 적극적인 예방 및 치료가 필요하다.

(2) 유착을 예방하는 방법

수술 후 유착을 방지하는 방법에는 세 가지 측면이 존재한다. 첫째로, 수술 시 불필요한 주변 조직의 손상을 최소화하고 둘째로, 염증성 반응과 유착 형성에 필요한 생리학적 과정에서 유착기전을 억제하는 약물치료를 시행하는 방법으로 섬유소용해제(fibrinolytic agents), 항응고제(anti-coagulants), 항염증제(anti-inflammatory agents), 항생제(antibiotics) 등의 사용이 여기에 해당한다. 마지막으로, 수술 후 유착방지막 형성제를 사용하여 유착방지막을 형성하여 상처 부위를 덮어줌으로써, 주변조직과의 접촉을 차단하여 유착을 방지하는 방법으로, 일반적으로 고체형과 액체형, 겔형이 존재한다.

(3) 유착방지제의 분류와 연구 결과

유착방지막에는 물리적인 장벽(mechanical barrier)을 형성하는 실리콘, polyethylen membrane, alumina sheath, 양막 등을 사용하고 있고 polylactic acid 성분의 흡수성 필름도 이용되고 있다. 또 화학적 장벽(chemical barrier)을 형성하는 hyaluronic acid, sodium carboxymethyl cellulose, fibrin sealant, TGF-β1에 대한 중화항체, corticosteroid, dimethyl sulfoxide 등이 사용되고 있다.

Kim 등은 296명의 환자를 대상으로 회전근 개 복원술을 시행한 후에 이 중 112명에게만 견봉하공간에 온도반응형 유착방지제를 투여하였다.[88] 유착방지제 투여군의 재파열률은 17.9%로 대조군의 28.8%보다 유의미하게 낮았으나 1년 뒤 수술 후 강직 발생률은 두 군 사이 유의미한 차이를 보이지 않았다.

Oh 등은 80명의 회전근 개 수술을 시행받는 환자를 대상으로 연구를 시행하였고 무작위 배정을 통해 40명에게 수술 후 HA/CMC 복합물을 주입하였다.[89] 수술 후 12개월간의 추시기간 동안 두 군 간 유의미한 임상결과의 차이는 발견되지 않았으며 재파열률도 두 군에서 비슷하였다. 유착방지제 주입과 관련된 합병증은 발견되지 않았다. 다만, 수술 후 2주 경의 이른 시기에 유착방지제를 주입한 군에서 전방 거상(forward flexion) 가동범위가 조금 더 빨리 회복되는 경향성(p=0.09) 정도가 있다고 보고하였다.

Yoo 등도 비슷한 연구 시행했는데, 회전근 개 복원술 후 hyaluronate/carboxymethyl cellulose를 주입한 군에서 수술 후 8주 째에 poor gliding motion이 대조군(15%)에 비해 유의미하게 낮은 결과(2.5%)를 도출하였다.[90] 다만, 추시기간 동안 재파열률과 임상결과는 두 군 간의 유의미한 차이는 없었다.

이렇듯 지금까지의 연구결과만을 살펴보면, 회전근 개 복원술에서 유착방지제(anti-adhesive)는 아직 그 유의미한 효과가 명확히 입증되지 않았다. 다만 재파열률이 대조군과 비교해 일관되게 높지 않은 것으로 보아, 유착 방지를 위해 주입한 물질이 건-골 부착부의 치유기전을 방해하지는 않는다는 데에는 어느 정도 합의가 이루어지고 있다. 보다 명확히 효과를 확인하기 위해서는 후속 연구가 필요한 실정이다.

■■■ 참고문헌

1. Docheva D, Muller SA, Majewski M, Evans CH. Biologics for tendon repair. Adv Drug Deliv Rev. 2015;84:222-39.

2. Sharma P, Maffulli N. Tendon injury and tendinopathy: healing and repair. J Bone Joint Surg Am. 2005;87(1):187-202.

3. Hope M, Saxby TS. Tendon healing. Foot Ankle Clin. 2007;12(4):553-67, v.

4. Riggin CN, Morris TR, Soslowsky LJ. Chapter 5 - Tendinopathy II: Etiology, Pathology, and Healing of Tendon Injury and Disease. In: Gomes ME, Reis RL, Rodrigues MT, eds. Tendon Regeneration. Boston: Academic Press; 2015. 149-83.

5. Hooley CJ, Cohen RE. A model for the creep behaviour of tendon. International Journal of Biological Macromolecules. 1979;1(3):123-32.

6. Farkas LG, McCain WG, Sweeney P, Wilson W, Hurst LN, Lindsay WK. An experimental study of the changes following silastic rod preparation of a new tendon sheath and subsequent tendon grafting. J Bone Joint Surg Am. 1973;55(6):1149-58.

7. Amiel D, Akeson WH, Harwood FL, Frank CB. Stress deprivation effect on metabolic turnover of the medial collateral ligament collagen. A comparison between nine- and 12-week immobilization. Clin Orthop Relat Res. 1983(172):265-70.

8. Evans CH. Cytokines and the role they play in the healing of ligaments and tendons. Sports Med. 1999;28(2):71-6.

9. Lundborg G, Rank F, Heinau B. Intrinsic tendon healing. A new experimental model. Scand J Plast Reconstr Surg. 1985;19(2):113-7.

10. Edelstein L, Thomas SJ, Soslowsky LJ. Rotator cuff tears: what have we learned from animal models? J Musculoskelet Neuronal Interact. 2011;11(2):150-62.

11. Gelberman RH, Manske PR, Vande Berg JS, Lesker PA, Akeson WH. Flexor tendon repair in vitro: a comparative histologic study of the rabbit, chicken, dog, and monkey. J Orthop Res. 1984;2(1):39-48.

12. Kajikawa Y, Morihara T, Watanabe N, et al. GFP chimeric models exhibited a biphasic pattern of mesenchymal cell invasion in tendon healing. J Cell Physiol. 2007;210(3):684-91.

13. Sharma P, Maffulli N. Biology of tendon injury: healing, modeling and remodeling. J Musculoskelet Neuronal Interact. 2006;6(2):181-90.

14. Sharma P, Maffulli N. Basic biology of tendon injury and healing. Surgeon. 2005;3(5):309-16.

15. Garner WL, McDonald JA, Kuhn C, 3rd, Weeks PM. Autonomous healing of chicken flexor tendons in vitro. J Hand Surg Am. 1988;13(5):697-700.

16. Manske PR. Flexor tendon healing. J Hand Surg Br. 1988;13(3):237-45.

17. Mast BA, Haynes JH, Krummel TM, Diegelmann RF, Cohen IK. In vivo degradation of fetal wound hyaluronic acid results in increased fibroplasia, collagen deposition, and neovascularization. Plast Reconstr Surg. 1992;89(3):503-9.

18. Fujita M, Hukuda S, Doida Y. [Experimental study of intrinsic healing of the flexor tendon: collagen synthesis of the cultured flexor tendon cells of the canine]. Nihon Seikeigeka Gakkai Zasshi. 1992;66(4):326-33.

19. Lundborg G, Hansson HA, Rank F, Rydevik B. Superficial repair of severed flexor tendons in synovial environment. An experimental, ultrastructural study on cellular mechanisms. J Hand Surg Am. 1980;5(5):451-61.

20. Lundborg G, Rank F. Experimental studies on cellular mechanisms involved in healing of animal and human flexor tendon in synovial environment. Hand. 1980;12(1):3-11.

21. Russell JE, Manske PR. Collagen synthesis during primate flexor tendon repair in vitro. J Orthop Res. 1990;8(1):13-20.

22. Becker H, Graham MF, Cohen IK, Diegelmann RF. Intrinsic tendon cell proliferation in tissue culture. J Hand Surg Am. 1981;6(6):616-9.

23. Koob TJ. Biomimetic approaches to tendon repair. Comp Biochem Physiol A Mol Integr Physiol. 2002;133(4):1171-92.

24. Klein MB, Pham H, Yalamanchi N, Chang J. Flexor tendon wound healing in vitro: the effect of lactate on tendon cell proliferation and collagen production. J Hand Surg Am. 2001;26(5):847-54.

25. Riederer-Henderson MA, Gauger A, Olson L, Robertson C, Greenlee TK, Jr. Attachment and extracellular matrix differences between tendon and synovial fibroblastic cells. In Vitro. 1983;19(2):127-33.

26. Koob TJ, Summers AP. Tendon--bridging the gap. Comp Biochem Physiol A Mol Integr Physiol. 2002;133(4):905-9.

27. Liu SH, Yang RS, al-Shaikh R, Lane JM. Collagen in tendon, ligament, and bone healing. A current review. Clin Orthop Relat Res. 1995(318):265-78.

28. Abbah SA, Spanoudes K, O'Brien T, Pandit A, Zeugolis DI. Assessment of stem cell carriers for tendon tissue engineering in pre-clinical models. Stem Cell Res Ther. 2014;5(2):38.

29. Yin Z, Chen X, Chen JL, Ouyang HW. Stem cells for tendon tissue engineering and regeneration. Expert Opin Biol Ther. 2010;10(5):689-700.

30. Liu CF, Aschbacher-Smith L, Barthelery NJ, Dyment N, Butler D, Wylie C. What we should know before using tissue engineering techniques to repair injured tendons: a developmental biology perspective. Tissue Eng Part B Rev. 2011;17(3):165-76.

31. Bullough R, Finnigan T, Kay A, Maffulli N, Forsyth NR. Tendon repair through stem cell intervention: cellular and molecular approaches. Disabil Rehabil. 2008;30(20-22):1746-51.

32. Lui PP, Ng SW. Cell therapy for the treatment of tendinopathy--a systematic review on the pre-clinical and clinical evidence. Semin Arthritis Rheum. 2013;42(6):651-66.

33. Platt MA. Tendon repair and healing. Clin Podiatr Med Surg. 2005;22(4):553-60, vi.

34. Manske PR, Lesker PA. Biochemical evidence of flexor tendon participation in the repair process--an in vitro study. J Hand Surg Br. 1984;9(2):117-20.

35. Oryan A, Moshiri A. A long term study on the role of exogenous human recombinant basic fibroblast growth factor on the superficial digital flexor tendon healing in rabbits. J Musculoskelet Neuronal Interact. 2011;11(2):185-95.

36. Dunkman AA, Buckley MR, Mienaltowski MJ, et al. The tendon injury response is influenced by decorin and biglycan. Ann Biomed Eng. 2014;42(3):619-30.

37. Hasslund S, Jacobson JA, Dadali T, et al. Adhesions in a murine flexor tendon graft model: autograft versus allograft reconstruction. J Orthop Res. 2008;26(6):824-33.

38. Frykman E, Jacobsson S, Widenfalk B. Fibrin sealant in prevention of flexor tendon adhesions: An experimental study in the rabbit. The Journal of Hand Surgery. 1993;18(1):68-75.

39. Killian ML, Cavinatto L, Galatz LM, Thomopoulos S. The role of mechanobiology in tendon healing. J Shoulder Elbow Surg. 2012;21(2):228-37.

40. Gimbel JA, Van Kleunen JP, Williams GR, Thomopoulos S, Soslowsky LJ. Long durations of immobilization in the rat result in enhanced mechanical properties of the healing supraspinatus tendon insertion site. J Biomech Eng. 2007;129(3):400-4.

41. Potenza AD. Tendon healing within the flexor digital sheath in the dog. J Bone Joint Surg Am. 1962;44-a:49-64.

42. Butler DL, Grood ES, Noyes FR, Zernicke RF. Biomechanics of ligaments and tendons. Exerc Sport Sci Rev. 1978;6:125-81.

43. Galatz LM, Charlton N, Das R, Kim HM, Havlioglu N, Thomopoulos S. Complete removal of load is detrimental to rotator cuff healing. J Shoulder Elbow Surg. 2009;18(5):669-75.

44. Branford OA, Klass BR, Grobbelaar AO, Rolfe KJ. The growth factors involved in flexor tendon repair and adhesion formation. J Hand Surg Eur Vol. 2014;39(1):60-70.

45. Tang JB. Clinical outcomes associated with flexor tendon repair. Hand Clin. 2005;21(2):199-210.

46. Angeline ME, Rodeo SA. Biologics in the management of rotator cuff surgery. Clin Sports Med. 2012;31(4):645-63.

47. Dahlgren LA, Mohammed HO, Nixon AJ. Temporal expression of growth factors and matrix molecules in healing tendon lesions. J Orthop Res. 2005;23(1):84-92.

48. Alves R, Grimalt R. A Review of Platelet-Rich Plasma: History, Biology, Mechanism of Action, and Classification. Skin Appendage Disord. 2018;4(1):18-24.

49. Dos Santos RG, Santos GS, Alkass N, et al. The regenerative mechanisms of platelet-rich plasma: A review. Cytokine. 2021;144:155560.

50. Everts P, Onishi K, Jayaram P, Lana JF, Mautner K. Platelet-Rich Plasma: New Performance Understandings and Therapeutic Considerations in 2020. Int J Mol Sci. 2020;21(20).

51. Marx RE. Platelet-rich plasma: evidence to support its use. J Oral Maxillofac Surg. 2004;62(4):489-96.

52. Kaux JF, Emonds-Alt T. The use of platelet-rich plasma to treat chronic tendinopathies: A technical analysis. Platelets. 2018;29(3):213-27.

53. Carr JB, 2nd, Rodeo SA. The role of biologic agents in the management of common shoulder pathologies: current state and future directions. J Shoulder Elbow Surg. 2019;28(11):2041-52.

54. Dohan Ehrenfest DM, Rasmusson L, Albrektsson T. Classification of platelet concentrates: from pure platelet-rich plasma (P-PRP) to leucocyte- and platelet-rich fibrin (L-PRF). Trends Biotechnol. 2009;27(3):158-67.

55. Mazzocca AD, McCarthy MB, Chowaniec DM, et al. Platelet-rich plasma differs according to preparation method and human variability. J Bone Joint Surg Am. 2012;94(4):308-16.

56. Croise B, Pare A, Joly A, Louisy A, Laure B, Goga D. Optimized centrifugation preparation of the platelet rich plasma: Literature review. J Stomatol Oral Maxillofac Surg. 2020;121(2):150-4.

57. Anitua E, Sanchez M, Orive G. The importance of understanding what is platelet-rich growth factor (PRGF) and what is not. J Shoulder

Elbow Surg. 2011;20(1):e23-4; author reply e4.

58. Anitua E, Andia I, Sanchez M, et al. Autologous preparations rich in growth factors promote proliferation and induce VEGF and HGF production by human tendon cells in culture. J Orthop Res. 2005;23(2):281-6.

59. Zhang J, Wang JH. Platelet-rich plasma releasate promotes differentiation of tendon stem cells into active tenocytes. Am J Sports Med. 2010;38(12):2477-86.

60. Zhou Y, Wang JH. PRP Treatment Efficacy for Tendinopathy: A Review of Basic Science Studies. Biomed Res Int. 2016;2016:9103792.

61. Chellini F, Tani A, Zecchi-Orlandini S, Sassoli C. Influence of Platelet-Rich and Platelet-Poor Plasma on Endogenous Mechanisms of Skeletal Muscle Repair/Regeneration. Int J Mol Sci. 2019;20(3).

62. Jo CH, Lee SY, Yoon KS, Oh S, Shin S. Allogenic Pure Platelet-Rich Plasma Therapy for Rotator Cuff Disease: A Bench and Bed Study. Am J Sports Med. 2018;46(13):3142-54.

63. Kothari SY, Srikumar V, Singh N. Comparative Efficacy of Platelet Rich Plasma Injection, Corticosteroid Injection and Ultrasonic Therapy in the Treatment of Periarthritis Shoulder. J Clin Diagn Res. 2017;11(5):RC15-RC8.

64. Kwapisz A, Prabhakar S, Compagnoni R, Sibilska A, Randelli P. Platelet-Rich Plasma for Elbow Pathologies: a Descriptive Review of Current Literature. Curr Rev Musculoskelet Med. 2018;11(4):598-606.

65. Xiong G, Lingampalli N, Koltsov JCB, et al. Men and Women Differ in the Biochemical Composition of Platelet-Rich Plasma. Am J Sports Med. 2018;46(2):409-19.

66. Baria MR, Vasileff WK, Flanigan D, Durgam S. Is it time to revisit the Minimum Information for Studies Evaluating Biologics in Orthopaedics (MIBO) Guidelines: Platelet-Rich Plasma and Mesenchymal Stem Cells. Am J Phys Med Rehabil. 2021.

67. Murray IR, Chahla J, Safran MR, et al. International Expert Consensus on a Cell Therapy Communication Tool: DOSES. J Bone Joint Surg Am. 2019;101(10):904-11.

68. Kieb M, Sander F, Prinz C, et al. Platelet-Rich Plasma Powder: A New Preparation Method for the Standardization of Growth Factor Concentrations. Am J Sports Med. 2017;45(4):954-60.

69. Collin P, Kempf JF, Mole D, et al. Ten-Year Multicenter Clinical and MRI Evaluation of Isolated Supraspinatus Repairs. J Bone Joint Surg Am. 2017;99(16):1355-64.

70. Harryman DT, 2nd, Mack LA, Wang KY, Jackins SE, Richardson ML, Matsen FA, 3rd. Repairs of the rotator cuff. Correlation of functional results with integrity of the cuff. J Bone Joint Surg Am. 1991;73(7):982-9.

71. Iannotti JP, Deutsch A, Green A, et al. Time to failure after rotator cuff repair: a prospective imaging study. J Bone Joint Surg Am. 2013;95(11):965-71.

72. Nho SJ, Adler RS, Tomlinson DP, et al. Arthroscopic rotator cuff repair: prospective evaluation with sequential ultrasonography. Am J Sports Med. 2009;37(10):1938-45.

73. Barber FA, Herbert MA, Boothby MH. Ultimate tensile failure loads of a human dermal allograft rotator cuff augmentation. Arthroscopy. 2008;24(1):20-4.

74. Barber FA, Burns JP, Deutsch A, Labbe MR, Litchfield RB. A prospective, randomized evaluation of acellular human dermal matrix augmentation for arthroscopic rotator cuff repair. Arthroscopy. 2012;28(1):8-15.

75. Miller BS, Downie BK, Kohen RB, et al. When do rotator cuff repairs fail? Serial ultrasound examination after arthroscopic repair of large and massive rotator cuff tears. Am J Sports Med. 2011;39(10):2064-70.

76. Hernigou P, Flouzat Lachaniette CH, Delambre J, et al. Biologic augmentation of rotator cuff repair with mesenchymal stem cells during arthroscopy improves healing and prevents further tears: a case-controlled study. Int Orthop. 2014;38(9):1811-8.

77. Snyder SJ, Burns J. Rotator cuff healing and the bone marrow "crimson duvet" from clinical observations to science. Techniques in Shoulder & Elbow Surgery. 2009;10(4):130-7.

78. Taniguchi N, Suenaga N, Oizumi N, et al. Bone marrow stimulation at the footprint of arthroscopic surface-holding repair advances cuff repair integrity. J Shoulder Elbow Surg. 2015;24(6):860-6.

79. Milano G, Saccomanno MF, Careri S, Taccardo G, De Vitis R, Fabbriciani C. Efficacy of marrow-stimulating technique in arthroscopic rotator cuff repair: a prospective randomized study. Arthroscopy. 2013;29(5):802-10.

80. Osti L, Del Buono A, Maffulli N. Microfractures at the rotator cuff footprint: a randomised controlled study. Int Orthop. 2013;37(11):2165-71.

81. Jo CH, Shin JS, Park IW, Kim H, Lee SY. Multiple channeling improves the structural integrity of rotator cuff repair. Am J Sports Med.

2013;41(11):2650-7.

82. Hurley ET, Lim Fat D, Moran CJ, Mullett H. The Efficacy of Platelet-Rich Plasma and Platelet-Rich Fibrin in Arthroscopic Rotator Cuff Repair: A Meta-analysis of Randomized Controlled Trials. Am J Sports Med. 2019;47(3):753-61.

83. Dominici M, Le Blanc K, Mueller I, et al. Minimal criteria for defining multipotent mesenchymal stromal cells. The International Society for Cellular Therapy position statement. Cytotherapy. 2006;8(4):315-7.

84. Berebichez-Fridman R, Gomez-Garcia R, Granados-Montiel J, et al. The Holy Grail of Orthopedic Surgery: Mesenchymal Stem Cells-Their Current Uses and Potential Applications. Stem Cells Int. 2017;2017:2638305.

85. Ellera Gomes JL, da Silva RC, Silla LM, Abreu MR, Pellanda R. Conventional rotator cuff repair complemented by the aid of mononuclear autologous stem cells. Knee Surg Sports Traumatol Arthrosc. 2012;20(2):373-7.

86. Kim YS, Sung CH, Chung SH, Kwak SJ, Koh YG. Does an Injection of Adipose-Derived Mesenchymal Stem Cells Loaded in Fibrin Glue Influence Rotator Cuff Repair Outcomes? A Clinical and Magnetic Resonance Imaging Study. Am J Sports Med. 2017;45(9):2010-8.

87. Zhou H, Lu H. Advances in the Development of Anti-Adhesive Biomaterials for Tendon Repair Treatment. Tissue Eng Regen Med. 2021;18(1):1-14.

88. Kim J, Kim Y, Jung W, Nam JH, Kim SH. Effects of a Thermosensitive Antiadhesive Agent on Single-Row Arthroscopic Rotator Cuff Repair. Am J Sports Med. 2020;48(11):2669-76.

89. Oh CH, Oh JH, Kim SH, Cho JH, Yoon JP, Kim JY. Effectiveness of subacromial anti-adhesive agent injection after arthroscopic rotator cuff repair: prospective randomized comparison study. Clin Orthop Surg. 2011;3(1):55-61.

90. Jeong JY, Chung PK, Yoo JC. Effect of sodium hyaluronate/carboxymethyl cellulose (Guardix-sol) on retear rate and postoperative stiffness in arthroscopic rotator cuff repair patients: A prospective cohort study. J Orthop Surg (Hong Kong). 2017;25(2):2309499017718908.

신체검진

Physical examination of the shoulder joint

권지은

견부질환을 성공적으로 치료하기 위해서는 정확한 진단이 필요하다. 과학적이고 논리적인 진단 없이 치료할 경우, 효과적이지 못하거나 의인성 합병증(iatrogenic complication)을 야기하여 하지 않은 것만 못한 치료가 될 수 있다.

진단기구가 발전함에 따라 임상적 진단을 소홀히 하고, 영상이나 다른 검사기구의 소견에 의지하여 진단하게 되는 경우가 많이 있다. 그러나, 환자의 임상정보를 청취하고 이학적 검사를 시행하는 것은 견부질환의 정확한 진단에 있어서 매우 중요하다. 이를 소홀히 하고 진단기구에만 의존하게 될 경우, 검사에서 필요한 정보를 발견하지 못하거나, 환자의 불편감과 관련이 없는 엉뚱한 소견에 대하여 불필요한 치료를 하게 될 가능성이 있다.

본 장에서는 견부질환의 임상적 진단에 필요한 병력 청취(disease history taking)와, 견부질환과 인접 부위 질환의 진단 및 감별진단(differential diagnosis)에 필요한 이학적 검사(physical examination)에 대하여 소개하도록 하겠다.

1. 환자가 제공하는 정보
(Information furnished by the patient)

임상적 진단의 과정은 병력 청취에서부터 시작된다. 병력 청취의 과정은, 환자가 제공하는 정보를 토대로 가능성이 높은 진단들을 정리하고, 이들 중 가장 가능성이 높은 진단을 구체화하는 작업이다. 환자가 제공하는 정보를 수동적으로 수집해서는 안 되며, 필수적인 정보를 우선적으로 수집하고, 이후에는 가능성이 높은 몇 가지 진단들을 확인하거나 배제하는 작업을 거쳐야 한다.

먼저 환자의 나이와 성별을 확인하고, 환자가 호소하는 증상(symptom)과 이러한 증상이 시작된 시점(onset)을 확인한다. 증상을 야기할 수 있는 활동이나 운동, 외상의 병력이 없는지 조사한다. 어깨를 많이 사용하는 직업을 갖고 있는 것은 아닌지 확인하는 것도 도움이 된다. 당뇨나 갑상샘질환 등의 전신질환 이환 여부와 복용 중인 약물, 수술력 등에 대한 정보가 필요한 경우도 있다.

1) 나이(age)

많은 질환이 특정 연령대에서 흔히 발생하는 경향을 가지고 있으며, 연령대에 따라 진단적 접근 및 치료의 방침이 달라지는 경우도 있으므로, 환자의 나이를 확인하는 것은 매우 중요하다. 예를 들어, 어깨관절의 불안정성(instability) 및 상부 관절와순 전후방 병변(superior labrum anterior to posterior, SLAP) 등의 관절와순 병변(labral tear)은 10-30세의 젊은 연령층에서 흔하다. 외상에 의한 급성 탈구의 경우 전 연령층에서 발생할 수 있으나, 스포츠 활동에 적극적으로 참여하고 활동적인 젊은 연령층에서 더 흔히 발생하는 경향을 보인다. 젊은 연령층에서 급성 탈구가 발생한 경우에는 방카트 병변(Bankart lesion)과 같은 관절와순 파열을 동반하는 경우가 대부분이다. 반면, 60-70대의 고령층에서 급성 탈구가 발생한 경우, 회전근 개 파열(rotator cuff tear)이 동반되어 있을 가능성이 높다. 한편, 고령층에서 발견된 관절와순 병변의 경우, 임상적인 의미가 적고 치료가 필요하지 않은 경우가 많다(표 5-1).[35]

2) 성별(sex)

견부질환의 발생에 성별이 미치는 영향은 크지 않으나 일부 질환은 특정 성별에서 좀 더 높은 유병률을 보인다. 다방향성 어깨 불안정성(multidirectional shoulder instability, MDI)은 15-25세 사이의 여성에서 흔히 발생하며 유착성 관절낭염(adhesive capsulitis)은 40-60세 사이의 여성에서 흔히 발생한다. 두 질환 모두 같은 연령대의 남성에 비해 여성에 흔히 발생하는 것으로 알려져 있다.

3) 주소(chief complaint)

주소는 환자를 괴롭히는 문제점 중 가장 심각한 주된 호소로, 이를 알게 되면 현재의 질병이 발생한 부위와 질병의 종류를 추측해 볼 수 있다. 통증(pain)은 견부질환을 가진 환자들이 호소하는 가장 흔한 주소로, 통증의 특징과 발생 시기, 위치, 동반 증상 등에 대한 추가 질문을 통하여 통증의 특성을 파악하고 이를 기반으로 추정 진단을 도출하게 된다. 불안정성(instability) 역시 흔히 호소하는 증상이다. 불안정성을 호소하는 환자에서는, 통증이 아닌 불안정성에 의한 불편감이 맞는지, 즉 어깨관절이 느슨하거나 헐렁하여 반복적으로 탈구 또는 아탈구 되는 감각이 있는지 확인하는 것이 필요하다. 그 밖에도 위약(weakness), 경직(stiffness), 탄발음(snapping sound), 감각의 저하나 이상 감각 등의 증상을 호소할 수 있다.

(1) 통증

통증과 관계가 있는 여러가지 특성을 파악하는 것은 진단에 많은 도움이 된다. 통증의 발생시기와부위, 심한 정도, 통증의 진행 상태나 속도, 유발인자와 호전인자, 활동과의 관계, 동반 증세의 유무, 방사통이나 연관통의 성격이 있는지, 통증으로 인한 기능적 제한이 있는지 등을 확인하는 것이 필요하다.

① 통증의 특징(character of the pain)

통증은 매우 주관적인 감각으로, 일정한 강도의 자극을 같은 시간 동안 가하더라도, 통증의 강도에 대한 설명과 양상에 대한 묘사가 개인별로 차이가 있을 수 있다. 그러나, 통증의 강도에 대해서는 객관적 지표로 기술하도록 유도하여 어떠한 중재가 필요한지 평가하고 치료의 경과가 적절한지 확인해야 한다. 또한, 원인이 되는 질환에 따라, 비교적 일관되게 사용되는 통증 양상에 대한 묘사가 있으므로, 이에 대해서는 알아 둘 필요가 있다.

통증의 강도를 분석하기 위해서는, 환자에게 전혀 아프지 않은 상태를 0점이라고 하고 가장 심하게 아픈 통증을 10점이라고 할 때, 현재 호소하는 통증의 점수가 몇 점 정도 되는지 물어보는 것이 필요하다. 환자에 따라서는 통증의 정도를 점수로 표현하는 것을 힘들어 할 수도 있고, 개인별로 통증에 대한 역치가 다르므로 통증이 간과되거나 과장될 수도 있다. 통증으로 인해 수면을 유도하는 것이 어렵거나, 수면 중 깰 정도의 통증인지를 물어보는 것도 도움이 될 수 있다. 그러나, 수면장애 등이 동반된 경우, 이러한 질문으로 통증의 강도를 평가하기 어려우므로 주의가 필요

표 5-1 연령대별로 흔히 발생하는 견부질환

연령대별로 흔히 발생하는 견부질환	
<30세	불안정성, 상부 관절와순 전후방 병변, 이두박건염, 견봉-쇄골관절 손상, 관절와순 파열
30 – 60세	회전근 개 질환, 유착성 관절낭염, 통풍, 석회성 건염
>60세	골관절염, 회전근 개 관절병증
나이와 무관한 질환	무혈성 괴사, 감염, 류마티스성 관절염, 종양

하다. 또한, 환자가 현재 복용 중인 진통제의 종류와 용량을 알면 통증의 심한 정도를 어느 정도 가늠할 수 있다. 그러나, 만성 통증에서는 사용된 진통제의 종류와 양만으로 통증의 강도를 평가하기에는 무리가 있다. 일반적으로 극심한 통증은 구획증후군(compartment syndrome)과 같이 심한 허혈 상태가 발생하여 조직의 괴사가 가까워진 경우, 근육에 심한 경련이 발생한 경우 등에서 나타난다. 비교적 심한 통증은, 골절이나 탈구, 연부조직의 급성 파열, 요산(uric acid)이나 칼슘 등의 빠른 침착이나 흡수, 그리고 감염 등을 시사하는 소견일 가능성이 높다. 경도 또는 중등도의 통증은 만성 관절염 등에서 나타난다.

원인이 되는 질환에 따라 통증의 특성에 차이가 있을 수 있다. 예를 들면, 건병증(tendinopathy)에 의한 통증은 아픈 부위가 광범위하고, 묵직하게 쑤시는 양상의 특성을 보이며, 특정 관절운동범위 내에서는 통증 없이 기능을 수행할 수 있는 경우가 많다. 만성 골관절염(osteoarthritis)에 의한 통증의 경우, 관절내 압력이 증가하는 활동에서는 날카롭게 쑤시는 양상의 통증이 발생하나, 관절내 압력이 감소하는 활동에서는 통증이 감소하는 경향을 보인다. 일정 기간 동안 통증이 악화되었다가 호전되며, 이러한 양상이 반복되는 특징을 보인다. 신경의 압박으로 발생하는 방사통은 뻗치는 듯한 통증이 해당 신경의 지배영역을 따라 나타나며, 저린 감각이 동반되기도 한다.

② 통증의 발생시기(onset of the pain)

통증이 언제, 어떻게 시작되었으며, 그 진행 상태나 속도는 어떠한지 알아보는 것은 매우 중요하다. 예를 들어, 외상 이후 발생한 심한 어깨 통증의 경우, 견부에 골절이 발생하였을 가능성이 높다. 따라서, 이러한 경우 무리하게 신체검진을 진행하기보다는 단순방사선사진을 촬영하여 골절 유무를 먼저 확인하는 것이 좋다. 반면, 외상과 관련이 없는 통증이 수일 내에 갑작스럽게 시작되었다면, 급성 감염을 우선적으로 생각해 보아야 한다. 최근에 어깨 주변에 침이나 주사를 맞은 적은 없는지, 면역이 저하될 만한 기저질환을 가지고 있는 것은 아닌지 확인이 필요하다. 강도가 단기간내에 심해지는 통증은 감염이나 악성종양의 진행을

나타내는 소견일 수 있다. 반면, 통증의 발생시기가 불분명하며, 외상의 병력이 없을 경우, 회전근 개 질환이나 만성 골관절염과 같은 질환을 생각해 보아야 한다.

③ 통증 부위(location of the pain)

환자가 통증을 호소하는 부위와 실제로 통증의 원인이 되는 부위가 반드시 일치하는 것은 아니다. 회전근 개 질환으로 인한 통증의 경우, 삼각근 접합부(deltoid muscle insertion)가 위치하는 상완 외측부에 통증을 호소하는 경우가 많고, 이두박건염(biceps tendinitis)으로 인한 통증의은 결절간구(intertubercular groove)에서부터 상완의 전면부까지 이어지는 경우가 많다. 견봉-쇄골관절부(acromio-clavicular joint)의 손상과 관련된 통증은 내측으로 방사되어 쇄골 중간부와 내측을 따라 통증이 감지되는 경우가 대부분이다. 견부의 질환으로 인한 통증은, 상완부에 국한되는 경우가 많으며, 팔꿈치관절 아래 부위까지 통증이 이어지는 경우는 드물다. 반면, 경추에서 기인하는 통증의 경우, 동측 귀에서부터 어깨 후방의 견갑골 부위로 방사되는 경우가 많고, 특히, 경추 신경근병증(cervical radiculopathy)의 경우, 피부분절(dermatome)을 따라 뻗치는 양상의 통증이나 저린감이 전완부나 손까지 방사되는 경우가 흔하다.

④ 통증의 악화인자(factors that aggravate pain)

통증을 유발하거나 악화시키는 인자가 있는지도 살펴보아야 한다. 견부질환으로 인한 통증의 경우 팔의 위치에 의한 영향을 많이 받게 된다. 회전근 개 질환이 있을 경우, 팔을 어깨 높이보다 높이 들어올릴 때 통증을 호소할 수 있다. 흔히, 머리를 감거나 빗을 때 통증이 악화된다고 표현한다. 반면, 경추 신경근병증으로 인한 통증의 경우, 목의 위치에 의한 영향을 받는다. 환자의 머리를 아래로 누르거나, 목을 한 쪽 방향으로 돌려서 신경근을 더 누르는 동작을 하면 통증이 유발되거나 심해질 수 있다. 운전할 때 팔이 저리거나 아프다고 표현하는 것은 흔히 경추의 문제로 인한 증상이다.

⑤ 통증의 완화인자(factors that alleviate pain)

통증의 유발 또는 악화인자와 마찬가지로 증상을 완화하거나 개선하는 요인에 대한 조사 역시, 진단에 이르는 정보를 제공해준다. 어깨를 쉬게 하면 통증이 줄어드는 휴식성 통증경감(pain reduction with rest) 현상은 만성 골관절염의 특징 중 하나이다. 반면, 급성 감염이나 종양에서는 이러한 휴식성 통증경감 현상이 관찰되지 않는다. 회전근개 병변으로 인한 통증인지 감별하기 위하여 견봉하공간(subacromial space)에 국소마취 주사를 시행하고 통증이 호전되는지 관찰하는 것도 도움이 된다. 마찬가지로 견봉-쇄골관절 부분의 통증을 감별하기 위하여 견봉-쇄골관절부에 국소마취제를 주사하고 통증 호전 여부를 관찰할 수도 있다. 이들 부위에 국소마취제를 주사하였으나 통증이 호전되지 않을 경우, 통증의 원인이 다른 곳에 있을 가능성을 염두에 두어야 한다.

(2) 불안정성(instability)

어깨의 불안정성은 어깨가 빠질 것 같은 느낌 혹은 불안감을 호소하는 주관적 증상을 의미하며 통증과 구분되어야 한다. 젊고 활동적인 연령대에서 흔하고 외상의 병력을 가지고 있는 경우가 많다. 외상에 의한 탈구가 발생한 뒤 즉시 의료기관을 방문하였을 경우, 탈구된 상태를 확인할 수 있으나, 현장에서 관절을 정복하여 탈구된 상태를 직접 확인할 수 없는 경우도 흔하다. 또한, 환자는 어깨관절이 빠진 것 같다고 표현하나 실제로 의학적 탈구 또는 아탈구의 소견이 아니거나 탈구의 기왕력이 불분명한 경우도 있다. 따라서, 외상 후 발생한 불안정성의 경우, 탈구 또는 아탈구의 기왕력이 있는지 확인하고, 신체검진을 통하여 객관적인 불안정성이 있는지 확인하는 것이 필요하다.

한편, 외상의 병력 없이 어깨가 느슨하고 헐겁다고 느끼는 경우, 다방향성 불안정성(multidirectional shoulder instability, MDI)을 염두에 두어야 한다. 다방향성 불안정성은 10-20대의 어린 연령대에서 흔하며, 체조, 발레 등과 같이 유연성을 필요로 하는 운동선수에서 흔하다. 전신 이완성(general laxity)이 있는지, 관절와순 파열로 인한 증상이 동반되어 있는지 등에 대한 확인이 필요하다.

(3) 근력의 약화(weakness)

어깨를 사용할 때, 뚜렷한 통증 없이 힘이 빠지거나, 어깨를 들어올리기 힘들다는 호소를 하는 경우가 있다. 근력의 약화 혹은 마비의 원인은 크게 대뇌 기능장애(cerebral dysfunction), 신경전달 기능장애(nerve transmission dysfunction), 근-건 접합부 기능장애(musculotendinous dysfunction), 생화학적 원인, 통증 등이 있다. 성인에서 뇌출혈이나 뇌경색 이후 마비증상이 관찰될 수 있으나, 이러한 경우 순수한 이완성 마비(flaccid paralysis)가 관찰되는 경우는 드물고, 경련(spasm)이나 진전(tremor) 또는 이상동작(abnormal movement) 등이 동반되는 경우가 많다. 다발성 경화증(multiple sclerosis)이나 기타 운동신경원 질환(motor neuron disease)에서 이완성 마비가 관찰될 수 있다. 생화학적인 원인은 신경자극을 근육으로 전달하는 시냅스(synapse)에 문제가 발생하여 근력이 약화되는 경우를 말하며, 중증근무력증(myasthenia gravis), 류마티스성 다발성 근육통(polymyalgia rheumatica) 등의 예가 있다.

견부질환 중, 근력 약화의 가장 흔한 원인은 회전근 개 파열이다. 일부 회전근 개 파열 환자는 통증이 없거나 경미한 통증이 동반되어, 근력이 떨어진다는 점을 주된 불편감으로 호소할 수 있다. 주로 어깨의 외전이 힘들고, 검사자가 팔을 들어올리면 들 수 있으나 외전된 상태를 유지하거나 천천히 내리는 동작이 힘들어서, 특정 각도에서 팔이 뚝 떨어진다고 표현하기도 한다.

(4) 마찰음(crepitus)

어깨에서 발생하는 마찰음(crepitus)은 여러가지 원인으로 발생할 수 있으며, 큰 문제가 되지 않는 경우가 대부분이다. 마찰음의 원인은, 견갑골과 늑골 또는 견갑골과 상완골이 부딪히는 것에서부터, 골과 건 또는 골과 섬유성 조직 사이에 발생하는 것, 건이나 섬유성 조직들이 서로 마찰되면서 발생하는 것 등 매우 다양하다. 회전근 개 파열이나 회전근 개 건병증(rotator cuff tendinopathy), 견봉하 윤활낭염(subacromial bursitis) 등에서도 소리가 날 수 있다.

4) 환자의 과거병력과 개인정보

(1) 과거병력

환자의 과거병력은 진단에 결정적인 단서를 제공해 줄 수 있다. 선행질환이나 외상의 병력, 수술을 포함한 이전 받은 치료의 종류와 방법을 알지 못하면, 현재의 진단이 어려워지거나 잘못된 진단을 하게 될 수 있다.

예를 들어, 당뇨는 남성과 여성 모두에서 유착성 관절낭염의 발생을 높이는 위험 인자로 알려져 있다. 갑상샘질환의 경우, 여성에서 유착성 관절낭염의 위험인자로 작용한다[29]. 당뇨가 있는 환자에서 유착성 관절낭염이 발생할 경우, 당뇨가 없는 환자에 비해 치료가 어렵다[4]. 또한, 이전에, 유방이나 목 부위 또는 폐를 수술한 경우, 어깨의 운동범위 제한이 발생하기 쉽다. 류마티스성 관절염 환자에서, 장기간 스테로이드를 사용하고 있다면, 조직의 질이 나빠져 있기 때문에, 수술 후 합병증의 빈도가 높아질 수 있다. 현재 또는 최근에 만성 감염의 병력이 있는 환자에서 수술이 필요하다면, 감염 문제를 수개월간 더 관찰하여 안정성을 확인한 후, 적극적인 치료를 시행하는 것이 바람직하다.

(2) 개인정보

어깨질환의 진단에는, 환자의 직업이나 좋아하는 스포츠와 레저에 관련된 생활 습관 및 우세수(dominant hand) 등에 대해 알아보는 것이 도움이 된다. 회전근 개나 이두근 장두의 파열은, 무거운 물건을 드는 직업을 가진 사람에서 흔하게 발생한다. 어깨 위로 손을 들어올리는 동작을 반복하는 수영이나, 테니스, 배드민턴 등의 운동(overhead activity)을 즐겨할 경우, 회전근 개 질환이 발생하기 쉽다.

2. 신체검진(Physical examination)

환자의 증상과 병력을 청취한 뒤에는, 신체검진을 시행하게 된다. 적절한 신체검진을 하기 위해서는, 정확한 해부학적 지식과 검사기술이 필요하고 반복적인 연습으로 숙련되어야 하며, 이를 통해 얻어지는 소견의 해석에 대한 많은 연구가 필요하다. 검진은 문제점을 놓치지 않도록 체계적으로 시행되어야 한다. 따라서, 반드시 시켜야 되는 정해진

순서는 없으나, 전면과 후면, 내측과 외측, 그리고 원위에서 근위의 순서와 같이 나름의 순서를 정해두고 신체검진을 시행하는 것이 좋다.

견부의 신체검진 순서는, 시진과 촉진, 그리고 운동범위의 측정 순이다. 운동범위는, 수동적 운동범위와 능동적 운동범위에 차이가 있을 수 있으므로 어떤 방식으로 측정한 것인지 반드시 표기한다. 이어서, 호소하는 통증이나 불안정성 등을 만들어내는 유발검사(provocation test)를 시행해 볼 수 있다. 다음으로 필요에 따라 근력검사, 신경학적 검사, 혈류검사 등을 시행할 수 있으며, 견부에 대한 신체검진에 이어 경추, 상완, 주관절이나 수부에 대한 평가가 필요한 경우도 있다.

1) 어깨의 신체검진
(physical examination of the shoulder)

(1) 시진(inspection)

어깨를 자세히 보기 위해서는 양측 손에서부터 어깨에 이르는 상지 전체와 목 부위, 후면의 견갑골까지 충분히 노출되어야 한다(그림 5-1). 양측 어깨를 모두 적절하게 노출시킨 뒤, 환자의 자세, 변형, 피부의 색과 부종, 위축을 포함한 근육의 상태를 확인해야 한다. 먼저 흉쇄관절(sternoclavicular joint)과 견봉-쇄골관절(acromioclavicular joint) 및

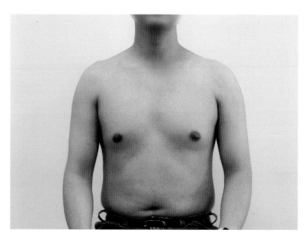

그림 5-1 어깨의 신체검진 준비
어깨를 자세히 보기 위해서는 양측 손에서부터 어깨에 이르는 상지 전체와 목 부위, 후면의 견갑골까지 노출되어야 한다. 여성 환자에서는, 가운을 착용하여 어깨가 충분히 노출될 수 있도록 한다.

쇄골의 변형을 관찰해야 한다. 흉쇄관절이나 견봉-쇄골관절이 두드러지게 보일 경우, 탈구, 활액막의 염증, 골관절염, 감염 등이 원인일 수 있다.

환자가 양팔을 옆에 늘어뜨린 상태로 앉아있을 때, 양측 어깨 높이의 차이를 관찰하는 것도 중요하다. 특별한 문제가 없더라도 약간의 높이 차는 있을 수 있고, 통증이 있는 어깨는 건측에 비해 위로 올라가 있을 수 있다. 그러나, 양측 어깨 높이에 차이가 있을 경우, 다음과 같은 병적 상황에 있을 수 있으므로 이를 염두에 두어야 한다. 먼저, 목이 짧으면서, 양측 견갑골이 위로 올라간 변형을 보일 경우, Klippel-Feil 증후군의 가능성이 있다. 한쪽 견갑골이 머리 방향으로 올라가 붙어 있을 경우, 선천성 상위 견갑골을 의심할 수 있다. 상완신경총이 손상된 Erb 마비에서는, 팔의 외전이 되지 않으며, 팔이 몸통에 붙어 있으면서 내회전되어 있는 웨이터 팁 손(waiter's tip hand) 변형을 발견할 수 있다. 익상견갑(winging scapula)은 전방거근(serratus anterior)이나 승모근(trapezius)이 마비되어 발생하는 변형으로 전방거근이 마비되었을 경우, 견갑골이 상방으로 전위되고 견갑골 하각(scapular inferior angle)이 내측으로 끌려간다. 견갑골을 흉곽에 고정시켜주는 힘이 약화되어 견갑골이

돌출되어 보인다. 승모근이 마비될 경우, 견갑골은 전체적으로 외측 전위되며, 약간 아래로 내려가고, 하각이 외측으로 끌려간다(그림 5-2). 익상견갑을 가지고 있는 환자에서는, 목이나 어깨에 이전 수술의 흔적이 있는지 살펴서 이전 수술로 인한 손상인지 의인성 신경손상인지 확인해 보아야 한다.

피부에 발생하는 이상으로는, 발적이나 부종 등이 있다. 피부에 붉은 기가 있고 통증을 호소할 경우 감염을 의심해 보아야 하며, 외상 이후에 발생한 멍이나 부종 등은 골절을 의심해야 한다.

근육이 형성하는 윤곽(contour) 및 부피를 평가하는 절차도 필요하다. 가장 먼저 양측 어깨에 둥근 형태를 유지시켜 주는 삼각근이 대칭적으로 잘 유지되고 있는지 평가한다. 삼각근의 위축이 있을 경우 견봉이 외측부가 두드러져 보이고 어깨의 윤곽이 소실되어 밋밋하게 보인다. 삼각근이 단독으로 위축되어 있을 경우, 액와신경(axillary nerve) 마비를 의심할 수 있으나, 다른 근육들이 함께 위축되어 있는 경우, 상완신경총이나 척추신경근의 손상을 생각해 보아야 한다. 극상근(supraspinatus)의 경우, 승모근에 덮여 있고, 극하근(infraspinatus)에 비해 깊숙하게 위치해 있으

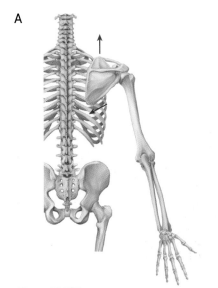
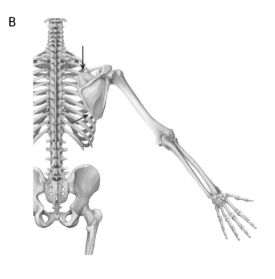

그림 5-2 익상견갑

A: 전방거근의 마비로 인한 익상견갑. 전방거근이 마비될 경우 견갑골이 상방으로 전위되고 하각이 내측으로 끌려가며 돌출되어 보이는 내측 익상견갑(medial scapular winging)이 발생한다. B: 승모근의 마비로 인한 익상견갑. 승모근이 마비될 경우 견갑골이 약간 아래로 내려가고 외측 전위되며 하각이 외측으로 끌려가는 외측 익상견갑(lateral scapular winging)이 발생한다.

므로 경미한 위축은 발견하기 어려울 수 있으며, 극하근의 위축을 발견하는 것은 비교적 용이하다. 극상근과 극하근 위축의 가장 흔한 원인은 회전근 개 파열인데, 상견갑신경의 포착(suprascapular nerve entrapment)이나 C5-6 신경근의 압축 또는 드물지만 근병증(myopathy)과 같은 진단을 배제하여야 한다. 이두근은 부분적으로 파열되는 일이 흔하다. 환자에서 견관절을 90도 외전시킨 상태에서 주관절을 90도 구부린 상태로 팔에 힘을 주라고 지시하면 이두근의 윤곽을 관찰할 수 있다. 만약 근위부의 장두(long head)가 끊어져 있으면 알통이 아래로 내려가게 되고, 요골조면(radial tuberosity)으로부터 종지부가 떨어진 경우에는 알통이 근위부로 올라가게 된다. 대흉근(pectoralis major)이 파열된 경우, 전방 액와주름(anterior axillary fold)이 소실될 수 있다.

(2) 촉진(palpation)

어깨 부위를 만져보거나 눌러보면, 피부의 온도변화 및 견고한 정도, 근육의 변화, 피하 또는 근육내 종물, 일부 골성 구조물 등을 만져 볼 수 있다. 특히, 눌러 보아 통증이 유발되는, 압통(tenderness)이 있는 부위를 발견할 수 있다.

감염이나 혈종, 빠른 속도로 자라는 악성종양이 있을 경우, 병변이 있는 표면의 피부 온도가 올라가서, 진찰자가 손으로 만져보면 국소 열감을 느낄 수 있다. 피부의 온도 측정에는 손등이 손바닥보다 예민하다. 피부가 쉽게 늘어나면 교원질 이상을 가진 선천성 질환을 생각해 볼 수 있고, 정상에 비해 단단하다면 관절구축증(arthrogryposis) 등을 의심해 볼 수 있다.

탈신경이 된 근육은 무기력하게 늘어져서 말랑거린다. 그러나 섬유화가 심한 근이영양증(muscle dystrophy)에서는 근육이 단단하고 딱딱해진다. 근육에 타박상이나 염좌, 기타 통증을 유발하는 상태가 되면, 해당 근육은 통성 경련을 일으켜 딱딱하게 만져질 수 있다. 근육내 종물은 크기, 경도(consistency), 경계의 명확도, 움직임의 정도 등을 파악하여야 한다. 특정 근육의 경우, 파열을 진단할 수도 있다. 예를 들어 대흉근이 파열되면 전방 액와 벽이 소실되어 말랑거리고, 광배근(latissimus dorsi)이 파열되면 후방

액와 벽에 같은 현상이 발생한다.

어깨의 골성 구조물 중 가장 쉽게 만져지는 것은 견봉에서부터 견봉-쇄골관절, 쇄골, 흉쇄관절로 이어지는 부분이다. 쇄골의 전방과 상방 면은 그 전장에 걸쳐 잘 만져지며, 쇄골의 내측 끝에서는 흉쇄관절, 외측 끝에서는 견봉-쇄골관절이 쉽게 촉지된다. 견봉-쇄골관절의 외측으로 이어지는 견봉의 전방 및 외측면 역시 쉽게 촉지할 수 있으며, 이를 따라 후방으로 가면 견갑극(scapular spine)에 이르게 된다. 삼각근을 충분히 이완시키면 견봉의 아래 원위에서 상완골(humerus)의 대결절(greater tubercle)이 만져지고, 대결절의 앞쪽으로 이두근과 결절간구가 만져진다. 회전근 개에 큰 파열이 있으면, 대결절의 바로 위쪽에서 결손이 촉지되는 경우도 있다. 와상완관절(glenohumeral joint)은 삼각근 및 대흉근과 회전근 개로 둘러싸여 있으므로 이 관절을 촉지하는 것은 어려우며, 쇄골의 외측 1/4 지점, 아래쪽으로는 오구돌기(coracoid process)를 만져볼 수 있다(그림 5-3).

① 압통(tenderness)

압통은 통증을 유발하는 해부학적 부위를 알려주므로 매우 중요한 검사이다. 압통을 정확하게 확인하기 위해서 앞서 기술한 해부학적 구조들의 정확한 위치를 알고, 이를 촉지할 수 있어야 한다. 압통을 확인할 때는, 나름의 순서를 가지고 필요한 부위를 체계적으로 검사하여야 중요한

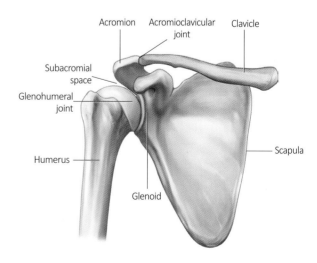

그림 5-3 어깨의 골성 구조물

부위를 빠뜨리지 않고 검사할 수 있다.

견봉-쇄골관절과 흉쇄관절의 압통은 골관절염, 활액막염 등이 원인일 수 있으며 감염이나 탈구의 가능성도 있다. 견봉의 상부 피하표면을 촉진할 때 압통이 있으면, 견봉하점액낭염 또는 충돌증후군 등을 의심해 볼 수 있다. 상완골 대결절의 압통은, 견봉하점액낭염이나 석회성 건염, 극상근 건염, 급성 회전근 개 파열이나 골절 등에서 나타날 수 있다. 결절간구에 위치한 이두근에 압통이 있을 경우 이두건염을 의심해 볼 수 있다. 오구돌기의 압통은 정상인에서도 매우 흔하기 때문에, 임상적인 의미가 크지 않다.

(3) 운동범위(range of motion)

어깨는 우리 몸에서 가장 큰 운동범위를 가지고 있는 관절이다. 이러한 움직임은 와상완관절, 견갑흉곽관절(scapulothoracic joint), 견봉-쇄골관절, 흉쇄관절, 이렇게 네 관절의 기능에 의해 이루어진다. 어깨 운동의 60-70% 정도는 와상완관절에서 발생하고, 30-40%는 나머지 세 관절에서 발생하는 것으로 알려져 있으며, 어깨의 운동이 원활하게 이루어지기 위해서는 앞서 기술한 네 개의 관절이 조화를 이루어, 부드럽고 연속적으로 움직여야 한다.

어깨의 운동범위는 수동적 혹은 능동적으로 측정될 수 있는데, 능동적인 것이 우선적으로 측정되어야 한다. 수동적 운동범위는 능동적 운동범위가 불완전하거나 특별히 필요한 상황에서 추가적으로 측정된다. 근육이나 건이 끊어지거나, 신경학적 이상, 혹은 통증이 동반된 어깨의 경우, 수동적 운동범위와 능동적 운동범위에 차이가 있을 수 있다. 그러므로 운동범위가 수동적으로 측정되었는지, 능동적으로 측정되었는지 반드시 명시해야 한다. 측정된 운동범위는 정상적인 반대편의 운동범위와 비교해서 확인해야 한다. 만약 반대쪽이 없거나 반대편 역시 병적 상태에 있다면 비슷한 나이의 평균과 비교되어야 한다. 또한, 운동범위를 측정하는 자세 역시 중요하다. 어깨의 운동범위는 누운 자세, 앉아 있는 자세, 또는 서 있는 자세에서 측정할 수 있다. 서 있는 자세에서 측정할 경우, 척추과 골반의 움직임으로 인하여 잘못된 운동범위가 얻어질 수 있다. 이러한 척추와 골반의 보상동작(compensatory motion)은 앉은

자세나 누운 자세에서 측정하면 어느 정도 없어질 수 있다. 자세에 따라서, 측정되는 운동범위에 차이가 있을 수 있으므로, 측정된 자세 역시 반드시 명시해야 한다. 어깨의 운동범위 측정에서 움직임이 시작되는 기준점, 즉 중립 기준위치(neutral zero position)는 서 있는 상태에서 상지가 그 무게에 의해 지구 중심을 향해 떨어지는 자세로, 팔은 몸통의 측면에 붙이며, 팔꿈치는 신전시키고, 엄지손가락은 전방을 향하게 한 자세이다.

가장 기본적으로 측정해야 하는 운동범위는 전방 굴곡(forward flexion), 팔꿈치가 몸통 옆에 위치하는 외회전(external rotation arm at the side), 척추분절을 기준점으로 사용하는 내회전(internal rotation behind the back, IRB)이다. 그 밖에 외전(abduction), 내전(adduction), 신전(extension), 외전위 외회전(external rotation at 90 degrees abduction)과 외전위 내회전(internal rotation at 90 degrees abduction) 등을 필요에 따라 추가로 측정될 수 있다.

① 전방 굴곡(forward flexion)

수동적 운동범위를 측정하기 위해서는, 환자를 베개 없이 눕힌 상태에서, 검사자가 환자의 팔을 잡아 머리 위쪽으로 들어올린다. 능동적 운동범위 역시 같은 방식으로 측정되나, 검사가 팔을 들어올리는 대신, 환자 스스로의 힘으로 팔을 들어올리도록 지시한다. 이때, 들어올리는 팔의 축이 환자의 몸통과 일치하도록 하며, 팔이 바깥쪽으로 벌어지지 않도록 주의가 필요하다. 전방 굴곡을 앉은 자세나 서 있는 자세에서 측정할 경우, 척추의 보상동작으로 인해 각도가 실제 가능한 전방 굴곡 범위보다 과하게 측정될 수 있으므로, 벽에 등을 대도록 하거나 검사자가 등을 받쳐주어 견갑골의 시상면이 바닥과 직각이 될 수 있도록 해야 한다. 몸통의 축과 들어올린 팔 사이의 각도를 측정하며, 정상적인 전방 거상의 각도는 160-180도이다(그림 5-4).

② 외회전(external rotation arm at the side)

환자가 누워 있는 자세, 앉은 자세, 또는 서 있는 자세에서, 팔꿈치를 90도로 구부리고, 팔꿈치가 주먹 너비 정도 옆으로 벌어지도록, 즉 어깨가 약간 외전될 수 있도록 위치

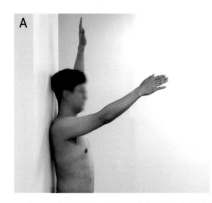  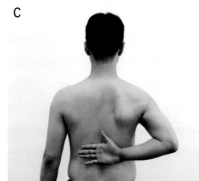

그림 5-4 **어깨관절의 전방 굴곡(A), 외회전(B), 내회전(C)**

시킨다. 팔꿈치를 몸통에 붙이지 않고 살짝 옆으로 벌어지게 하는 것은 상부 관절와상완인대(superior glenohumeral ligament, SGHL)와 오구상완인대(coracohumeral ligament, CHL)를 이완시켜 외회전을 방해하지 않도록 하는 작용을 한다. 팔꿈치를 고정시킨 상태에서 전완부(forearm)가 몸통의 바깥쪽으로 돌아가도록 한 뒤, 시작점에서부터 최종적으로 전완부가 이동한 지점까지의 각도를 측정하며, 정상적인 외회전의 각도는 80-90도이다(그림 5-4). 체조선수, 투수 등의 운동선수 및 전신 이완성을 가지고 있거나 다방향 불안정성을 가지고 있는 경우 더 크게 측정될 수 있다.

③ 내회전(internal rotation behind the back, IRB)

환자가 앉아 있거나 서 있는 상태에서, 손등이 등의 가운데, 견갑골 사이에 위치하도록 하고, 가능한 한 등을 따라 손이 높이 올라가도록 지시한다. 펼쳐진 엄지의 끝이 척추분절을 기준으로 어떤 점에 위치하는지 표기하여 내회전의 정도를 측정한다(그림 5-4). 양측 장골능선(iliac crest)의 가장 윗부분을 연결한 선은 L4와 L5 사이, 양측 견갑골 하각(scapular inferior angle)을 연결하는 선은 T7, 양측 견갑극(scapular spine)의 내측면을 연결하는 선은 T3 정도의 레벨로, 이러한 기준점들을 고려하여 측정값을 기재하도록 한다. 일반적으로 T5-T10 정도를 정상적인 내회전으로 본다(그림 5-5).

④ 외전(abduction)

외전은 중립 기준 위치에서 측방, 즉 옆으로 들어올리는 동작이며, 정상적으로 170-180도 정도의 외전이 가능하다 (그림 5-6). 엄지가 전방을 향하도록 한 상태에서 외전을 시작하면, 100-120도 정도 들어올린 지점에서 상완골의 대결절이 견봉에 걸리면서 더 이상 들어올리지 못할 수 있다. 이런 경우, 손바닥이 전방을 향하도록, 즉 어깨를 90도 정도 외회전시킨 상태에서 팔을 들어올리게 하면, 완전한 외전이 가능해진다.

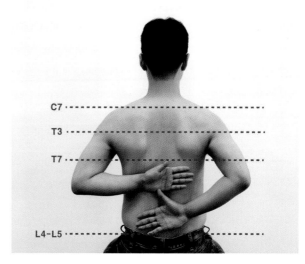

그림 5-5 **내회전 측정의 기준점이 되는 척추분절**

⑤ 내전(adduction)

내전은 어깨를 90도가량 전방 굴곡시킨 뒤, 팔을 몸통 쪽으로 가져오는 동작이며, 정상적으로 50-75도 정도의 내전이 가능하다(그림 5-6).

⑥ 외전위 외회전(external rotation at 90 degrees abduction)

어깨는 90도 외전, 팔꿈치는 90도 굴곡시킨 상태에서 전완부를 환자의 머리 쪽으로 회전시킨다. 시작 시점부터 회전된 위치까지의 각도를 측정하며, 정상적으로 50-70도 정도 가능하다(그림 5-7).

⑦ 외전위 내회전(internal rotation at 90 degrees abduction)

어깨는 90도 외전, 팔꿈치는 90도 굴곡시킨 상태에서 전완부를 발 쪽으로 떨어뜨리 듯이 회전시킨다. 시작 시점부터 회전된 위치까지의 각도를 측정하며, 정상적으로 50-70도 정도 가능하다(그림 5-7).

(4) 기능적 근력검사(functional strength tests)

기능적 근력검사는 해당 근육의 작동 여부와 정상적인 힘이 발휘되고 있는지를 확인하기 위하여 시행한다. 어떠한 근육이 작동하지 않는지, 혹은 근력이 저하되었는지를

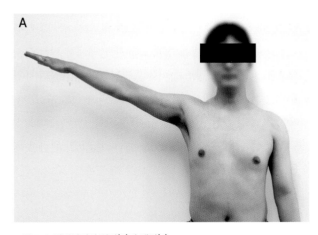
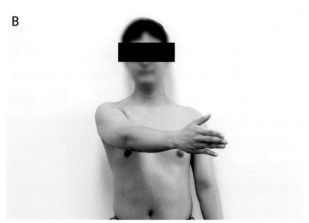

그림 5-6 **어깨관절의 외전(A)과 내전(B)**

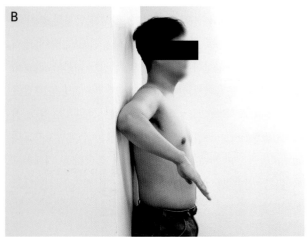

그림 5-7 **어깨관절의 외전위 외회전(A)과 외전위 내회전(B)**

정확하게 파악하여야 적절한 치료방침을 정할 수가 있다. 근력을 평가하는 방법은, 검사하는 근육에 힘을 주라고 지시한 뒤, 수축이 없는 경우는 0, 정상 근력인 경우를 5로 설정하고, 그 중간 등급을 구분하여 평가한다. 근육의 수축이 느껴지면 1, 지면에 평행하게 움직일 수 있으나 지구의 중력을 이기며 움직이지 못하는 경우에는 2, 중력을 이기고 움직일 수 있으나 검사자가 주는 저항을 이기지 못하는 경우 3, 지구의 중력과 검사자가 주는 저항을 이기고 움직일 수 있으나 반대측에 비하여 힘이 약한 경우 4로 평가한다(표 5-2).[28]

어깨에서 흔히 평가되는 것은 굴곡과 외전, 회전 능력 등이 있다. 근력을 측정할 때는, 기준이 되는 정상 상태를 설정하기 어려우므로, 반대 쪽이 정상인 경우, 이를 기준으로 삼는 것이 바람직하다.

견관절의 굴곡력은 어깨를 전방으로 90도 굴곡시킨 상태에서, 환자에게 팔을 더 들어올리도록 지시하며, 검사자가 팔을 아래로 미는 힘을 가하여 측정한다. 견관절의 주된 굴곡근은 삼각근의 전방 부분이며, 대흉근의 쇄골 부에 의해 보조를 받는다. 그 외에도 이두근과 오구상완근(cora-cobrachialis)이 약간의 도움이 될 수 있다. 이러한 굴곡 동작이 적절하게 이루어지기 위해서는 회전근 개가 정상적인 상태로 유지되어야 한다. 회전근 개는 굴곡 동작이 이루어지는 동안 상완골 두를 하방으로 눌러주는 역할을 하여, 와상완관절을 안정화시킨다. 삼각근은 액와신경을 통해 C5-6의 지배를 받으며, 대흉근의 쇄골 두는 외측 흉신경(lateral pectoral nerve)을 통해 C5-6, 그리고 이두근과 오구

상완근은 근피신경(musculocutaneous nerve)을 통해 C5-6의 신경지배를 받는다.

견관절의 외전 능력은 팔을 90도 외전하고 전완을 최대한 회내전(pronation)시킨 상태에서 팔을 들어 올리는 힘을 측정한다. 견관절의 외전은 주로 삼각근의 중간 부분에 의해 이루어지나, 굴곡과 마찬가지로, 극상근이 정상적으로 작동하여 상완골 두의 상방 전위를 막아주어야 원활한 외전 동작이 이루어질 수 있다. 그 외에도 이두근 장두가 외전을 보조하는 것으로 알려져 있으나, 이 근육이 단독으로 파열되어서는 외전에 큰 어려움이 발생하지 않는다. 승모근과 견갑거근(levator scapulae), 전방거근(serratus anterior) 등은 견갑골과 쇄골의 외전에 작용한다. 삼각근은 액와신경, 극상근은 상견갑신경, 이두근의 장두는 근피신경의 지배를 받으며, 이들은 모두 C5-6 신경섬유로 이루어져 있다. 승모근은 부신경(spinal accessory nerve)의 지배를 받고, 견갑거근은 경부 신경총의 분지를, 전방거근은 상완신경총의 신경근에서 시작되는 장흉신경(long thoracic nerve)의 지배를 받는다.

외회전은, 팔을 몸통의 측면에 위치하고 팔꿈치를 90도 굴곡시킨 상태에서 전완부를 바깥쪽으로 돌리도록 지시하고, 검사자가 안쪽으로 미는 힘을 가하며 측정한다. 견관절의 외회전을 담당하는 가장 주된 근육은 극하근(infra-spinatus)과 소원근(teres minor)이며, 삼각근의 후방 부분이 보존적이 역할을 한다. 극하근은 상견갑신경, 소원근과 삼각근은 액와신경의 지배를 받으며, 이들은 모두 C5-6 신경섬유로 이루어져 있다. 내회전은 외회전과 동일한 위치

표 5-2 근력의 평가

등급	상태
5	정상
4	약간의 저항을 이기고 움직일 수 있으나 반대측에 비하여 힘이 약한 상태
3	중력을 이기고 움직일 수 있으나 검사자가 주는 저항을 이기지 못하는 상태
2	중력을 제거한 상태에서 움직임이 가능한 상태
1	근육의 수축이 관찰되지만 움직임이 불가능한 상태
0	근육의 수축이 관찰되지 않는 상태

에서 전완을 안으로 돌리는 힘을 측정한다.

어깨 근력의 약화는 통증이 있거나 근육의 파열이 있는 경우 발생할 수 있다. 또한 신경의 마비 증세로 나타나는 경우도 있다. 근육의 불완전 파열의 경우, 근력이 약화되는 경우는 드물며, 완전 파열의 경우에도 근력의 약화가 초래되지 않는 경우가 대부분이다. 그러나, 광범위한 회전근 개 파열의 경우, 굴곡이나 외전, 외회전에서 심각한 근력의 약화를 보일 수 있다. 신경마비에 의해 나타나는 근력의 약화는 다양한 신경이 원인이 될 수 있다. 외전 근력의 경우, 견갑골 또는 상완골을 움직이는 신경이 마비되면 약화될 수 있다. 예를 들어, 부신경이 완전 마비된 경우, 견갑골을 머리 쪽으로 돌릴 수가 없으므로 어깨의 외전장애는 매우 심각하여, 60-70도 이상의 외전이나 굴곡이 불가능해진다. 견갑거근이나 전방거근이 마비된 경우, 외전장애가 상대적으로 덜하다. 액와신경이 완전하게 손상되어 삼각근이 마비되면, 어깨의 외전이나 굴곡을 거의 할 수 없게 된다. 상견갑신경이 손상되어 극상근과 극하근에 마비가 발생한 경우, 외전과 굴곡력이 약화되나, 소원근이나 관절막을 이용하여 와상완관절을 안정화시킬 수 있으므로 어느 정도의 외전과 굴곡이 가능하다.

(5) 불안정성 검사(instability tests)

① 용어(terminology)

와상완관절에서 견갑와(glenoid)와 상완골 두의 상대적인 위치가 거시적으로 변화하여 서로 접촉이 불량하게 되는 상태를 급성 탈구(acute dislocation)라고 한다. 탈구가 정복되지 않고 지속되는 상태를 만성 탈구(chronic dislocation)라고 하며, 반복되는 탈구가 발생하는 병적인 상태를 재발성 탈구(recurrent dislocation)라고 한다. 아탈구(subluxation)란, 관절면의 접촉이 전혀 없는 탈구와 달리, 관절면 사이의 상태에 변화가 있으나 그들 사이의 접촉은 남아 있는 불완전 탈구를 의미한다. 불안정성(instability)은 견갑와 위에서 상완골 두가 과도하게 측면 이동(translation)되면서 통증이나 불쾌감, 불안감 등을 보이는 병적 상태를 말한다.[17] 와상완관절의 급성 탈구를 정복한 뒤에는 동반된 병

변 등에 따라 불안정성이 남는 경우도 있고, 그렇지 않은 경우도 있다. 와상완관절에 재발성 탈구의 병력이 있는 경우, 불안정성이 있는 상태로 평가하며, 탈구의 병력이 없더라도 전신이완성 유무 등에 따라 불안정성을 호소할 수 있다.

② 와상완 불안정성의 분석
(analysis of glenohumeral instability)

와상완 불안정성이 의심되는 경우 다음의 사항들을 검토해야 한다. 먼저 불안정성이 발생한 시기와 원인, 불안정성의 방향과 정도, 자발적 탈구 가능 유무 및 양측성의 여부, 불안정성으로 인한 기능저하의 정도, 그리고 다른 질환과의 관계 등을 분석해 보아야 한다.

A. 불안정성의 시작 시기(onset of instability)

불안정성이 발생한 시점을 확인하여, 그것이 수일 혹은 수 주 이내에 발생한 급성 또는 아급성인지, 수 년 이상 경과한 만성인지 판정해야 한다. 급성 또는 아급성의 경우, 뚜렷한 외상의 병력이 확인되지 않더라도 외상과 관계가 깊거나 신경마비로 발생하였을 가능성이 높다. 불안정성이 유아기부터 있었다면, 선천성 또는 발달성 원인에 의한 것으로 생각될 수 있다.

B. 불안정성의 원인(etiology of instability)

불안정성의 원인을 파악하기 위해서는, 불안정성이 외상과 관련이 있는지 확인해 보아야 한다. 환자가 불안정성이 시작된 시점을 명확하게 기억하고 있는지, 불안정성이 시작된 시점에 외상의 병력이 있는지 확인해 보아야 한다. 만일 특정 시점에 손을 짚고 넘어진 이후 불안정성이 발생했다면, 불안정성이 시작된 시점과 외상의 병력이 분명하게 확인되므로, 이는 외상성 원인에 의한 것일 가능성이 높다. 반면, 환자가 불안정성이 발생한 시점을 명확하게 기억하지 못하거나 공을 던지거나 손으로 짚고 일어나는 등 가벼운 신체활동 이후 발생한 불안정은 비외상성 불안정성일 가능성이 높다. 외상성 불안정성은 전방 전위가 흔하며, 비외상성 불안정성은 다방향성이나 후방 전위가 더 흔하다.

C. 불안정성의 종류와 방향
(variety and direction of instability)

와상완관절에서는 이론적으로 여섯 종류의 직선 불안정성(linear instability)과 여섯 종류의 회전 불안정성(rotary instability)이 발생할 수 있다. 직선 불안정성은 전방과 후방, 상방과 하방, 그리고 내측과 외측 불안정성을 말하며, 회전 불안정성은, 외회전과 내회전, 굴곡과 신전 및 외전과 내전 불안정성을 말한다.

불안정성의 방향 중 가장 흔한 것은 전방 불안정성이다. 엄밀한 의미의 직선 전방 불안정성이 아니며, 외회전 불안정성이 동반되어 있다. 이런 환자들은 어깨를 90도 외전한 위치에서 외회전을 시키면 어깨가 앞으로 밀리는 느낌과 함께 불안과 통증을 호소한다. 후방 불안정성도 비교적 흔하게 관찰되며, 전방 불안정성과 마찬가지로 엄밀한 의미의 직선 불안정성이 아니다. 후방 불안정성은 내회전 불안정성이 동반되어 있어 환자의 어깨를 굴곡하고 내회전 시키는 상태에서 빠지는 듯한 느낌을 받고, 이 상태에서 팔을 다시 관상면으로 가져올 때 불안했던 관절이 안정화되는 느낌을 받게 된다. 전후방과 하방, 외측 불안정성이 모두 동반된 다방향성 불안정성의 경우, 가방을 들 때 어깨가 하방으로 아탈구되는 것을 환자 스스로 느낄 수 있다.

D. 불안정성의 정도(degree of instability)

불안정성의 정도에는 크게 아탈구와 탈구가 있는데, 병력만으로 이들을 구분하기 어려운 경우가 많이 있다. 어깨가 빠진 상태가 수초 이상 지속되었고, 빠진 상태에서는 어깨관절을 움직일 수가 없고, 정복을 시도한 이후부터 어깨관절의 움직임이 가능하다면, 이는 탈구일 가능성이 높다. 아탈구의 경우, 어깨가 미끄러져 빠져나가는 듯이 느껴지지만, 대부분 저절로 정복되어 바로 편안해지게 된다.

E. 불안정성의 임의성(voluntariness of instability)

간혹 환자의 의지력(volition, intention)에 의해, 환자가 마음대로 와상완관절을 탈구 또는 아탈구시키고, 이어 위치가 변한 관절을 스스로 정복하는 경우가 있다. 이러한 병적 상태를 수의적 불안정성(voluntary instability) 또는 의식적 불안정성(conscious instability)이라고 한다. 반면, 환자의 의지력과 무관하게 발생하는 불안정성을 불수의적 불안정성(involuntary instability), 무의식적 불안정성(unconscious instability)이라고 한다. 수의적 불안정성 중에서 일부의 경우에는 정서적 성격장애가 동반되어 있을 수 있으며, 이러한 경우에는 수술적 치료를 시행하더라도 성공하지 못할 가능성이 높다.

F. 불안정성의 측성(laterality of instability)

한쪽에만 불안정성이 있을 경우, 그 원인이 외상일 가능성이 높고, 양측성인 경우에는 비외상성 또는 선천성일 가능성이 높다. 따라서 환자가 한쪽 불안정성을 호소할 경우, 반대편의 불안정성은 없는지 평가하는 과정이 필요하다.

G. 불안정성의 분류(types of instability)

Thomas와 Matsen은 와상완 불안정성을 TUBS와 AMBRI의 두 가지로 분류하였다.[40] TUBS는 외상성(traumatic)이고 한 방향(unidirectional)으로 발생하며, 방카트 병변(Bankart lesion)이 있고, 수술(surgery)의 결과가 양호한 편이다. 반면, AMBRI는 비외상성(atraumatic)이고 여러 방향으로 발생하며(multidirectional), 양측성이고(bilateral) 종종 재활에 반응하며(rehabilitation), 하방 관절막 이동술(inferior capsular shift)을 필요로 한다. TUBS에 속하는 전형적인 유형은 격렬한 운동 또는 접촉성 운동(contact sports)을 즐기며, 외상의 병력이 있는 젊은 남자 환자이다. 반면, AMBRI에 속하는 유형은 체조나 발레 등 유연성을 요하는 운동을 하는 젊은 여자 환자이다.

③ 와상완 불안정 검사(glenohumeral instability test)

A. 전신 이완성 검사(generalized laxity assessment)

어깨관절의 불안정성을 평가할 때 전신 이완성(general laxity) 유무를 우선적으로 확인해 보아야 한다. 전신 이완성은 중수지관절(metacarpophalangeal joints), 팔꿈치관절, 무릎관절의 과신전(hyperextension) 유무로 평가한다. 과잉 관절이완(hyperlaxity)이 있을 경우, 중수지관절이 90도 이상

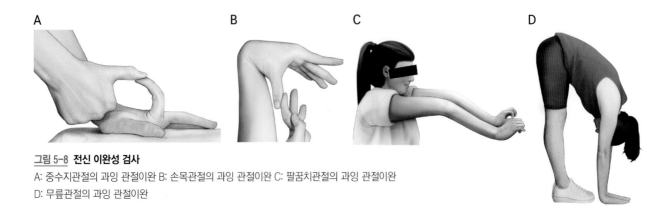

그림 5-8 전신 이완성 검사
A: 중수지관절의 과잉 관절이완 B: 손목관절의 과잉 관절이완 C: 팔꿈치관절의 과잉 관절이완
D: 무릎관절의 과잉 관절이완

신전 되거나, 손목관절이 수장측(volar side)으로 과굴곡 (hyperflexion)되어 엄지손가락이 전완부에 닿을 수 있다. 팔 꿈치가 과신전되거나, 지면에 선 상태에서 무릎을 완전히 펴 고 손바닥이 지면에 닿을 경우에도 과잉 관절이완이 있는 것으로 평가한다. 과잉 관절이완이 있을 경우, 어깨관절에 서도 불안정성이 발생할 가능성이 높다(그림 5-8).

B. 고랑 징후(sulcus test)

이 검사는 하방 불안정성을 측정하기 위해 가장 흔하게 사용되는 검사 방법이다.[31,38] 앉은 자세의 환자에게 팔을 늘어뜨리고 근육의 힘을 빼도록 지시한다. 검사자는 환자 의 상완 원위부나 팔꿈치관절, 또는 전완의 근위부를 잡고 팔을 아래로 잡아당긴다. 이때, 견봉의 외측 하방으로 움 푹 들어간 형태의 고랑이 생기면 이는 하방 불안정성이 있 는 것을 의미한다. 견봉과 상완골 두 사이의 거리를 측정 하여 1 cm 이하인 경우 1단계, 1-2 cm인 경우 2단계, 2 cm 이상인 경우 3단계의 고랑 징후가 있는 것으로 평가한다. 고랑 징후는 반드시 환자의 증상 유무와 함께 평가해야 하 며, 고랑 징후가 있지만 증상이 없는 경우, 하방 불안정성 이 병적 요인이 아닐 가능성이 높다(그림 5-9).

C. 장전 이동 검사(load and shift test)

이 검사는 와상완 전위 검사(glenohumeral translation test)라고도 하며, 와상완관절의 직선 불안정성을 평가하는 방법이다. 환자는 앉은 자세에서 검사받는 손을 허벅지 위 에 가볍게 올려놓게 한다. 검사자는 환자의 뒤쪽에서 한 손

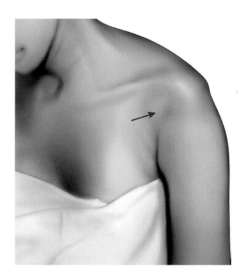

그림 5-9 고랑 징후(sulcus test)

으로 쇄골과 견갑골을 잡아 고정시키고, 다른 손으로는 상 완골 두를 잡는데, 엄지로 골 두의 후방을, 나머지 손가락 으로 골 두의 전방을 잡는다. 먼저 골 두를 가볍게 내측으 로 밀어 압축력을 가하여, 골 두가 견갑와의 중심에 적절히 위치하도록 한다. 이후 상완골 두를 앞이나 뒤 또는 아래 로 밀어보면서, 전후방 또는 하방 불안정성으로 인한 전위 정도를 평가한다(그림 5-10). 불안정성으로 인한 전위 정도 는 상완골 두가 견갑와에서 아탈구되는 정도를 백분율로 측정하여 평가한다(그림 5-11). 이 검사는 환자가 누운 상태 에서도 시행할 수 있다. 환자는 누운 자세에서 팔을 검사 테이블 바깥 쪽으로 늘어뜨려서, 견갑골은 검사 테이블에 의해 고정되고 상완골은 자유롭게 움직일 수 있도록 한다. 검사자는 한 손으로 전완의 원위부를 잡고, 다른 손으로는

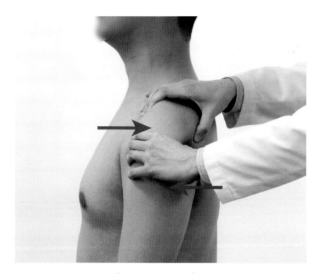

그림 5-10 장전 이동 검사(load and shift test)

상완의 근위부를 잡는데, 상완의 근위부를 잡은 손은 엄지로 골 두의 전방을, 나머지 손가락으로 골 두의 후방을 잡은 상태에서 전후방 전위 정도를 평가한다. 앉은 자세에서와 마찬가지로 상완골 두가 견갑와에서 아탈구되는 정도를 백분율로 측정하여 평가한다. 전방 불안정성의 경우, 25% 미만으로 아탈구될 경우 정상으로 평가하며, 25-50% 아탈구의 경우 1단계, 50% 이상 아탈구되지만 저절로 정복되는 경우 2단계, 50% 이상 전위되어 탈구가 발생하고 저절로 정복되지 않는 경우 3단계의 불안정성이 있는 것으로 평가한다. 후방 불안정성은 50% 아탈구까지를 정상으로 삼는다.

D. 전후방 견인 검사(anterior and posterior drawer test)

이 검사는 장전 이동 검사와 매우 유사한 의미를 가지고 있다. 장전 이동 검사의 경우, 상완골 두를 견갑와의 중심에 위치하도록 압축력을 가하며 검사를 시행하나, 전후방 견인 검사는 이처럼 장전(loading)하는 힘이 없다는 점에서 차이가 있다. 환자를 검사 테이블에 눕게 하고, 환자의 손은 검사자의 겨드랑이에 끼고 상완의 근위부를 손으로 잡는다. 이때, 환자의 견관절이 90도 외전, 20도 전방 굴곡, 외회전 30도 정도가 되도록 한다. 검사자의 반대쪽 손으로는 견갑골을 고정하는데, 엄지로 오구돌기를 잡고 나머지 손가락으로 견갑극을 잡는다. 전방 불안정성을 검사하는 전방 견인 검사(anterior drawer test)를 시행할 경우, 엄지에 힘을 가하여 오구돌기를 후방으로 밀면서 환자의 팔을 잡고 있는 검사자의 다른 손을 이용하여 상완골을 앞으로 잡아당긴다(그림 5-12). 후방 견인 검사(posterior drawer test)를 시행할 경우, 견갑골을 전방으로 밀면서, 상완골을 후방으로 밀어 전위되는 정도를 평가한다.

E. 불안 검사, 재위치 검사, 해제 검사
  (apprehension test, relocation test, release test)

와상완관절의 불안정성을 평가하기 위하여 가장 흔하게 사용되는 검사 중 하나는 불안 검사이다. 이 검사는, 앉은 자세 혹은 누운 자세에서 시행할 수 있으며, 앉은 자세에서 시행하는 검사는 크랭크 검사(crank test), 누운 자세에

Normal laxity a mild amount of translation (0-25%)

Grade I
a feeling of the humeral head riding up to the glenoid rim (25-50%)

Grade II
a feeling of the humeral head overriding the rim but spontanecusly reduces (>50%)

Grade III
a feeling of the humeral head overriding the rim but remains dislocated (>50%)

그림 5-11 상완골 두의 전위에 따른 등급

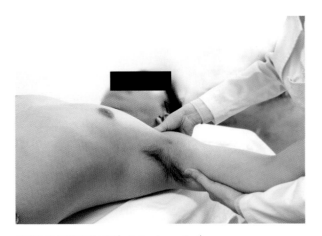

그림 5-12 **전방 견인 검사(anterior drawer test)**

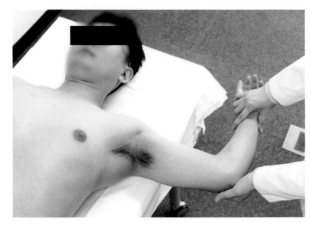

그림 5-13 **불안 검사(apprehension test)**

서 시행하는 검사는 지주 검사(fulcrum test)라고도 한다. 앉은 자세 혹은 누운 자세에서, 환자의 견관절은 90도 외전, 팔꿈치관절은 90도 굴곡한 상태를 기준점으로 하여, 검사자가 한 손으로 견갑골을 고정하고, 다른 손으로는 측정하는 견관절을 천천히 외회전시킨다. 이때, 환자가 불안한 느낌을 표현하거나 놀란 표정을 지으면서 더 이상의 움직임에 저항하는 행동을 보일 경우, 양성 소견으로 판정한다. 검사의 마지막 단계에서 이전에 견관절 탈구 시 느꼈던 증상과 비슷한 느낌이라고 말할 수도 있다(그림 5-13). 이 검사는 외회전을 빠르게 시행할 경우 탈구가 일어날 가능성이 있기 때문에 반드시 천천히 시행하여 하며, 환자가 불안을 느끼는 외회전의 정도를 관찰하고 이 각도를 기록한다. 한편, 환자가 불안감을 느끼는 외회전 각도에서 환자의 상완골 두 전방부를 후방으로 밀어서 골 두를 재위치시키면 환자의 불안감이 없어지고 안정감을 되찾게 되면서 외회전의 정도를 증가시킬 수 있는 경우가 있는데, 이를 재위치 검사 양성 소견으로 판정한다(그림 5-14). 재위치 검사는 파울러 검사(Fowler test)라고도 한다. 상완골 두에 가하는 후방 압력을 풀어 불안감을 다시 유발하는 것을 해제 검사(release test) 또는 놀람 검사(surprise test)라고 한다. 상완골 두에 가하던 후방 압력을 풀었을 때 불안감을 호소할 경우, 해제 검사 양성 소견으로 판정하며, 이 과정에서 탈구가 유발될 가능성이 있으므로, 후방 압력을 풀기 전에, 외회전을 어느 정도 풀어주고 조심스럽게 행해져야 한다.

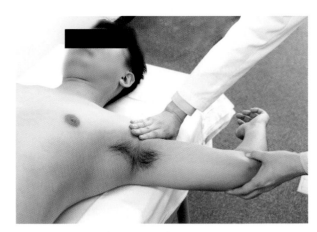

그림 5-14 **재위치 검사(relocation test)**

전방 불안정성을 확인하는 이학적 검사 중에서 민감도(sensitivity)가 가장 높은 검사는 불안 검사와 재위치 검사이며, 특이도(specificity)가 가장 높은 검사는 장전 이동 검사와 전방 견인 검사로 알려져 있다. 민감도와 특이도가 모두 우수한 검사는 해제 검사이다(표 5-3).[42]

F. 돌발 이동 검사(Jerk test)

돌발 이동 검사는 후방 불안정성을 확인하기 위한 검사로, 환자를 앉힌 상태에서 검사자는 한 손으로 견갑골을 고정하고 반대편 손으로 검사할 팔의 팔꿈치 부분을 잡는다. 환자의 견관절은 90도 굴곡, 팔꿈치관절은 90도 굴곡시킨 상태에서 내회전시키며 후방으로 축성 압력을 가하고,

표 5-3 전방 불안정성 검사의 진단적 가치

검사법	민감도(%)	특이도(%)	양성 예측도(%)	음성 예측도(%)	정확도(%)
장전 이동 검사	72	90	80	85	83
전방 견인 검사	58	93	81	80	80
불안 검사	98	72	66	99	82
재위치 검사	97	78	71	98	85
해제 검사	91	83	75	95	86

견갑골을 잡고 있던 손은 전방으로 밀어준다. 이때, 상완골 두가 견갑와의 후방으로 미끄러져 나가면서 돌발적인 동작이 발생하면 양성 소견으로 판정한다. 역동작을 시행하면 관절이 정복되면서 소리가 발생하는 경우도 있다(그림 5-15).

G. Kim의 검사(Kim's test)

Kim의 검사는 후하방 불안정성을 확인하기 위한 검사로, 환자를 앉게 하고 견관절을 90도 외전시킨다. 검사자는 한 손으로 상완부를 잡고 반대편 손으로 팔꿈치 부분을 잡은 상태에서 팔을 45도가량 더 들어올리면서 후하방으로 축성 압력을 가한다. 이때, 뒤쪽으로 아탈구되는 양상을 보이면 양성으로 판정한다(그림 5-16).

H. 밀고 당기기 검사(push-pull test)

후방 불안정성을 보는 검사로 환자를 눕힌 상태에서 검사할 어깨는 검사 테이블의 바깥쪽에 두고 팔을 90도 외전, 30도 굴곡시킨 상태에서 팔꿈치관절은 90도 정도 구부려 둔다. 검사자가 환자의 엉덩이 쪽에 서서 한 손으로는 손목을 잡아 위로 끌고, 다른 손으로는 상완의 근위 부위를 후방으로 밀어서 상완골 두가 밀리는 정도를 평가한다. 상완골 두가 약 50%가량 밀리는 것은 정상으로 해석된다.

(6) 회전근 개 검사(rotator cuff tests)

회전근 개는 견갑하근(subscapularis), 극상근, 극하근, 그리고 소원근으로 이루어져 있다. 이들 중에서 극상근과 극하근은 육안 검사로 쉽게 확인할 수 있으나 견갑하근과 소원근은 육안으로 확인하기가 어렵다. 견부의 후면에 견갑극을 중심으로 위쪽에는 극상근, 아래쪽에는 극하근이

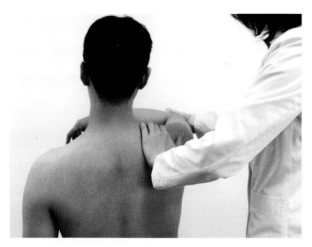

그림 5-15 돌발 이동 검사(Jerk test)

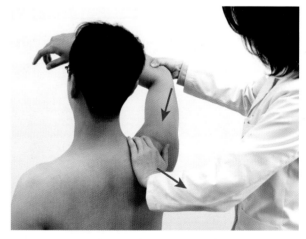

그림 5-16 Kim의 검사(Kim's test)

위치해 있고, 만성 회전근 개 파열의 경우 각각의 위축을 육안으로 확인할 수 있는 경우도 있다.

① 견갑하근에 대한 이학적 검사

견갑하근은 견관절을 내회전시키는 역할을 하는데, 견관절의 내회전에는 그 밖에도 다른 많은 근육들이 관여하므로 하나의 이학적 검진으로 견갑하근의 이상 유무를 확인하는 수는 없다. 따라서 각 검사의 민감도와 특이도를 고려하여 여러 검사를 함께 시행하는 것이 진단에 도움이 된다(표 5-4).[47]

A. 등 떼기 검사(lift-off test)

등 떼기 검사는 환자가 앉거나 서 있는 상태에서 시행한다. 견관절에 구축이 있어 내회전에 제한이 있는 경우, 이 검사를 시행하지 못할 수도 있다. 환자의 손등이 허리 높이 정도의 등 가운데 위치하도록 하고, 등에서 손을 떼어내도록 지시한다. 환자가 손을 등에서 떼어내면 검사자는 밀어내는 힘을 가하여 이에 저항할 수 있는지 확인한다. 검

사는 반대쪽과 비교하여 시행해야 하며, 환자가 손을 등에서 떼어내지 못하거나 반대쪽에 비해 저항하는 힘이 약할 경우 양성으로 판정한다.[13] 등 떼기 검사는 특이도가 매우 높은 검사로 이 검사에 양성 소견일 경우 견갑하근의 이상 소견이 있을 가능성이 높다.

B. 내회전 지연 검사(internal rotation lag test)

내회전 지연 검사는 등 떼기 검사와 거의 유사한 방식으로 진행된다. 환자에게 어깨가 최대한 내회전되는 자세로 손등을 등에 대도록 지시한다. 검사자가 환자의 등에서 손을 수동적으로 들어 올린 뒤, 잡고 있던 손을 놓으면서 그 자세를 그대로 유지하도록 한다. 환자가 팔꿈치관절의 각도를 그대로 유지하면서 등에서 손을 뗀 상태를 능동적으로 유지하지 못하면 양성으로 판정하며, 견갑하근에 이상 소견이 있을 가능성이 높다(그림 5-17).

C. 복부압박 검사(belly press test)

복부압박 검사는 견관절 운동제한으로 손이 등 뒤로 돌

표 5-4 견갑하근에 대한 이학적 검사의 진단적 가치

검사법	민감도(%)	특이도(%)	양성 예측도(%)	음성 예측도(%)
등 떼기 검사	12	100	100	61
내회전 지연 검사	20	97	82	62
복부압박 검사	28	99	97	65
Bear hug 검사	19	99	93	64

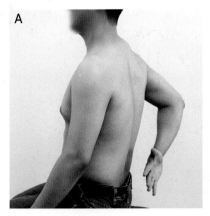
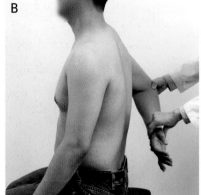
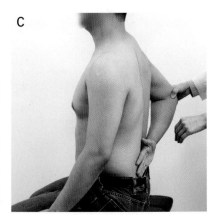

그림 5-17 내회전 지연 검사(internal rotation lag test)

아가지 않는 환자에서 유용하게 사용될 수 있다. 환자를 앉거나 서게 한 뒤 손을 복부에 위치하도록 한다. 이때, 손목을 구부리지 않고 신전시킨 상태를 유지하며 복부를 압박하도록 지시한다. 손목을 신전시킨 상태에서 팔꿈치가 전방으로 이동하며 견관절의 내회전과 함께 복부를 압박하는 경우 정상 소견이다. 반면, 손목을 굴곡하며 복부를 압박하면 양성 소견으로 판정하며 견갑하근의 이상 소견을 시사한다(그림 5-18).

D. Bear hug 검사(bear hug test)

Bear hug 검사는 환자가 앉거나 서 있는 자세에서 시행한다. 검사할 쪽의 손바닥이 반대편 어깨에 위치하도록 하며, 팔꿈치는 구부린 상태에서 몸통의 전면에 위치하도록 한

다. 환자에게 이 자세를 유지하고 견관절을 내회전시켜 손바닥으로 지면을 향하는 힘을 가하도록 지시한다. 검사자는 환자의 견관절을 외회전시키는 힘을 가하여 손을 들어올리는 힘을 가하며 환자가 이를 저항할 수 있는지 확인한다. 이때, 환자가 자세를 유지할 수 없거나 반대편에 비해 저항하는 힘이 약할 경우 양성으로 판정한다(그림 5-19).

② 극상근에 대한 이학적 검사

극상근은 삼각근과 함께 견관절을 전방 굴곡하고 외전시키는 역할을 한다. 이들의 작용을 분리하여 감별하기 어렵기 때문에, 이학적 검사를 통하여 극상근의 이상 유무를 확인하는 것은 쉽지 않다.

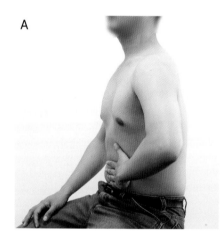
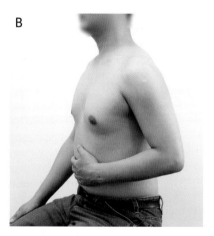

그림 5-18 **복부압박 검사**(belly press test)

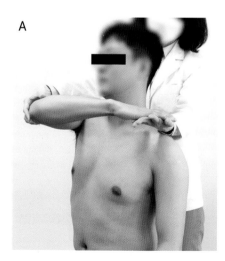
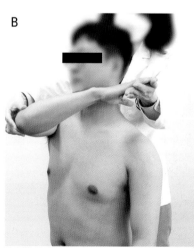

그림 5-19 **Bear hug 검사**(bear hug test)

A. 극상근 검사(supraspinatus test)

이 검사는 빈 깡통 검사(empty can test)로도 알려져 있다.[19] 환자의 팔꿈치는 완전히 신전하고 견관절을 90도 전방 굴곡, 30도가량 외전하며 완전히 내회전하게 하여 엄지손가락이 바닥을 향하도록 한 상태에서, 팔을 위로 들어올리도록 지시한다. 양측을 함께 검사하며, 검사자는 지면으로 향하는 힘을 가하여 환자가 저항하는 정도를 측정한다. 이때, 저항하는 힘이 반대편에 비해 떨어질 경우 양성으로 판정하는데 이는 극상근의 이상 소견을 시사한다(그림 5-20).

B. 낙하 상완 징후(drop arm sign)

검사자가 환자의 팔을 90도 외전되는 위치까지 보조하여

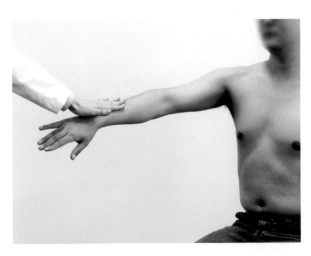

그림 5-20 극상근 검사(supraspinatus test)

들어올리고 환자에게 팔을 천천히 내려보라고 지시한다. 이때, 일정한 속도로 천천히 팔을 내리지 못하고 힘 없이 팔이 툭 떨어질 경우 낙하 상완 징후 양성 소견으로 판정하며, 극상근 손상을 의심할 수 있다.

③ 극하근 및 소원근에 대한 이학적 검사

극하근과 소원근은 견관절의 외회전에 기여하고 있다. 삼각근의 일부가 외회전에 관여하나 그 기여도가 매우 낮으므로 외회전의 기능저하는 극하근 또는 소원근의 이상 소견으로 해석될 수 있다.

A. 외회전 지연 징후(external rotation lag sign)

광범위한 회전근 개 파열을 가진 환자에서 외회전 지연 징후가 관찰될 수 있다. 이는 극하근에 이상 소견이 있음을 의미한다.[16] 외회전 지연 징후를 확인하기 위해서는 환자를 앉거나 서게 한 뒤 팔을 자연스럽게 늘어뜨린 자세에서 팔꿈치를 90도 구부리도록 한다. 검사자는 한 손으로 팔꿈치를 잡아 고정하고 다른 손으로 전완부를 잡은 상태에서 견관절을 수동적으로 외회전시킨다. 최대한 외회전시킨 뒤, 전완부를 잡고 있던 검사자의 손을 떼면서 환자에게 그 자세를 유지하도록 지시한다. 환자가 수동적으로 가능했던 외회전의 범위를 유지하지 못하고 견관절이 내회전되는 경우, 양성으로 판정한다(그림 5-21). 외회전 지연 징후가 관찰될 경우, 능동적으로 가능한 외회전의 각도와 수동

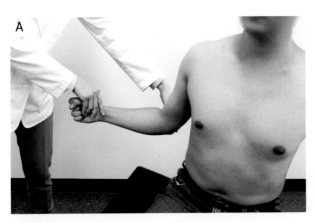
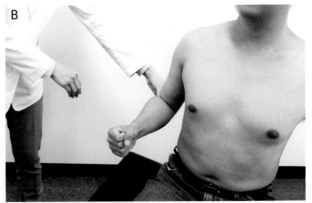

그림 5-21 외회전 지연 징후(external rotation lag sign)

적으로 가능한 외회전의 각도를 기재하여 그 차이를 확인한다. 이 검사는 견관절을 90도 외전시킨 상태에서 시행하기도 하는데, 팔꿈치를 90도 굴곡시킨 상태에서 검사자가 수동적으로 최대한 외회전시킨 뒤, 이를 유지할 수 있는지 확인한다. 수동적인 외회전과 능동적인 외회전에 차이가 있는 경우 양성으로 판정한다.

B. 호른 부는 사람 징후(hornblower sign)

극하근과 소원근에 이르는 광범위 회전근 개 파열이 있을 경우, 외회전의 기능이 소실된다. 이러한 환자에게 손을 입으로 가져가보라고 지시하면, 팔을 부자연스럽게 외전시켜서 팔꿈치를 어깨 높이까지 들어올린 상태로 손을 입으로 가져가게 된다. 이를 호른 부는 사람 징후라고 하며, 이러한 징후가 보이면 소원근에 이르는 광범위 회전근 개 파열이 있음을 시사한다(그림 5-22).[44]

④ 충돌증후군 검사(test for impingement syndrome)

충돌증후군은 견봉과 오구견봉궁(coracoacromial arc)에 상완골 대결절에 부착된 회전근 개가 부딪히며 통증을 야기하는 질환군을 의미한다. 충돌증상이 있을 경우, 회전근 개 또는 견봉하점액낭에 염증 소견이 있거나 회전근 개 파열이 있을 가능성이 있다.

A. 니어 충돌 검사(Neer impingement test)

니어 충돌 검사는 염증 또는 파열이 있는 회전근 개와 견봉하점액낭이 상완골 두와 견봉 및 오구견봉궁 사이에 끼이는 자세를 유발하여 통증이 발생하는지 확인하는 검사법이다.[32] 검사자는 한 손으로 견갑골을 고정시키고, 다른 손으로는 상완골의 원위부를 잡아 환자의 팔을 전방 굴곡시킨다. 이때, 통증이 발생하면 니어 충돌 검사 양성으로 판정한다(그림 5-23). 한편, 견봉의 하방에 위치한 견봉하점액낭에 리도카인을 주입하여 통증이 소실되는지 확인하고, 이 과정까지 포함하여 유발된 통증이 소실되면 양성으로 판정하기도 한다.

B. 호킨스-케네디 충돌 검사
 (Hawkins-Kennedy impingement test)

앉은 자세에서 검사자는 환자의 팔을 90도 전방 굴곡하고 내회전시킨다. 이 동작은 극상건이 오구견봉인대 및 오구돌기에 부딪히도록 유발하는 동작이며, 이때 통증이 유발되면 양상으로 판정한다(그림 5-24).[15] 그러나 와상완관절의 후방 관절막 병변과 같이, 다른 병변이 있는 경우에서도 양성으로 나오는 일이 흔하므로 해석에 유의해야 한다.

그림 5-22 호른 부는 사람 징후(hornblower sign)

그림 5-23 니어 충돌 검사(Neer impingement test)

C. 통성 궁 검사(painful arc test)

환자의 팔꿈치를 완전히 펴고 팔을 중립 회전 상태에서 완전히 들어올린 뒤, 천천히 내리도록 지시한다. 이 동작을 수행하던 중, 외전 60도에서 100도 사이에 통증을 호소할 경우, 통성 궁 검사 양성으로 판정한다. 팔이 외회전되어 있으면 회전근 개 및 견봉하점액낭에 가해지는 압력이 감소하여 통증이 감소될 수 있으므로, 팔이 중립 회전을 유지하도록 주의가 필요하다(그림 5-25).

D. 조브 검사(Jobe test)

환자의 팔을 견갑골 평면에서 90도가량 들어올리도록 하고 최대한 내회전시킨다. 검사자는 환자의 전완부의 원위부에서 지면 방향으로 향하는 힘을 가하고, 환자에게 이 힘에 저항하도록 지시한다. 이때, 환자가 통증을 느끼면 양성으로 판정하며, 극상근에 건염 또는 파열이 있을 가능성

이 높음을 시사한다.[18] 그러나 이 검사는 건염과 파열을 감별하지 못한다.[12] 같은 자세에서 외회전하여 통증이 소실되는지 함께 확인한다(그림 5-26).

(7) 이두박건 검사(biceps tendon tests)

① 스피드 검사(speed test)

환자를 앉힌 상태에서 팔꿈치관절을 완전히 신전시키고, 전완을 회외전시킨 상태에서 견관절을 60도에서 90도 정도 전방 굴곡하여 들어올리도록 지시한다. 이때, 검사자는 환자가 들어올리는 팔에 지면 방향으로 미는 힘을 가하여 저항을 준다. 어깨 부위에 통증을 느낄 경우, 스피드 검사 양성 소견으로 판정하며, 어깨가 아닌 팔꿈치 등 다른 부위의 통증일 경우 음성으로 판정한다(그림 5-27).[10] 스피드 검사 양성은 이두근 장두의 이상 소견을 시사하나 SLAP 병변

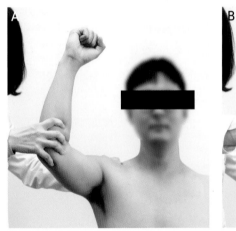
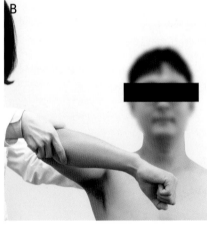

그림 5-24 **호킨스-케네디 충돌 검사**
(Hawkins-Kennedy impingement test)

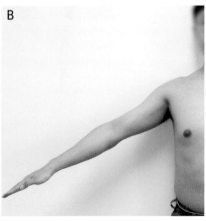

그림 5-25 **통성 궁 검사**(painful arc test)

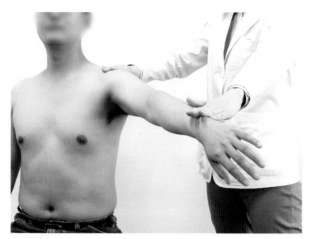

그림 5-26 **조브 검사**(Jobe test)

그림 5-27 **스피드 검사**(speed test)

이 있을 때도 양성으로 나타난다는 보고가 있다.[3]

② 예가손 검사(Yergason test)

환자의 팔을 몸통 옆에 자연스럽게 늘어뜨리고 팔꿈치관절을 90도 굴곡, 전완부를 완전히 회내전시킨 상태에서 검사를 시작한다. 환자에게 전완부를 회외전시키라고 지시하면서, 검사자는 이를 방해하는 방향으로 힘을 가한다. 이때, 환자가 어깨 부위에서 통증을 느끼거나, 검사자가 결절간구에서 이두건이 튀어나오는 것을 촉지할 수 있으면 양성으로 판정하며, 이두근 장두에 이상 소견이 있음을 시사한다(그림 5-28).

③ 올려치기 검사(upper cut test)

환자의 전완부를 회외전시키고 주먹을 쥔 상태에서 팔꿈치를 빠른 속도로 굴곡시키며 주먹 쥔 손을 환자의 턱 방향으로 이동시키도록 지시한다. 이때, 검사자는 이 움직임에 저항하는 힘을 주고, 환자의 어깨 및 상완 전면부에 통증이 발생하는지 확인한다. 환자가 통증을 호소하면 양성으로 판정하며, 이는 이두근 장두의 이상 소견을 의미한다(그림 5-29).[2] 올려치기 검사는 이두박건 검사 중 민감도와 특이도가 비교적 높은 검사법이다(표 5-5).[6]

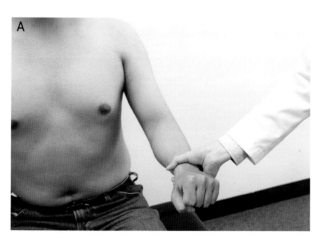

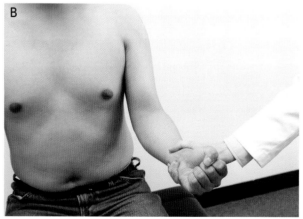

그림 5-28 **예가손 검사**(Yergason test)

표 5-5 이두박건 검사의 진단적 가치

검사법	민감도(%)	특이도(%)	양성 예측도(%)	음성 예측도(%)
스피드 검사	54	87	56	79
예가손 검사	32	78	49	64
올려치기 검사	73	78	63	85

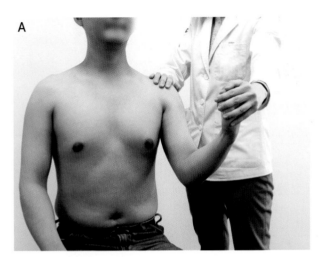

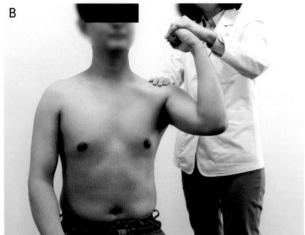

그림 5-29 올려치기 검사(upper cut test)

(8) 상부 관절와순 전후방 병변의 검사
(tests for superior labrum anterior posterior)

① 능동적 압축 검사(active compression test, O'brien test)

환자를 앉힌 상태에서 팔꿈치관절은 완전히 신전시키고, 견관절은 90도 전방 굴곡한 뒤 몸의 중심 방향으로 약 10에서 15도가량 교차 내전 및 내회전하도록 한다. 검사자는 지면 방향으로 힘을 가하고 환자에게 이에 저항하도록 지시한다. 같은 동작을 견관절의 외회전, 전완부의 회외전 상태, 즉 손바닥이 위로 향한 상태에서도 시행한다.[33] 내회전 시 통증이 있으나 외회전 시 통증이 감소하거나 소실되는 경우 양성으로 판정하며, 이는 관절와순에 병변이 있음을 시사한다. 견봉-쇄골관절 병변에서도 양성 소견이 나올 수 있으므로 검진 시 통증이 발생하는 위치를 확인하여 감별하는 것이 중요하다(그림 5-30).

② 전방 활주 검사(anterior slide test)

이 검사는 Kibler 검사라고도 불린다. 환자는 손은 옆구리 쪽에, 엄지손가락은 후장골능선(posterior iliac crest)에 위치한 자세로 앉게 한다. 검사자는 환자의 뒤편에 서며 한 손으로는 견갑골과 쇄골을 고정하고, 다른 손으로는 팔꿈치 관찰 부위를 잡고 전상방으로 힘을 가한다. 환자는 이 힘에 대응하여 힘을 주게 한다. 이때, 견관절 부위에서 딸깍 거리는 소리가 나거나 환자가 통증을 호소할 경우, 양성으로 판정한다(그림 5-31).[21]

③ 크랭크 검사(crank test)

크랭크 검사는 앉거나 누운 자세에서 시행할 수 있다. 검사자는 한 손으로는 환자의 견갑골을 고정하고, 다른 손으로는 팔꿈치 부위를 잡아 160도가량 외전시킨다. 이 상태에서 축성 압박을 가하며 외회전과 내회전시킨다. 이때, 견관절에서 딸깍거리는 소리가 나거나 환자가 통증을 호소할 경우, 양성으로 판정한다(그림 5-32).[27]

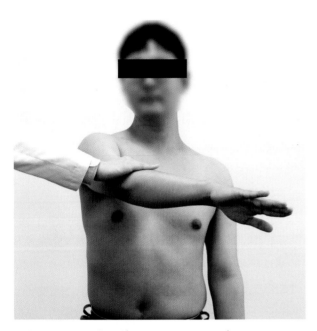

그림 5-30 **능동적 압축 검사**(active compression test)

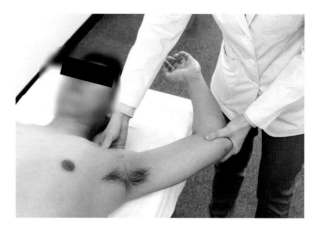

그림 5-32 **크랭크 검사**(crank test)

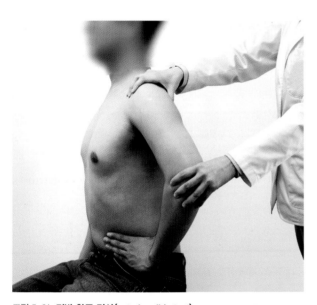

그림 5-31 **전방 활주 검사**(anterior slide test)

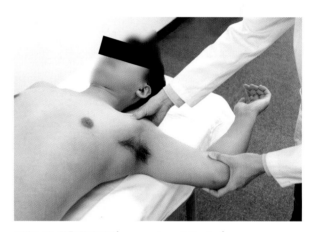

그림 5-33 **압축 회전 검사**(compression rotation test)

통증 혹은 걸리는 느낌이 있을 경우 양성으로 판정한다(그림 5-33).[39]

④ 압축 회전 검사(compression rotation test)

압축 회전 검사는 관절면을 압박하여 관절와순 파열을 감지하기 위한 검사라는 점에서 무릎에서 시행하는 McMurray 검사와 그 기전이 유사하다. 검사자는 환자의 견관절을 90도 외전, 팔꿈치관절을 90도 굴곡한 뒤, 관절와 방향으로 축성 압박을 가하며 외회전과 내회전을 시킨다.

⑤ 이두근 부하 검사(biceps load test I, II)

이두근 부하 검사 I은 전방 불안정성이 있는 환자에서 SLAP 병변이 동반되어 있는지 확인하기 위한 목적으로 개발되었다.[23] 추후, 전방 불안정성이 없는 환자에서 SLAP 병변 여부를 확인하기 위한 목적으로 이두근 부하 검사 II 가 개발되었다.[22] 이두근 부하 검사 I은 환자의 견관절을 90도 외전, 외회전시키고, 팔꿈치관절은 90도 굴곡, 전완부 는 회외전시킨 상태(불안 검사와 같은 자세)에서 팔꿈치관 절을 능동적으로 굴곡하도록 지시한다. 이때, 검사자는 팔꿈치관절의 굴곡에 저항하는 힘을 가한다. 이두근의 수축과 함께 환자의 통증과 불안이 소실되면, 검사를 음성으로 판정하며, 이는 상부 관절와순 전후방 병변이 동반되어 있지 않음을 의미한다. 반면, 환자의 통증과 불안에 변화가 없거나 악화될 경우 양성으로 판정하고, 이는 상부 관절와순 전후방 병변이 동반되어 있음을 시사한다. 이두근 부하 검사 II는 기본적으로 검사 방법은 같으나 견관절을 120도가량 외전시킨 상태에서 이두근을 수축하도록 지시한다. 이두근의 수축으로 인해 통증이 증가할 경우, 양성으로 판정하며, 이는 상부 관절와순 전후방 병변이 있음을 의미한다(그림 5-34). 이두근 부하 검사는, 상부 관절와순 전후방 병변을 확인하기 위한 여러 검사들 가운데 민감도와 특이도가 가장 높은 검사로 알려져 있다(표 5-6).[2,9,23,34]

⑥ 통증 유발 검사(pain provocation test)

통증 유발 검사는 환자의 견관절을 90도 외전, 팔꿈치관절을 90도 굴곡한 상태에서 가능한 최대 범위로 견관절을 외회전시킨다. 이때, 전완부를 회외전한 상태에서 회내전하도록 하여, 통증이 발생하면 양성으로 판정한다(그림 5-35).[30]

⑦ 관절와순 동적 전단 검사(dynamic labral shear test)

이 검사는 최초 고안 시에는, 환자를 눕힌 자세에서 시행하도록 하였으나, 이후 서 있는 자세에서도 시행할 수 있도록 변형되었다.[7] 앉은 자세에서 시행하는 검사법은 변형된 관절와순 동적 전단 검사(modified dynamic labral shear test)라고 따로 구분하기도 한다.[2] 환자를 검사 테이블에 눕히거나 서 있도록 하고, 견관절은 120도 외전, 팔꿈치관절은 90도 굴곡시킨 상태에서 견관절을 최대한 외회전시

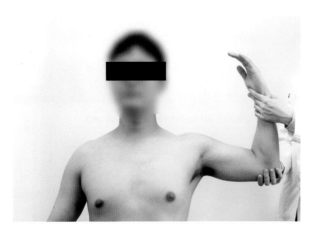

그림 5-34 **이두근 부하 검사(biceps load test)**

그림 5-35 **통증 유발 검사(pain provocation test)**

표 5-6 **상부 관절와순 전후방 병변 검사의 진단적 가치**

검사법	민감도(%)	특이도(%)	양성 예측도(%)	음성 예측도(%)
능동적 압축 검사	85	10	15	78
전방 활주 검사	48	82	73	60
크랭크 검사	9	83	-	-
이두근 부하 검사 I	91	97	83	98
이두근 부하 검사 II	67	57	19	90
관절와순 동적 전단 검사	92	20	16	93

킨다. 검사자는 한 손으로 견갑골과 견봉을 잡아 안정화시키고, 다른 손으로 환자의 팔꿈치 부분을 잡아 견갑와 방향으로 축성 압박력을 가하며 견관절이 60도 외전되는 지점까지 팔을 내린다. 이때, 외전 90-120도 사이에서 딸깍거리는 소리가 나거나 환자가 통증을 호소할 경우, 양성으로 판정하며, 이는 SLAP 병변이 있음을 시사한다(그림 5-36).

(9) 후방 관절와순 병변의 검사
(tests for posterior labral pathology)

후방 관절와순 병변은 앞서 후방 불안정성을 평가하기 위해 사용되는 검사로 소개된 돌발 이동 검사(jerk test)와 Kim의 검사(Kim's test)를 사용하여 확인할 수 있다. 두 검사 모두 후방 및 후하방 관절와순(posteriorinferior labrum)을 자극하여 통증이나 소리가 나는지 확인하는 방법으로, 팔꿈치관절은 90도 굴곡하고 어깨관절은 90도 외전 및 내회전한 상태에서 관절면으로 축성 압력을 가하여 증상이 유발되는지 확인한다. 돌발 이동 검사는 축성 압박을 가하는 동안 어깨의 외전 각도를 그대로 유지하여 후방 관절화순을 자극하고, Kim의 검사는 축성 압박을 가하며 팔을 45도가량 더 들어올려, 후방보다는 후하방 관절와순을 자극한다는 점에서 차이가 있다. 돌발 이동 검사의 민감도와 특이도는 73%, 98%이며 Kim의 검사는 80%, 94%로 보고되고 있다.[24,25]

(10) 견봉-쇄골관절 검사
(acromioclavicular joint assessments)

① 견봉-쇄골관절의 압통(acromioclavicular joint tenderness)

견봉-쇄골관절의 병변을 검사하는 가장 간단한 방법은 견봉-쇄골관절부에 압통이 있는지 확인하는 것이다. 견봉-쇄골관절부를 눌러서 압통을 호소할 경우 견봉-쇄골관절염(acromioclavicular arthritis) 등의 병변이 있을 가능성이 높다.

② 교차 내전 검사(cross body adduction test)

이 검사는 환자의 팔을 90도 전방 굴곡하게 하고 검사자가 수동적으로 내전시켜 견봉-쇄골관절부에 통증이 발생하는지 확인하는 방법이다. 이 검사는 와상완관절의 후방 관절막을 긴장시키며 오구돌기하 충돌 증상(subcoracoid impingement)을 유발하는 자세이기도 하므로, 통증이 정확하게 견봉-쇄골관절부에 유발되는 것인지 확인이 필요하다(그림 5-37).

③ 견봉-쇄골 전단 검사(acromioclavicular shear test)

이 검사는 검사자가 환자의 측면에 서서, 한 손은 쇄골 전방부에 두고, 다른 손은 견갑극 후방에 오도록 한 뒤, 깍지를 낀 양손으로 쥐어짜는 힘을 가하여 쇄골과 견봉의

A

B
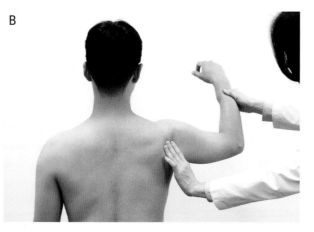

그림 5-36 관절와순 동적 전단 검사(dynamic labral shear test)

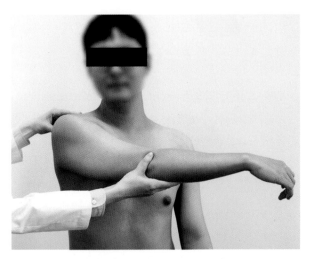

그림 5-37 **교차 내전 검사(cross body adduction test)**

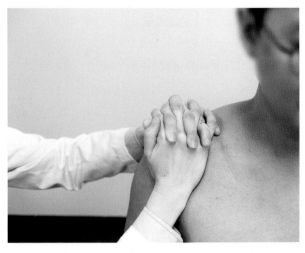

그림 5-38 **견봉-쇄골 전단검사(acromioclavicular shear test)**

사이를 좁혀주고 통증이나 이상운동이 발생하는지 확인하는 검사법이다(그림 5-38).

④ 팍시노스 검사(Paxinos test)

팍시노스 검사는 견봉-쇄골 전단 검사와 유사한 검사법이나 좀 더 정확한 해부학적 구조를 촉지한 뒤 손가락을 이용하여 압박을 가하는 방법이다. 한 손은 견봉의 후방부에 두고 한 손은 쇄골의 외측면에 둔 뒤, 압박력을 가하게 되는데, 견봉-쇄골 전단 검사에 비해 정확한 부위에 힘을 가할 수 있다는 장점이 있으나 가해지는 압박력이 약해진다는 단점이 있다.

상술한 검사에서 양성 소견이 확인될 경우, 리도카인(lidocaine) 등의 국소진통제를 견봉-쇄골관절에 주사한 뒤 검사를 재현하여, 통증이 경감되거나 소실되었는지 확인해 볼 수 있다. 국소진통제에 의해 통증이 소실되었다면, 견봉-쇄골관절의 문제로 인하여 통증이 발생한 것으로 판단할 수 있다. 각 검사법의 민감도와 특이도를 고려하여, 여러 검사를 조합하여 시행하는 것이 도움이 된다(표 5-7).[8,45]

(11) 견갑골 이상운동증 검사(scapular dyskinesia tests)

견부의 움직임을 위해서는 견갑골 및 견갑골 주변의 근육도 매우 중요하다. 승모근(trapezius), 견갑거근(levator scapulae), 전방거근(serratus anterior), 능형근(rhomboid)의 적절한 기능과 조화가 필요한데, 이들의 기능이 저하되거나 조화가 되지 않으면 견갑골의 위치에 이상이 생기거나(scapular malposition), 견갑골 운동이상(scapular dyskinesia)이 발생할 수 있다. 쉬고 있는 상태와 움직이는 상태에서 양측 견갑골의 형태 및 위치를 관찰하고, 견갑골 주변 근육의 기능을 확인하는 이학적 검사 등을 통하여 견갑-흉추 움직임(scapulothoracic motion)의 이상 소견 여부를 확인할 수 있다.

표 5-7 **견봉-쇄골관절 검사의 진단적 가치**

검사법	민감도(%)	특이도(%)	양성 예측도(%)	음성 예측도(%)
견봉-쇄골관절의 압통	96	10	52	71
교차 내전 검사	77	79	20	98
팍시노스 검사	79	50	61	70

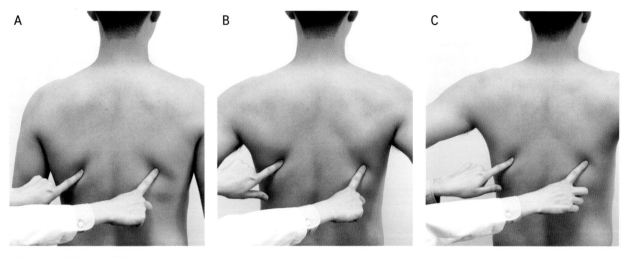

그림 5-39 **견갑골의 위치 측정**

① 견갑골의 위치 측정
(resting scapular positional measurement)

몸의 가운데, 흉추에서부터 견갑골 내측 하면(inferomedial border)까지의 거리를 측정한다. 팔을 양 옆에 내린 자세, 옆구리에 손을 올린 자세, 견관절을 90도 외전하고 최대 내회전한 자세, 이렇게 세 가지 자세에서 거리를 측정하며, 양측의 거리 차이가 1.5 cm 이상일 경우, 이상 소견이 있는 것으로 판정한다(그림 5-39).[5]

② 반복 거상 관찰(repetitive forward elevation)

환자의 어깨와 등은 양측 견갑골을 완전히 다 볼 수 있도록 노출되어 있어야 한다. 환자에게 견갑골 평면으로 팔을 천천히 올렸다 내리도록 하고, 이 동작을 반복하도록 지시한다. 검사자는 환자의 뒤에 서서, 견갑골의 내측면이 대칭적으로, 부드럽고 자연스럽게 연결되는 동작으로 움직이는지 관찰한다. 견갑골 운동이상이 있을 경우, 견갑골의 내측면이 비대칭으로 튀어나오거나, 움직임이 연결되지 않고 갑작스럽게 쑥 들어가고 튀어나오는 등의 양상을 보일 수 있다.[20]

③ 팔 굽혀 펴기 검사(push-up test)

환자에게 벽을 짚고 팔 굽혀 펴기를 하도록 지시한다. 이때, 양측 견갑골이 한쪽 방향으로 돌아가거나 튀어나오지는 않는지, 대칭적으로 부드럽게 움직이는지를 관찰한다(그림 5-40).

④ 견갑골 안정화 검사(scapular stabilization test)

이 검사는 익상견갑 혹은 견갑골 운동이상이 의심되는 환자에서 견갑골을 안정화하여 증상 및 기능이 호전되는 확인함으로써, 견갑골의 이상을 입증하기 위해 사용된다. 검사자는 한 손은 흉곽의 전면부에 두고 다른 손은 견갑골의 후내측면에 둔 상태에서 양손에 압박력을 가하여 견갑

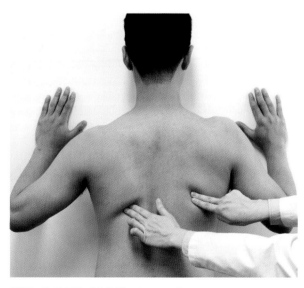

그림 5-40 **팔 굽혀 펴기 검사(push-up test)**

골이 흉벽에서 들리지 않고 안정화되도록 한다. 이 상태에서 환자 스스로 팔을 들어올리도록 지시하고, 이때, 견관절의 운동범위가 늘어나거나 증상이 개선되면, 견갑골이 어깨 기능저하의 중요한 원인임을 입증할 수 있다. 이러한 경우, 견갑골을 안정화시켜 주는 재활치료나 수술적 치료가 어깨 기능을 향상시키는 데 도움이 된다(그림 5-41).

⑤ 견갑골 보조 검사(scapular assistance test)

이 검사는 견갑골을 단순히 안정화시키는 것을 넘어서, 정상적인 견갑흉곽운동을 보조하여 증상이나 기능의 저하가 호전되는지 확인하는 방법이다. 검사자는 환자의 뒤에 서고, 한 손으로는 견갑골 상부의 내측 경계를 안정화하고, 환자에게 팔을 들어올리라고 지시하며, 다른 손의 엄지와 검지로 견갑골 하각을 잡아서 견갑골의 내측면이 상방 회전(superior rotation)하며 전진(protraction)하도록 돕는다. 이때, 증상 및 어깨 기능저하가 소실되거나 호전되면 양성으로 판정하며, 이는 견갑 운동이상이 있음을 의미한다(그림 5-42).

(12) 신경학적 검사(neurologic test)

어깨의 기능저하는 종종 신경학적 이상 소견을 동반하는 경우가 있다. 따라서, 어깨 주변을 둘러싸고 있는 개별 근육의 근력을 평가하고, 피부분절에 따른 부위별 감각과 반사작용 이상 유무에 대하여 평가할 수 있어야 한다.

① 개별 근육의 근력 검사(isolated muscle strength test)

A. 삼각근(deltoid)

삼각근의 근력을 평가할 때는 삼각근의 전방부와 중간 부분, 후방부를 각각 독립적으로 평가해야 한다. 삼각근의 전방부를 평가하기 위해서는 환자에게 팔을 90도 전방굴곡 하도록 지시하고, 검사자는 이에 저항하는 힘을 가하며 근력을 평가한다. 중간 부분은 환자에게 팔을 90도 외전하도록 지시하고 검사자가 이에 저항하는 힘을 가하며 평가한다. 후방부는 환자에게 팔을 신전하도록, 즉 몸통의 뒤

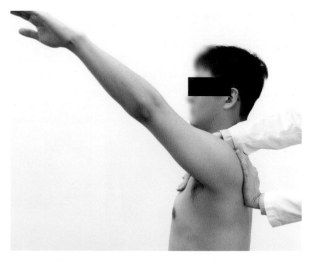

그림 5-41 **견갑골 안정화 검사(scapular stabilizing test)**

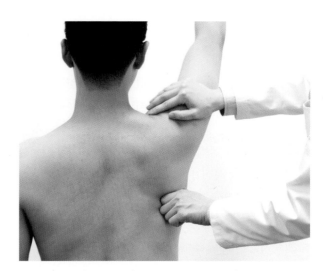

그림 5-42 **견갑골 보조 검사(scapular assistance test)**

쪽으로 보내도록 지시하고 검사자가 이에 저항하는 힘을 가하며 평가하며, 이때, 환자의 팔꿈치관절을 90도 굴곡하도록 하여 팔꿈치관절을 펴는 힘과 혼동되지 않도록 한다.

B. 이두근(biceps)

이두근의 근력을 평가할 때는 환자에게 전완부를 완전히 회외전한 상태에서 팔꿈치관절을 굴곡시키도록 지시한다. 검사자는 이에 저항하는 힘을 가하여 근력을 평가한다.

C. 상완근(brachialis)

상완근의 근력을 평가하기 위해서는 이두근이 참여하지 않은 상태에서 팔꿈치관절의 굴곡력을 평가해야 한다. 따라서, 전완부를 완전히 회내전하도록 하고, 팔꿈치관절을 굴곡하도록 지시한다. 검사자는 이에 저항하는 힘을 가하여 근력을 평가한다.

D. 삼두근(triceps)

삼두근의 근력을 평가하기 위해서는 팔꿈치관절의 신전 근력을 평가해야 한다. 검사자는 한 손으로 환자의 상완부를 잡고 다른 손으로 전완부의 원위부를 잡은 상태에서 팔꿈치관절을 굴곡시키려는 힘을 가한다. 환자는 전완부를 완전히 회외전시킨 상태에서 이 힘에 저항하며 팔꿈치관절을 신전시키도록 한다.

E. 상부 승모근과 견갑거근
(superior trapezius and levator scapulae)

검사자는 환자의 뒤에서 양쪽 어깨의 상방을 잡고 아래로 누르려는 힘을 가한다. 환자에게 양쪽 어깨를 으쓱하는 동작을 하도록 지시하고 그 근력을 평가한다.

② 감각 검사(sensory test)

감각이 저하되는 부위나 방사통이 유발되는 부위를 알아보는 것은 진단에 도움이 될 수 있다. 제3-4경추 사이에서 나오는 제4경추 신경근이 눌리면, 어깨의 첨부에 감각저하와 방사통이 발생할 수 있다. 제5경추 신경근에 이상이 발생하면, 상완 원위부와 주관절 외측의 감각저하가 발생할 수 있다. 제6경추 신경근에 이상이 발생하면 전완의 바깥쪽과 제1-2수지의 감각 저하 및 방사통이 발생할 수 있다. 제7경추 신경근에 이상이 발생하면, 제3수지에 이상감각이 발생하며, 제8경추 신경은 4-5번째 수지에 제1흉추 신경근이 눌리면 전완의 내측에 감각저하와 방사통이 발생한다.

어깨 주위 감각의 대부분은, 경추 신경총에서 나오는 쇄골상신경(supraclavicular nerve)의 지배를 받는다. 그리고 액와부위는 늑간상완신경(intercostobrachial nerve)의 지배를 받으며 상완의 내측은 상완피부신경(medial brachial cutaneous nerve)의 영역이다. 액와신경이 손상될 경우, 상완의 후방 외측에 감각이 줄어들고 같은 부위에 신경통이 유발되기도 한다.

③ 반사작용 검사(reflex test)

반사작용은 말초신경의 질환이나 손상의 진단에 도움이 된다. 그러나, 노인에서는 반사작용의 강도가 약화되며, 신경의 불완전 손상에서도 흔히 소실되므로, 신경손상의 확진이나 손상 정도를 판별하는 데는 좋은 지침이 되지 못한다. 상지의 건 반사는 특정 근육을 지배하는 신경근이나 말초신경의 기능이 없어진 경우, 그리고 특정 근육 자체를 못 쓰게 된 경우에서 소실되거나 약화될 수 있다. 제5경추 신경근이 마비되면, 상완의 이두건 반사(biceps tendon reflex) 저하를 초래한다. 제6경추 신경근은 상완이두근과 요수근 신근(extensor carpi radialis)건 반사와 관계가 있다. 제7경추 신경근의 손상은 삼두근과 요수근 굴근 및 수지 굴근의 약화를 초래하며, 제3수지의 감각저하, 삼두건 반사의 약화를 초래한다. 제8경추 신경 및 제1흉추 신경근에 문제가 발생하면 골간근과 수지굴근 및 척수근 굴근의 완전 또는 불완전 마비가 생기는데, 건 반사 이상은 발생하지 않는다. 특정 근육을 지배하는 신경이 완전히 마비되면, 그 근육에 기인되는 반사는 완전히 소실된다. 예를 들면, 근피신경이 손상되면 이두건 반사가 없어지며, 요골신경이 마비되면 삼두건 반사와 완요 건 반사가 소실된다.

2) 목의 신체검진(physical examination of the neck)

경추에 문제가 있을 경우, 어깨나 등 뒤쪽, 팔 아래쪽에 통증이 발생할 수 있다. 이러한 경우, 환자는 문제의 원인이 목이라는 것을 알아차리기 쉽지 않다. 또한, 경부와 견관절에 동반되는 병리가 발생하는 경우가 드물지 않다. 따라서, 적절한 경부의 검사는 견부에 질환을 가진 환자의 주소를 이해하고 견관절의 상태를 적절하게 평가하며, 감별진단을 시행하기 위하여 매우 중요하고 반드시 필요하다. 예를 들어, 경추 신경근에 문제가 발생하면 견관절 부위로 방사통이 생길 수 있는데, 이 통증이 경부에서 시작한 것임을 구별할 수 있어야 하는 것이다.

목 부위에서 시행하는 다양한 검사가 있으나 여기서는 압축 검사와 견인 검사, 그리고 스퍼링 검사와 어깨 외전 검사에 대해서만 간단히 기술될 것이다.

(1) 경부 압축 검사(neck compression test)

환자를 앉혀 놓고, 목을 신전시킨 위치에서, 이마의 후방을 아래로 누르는 축성 압력을 가한다. 이때, 추간공 (intervertebral foramen)이 좁아지거나, 후방관절(posterior joint)이 자극되어 목과 견부에 통증이 유발되거나 팔로 뻗치는 듯한 양상의 방사통이 발생하면 양성으로 판정한다. 이러한 경우, 경추척추증(cervical spondylosis) 등에 의한 증상일 가능성이 높다(그림 5-43).

그림 5-43 **경부 압축 검사(neck compression test)**

(2) 경부 견인 검사(neck distraction test)

환자를 앉혀 놓고, 검사자는 양손으로 환자의 하악 각 (mandibular angle)을 잡고 목을 약간 굴곡시킨 상태에서 머리를 상방으로 견인한다. 이러한 자세는 신경공(neural foramen)이 약간 넓어지도록 하는데, 이때, 방사통을 포함한 증상이 소실될 경우, 양성으로 판정한다. 그러나 동시에 후방관절의 관절막들도 늘어나게 되어 통증이 악화되는 경우도 있으므로, 해석에 주의가 필요하다(그림 5-44).

그림 5-44 **경부 견인 검사(neck distraction test)**

(3) 스퍼링 검사(spurling test)

환자를 앉힌 상태에서 환자의 목을 신전시키고 통증이 있는 방향으로 회전시켜 돌린다. 검사자는 환자의 머리를 아래로 눌러 축성 압박을 가하는데, 이때 환자의 어깨나 팔의 통증 또는 저린감 등이 발생하면 양성으로 판정한다. 이 자세는 신경공이 줄어드는 자세로 신경근과 후방관절 또한 자극된다(그림 5-45). 이 검사의 특이도는 74-92% 정도로 보고되고 있으나 민감도는 30-50% 정도로 낮게 평가되고 있다.[37,41,43]

(4) 어깨 외전 검사(shoulder abduction test)

환자에게 통증이 있는 어깨를 외전시켜 머리 위에 손을 올리도록 지시한다. 이 자세는 신경공이 넓어지는 자세로

그림 5-45 **스퍼링 검사(spurling test)**

그림 5-46 **어깨 외전 검사(shoulder abduction test)**

이때 통증이 소실되고 편안함을 느끼면 양성으로 판정한다(그림 5-46).

3) 흉곽출구증후군의 검사
(tests for thoracic outlet syndrome)

흉곽출구(thoracic outlet)란, 제1늑골의 위쪽 면과 쇄골의 아래쪽 면 사이에 위치한 세 개의 공간, 사각근 삼각공간(interscalene triangle), 경늑골공간(costoclavicular space), 오구돌기하 공간(subcoracoid space)을 칭한다(그림 5-47). 쇄골하동맥(subclavian artery)과 정맥, 상완신경총이 이 공간을 지나고 있는데, 이 부위에서 신경과 혈관이 눌려 상지의 위약(weakness), 이상감각(paresthesia), 창백(pallor),

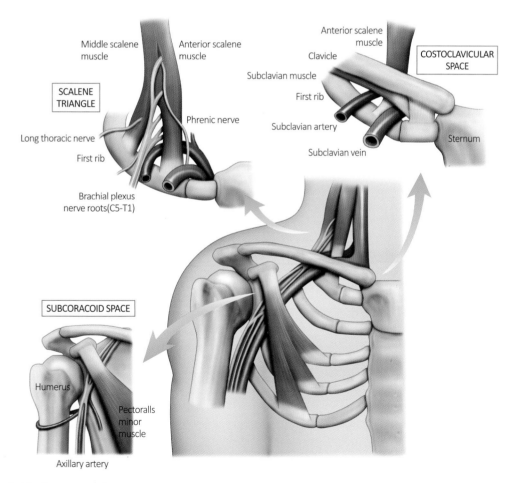

그림 5-47 **흉곽출구(thoracic outlet)**
A: 사각근 삼각공간(interscalene triangle). B: 경늑골공간(costoclavicular space). C: 오구돌기하 공간(subcoracoid space)

119

근위축(muscle atrophy), 통증 등의 압축 증상(compressive symptom)이 나타나면, 이를 흉곽출구증후군(thoracic outlet syndrome, TOS)이라고 한다. 흉곽출구증후군은 증상의 병인에 따라, 신경성, 동맥성, 정맥성으로 나눌 수 있고, 원인에 따라 선천성, 외상성, 기능적 획득성(functionally acquired)으로 나눌 수 있다. 동맥성 증후군의 경우에는 손이 창백해지고 소형 출혈이 발생할 수 있다. 더 심하면 손가락이 마르면서 심한 허혈통이 발생할 수도 있다. 정맥성 증후군에서는 상지에 부종과 정맥 확장, 청색증이 발생할 수 있다. 증세가 심하지 않은 경우에는 평상시에는 증상이 없다가 수면 중이나 특정 자세나 활동 중에 통증이나 이상감각, 경한 운동마비의 증세가 발생할 수 있다. 이러한 경우에서는 어깨를 특정한 위치로 가져가면 흉곽출구가 좁아지면서 동맥이 눌려 맥박이 떨어지거나, 신경 증세가 유발될 수 있다.[26,36]

흉곽출구증후군에 대한 유발 검사들은, 목이나 팔을 특정한 자세로 가져가거나, 또는 특별한 동작을 취하게 한 다음, 혈관이나 신경의 압박에 의한 증상을 관찰하는 것이다. 그런데 이러한 검사들은 정상에서도 양성으로 나타나는 경우가 많고, 확실하게 진단된 경우에서도 어떤 검사는 음성으로 나타나는 등, 민감도와 특이도가 불량한 편이다 (표 5-8).[14] 따라서, 흉곽출구에 종양이 있거나 경늑골(cervical rib) 또는 제1늑골에 변형 소견이 있는 등 분명한 원인이 있는 경우를 제외하면 임상적 진단이 쉽지 않다. 그러나, 흉곽출구증후군이 유발하는 증상과 임상 양상 등을 숙지하고 있어야 해당 질환에 대해 의심해 볼 수 있고, 이러한 의심이 진단 및 치료의 첫걸음이라는 점에서 대표적인 유발 검사 몇 가지를 확인해 보도록 하겠다.

(1) 애드슨 수기(Adson maneuver, modified Adson maneuver)

애드슨 수기는 문헌상 가장 흔히 이용되는 흉곽출구증후군 검사법이다. 환자의 어깨를 30도 정도 외전하고 최대한 신전시킨다. 목은 신전하고 머리는 증상이 있는 쪽을 바라보도록 지시한다. 이때, 목의 위치를 적절하게 잡아 주어, 전방 사각근(anterior scalene)과 중앙 사각근(middle scalene)의 길이를 수동적으로 늘여 긴장하도록 하는데, 이렇게 하면 사각근 삼각공간이 좁아지게 되고, 그 사이를 지나가는 쇄골하동맥과 상완신경총이 눌리며 증상을 유발하게 된다. 검사자는 환자의 손목에서 요골맥박을 촉지하여, 맥박이 감소하거나 소실되는지 확인한다. 손의 내측에 이상감각이나 통증이 유발될 수도 있는데, 이러한 소견을 모두 양성으로 판정한다.[1] 변형된 애드슨 수기는 기존의 애드슨 수기와 동일하게 시행하나 머리를 증상이 있는 쪽의 반대편으로 돌리게 하고 맥박소실 등의 증상 및 징후를 확인한다는 점에서 차이가 있다(그림 5-48).[26]

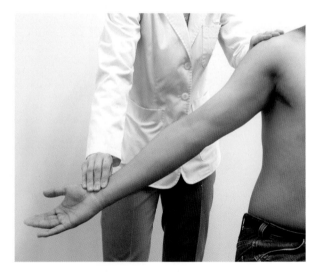

그림 5-48 애드슨 수기(Adson maneuver)

표 5-8 흉곽출구증후군 유발 검사의 진단적 가치

검사법	민감도(%)	특이도(%)	양성 예측도(%)	음성 예측도(%)
애드슨 수기	79	96	85	72
과잉 외전 검사	84	40	74	55
루스 검사	84	30	68	50

(2) 늑쇄 수기(costoclavicular maneuver)

이 수기는 늑골과 쇄골 사이의 간격이 좁아지게 하여 흉곽출구증후군의 증상 및 징후가 나타나는지 확인하는 방법이다. 환자에게 가슴을 최대한 앞으로 내밀도록 지시하고 검사자가 환자의 손목을 잡고 어깨를 하방과 후방으로 잡아당긴다. 이때, 검사자는 다른 손으로 요골동맥의 맥박을 촉지하여, 맥박이 줄어들거나 소실되는지 확인한다. 이 검사는, 가방을 매거나 두꺼운 코트를 입을 때 증상이 나타나는 환자들에서 유용하게 사용된다(그림 5-49).[11]

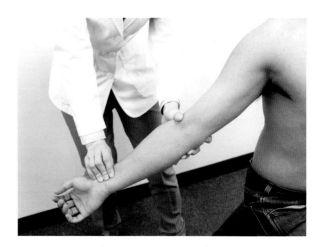

그림 5-49 늑쇄 수기(costoclavicular maneuver)

(3) 과잉 외전 검사(hyperabduction test)

이 검사는 Wright 검사라고도 불린다.[46] 어깨를 최대한 외전, 외회전하여 오구돌기하 공간에서 혈관과 신경의 주행이 꺾이고 압박되도록 하여 증상을 유발하는 방법이다. 이때, 검사자는 요골동맥의 맥박을 촉지하여 맥박이 줄어들거나 소실되는지 확인하고 이러한 징후가 나타나면 양성으로 판정한다. 한편, 과잉 외전 자세를 2-3분간 유지하여 통증이나 기타 신경마비증상이 나타나는 경우도 양성으로 판정한다. 이 검사는 정상인의 약 20% 정도에서 양성으로 판정될 수 있으므로 해석에 주의를 요한다(그림 5-50).

그림 5-50 과잉 외전 검사(hyperabduction test)

(4) 알렌 검사(Allen test)

환자의 어깨를 외전, 외회전하고, 팔꿈치관절은 90도 굴곡하도록 한 뒤, 머리는 증상이 있는 쪽의 반대편으로 회전하도록 한다. 이때, 요골동맥의 맥박이 감소 또는 소실되는 것을 양성으로 판정한다(그림 5-51).

(5) 루스 검사(Roos' test)

환자의 어깨를 90도 외전, 외회전하게 하고 팔꿈치관절을 90도 굴곡시킨 자세에서, 약 3분가량 양 주먹을 빠른 속도로 쥐었다 폈다 하게 한다. 환자가, 3분 동안 이러한 동작을 유지하지 못하거나 저림 증상, 이상감각, 위약 등을 호소하면 양성으로 판정한다. 약간의 피로와 불편감은 음성으로 간주한다.[36] 이 검사는 흉곽출구공간이 좁아지게 만든 상태에서 운동량을 놀여 산소 소비량을 증가시킴으로써 허혈성 증상을 유발하는 방법이다. 감각의 변화는

그림 5-51 알렌 검사(Allen test)

특정한 위치를 오래 지속하여 발생하는 것일 것이다. 운동을 끝낸 뒤 손이 창백하고 손등의 정맥이 비어 있다면, 이는 동맥이 압박되어 발생한 것으로 생각할 수 있다. 청색증이 발생하고 정맥 직경이 두드러지게 늘어나 있다면 정맥이 이환된 것이다. 신경이 이환된 환자는 이상감각과 상완부의 마비를 호소한다(그림 5-52).

(6) 견갑 대 수동 거상(passive elevation of the shoulder girdle)

이 검사는 증상을 유발하는 것이 아니라 이미 증상이 있는 환자에서 특정 동작을 취하게 하여 증상이 완화되는지 보는 검사법이다. 증상이 있는 환자에게 손을 가슴 앞쪽으로 모으라고 한 뒤, 팔을 잡고 견갑대를 전상방으로 수동적으로 올려준다. 이 동작은 양측 어깨를 수동적으로 으쓱거리게 하는 것과 유사하다. 이 자세를 30초 이상 유지하게 하여 증상이 완화되는지 관찰한다. 동맥이 압박되어 있었을 경우, 이러한 자세를 통하여 맥박이 뚜렷해지며 피부의 색이 돌아오고 손의 온도가 올라갈 수 있다. 정맥이 압박되어 있던 경우 청색증이 완화될 수 있다. 신경이 압박되고 있던 환자는 이러한 자세를 통하여 저린 증상이 호전되거나 통증이 완화될 수 있다(그림 5-53).

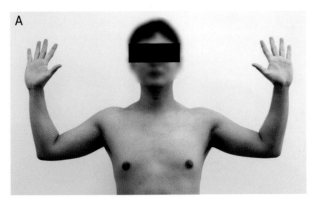

그림 5-52 루스 검사(Roos' test)

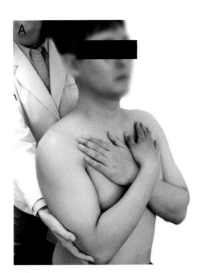
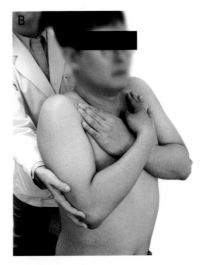

그림 5-53 견갑 대 수동 거상(passive elevation of the shoulder girdle)

참고문헌

1. Adson AW. Cervical ribs: symptoms, differential diagnosis and indications for section of the insertion of the scalenus anticus muscle. The Journal of the International College of Surgeons. 1951;16(5):546-59.

2. Ben Kibler W, Sciascia AD, Hester P, Dome D, Jacobs C. Clinical utility of traditional and new tests in the diagnosis of biceps tendon injuries and superior labrum anterior and posterior lesions in the shoulder. The American journal of sports medicine. 2009;37(9):1840-7.

3. Bennett WF. Specificity of the Speed's test: arthroscopic technique for evaluating the biceps tendon at the level of the bicipital groove. Arthroscopy. 1998;14(8):789-96.

4. Bridgman JF. Periarthritis of the shoulder and diabetes mellitus. Annals of the rheumatic diseases. 1972;31(1):69-71.

5. Burkhart SS, Morgan CD, Kibler WB. The disabled throwing shoulder: spectrum of pathology Part III: The SICK scapula, scapular dyskinesis, the kinetic chain, and rehabilitation. Arthroscopy. 2003;19(6):641-61.

6. Chen HS, Lin SH, Hsu YH, Chen SC, Kang JH. A comparison of physical examinations with musculoskeletal ultrasound in the diagnosis of biceps long head tendinitis. Ultrasound in medicine & biology. 2011;37(9):1392-8.

7. Cheung E, O'Driscoll S. The dynamic labral shear test for superior labral anterior posterior tears of the shoulder. Podium presentation at the 76th Annual Meeting of the American Academy of Orthopaedic Surgeons, San Diego (CA); 2007.

8. Chronopoulos E, Kim TK, Park HB, Ashenbrenner D, McFarland EG. Diagnostic value of physical tests for isolated chronic acromioclavicular lesions. The American journal of sports medicine. 2004;32(3):655-61.

9. Cook C, Beaty S, Kissenberth MJ, Siffri P, Pill SG, Hawkins RJ. Diagnostic accuracy of five orthopedic clinical tests for diagnosis of superior labrum anterior posterior (SLAP) lesions. Journal of shoulder and elbow surgery. 2012;21(1):13-22.

10. Crenshaw AH, Kilgore WE. Surgical treatment of bicipital tenosynovitis. The Journal of bone and joint surgery American volume. 1966;48(8):1496-502.

11. Falconer M, Weddell GJTL. Costoclavicular compression of the subclavian artery and vein: relation to the scalenus anticus syndrome. The Lancet. 1943;242(6270):539-44.

12. Fodor D, Poanta L, Felea I, Rednic S, Bolosiu H. Shoulder impingement syndrome: correlations between clinical tests and ultrasonographic findings. Ortopedia, traumatologia, rehabilitacja. 2009;11(2):120-6.

13. Gerber C, Krushell RJ. Isolated rupture of the tendon of the subscapularis muscle. Clinical features in 16 cases. The Journal of bone and joint surgery British volume. 1991;73(3):389-94.

14. Gillard J, Pérez-Cousin M, Hachulla E, et al. Diagnosing thoracic outlet syndrome: contribution of provocative tests, ultrasonography, electrophysiology, and helical computed tomography in 48 patients. Joint bone spine. 2001;68(5):416-24.

15. Hawkins RJ, Kennedy JC. Impingement syndrome in athletes. The American journal of sports medicine. 1980;8(3):151-8.

16. Hertel R, Ballmer FT, Lombert SM, Gerber C. Lag signs in the diagnosis of rotator cuff rupture. Journal of shoulder and elbow surgery. 1996;5(4):307-13.

17. Iannotti JP, Williams GR. Disorders of the shoulder: diagnosis & management: Lippincott Williams & Wilkins; 2007.

18. Jobe FW, Jobe CM. Painful athletic injuries of the shoulder. Clinical orthopaedics and related research. 1983(173):117-24.

19. Jobe FW, Moynes DR. Delineation of diagnostic criteria and a rehabilitation program for rotator cuff injuries. The American journal of sports medicine. 1982;10(6):336-9.

20. Kibler WB. Specificity and sensitivity of the anterior slide test in throwing athletes with superior glenoid labral tears. Arthroscopy. 1995;11(3):296-300.

21. Kibler WB, Uhl TL, Maddux JW, Brooks PV, Zeller B, McMullen J. Qualitative clinical evaluation of scapular dysfunction: a reliability study. Journal of shoulder and elbow surgery. 2002;11(6):550-6.

22. Kim SH, Ha KI, Ahn JH, Kim SH, Choi HJ. Biceps load test II: A clinical test for SLAP lesions of the shoulder. Arthroscopy. 2001;17(2):160-4.

23. Kim SH, Ha KI, Han KY. Biceps load test: a clinical test for superior labrum anterior and posterior lesions in shoulders with recurrent anterior dislocations. The American journal of sports medicine. 1999;27(3):300-3.

24. Kim SH, Park JC, Park JS, Oh I. Painful jerk test: a predictor of success in nonoperative treatment of posteroinferior instability of the shoulder. The American journal of sports medicine. 2004;32(8):1849-55.

25. Kim SH, Park JS, Jeong WK, Shin SK. The Kim test: a novel test for posteroinferior labral lesion of the shoulder—a comparison to the jerk test. The American journal of sports medicine. 2005;33(8):1188-92.

26. Kuhn JE, Lebus VG, Bible JE. Thoracic outlet syndrome. The Journal of the American Academy of Orthopaedic Surgeons. 2015;23(4):222-32.

27. Liu SH, Henry MH, Nuccion S, Shapiro MS, Dorey F. Diagnosis of glenoid labral tears. A comparison between magnetic resonance imaging and clinical examinations. The American journal of sports medicine. 1996;24(2):149-54.

28. Matthews W. Aids to the examination of the peripheral nervous system:(Medical research council memorandum, no. 45, superseding war memorandum no. 7), v+ 62 pages, 90 illustrations, Her Majesty's Stationery Office, London, 1976,£ 0.80. Elsevier; 1977.

29. Milgrom C, Novack V, Weil Y, Jaber S, Radeva-Petrova DR, Finestone A. Risk factors for idiopathic frozen shoulder. The Israel Medical Association journal : IMAJ. 2008;10(5):361-4.

30. Mimori K, Muneta T, Nakagawa T, Shinomiya K. A new pain provocation test for superior labral tears of the shoulder. The American journal of sports medicine. 1999;27(2):137-42.

31. Neer CS, 2nd, Foster CR. Inferior capsular shift for involuntary inferior and multidirectional instability of the shoulder. A preliminary report. The Journal of bone and joint surgery American volume. 1980;62(6):897-908.

32. Neer CS, Welsh RP. The Shoulder in Sports. Orthopedic Clinics of North America. 1977;8(3):583-91.

33. O'Brien SJ, Pagnani MJ, Fealy S, McGlynn SR, Wilson JB. The active compression test: a new and effective test for diagnosing labral tears and acromioclavicular joint abnormality. The American journal of sports medicine. 1998;26(5):610-3.

34. Parentis MA, Glousman RE, Mohr KS, Yocum LA. An evaluation of the provocative tests for superior labral anterior posterior lesions. The American journal of sports medicine. 2006;34(2):265-8.

35. Rockwood CA, Wirth MA, Fehringer EV. Rockwood and Matsen's the shoulder: Elsevier Health Sciences; 2016.

36. Roos DB. Congenital anomalies associated with thoracic outlet syndrome. Anatomy, symptoms, diagnosis, and treatment. American journal of surgery. 1976;132(6):771-8.

37. Rubinstein SM, Pool JJ, van Tulder MW, Riphagen, II, de Vet HC. A systematic review of the diagnostic accuracy of provocative tests of the neck for diagnosing cervical radiculopathy. European spine journal. 2007;16(3):307-19.

38. Silliman JF, Hawkins RJ. Classification and physical diagnosis of instability of the shoulder. Clinical orthopaedics and related research. 1993(291):7-19.

39. Snyder SJ, Karzel RP, Del Pizzo W, Ferkel RD, Friedman MJ. SLAP lesions of the shoulder. Arthroscopy. 1990;6(4):274-9.

40. Thomas SC, Matsen FA, 3rd. An approach to the repair of avulsion of the glenohumeral ligaments in the management of traumatic anterior glenohumeral instability. The Journal of bone and joint surgery American volume. 1989;71(4):506-13.

41. Tong HC, Haig AJ, Yamakawa K. The Spurling test and cervical radiculopathy. Spine. 2002;27(2):156-9.

42. van Kampen DA, van den Berg T, van der Woude HJ, Castelein RM, Terwee CB, Willems WJ. Diagnostic value of patient characteristics, history, and six clinical tests for traumatic anterior shoulder instability. Journal of shoulder and elbow surgery. 2013;22(10):1310-9.

43. Wainner RS, Fritz JM, Irrgang JJ, Boninger ML, Delitto A, Allison S. Reliability and diagnostic accuracy of the clinical examination and patient self-report measures for cervical radiculopathy. Spine. 2003;28(1):52-62.

44. Walch G, Boulahia A, Calderone S, Robinson AH. The 'dropping' and 'hornblower's' signs in evaluation of rotator-cuff tears. The Journal of bone and joint surgery British volume. 1998;80(4):624-8.

45. Walton J, Mahajan S, Paxinos A, et al. Diagnostic values of tests for acromioclavicular joint pain. The Journal of bone and joint surgery American volume. 2004;86(4):807-12.

46. Wright IS. The neurovascular syndrome produced by hyperabduction of the arms: The immediate changes produced in 150 normal controls, and the effects on some persons of prolonged hyperabduction of the arms, as in sleeping, and in certain occupations. American Heart Journal. 1945;29(1):1-19.

47. Yoon JP, Chung SW, Kim SH, Oh JH. Diagnostic value of four clinical tests for the evaluation of subscapularis integrity. Journal of shoulder and elbow surgery. 2013;22(9):1186-92.

영상 진단
Radiologic diagnosis

강유선·안중모·최자영·류혜진

1. 일반 촬영(Radiography)

일반 촬영은 견관절질환의 진단에 가장 기본적인 검사로 가장 먼저 시행하게 되는 검사이며, 빠르고 안전하게 시행할 수 있고 어깨의 여러 가지 질환을 효과적으로 보여준다. 인체에 X-선을 조사하면 조직의 X-선 흡수 정도의 차이에 따라서 투과되는 X-선 양의 차이가 발생하게 되며, 이 차이를 영상화한 것이 일반 촬영이다. X-선 흡수 정도는 뼈, 근육(물), 지방, 공기의 순서로 낮아지므로, 일반촬영 영상에서 뼈가 가장 하얗게 보이고 공기가 가장 검게 보인다.

일반 촬영은 뼈의 이상 유무를 평가하는 데 적합하여 골절이나 골관절염, 상완골 두의 무혈성 괴사 및 석회성 건염(calcific tendinitis) 등을 진단할 수 있다.

견관절의 일반 촬영은 일반적으로 견관절 전후 촬영(routine shoulder AP view), 진성 견관절 전후 촬영(true shoulder AP view), 액와 측면 촬영(axillary lateral view), 극상근 출구 촬영(supraspinatus outlet view)을 포함하며, 임상적인 상황에 맞춰서 추가적으로 특수 촬영 방법을 시행한다.

1) 일반 촬영기법 및 정상 소견
(1) 견관절 전후 촬영(routine shoulder AP view)

가장 기본이 되는 촬영기법으로 기립자세 또는 누운 자세에서 몸의 관상면을 검출기와 평행하도록 하고 X-선을 조사하여 검사한다. 견관절의 관상면의 몸의 관상면에 대해서 40도 정도로 기울어져 있기 때문에, 전후면 촬영에서는 상완골 두와 관절와가 겹쳐져서 보인다.[1] 견갑골의 외측 경계면과 상완골의 근위부가 곡선으로 연결되어 보여 견갑상완궁(scapulohumeral arch, Moloney's line)을 형성한다.[1] 다른 촬영법과 비교하여 연부조직의 중첩이 적어 뼈를 평가하기에 적합하다. 관절와상완관절, 견봉-쇄골관절 및 쇄골 원위부, 견갑골의 평가에 이용된다. 촬영 시에 팔을 중립 위치, 내회전(internal rotation) 또는 외회전(external rotation)하고 촬영할 수 있다(그림 6-1A).

(2) 진성 견관절 전후 촬영
(true shoulder AP view, Grashey view)

환자의 몸을 35-45도 정도 사위로 돌려서 견갑골면이 검출기와 평행하도록 위치시킨 후에 촬영하는 방법이다.[2] 견관절의 관상면에 수직으로 X-선 조사가 이루어지기 때문에, 관절와(glenoid)와 상완골 두(humeral head)가 겹치지 않고 보이게 된다(그림 6-1B). 관절와상완관절(glenohumeral joint)의 관절강을 평가할 수 있고, 상완골의 미세한 상방 또는 하방 전위를 쉽게 찾을 수 있다는 장점이 있다. 반면에, 중첩되는 연부조직이 음영이 많아져서 견봉(acromion), 견봉-쇄골관절(acromioclavicular joint), 쇄골 원위부는 견관절 전후 촬영에 비해서 평가가 어렵다는 단점이 있다.

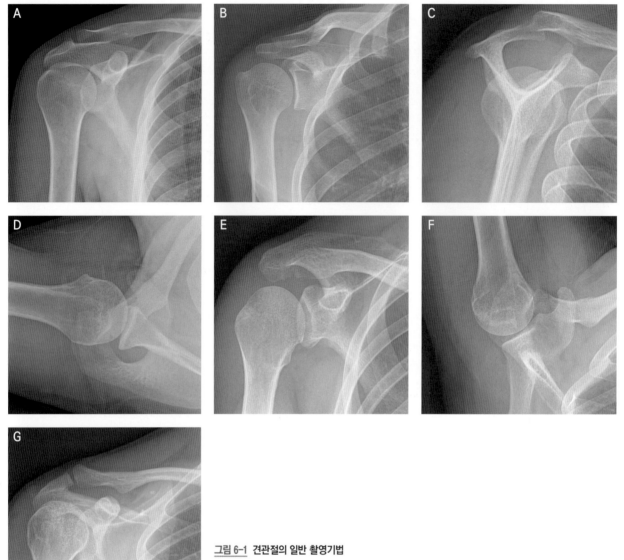

그림 6-1 견관절의 일반 촬영기법

A: 견관절 전후 촬영(routine shoulder AP view) B: 진성 견관절 전후 촬영(true shoulder AP view, Grashey view) C: 극상근 출구 촬영(supraspinatus outlet view) D: 액와 측면 촬영(axillary lateral view) E: 미부 30도 기울임 촬영(subacromial view, caudal 30 degree tilting view) F: Stryker notch 촬영(Stryker notch view) G: 견봉-쇄골관절 촬영(acromioclavicular joint view)

(3) 견갑골 Y-촬영(scapular Y-view), 극상근 출구 촬영(supraspinatus outlet view)

견갑골 Y-촬영은 환자가 기립자세 또는 엎드린 자세에서 검사측 어깨의 앞쪽을 검출기에 대고, 반대쪽 어깨를 거상한 상태로 촬영한다. 이렇게 촬영하면, 견갑골 체부(body of scapula)와 견봉(acromion), 오구돌기(coracoid process)가 'Y' 자를 이루게 되며, 상완골 두가 관절와에 겹쳐져 보이

게 된다(그림 6-1C). 자세의 큰 변화 없이 촬영할 수 있어서 외상 환자에서도 촬영이 용이하며, 견갑골, 오구돌기, 견봉의 골절 진단에 유용한 검사 방법이다. Y 촬영보다 10-15도 아래쪽을 향하여 촬영하는 극상근 출구 촬영(supraspinatus outlet view)은 견봉골절이나 견봉의 형태를 확인하기 좋은 검사법이다.

(4) 액와 측면 촬영(axillary lateral view)

액와 측면 촬영(axillary lateral view)은 환자가 견관절을 90도 외전(abduction)한 상태에서 X-선의 중심을 관절와상완관절의 중심부에 위치시키고, 원위부에서 근위부를 향해서 조사하여 촬영한다(그림 6-1D). 전방 또는 후방탈구 환자에서 상완골 두와 관절와(glenoid cavity)의 위치 관계를 평가하는 데 좋은 검사법이다.[1] 웨스트 포인트 액와 촬영(West point axillary view)은 액와 촬영의 한 형태로, 환자가 엎드린 자세에서 팔을 90도 외전하고 주관절과 전완부는 테이블의 옆쪽으로 현수되도록 한 자세에서, X-선을 10-25도 하방, 25도 내측으로 기울여 액와부 중앙을 향하도록 하여 촬영한다. 어깨 불안정성을 가진 환자의 전하방 관절와 외연(glenoid rim)의 골절 등 뼈 이상의 유무를 평가하는데 이용한다.[3]

(5) 미부 30도 기울임 촬영
(subacromial view, caudal 30 degree tilting view)

기립상태에서 X-선 투사 방향이 견봉돌기의 후하연과 평행이 되도록 30도 하방으로 향하게 하는 방법으로, 견봉하 골극(subacromial spur)의 유무와 크기를 알 수 있다(그림 6-1E).

(6) Stryker notch 촬영(Stryker notch view)

Stryker notch 촬영은 팔을 머리 위로 신전(extension)하고, 주관절을 굴곡(flexion)한 상태에서 손바닥을 두정부나 후두부에 위치시키고, 팔꿈치를 전방으로 향하도록 세우고 전후 방향으로 촬영한다(그림 6-1F). 상완골 두(humeral head)의 후외방(posterolateral aspect)을 잘 볼 수 있어, 힐삭스 병변(Hill-Sachs lesion)의 진단에 유용하다.[4]

(7) 견봉-쇄골관절 촬영(acromioclavicular joint view)

견봉-쇄골관절(acromioclavicular joint) 손상을 평가하기 위해서는 X-선 투사 방향을 15도 머리 쪽으로 올려보는 방향으로 전후면 촬영을 한다(그림 6-1G). 견봉-쇄골인대(acromioclavicular ligament) 및 오구쇄골인대(coracoclavicular ligament)의 손상이 의심되는 경우 환자의 전완부에 무거운 추를 묶어서 팔을 아래쪽으로 처지게 하여 스트레스를 가한 상태에서 촬영한다.[5]

2. 초음파

초음파검사는 단층촬영 검사로서 비용이 저렴하고 시술이 간편하며 시술자가 원하는 모든 방향으로 검사할 수 있다는 장점이 있다. 견관절 초음파검사는 회전근 개를 비롯한 연부조직의 평가에 특히 유리하고, 시술 중에 환자의 증상과 검사소견을 맞춰 볼 수 있으며 동적인 검사를 할 수 있으므로 근육이나 건같이 움직임이 있는 연부조직의 평가에 도움이 된다. 석회화 건염이나 활막염 환자에서는 초음파검사 유도하에 실시간으로 병변을 확인하면서 석회 또는 삼출액을 흡입하거나 약물주입이 가능하다. 반면, 초음파는 뼈를 투과하지 못하기 때문에 뼈의 이상이나 관절 내 병변을 평가할 수 없고, 피하지방이 두껍거나 심부병변인 경우는 초음파가 감쇄되어 영상의 질이 떨어진다는 단점이 있다. 또한 자기공명영상에 비하여 상대적으로 영상시야가 작고 조직 대조도가 낮으며, 검사자의 숙련도에 따라 검사의 정확도에 차이가 있는 것도 중요한 제한점이다.

1) 촬영기법 및 정상 소견

정확한 진단을 위해서는 10 MHz 이상의 주파수를 갖는 선형 탐촉자를 이용하여 검사하며, 보고자 하는 구조물에 따라서 적절한 자세를 취하여 검사한다. 촬영하고자 하는 모든 구조물은 장축과 단축 영상에서 모두 평가를 하도록 한다.

(1) 상완이두근 장두(long head of biceps tendon)

환자는 앉은 자세로 견관절을 중립위치로 하고 주관절을 90도 굴곡하여 손바닥이 위로 향하게 한다. 탐촉자를 상완이두근 구(bicipal groove) 부위에 횡단으로 위치시키면, 상완이두근 장두가 타원형의 고에코 구조물로 보이는데, 이때 원위부와 근위부로 건의 주행을 따라서 검사한다(그림 6-2A). 장축 검사를 위해서는 탐촉자를 90도 회전시켜서

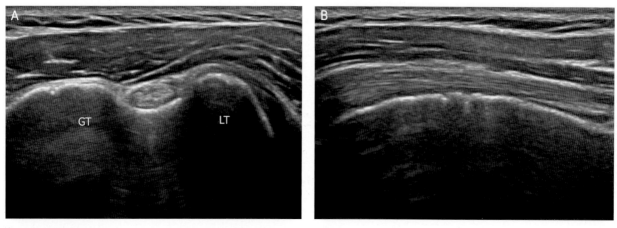

그림 6-2 **상완이두근 장두(long head of biceps tendon)의 횡단면(A)과 종단면(B) 영상**
GT=대결절, LT=소결절

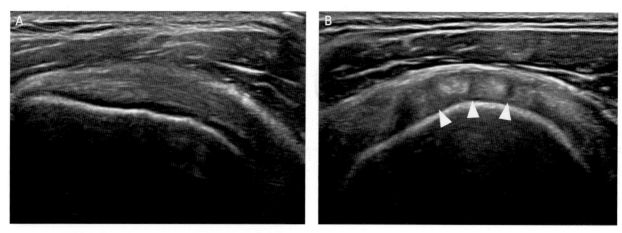

그림 6-3 **견갑하근건(subscapularis tendon)의 종단면(A)과 횡단면(B) 영상**
견갑하근건은 뭇깃근육으로 근육다발 사이사이로 보이는 저에코의 틈(화살촉)을 병변으로 오인해서는 안 된다.

상완이두근 구(biciptal groove)를 따라서 위치시키면, 고에 코의 섬유다발들이 선상으로 보인다(그림 6-2B).

(2) 견갑하근건(subscapularis tendon)

견갑하근건은 견갑골의 전면에서 기시하여 상완골의 소결절에 부착하며, 바로 외측으로 상완이두근 장두가 지나간다. 환자의 팔을 외회전한 자세에서 상완이두근 구(biciptal groove)를 찾고 바로 내측으로 탐촉자를 위치시키면 견갑하건을 쉽게 찾을 수 있다. 견갑하근은 뭇깃근육(multipennate muscle)으로 3-4개의 근육다발과 그 사이사이로 저에코의 틈(hypoechoic cleft)이 보이는데 이를 병변

으로 오인해서는 안 된다(그림 6-3).

(3) 극상근건(supraspinatus tendon)

중립위치에서는 극상건이 견봉에 가려져서 잘 보이지 않으며, 어깨를 내전, 내회전, 신전하여 손을 허리 뒤로 돌리는 자세를 취하면, 견봉에 의해서 가려지는 부분이 적어지고 건의 모양을 보기가 좋아진다. 극상근건은 독수리 부리 모양의 원섬유양상(fibrillary pattern)의 구조물로 대결절에 부착하는 것을 볼 수 있다(그림 6-4). 대결절 부착부로부터 1 cm 근위부는 건의 임계부(critical zone)라 하여 손상이 흔한 곳이므로 면밀히 관찰하여야 한다.

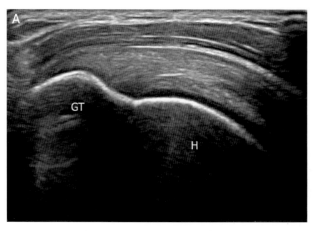
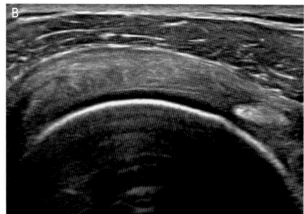

그림 6-4 **극상근건(supraspinatus tendon)의 종단면(A)과 횡단면(B) 영상**

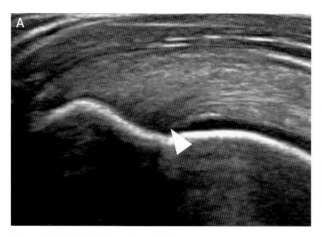
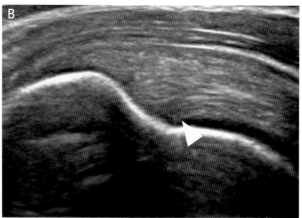

그림 6-5 **비등방성 허상(anisotropy)의 예**
A: 건의 주행 방향으로 인해 대결절 부위에서 비등방성에 의한 저에코 음영이 나타날 수 있다. B: 초음파가 건에 수직으로 입사할 수 있도록 탐색자의 위치를 변화시키면서 검사해야 한다.

탐촉자가 건과 평행하지 않게 놓이면 건의 에코가 감소되어 보이므로 병변이 있는 것으로 오인할 수 있다. 이와 같은 비등방성 허상(anisotropy)을 피하기 위해서는 검사하고자 하는 구조물에 초음파의 입사각이 직각이 되도록 하며, 이를 위해서 탐촉자의 한쪽 끝을 살짝 누르면서 검사한다(그림 6-5).

(4) 극하근건(infraspinatus tendon)과 소원근(teres minor)
검사하는 측의 손으로 반대쪽 어깨를 잡는 자세에서 검

사하는데, 이때 극하근건은 견갑골 가시돌기 아래와 견봉 후방 모서리를 지나서 대결절에 부착된다. 탐촉자가 견갑골 가시돌기에 평행하도록 앞쪽이 약간 위쪽을 향하도록 대결절에 대면 극하근건을 장축으로 관찰할 수 있다(그림 6-6). 장축 검사에서 극하근건은 고에코의 원섬유양상의 구조물로 보인다. 단축 검사상 둥근 모양의 고에코로 보이는 상완골 두 표층으로 극하근건이 보이고 원위부로 소원근과 연결된다. 소원근은 극하근에 비해 작으며 비스듬하게 위치하므로 탐촉자의 방향을 조정하여 보아야 한다.

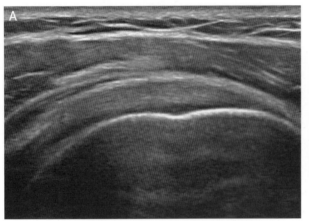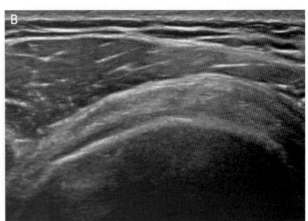

그림 6-6 극하근건(infraspinatus tendon)의 종단면(A)과 횡단면(B) 영상

(5) 견봉-쇄골관절(acomioclavicular joint)

견관절 위쪽에서 가장 튀어나온 곳이 쇄골의 외측 끝이고, 그 바로 외측으로 견봉-쇄골관절이 위치한다. 이 위치에 탐촉자를 길게 대면 견봉-쇄골관절을 볼 수 있다. 견봉과 쇄골은 고반향성의 구조물로 보이며, 그 사이는 관절막으로 연결되어 있으며, 관절막 안쪽으로는 무에코로 관찰되는 관절강이 보인다(그림 6-7).

(6) 후방 견관절(posterior glenohumeral joint)과 후방 관절와순(posterior labrum)

견관절의 후방에서 고반향성의 둥근 상완골 두와 관절와가 보이도록 탐촉자를 횡단으로 위치시키고 검사한다. 관절와순은 관절와의 끝에 연결된 고반향성 삼각형의 구조물로 보인다(그림 6-8). 관절와순을 위쪽부터 아래쪽까지 탐촉자를 이동하며 검사하고, 탐촉자를 내측으로 이동하여 가시돌기 관절와 패임(spinoglenoid notch) 부위를 검사하여 관절와순 주위 낭종(paralabral cyst)이 있는지 검사한다.

(7) 회전근 간(rotator interval)

회전근 간은 극상근과 견갑하근 사이의 공간을 말하며 상완이두근 장두(long head of the biceps tendon), 오구상완골인대(coracohumeral ligament), 상관절와상완골인대(superior glenohumeral ligament)를 포함하고 있다. 초음파상 오구상완골인대는 두꺼운 고에코성 띠로 상완이두근

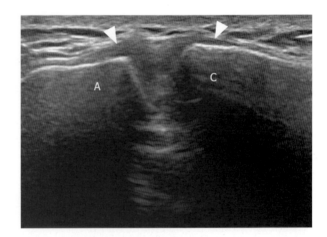

그림 6-7 견봉-쇄골관절의 횡단면 영상
견봉(A)과 쇄골(C)을 연결하는 견봉-쇄골인대(화살촉)이 보인다.

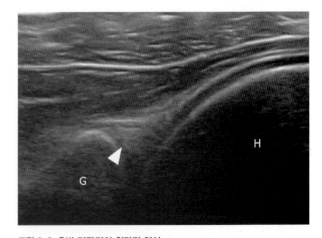

그림 6-8 후방 견관절의 횡단면 영상
고반향성의 상완골 두(H)와 관절와(G)가 확인되며, 관절와의 끝에 연결된 삼각형의 고반향성 구조물(화살촉)이 관절와순이다.

장두의 위쪽으로 극상건과 견갑하건을 연결하는 구조물로 보인다. 상완이두 장근은 오구상완골인대 아래로 고에코성의 타원형 구조물로 보인다(그림 6-9).

(8) 견봉하-삼각근하 점액낭
(subacromial Subdeltoid bursa)

견봉하-삼각근하 점액낭은 2 mm 정도의 두께를 가진 구조물로 보이며, 저에코성의 점액낭액의 안쪽과 바깥쪽에 고에코성의 점액낭 주위 지방(peribursal fat)이 보인다.

2) 동적 검사(dynamic evaluation)

초음파는 다른 단면 영상기법과 비교하여 동적 검사가

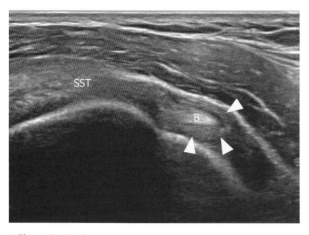

그림 6-9 회전근 간
상완이두근 장두(B)의 앞쪽으로 오구상완골인대와 상관절와상완골인대에 의해서 형성된 이두근 활차가 보인다(화살촉).

가능하다는 장점을 가지고 있어, 정적 검사에서는 진단되지 않는 여러 병변을 진단할 수 있다. 상완이두근 장두의 아탈구(subluxation)와 탈구(dislocation)를 진단하기 위해서는 팔을 내회전, 외회전시키면서 상완이두 장건의 위치를 평가한다. 오구돌기하 충돌(subcoracoid impingement) 또한 팔을 내회전, 외회전시키면서 검사하면 오구돌기하 점액낭의 비후 및 점액낭이 오구돌기 아래로 이동할 때 통증과 탄발음이 유발될 수 있다. 견봉하충돌(subacromial impingement)의 경우 탐촉자의 한쪽 끝을 견봉 위에 위치시킨 후에 견관절을 외전(abduction) 또는 굴곡(flexion)하면서 상완골 두의 움직임과 견봉하 연부조직의 충돌 여부를 관찰한다.[6]

3. 전산화 단층촬영술
(Computed tomography, CT)

CT는 뼈를 평가하는 데 중요한 검사 방법으로, 횡단면 영상뿐만 아니라 시상면(sagittal), 관상면(coronal), 사위면(oblique) 등 원하는 모든 방향의 단면 영상과 3차원 영상을 만들 수 있어 뼈의 입체적인 모양을 고해상도로 보여준다(그림 6-10).

견관절의 CT 검사는 상완골 근위부, 견갑골 또는 쇄골의 골절의 평가, 견관절 불안정성의 평가, 관절치환술의 수술 전후의 평가 등에 사용한다. 외상 환자에서 CT는 골절의 형태, 골절편의 전위, 관절면의 침범, 탈구의 방향과 정

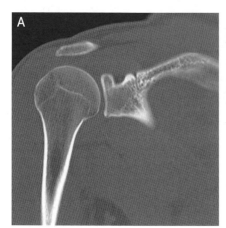
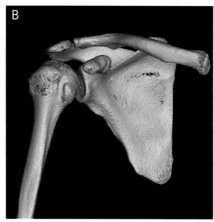

그림 6-10 견관절의 전산화 단층촬영술
A: 사위 관상면으로 재구성한 단면 영상
B: 3차원 영상

도를 정확하게 평가하는 데 유용하다. 검사시간이 1분 이내이므로 MRI에 비하여 외상환자가 훨씬 수월하게 검사를 받을 수 있고 환자의 움직임으로 인한 인공물을 줄일 수 있다. 대부분의 경우 조영증강을 하지 않은 CT 검사를 시행한다.

1) CT 관절조영술(CT arthrography)

CT 관절조영술은 요오드계 조영제를 희석한 용액을 방사선 투시장치(fluoroscopy) 유도하 또는 초음파 유도하에 관절와상완관절 내에 주사한 후에 CT를 촬영하는 영상 기법이다(그림 6-11). MRI가 견관절질환의 진단에 가장 적합한 검사이지만, 폐소공포증이 있는 경우나 인공 심박동기를 가진 경우 등과 같이 MRI 검사의 금기증이 있는 경우에 CT 관절조영술이 대안이 될 수 있다. 회전근 개 건의 전층파열 또는 관절측 부분층 파열을 정확하게 진단할 수 있고,[7,8] 파열과 동반되는 근육의 위축 및 지방 변성도의 평가에도 유용하다.[9] CT 관절조영술은 관절와순의 평가에도 유용하여, 상부 관절와순 전후 병변(superior labrum anterior to posterior, SLAP)이나, 견관절 불안정성과 동반된 관절와순의 병변에도 이용된다.[10,11] 환자의 팔을 외회전하고 주관절을 굴곡한 상태에서 전완부를 회외전(supination)하도록 하면, 이두근 관절와순 복합체의 긴장도가 높아

져 상부 관절와순 전후 병변(superior labrum anterior to posterior, SLAP)의 진단에 유용하다.[12,13]

4. 자기공명영상
(Magnetic resonance imaging, MRI)

MRI는 조직 간 대조도가 우수하여 골절과 골수의 이상, 견관절충돌증후군, 회전근 개 파열, 관절와순(glenoid labrum) 손상 등을 진단하는 데 가장 정확한 검사법이다. 영상 획득 시 반복시간(repetition time, TR)과 에코시간(echo time, TE)을 어떻게 설정하는지에 따라서 조직의 대조도가 다른 여러 가지 영상을 얻을 수 있으며, 기본적으로 T1 강조영상(T1-weighted image, T1WI), T2 강조영상(T2-weighted image, T2WI), 양자밀도 강조영상(proton density-weighted image, PDWI)을 얻는다. T1 강조영상은 해부학적 구조물을 확인하고 뼈와 골수의 이상을 진단하는데 좋고, 양자밀도 강조영상과 T2 강조영상은 회전근 개, 관절와순, 관절삼출액 등을 평가하는 데 적합하다.

견관절은 몸의 중심축에서 먼 부위이므로 좋은 영상을 얻기 위해서는 견관절 전용 코일을 이용한 고해상도 촬영을 해야 한다. 또한 해부학적으로 견관절의 축이 앞쪽으로 기울어져 있고, 회전근 개도 이와 평행한 방향을 주행하

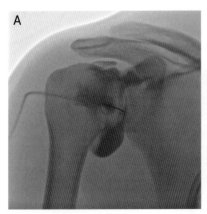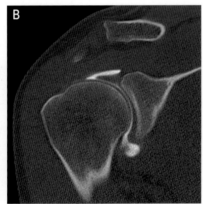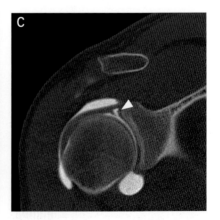

그림 6-11 **견관절의 CT 관절조영술**
A: 방사선 투시장치 유도하에 관절와상완관절 내에 요오드계 조영제 용액 주입. B: 중립 자세에서 촬영된 사위 관상면 영상. C: 이두근 관절와순 복합체의 긴장 유발 자세에서 촬영된 사위 관상면 영상. 중립 자세에서 촬영된 영상에서 보이지 않는 상부 관절와순 전후 병변이 확인된다(화살촉).

므로, 해부학적 시상, 관상면보다는 견관절 축에 맞춘 사위 시상면(oblique sagittal), 사위 관상면(oblique coronal) 영상을 얻는 것이 유리하다. 이를 위하여 관절와(glenoid fossa)에 직각으로 사위 관상면(oblique coronal) 영상을 얻고 다시 이에 수직 방향의 사위 시상면(oblique sagittal) 영상을 얻는다(그림 6-12).[14]

1) 자기공명관절조영술

(1) 직접 자기공명관절조영술(direct MR Arthrography)

가돌리늄(gadolinium) 조영제를 생리식염수에 0.08-0.1 mmoL/kg의 농도로 희석한 용액을 10-15cc 가량 견관절내에 주입한 후 MRI를 촬영하는 검사이다(그림 6-13).[14] 바늘로 관절내에 조영제를 주입해야 하는 단점이 있지만, 관절낭을 확장함으로써 견관절 불안정성과 연관된 관절와순-인대 이상을 진단하거나 회전근 개의 부분 파열, 수술 후

재파열을 정확하게 평가하는 데 도움이 되는 영상검사법이다.[15-19] 조영제와 관절와순과의 대조도를 최대화하기 위하여 지방억제 T1 강조영상을 촬영하며, T2 계열의 펄스열을 적어도 하나 이상 포함하여 관절강과 연결이 없는 구조물 및 병변도 확인할 수 있도록 해야 한다. 검사면은 일반적인 견관절 MRI와 마찬가지로 축상면, 사위 관상면, 사위 시상면 영상을 얻는다.[14] 또한, 환자의 팔을 외전 외회전(abduction external rotation, ABER)시킨 자세로 촬영하면 관절와순 병변과 극상건의 부분층 파열을 더 정확하게 진단할 수 있다.[20,21]

(2) 간접 자기공명관절조영술(indirect MR Arthrography)

조영제를 관절강내에 직접 주입하지 않고, 조영제의 정맥 주사 후에 관절활액막을 통해 관절내로 확산되도록 한 후 MRI을 촬영함으로써 관절 조영효과를 얻을 수 있다.

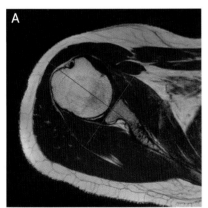
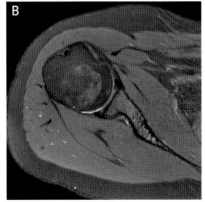
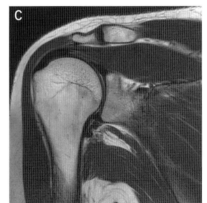
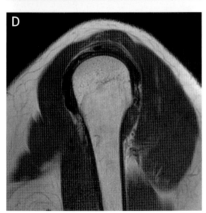

그림 6-12 자기공명영상
A: 견관절 축에 맞춘 사위 시상면(oblique sagittal), 사위 관상면(oblique coronal)으로 영상을 촬영한다. B: 축상 지방억제 양자밀도 영상. C: 사위 관상면 T2 강조영상. D: 사위 시상면 T2 강조영상

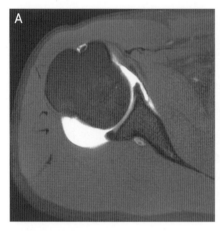
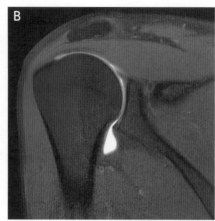

그림 6-13 직접 자기공명관절조영술
A: 축상 지방억제 T1 강조영상
B: 사위 관상 지방억제 T1 강조영상

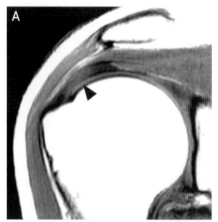
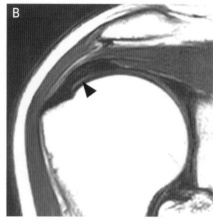

그림 6-14 마술각 현상의 예
A: T1 강조영상에서 극상건에 부분적으로 신호강도가 올라가 보인다. B: T2 강조영상에서는 이 해당 부위에 신호강도의 이상이 보이지 않는다.

2) 정상 소견

정상 건(tendon)은 자기공명영상에서 연속성이 유지되어 있고 두께의 이상이 없으며, 높은 콜라겐(collagen) 함량으로 인하여 모든 펄스열에서 균일한 저신호강도를 보인다. 건의 신호강도의 증가는 건의 손상을 시사하는 소견이므로 신호강도의 변화를 잘 살펴야 하는데, 건이나 인대, 섬유연골과 같이 콜라겐 함량이 많은 구조물의 경우 마술각 현상(magic angle phenomenon)이 생길 수 있어 판단에 주의를 요한다. 마술각 현상은 건과 같이 방향성이 있는 구조물이 MRI 주자기장의 방향과 약 55도 각도를 이루게 되었을 때 실제로는 건 손상이 없는데도, 건의 신호강도가 증가되는 현상이다(그림 6-14).[22] 마술각 현상은 영상촬영 에코시간이 짧은 T1 강조영상 또는 양자밀도 강조영상에서 두드러지며, 에코시간이 긴 T2 강조영상에서는 이 현상이 발생하지 않는다. 극상건이나 극하건은 주행 방향이 곡면을 이루므로 주행경로상 주자기장과 55도를 이루게 되는 부분이 있어 마술각 현상이 생길 수 있으므로 판독에 유의하여야 한다. 관절와순은 섬유연골(fibrocartilage)로 이루어진 구조물로 모든 펄스열에서 저신호강도를 보이는 것이 정상 소견이며, 삼각형 모양이면서 표면이 매끄럽게 보여야 한다.

5. 영상해부학(Radiologic anatomy)

1) 자기공명영상 해부학

그림 6-15 축상 자기공명영상

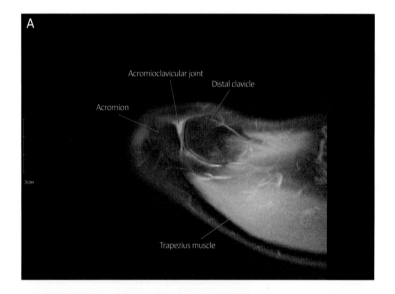

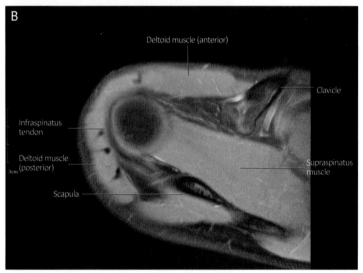

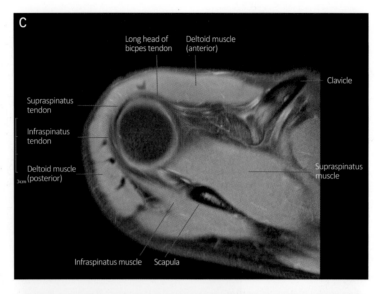

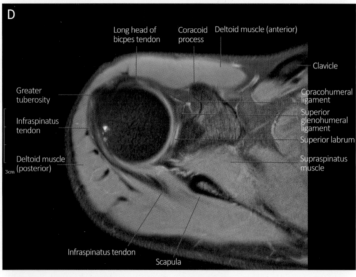

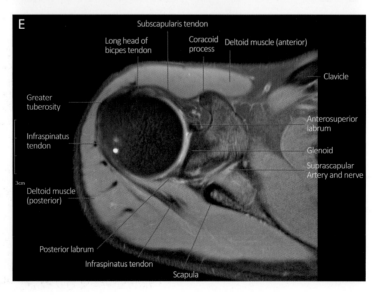

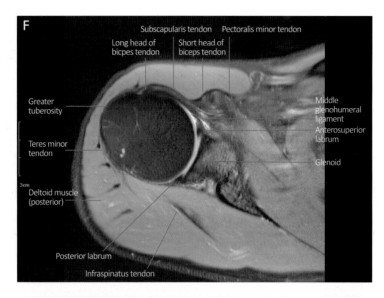

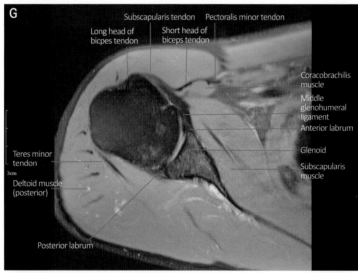

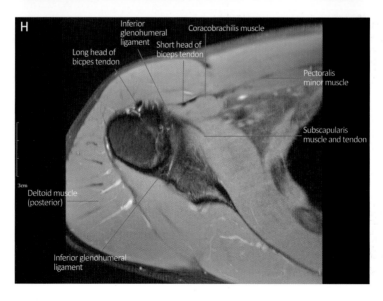

그림 6-16 사위 시상면 자기공명영상

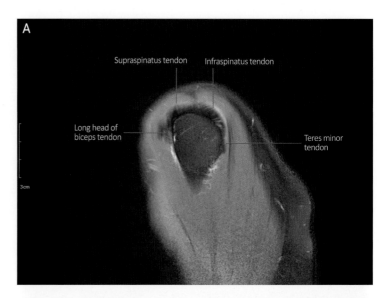

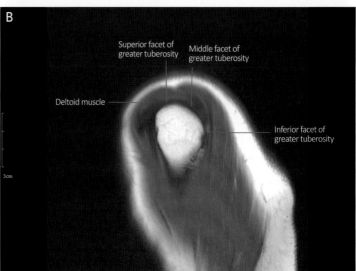

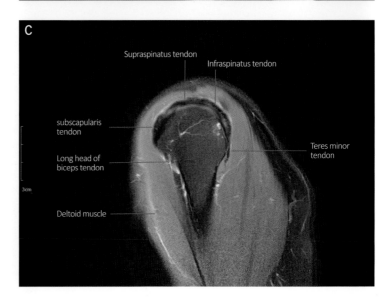

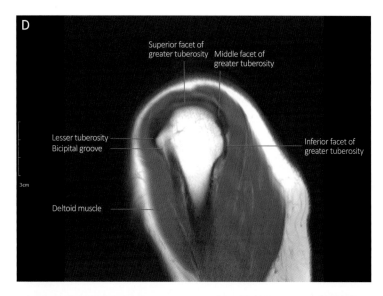

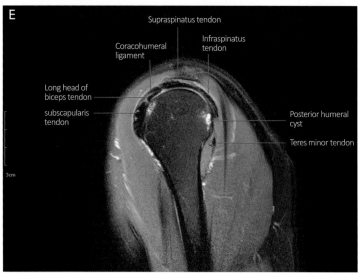

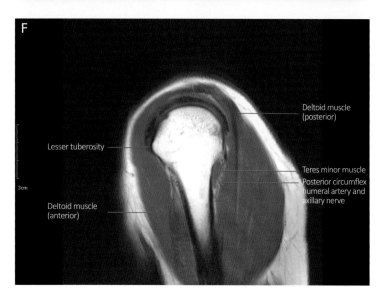

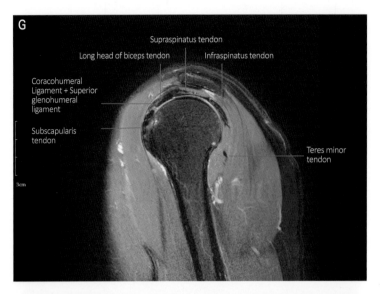

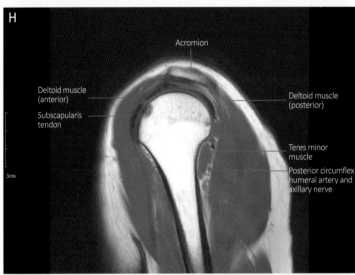

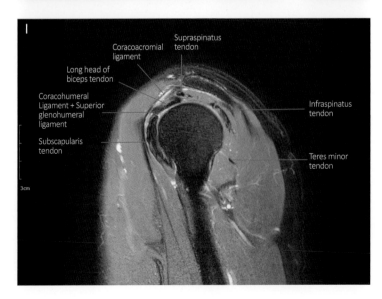

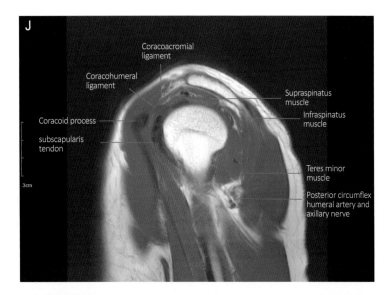

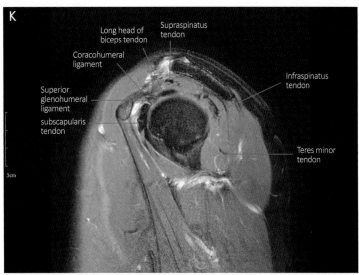

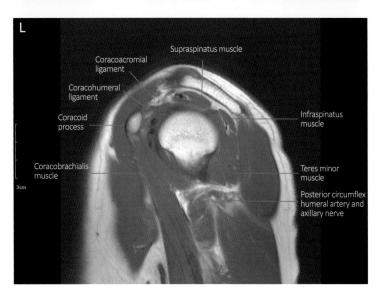

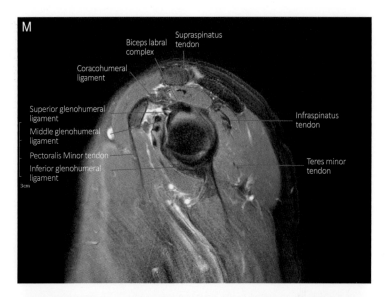

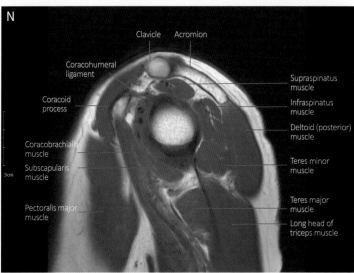

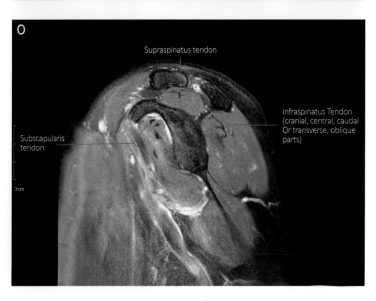

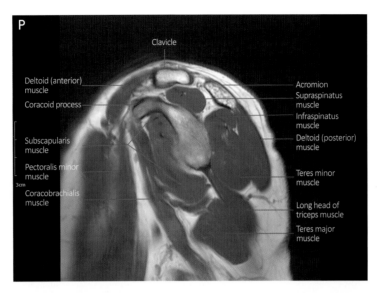

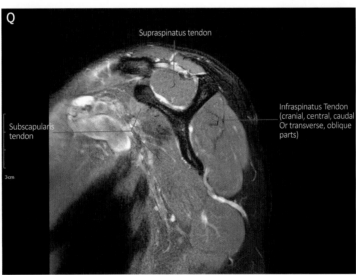

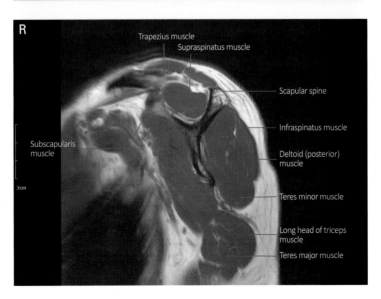

그림 6-17 사위 관상면 자기공명영상

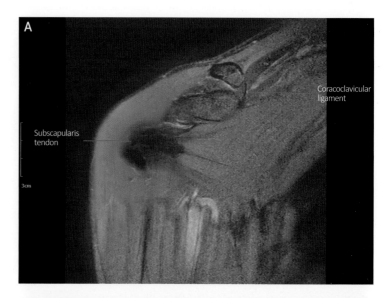

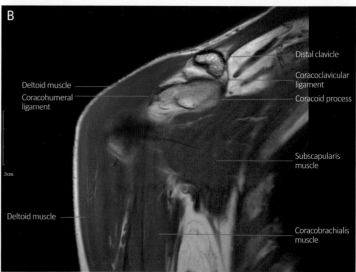

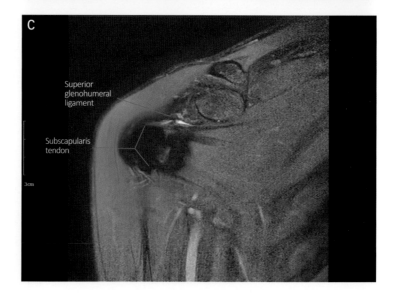

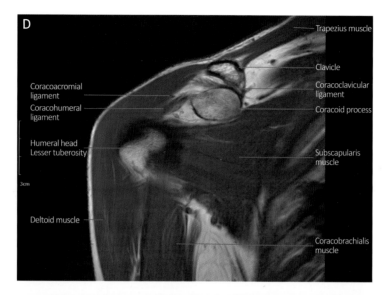

D

Trapezius muscle

Clavicle

Coracoacromial ligament

Coracoclavicular ligament

Coracohumeral ligament

Coracoid process

Humeral head
Lesser tuberosity

Subscapularis muscle

3cm

Deltoid muscle

Coracobrachialis muscle

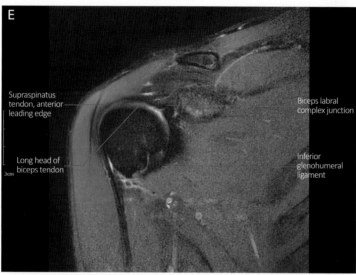

E

Supraspinatus tendon, anterior leading edge

Biceps labral complex junction

Long head of biceps tendon

Inferior glenohumeral ligament

3cm

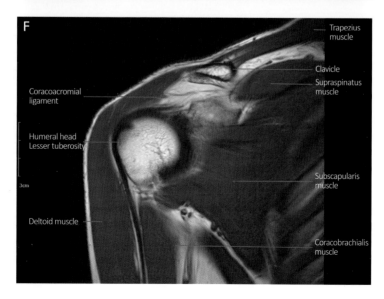

F

Trapezius muscle

Clavicle

Coracoacromial ligament

Supraspinatus muscle

Humeral head
Lesser tuberosity

Subscapularis muscle

3cm

Deltoid muscle

Coracobrachialis muscle

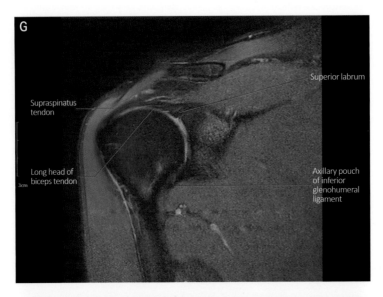

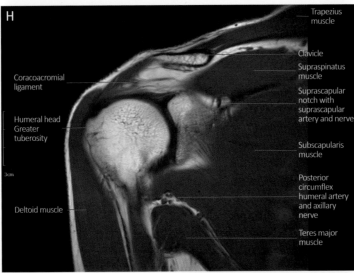

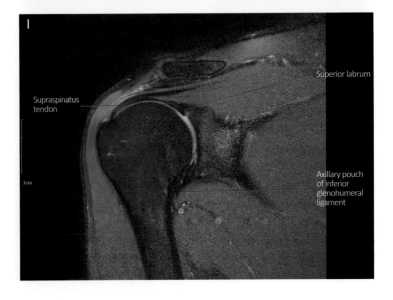

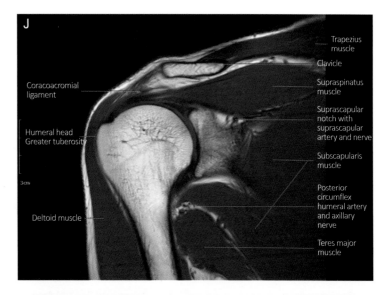

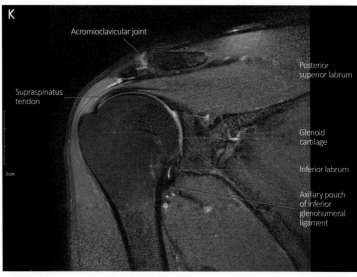

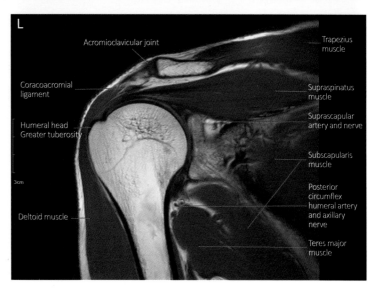

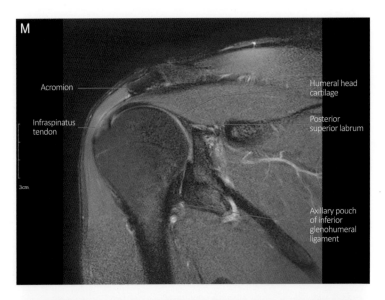

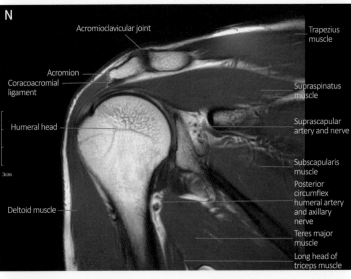

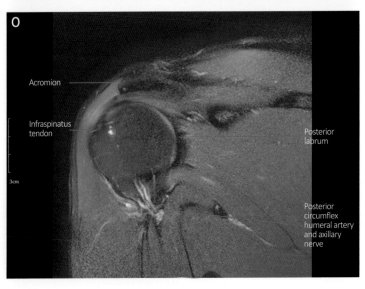

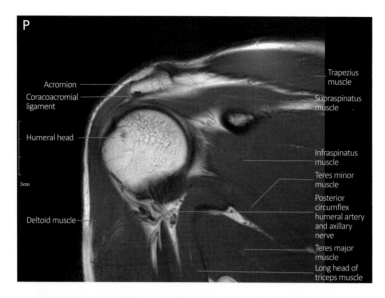

P

Acromion
Coracoacromial ligament
Humeral head
3cm
Deltoid muscle

Trapezius muscle
Supraspinatus muscle
Infraspinatus muscle
Teres minor muscle
Posterior circumflex humeral artery and axillary nerve
Teres major muscle
Long head of triceps muscle

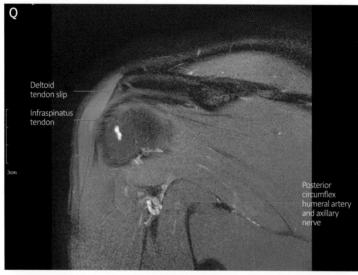

Q

Deltoid tendon slip
Infraspinatus tendon
3cm

Posterior circumflex humeral artery and axillary nerve

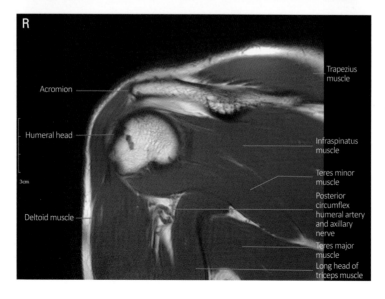

R

Acromion
Humeral head
3cm
Deltoid muscle

Trapezius muscle
Infraspinatus muscle
Teres minor muscle
Posterior circumflex humeral artery and axillary nerve
Teres major muscle
Long head of triceps muscle

2) CT 관절조영술 해부학

그림 6-18 관절조영술 축상 영상

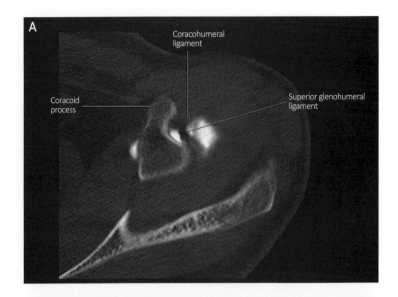

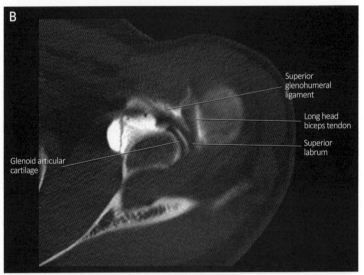

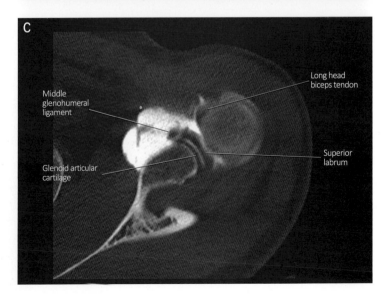

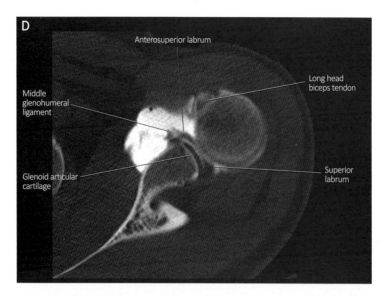

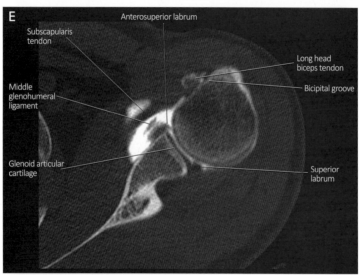

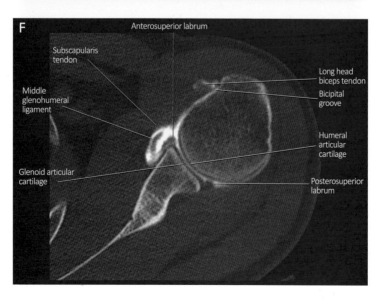

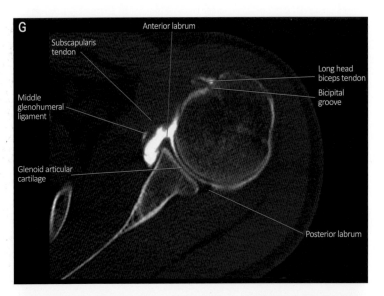

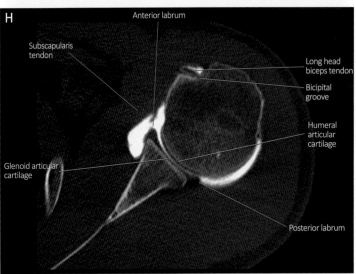

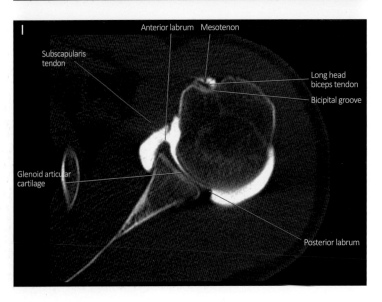

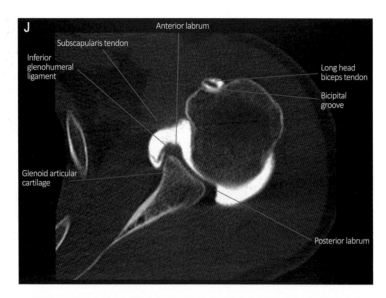

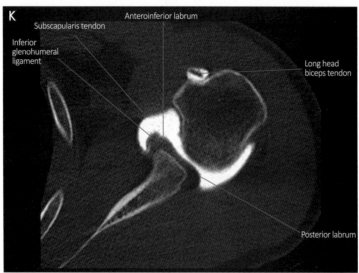

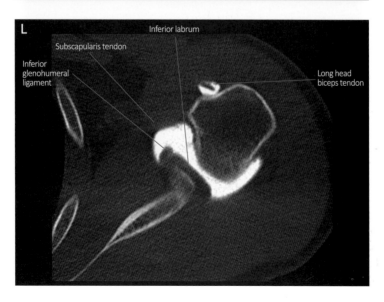

그림 6-19 관절조영술 관상 영상

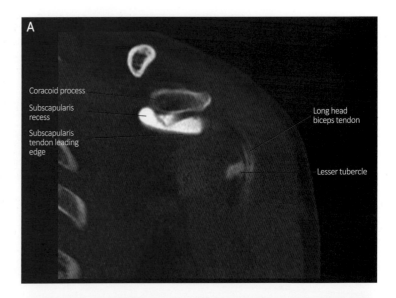

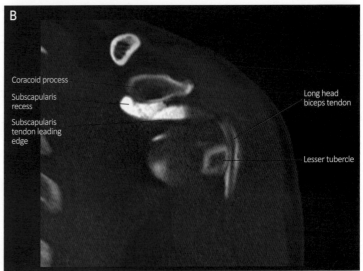

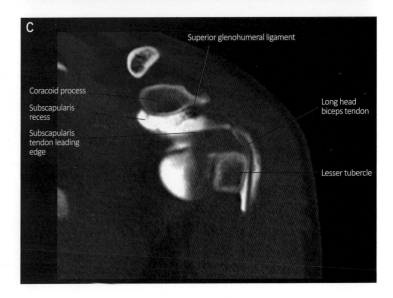

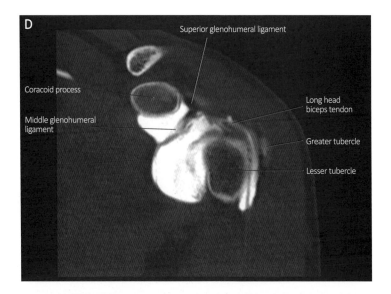

D

Superior glenohumeral ligament

Coracoid process

Middle glenohumeral ligament

Long head biceps tendon

Greater tubercle

Lesser tubercle

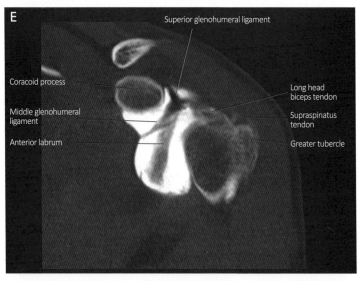

E

Superior glenohumeral ligament

Coracoid process

Middle glenohumeral ligament

Anterior labrum

Long head biceps tendon

Supraspinatus tendon

Greater tubercle

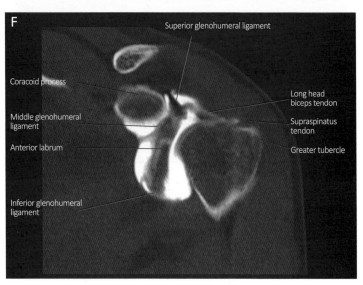

F

Superior glenohumeral ligament

Coracoid process

Middle glenohumeral ligament

Anterior labrum

Inferior glenohumeral ligament

Long head biceps tendon

Supraspinatus tendon

Greater tubercle

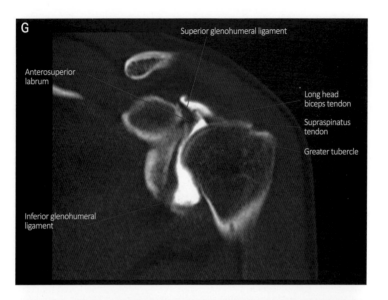

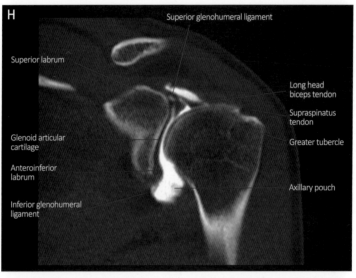

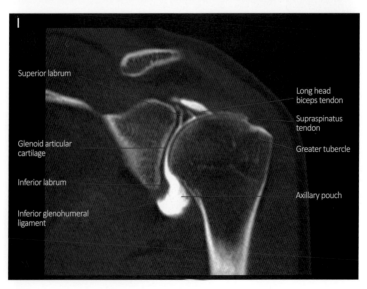

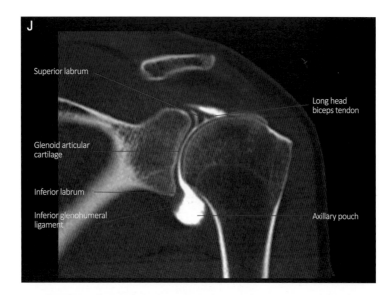

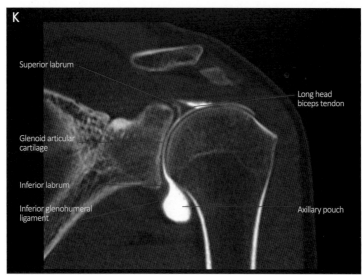

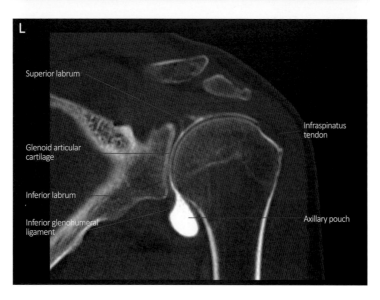

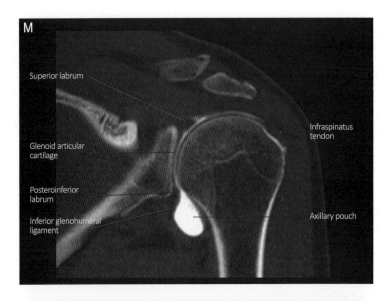

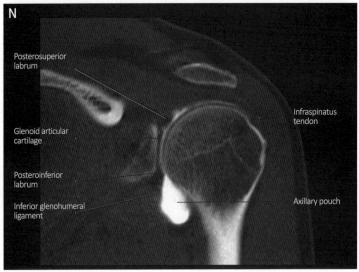

그림 6-20 **관절조영술 시상 영상**

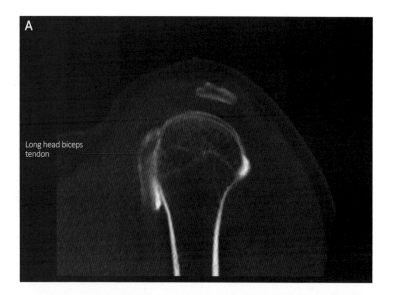

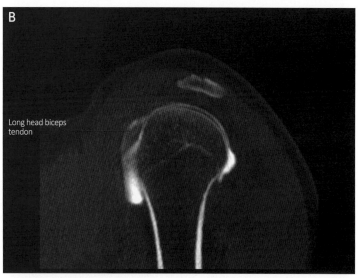

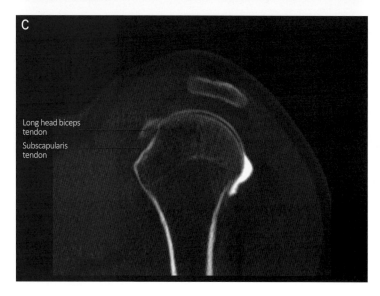

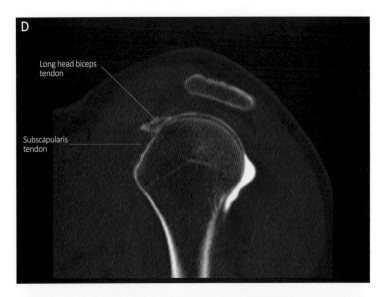

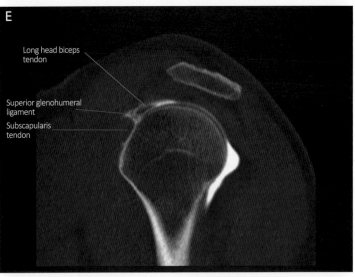

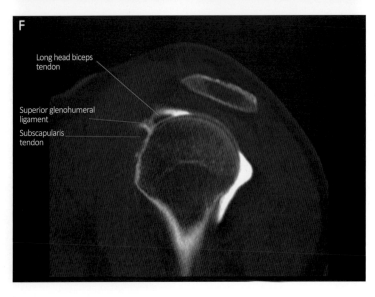

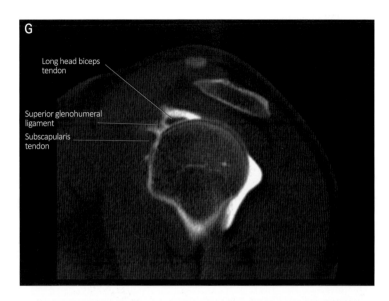

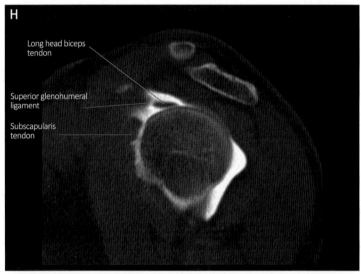

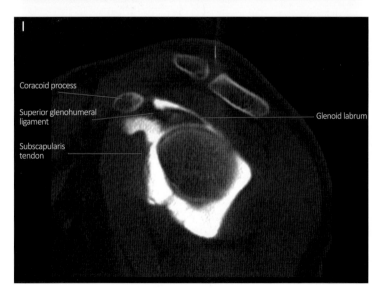

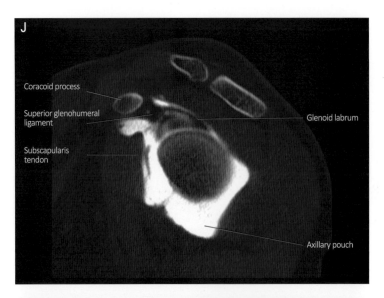

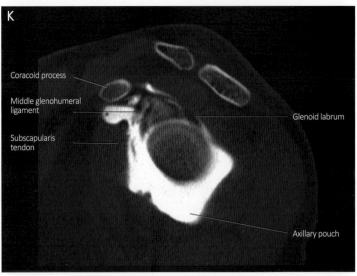

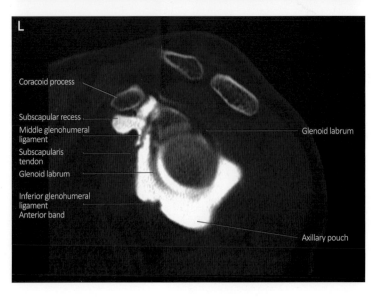

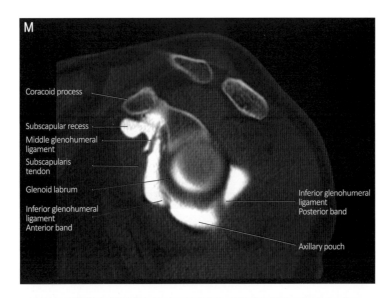

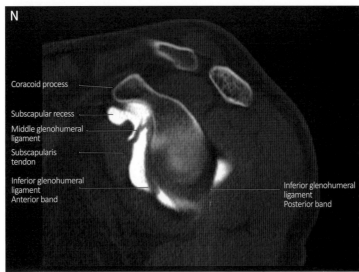

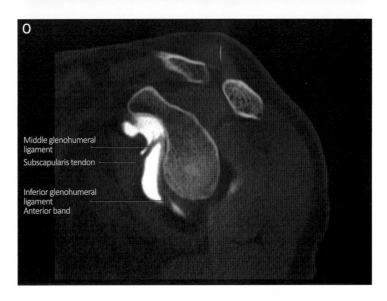

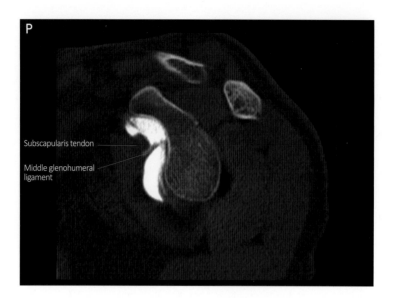

참고문헌

1. Sanders TG, Jersey SL. Conventional radiography of the shoulder. Semin Roentgenol. 2005;40(3):207-22.

2. Ballinger PW, Frank ED. Merrill V. Merrill's atlas of radiographic positions & radiologic procedures. 10th ed. St. Louis, Mo.: Mosby; 2003.

3. Rokous JR, Feagin JA, Abbott HG. Modified axillary roentgenogram. A useful adjunct in the diagnosis of recurrent instability of the shoulder. Clin Orthop Relat Res. 1972;82:84-6.

4. Rozing PM, de Bakker HM, Obermann WR. Radiographic views in recurrent anterior shoulder dislocation. Comparison of six methods for identification of typical lesions. Acta Orthop Scand. 1986;57(4):328-30.

5. Ibrahim EF, Forrest NP, Forester A. Bilateral weighted radiographs are required for accurate classification of acromioclavicular separation: an observational study of 59 cases. Injury. 2015;46(10):1900-5.

6. Park J, Chai JW, Kim DH, Cha SW. Dynamic ultrasonography of the shoulder. Ultrasonography. 2018;37(3):190-9.

7. Charousset C, Bellaiche L, Duranthon LD, Grimberg J. Accuracy of CT arthrography in the assessment of tears of the rotator cuff. J Bone Joint Surg Br. 2005;87(6):824-8.

8. Lecouvet FE, Simoni P, Koutaissoff S, Vande Berg BC, Malghem J, Dubuc JE. Multidetector spiral CT arthrography of the shoulder. Clinical applications and limits, with MR arthrography and arthroscopic correlations. Eur J Radiol. 2008;68(1):120-36.

9. Goutallier D, Postel JM, Bernageau J, Lavau L, Voisin MC. Fatty muscle degeneration in cuff ruptures. Pre- and postoperative evaluation by CT scan. Clin Orthop Relat Res. 1994(304):78-83.

10. Kim YJ, Choi JA, Oh JH, Hwang SI, Hong SH, Kang HS. Superior labral anteroposterior tears: accuracy and interobserver reliability of multidetector CT arthrography for diagnosis. Radiology. 2011;260(1):207-15.

11. Oh JH, Kim JY, Choi JA, Kim WS. Effectiveness of multidetector computed tomography arthrography for the diagnosis of shoulder pathology: comparison with magnetic resonance imaging with arthroscopic correlation. J Shoulder Elbow Surg. 2010;19(1):14-20.

12. Kim SH, Choi JY, Yoo HJ, Hong SH. External rotation and active supination CT arthrography for the postoperative evaluation of type II superior labral anterior to posterior lesions. Knee Surg Sports Traumatol Arthrosc. 2016;24(1):134-40.

13. Choi JY, Kim SH, Yoo HJ, et al. Superior labral anterior-to-posterior lesions: comparison of external rotation and active supination CT arthrography with neutral CT arthrography. Radiology. 2012;263(1):199-205.

14. Lee HS, Lee YH, Jung I, et al. Optimization of MRI Protocol for the Musculoskeletal System. Journal of the Korean Society of Radiology. 2020;81(1).

15. Magee T. 3-T MRI of the shoulder: is MR arthrography necessary? AJR Am J Roentgenol. 2009;192(1):86-92.

16. Waldt S, Burkart A, Lange P, Imhoff AB, Rummeny EJ, Woertler K. Diagnostic performance of MR arthrography in the assessment of superior labral anteroposterior lesions of the shoulder. AJR Am J Roentgenol. 2004;182(5):1271-8.

17. Duc SR, Mengiardi B, Pfirrmann CW, Jost B, Hodler J, Zanetti M. Diagnostic performance of MR arthrography after rotator cuff repair. AJR Am J Roentgenol. 2006;186(1):237-41.

18. Willemsen UF, Wiedemann E, Brunner U, et al. Prospective evaluation of MR arthrography performed with high-volume intraarticular saline enhancement in patients with recurrent anterior dislocations of the shoulder. AJR Am J Roentgenol. 1998;170(1):79-84.

19. Flannigan B, Kursunoglu-Brahme S, Snyder S, Karzel R, Del Pizzo W, Resnick D. MR arthrography of the shoulder: comparison with conventional MR imaging. AJR Am J Roentgenol. 1990;155(4):829-32.

20. Saleem AM, Lee JK, Novak LM. Usefulness of the abduction and external rotation views in shoulder MR arthrography. AJR Am J Roentgenol. 2008;191(4):1024-30.

21. Tirman PF, Bost FW, Steinbach LS, et al. MR arthrographic depiction of tears of the rotator cuff: benefit of abduction and external rotation of the arm. Radiology. 1994;192(3):851-6.

22. Erickson SJ, Cox IH, Hyde JS, Carrera GF, Strandt JA, Estkowski LD. Effect of tendon orientation on MR imaging signal intensity: a manifestation of the "magic angle" phenomenon. Radiology. 1991;181(2):389-92.

관절경 수술의 기본 술기

Basic surgical technique of the arthroscopic shoulder surgery

정현장

1. 수술장 준비

관절경 수술에는 여러 장비가 필요하다. 우선 관절경 카메라를 연결하여 영상 및 사진을 촬영 및 저장하고, 영상을 시청할 수 있는 모니터로 출력을 할 수 있는 카메라 시스템이 필요하다. 관절경의 사용 시에는 개방성 술식과는 달리 외부에서 무영등을 이용한 조명의 투사가 불가하므로 관절경에 연결하여 인체 내부에 조명을 투사할 수 있는 조명원(light source)과 조명선(light cable)이 구비되어야 한다. 또한 관절경 수술에는 불필요한 연부조직을 제거하고 정리하는 절삭기(motorized shaver) 및 전기소작기(electrocautery) 등이 필요하다. 또한 견봉성형술 등 골을 절삭하거나 구멍을 뚫어야 하는 술기의 경우 burr 혹은 drill bit 등을 절삭기에 연결하여 사용할 수도 있다. 상기 장비들은 모두 전기를 사용하고 부피가 크므로, 감전 등 전기 관련 사고를 줄이고 의료진의 동선에 방해되지 않도록 이동형 혹은 고정형 캐비닛에 설치하여 사용하게 된다(그림 7-1).

또한 관절경 수술을 진행할 때는 관절와상완관절(glenohumeral joint) 및 견봉하공간(subacromial space)을 관찰해야 하는데, 그 공간이 좁고 지속되는 출혈이 시야를 방해하므로 공간을 확장시킴과 동시에 관절강내공간에 압박을 하여 지혈할 수 있도록 도와주는 관류액(irrigation fluid)의 지속적인 투여가 필수적이다. 관류액의 투여는 중력을 이용하거나 관절경 펌프 시스템을 사용하여 시행할 수 있으며, 관절경 펌프 시스템은 관류액의 압력을 조절할 수 있어

시야 확보에 좀 더 용이하다는 장점이 있다. 최근에는 단순히 관류액을 주입(inflow)할 때에만 압력을 조절하는 것이 아니라, 주입한 관류액을 밖으로 배출(outflow)할 때에도 압력을 측정하여 과도하게 관류액이 주입되는 것을 방지하는 이중 펌프 시스템(dual pump system)을 사용하는 경우도 많다(그림 7-2). 다만 이중 펌프 시스템을 사용하더라도 배출되는 관류액의 일부는 펌프 외에 다른 곳으로 누출될 수밖에 없는데, 수술장 바닥으로 누출된 관류액은 의료진의 낙상 등을 유발할 수 있을 뿐 아니라, 전기를 사용하는 장비로 인한 감전이나 누전 등을 유발할 가능성이 있으므로 액체 흡입기를 바닥에 설치하여 이를 최소화하는 것이 안전하다(그림 7-3).

관류액으로는 주로 생리식염수를 사용하고, 수술 중 출혈을 줄이고 시야를 확보하기 위해서 에피네프린을 관류액에 섞어서 투여할 수 있다.[1,2] 에피네프린을 사용하는 경우 관류액의 압력을 낮출 수 있어,[2] 수술 후 부종 등을 줄이는 데에도 도움이 될 수 있을 것으로 생각된다. 생리식염수 1 L 당 에피네프린 0.33 mg이 혼합되도록 하고, 이는 통상적으로 많이 사용하는 3 L 생리식염수에 1 mg 에피네프린 한 앰플을 주입하는 것으로 간단히 시행할 수 있다. 그러나 드물게 발생하지만 관류액에 혼합된 에피네프린이 체내로 흡수될 경우 심혈관계 부작용을 유발할 수 있다는 보고가 있는 만큼,[3] 수술 중 지속적인 환자 활력징후의 추시가 반드시 필요하다.

관절경 수술은 앞서 언급한 바와 같이 여러 가지 장비를

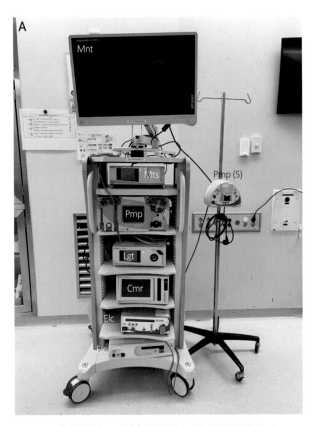
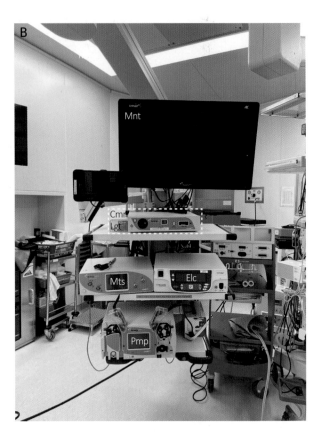

그림 7-1 **이동형(A) 및 고정형(B) 캐비닛에 설치한 관절경 장비 세트**

A: 이동형은 설치 장소를 변경할 수 있기 때문에 수술방의 사정에 따라 쉽게 이동 설치가 가능하다는 장점이 있으나 이동 중 파손될 가능성이 있으며, 바닥과 닿는 부분이 생기므로 관류액에 의한 감전 사고가 발생하지 않도록 주의해야 한다. B: 고정형은 설치 장소를 변경할 수 없으나 이동 중 손상 가능성이 없으며, 수술방에 따라 천장형 고정장치(boom arm)를 사용하여 바닥의 관류액에서 완전히 떨어뜨릴 수 있어 좀 더 안전하다는 장점이 있다. Mnt (monitor): 관절경 모니터, Cmr (camera recorder system): 카메라 연결 및 영상 저장 장치, Lgt (light source): 조명원, Mts (motorized shaver unit): 절삭기 장치, Elc (electrocautery unit): 전기소작기 장치, Pmp (pump): 관절경 펌프, 이중 펌프 시스템, Pmp (s): 관절경 펌프, 단일 펌프 시스템

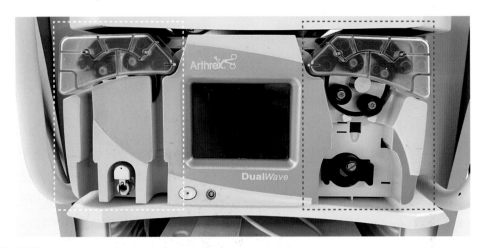

그림 7-2 **이중 펌프 시스템**

관류액을 주입하는 펌프(흰 사각형)와 관류액을 배출하는 펌프(붉은 사각형)를 따로 분리하여 연결한다. 기존의 단일 펌프 시스템에 비해서 체외로 유출되는 관류액의 양을 줄일 수 있으며, 관류액을 배출하는 펌프에서 압력을 감지하여 수술 중 관류액의 압력 조절을 보다 수월하게 시행할 수 있다는 장점이 있으나, 설치해야 할 관류액의 선이 늘어나므로 수술장이 복잡해지고, 비용이 증가한다는 단점이 있다. 최근에는 카메라 시스템, 절삭기 장치 등과 연동이 되면서 단일 모니터로 관류액의 압력을 바로 확인함과 동시에 관류액의 압력에 맞춰서 절삭기의 흡입력(suction power)을 자동으로 조절해주는 장비가 출시되고 있다.

그림 7-3 바닥에 설치하는 액체 흡입기(floor suction)
체외로 유출된 관류액을 흡수하여 의료진의 낙상 및 감전 사고를 방지할 수
있다.

이용하는 수술이므로 이 장비들이 들어갈 수 있는 충분한
크기의 수술실이 필요하다. 또한 수술 중 개방적 술식으로
의 전환 등으로 인한 환자의 체위 변환이 필요할 수 있으
므로 높이 및 장축과 단축의 기울임이 가능한 수술침대가
구비되어야 한다. 또한 수술 자세에 따라 환자 체위 고정에
필요한 물품이 바뀔 수 있다.

2. 마취

어깨의 관절경 수술은 전신마취 혹은 사각근간 마취
(interscalene block)를 이용하거나, 두 방법을 모두 병용하
여 시행할 수 있다. 사각근간 마취를 시행할 때는 초음파
를 통해서 신경의 위치를 확인하고 주변의 혈관을 피해서
주사바늘 혹은 카테터를 거치한 후 마취제를 투여한다. 마
취 심도의 적절성 여부를 확인하기 위해서 말초신경 자극
기(peripheral nerve stimulator) 등을 이용하기도 한다.

사각근간 마취를 시행할 경우 전신마취에 따른 신체의
부담을 줄일 수 있으며, 환자와 대화를 하면서 수술을 시
행할 수 있는 장점이 있다. 반면 환자가 움직일 수 있어 장
시간 수술을 시행할 때는 수술 시야가 계속해서 변경이 될
수 있으며, 장시간의 고정된 체위에 의한 불편감 및 수술장
소음에 따른 불안감 등을 호소할 수 있다. 또한 사각근간

마취만을 시행할 경우 관절경의 후방 삽입구 부위의 통증
을 느끼므로 국소마취제를 후방 삽입구 주변에 침윤시키
고 충분히 마취가 된 이후에 후방 삽입구를 만드는 것이
적절하다.

전신마취를 사각근간 마취와 같이 병용할 경우, 수술 중
발생하는 통증 반응이 감소하여 활력징후를 비교적 안정
적으로 유지할 수 있으며, 사각근간 마취 시 거치한 카테
터 등에 바로 자가조절진통(patient-controlled analgesia) 장
치를 연결하여 수술 직후 통증을 바로 조절할 수 있다는
장점이 있다.

3. 수술 시 체위

관절경 수술을 시행할 때에는 우선 환자의 체위를 어떻
게 할 것인지를 결정해야 한다. 주로 측와위(lateral decubi-
tus position) 혹은 해변의자 자세(beach-chair position)를
주로 사용하게 된다. 각 수술 시 체위는 각기 장단점이 있
으나, 대부분의 의사들은 본인에게 편한 한 가지 체위만을
이용하는 경우가 많고, 전공의 등 수련 과정에서 주로 접
한 체위를 따라가는 경우가 많다. 따라서 수술 시 체위에
따라 임상적 결과에 있어 차이가 있는지는 뚜렷하게 조사
된 바가 없으며, 각 체위의 장단점을 고려하여 시술자에게
가장 적합한 체위를 선택하면 될 것이다.[4]

1) 측와위

측와위는 수술 중 환자를 옆으로 눕힌 상태로 체위를 유
지해야 한다. 따라서 수술 부위의 반대편의 액와부가 계속
해서 압박을 받아 상완신경총의 마비를 유발할 수 있으므
로 반대 측 액와부 아래쪽에 부드러운 포를 둥글게 말아서
받쳐 압력을 분산시켜주는 것이 좋다(그림 7-4A). 또한 반대
측 비골 두(fibular head)가 지속적으로 눌릴 경우 비골 신
경의 손상(fibular nerve palsy)이 발생할 수 있으므로 비골
두 주변을 부드러운 포로 받쳐서 직접적으로 수술 침대와
닿지 않게 하는 것이 중요하다(그림 7-4B).

측와위 자세라도 환자를 90도로 세워서 완전 측방 자세
를 취하도록 하는 것은 수술을 어렵게 만들 수 있다. 이는

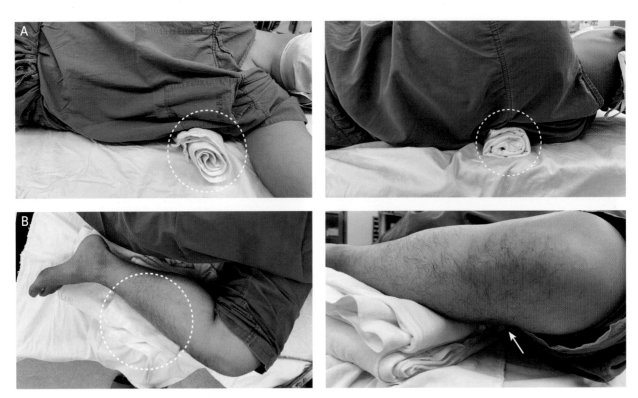

그림 7-4 측와위 시 신경손상을 방지하기 위한 예방법
A: 측와위 상태에서는 수술할 부위의 반대편 액와부가 계속해서 눌려서 상완신경총 마비가 발생할 수 있으므로 부드러운 포를 얇고 둥글게 말아서 직접 바닥에 닿지 않도록 보호해주는 것이 안전하다. B: 측와위 상태에서는 수술할 부위의 반대편 비골 두가 계속해서 눌려서 비골 신경마비가 발생할 수 있으므로 부드러운 포를 얇게 접어서 비골 두(화살표)가 바닥에 직접 닿지 않도록 보호해주는 것이 안전하다.

견갑골의 장축이 환자의 흉강(thoracic cage)에 비해 약 30-40도 정도 전방으로 기울어져 있기 때문인데, 완전 측방 자세를 취할 경우 관절와가 전방으로 기울어져서 수술을 어렵게 만들 수 있으며, 견인기를 사용할 경우 전방으로 환자의 몸이 더 기울어져 이와 같은 경향이 더욱 커질 수 있다(그림 7-5). 따라서 완전 측방 자세보다는 환자를 뒤로 약 30-40도 정도 기울인 상태(변형 측와위)로 준비를 하고, 견인기를 이용하여 환자의 체위를 조절하는 것이 시야의 확보 및 수술의 편의성 측면에서 좀 더 용이하다(그림 7-5).[5,6]

환자를 옆으로 눕힌 상태로 고정하기 위해서는 진공 beanbag이나 측와위 체간고정장치(lateral positioner) 등이 필요하다. 진공 beanbag은 내부에 있는 공기를 흡입하기 전까지 비교적 자유롭게 환자의 체위를 변경할 수 있어 변형

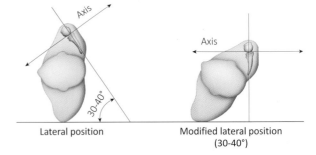

그림 7-5 완전 측와위와 변형된 측와위에 따른 견갑골 및 관절와의 위치
견갑골의 흉강에 대한 전방경사로 인해 완전 측방위 시 관절강내공간이 전방으로 기울어져 있는 것을 볼 수 있다. 견인기를 설치하고 여기에 추 혹은 유압 등으로 견인을 시행할 경우 전방경사는 더 커지는 경향이 있으므로 주의해야 한다.

측와위를 취하기가 편하고, 개방성 술식으로 전환하기 위해서 앙와위(supine position)로 변경할 때에도 진공 상태를 해제하는 것으로 쉽게 체위를 변경할 수 있다는 장점이 있다. 그러나 환자가 지나치게 비만할 경우 사용하기가 쉽지 않고, 손상을 받아 진공 상태가 풀리게 되면 수리가 쉽지 않다는 단점이 있다.[7] Lateral positioner의 경우 진공 bean-bag에 비해서 상대적으로 환자의 체형에 구애를 덜 받고, 체위 고정 시 흡입장치(suction unit)가 필요 없다는 장점이 있다. 그러나 개방적 술식으로 전환 시에는 고정된 장치를 제거해야 하므로 상대적으로 불편하다는 단점이 있으며, lateral positioner를 사용할 경우 단단한 장치에 의해 눌리는 부위가 손상을 받을 수 있으므로, 이를 방지하기 위해 부드러운 포로 받쳐서 압력을 분산하는 것이 좋다(그림 7-6).

측와위 시에는 특수한 형태의 견인기(arm positioner)를 통해 추 혹은 유압 등을 이용한 물리적 견인이 가능하므로, 수술 시 관절와상완관절 및 견봉하공간이 넓어져서 접근이 쉽고 수술 보조자의 도움 없이 수술 중 지속적인 견인을 유지할 수 있다는 장점이 있다(그림 7-7). 견인 시 팔의 위치는 전방 굴곡 10-20도, 외전은 20-40도 정도로 유지하는 경우가 많으나, 광범위파열 등에서 회전근 개 파열부 주

위의 충분한 박리 이후에도 파열단의 정복이 힘든 경우 외전의 범위를 더 늘릴 수도 있다.

도르래 및 추를 이용한 견인기는 유압을 사용하는 것에 비해 상대적으로 가격이 저렴하다는 장점이 있으나, 유압 견인기에 비해서 팔의 움직임에 제한이 있고 한 자세로 고정하는 능력이 떨어진다는 단점이 있다. 견인에 필요한 힘의 크기는 환자의 체형 등에 의해 영향을 받으며 남성은 5.4-6.8 kg (12-15 lb), 여성은 4.5-5.4 kg (10-12 lb) 정도로 추의 무게를 맞추는 경우가 많으나,[8] 과도하게 팔을 잡아당길 경우 이에 따른 신경손상이 발생할 수 있으며 4.5 kg (10 lb) 이상의 무게로 견인 시 상완신경총의 손상이 발생할 수 있다는 보고가 있다.[9]

측와위의 가장 큰 장점은 수술 중 발생할 수 있는 저혈압 혹은 서맥 등에 의한 뇌혈류 장애 등의 위험성이 낮다는 것이다. 또한 수술 중 시야를 방해하는 출혈을 조절하기 위해 혈압을 낮추는 것도 해변의자 자세에 비해서 쉽게 시행할 수 있다. 그러나 해부학적 자세가 아니므로 초심자에게는 해변의자 자세에 비해 적응이 어렵고, 과도하게 견인을 시행할 경우 신경 및 혈관 등의 손상을 유발할 수 있을 뿐 아니라, 개방성 술식으로 전환이 해변의자 자세에 비해서 어렵다는 단점이 있다.[7]

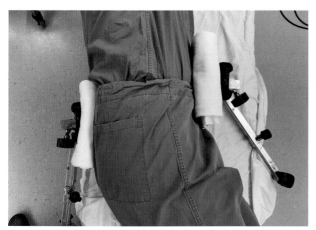
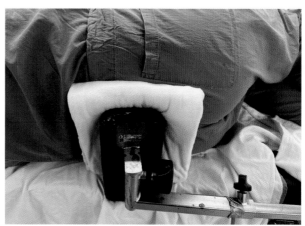

그림 7-6 측와위 체간고정장치(lateral positioner)를 이용한 고정
후방에 설치한 체간고정장치는 골반부위를 지지하여 흔들리지 않도록 단단하게 고정하고, 전방에 설치한 체간고정장치의 경우 과도하게 누를 필요가 없이 환자가 전방으로 기울어지거나 고정 상태가 풀리지 않을 정도로 여유를 둔 상태로 고정한다. 체간고정장치가 단단할 경우 압력에 의한 욕창(pressure sore)이 발생할 수 있으므로 부드러운 포를 이용하여 예방하는 것이 안전하다.

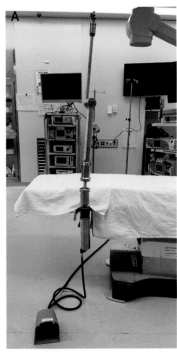
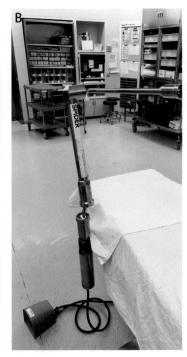
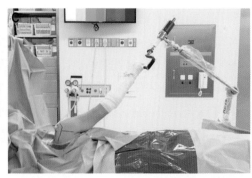
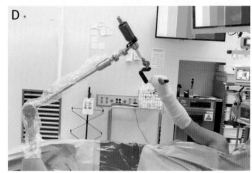

<u>그림 7-7</u> **특수한 형태의 견인기 및 이를 이용한 환자 체위 고정**
A, B: 유압을 이용한 견인기로 아래쪽의 발판(주황색)을 밟을 경우 압력이 줄어들면서 견인기의 관절이 꺾이는 부분의 위치를 조정할 수 있다. C, D: 견인기를 이용하여 고정한 측와위 상태를 환자의 후방 및 전방에서 관찰한다. 견인기를 이용하여 원하는 범위 내에서 전방 굴곡 및 외전의 정도를 수정할 수 있다.

2) 해변의자 자세

해변의자 자세의 경우, 체위 자체가 어깨 및 상완부의 수술에 흔하게 사용되는 자세이므로 비교적 적응이 쉽고, 개방성 술식으로의 전환이 용이하며, 측와위와는 달리 견갑골이 고정되어 있으므로 마취된 상태에서의 검진이 편하다는 장점이 있다. 그러나 저혈압, 서맥 등에 의한 뇌혈류 장애의 위험성이 상대적으로 높고, 이에 따라서 수술 중 출혈 조절을 위해서 혈압을 낮추기가 측와위에 비해서 더 힘들다는 단점이 있다.[7]

4. 관절경 삽입구

관절경 수술을 할 때 가장 중요한 사항으로 관절경 삽입구의 적절한 위치 선정을 제외할 수 없다. 적절한 위치에 관절경 삽입구를 만들지 않는다면 시야 확보가 힘들어지고, 수술 기구를 의도한 대로 위치시키기 힘들어져서 수술

난이도가 증가할 수 있다. 관절경 삽입구를 만들기 전 해부학적 표지자(anatomical marker)를 피부에 표시해서 정확하게 위치를 파악하고 삽입구를 만드는 것이 좋다.

1) 해부학적 표지

수술 전 견봉(acromion)과 쇄골(clavicle), 오구돌기(cora-coid process)를 먼저 촉지해서 위치를 확인한다. 우선 견봉의 후외측 부위(posterolateral tip of acromion)를 먼저 촉지하고, 견봉의 후방 및 견갑골극(scapular spine)을 따라 후방으로 선을 그어 표시를 한다. 이후 견봉의 외측연을 촉지하며 견봉의 전외측 부위(anterolateral tip of acromion)까지 전방으로 선을 긋는다. 대개 견봉의 후방과 외측연을 연결하는 선의 각도는 90도보다 약간 큰 둔각의 형태를 띠는 경우가 많다. 견봉의 전외측 부위에서 내측으로 쇄골의 전방과 연결되는 선을 긋는다. 관절경 수술 시 주입되는 관류액에 의해서 수술 부위의 부종은 시간이 지남에 따라 점차

심해지므로 삽입구를 만들기 전에 미리 표기를 하는 것이 좋으며, 가능한 골성 구조물의 하부 경계를 따라서 크게 표시하는 것이 부종에 의한 해부학적 구조물의 위치 혼돈을 줄일 수 있다. 이후 쇄골의 후연과 견봉의 내측에 의해 형성된 사각공간에 엄지를 위치시켜 견갑상와(supraclavicular fossa)를 확인한다. 쇄골의 후연과 견봉의 내연을 따라 선을 그린다. 이후 오구돌기를 촉지하여 동그랗게 표시한다. 대부분의 해부학적 구조물은 쉽게 촉지되나 비만한 환자의 경우 오구돌기의 촉지가 쉽지 않을 수 있는데 삼각근(deltoid)과 대흉근(pectoralis major) 사이의 고랑을 따라서 촉지하다보면 비교적 쉽게 찾을 수 있다. 견갑하건의 파열이 심하여 개방적 술식으로의 전환 가능성이 높을 경우 삼각흉근고랑(deltopectoral groove)을 따라 미리 절개선을 표시하는 것이 도움이 될 수 있다. 이후 견봉-쇄골관절(acromioclavicular joint)을 표시한다. 견봉-쇄골관절염이 심한 경우 상대적으로 촉지가 힘들 수 있는데, 엄지손톱으로 눌러보면 상대적으로 용이하게 확인할 수 있다(그림 7-8).

2) 관절와상완관절

(1) 후방 삽입구(posterior portal)

대부분의 관절경 수술은 후방 삽입구를 만드는 것으로 시작하게 된다. 후방 삽입구는 관절와상완관절에서 수술을 시행할 경우 주 관찰 삽입구(viewing portal)로 사용하게 된다. 후방 삽입구를 삽입하기 위해서는 극하근(infraspinatus)과 소원근(teres minor) 사이의 연점(soft spot)을 촉지해야 한다. 대부분 견봉의 후외측 부위에서 하방으로 1-2 cm, 내측으로 1 cm 정도에 위치하며 엄지손가락으로 눌러보면 다른 부위와 달리 부드럽게 함몰되며 촉지된다. 단, 연점의 위치는 환자의 체격과 비만 정도에 따라 다르므로 상기한 기준을 무작정 따르기보다는 참고하여 위치를 파악하는 것이 좋다. 연점의 위치를 확인하면 엄지로는 관절와상완관절의 후방 관절면을, 중지로는 전방 관절면을 촉지하여 상완골 두를 움켜쥠으로써 보다 정확한 관절면의 위치를 파악할 수 있다. 실제 관절면의 위치는 앞서 표기한 견봉의 외측선과 일치하지 않으며, 오구돌기 측으로 경사

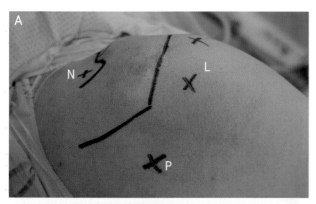

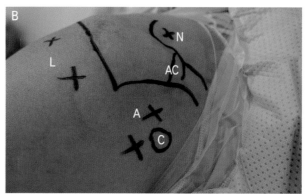

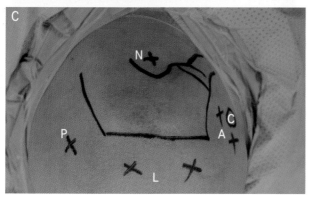

그림 7-8 어깨의 골성 해부학적 구조물과 관절경 삽입구의 표기
측와위 상태로 환자가 누워있으며, 관절경 삽입구의 위치는 X로 표시하였다. 각각 후방(A), 전방(B), 측방(C)에서 관찰한 시점이다. AC (acromioclavicular joint, 견봉-쇄골관절), C (coracoid process, 오구돌기), A (anterior portal, 전방 삽입구), P (posterior portal, 후방 삽입구), L (lateral portal, 측방 삽입구), N (Neviasser portal, Neviasser 삽입구)

져 있는 것을 확인할 수 있어 후방 삽입구를 뚫을 때의 진행 방향을 참조할 수 있다.

관절면의 위치를 파악하였다면 척수바늘(spinal needle)을 관절강내에 위치시켜 관절강의 위치를 바늘을 통해 촉지하여 다시 확인하고, 선정한 후방 삽입구의 위치가 적절한지 다시 평가한다. 후방 삽입구는 가능한 후방 관절면의 내측에 붙여서 만드는 것이 좋은데, 후방 관절면에서 외측에 위치시키게 되면 상완골 두에 의해 가려져서 전방 구조물을 관찰하기가 좀 더 힘들어지고, 견봉하공간으로 관절경을 옮겼을 때에도 삼각근에 의해 시야가 방해받을 수 있기 때문이다. 척수바늘을 관절강내로 넣기가 힘들거나 관절면의 내측에 가깝게 붙여서 들어갔는지 여부를 파악하기 힘들다면, 바늘을 삽입할 때 끝부분을 내측으로 기울여서 견갑골의 후면을 촉지하고 조금씩 척수바늘의 끝부분을 외측으로 기울여가면서 후방 관절면의 위치를 확인하고 삽입하는 것이 도움이 된다. 척수바늘을 적절한 위치에 삽입하였다면 주사기를 이용하여 생리식염수를 적당량 투여한다. 관절경 수술에 익숙하지 않거나 견관절 강직 등이 심하여 관절강내공간이 매우 좁은 경우 생리식염수를 50 ml 이상 투여하는 것이 이후 투관침을 통과시킬 때 관절와 및 상완골 두의 연골 손상을 방지하는 데 도움이 된다. 척수바늘이 적절한 위치에 있을 경우 주사기를 통해 생리식염수를 주입할 때 관절강의 전반부를 촉지하면 생리식염수가 주입되면서 발생하는 미세한 진동을 느낄 수 있다. 생리식염수를 주입한 이후 척수바늘의 위치와 진행 방향을 다시 확인하고 제거한다.

척수바늘을 제거한 이후 피부의 Langer선을 따라 약 3-4 mm 정도의 크기로 피부절개를 시행한다. 척수바늘의 진행경로를 참조하여 삼각근에 손상이 가지 않도록 주의하면서 끝이 뭉툭한 투관침을 관절경집(arthroscope sheath)에 결합하여 후방 관절면에서 오구돌기 방향으로 진행시킨다. 투관침을 피부에서 약간 밀어 넣은 후 그 끝부분을 조금씩 움직이면 상완골 두의 곡선 부위와 후방 관절와의 경계를 확인할 수 있다. 투관침을 잡은 손의 반대쪽 손으로 오구돌기를 촉지하여 그 손을 향해 투관침을 진행시키면 비교적 쉽게 삽입할 수 있다. 류마티스성 관절염이 동반된 경우

에는 뼈의 강도가 약해서 부적절한 위치에서 힘으로 투관침을 밀어 넣으면 상완골 두 후방에 골결손을 유발할 수 있으므로 주의해야 한다. 관절낭을 관통한 느낌이 들면 관절경집은 그대로 둔 상태에서 투관침을 제거하는데, 정확히 들어갔다면 이전 주입한 생리식염수가 배출되는 것을 확인할 수 있다. 관절경집에 관류액을 연결하고 관절경을 삽입하여 관절강 내부를 관찰한다.

(2) 전방 삽입구(anterior portal)

전방 삽입구는 주로 작업 삽입구(working portal)로 활용하며, 관절강내 후방에 대한 관찰이 필요할 경우 시야 확보를 위한 관찰 삽입구로 사용될 수 있다. 전방 삽입구는 관절강내에서 관찰되는 회전근 간격(rotator interval)에 위치시킨다. 관절강 내 회전근 간격은 상완이두근 장두건(long head of biceps brachii tendon, LHBT)과 견갑하근의 상연부, 중관절와상완인대(middle glenohumeral ligament, MGHL)로 형성되는 삼각형 구조로서(그림 7-9), 외부에서 삽입관(cannula)을 직접 삽입(outside-in technique)하거나

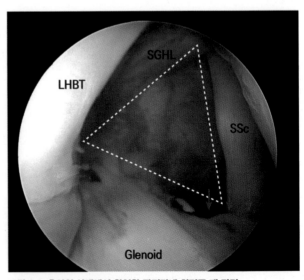

그림 7-9 측와위 상태에서 촬영한 관절강내 회전근 개 간격
상완이두근 장두건(long head of biceps tendon, LHBT), 견갑하건(subscapularis, SSc), 중관절와상완인대(middle glenohumeral ligament, MGHL, 붉은 화살표)가 이루는 삼각형의 공간 내로 전방 삽입구를 위치시킨다. 상완이두근 장두건과 거의 평행하게 상관절와상완인대(superior glenohumeral ligament, SGHL)가 주행하는 것을 관찰할 수 있다.

후방 삽입구에서 투관침 혹은 전환 막대(switching stick) 등을 삽입하여 필요한 전방 관절에 위치시키고 피부까지 뚫은 이후 삽입관을 넣는 방법(inside-out technique)을 사용할 수 있다. 전방 삽입구는 병변의 위치에 따라 견갑하근의 바로 위쪽 혹은 상완이두근 장두건에 붙여서 위치시킬 수 있다.

Outside-in technique을 사용할 경우, 오구돌기와 견봉 전외측 부위 사이의 공간에서 척수바늘을 관절강을 향해 밀어 넣으면 비교적 쉽게 회전근 간격 안에 척수바늘을 위치시킬 수 있다. 척수바늘의 위치와 진행 방향을 확인한 후, Langer선을 따라 삽입관이 들어갈 수 있을 정도로 절개를 가한 이후 관절경으로 삽입관의 진행을 확인하며 진행시킨다.

Inside-out technique을 사용할 경우, 관절경이 연결된 상태로 상완이두근 장두건이나 견갑하근을 손상시키지 않는 위치로 관절경이 회전근 간격의 연부조직에 닿을 때까지 최대한 밀어 넣고, 관절경집이 움직이지 않도록 밀고 있는 상태에서 관절경을 제거하고 투관침이나 전환 막대 등을 삽입할 경우 주위조직의 손상을 최소화할 수 있다.

액와부로 주행하는 신경혈관구조물의 손상을 막기 위해 오구돌기의 하방이나 내측으로 전방 삽입구가 만들어지지 않도록 주의해야 한다. 신경혈관구조물의 손상은 오구돌기에서 외측으로 떨어질수록 줄일 수 있으며, 두 정맥(cephalic vein)은 견봉-쇄골관절의 내측에 위치하므로 손상을 잘 받지는 않는다.

(3) 경견갑하근 삽입구(trans-subscapularis portal)

전하방 관절와의 골절 및 관절와순의 파열, 화농성 관절염 등으로 인해 관절강 전방 및 하방에 대한 접근이 필요한 경우 경견갑하근 삽입구를 만들 수 있다. 상완이두건 장두의 부착부위를 12시로 기준하였을 때 5시 방향(5-o'clock portal)에 위치하며, 견갑하근의 중앙 및 하부 1/3의 경계를 통과한다.[10,11] 전방 삽입구로부터 관절면을 따라 약 2 cm 하방에 척수바늘을 넣어 위치를 확인하고 절개하여 만든다. 관절와의 전하방부에 봉합나사를 삽입할 때 전방 삽입구에서 삽입할 때와는 달리 수직으로 삽입할 수 있다는 장점이 있으나, 견갑하건의 손상을 유발할 수 있으며, 근피신경으로부터 약 18-28 mm, 액와신경으로부터는 약 12-33 mm 정도밖에 떨어져 있지 않아 손상을 받지 않도록 주의해야 한다.[12-15] 따라서 큰 삽입관을 넣는 것보다는 봉합나사가 들어갈 수 있는 통로로 사용하는 것이 적합할 것으로 생각된다.

(4) 후하방 삽입구(posteroinferior portal)

후방 관절와순의 봉합이나, 화농성 관절염 등으로 인해 관절강 후방 및 하방에 대한 접근이 필요할 경우 후하방 삽입구를 만들 수 있다. 상완이두건 장두의 부착부위를 12시로 기준하였을 때 7시 방향(7-o'clock posteroinferior portal)에 위치하게 되는데, 후방 삽입구로부터 관절면을 따라 약 2-3 cm 하방에 절개를 넣어 만들 수 있다. 사체 연구에서 액와신경으로부터 약 4 cm, 견갑상신경으로부터 약 3 cm 정도 떨어져 있다고 보고된 바 있어, 너무 하방에 뚫지 않도록 주의를 요하며,[16] 큰 삽입관을 넣는 것보다는 수술 기구가 들어갈 수 있는 통로로 사용하는 것이 적합할 것으로 생각된다.

(5) 경회전근 개 삽입구(trans-rotator cuff portal)

관절와순의 파열 등으로 인해 관절강에 대한 접근이 필요할 경우 경회전근 개 삽입구를 만들 수 있다.[17] 견봉의 바로 외측면에서 척수바늘을 삽입하여 관절와의 11시 혹은 12시 방향에 위치하도록 한다. 가로로 약 1 cm 정도 절개를 가하고, 휘어지지 않은 직선형의 지혈 겸자(straight hemostat clamp, straight mosquito clamp)를 밀어 넣어 삼각근, 극상근, 관절낭을 관통시키고 벌려서 공간을 만든다. 이때 극상건의 파열을 막기 위해 최대한 관절와 직상방의 극상근의 근육 부분으로 통과가 되어야 하며, 상부 관절와 결절(superior glenoid tubercle)을 기준으로 약 60도 정도의 각도로 삽입된다. 필요에 따라 삽입관을 거치할 수 있으며, 수술 후 6주 정도면 대부분 회복되는 것으로 알려져 있다.[18]

3) 견봉하공간

(1) 후방 및 전방 삽입구

관절와상완관절에 위치한 병변의 진단 및 치료를 위해서 후방 및 전방 삽입구를 만들었다면 추가로 삽입구를 만들 필요 없이 이를 그대로 이용할 수 있다. 단, 후방 삽입구의 주행 방향은 관절와상완관절과는 달라져야 한다. 관절와상완관절에서 후방 삽입구의 진행은 후방 관절면에서 오구돌기를 향했다면, 견봉하공간에서는 견봉의 하면을 따라 투관침을 진행시켜 관절경을 삽입하게 된다. 관절경집에 투관침을 조립하고, 피부 절개부에서 삼각근보다 살짝 깊게 투관침을 밀어 넣는다. 이후 투관침을 들지 않은 반대쪽 손으로 견봉을 위쪽에서 아래로 누르고, 투관침은 견봉의 하면을 향해 진행하도록 위로 밀어 넣어 견봉의 하면을 촉지한다. 이후 견봉의 하면을 촉지한 상태로 전방으로 밀어 넣어 전방 삽입구로 투관침을 통과시켜서 전방 삽입구의 피부 절개부 바깥으로 관절경집을 밀어 넣는다. 삽입관을 전방 삽입구 바깥으로 돌출된 관절경집으로 최대한 밀어 넣고, 투관침을 제거한 후 관절경을 집어넣는다. 관절경집에 연결된 관류액을 주입시켜 혈액 등에 의해 가려지는 시야를 확보한 이후 관절경집을 천천히 뒤로 빼면서 삼각근의 전방부 내부로 통과시킨다. 이후 최대한 밀어 넣은 전방 삽입구의 삽입관을 다시 천천히 피부 바깥으로 빼면서 견봉하공간 내에 제대로 위치하였는지 확인한다. 삽입관은 투명한 것을 이용하는 것이 견봉하공간 내에 위치하였는지 확인하기가 편하며, 일반적으로 전방의 오구견봉인대 주위가 점액낭이 가장 적게 분포되어 있으므로 최대한 관절경을 전방에 거치한 상태로 유지하며 전방 삽입구의 위치를 확인하는 것이 시야 확보에 용이하다.

(2) 외측 삽입구(lateral portal)

외측 삽입구는 견봉의 전외측부에서 후외측부 끝까지 어느 위치에서나 삽입구를 만들 수 있으며 일반적인 경우 견봉 외연의 전방 1/3-2/5 지점에 상완이두근 장두 및 극상건이 위치하므로 이 위치에 외측 삽입구를 만드는 경우가 많으나, 회전근 개 파열의 위치 등을 고려하여 최종적으로 위치를 결정한다. 견봉 외연 전방 1/3-2/5 지점의 바로 후방에 견봉하점액낭의 후벽(posterior bursal curtain)이 위치하여 시야를 방해하는 경우가 많다.

외측 삽입구는 집도의에 따라서 견봉하공간의 주 작업 삽입구로 사용하거나 주 관찰 삽입구로 사용될 수 있다. 필자의 경우에는 견봉하공간에서는 보다 넓은 시야를 확보할 수 있고, 광학적으로 왜곡이 적은 70도 관절경을 사용하여 후방 삽입구를 관찰 삽입구로 활용하고,[19] 외측 삽입구는 견봉하공간에서의 주 작업 삽입구로 활용하는 방법을 선호한다. 일반적인 형태의 30도 관절경을 사용할 경우에는 외측 삽입구를 관찰 삽입구로 선택하는 것이 편리한 경우가 많다.

외측 삽입구는 견봉하공간의 구조물로 접근이 용이하려면 견봉의 외측면에서 최소 2 cm 정도는 떨어지는 것이 좋으나, 3 cm 이상 떨어지면 액와신경의 손상이 발생할 수 있으므로 주의해야 한다. 외측 삽입구의 높이를 결정할 때에도 척수바늘을 이용하여 위치를 파악하는 것이 좋은데, 척수바늘을 외측에서 삽입하여 바늘의 끝이 상완골 대결절 최상부(tip of greater tuberosity)와 동등하거나 약간 높은 위치에서 삽입하는 것이 추후 술기를 행하는 데 있어서 편리하다. 외측 삽입구를 너무 높게 위치시킬 경우 돌출된 견봉에 의해서 견봉하공간의 내측 구조물로의 접근이 방해될 뿐 아니라, 외측 봉합나사 삽입 시 적절한 삽입 각도를 확보하지 못하여 수술이 어려워질 수 있으며, 너무 낮게 위치시킬 경우에는 견봉하공간의 상부 및 내부 구조물로의 접근이 힘들고 액와신경의 손상을 초래할 수 있으니 주의해야 한다.

외측 삽입구를 만들 때 점액낭염(subacromial-subdeltoid bursitis) 등이 심해서 시야가 확보되지 않을 경우 외측 삽입구를 만들기 힘들 수 있다. 특히 후벽이 두껍게 있을 경우 정확하게 구분하기 힘든 경우가 많은데, 우측 어깨에서 견봉의 하면을 12시로 기준하였을 때, 5시 방향에 삼각근과 붙어있는 점액낭을 제거하면 시야를 확보하여 외측 삽입구를 보다 쉽게 만들 수 있다(그림 7-10).

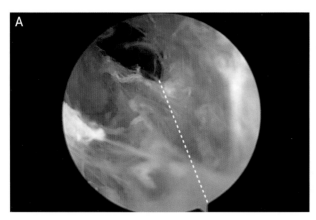
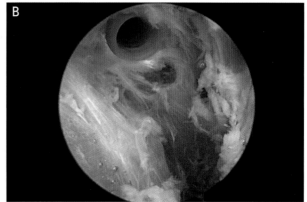

그림 7-10 **점액낭 후벽 제거 전(A), 후(B)**
점액낭염 등이 심해서 충분히 시야가 확보되지 않을 경우 삼각근 주위에 유착되어 있는 후외측의 점액낭을 제거하면 비교적 용이하게 시야를 확보할 수 있다.

4) 견봉–쇄골관절

견봉-쇄골관절은 대부분 견봉하공간에서 사용된 것과 같은 삽입구로 접근할 수 있다. 견봉하감압술(subacromial decompression)을 통해서 견봉하공간의 섬유성 비후를 보이는 점액낭 조직을 제거하면 원위쇄골 하면의 시야를 확보할 수 있으며, 원위쇄골을 위에서 아래쪽으로 강하게 누르면 원위쇄골이 아래로 밀리면서 견봉-쇄골관절의 위치를 확인할 수 있다. 심한 견봉-쇄골관절염으로 원위쇄골절제술(distal clavicle resection)이 필요한 경우, 견봉하감압술을 통해 견봉하면의 골막 조직과 오구견봉인대의 하면을 제거하고, 견봉성형술(acromioplasty)을 통해 견봉의 전내측부 및 후내측부의 골을 일부 제거하면 보다 쉽게 원위쇄골을 볼 수 있다. 필요하다면 견봉-쇄골관절의 전방 및 후방에서 바늘을 찔러 견봉-쇄골관절의 위치를 확인하고 상방 삽입구를 이용하여 견봉-쇄골관절에 접근할 수도 있다.

5. 진단적 관절경

관절경 수술의 시작은 병변의 위치와 정도를 정확히 관찰하고 평가하는 것에서부터 시작한다. 어깨의 구조물을 관찰하는 최적의 순서가 따로 정해져 있지는 않으나, 관찰해야 할 부위를 넘기거나 하지 않도록 술자는 자신만의 순서를 정해두는 것이 좋다.

1) 관절와상완관절

관찰을 위한 후방 삽입구, 시술을 위한 전방 삽입구를 만든 이후 진단적 관절경 검사를 시행한다. 가장 먼저 확인되는 구조물은 상완이두근 장두건이다(그림 7-9, 11). 관절와 상부 결절과 상부 관절와순에서 떨어져 있지는 않은지 확인하고, 탐색침(probe)을 이용하여 상완이두근 장두건을 젖혀서 시야에 가려져 있어 보이지 않은 부분의 파열이 있는지 다시 확인한다. 상완이두근 장두건을 젖히면 상관절

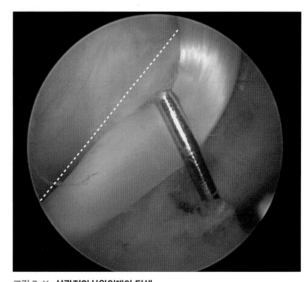

그림 7-11 **상관절와상완인대의 탐색**
상완이두근 장두건을 젖히면 상관절와상완인대가 상완이두근 장두건과 거의 평행하게 진행하는 것을 관찰할 수 있다.

와상완인대(superior glenohumeral ligament)가 주행하는 것을 관찰할 수 있다(그림 7-11).

이후 탐색침을 이용하여 상부 관절와순 파열 여부를 확인한다. 상부 관절와순은 탐색침으로 밀었을 때 안정성을 유지하고 있어야 하는데, 탐색침으로 밀었을 때 상부 관절와순이 골에서 떨어지고 육아조직이 관찰되는 경우 상부 관절와순의 파열(superior labrum anterior to posterior lesion, SLAP lesion)이 있음을 확인할 수 있다(그림 7-12).

관절경을 전하방부로 옮기면 견갑하근과 그 앞을 덮으면서 주행하는 중관절와상완인대(middle glenohumeral liga-ment)를 관찰할 수 있다(그림 7-13). 중관절와상완인대는 2 cm 정도로 큰 것부터 아예 관찰되지 않는 경우까지 매우 다양한 형태를 보인다. 견갑하건의 파열과 관련된 임상증상, 신체검진이 확인되지 않고, 자기공명영상 등의 영상의학적 검사 및 관절경 소견상 뚜렷한 견갑하건의 파열이 관찰되지 않는다면, 중관절와상완인대는 그대로 두어도 좋으나, 견갑하건의 파열이 관절경상에서 확인될 경우 중관절와상완인대를 일부 절제하여 좀 더 정확하게 평가하는 것을 고려할 수 있다(그림 7-13).

견갑하건의 파열은 극상건의 파열에 비해서 MRI를 통한

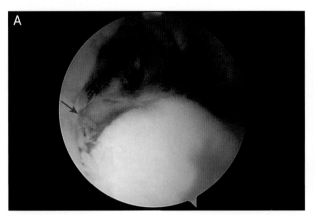
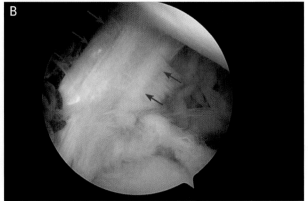

<u>그림 7-12</u> A: 탐색침을 이용하여 상부 관절와순을 뒤로 젖혔을 때 상부 관절와순이 관절와 상부에서 떨어지면서 육아조직이 관찰됨을 확인할 수 있다. 제2형 SLAP 병변에 해당한다. B: 상완이두근 장두에 부분 파열 소견이 관찰된다.

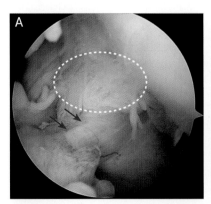
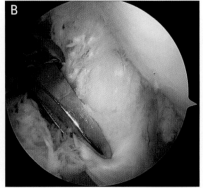
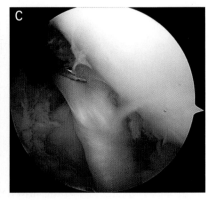

<u>그림 7-13</u> A: 중관절와상완인대(middle glenohumeral ligament, MGHL, 붉은 화살표)가 견갑하근(subscapularis, SSc) 위를 덮고 지나가는 것을 확인할 수 있다. 견갑하건이 해진(fraying, 타원) 것을 확인할 수 있다. B: 견갑하건의 파열이 확실하지 않을 경우 조직 파악기(tissue grasper)를 통해 견갑하건을 잡고 당겨서 파열 부위를 관찰할 수 있다. C: 견갑하건의 파열로 인한 퇴축(retraction)이 있는 경우, 조직 파악기를 이용하여 다시 외측으로 당길 경우 정복되는 것을 확인할 수 있다.

진단의 민감도가 상대적으로 낮은 것으로 보고되어 있다.[20] 따라서 MRI상 병변이 관찰되지 않는다고 하더라도 관련된 임상증상이 관찰되는 경우 견갑하건의 파열 여부를 관절경 상에서 면밀하게 평가하는 것이 중요하다. 전술한 바와 같이 중관절와상완인대를 절제하여 가려진 부분을 확인하고, 필요시 상완골 두를 내회전시키거나 조직 파악기를 이용하여 잡아당겨서 상완골 두에 의해 가려진 부분을 확인할 수 있다. 견갑하건의 파열로 인해 내측으로 퇴축되어 있다면 조직 파악기를 이용하여 외측으로 잡아당기면 다시 정복되는 것을 확인할 수 있으며(그림 7-13), 상관절와상완인대 및 오구상완인대(coracohumeral ligament)가 견갑하건의 파열로 인해 내측으로 끌려오며 발생한 콤마 징후(comma sign)가 관찰될 수도 있다(그림 7-14).

이후 전방 및 후방 관절와순을 관찰한다. 전상방 관절와순에서는 관절와순하공(sublabral foramen, sublabral hole)이 관찰되는 경우가 있는데 이는 정상적인 소견으로 관절와순 파열과 구별해야 한다(그림 7-15). 간혹 중관절와상완인대가 두꺼워져 있으면서(cord-like MGHL), 전상방의 관절와순이 관찰되지 않는 경우가 있는데 이는 Buford 복합체(Buford Complex)라고 하며 마찬가지로 병리 소견이

아닌 만큼 Bankart 병변으로 오인하지 않도록 주의해야 한다(그림 7-15).

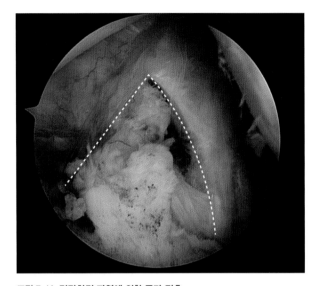

그림 7-14 견갑하건 파열에 의한 콤마 징후
견갑하건이 파열되면서 내측으로 퇴축됨에 따라 상관절와상완인대 및 오구상완인대가 내측으로 동반하여 이동하면서 견갑하건과 상관절와상완인대–오구상완인대 복합체가 쉼표 형태를 이루는 콤마 징후(comma sign)가 관찰된다.

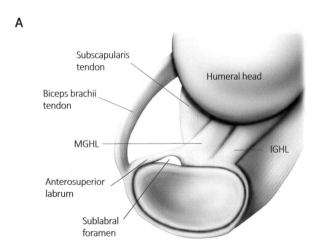

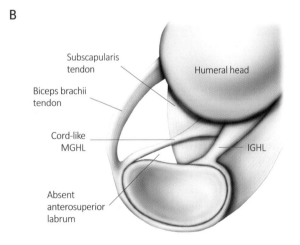

그림 7-15 Bankart 병변으로 오인하기 쉬운 비병리적 변이 소견
A: 관절와의 1-3시 방향에서 관절와순의 일부가 관절와에서 떨어져 있는 관절와순하공을 관절와순의 파열로 인한 병변으로 오인하지 않도록 주의해야 한다. [Humeral head: 상완골 두, Subscapularis tendon: 견갑하건, Biceps brachii tendon: 상완이두근 장두건, MGHL: 중관절와상완인대, IGHL: 하관절와상완인대, Anterosuperior labrum: 관절와순 전상방부, Sublabral foramen: 관절와순 하 공] B: 관절와의 1-3시 방향에서 관절와순이 아예 관찰되지 않으며, 중관절와상완인대가 밧줄처럼 두꺼워져 있는 경우 Buford 복합체라고 하며, 비병리적인 생리학적 변이 소견이다.

하 관절와상완인대는 관절을 안정화시키는 구조물로 전방 및 후방 관절와순을 따라 기시하며 상완골 경부의 전후방에 부착된다. 하 관절와상완인대의 기시부는 관절낭-관절와순 복합체(capsulolabral complex)라고 불리는데, 육안상 하 관절와상완인대와 관절낭, 전후방 관절와순 및 전하방 관절와의 골막과 구분하기는 어렵다.

후방 불안정성이 있는 경우 후방 관절와순에 대한 면밀한 평가가 필요하다. 후방 삽입구에서 70도 관절경을 이용할 경우 일반적으로 사용하는 30도 관절경에 비해서 상대적으로 더욱 쉽게 관찰할 수 있으며, 관절경을 전방 삽입구로 옮겨서 관찰할 수도 있다.

후방 관절와순을 관찰하였다면 관절경을 약간 뒤로 빼이후 외측을 향하도록 하면 상완골 두의 후방을 관찰할 수 있다. 특히 전하방 관절와순의 파열 등이 관찰되었을 경우 그에 상응하는 병변 부위인 상완골 두 후방을 반드시 확인해야 한다. 상완골 두의 후방에는 극하근이 부착하는 부위와 상완골 두 관절면 사이에서 연골로 덮여있지 않은 거친 부위를 관찰할 수 있으며 이를 민둥 부위(bare area)라고 한다(그림 7-16). 이는 Hill-Sachs 병변으로 오인할 수 있으므

로 주의해야 한다. 상완골 두의 관절면과 극하근 사이에 연골로 덮여져 있지 않은 거친 면만 보인다면 민둥 부위로 판단할 수 있으며, 상완골 두의 관절면의 외측에 거친 면이 나타났다가, 그보다 외측에서 다시 연골면이 관찰된다면 Hill-Sachs 병변으로 판단할 수 있다. 필요시 어깨를 돌리면서 Hill-Sachs 병변의 감입 여부(engaging Hill-Sachs lesion)를 판단한다.

관절와의 중심부에는 수 mm 이하의 연골이 함몰된 부위(bare spot, glenoid bare spot)를 관찰할 수 있는데 이는 정상적인 소견이며(그림 7-17), 관절와의 골결손이 있는 경우 이 bare spot을 기준으로 전방 및 후방까지의 길이를 측정하여 골결손의 정도를 평가할 수도 있다.

회전근 개 파열을 확인하기 위해서는 다시 관절경을 전상방으로 옮겨서 상완이두근 장두건의 주행 방향을 확인해야 한다. 상완이두근 장두건이 이두근두(bicipital groove)를 통해 관절와상완관절의 외부로 나가는 지점의 직후방부부터 극상근이 시작되며, 극상근 부착부의 내측에는 극상근을 지나 극하근까지 주행하는 회전근 색(rotator cable)을 관찰할 수 있다(그림 7-18). 회전근 개의 파열

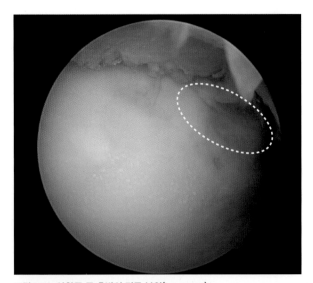

그림 7-16 **상완골 두 후방의 민둥 부위(bare area)**
상완골 두의 연골이 끝나는 지점부터 회전근 개가 부착되는 부위까지 연골로 덮이지 않은 민둥 부위(타원)가 관찰된다. 이는 정상적인 소견으로 Hill-Sachs 병변으로 오인하지 않도록 주의해야 한다.

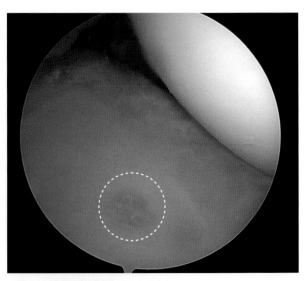

그림 7-17 **관절와 중심부의 glenoid bare spot**
중심부에 연골이 함몰되어 있는 것을 관찰할 수 있으며, 이는 관절와 골결손이 있는 경우 측정의 지표로 활용할 수 있다.

정도에 따라 부분적으로 헤져 있는 상태에서 부분 파열, 전층 파열까지 다양하게 관찰할 수 있다.

2) 견봉하공간

전술한 바와 같이 후방 삽입구를 이용하여 견봉하공간을 검사한다. 관절경이 상방으로 향하도록 하여 견봉의 하면(subacromial surface) 및 오구견봉인대를 확인한다. 견봉의 하면 및 오구견봉 후방 부위의 연부조직이 헤져 있거나, 견봉하면의 골조직이 관찰될 경우 충돌(impingement)이 있는 것으로 판단할 수 있다(그림 7-19). 이후 견봉하면의 연부조직 및 점액낭을 제거하여 견봉하 골극(subacromial spur) 여부를 확인한다.

관절경을 전내측으로 이동하면 견봉-쇄골관절(acromio-clavicular joint)과 그 밑에 있는 지방조직을 관찰할 수 있다. 견봉-쇄골관절의 위치를 명확히 파악하기 힘들다면 원위쇄골을 아래로 강하게 눌러서 원위쇄골이 내려오는 것을 관찰하여 확인할 수 있다. 증상이 있는 견봉-쇄골관절염이 있는 경우 원위쇄골절제술을 시행할 수 있다.

견갑하근의 파열 정도가 심하여 정복이 쉽지 않을 경우 오구상완인대의 유리술(coracohumeral ligament release)이 필요하거나, 감염에 의한 광범위 변연절제술이 필요한 경우 오구돌기하 공간(subcoracoid space)의 관찰이 필요할 수 있다. 이는 전방에 있는 구조물로 후방 삽입구에서 30도 관절경으로는 관찰하기 힘들고, 외측 삽입구로 관절경을 옮겨서 관찰할 수 있다. 70도 관절경을 이용할 경우에는 후방 삽입구에서도 관찰이 가능하다(그림 7-20). 오구돌기는 오구견봉인대를 먼저 찾아서 주행 경로를 따라 하부로 내려가면서 탐색침으로 촉지할 경우 쉽게 확인이 가능하다. 이후 오구돌기 후면에 붙어있는 오구상완인대를 소작하는 것으로 오구돌기하 공간을 노출시킬 수 있다. 오구돌기하 공간은 좁으므로 절삭기를 사용하여 주위 연부조직을 절삭할 경우 회전근 간격이나 견갑하근에 손상을 유발할 수 있으므로 주의해야 하고, 오구돌기의 하부에 부착되어 있는 오구상완근(coracobrachialis) 및 상완이두근 단두(short head of biceps brachii)의 융합건(conjoined tendon)이 손상받지 않도록 주의해야 한다. 또한 오구돌기의 내측으로는 근피신경이 주행하므로 수술기구를 오구돌기를 넘어서 내측으로 깊숙하게 넣지 않도록 유의해야 한다.

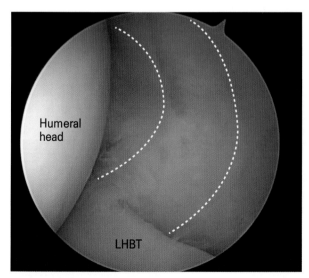

그림 7-18 회전근 색(rotator cable)
상완이두근 장두건의 후방부터 회전근 개의 일부가 두꺼워져 있는 회전근 색을 관찰할 수 있다.

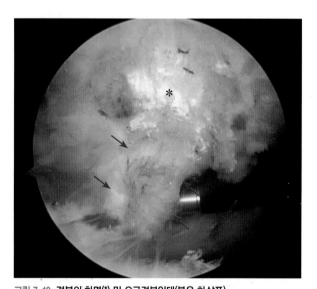

그림 7-19 견봉의 하면(*) 및 오구견봉인대(붉은 화살표)
견봉의 하면에서 골(*)이 완전히 노출되어 충돌(impingement)이 발생하였음을 알 수 있다.

상완이두건 장두의 건고정술(biceps tenodesis)이 필요하거나 감염 등으로 인해서 결절간구(intertubercular groove)의 노출이 필요한 경우 견봉하공간에서 이를 찾아야 할 수 있다. 회전근 개 파열의 크기가 클 경우 이를 통해 상완이두건 장두의 주행 경로를 쉽게 확인할 수 있으나, 그렇지 않은 경우 이를 찾아야 하는데 상완골을 외회전시킨 상태에서 탐색침으로 촉지하는 것으로 결절간구를 쉽게 찾을

수 있다. 상완이두건 장두의 노출이 필요할 경우 결절간구를 덮고 있는 횡상완인대(transvers humeral ligament)를 유리하여 확인한다(그림 7-21).

이후 상완골 대결절부를 관찰하여 회전근 개 파열 부위를 확인한다. 회전근 개 파열의 범위가 클 경우 후방 삽입구에 위치한 관절경으로 별다른 조치 없이 관찰이 가능하나, 대부분의 회전근 개 파열은 회전근 간격으로부터 시작하여 후방으로 파열이 진행되는 경우가 많아 파열의 크기가 작다면 중립위에서는 관찰되지 않을 수 있다. 이러한 경우 후방 삽입구의 관절경을 70도 관절경으로 교체한 이후 상완골을 외회전시키거나, 외측 삽입구로 관절경을 옮겨서 관찰할 수 있다(그림 7-22).

6. 봉합나사의 선택

봉합나사는 현재 시행 중인 관절경 수술의 대다수의 술기에서 필수적으로 사용된다. 고식적인 개방적 술식에서의 경골봉합술(transosseous repair)과 비교해본다면 봉합나사의 사용은 수술 시야의 노출을 줄일 수 있으면서도 삽입이 용이하고 비교적 일정한 부하-실패 검사(load-to-failure test) 결과를 보인다는 장점이 있다. 그러나 봉합사만을 이용하는 경골봉합술과는 달리 봉합나사는 단단한 나사 부위를 가지고 있기에 제 위치에 있지 못하고 빠져나왔을 때

그림 7-20 오구돌기하 공간의 노출
후방 삽입구에서 70도 관절경을 통하여 관찰한 것으로 탐색침은 유리한 오구견봉인대를 젖히고 있으며, 오구상완인대를 유리한 이후 오구돌기의 후면(화살표)이 노출된 것을 확인할 수 있다. 오구상완인대 유리술을 시행할 경우 오구상완근-상완이두근 단두의 융합건(*)이 손상받지 않도록 유의해야 한다.

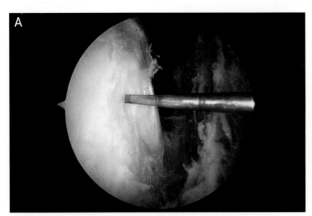 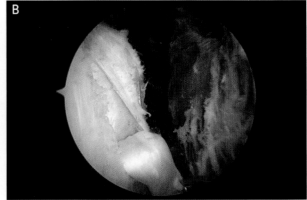

그림 7-21 견봉하공간에서 상완이두건 장두의 노출
A: 결절간구의 위치를 확인하기 위해서 탐색침으로 결절간구를 촉지하고 있다. 상완골을 외회전시킨 상태에서 탐색침으로 눌러보면 부드럽게 촉지되는 상완이두건 장두를 확인할 수 있다. B: 횡상완인대를 유리한 이후 노출되는 결절간구와 절제한 상완이두건 장두가 관찰된다.

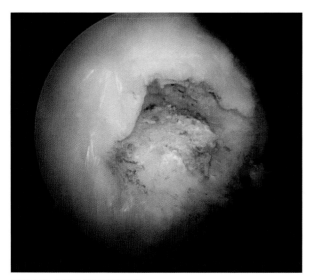

그림 7-22 회전근 개 파열의 관찰
70도 관절경을 사용할 경우 후방 삽입구에서도 보다 넓은 범위를 한 번에 관찰이 가능하다.

(pullout) 빠져나온 나사가 주위조직에 손상을 줄 수 있다는 점을 염두에 두어야 한다. 봉합나사의 이상적인 조건으로는 여러 가지가 있으나 쉽게 삽입이 가능하고, 삽입되는 과정에서 발생할 수 있는 골결손의 양이 적어야 하며, 쉽게 빠지지 않아야 하고, 봉합사를 마모시키지 않으며, 추후 영상 검사 및 추가적인 수술이 필요할 때 방해가 되지 않아야 하며, 인체에 부작용을 유발해서는 안 된다는 점을 충족해야 한다.

1) 재질에 따른 분류

봉합나사는 최초 금속 재질로 만들어졌다(metal anchor). 이는 고정력이 우수하고 방사선상에서 쉽게 관찰이 가능하기에 추시 검사에서 이탈 여부를 쉽게 파악할 수 있다는 장점이 있으나, 삽입되면서 발생하는 골결손의 양이 상당하고, 이탈하였을 경우 그 강도에 의해서 주위 조직의 심한 손상을 유발할 수 있다는 단점이 있어 최근에는 잘 사용되지 않고 있다. 그러나 골다공증 등으로 인해서 골질이 약하여 충분한 고정력을 얻기 힘들거나, 이탈한 나사를 보강하는 buddy anchor로써 사용할 경우 혹은 골절의 치료로 관절경하 정복 및 내고정술을 시행할 때는 도움을 받을 수 있으므로 관절경 수술을 시행할 때에는 준비를 해두는

것이 좋다.

1세대 금속 봉합나사 이후 합성 수지를 이용한 2세대 봉합나사가 제작되었으며, 이는 시간이 지남에 따라 흡수되며 골로 치환되는 흡수성 봉합나사와 생물학적으로 반응을 일으키지 않는(biologic inert) 비흡수성 봉합나사로 나뉜다. 흡수성/비흡수성 여부에 따른 재파열률의 차이는 뚜렷하게 관찰된 바 없으나, 2세대 봉합나사의 구성 물질 및 비율에 따라 봉합나사 주위의 골결손(peri-anchor cyst)의 빈도가 다양하게 보고된 바 있어 이에 대한 고려가 필요하다.[21,22]

가장 최근에는 단단한 부분이 없이 직물과 봉합사로 구성된 3세대 연성 봉합나사(all-suture anchor)가 개발되어 사용되고 있다. 연성 봉합나사는 2차원 구조로 된 천으로 된 부분이 뼈에 뚫은 구멍을 통해 안으로 들어갔다가 봉합사를 잡아 당기면 3차원 구조 형태로 바뀌면서 고정된다. 3세대 연성 봉합나사는 고정력을 얻기 위한 나사산(thread of suture anchor)을 만들 필요가 없어서 그 크기를 줄일 수 있어 봉합나사 삽입 시 발생하는 골결손의 양을 줄일 수 있을 뿐 아니라, 크기가 작기 때문에 보다 많은 봉합나사를 삽입하여 봉합을 용이하게 할 수 있다는 장점이 있다. 그러나 봉합나사가 구멍 옆의 피질골에 걸리는 구조로 되어있는 만큼 골다공증 등으로 인해 골질이 약할 경우 비교적 쉽게 빠질 수 있어 주의를 요한다.[23]

2) 결찰 유무에 따른 분류

최초의 봉합나사는 개방성 술식에서 경골 봉합술을 시행할 때 봉합사를 원하는 위치에 통과시키는 것과 같이 원하는 위치에 봉합사를 고정할 수 있는 데 초점을 맞춰서 개발되었다. 따라서 개방성 술식과 마찬가지로 원하는 부위에 봉합사를 통과시키고 매듭을 지어 고정하는 형태만 있었으나, 최근에는 매듭을 짓지 않고 고정하는 형태의 봉합나사(knotless anchor) 또한 많이 사용되고 있다. 매듭을 짓지 않는 형태의 봉합나사는 주로 불안정성에 대한 수술이나 SLAP 병변의 봉합 등 관절와순의 봉합술에서나, 회전근 개 파열에 대한 이열 교량형 봉합술에서 외측열 봉합나사로 사용되고 있다.

매듭을 짓지 않는 형태의 봉합나사를 관절와순 봉합에 있어 사용할 경우, 비교적 봉합이 쉽고 고정력이 좋으며 관절 내에 매듭이 만들어지지 않기 때문에 관절연골 및 봉합나사 주위의 연부조직의 손상을 유발할 수 있는 가능성이 낮다는 장점을 가지고 있다.[24,25] 그러나 매듭을 짓는 형태의 봉합나사는 원하는 위치에 원하는 정도의 고정력을 만들 수 있다는 장점을 가지고 있는 만큼 이에 대한 고려가 필요하다.

7. 봉합사의 통과 기법 및 기구

어깨의 관절경 수술은 파열된 건이나 관절와순을 다시 원래의 위치에 봉합 혹은 복원하는 방법이 주를 이룬다. 따라서 본래 뼈에 부착되어 있던 연부조직을 다시 뼈에 부착시키는 방법을 고안해야 한다. 초기의 관절경적 봉합술은 관혈적 봉합술을 응용하는 방법에서 시작되었으며, 아무런 건 통과 방법을 사용하지 않고 내고정물을 직접 통과시켜 골에 고정하는 방법들이 사용되었다. 그러나 이러한 방법은 여러 합병증을 유발하였고, 봉합나사의 개념이 도입되면서부터 연부조직에 봉합사를 통과시킨 후 이를 매듭지어 파열된 부위에 직접적으로 부착하여 고정하는 방법이 사용되었다.

봉합나사에 부착된 봉합사는 수술 중 구별을 쉽게 할 수 있도록 봉합사 간 색을 서로 다르게 염색해두게 된다. 봉합나사를 1개만 사용한다면 어떠한 봉합사를 먼저 사용하더라도 문제가 없겠으나, 봉합나사를 2개 이상 사용할 경우, 사용할 봉합사의 색상의 순서를 정해두지 않으면 추후 혼란스러울 수 있으므로, 동일 수술 내에서 사용할 봉합사의 순서는 술자가 미리 정해두고 시행하는 것이 적절할 것이다.

관절경 수술은 개방성 술식과는 달리 움직임의 범위가 제한되는 만큼 이를 보완하기 위한 많은 방법이 개발되었으며 현재에도 지속적으로 개선 중에 있다. 봉합사를 통과시키는 방법은 여러 가지가 있으나 크게 나눠본다면 수술 기구를 이용하여 목표하는 연부조직을 먼저 관통한 이후 봉합사를 당겨서 꺼내는 방법(retrograde suture passage)과

봉합나사에서 나온 봉합사를 수술기구와 함께 직접 목표 조직을 관통하여 통과시키는 방법(antegrade suture passage)으로 나눌 수 있을 것이다.

1) Suture hook

Retrograde suture passage를 수행하기 위한 가장 대표적인 형태의 기구 중 하나는 suture hook일 것이다. 이는 가운데가 비어 있는 주사바늘을 낚시바늘과 같이 휘어 놓은 형태를 보인다(그림 7-23). 기구의 끝부분이 간단하여 크기나 두께를 두껍게 할 필요가 없고 여러 가지 형태로 모양을 만들 수 있어 필요에 따라 선택할 수 있는 만큼 많은 술자들에 의해 사용되고 있다.

Suture hook은 다음과 같은 방식으로 사용한다. 목표하는 연부조직에 날카로운 바늘의 끝부분을 이용하여 관통하고, 비어있는 바늘 가운데 부분의 구멍을 통해 봉합나사의 봉합사를 통과시키기 위한 suture passer를 밀어 넣어 연부조직을 통과하도록 한다. 이후 suture passer에 봉합나사의 봉합사를 집어넣고 suture passer를 다시 잡아당겨서 봉합사와 함께 뽑아내면 suture passer의 관통 경로를 따라 봉합사가 통과하게 된다.

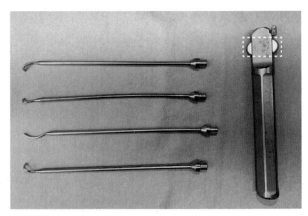

그림 7-23 Suture hook
Suture hook은 다양한 형태로 제작이 가능하며 손잡이 부분에 연결하여 용도에 따라 사용이 가능하다. Suture hook의 내부는 비어있어 PDS 등의 실(suture passer)을 쉽게 통과시킬 수 있으며, 원하는 위치에서 연부조직을 관통한 이후 손잡이에 달린 원형 모양의 장치(하얀 사각형)를 돌려서 실을 앞으로 밀어 연부조직을 통과시킨다. 이후 suture relay technique을 이용하여 봉합에 사용할 봉합사를 suture passer에 연결하여 통과시켜서 봉합을 시행한다.

Suture passer는 기구에 따라 사용하는 것이 조금씩 다른데, 매끈한 형태의 단일사(monofilament)를 통과시키고, suture hook이 삽입된 것과 다른 삽입구로 suture passer를 잡을 수 있는 기구를 넣어 신체 외부로 꺼낸 이후 봉합나사에 부착되어 있는 봉합사도 동일한 삽입구로 끄집어내어 묶고 다시 suture passer로 사용한 단일사를 잡아당겨서 봉합사가 연부조직을 통과하도록 할 수 있으며(suture relay technique), 기구에 따라서 suture passer로 단일사가 아닌 이미 올가미 형태로 만들어진 고리를 사용하여 그 올가미 내부로 봉합나사의 봉합사를 통과시킨 후 고리를 잡아당기면서 봉합사를 관통시키는 방법을 사용하는 경우도 있다.

Suture hook은 전술한 바와 같이 용도에 따라 여러 가지 형태의 기구를 활용할 수 있고 크기가 작아서 기구가 관통하면서 발생할 수 있는 추가적인 연부조직의 손상을 줄일 수 있으며, 생긴 형태가 비교적 단순하여 반복적인 재사용이 가능하고 내구성도 상대적으로 높다는 장점이 있다. 그러나 목표로 하는 연부조직의 위치와 형태에 따라서 수술기구를 통과시키기 어려울 수 있으며 경우에 따라서는 일반적인 전, 후, 측방 삽입구 이외에도 쇄골위 삽입구(supraclavicular portal) 등을 사용해야 할 수도 있다. 또한 봉합사를 통과시키기 위해서 이를 보조하는 추가적인 술식이나 도구가 필요하다는 점에서 익숙하기까지 보다 많은 노력을 요한다.

2) Penetrating-suture holding-passing instrument

Retrograde suture passage를 수행하기 위한 또 다른 형태의 기구는 suture hook과 마찬가지로 먼저 연부조직을 통과하지만 suture passer를 이용하지 않고 통과시킨 기구로 직접 봉합나사의 봉합사를 붙잡아서 끄집어내는 집게 형태의 기구(penetrating-suture holding-passing instrument)이다. 이 기구 또한 여러 가지 형태를 보이고 있으나 공통적으로 연부조직을 관통하기 위한 날카로운 끝부분과 봉합사를 붙잡기 위해서 벌렸다 닫을 수 있는 집게 형태의 파악기(grasper)가 합쳐져 있는 형태를 보인다. Suture passer를 사용하지 않고 직접 봉합사를 잡기에 suture hook에 비해서

간단한 방법으로 보이나, 기구의 모양에 따라 정확한 위치를 통과시키기 어려운 경우가 많고, 기구로 건을 통과시킨 이후에도 봉합나사에 걸려있는 봉합사를 잡기가 용이하지 않은 경우가 많다. 이러한 경우 다른 삽입구를 통해 조직 파악기(tissue grasper)를 넣고 봉합사를 붙잡아서 이 기구에 넣어줘야 하는 번거로움이 발생할 수 있다. 또 다른 문제점은 건을 통과시키고 봉합사를 잡기 위한 부분을 개폐하기 위한 장치가 필요한 만큼 suture hook에 비해서 그 두께가 두꺼워질 수밖에 없다는 점이다. 기구의 두께가 증가할수록 조직을 관통하면서 발생하는 구멍이 커질 수밖에 없고, 이는 곧 파열 후 약해진 연부조직의 손상을 증가시킬 수밖에 없으므로 사용에 있어 주의를 요한다.

3) Antegrade suture passage

Retrograde suture passage의 경우 익숙해질 때까지 상당량의 연습이 필요하고, 기구의 형태에 따라서는 조직에 손상을 유발할 수도 있다. 조직에 손상이 심해지면 봉합한 부위의 재파열이 발생할 수 있는 만큼 이를 줄이기 위한 시도가 계속되어 왔으며, 이에 따라 새롭게 개발된 형태의 기구가 antegrade suture passer이다. 이는 조직을 붙잡아 고정하는 파악기와 연부조직에 봉합사를 관통시키기 위한 바늘, 그리고 파악기와 바늘을 조작하기 위한 기계적인 구동부로 구성되어 있다.

Antegrade suture passer는 다음과 같은 방법으로 사용한다. 우선 연부조직을 관통하고자 하는 봉합사를 체외로 끄집어내고 이를 직접 antegrade suture passer에 조립된 바늘에 연결한다. 이후 antegrade suture passer를 집어넣어 봉합사가 관통되기를 원하는 부분을 파악기로 붙잡아 단단하게 고정하고, 이후 부착된 바늘을 통과시키는데, 바늘의 끝부분에는 봉합사가 위치할 수 있는 작은 홈이 있어 바늘이 통과되면서 봉합사가 같이 딸려가게 된다(그림 7-24). 바늘이 길지는 않기 때문에 봉합사는 그 일부분만 연부조직을 통과하게 된다. 이후 antegrade suture passer가 통과되어 있는 것과는 다른 삽입구를 통해 봉합사 회수기(suture retriever) 혹은 조직 파악기 등을 집어넣고 이를 이용하여 봉합사의 끝부분을 잡아 당겨 봉합사를 완전히 관통시키게 된다. 기

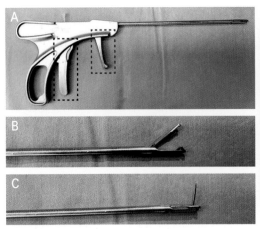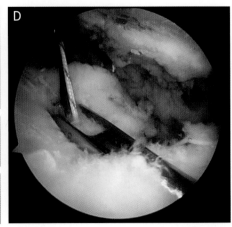

그림 7-24 Antegrade suture passer
A: Antegrade suture passer는 조직을 잡아 단단하게 고정하기 위한 조직 파악기 부분을 조절하는 장치(검은 사각형)와 봉합사를 연부조직에 관통시키는 부분을 조절하는 장치(붉은 사각형)가 합쳐져 있다. B: 조작하지 않은 상태의 antegrade suture passer의 말단부. 말단부는 벌어져 있어 관통시키기 원하는 연부조직을 조직 파악기처럼 잡을 수 있게 되어 있다. C: 원하는 연부조직을 단단하게 잡은 이후 봉합사 관통 장치를 가동하면 얇은 바늘이 연부조직을 통과하게 된다. D: 회전근 개 봉합술에서 antegrade suture passer를 이용한 봉합사의 관통. 얇은 바늘에 파여있는 홈을 따라 봉합사가 연부조직을 관통하며 올라오는 모습을 관찰할 수 있다.

구에 따라서는 기구 밖으로 돌출된 봉합사를 다른 기구로 붙잡지 않고 antegrade suture passer 자체가 붙잡을 수 있게 만들어 사용 편의성을 높인 것도 있다.

Antegrade suture passer는 사용 방법이 직관적이고 술자가 원하는 위치에 직접 봉합사를 통과시킬 수 있으며, retrograde suture passer보다 빠르게 익숙해질 수 있다는 장점이 있다. 기구의 끝부분은 기계 장치의 구동을 위해 retrograde suture passer보다 커질 수밖에 없으나, 연부조직을 관통하는 바늘 자체는 매우 얇기 때문에 봉합사의 관통 과정에서 발생할 수 있는 추가적인 손상을 줄일 수 있다는 장점이 있다. 그러나 suture hook 등에 비해 그 기계적 구조가 복잡하여 상대적으로 고장이 발생할 가능성이 높고, 사용되는 바늘의 끝이 매우 얇기 때문에 수술 과정 중에 부러질 경우 이를 찾기 위해 추가적으로 탐색을 시행해야 한다는 단점이 있다. 드물기는 하지만 연부조직이 매우 두껍거나 경화가 심하게 되어있을 경우 이를 통과시키지 못하는 경우도 있으며, 또한 여러 기계적인 구동장치가 조합되어 있는 형태인 만큼 그 크기를 줄이고 형태를 변형하는 데 한계가 있어 관절와순의 봉합과 같이 상대적으로 공간이 좁은 곳에 있어서는 사용이 힘들다는 단점이 있다. 다만

이는 최근에는 그 크기를 얇게 만든 기구가 개발(low-profile antegrade suture passer)되어 이를 보완하고 있다.

8. 봉합매듭법

1) 봉합매듭에 사용되는 용어

봉합의 매듭을 이해하기 위해서는 우선 봉합매듭에 사용되는 용어에 친숙해질 필요가 있다. 봉합의 매듭을 서면으로 설명할 경우나 용어를 최초에 정의하지 않을 경우 혼동이 올 수 있으며, 실제로 봉합을 시행하는 것을 관찰하더라도 봉합매듭에 사용되는 용어가 확실하게 적립되지 않으면 혼란을 느낄 수 있기 때문이다. 기본적으로 봉합의 매듭은 봉합나사의 끝부분에 걸려있는 1개의 봉합사의 두 가닥을 이용하여 시행한다. 매듭의 위치를 정하는 가닥을 기둥 가닥(post strand)으로 명하고, 다른 나머지 가닥은 고리 가닥(loop strand)이 된다. 그러나 매듭의 방법에 따라 기둥 가닥 및 고리 가닥은 바뀔 수 있다(post switching). 매듭의 모양은 기둥 가닥을 중심으로 고리 가닥의 처음 방향에 따라 윗매듭(over tie) 혹은 아랫매듭(under tie)인지, 각 가닥

의 긴장을 얼마나 주는지에 따라 달라질 수 있다. 일반적으로 매듭은 삽입관의 바깥에서 대략적인 모양을 만들고, 그 매듭을 매듭 밀대(knot pusher)를 이용하여 삽입관 내로 밀어 넣으면서 목표한 위치에 놓게 된다.

2) 봉합매듭의 종류

봉합매듭은 크게 활주매듭(sliding knot)과 비활주매듭(non-sliding knot)으로 나눌 수 있다. 활주매듭은 비활주매듭에 비해 매듭의 느슨함(slippage)을 줄일 수 있어 좀 더 정밀하게 조직의 긴장을 줄 수 있는 반면 봉합사가 미끄러지는 과정에서 조직이 손상될 수 있고, 봉합사가 통과하는 봉합나사의 구멍(eyelet)에서 마찰이 발생하여 봉합사가 손상될 수 있다. 활주매듭을 시행 시에는 반드시 조직과 봉합나사의 구멍으로 봉합사가 자연스럽게 미끄러질 수 있어야 하며, 조직 혹은 봉합나사의 구멍 중 어느 곳에서라도 봉합사가 움직이지 않는다면 비활주매듭으로 전환되어야한다. 따라서 최소한 한 종류 이상의 활주매듭과 비활주매듭에 숙달되어야 수술을 원활하게 진행할 수 있다.

(1) 활주매듭

활주매듭을 시행 시에는 기둥 가닥의 길이를 최대한 짧게 최소한 고리 가닥의 절반 이후로 유지하여야 하는데, 이는 활주매듭이 진행되면서 기둥 가닥의 길이가 늘어나기 때문이다. 또한 고리 가닥을 미리 너무 강하게 당겨버리면 목표 지점에 도달하기 전에 매듭이 완성되어 목표한 지점에 매듭이 도달할 수 없으므로 삽입관 밖에서 매듭의 형태가 유지될 정도로만 적당한 힘으로 당겨야 한다. 활주매듭 단독으로는 매듭의 풀림을 방지할 수 없어 3회 이상 매듭(additional half hitches)을 추가로 더 시행해서 매듭의 안정성을 높이는 것이 적절하다.[26,27] 주로 사용되는 활주매듭에는 다음과 같은 것들이 있으며, 생역학적인 측면에서나 임상적 사용에서 큰 차이는 없는 것으로 알려져 있다.[27,28]

① SMC knot (그림 7-25)

A. 매듭 밀대가 끼워진 기둥 가닥을 삽입관 밖에서 짧은 길이로 조정한 후 매듭 밀대가 빠지지 않도록 기둥 가

닥 부위에 겸자로 집어 놓는다. 매듭 밀대와 겸자를 좌측 손바닥으로 잡는다.

B. 고리 가닥을 기둥 가닥 위로 통과시킨 후 엄지와 검지로 잡는다.

C. 양측 가닥들 아래로 고리 가닥을 좌에서 우측으로 통과시킨 후 연이어 양측 가닥들 위로 우에서 좌측으로 다시 통과시킨다(그림 7-25A).

D. 기둥 가닥 아래로 고리 가닥을 위치시켜 양측 가닥들 사이로 해서 위로 나오게 통과시킨다(그림 7-25B). 양측 가닥들 사이로 통과시킬 때 기둥 가닥 꼭지부 쪽에서 위로 통과시킨다.

E. 고리 가닥의 끝을 이전 두 번의 고리와 기둥 가닥으로 형성된 triangular interval로 기둥 가닥을 돌아 아래에서 위로 통과시킨다(그림 7-25C).

F. 기둥 가닥 좌측에 locking loop가 형성되면 좌측 엄지와 검지를 풀어 형성된 locking loop 안으로 아래에서 위쪽 방향으로 검지를 통과시켜 locking loop 안에 위치시켜 고리 가닥을 당기면 locking suture opening이 검지에 의해 형성되어지고 이후 검지를 빼내어 대략적인 매듭 모양을 형성하게 된다(그림 7-25D). 이때 검지에 의해 locking loop opening을 형성함으로 prematurely locking loop의 tightening을 피할 수 있다.

G. 기둥 가닥을 당기면서 매듭 밀대로 매듭을 삽입관 내로 전진시켜 목표한 조직의 꼭지부까지 위치시킨 후 매듭 밀대를 이용해 기둥 가닥을 당겨서 고정한다(그림 7-25E). 이때 매듭이 목표한 지점까지 위치되기 전에 고리 가닥을 당기면 매듭이 고정되어 목표지점까지 위치시키기 어려우므로 주의하여야 한다. 이후 매듭 밀대로 매듭을 누르면서 고리 가닥을 당겨서 안정된 매듭을 만든다(그림 7-25F).

H. Additional half hitch를 시행 후 적당한 길이로 자른다(그림 7-25G).

② Duncan loop (그림 7-26)

A. 기둥 가닥을 중심으로 고리 가닥을 윗매듭 형식으로 첫 번째 고리를 만들면서 엄지와 검지로 두 가닥을

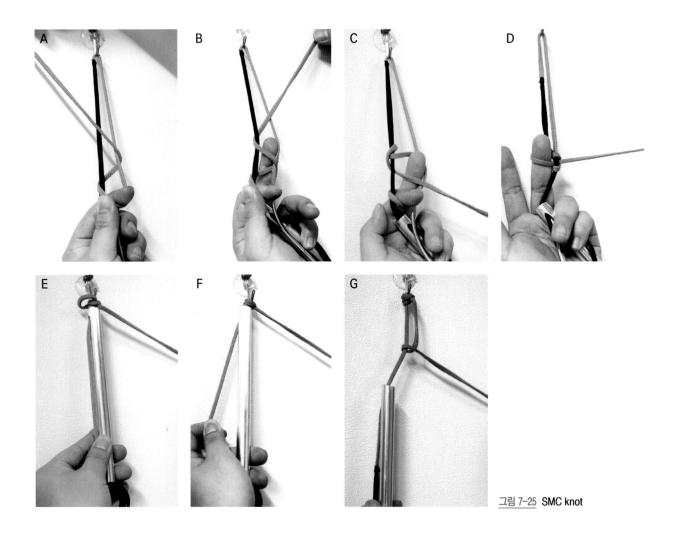

<u>그림 7-25</u> SMC knot

잡고 자유로운 고리 가닥 끝을 기둥 가닥과 고리 가
닥 주위로 연속해서 4개의 고리를 형성한다(그림
7-26A, B).

B. 고리 가닥의 끝을 처음 형성된 고리로 통과시킨다(그림
7-26C).

C. 고리 가닥을 당겨서 매듭을 형성한다(그림 7-26D).

D. 형성된 매듭을 기둥 가닥을 당기면서 매듭 밀대로 목
표한 지점에 위치시킨다(그림 7-26E).

E. 기둥 가닥의 긴장을 유지한 채로 첫 번째 half-hitch를
시행한다(그림 7-26F, G).

F. 다음 half-hitch를 시행하여 기둥 매듭 변경(post
switching)을 통한 새로운 기둥 매듭을 중심으로 윗매
듭 고정한 후 직당한 길이로 자른다.

③ Tennessee slider (그림 7-27)

기저 매듭이 매듭 짓기에 좀 더 단순하고 마찰이 적어
좀 더 쉽게 미끄러지므로 PDS나 panacryl로 매듭 시 좀 더
유용하다.

A. 고리 가닥을 기둥 가닥 중심으로 윗매듭을 형성한 후
검지와 엄지로 잡는다(그림 7-27A).

B. 양측 가닥들 아래로 고리 가닥을 좌에서 우측으로 이
동시킨 후 연이어 양측 가닥들 위로 우에서 좌측으로
다시 이동시킨다(그림 7-27B).

C. 기둥 가닥 아래로만 고리 가닥을 통과시킨 후 검지가
포함된 양측 가닥들 사이로 위로 나오게 통과시킨다
(그림 7-27C).

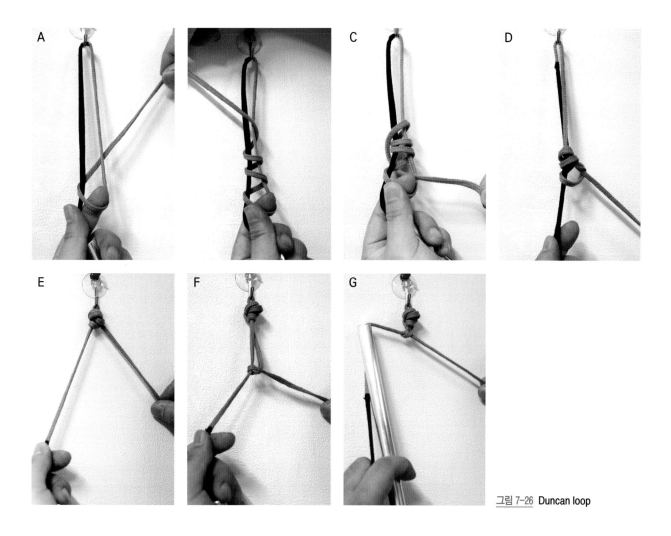

그림 7-26 Duncan loop

D. 검지를 빼내고 고리 가닥을 당겨 대략적인 매듭을 형성한다(그림 7-27D).

E. 기둥 가닥을 당기면서 매듭 밀대로 매듭을 삽입관 내로 전진시켜 목표한 위치까지 도달한 후 매듭 밀대를 이용하여 기둥 가닥을 당겨서 고정한다. 이때 매듭이 목표한 지점까지 위치되기 전에 고리 가닥을 너무 세게 당기면 목표한 지점에 위치되기 전에 매듭이 고정되므로 주의하여야 한다(그림 7-27E).

F. Additional half hitch를 시행 후 적당한 길이로 자른다.

(2) 비활주매듭

비활주매듭은 봉합사가 자연스럽게 미끄러지지 않을 경우 혹은 이미 봉합에 사용된 봉합사를 이용하여 추가적인

처치가 더 필요할 경우 사용을 고려하게 된다. 활주매듭에 비해 매듭이 느슨해지기 쉬워 긴장을 계속해서 유지해야 하므로 매듭을 시행할 때에 있어 주의를 요한다.

① Square knot

Square knot은 개방성 술식에서 수술적 매듭을 만드는 가장 대표적인 방식으로 알려져 있다. 그러나 각 가닥에 교대로 대칭적인 긴장이 주어져야 하는 관절경적 봉합매듭 방법 중에서는 비교적 어려운 방법에 속하므로 매듭을 지을 때 주의해야 한다.

A. 기둥 가닥 주위의 윗매듭을 형성한다.

B. 기둥 가닥 변경을 통해 첫 번째 매듭을 목표한 지점에 안정되게 고정한다.

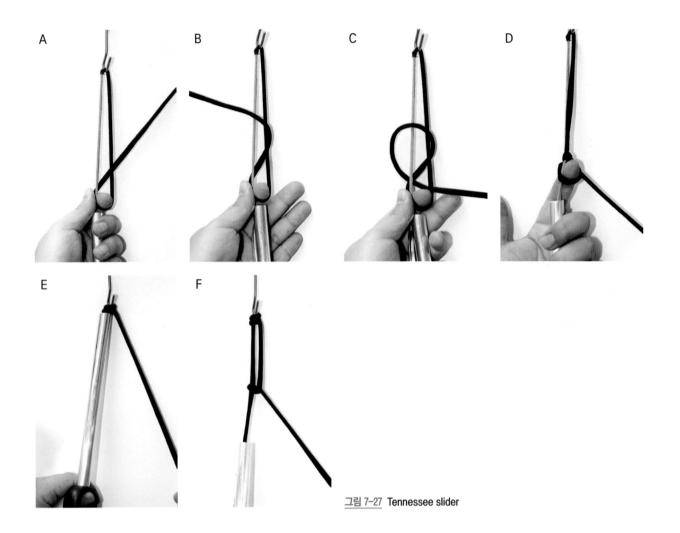

그림 7-27 Tennessee slider

C. 다시 고리 가닥을 아랫매듭으로 형성한다.

D. 매듭을 전진시킨 후 매듭 밀대를 목표 지점보다 더 멀리 보낸 상태에서 당겨 안정되게 고정(past pointing technique)한다.

E. 필요시 half-hitch를 추가하여 안정성을 높인다.

② Revo knot (그림 7-28)

A. 양측 가닥들을 대략 같은 길이로 맞춘 후 조직에 위치한 가닥을 기둥 가닥으로 하여 매듭 밀대를 끼운 후 혈액겸자 등으로 기둥 가닥을 잡아 엄지와 검지로 잡는다(그림 7-28A).

B. 고리 가닥을 기둥 가닥 밑으로 해서 다시 위로 돌린 후 양측 가닥들 사이로 통과시켜(아랫매듭) 첫 번째

half-hitch를 만든다(그림 7-28B).

C. 매듭 밀대를 사용하여 매듭을 삽입관 안으로 전진시켜 목표한 조직의 꼭짓점까지 위치시켜 고정한다.

D. 두 번째 half-hitch를 아랫매듭 방식으로 만들어 매듭 밀대를 이용해 첫 번째 매듭 위에 위치시킨다(그림 7-28C).

E. 세 번째 half-hitch를 고리 가닥을 기둥 가닥 위를 지나 아래로 돌린 후 양측 가닥들 사이로 통과시켜(윗매듭) 만든 후 역시 매듭 밀대를 이용해 두 번째 매듭 위까지 전진시킨 후 고리 가닥을 당기면서 매듭 밀대로 형성된 매듭을 지나 기둥 가닥을 당겨주는 past pointing technique으로 단단하게 고정한다.

F. 네 번째 half-hitch를 만들 때는 기둥 가닥 변경(post-

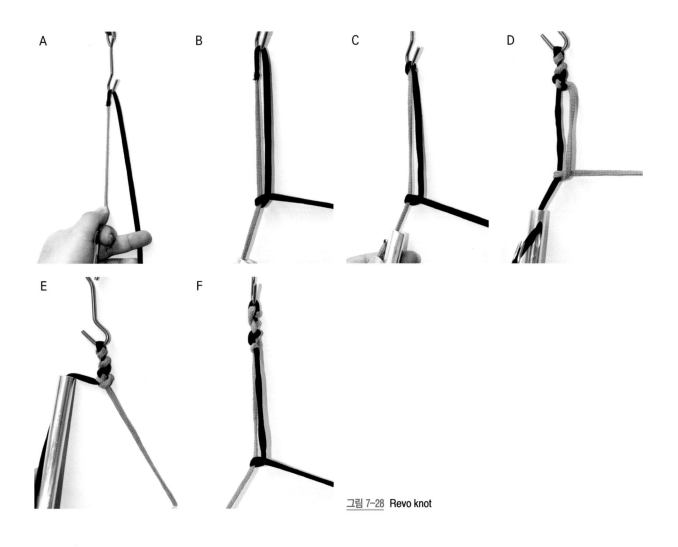

그림 7-28 Revo knot

switching)을 시행하며, 아랫매듭 형식으로 매듭을 만
든 후 past pointing technique으로 고정한다(그림 7-28
D, E).

G. 마지막 half-hitch는 다시 기둥 가닥 변경을 시행하여

이전 첫 번째부터 세 번째 매듭 형성 시의 기둥 가닥
을 다시 기둥 가닥으로 사용하여 윗매듭을 만들고
past pointing technique으로 고정한다(그림 7-28F).

참고문헌

1. van Montfoort DO, van Kampen PM, Huijsmans PE. Epinephrine Diluted Saline-Irrigation Fluid in Arthroscopic Shoulder Surgery: A Significant Improvement of Clarity of Visual Field and Shortening of Total Operation Time. A Randomized Controlled Trial. Arthroscopy : the journal of arthroscopic & related surgery : official publication of the Arthroscopy Association of North America and the International Arthroscopy Association. 2016;32(3):436-44.

2. Kuo LT, Chen CL, Yu PA, Hsu WH, Chi CC, Yoo JC. Epinephrine in irrigation fluid for visual clarity in arthroscopic shoulder surgery: a systematic review and meta-analysis. Int Orthop. 2018;42(12):2881-9.

3. Abdelrahman T, Tulloch S, Lebedeva K, Degen RM. Scoping review of complications associated with epinephrine use in arthroscopy fluid. Phys Sportsmed. 2021;49(3):262-70.

4. Rojas J, Familiari F, Bitzer A, Srikumaran U, Papalia R, McFarland EG. Patient Positioning in Shoulder Arthroscopy: Which is Best? Joints. 2019;7(2):46-55.

5. Hamamoto JT, Frank RM, Higgins JD, Provencher MT, Romeo AA, Verma NN. Shoulder Arthroscopy in the Lateral Decubitus Position. Arthrosc Tech. 2017;6(4):e1169-e75.

6. Gross RM, Fitzgibbons TC. Shoulder arthroscopy: a modified approach. Arthroscopy : the journal of arthroscopic & related surgery : official publication of the Arthroscopy Association of North America and the International Arthroscopy Association. 1985;1(3):156-9.

7. Li X, Eichinger JK, Hartshorn T, Zhou H, Matzkin EG, Warner JP. A comparison of the lateral decubitus and beach-chair positions for shoulder surgery: advantages and complications. J Am Acad Orthop Surg. 2015;23(1):18-28.

8. Jinnah AH, Mannava S, Plate JF, Stone AV, Freehill MT. Basic Shoulder Arthroscopy: Lateral Decubitus Patient Positioning. Arthroscopy Techniques. 2016;5(5):e1069-e75.

9. Provencher CDRMT, McIntire ES, Gaston TM, Frank RM, Solomon CDRDJ. Avoiding Complications in Shoulder Arthroscopy: Pearls for Lateral Decubitus and Beach Chair Positioning. Tech Shoulder Elb Surg. 2010;11(1):1-3.

10. Seroyer ST, Nho SJ, Provencher MT, Romeo AA. Four-quadrant approach to capsulolabral repair: an arthroscopic road map to the glenoid. Arthroscopy : the journal of arthroscopic & related surgery : official publication of the Arthroscopy Association of North America and the International Arthroscopy Association. 2010;26(4):555-62.

11. Dwyer T, Petrera M, White LM, et al. Trans-subscapularis portal versus low-anterior portal for low anchor placement on the inferior glenoid fossa: a cadaveric shoulder study with computed tomographic analysis. Arthroscopy : the journal of arthroscopic & related surgery : official publication of the Arthroscopy Association of North America and the International Arthroscopy Association. 2015;31(2):209-14.

12. Davidson PA, Tibone JE. Anterior-inferior (5 o'clock) portal for shoulder arthroscopy. Arthroscopy: The Journal of Arthroscopic & Related Surgery. 1995;11(5):519-25.

13. Pearsall AW, Holovacs TF, Speer KP. The Low Anterior Five-O'clock Portal During Arthroscopic Shoulder Surgery Performed in the Beach-Chair Position. The American Journal of Sports Medicine. 1999;27(5):571-4.

14. Lo IKY, Lind CC, Burkhart SS. Glenohumeral arthroscopy portals established using an outside–In technique: neurovascular anatomy at risk. Arthroscopy: The Journal of Arthroscopic & Related Surgery. 2004;20(6):596-602.

15. Meyer M, Graveleau N, Hardy P, Landreau P. Anatomic Risks of Shoulder Arthroscopy Portals: Anatomic Cadaveric Study of 12 Portals. Arthroscopy: The Journal of Arthroscopic & Related Surgery. 2007;23(5):529-36.

16. Davidson PA, Rivenburgh DW. The 7-o'clock posteroinferior portal for shoulder arthroscopy. Am J Sports Med. 2002;30(5):693-6.

17. Oh JH, Kim SH, Lee HK, Jo KH, Bae KJ. Trans-rotator cuff portal is safe for arthroscopic superior labral anterior and posterior lesion repair: clinical and radiological analysis of 58 SLAP lesions. Am J Sports Med. 2008;36(10):1913-21.

18. Nair AV, Jangale A, Kumar MP, et al. Trans-cuff portals heal by 6 weeks: an ultrasonography-based study. JSES International. 2021;5(6):1072-6.

19. Kekatpure AL, Adikrishna A, Sun JH, Sim GB, Chun JM, Jeon IH. Comparative analysis of visual field and image distortion in 30 degrees and 70 degrees arthroscopes. Knee surgery, sports traumatology, arthroscopy : official journal of the ESSKA. 2016;24(7):2359-64.

20. Malavolta EA, Assunção JH, Gracitelli MEC, Yen TK, Bordalo-Rodrigues M, Ferreira Neto AA. Accuracy of magnetic resonance imaging (MRI) for subscapularis tear: a systematic review and meta-analysis of diagnostic studies. Archives of orthopaedic and trauma surgery. 2019;139(5):659-67.

21. Kim SH, Kim DY, Kwon JE, Park JS, Oh JH. Perianchor Cyst Formation Around Biocomposite Biodegradable Suture Anchors After Ro-

tator Cuff Repair. Am J Sports Med. 2015;43(12):2907-12.

22. Kim SH, Yang SH, Rhee SM, Lee KJ, Kim HS, Oh JH. The formation of perianchor fluid associated with various suture anchors used in rotator cuff repair: all-suture, polyetheretherketone, and biocomposite anchors. Bone Joint J. 2019;101-B(12):1506-11.

23. Oh JH, Jeong HJ, Yang SH, et al. Pullout Strength of All-Suture Anchors: Effect of the Insertion and Traction Angle-A Biomechanical Study. Arthroscopy : the journal of arthroscopic & related surgery : official publication of the Arthroscopy Association of North America and the International Arthroscopy Association. 2018;34(10):2784-95.

24. Hyeon Jang J, Ho Yun J, Dae Ha K, et al. Do Knots Matter in Superior Labrum Anterior to Posterior Lesions Repair? Clinics in Shoulder and Elbow. 2017;20(2):68-76.

25. Oh JH, Lee HK, Kim JY, Kim SH, Gong HS. Clinical and radiologic outcomes of arthroscopic glenoid labrum repair with the BioKnotless suture anchor. Am J Sports Med. 2009;37(12):2340-8.

26. Kim SH, Yoo JC, Wang JH, Choi KW, Bae TS, Lee CY. Arthroscopic sliding knot: how many additional half-hitches are really needed? Arthroscopy : the journal of arthroscopic & related surgery : official publication of the Arthroscopy Association of North America and the International Arthroscopy Association. 2005;21(4):405-11.

27. Lo IK, Burkhart SS, Chan KC, Athanasiou K. Arthroscopic knots: determining the optimal balance of loop security and knot security. Arthroscopy : the journal of arthroscopic & related surgery : official publication of the Arthroscopy Association of North America and the International Arthroscopy Association. 2004;20(5):489-502.

28. Dahl KA, Patton DJ, Dai Q, Wongworawat MD. Biomechanical characteristics of 9 arthroscopic knots. Arthroscopy : the journal of arthroscopic & related surgery : official publication of the Arthroscopy Association of North America and the International Arthroscopy Association. 2010;26(6):813-8.

PART

2

책임편집 ●
정석원 이지환 김세훈 김용태 김재윤 윤종필

회전근 개 파열

회전근 개 파열의 병인
Etiology of the rotator cuff tear

정석원 · 이지환

회전근 개 파열은 견관절 기능저하와 통증을 야기하는 흔한 원인이다. 회전근 개 파열의 치료에 대한 논의는 다방면에서 활발하게 진행 중이나 그에 비해 회전근 개 파열의 병인론은 상대적으로 연구가 부족하며 몇몇 이론에 대해서는 논란이 있다.[1] 회전근 개 파열 대부분은 선행하는 퇴행성 병변이 있는 경우 발생한다. 외상에 의해 급성 회전근 개 파열도 과사용과 같은 기저 퇴행성 변화가 동반되는 경우가 흔하다.[2]

회전근 개 건은 다수의 1형 콜라겐과 건세포가 주를 이루며 세포외기질과 상호 작용한다. 건강한 회전근 개 건은 콜라겐 및 세포외기질의 적절한 생성과 제거가 일어나는 국소 환경을 유지한다.[3] 그러나 건병증이 발생하면 1형 콜라겐은 3형 콜라겐으로 대체되며 세포외기질과 건세포 간의 유기적 조절이 어려워진다.[3-5]

회전근 개 파열의 병인은 전통적으로 외적 요소와 내적 요소로 구분한다. 외적 요소는 견봉의 형태 및 골극이나 견봉골(os acrominale) 유무 등 해부학 요소,[1] 주로 사용하는 어깨의 차이나 흡연,[6] 당뇨,[7] 갑상샘질환[8]과 같은 환경 요소가 포함된다.

내적 요소는 회전근 개를 이루는 힘줄 자체에 변성을 유발하는 요소이다. 연령 증가에 따른 미세 외상(microtrauma)의 수복 탄력성 저하, oxidative stress에 의한 세포자멸사의 증가, 혈관분포 감소 등이 포함된다.[1,4,5,9] 친족 비교와 전장유전체 연관성 분석(genome-wide association study, GWAS)을 통해 회전근 개 파열의 유전적 연관성을 밝히려는 시도 또한 있다.[1,10]

1. 정상 회전근 개 항상성

회전근 개 건은 1형 콜라겐(collagen type 1)이 건조 중량의 85%를 차지한다. 이 외 프로테오글리칸(proteoglycans), 글리코스아미노글리칸(glycosaminoglycans), 당단백(glycoproteins) 등이 차지하며 일부 2형 콜라겐과 3형 콜라겐 등으로 구성되어 있다.[4] 건세포(tenocyte)와 fibroblast-like cell는 회전근 개 건을 구성하는 주된 세포로 1형 콜라겐을 따라 정렬되어 있다. 건세포는 건의 기계적 자극에 반응하며 이에 따라 세포외기질(extracellular matrix, ECM)의 생성 및 퇴행을 조절한다.[4,9] 따라서 세포외기질의 생성 및 퇴행의 항상성은 건에 공급되는 혈류 및 산소 요구량이나 합성된 콜라겐의 수준에 영향을 받으며, 기계적 자극의 부하 정도에 따른 기질 금속단백질분해효소(matrix metalloproteinases, MMP)의 농도에 따라 변화한다.[11] 건전한 신체 활동은 세포외기질 단백질 유전자 전사를 의미 있게 증가시키며 활동 제한은 상당한 수준으로 콜라겐 회전율(turnover)을 줄인다.[12] 즉, 건세포와 세포외기질 사이의 생성 및 퇴행과 콜라겐에 가해지는 기계적 자극 및 인장력 등 모두가 회전근 개 건에 유기적으로 영향을 준다.

회전근 개 건병증이 발생하면 정배열된 콜라겐 조직의 구조가 변하며 글리코스아미노글리칸 등의 단백이 기질에 침착된다. 건 손상 초기 단계에서 3형 콜라겐 발생이 증가하고 이는 손상된 1형 콜라겐을 임시방편으로 대체한다. 건강한 건은 시간이 지남에 따라 3형 콜라겐이 1형 콜라겐으로 대체되며 정상적인 정배열 구조를 갖게 된다. 건병증이 진행함에 따라 1형 콜라겐의 생성 및 3형 콜라겐의 제거가 원활하게 이뤄지지 않게 되고, 결과적으로 건에 3형 콜라겐이 축적되며 건병증이 진행하게 된다. 다음 장은 이러한 병태생리를 유발하는 요소를 외적 요소와 내적 요소로 나눠 설명하며 전신질환 및 유전과의 연관성도 살펴본다.

2. 외적 요소(Extrinsic factors)

1) 해부학 요인

Neer와 Poppen은 임상 증상과 수술 소견의 상관관계를 분석하여 견봉하충돌이 회전근 개 파열에 영향을 준다고 처음 주장했다.[13] Neer는 회전근 개 파열에 대해 수술을 받은 환자의 95%가 견봉하충돌 징후를 겪었고 대부분 극상건에 파열이 있으며 이는 견봉 전하방 1/3 부위 모양과 밀접한 연관이 있었다고 보고한다. 이후 Bigliani 등이 견봉 모양에 따라 편평형(1형, flat type), 만곡형(2형, curve type), 돌출형(3형, hook type)으로 분류했으며(그림 1-1),[14] Mac-Gillivray 등은 회전근 개 파열과 lateral sloping acromion이 연관이 있다고 주장했다.[15] Wang 등은 보존적 치료를 시행할 경우 1형, 2형에서는 효과가 좋았으나 3형인 돌출형 견봉에서는 불량한 예후를 보였다고 보고하여 견봉 모양과 회전근 개 파열 간의 연관성을 지지했다.[16]

이전 연구들은 견봉 모양이 선천적으로 결정된다고 보고 하였고 이차적으로 견봉 전하방 골극 및 오구쇄골인대 비후와 같은 오구견봉궁의 변화가 회전근 개 파열의 원인이라 믿어왔다.[1,17] 그러나 Wang 등은 코호트 연구를 통해 1/3 가량이 나이에 따라 견봉 모양 변화를 보였다고 보고했으며,[18] Shah 등은 나이 증가에 따른 견인력 증가로 견봉 모양이 변할 수 있다고 주장했다.[19] 견봉하 골극이 생성되는 위치가 오구견봉인대 부착부라는 점에 주목한 연구도 있다. 이들은 회전근 개 부분 파열이 점액낭측(bursal side)에 발생하여 견봉하조직이 증가하고, 이에 따라 오구견봉인대가 외력을 받으며 골극이 형성되고 견봉 모양이 변화한다는 견해를 냈다.[20] 즉, 골극 변형은 일부 점액낭측 회전근 개 파열의 결과이지 원인이 아닐 수 있으며, 이 때문에 견봉하충돌증후군으로는 회전근 개 파열의 병인을 설명하기는 어렵다는 주장이다. 실제로 회전근 개 파열은 관절측(articular side)이나 건내파열(intrasubstance)이 많다.[1,3]

견봉 모양과 견봉하 골극이 회전근 개 파열의 직접적인 유발인자가 아닐 가능성이 있다는 주장에 따라 David 등은 보존적 치료로 호전되지 않으며 회전근 개 파열은 없는 견봉하충돌증후군 환자를 대상으로 견봉하 감압술을 placebo-controlled randomised trial로 진행했으며 수술 후 6개월 경과상 감압술을 받은 환자군과 대조군 사이에 유의한 임상적 호전 차이가 없음을 발표했다.[21] 앞서 Hyvonen 등도 견봉하충돌증후군이 있으나 회전근 개 파열이 없는 환자에게 acromioplasty를 시행했으며, 수술받은 환자 중 20%는 결국 9년 내에 회전근 개 파열이 발생했다고 보고했다.[22]

새로운 충돌 모형을 제시해 회전근 개 파열을 설명하려

그림 1-1 견봉돌기의 세 가지 형태
A: 편평형(flat type). B: 만곡형(curved type). C: 돌출형(hooked type)

는 시도도 있다. 이들은 관절와(glenoid fossa)의 상측 외연(superior margin)과 대결절 사이에서 회전근 개가 압박될 수 있으며 이에 따라 관절측 부분 회전근 개 파열이나 건내 파열을 설명할 수 있다고 주장한다. Ko 등은 관절측 회전근 개 부분 파열은 주로 나이에 따른 퇴행성 변화일 가능성이 높으며 점액낭측 파열은 견봉하충돌증후군의 결과일 수 있다는 중립적인 의견을 제시하기도 했다.[23] 회전근 개는 견관절 생체역학에 중요한 기능을 담당하며 인장응력과 마찰이 빈번히 일어나는 기관으로 견봉 모양이나 견봉골에 의해 자극을 받을 수밖에 없다. 그러나 진행된 연구를 종합했을 때, 견봉하 골극과 견봉 모양은 회전근 개 파열을 유발하는 단일 요소로 보기는 어렵다.

2) 환경 요인

(1) 우세 상지

우세 상지가 비우세 상지에 비해 회전근 개 파열이 쉽게 일어난다는 보고는 꾸준히 있다.[1,13] 이를 가장 잘 설명하는 이론은 과사용에 따른 회전근 개의 이차적 변성이다. 우세 상지에 발생한 미세 외상(microtrauma)이 과사용으로 인해 충분히 회복하지 못하고 이에 따른 손상이 축적되어 회전근 개 파열이 발생할 수 있다. 그러나 회전근 개 파열 환자의 36%는 비우세 상지에서 파열이 관찰된다는 연구가 있으며, 36-50%가량 환자는 양측 모두에서 부분 혹은 전층 회전근 개 파열이 나타나고 전층 파열로 진단된 환자의 70%는 사무직 등 활동량이 적은 직군에 종사했다.[2-4,12] 따라서, 우세 상지에서 회전근 개 파열이 빈번히 발생하는 것은 사실이나 가장 중요한 원인인자로 보기는 어렵다.

(2) 흡연

흡연은 회전근 개 파열에 영향을 미치는 명확한 위험인자다. 흡연자는 비흡연자에 비해 회전근 개 통증을 호소하는 비율이 높으며 회전근 개 파열이 발생한 이후에도 비흡연자에 비해 높은 수준의 통증을 호소한다.[6,24] 흡연군의 회전근 개 통증 수준과 수술 후 회복 속도 저하는 흡연 용량 및 기간과 양의 상관관계를 보였다.

흡연이 회전근 개에 미치는 영향은 주로 니코틴의 혈관

수축 효과(vasoconstrictive effect)와 금속단백질분해효소 전구체-1(pro-matrix mmetalloproteinases-1, pro MMP-1) 증가로 인한 콜라겐 합성능 저하로 해석된다.[1,4,5] 혈관수축 효과는 결과적으로 회전근 개 조직의 세포내 산포 농도를 낮추고 산소 라디칼(oxygen free radicals)에 의한 스트레스를 높여 퇴행성 변화에 기여한다. Galatz 등은 Rat 모델을을 이용해 지속적으로 니코틴을 투여한 군의 회전근 개 조직에서 염증 수치가 증가하며 회전근 개를 이용한 기계적 움직임의 감소가 있음을 보고했다.[25] 수술 중 획득한 회전근 조직을 통해 흡연군에서 p53 단백질 농도가 증가해 있으며 세포자멸사 주기에 돌입한 건세포(tenocyte)의 비율이 높았다는 보고도 있다. 또한 콜라겐 합성능을 저하시키는 pro-MMP1 농도가 높아 흡연자군이 회전근 개 봉합술 후 불량한 예후를 보이는 이유를 적절히 해설했다. Chung 등은 흡연군의 회전근 개 건 조직에서 HMGB1, PPARg 및 a-smooth muscle actin (a-SMA) 유전자 발현이 증가함을 보고해 흡연자의 회전근 개 건에서 섬유화와 지방침윤이 높은 이유를 분자생물학적 수준에서 설명했다.[6]

3. 내적 요소(Intrinsic factors)

회전근 개 자체에 영향을 주어 파열을 유도하는 요소를 내적 요소라고 한다. 회전근 개 병인론에 대한 연구들은 건과 골 부착부의 병태 및 기계적 마찰에 중점을 두었으나 최근에는 분자생물학 연구가 증가하고 있으며 이에 따라 내적 요소에 의한 회전근 개 병태 생리가 밝혀지고 있다.

건강한 회전근 개 건은 고도로 정렬된 콜라겐 섬유와 tenocyte 등의 세포가 나란히 배열된 구조다. 회전근 개 건 병증이 발생하면 콜라겐 섬유 분절화(fragmented)와 정렬 이상, glycosaminoglycan 축적과 신신경화(neoinnervation)에 따른 신생혈관 발생이 증가하고 기능이 약화된다. 병증이 발생한 건은 어깨에 부과되는 인장응력(tensile force)을 견디지 못하고 병증이 없는 회전근에 응력이 집중된다. 응력이 집중된 회전근은 과적된 인장력을 견디기 어렵고 결국 회전근 개 파열로 진행할 수 있다.[3,4]

이러한 회전근 개 병태생리를 내적 요소로 설명하려는

연구들이 있다. 가장 활발히 논의되는 모델은 퇴행-미세 외상 모델(degenerative-microtrauma model)이며 neural theory와 vascularity theory도 지지를 받는다.[1,4]

1) 퇴행-미세 외상 모델

나이에 따른 건의 퇴행성 변화는 자연스러운 일이다. 하지만 퇴행성 변화와 밀접한 연관이 있는 건병증은 회전근 개에서 높은 비율로 나타난다. 건병증을 앓는 일반 환자군의 5.5%가 회전근 개 건병증으로 가장 높은 비율을 차지했고, 각각 4.2%, 2.4%로 다음 비중을 차지하는 둔부 건병증 (gluteal tendinopathy)이나 아킬레스건병증 환자군이 젊은 나이에 건병증이 발생하는 것에 비해 회전근 개 건병증은 늦은 나이에 발생했다.[26] 따라서 퇴행성 변화는 건병증의 중요한 인자이나 회전근 개에서 더 높은 중요성을 갖는다.

퇴행 변화가 일어난 회전근 개에 지속된 미세 외상은 세포외기질(extracellular matrix)의 환경을 변화시켜 1형 콜라겐 합성에 관여하는 factor Mohawk (MKX), scleraxis (SCX)와 같은 전사 인자의 조절을 방해하고 산화 스트레스(oxidative stress)를 발생시켜 건세포의 세포자멸사를 유도한다. 퇴행 미세 외상 모델은 회전근 개 퇴행과 미세 외상에 따른 국소 환경 변화를 순환 과정 선상에서 설명한다.

(1) 회전근 개 퇴행

회전근 개 파열은 환자의 나이와 강력한 상관관계에 있다. Tempelhof는 어깨 통증이 없는 400례 이상의 실험 참가자들을 모집해 초음파 검사를 통해 회전근 개 이상 유무를 관찰했다. 실험군은 50대, 60대, 70대, 80대로 분류됐으며 각각 13%, 20%, 31%, 51%로 회전근 개 파열이 확인되었다. Tempelhof는 이 결과를 통해 회전근 개 파열은 병적 상태라기보다는 정상 퇴행 과정일 수 있다는 의견을 제시했다.[27] 이러한 의견에는 논란이 있었지만 회전근 개 파열이 퇴행성 변화와 밀접한 연관이 있음을 재확인시켰다. Kannus와 Jozsa는 급성, 아급성, 만성 회전근 개 파열 환자 891례의 회전근을 관찰했으며 분류와 상관없이 97%의 환자에서 퇴행성 변화가 있음을 보고했다.[28]

회전근 개 파열이 퇴행성 변화와 밀접한 연관이 있다는 조직학적 증거도 활발히 논의된다. Hashimoto 등은 회전근 개 파열 환자 80례의 조직 소견을 검사했으며 이들 모두에서 관찰되는 퇴행성 변화 7가지를 제시했다. ① 콜라겐 섬유의 정렬 이상 및 부피 감소, ② 점액양 변성(myxoid degeneration), ③ 유리질 퇴행(hyaline degeneration), ④ 연골 화생(chondroid metaplasia), ⑤ 석회화(calcification), ⑥ 신생혈관 증가(vascular proliferation), ⑦ 지방침윤(fatty infiltration). 이 중 신생혈관 증가와 지방침윤은 bursal side 에서 흔했으며, 이는 퇴행한 회전근 개의 수복 과정일 가능성이 있음을 암시한다.[29] 이 외 5가지 변화는 회전근 개의 탄성응력(tensile stress) 저하로 인한 변화로 생각된다.

지방침윤은 회전근 개 퇴행과 밀접한 연관이 있다. Goutallier 등은 관절조영 전산화 단층촬영(computed tomography arthrography)을 통해 회전근 개 지방침윤이 심할수록 수술 후 예후가 불량했으며, 지방침윤 정도를 5단계로 분류하기를 제안했다(표 1-1).[30]

지방침윤은 회전근 개의 파열 모양, 환자의 나이 및 유병 기간과 연관이 있다. 여러 연구는 회전근 개 파열과 연관된 지방침윤이 회전근 개 봉합술 후 호전되지 않으며, 회전근 개 봉합술을 하지 않거나 수술이 실패한 경우 회전근 개 지방침윤 속도가 가속됨을 보고했다. 지방침윤의 정도는 수술 후 예후인자로도 작용한다. James N. Gladstone 등은 극하근의 지방침윤 정도가 수술 후 예후와 강한 연관이 있다고 주장했으며 Melis 등은 Goutallier 분류 상 2단계 이전에 회전근 개 봉합술을 시행해야 좋은 예후를 기대할 수 있다고 발표했다.[31,32] Buchmann 등은 Rat 모델에 회전근 개

표 1-1

	Goutallier Classification	Proposed Classification
Grade 0	Normal muscle	Normal to mild fatty infiltration
Grade 1	Fatty streaks	
Grade 2	Fat < muscle	Moderate fatty infiltration
Grade 3	Fat = muscle	
Grade 4	Fat > muscle	Fat > muscle

파열을 유도하고 3주 경과한 시점에 지방침윤이 발생한다고 보고했다.[33]

다른 몇몇 조직학적 연구에서는 회전근 개 퇴행성 변화를 매개하는 인자를 추적했다. Premdas 등은 회전근 개를 감싸는 비혈관성 결체조직(nonvascular connective tissue)을 채취했고 퇴행성 변화가 일어난 회전근 개 결체조직에서 SMA 농도가 증가해 있음을 보고했다.[34] SMA는 콜라겐-글리코스아미노글리칸 복합체(collagen-glycosaminoglycan compound)의 농도를 증가시켜 회전근 개의 자연 회복을 방해하고 파열 범위 증가를 유도할 수 있다. 지방침윤에 대한 분자생물학적 연구도 활발히 진행 중이다. Chung 등은 회전근 개 파열을 유도한 mouse 모델의 지방침윤을 확인했으며, 지방침윤이 발생한 구역에서 지방산(fatty acid) 수송 단백질인 Fatty acid-binding protein 4 (FABP4)를 발현하는 mRNA 증가를 보고했다.[35]

지방침윤은 회전근 개 파열을 유발할 수 있으며, 회전근 개 파열로 지방침윤이 발생할 수 있다. 결론적으로, 회전근 개 파열과 지방침윤은 깊은 상관관계에 있으며 높은 수준의 지방침윤은 수술 예후에 악영향을 미치기 때문에 회전근 개 봉합술 시기를 낙관적으로 미루지 않는 것이 좋다는 주장의 근거가 된다.

(2) 미세 외상 모델

미세 외상 모델(microtrauma model)은 일상생활 등으로 반복되는 외상이 회전근 개에 쌓이고, 외상을 입은 회전근 개가 미처 회복하지 못한 상태에 추가적인 외상이 가해지는 악순환으로 인해 회전근 개 파열이 발생한다는 모델이다. 회전근 개는 intrasynovial에 위치해, 아킬레스건처럼 extrasynovial에 위치한 힘줄과 같은 회복을 기대하기 어렵다.[4] 따라서 축적된 외상 회복이 더디며 이는 미세 외상 모델을 지지한다.

미세 외상 모델은 회전근 개 부분 파열이 주로 articular side에서 시작하는 이유를 적절히 해설한다. Codman 등은 점액낭측을 구성하는 회전근 섬유(fiber)가 관절측보다 load capability가 높기 때문에 회전근 개 부분 파열이 관절측에서 유발되는 경우가 많다고 주장했다.[36] 관절측 부분 파열이 발생하면 비교적 잘 유지되는 점액낭측의 회전근 섬유에 응력이 집중되며 휴식기에서도 긴장이 지속되어 미세 외상이 발생한다. 축적된 미세 외상으로 점액낭측 섬유 역시 변성이 일어나며 파열이 발생하고 최종적으로 회전근 개 전층 파열로 이행하게 된다.

미세 외상 모델의 분자생물학 연구는 학계의 주목을 받고 있다. Rat 모델을 대상으로 극상건 과사용을 유발했을 때 transforming growth factor beta-1 (TGF-β1) 유전자 발현이 하향 조절(down regulation)되며 이어서 극상건의 콜라겐 정배열(collagen orientation) 감소 등이 관찰되었으며, 13주가 경과한 시점에서 유의하게 load-to-failure가 발생했다. Perry 등은 역전사 중합효소 연쇄반응(reverse transcription polymerase chain reaction, RT-PCR)을 통해 회전근 개 국소 환경을 관찰했다. Perry는 3일 이내 angiogenic mRNA marker (VEGF)의 400% 증가, 8주경에는 cyclo-oxygenase 2 (COX-2)가 300% 증가함을 보고했다.[37] Tsuzaki 등은 interleukin-1 beta (IL-1β)가 인간 tenocyte에 어떠한 영향을 주는지 반정량적(semiquantitative) RT-PCR로 in vivo 연구를 했으며 COX-2를 발현시키는 mRNA 증가와 prostaglandin E2 (PGE2)의 조직내 농도 증가가 상호 연관됨을 보였다. 추가로 metalloproteases, 그중에서도 MMP-1, MMP-3, MMP-13을 발현하는 mRNA의 증가와 proinflammatory 사이토카인인 Interleukin-1β (IL-1β) 생성에 기여하는 non-lymphoid tissues를 발현하는 mRNA의 증가도 보고했다.[38]

상기 연구를 종합하면 회전근 개 질환으로 발생하는 통증은 COX-2와 PEG2가 중개하고 외인성 사이토카인인 IL-1β와 MMP의 증가는 회전근 개 미세 구조를 파괴한다는 결론을 도출할 수 있다. IL-1β 증가가 회전근 개 파열에 미치는 중요성은 논의 중에 있으나 Koshima 등은 의도적으로 회전근 개 파열을 유도한 토끼 모델의 mRNA 발현 연구에서 IL-1β는 24시간 내에 최고 농도에 도달하고 COX-2는 7일경에 최고 농도에 도달했음을 알려 이 결론을 지지한다.[39]

(3) 세포자멸사와 산화 스트레스
(apoptosis & oxidative stress)

세포자멸사는 다세포 기관 내에 존재하는 세포의 계획된 사멸이다. 세포자멸사는 배아 발생 및 기관 재생과 재형성에 중요한 역할을 하며 성인의 완성된 기관에서 항상성을 유지하는 데 기여한다. 다양한 세포내 및 세포외 신호가 세포자멸사와 연관되어 있으며 세포자멸사로 인한 건세포의 점진적인 손실은 건 조직의 회복 능력을 더욱 악화시킨다.

① 세포자멸사 경로

세포자멸사는 내인자 경로(intrinsic pathway)와 외인자 경로(extrinsic pathway)로 나뉜다. 내인자 경로는 세포내 산소 라디칼이나 축적된 ROS의 증가, 회복되지 못한 유전자 손상 혹은 세포내 칼슘 이온 증가 등으로 인해 활성화된다.[9] 상기 상황이 발생하면 세포내 미토콘드리아의 막 투과도가 증가하고 Bax 단백(Bax protein)이 미토콘드리아 표면으로 이동해 미토콘드리아 외벽에 붙은 anti-apoptotic Bcl-2 protein을 억제하여 미토콘드리아 외벽을 허문다. 손상을 받은 미토콘드리아는 이중막 구조의 막간 공간(intermembrane)으로 cytochrome c와 serine protease를 방출한다. cytochrome c는 Apaf-1 (apoptotic protease activating factor-1)에 붙어 apoptosomes을 형성하고, apoptosome은 caspase-9를 활성화시킨다. 이후 caspase-9는 분해되며 caspase-3, 7 등을 활성화시킨다.[40] caspase-3, 7 등은 '집행자 caspase'로 불리며 세포질에 위치한 단백질 구조를 분해하고 chromosomal DNA를 퇴행시키며 최종적으로 세포를 포식하는 기전을 연다. 외인자 경로는 막관통 수용체 매개 리간드(transmembrane receptor-mediator ligand)에 의해 활성화되며, 여기에는 TNF 수용체가 중요하게 작용한다. Fas ligand (FasL)는 TNF 수용체에 결합하여 caspase 8을 활성화시켜 세포자멸사를 유도한다.[40,41]

정교하게 조절되는 세포자멸사는 병리기전으로 가속화될 수 있으며 회전근 개 건을 포함한 건병증에서 일관되게 보고된다. 퇴행성 회전근 개 파열 환자의 건조직과 회전근

개 과사용이 유도된 Rat 모델에서 세포자멸사의 증가를 확인했으며, 세포자멸사를 매개하는 caspases (cysteine proteases for aspartic acid residues)-3, caspases-8 발현 증가를 보고했다. 파열된 회전근 개 가장자리에서 세포자멸사에 들어간 세포 비율은 34%로, 정상군에 비해 3배가량 높으며 특히 fibroblast-like cell의 자멸사가 두드러졌다.[41]

② 활성 산소와 산소 라디칼

병적인 세포자멸사는 활성 산소(reactive oxygen species, ROS)와 산소 라디칼(oxygen free radicals)이 유도한다. 산소 라디칼은 스트레스-기인 세포 사멸사에 직접적으로 기여하며 ROS는 미토콘드리아의 세포내 호흡에 mechanotransducer로 이용된다. 따라서, 산소 라디칼은 회전근 개 건 조직의 급성 손상 및 인장응력으로 인한 미세 손상에 관여하며 미토콘드리아, NADPH-의존성 cytochrome P450 enzymes, lipoxygenase, cyclo-oxygenase 등에 의해 정상적으로 생성되는 ROS는 세포 소기관 및 효소 기능저하와 관련이 있어 주로 퇴행성 변화와 연관된다고 믿어진다. 회전근 개 퇴행-미세 외상 모델은 급성 외력과 만성 퇴행 변화 간의 상호작용으로 이해되기 때문에 회전근 개 건병증에는 산소 라디칼과 ROS가 모두 중요하게 다뤄진다. 환자에서 채취한 회전근 개 건을 배양하여 과산화수소(H_2O_2)로 산소 라디칼로 인한 스트레스를 가하면 세포자멸사를 매개하는 주요한 인자인 cytochrome-x와 caspase-3이 증가한다. Caspase는 세포자멸사를 지휘하여 섬유아세포를 포함한 건세포를 제거한다.[4,40,41]

③ 세포자멸사 억제 인자

최근 연구는 caspase의 작용을 조절하는 cellular FLICE-inhibitory protein (cFLIP)에 주목한다. cFLIP는 cellular FLICE (FADD-like IL-1β-converting enzyme)를 억제하는 강력한 세포자멸사 방어 단백질이다. cFLIP는 FADD, caspase-8, caspase-10, 혹은 tumor necrosis factor-related apoptosis-inducing ligand (TRAIL) 수용체 5 (DR5) 결합하여 세포자멸사 억제 복합체(apoptosis inhibitory complex,

AIC)를 형성하고 결과적으로 TNF-α, Fas-L와 TNF-연관 세포자멸사 유도 리간드(TNF-related apoptosis-inducing ligand, TRAIL)에 의해 유도되는 세포자멸사 과정을 억제한다. Millar 등은 회전근 개 과사용 Rat 모델에서 caspase-8과 cFLIP 모두 의미 있게 증가함을 보고했다.[5]

cFLIP 외에도 caspase에 의해 유도되는 세포자멸사를 억제하는 단백질이 보고된다. 몇몇 연구는 rodent와 환자를 대상으로 건병증 연구에서 열충격 단백질(heat shock proteins, HSP)이 유의하게 증가했음을 발표했다. HSP는 열이나 자외선 등 세포에 스트레스가 가해질 때 생성이 증가되며 외상 회복이나 조직 재생성에 기여한다. HSP는 분자량에 따라 명명되며 주로 HSP27과 HSP70이 caspase에 의한 세포자멸사 억제에 기여한다.[42] HSP27은 세포자멸사 내인자 경로에 결정적인 역할을 하는 cytochrome-c와 caspase-9의 ATP-촉발 활성(ATP-triggered activity)을 억제하며 세포내 글루타티온(intracellular glutathione)을 조절한다. HSP70은 cytochrome c와 결합하여 apoptosome을 형성하는 Apaf-1을 하향 조절하고 Apaf-1이 cytochrome c와 붙는 apoptosomes 형성 과정을 억제해 세포자멸사의 내인자 경로에 관여하며 TNF-α의 작용을 억제해 세포자멸사 외인자 경로도 억제한다.

산화 스트레스로부터 세포를 보호하여 세포자멸사를 막는 효소로 peroxiredoxin 5 (PRDX5) 역시 제시되고 있다. 항산화 효소인 peroxiredoxin 5 (PRDX5)가 퇴행 변화가 없는 견갑하건에 비해 퇴행성 극상건에서 유의하게 상향 조절되어 있으며, 이는 퇴행성 건병증을 유발하는 산화 스트레스에 대한 보상 작용임을 시사한다는 보고가 있다. 시험관 내 연구도 PRDX5의 과발현이 H_2O_2로 유도된 힘줄 섬유 아세포의 세포자멸사를 효과적으로 보호함을 밝혔다. PRDX5 발현을 증가시킨 건에서는 대조군에 비해 건세포의 세포자멸사가 46%가량 줄었으며 약간의 콜라겐 합성 증가도 보고되었다. Daichi Morikawa 등은 superoxide dismutase 1 (Sod 1)을 제거한 mouse 모델의 회전근 개에서 1형 콜라겐 합성 저하와 극상건 퇴행이 발생했음을 보고했다.[43]

④ 세포-세포외기질 상호 작용

건병증은 산화 스트레스로 인해 비정상적인 세포자멸사가 유도되어 건세포 및 섬유 아세포의 사멸이 발생하고, 결과적으로 건세포의 콜라겐 합성 저하와 세포-세포외기질 상호 작용 장애로 인한 콜라겐 퇴행이 복합적으로 발생해 일어난다. 여러 연구들은 세포-세포외기질 상호 작용에 초점을 맞춰 회전근 개 건병증을 설명한다.

세포-세포외기질 상호 작용으로 인한 건병증 발생 과정은 MMP와 c-JUN N-terminal protein kinase (JNK)이 중요한 역할을 한다고 알려져 있다. MMP는 단백 분해 효소로 아연이나 코발트와 같은 금속이 촉매 기전에 관여한다. 활성화된 MMP는 세포외기질을 변형하고 콜라겐으로 분해하여 건병증을 발생시킬 수 있다. 세포는 MMP를 제어하기 위해 tissue inhibitors of metalloproteinases (TIMP)를 생성한다. 균형 잡힌 MMP와 TIMP의 분비는 기능이 약화된 콜라겐의 제거 및 재형성 과정을 도와 건전한 세포외기질 생태계에 기여하지만 MMP의 과도한 증가나 TIMP의 억제는 콜라겐 퇴행을 유발하고 콜라겐 섬유 정배열을 억제해 건병증을 유발할 수 있다.[40,41]

MMP-1, MMP-8 및 MMP-13은 거의 모든 종류의 콜라겐을 분해할 수 있으며, 특히 인장응력에 높은 기계적 저항을 제공하는 삼중 나선구조 콜라겐(triple-helix fibrillar collagen)인 1, 2 및 3형 콜라겐을 N-말단 및 C-말단으로 절단한다. 이 외에도 젤라티나아제로 불리는 MMP-2와 MMP-9는 다른 콜라겐 분해 효소와 함께 작용하여 콜라겐 단편을 더 작게 절단하고 4형 콜라겐을 분해한다고 밝혀졌으며 개구리에게서만 발견된다고 알려진 MMP-18의 mRNA 또한 인간 인대에서 발견되었다. MMP의 기준 생상량(baseline production)은 낮게 유지되나 IL-1, 4, 6, 10, TNF-α와 같은 사이토카인이나 성장인자, Extracellular matrix metalloproteinase inducer (EMMPRIN) 등에 의해 발현이 증가할 수 있으며 마이토겐 활성화 단백질 키나제 경로(mitogen activated protein kinase pathway) 등 세포내 경로 등으로도 증가할 수 있다.

일부 연구는 토끼 모델을 통해 극상건의 급성 파열 후 회복 과정에서 MMP-2의 발현 증가를 보고했으며, 배양된 회전근 개 건에서도 MMP와 TIMP 증가가 있다는 보고도 있다.[41] MMP-13은 회전근 개 재생 및 수복에 중요한 역할을 한다고 알려져 있다. MMP-13은 회전근 개 건의 주요 구성 성분인 1형 콜라겐을 분해할 수 있으며 회전근 개 회복 과정에서 MMP-1이나 MMP-8보다 40배나 더 높은 효율로 콜라겐을 분해한다. 회전근 개 파열에 직접적인 영향을 미치는 인자로는 MMP-1과 MMP-3이 주목을 받고 있다.[4,5,9,41] Yoshihara 등과 Zhen 등은 회전근 개 파열 환자의 활액막에서 MMP-1, MMP-3, 글리코스아미노글리칸의 증가를 보고했으며 일부 연구는 MMP-3 활성화 감소로 인해 적절한 건의 재형성이 실패하여 회전근 개 파열이 일어난다고 주장했다.[44]

세포내 신호 또한 MMP 발현 증가 및 회전근 개 퇴행에 영향을 준다. c-JUN N-terminal protein kinase (JNK)-1은 mitogen-activated protein kinase로 각각 다른 세 곳의 염색체에 JNK1, JNK2, JNK3에 기록되어 있다. IL-1이나 반복되는 건의 신장으로 발현이 증가하며 산화 스트레스 또한 이들의 발현을 증가시킨다. JNK의 활성화는 세포자멸사를 유도하는 수많은 경로를 활성화하며 MMP-1 발현을 증가시켜 콜라겐 분해를 가속화한다. Murrell 등은 손상된 극상근 조직에서 JNK와 MMP-1이 증가하고, 배양된 극상근에 과산화 수소로 직접적인 산화 자극을 가하면 JNK1, 2, MMP-1 발현이 증가함을 확인했다. 몇몇 연구는 JNK-2 발현을 억제시킨 mouse 모델에서 MMP-3, MMP-13의 발현이 줄었음을 보고했다.[40]

⑤ 회전근 개 건병증과 산화 스트레스

퇴행-미세 외상 모델은 회전근 개 건병증 및 파열의 병인을 설명하는 이론 중 가장 견고한 바탕을 가지고 있다. 급성 및 만성 미세 외상에 의해 산화 스트레스가 발생하고, 이는 세포자멸사 경로를 활성화시킨다. 세포자멸사 경로는 내인성 경로와 외인성 경로로 나뉘며, 세포외기질에 영향을 주어 회전근 개 건의 콜라겐 섬유를 파괴시키고 종례에 회전근 개 건병증 및 파열을 유도한다. 다음은 퇴행-미세 외상 모델 외에 회전근 개 파열을 설명하는 이론이 소개된다.

2) 혈관 분포 모델(cuff vascularity theory)

극상건의 상완골 대결절 부착부의 10-15 mm는 전통적으로 임계 지대(critical zone)로 불리며 혈관 분포가 낮다고 알려져 왔다. 낮은 혈관 분포에 따라 손상에 따른 수복이 더디며 결과적으로 외상에 취약하여 이 부위에서 회전근 개 파열이 쉽게 유도된다고 믿어져 왔다. 최근 연구는 이에 대해 강력한 의문을 제기한다.[1,45]

Moseley와 Goldie는 조직학적 실험을 통해 회전근 개의 임계 지대는 찾을 수 없다고 보고했으며 Brooks 등은 극상건 부착 부위에서 각각 5 mm, 30 mm 근위 지점의 조직의 혈관 직경과 수를 조사했고 둘 사이에 유의한 차이가 없음을 밝혔다.[46] 수술 시 시행한 도플러초음파(LASER doppler flowmetry) 검사에서도 임계 지대의 혈류저하(hypoperfusion)는 관찰되지 않았다.[47]

임계 지대에 대한 해부학적 논의는 회의적으로 정리되었지만 역동학적 측면과 수술 후 회복 예측에는 도움을 준다. 견관절의 내전 자세는 역동적인 혈류 저하를 유발한다. Fealy 등은 회전근 개 봉합술을 시행한 환자와 대조군 사이의 혈류 차이를 측정했으며, 수술한 환자군에서 유의한 혈류 증가가 있음을 확인하였고 이는 수술 후 회복과 연관이 있을 가능성을 제시했다.[1]

3) 신경 이론(neural theory)

신경 과자극(neural overstimulation)은 염증세포를 모집하여 회전근 개 건의 퇴행에 기여할 수 있다. Molloy 등은 Rat 모델을 통해 회전근 개 과사용을 유도했고 glutamate-signaling proteins의 발현 증가를 보고했으며[48] Franklin 등은 통증을 호소하는 극상건 파열 환자의 조직에서 glutamate와 glutamate 수용체의 발현이 상향 조절되었음을 밝혔다.[49]

또 다른 연구는 건병증 환자의 조직에서 mGluR2, GluK1 및 UCH-L1을 포함한 통각수용 매개체의 증가와 glutamate의 축적을 보고했다. glutamate에 노출된 건세포는 COL1A1 발현 감소와 ACAN 발현 증가를 보였으며 이는 glutamate 증가가 통증뿐만 아니라 건병증에 직접적인 기여를 할 수 있음을 시사한다.[50]

이 이론은 신경 과자극이 glutamate 및 염증세포를 모집하고 지속적인 통증을 유도하여 미세 구조를 파괴하며 COL1A1이나 ACAN 발현에 관여하여 건병증에 직접적으로 기여한다는 통찰을 주고, 결론적으로 산화 스트레스와 연관된 퇴행-미세 외상 모델 외에도 회전근 개 건병증을 해설할 가능성이 있음을 제시한다.

4. 그 외 요소들

1) 전신질환(systemic disorders and diseases)

대사증후군을 포함하여 전신에 영향을 미치는 질환과 회전근 개 파열의 상관관계는 오래전부터 논의되어 왔다. 고지혈증이나 고콜레스테롤혈증은 죽상경화 등 심혈관계의 미세 구조를 파괴하고 근골격계에 지방침윤을 유도해 회전근 개 건병증에 기여할 수 있다. 당뇨 또한 혈관병증을 유발하고 이로 인해 건세포에 산화 스트레스를 증가시켜 회전근 개 파열을 유도하고 수술 후 악영향을 줄 수 있다. 이 외에도 악성종양이나 알츠하이머 치매 등이 건병증에 기여할 수 있다는 의견이 제시되고 있으며 골다공증 또한 수술 후 재파열의 가능성을 높이는 인자로 거론된다. 따라서 회전근 개 파열에 영향을 미치는 전신질환은 개별적 접근도 중요하지만, 체내 세포의 산화 스트레스 증가와 그에 연관된 회전근 개 환경 변화 선상에서 해석해야 한다.[4]

(1) 당뇨(diabetes mellitus)

당뇨는 회전근 개 파열 및 회전근 개 봉합술 후 불량한 예후인자로 알려졌다. P. Odett 등은 당뇨에 이환된 Rat 모델을 통해 혈당능 장애에 장기간 노출된 콜라겐은 당화 반응이 발생하여 미세 구조가 파괴됨을 밝혔고 Huang 등은 58,652명의 당뇨 환자를 대상으로 한 코호트 연구에서 대조군에 비해 유의하게 회전근 개 봉합술 후 불량한 예후를 보였음을 보고했다.[51]

분자생물학적 연구가 지지를 받음에 따라 당뇨가 회전근 개에 미치는 영향에 대한 병리 기전이 밝혀지고 있다. Chung 등은 수술 중 확보한 환자의 회전근 개 조직에서 MMP-9과 IL-6의 과발현을 보고하여 염증 전구 사이토카인인 IL-6과 세포외기질의 국소 환경에 영향을 미치는 MMP-9이 당뇨 환자의 회전근 개 건병증에 기여할 수 있다는 의견을 제시했다.[7]

(2) 고콜레스테롤혈증(hypercholesterolemia)

높은 수준의 혈중 콜레스테롤이 죽상경화와 같은 심혈관계 질환을 유발한다는 연구를 기반으로 고콜레스테롤혈증이 근골격계에 영향을 줄 것이라는 의견이 있었으나 본격적인 연구는 2000년대 이후부터 시작되었다. David 등은 mouse 모델을 통한 실험에서 고콜레스테롤에 노출된 군이 건 파열에 취약함을 보였으며, 최근 연구는 고밀도지단백질 저하증(hypo-high-density lipoproteinemia)이 수술 후 재파열에 영향을 줌을 보고했다.[52] 다른 연구에서는 고콜레스테롤혈증이 회전근의 지방침윤을 증가시키며 봉합 후 tendon-bone healing 과정에 악영향을 미쳐 수술 후 나쁜 예후인자가 될 수 있음을 시사했다.[53]

(3) 갑상샘질환(thyroid disease)

갑상샘호르몬의 장애와 견관절의 통증은 오래전부터 논의되어 왔으며 몇몇 연구는 갑상샘질환과 건병증이 연관되어 있음을 보고했다. 갑상샘호르몬은 여러 조직과 기관의 발달 및 대사에 필수적이다. 갑상샘호르몬은 트리요오드티로닌(T3)과 이의 전구 호르몬인 티록신(T4)으로 구성되고 대부분의 작용은 T3가 갑상샘호르몬 수용체 -α, -β (TH receptors -α, -β)에 결합하여 매개된다.

F Oliva등은 갑상샘질환과 회전근 개 파열이 있는 군, 갑상샘질환이 없으며 회전근 개 파열이 있는 군, 회전근 개 파열이 없는 군에서 갑상샘호르몬 수용체 -α, -β의 발현 수준 차이는 없으나 시험관 연구상 T3, T4가 건세포의 세포자멸사를 억제하는 효과가 있음을 밝혔다.[8]

2) 약물

항생제나 항암제가 일부 건병증에 기여한다는 연구가 있다. 특히 fluoroquinolone 계열 항생제 복용 후 건병증 발생이 보고되고 있다. Fluoroquinolone는 박테리아 DNA의 유지 및 안정성에 기여하는 효소 topoisomerase II (DNA gyrase)와 topoisomerase IV에 작용하여 살균(bactericidal) 효과를 갖는 항생제로 건병증 발생에 기여하는 기전은 분명하지 않다.[54] 보고된 사례 대부분은 아킬레스건염이 많으나 fluoroquinolone 계열인 levofloxacin 복용 후 심각한 회전근 개 파열이 보고된 사례도 있다.[55] Statin 계열 약물은 혈중 지질 농도를 개선해 회전근 개 미세 환경에 도움을 줄 것으로 예상했으나, 일부 연구는 오히려 statin 복용이 회전근 개 건 환경에 악영향을 줄 수 있다는 보고를 했다.[56]

3) 유전

회전근 개 파열과 유전적 경향성은 꾸준히 논의되고 있다. 회전근 개 파열 환자의 1촌 및 2촌 지간이 대조군에 비해 2배 이상의 발생률을 보였으며 통증을 호소하는 빈도는 5배 이상 높았고, 회전근 개 파열의 크기와도 유의한 상관관계를 보였다.[1,4] 이는 건의 미세 구조 취약성이나 세포자멸사 경로의 감수성과 연관이 있을 것이라 추정한다. 그러나 많은 역학적 증거에도 불구하고, 회전근 개 파열과 강력한 상관이 있는 유전자는 밝혀진 바가 없다.

몇몇 연구는 DEFB1, FGFR1, FGF3, ESRRB, 및 FGF10 유전자와 회전근 개 파열이 연관된다는 보고가 있으며 일부는 C and collagen Va 1(COL5A1)이 아킬레스건 파열과 연관이 있다는 보고에 기초해 연구를 진행하고 있으며, 전장유전체 연관성 분석(genome-wide association study, GWAS)을 통한 연구 또한 발표되고 있다.[4,10]

참고문헌

1. Nho SJ, Yadav H, Shindle MK and MacGillivray JD. Rotator cuff degeneration: etiology and pathogenesis. The American journal of sports medicine. 2008;36:987-93.

2. Lazarides AL, Alentorn-Geli E, Choi JJ, et al. Rotator cuff tears in young patients: a different disease than rotator cuff tears in elderly patients. Journal of shoulder and elbow surgery. 2015;24:1834-43.

3. Mehta S, Gimbel JA and Soslowsky LJ. Etiologic and pathogenetic factors for rotator cuff tendinopathy. Clinics in sports medicine. 2003;22:791-812.

4. Millar NL, Silbernagel KG, Thorborg K, et al. Tendinopathy. Nature Reviews Disease Primers. 2021;7:1-21.

5. Maffulli N, Longo UG, Berton A, Loppini M and Denaro V. Biological factors in the pathogenesis of rotator cuff tears. Sports medicine and arthroscopy review. 2011;19:194-201.

6. Lee Y-S, Kim J-Y, Ki S-Y and Chung SW. Influence of smoking on the expression of genes and proteins related to fat infiltration, inflammation, and fibrosis in the rotator cuff muscles of patients with chronic rotator cuff tears: a pilot study. Arthroscopy: The Journal of Arthroscopic & Related Surgery. 2019;35:3181-91.

7. Chung SW, Choi BM, Kim JY, et al. Altered gene and protein expressions in torn rotator cuff tendon tissues in diabetic patients. Arthroscopy: The Journal of Arthroscopic & Related Surgery. 2017;33:518-26. e1.

8. Oliva F, Berardi A, Misiti S, Falzacappa CV, Iacone A and Maffulli N. Thyroid hormones enhance growth and counteract apoptosis in human tenocytes isolated from rotator cuff tendons. Cell death & disease. 2013;4:e705-e.

9. Zhang X, Wada S, Zhang Y, Chen D, Deng X-H and Rodeo SA. Assessment of mitochondrial dysfunction in a murine model of supraspinatus tendinopathy. JBJS. 2021;103:174-83.

10. Kim SK, Nguyen C, Jones KB and Tashjian RZ. A genome-wide association study for shoulder impingement and rotator cuff disease. Journal of Shoulder and Elbow Surgery. 2021

11. Millar N, Wei A, Molloy T, Bonar F and Murrell G. Cytokines and apoptosis in supraspinatus tendinopathy. The Journal of bone and joint surgery. British volume. 2009;91:417-24.

12. Hyde D, Littlewood C, Mazuquin B and Manning L. Rehabilitation following rotator cuff repair: a narrative review. Physical Therapy Reviews. 2021:1-8.

13. Neer C. Supraspinatus outlet. Orthop Trans. 1987;11:234.

14. Bigliani L. The morphology of the acromion and its relationship to rotator cuff tears. Orthop trans. 1986;10:228.

15. MacGillivray JD, Fealy S, Potter HG and O'Brien SJ. Multiplanar analysis of acromion morphology. The American journal of sports medicine. 1998;26:836-40.

16. Wang JC, Horner G, Brown ED and Shapiro MS. The relationship between acromial morphology and conservative treatment of patients with impingement syndrome, SLACK Incorporated Thorofare, NJ; 2000

17. Nicholson GP, Goodman DA, Flatow EL and Bigliani LU. The acromion: morphologic condition and age-related changes. A study of 420 scapulas. Journal of shoulder and elbow surgery. 1996;5:1-11.

18. Wang JC and Shapiro MS. Changes in acromial morphology with age. Journal of shoulder and elbow surgery. 1997;6:55-9.

19. Shah NN, Bayliss N and Malcolm A. Shape of the acromion: congenital or acquired—a macroscopic, radiographic, and microscopic study of acromion. Journal of shoulder and elbow surgery. 2001;10:309-16.

20. Croen BJ, Carballo CB, Wada S, et al. Chronic Subacromial Impingement Leads to Supraspinatus Muscle Functional and Morphological Changes: Evaluation in a Murine Model. Journal of Orthopaedic Research®. 2020

21. Beard DJ, Rees JL, Cook JA, et al. Arthroscopic subacromial decompression for subacromial shoulder pain (CSAW): a multicentre, pragmatic, parallel group, placebo-controlled, three-group, randomised surgical trial. The Lancet. 2018;391:329-38.

22. Hyvönen P, Lohi S and Jalovaara P. Open acromioplasty does not prevent the progression of an impingement syndrome to a tear: nine-year follow-up of 96 cases. The Journal of bone and joint surgery. British volume. 1998;80:813-6.

23. Ko J-Y, Huang CC, Chen W-J, Chen C-E, Chen S-H and Wang C-J. Pathogenesis of partial tear of the rotator cuff: a clinical and pathologic study. Journal of shoulder and elbow surgery. 2006;15:271-8.

24. Kashanchi KI, Nazemi AK, Komatsu DE and Wang ED. Smoking as a risk factor for complications following arthroscopic rotator cuff repair. JSES international. 2021;5:83-7.

25. Galatz L, Silva M, Rothermich S, Zaegel M, Havlioglu N and Thomopoulos S. Nicotine delays tendon-to-bone healing in a rat shoulder model. JBJS. 2006;88:2027-34.

26. Hopkins C, Fu S-C, Chua E, et al. Critical review on the socio-economic impact of tendinopathy. Asia-Pacific journal of sports medicine, arthroscopy, rehabilitation and technology. 2016;4:9-20.

27. Tempelhof S, Rupp S and Seil R. Age-related prevalence of rotator cuff tears in asymptomatic shoulders. Journal of shoulder and elbow surgery. 1999;8:296-9.

28. Kannus P and Jozsa L. Histopathological changes preceding spontaneous rupture of a tendon. A controlled study of 891 patients. The Journal of bone and joint surgery. American volume. 1991;73:1507-25.

29. Hashimoto T, Nobuhara K and Hamada T. Pathologic evidence of degeneration as a primary cause of rotator cuff tear. Clinical Orthopaedics and Related Research®. 2003;415:111-20.

30. Goutallier D, Postel J-M, Bernageau J, Lavau L and Voisin M-C. Fatty muscle degeneration in cuff ruptures. Pre-and postoperative evaluation by CT scan. Clinical orthopaedics and related research. 1994:78-83.

31. Gladstone JN, Bishop JY, Lo IK and Flatow EL. Fatty infiltration and atrophy of the rotator cuff do not improve after rotator cuff repair and correlate with poor functional outcome. The American journal of sports medicine. 2007;35:719-28.

32. Melis B, DeFranco MJ, Chuinard C and Walch G. Natural history of fatty infiltration and atrophy of the supraspinatus muscle in rotator cuff tears. Clinical Orthopaedics and Related Research®. 2010;468:1498-505.

33. Buchmann S, Walz L, Sandmann GH, et al. Rotator cuff changes in a full thickness tear rat model: verification of the optimal time interval until reconstruction for comparison to the healing process of chronic lesions in humans. Archives of orthopaedic and trauma surgery. 2011;131:429-35.

34. Premdas J, Tang JB, Warner J, Murray MM and Spector M. The presence of smooth muscle actin in fibroblasts in the torn human rotator cuff. Journal of orthopaedic research. 2001;19:221-8.

35. Lee YS, Kim JY, Oh KS and Chung SW. Fatty acid-binding protein 4 regulates fatty infiltration after rotator cuff tear by hypoxia-inducible factor 1 in mice. Journal of cachexia, sarcopenia and muscle. 2017;8:839-50.

36. Codman E. Rupture of the supraspinatus tendon and other lesions in or about the subacromial bursa. The shoulder. 1934

37. Perry SM, McIlhenny SE, Hoffman MC and Soslowsky LJ. Inflammatory and angiogenic mRNA levels are altered in a supraspinatus tendon overuse animal model. Journal of Shoulder and Elbow Surgery. 2005;14:S79-S83.

38. Tsuzaki M, Guyton G, Garrett W, et al. IL-1β induces COX2, MMP-1,-3 and-13, ADAMTS-4, IL-1β and IL-6 in human tendon cells. Journal of Orthopaedic Research. 2003;21:256-64.

39. Koshima H, Kondo S, Mishima S, et al. Expression of interleukin-1β, cyclooxygenase-2, and prostaglandin E2 in a rotator cuff tear in rabbits. Journal of orthopaedic research. 2007;25:92-7.

40. Osti L, Buda M, Del Buono A, Osti R, Massari L and Maffulli N. Apoptosis and rotator cuff tears: scientific evidence from basic science to clinical findings. British medical bulletin. 2017:1-11.

41. Thankam FG, Chandra IS, Kovilam AN, et al. Amplification of mitochondrial activity in the healing response following rotator cuff tendon injury. Scientific reports. 2018;8:1-14.

42. Millar NL, Wei AQ, Molloy TJ, Bonar F and Murrell GA. Heat shock protein and apoptosis in supraspinatus tendinopathy. Clinical orthopaedics and related research. 2008;466:1569-76.

43. Morikawa D, Itoigawa Y, Nojiri H, et al. Contribution of oxidative stress to the degeneration of rotator cuff entheses. Journal of shoulder and elbow surgery. 2014;23:628-35.

44. Gotoh M, Mitsui Y, Shibata H, et al. Increased matrix metalloprotease-3 gene expression in ruptured rotator cuff tendons is associated with postoperative tendon retear. Knee Surgery, Sports Traumatology, Arthroscopy. 2013;21:1807-12.

45. Lohr J and Uhthoff H. The microvascular pattern of the supraspinatus tendon. Clinical orthopaedics and related research. 1990:35-8.

46. Moseley HF and Goldie I. The arterial pattern of the rotator cuff of the shoulder. The Journal of bone and joint surgery. British volume. 1963;45:780-9.

47. Swiontkowski MF, Iannotti JP, Boulas H and Esterhai J. Intraoperative assessment of rotator cuff vascularity using laser Doppler flowmetry. Surgery of the shoulder. St. Louis: Mosby-Year Book. 1990:208-12.

48. Molloy T, Kemp M, Wang Y and Murrell G. Microarray analysis of the tendinopathic rat supraspinatus tendon: glutamate signaling and its potential role in tendon degeneration. Journal of Applied Physiology. 2006;101:1702-9.

49. Franklin SL, Dean BJ, Wheway K, Watkins B, Javaid MK and Carr AJ. Up-regulation of glutamate in painful human supraspinatus tendon tears. The American journal of sports medicine. 2014;42:1955-62.

50. Dean BJF, Snelling SJ, Dakin SG, Murphy RJ, Javaid MK and Carr AJ. Differences in glutamate receptors and inflammatory cell numbers are associated with the resolution of pain in human rotator cuff tendinopathy. Arthritis research & therapy. 2015;17:1-10.

51. Huang S-W, Wang W-T, Chou L-C, Liou T-H, Chen Y-W and Lin H-W. Diabetes mellitus increases the risk of rotator cuff tear repair surgery: a population-based cohort study. Journal of Diabetes and its Complications. 2016;30:1473-7.

52. Park HB, Gwark J-Y, Kwack BH and Jung J. Hypo–High-Density Lipoproteinemia Is Associated With Preoperative Tear Size and With Postoperative Retear in Large to Massive Rotator Cuff Tears. Arthroscopy: The Journal of Arthroscopic & Related Surgery. 2020;36:2071-9.

53. Chung SW, Park H, Kwon J, Choe GY, Kim SH and Oh JH. Effect of hypercholesterolemia on fatty infiltration and quality of tendon-to-bone healing in a rabbit model of a chronic rotator cuff tear: electrophysiological, biomechanical, and histological analyses. The American journal of sports medicine. 2016;44:1153-64.

54. September A, Rahim M and Collins M. Towards an understanding of the genetics of tendinopathy. Metabolic Influences on Risk for Tendon Disorders. 2016:109-16.

55. Alkaissi H, Kolla S, Page C, Salam L, Salifu MO and McFarlane IM. Fluoroquinolone-Induced Rotator Cuff Tendinopathy: A Case Report. American journal of medical case reports. 2021;9:122.

56. Beri A, Dwamena FC and Dwamena BA. Association between statin therapy and tendon rupture: a case-control study. Journal of cardiovascular pharmacology. 2009;53:401-4.

부분 파열, 소파열의 수술적 치료
Surgical treatment: partial thickness tear, small sized tear

김세훈·김용태

1. 서론

회전근 개 부분 파열(partial thickness rotator cuff tear, PTRCT)은 힘줄 섬유의 손상은 있으나 전체 두께를 침범하지는 못하여 관절와상완관절 공간(glenohumeral joint space)과 견봉하공간(subacromial space) 간의 교통이 이루어지지 않는 상태를 뜻한다.[1] 회전근 개 전층 소파열(small-sized full thickness rotator cuff tear, small FTRCT)은 힘줄 전체 두께에 걸친 손상으로 인해 상기 기술한 두 공간 사이의 교통은 이루어지나, 파열부의 전후 방향 크기가 1 cm 이하에 해당하는 크기의 파열이다.[2] 비록 손상된 힘줄 두께의 차이는 있으나, 통상적으로 위 두 종류의 파열들은 극상건(supraspinatus tendon, SST)의 단독 손상이 흔하며, 회전근 개 근육의 위축과 지방 변성이 미미하고, 힘줄을 봉합하기 위한 별도의 유리술(release)을 요하지 않으며, 부분 파열의 전층 전환을 시행할 경우 유사한 술식으로 봉합이 이루어진다는 점에서 이번 단원에서 함께 다루기로 한다. 한편, 이두건 장두(long head of the biceps tendon, LHBT)와 그 주변 구조물의 손상과 흔히 동반되는 견갑하건(subscapularis tendon)의 부분 파열 또한 별도의 부분을 할애하여 설명하겠다.

1) 연관된 해부학적 구조

회전근 개 부분 파열은 손상부의 위치와 그 깊이에 따라 분류한다. 또한 특정 호발 부위가 있다. 이를 위해서는 일련의 해부학적 지식이 선행되어야 한다.

(1) 회전근 개의 층 구조

회전근 개는 조직학적으로 다섯 개의 층으로 이루어져 있다(그림 2-1).[3] 표재부를 제1층으로 하였을 때, 제2층 점액낭측(bursal) 힘줄 섬유는 극상건(supraspinatus)과 극하건

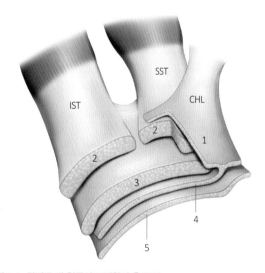

그림 2-1 회전근 개 힘줄의 조직학적 층 구성
제1층과 제4층은 오구돌기(coracoid process)에서 기시하여 회전근 개 간격(rotator interval)을 거쳐 감아 들어오는 오구상완인대(coracohumeral ligament, CHL)로 이루어져 있으며, 이는 제2층과 제3층의 회전근 개 힘줄을 감싸고 있다. 제2층 점액낭측(bursal) 힘줄 섬유의 방향은 극상건(supraspinatus, SST)과 극하건(infraspinatus, IST)의 장축과 평행하며, 두 힘줄의 구분이 어느 정도 이루어진다. 제3층의 관절측(articular) 힘줄 섬유는 극상건과 극하건의 구분이 명확하지 않고, 제2층의 섬유 배열에 대해 사선 방향으로 교차되는 형태이다. 제5층은 관절와상완관절의 상부 관절낭(superior capsule)에 해당한다.

(infraspinatus)의 장축과 평행한 방향성을 띠고 있다. 제3층의 관절측(articular) 힘줄 섬유는 극상건과 극하건의 구분이 명확하지 않으며, 제2층의 섬유 배열에 대해 사선 방향으로 교차되는 형태이다. 오구상완인대(coracohumeral ligament)가 회전근 개 간격(rotator interval)을 따라 들어와 제1층과 제4층을 이루며 제2, 3층의 극상건과 극하건을 감싸고 있다. 가장 심부인 제5층은 관절와상완관절의 관절낭에 해당하며, 근래에 들어 부각되고 있는 상부 관절낭에 해당한다고 볼 수 있을 것이다.

(2) 상부 관절낭(superior capsule)

상부 관절낭에 집중한 해부학적 연구에 따르면 극상건의 부착부 중, 관절측에 해당하는 상부 관절낭은 5.6-4.4 mm의 두께를 가지며, 극상건의 힘줄 부분의 두께는 3.4-7.6 mm에 해당한다(그림 2-2).[4] 이전의 문헌들은 힘줄과 관절낭을 특별히 구분하지 않고 극상건이 상완골의 대결절(greater tuberosity)에 부착되는 부착부(footprint)의 내외 방향 크기를 약 12 mm라고 서술하였다.[5] 따라서, 같은 깊이만큼 손상이 될지라도 점액낭 측의 손상인지, 관절측의 손상인지에 따라 실제 근육과 연결되어 움직임에 개입되는 회전근 개 힘줄에 미치는 손상의 정도는 다르다고 볼 수 있

다. 이어 더해 극상건의 점액낭 측은 비교적 혈류가 잘 발달된 것에 비해, 관절측은 그에 비해 혈관의 분포가 떨어진다.[6] 이는 회전근 개 부분 파열의 빈도가 점액낭 측보다 관절측에서 더 흔한 것을 설명할 수 있다.

(3) 회전근 개 케이블(rotator cable)

극상건과 극하건의 가장 외측은 회전근 개 반월(rotator crescent)에 해당하는 부분으로, 그 내외측 너비는 개인에 따라 8-21 mm까지 다양하다.[7] 이부분은 두께가 얇고 혈행이 나빠 마멸과 파열이 흔히 일어날 수 있다. 그러나 두꺼운 회전근 개 케이블, 다른 이름으로 횡관절낭인대(transverse capsular ligament)가 이두건 활차(biceps pulley)에서 시작하여 극하건의 하면에 이르기까지 회전근 개 반월을 감싸고 있다(그림 2-3).[7-9] 이 덕분에 회전근 개 반월에 국한된 부분 파열 또는 전층 소파열이 있더라도, 회전근 개의 힘이 회전근 개 케이블을 통해 충분히 전달될 수 있어 질환의 진행을 늦출 여지가 있다.

2) 분류

회전근 개 부분 파열은 Ellman의 분류법을 적용한다.[10] 이는 상술한 극상건의 부착부 내외 너비가 약 1-2 mm라는

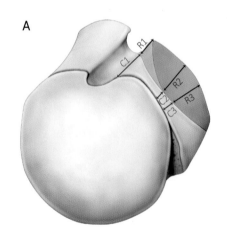 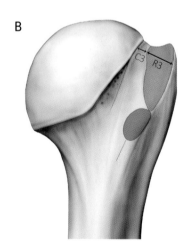

그림 2-2 회전근 개 부착부의 관절낭과 실제 힘줄이 차지하는 내외 방향 너비
극상건의 최전방 부착부에서 관절낭(C1)은 5.6±1.6 mm, 실제 근육과 연결되어 실질적으로 수축하는 힘줄 부분(R1)은 3.5±2.3 mm에 해당한다. 극상건의 최후방 부착부에서 관절낭(C2)은 4.4±1.2 mm, 실제 힘줄 부분(R2)은 7.6±1.9 mm에 해당한다. 한편 극하건의 최대 너비 부착부에서 관절낭(C3)은 5.4±1.4 mm, 실제 힘줄 부분(R3)은 9.7±1.7 mm에 해당한다. 이로 인해 기존의 Ellman 분류에 따라 50%에 해당하는 6 mm의 부착부 힘줄이 손상되더라도, 그 위치가 점액낭 측인지, 관절측인지에 따라, 실제 힘줄이 더 손상되는지, 관절낭이 더 손상되는지에 차이가 발생하는 것이다.

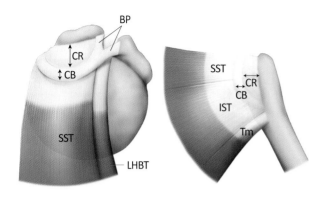

그림 2-3 회전근 개 반월과 회전근 개 케이블
극상건(supraspinatus, SST)과 극하건(infraspinatus, IST)의 가장 외측은 혈행이 나쁘고 조직이 얇으며 비교적 쉽게 퇴행이 올 수 있는 회전근 개 반월(rotator crescent, CR)로 이루어져 있다. 극상건 전방의 이두건 활차(biceps pulley, BP)에서 시작하여 극하건 하방 경계까지 이어진 두꺼운 회전근 개 케이블(rotator cable, CB)이 이를 감싸고 있다(LHBT: long head of the biceps tendon 이두건 장두, Tm: teres minor 소원근).

해부학적 지식에 근거한다. 먼저, 그 위치를 A: 관절측(articular), B: 점액낭측(bursal), C: 건내 파열(interstitial)로 나눈다. 이어서 손상된 깊이를 1: 3 mm (<25%) 미만, 2: 3-6 mm (25-50%), 3: 6 mm (>50%)으로 표기한다. 임상에서는 고도 부분 파열(high-grade PTRCT)이라는 명칭 또한 종종 쓰이며, 이는 통상 수술적 치료를 고려할 수 있는 50% 이상의 파열을 지칭한다.

3) 자연 경과와 수술의 적응증

회전근 개는 파열 후의 자연적인 치유 능력이 제한적인 것으로 알려져 있다. 회전근 개 부분 파열의 개방적 회전근 개 복원술 중에 획득한 힘줄 표본에 대해 1990년과 1994년 Fukuda 등이 시행한 조직학적 검사에 따르면, 손상 부위에는 일체의 회복의 흔적이 발견되지 않았다고 한다.[11,12] 그러나 전통적으로 인용되는 위 문헌들은, 수술적 치료를 시행한 환자의 표본만을 조사하였다는 데서 한계가 있다. 회전근 개 부분 파열에 대해 연속된 MRI를 이용한 근래의 연구는, 평균 24개월의 추시 기간 동안 26%에서 파열이 진행, 67%에서 현상 유지, 7%에서 회복의 소견을 기술한 바 있다.[13] 힘줄 두께의 50% 이상을 침범한 고도 부분 파열을 대상으로 한 평균 20개월의 MRI 추시 연구에서는, 16%에

서 악화, 59%에서 현상 유지, 25%에서 회복이 보고되었다.[14] 또한 상술한 회전근 개 케이블이 유지되고 있다면, 회전근 개 반월의 퇴행성 손상이 있더라도 증상이 없거나 진행이 느릴 수 있다.

따라서, 영상 검사 등을 통해 50% 이상의 회전근 개 부분 파열이 진단되더라도 초기 6개월간 보존적 치료를 시도해보는 것은 의미가 있다. 어깨 외전의 근력과 가동범위, 즉 극상건의 기능이 유지된다면 보존적 치료의 좋은 예후를 기대할 수 있다.[15,16] 힘줄 부종과 주변의 염증이 동반된 부분 파열은 이미 진행한 전층 파열에 비해 그 통증이 더 심할 수도 있으며, 이로 인한 관절강직이 동반된 경우도 흔하다.[17] 적극적인 운동 교육 및 시행을 통해 관절 가동범위의 회복을 도모하는 것이 가장 우선이며, 경구 비스테로이드성 소염진통제와 관절내공간 내 및 견봉하공간의 스테로이드 주입 등을 통한 약물치료를 함께 시행할 수 있다. 가동범위가 회복된 후 통증의 호전이 있다면, 고무줄이나 가벼운 아령 등을 이용한 회전근 개 강화운동을 시행하는 것도 고려할 수 있다.[18] 그러나, 상술한 대로 회전근 개 파열은 그 구조적인 회복 능력이 제한적이므로, 기능적인 호전이 되더라도 생활습관의 조절이 필요하며 정기적 추시 관찰을 통해 증상의 악화가 발생하는지 보는 것이 중요하다.

충분한 보존적 치료를 시행하여 가동범위 회복을 도모하였음에도 불구하고 일상생활에 지장을 주는 통증과 근력 약화가 지속되거나, 추시 검사에서 파열이 진행했다면 수술의 적응증이 된다. 또한, 60세 이하의 활동적인 젊은 환자, 우세수, 근력 약화를 용납하기 어려운 직업 종사자나 운동선수의 고도 부분 파열, 젊은 환자의 외상 이후 갑자기 발생한 파열에 대해서는 진단 시점에서의 조기 수술적 치료를 고려할 수 있다.

2. 수술적 치료

1) 견봉성형술

회전근 개 전층 대파열 또는 광범위 파열(large to massive FTRCT)의 경우 추후 봉합된 회전근 개의 재파열이나

기능부전 시 상완골 두의 상방전위를 막는 마지막 구조물로써 오구견봉궁(coracoacromial arch)을 보존해야 한다. 또한 견봉하 골극의 마모가 이미 진행하여 견봉성형술을 시행하지 않는 경우도 있다. 따라서 견봉성형술은 회전근 개 부분 파열과 소파열에서 그 중요도가 상대적으로 부각되므로 본 단원에서 자세히 기술하고자 한다.

(1) 견봉성형술의 효과 및 적응증

비록 이전 단원에서 회전근 개 파열의 병인에 대해 자세히 설명되었으나, 이곳에서 견봉성형술의 적응증에 설명하기 위해 간단히 다시 다루도록 한다. 1972년 Neer는 견봉(acromion) 전하방의 골극과 오구상완인대(coracoacromial ligament)에 대한 회전근 개 힘줄의 충돌, 즉 외재적 요인(extrinsic factor)이 회전근 개 손상의 주요한 원인이라 주장하였으며, 견봉 전하방의 골극 제거와 오구상완인대 절제술을 포함한 견봉성형술(acromioplasty)을 시행하여 좋은 결과를 보고하였다.[19] 이후 견봉성형술, 내지는 견봉하감압술(subacromial decompression)은 회전근 개 수술의 필수적 요소로 간주되었다.

그러나 회전근 개 손상의 내재적 요인(intrinsic factor), 즉 반복적인 편심성 장력 과부하(eccentric tensile overload)로 인한 누적된 미세손상의 중요성이 밝혀졌으며, 견봉의 골극은 이러한 회전근 개 힘줄의 기능 약화로 인한 상완골 두의 상방전위에서 비롯한 이차성 변화라는 주장이 힘을 얻게 되었다.[20-22] 특히 Bigliani 제3형 견봉으로 오인할 수 있는 전방 견봉골극이, 상완골 두의 상방전위를 막고자 하는 오구상완인대의 부하로 인한 이차적 견인성 골극이라는 해석도 설득력이 있다.[21,23] 이에 관절경적 회전근 개 복원술 시 견봉성형술 시행 유무를 비교한 총 4개 무작위 배정 임상시험의 환자 373명을 분석한 메타분석에서는 견봉성형술의 이점이 드러나지 않았다.[24]

이러한 연구 결과를 종합해 보았을 때, 견봉의 골극과 회전근 개 손상은 인과관계가 혼재된 동반 현상이므로 무조건적인 견봉성형술은 지양해야 할 것이다. 그러나 분명한 것은, 견봉의 과한 골극은 견봉하미란(subacromial fraying)과 부합되는 위치의 회전근 개 손상을 악화시킬 수 있으며, 통증의 주요 원인이 될 수도 있다는 것이다. 이를 감별하기 위해 충돌 검사(impingement test), 즉 견봉하공간에 1% 리도카인 10 mL를 주사하여 증상의 변화를 확인해 보는 것도 해당 환자에게서 견봉성형술이 도움이 될지 미리 가늠할 수 있는 방법이다.[25]

물론, 내재적 요인에 해당하는 회전근 개의 퇴행성 변화로 설명이 어려운 50대 이하의 젊은 환자에서 과한 견봉하 골극과 고도의 회전근 개 부분 파열이나 전층 소파열이 동반되었다면, 외재적 요인에 의거하여 견봉성형술을 포함한 복원술을 적극적으로 고려한다.

(2) 견봉성형술의 술기

회전근 개의 개방적 수술의 일부로서 절골도(osteotome)를 이용한 전방 견봉골극 제거가 널리 행해진 바 있으나, 본 단원은 관절경으로 충분한 치료가 가능한 부분 파열과 전층 소파열을 대상으로 하기에 관절경적 견봉성형술을 위주로 설명한다. 또한, 회전근 개 소파열과 부분 파열에 대한 치료가 견관절관절경을 처음 시작하는 초심자에게 적합한 증례이므로, 그 술기를 비교적 상세히 서술하였다.

① 견봉하공간 시야의 확보

어깨 불안정성에 대한 치료를 주로 시행하는 관절내공간과는 달리, 회전근 개 질환을 치료하는 견봉하공간은 관절막에 둘러싸여 있지 않다[이에 "관절경(arthroscope)"보다는 "내시경(endoscope)"이라 지칭하는 것이 타당하나, 관례상 "관절경"으로 지칭한다]. 따라서 수술이 길어질수록 주변 연부조직으로의 관류액 삼출과 부종이 심해지므로 시야가 점점 나빠질 수 있다. 또한 견봉하점액낭(subacromial bursa)의 염증성 유착과, 견봉성형술에 선행되어야 하는 점액낭절제술(bursectomy) 시의 출혈로 인해 초기 시야의 확보부터 어려울 수 있다. 위와 같은 이유들로 신속한 수술을 요하며, 초심자의 경우 견봉성형술만 관절경으로 시행한 후 여의치 않을 경우 최소절개 복원술(mini-open repair)을 시행해야 할 수도 있으므로 그 방법을 숙지하고, 미리 환자에게 동의를 구해 두어야 한다.

관절내공간의 술식을 마친 후, 같은 피부 절개창을 따라 후방 삽입구(posterior portal)를 통해 관절경을 삽입하게 된다. 이때 삽입관(cannula)을 이용하여 견봉을 촉지하며 그 하면을 따라 좌우로 수회 움직여 박리한 후 관절경을 삽입한다면, 점액낭 가운데 어느 정도 공간을 확보하게 되어 전방(anterior) 또는 외측 삽입구(lateral portal)를 통해 삽입한 기구를 관절경으로 확인하는 데 도움을 줄 수 있다. 초기에 후방 삽입구로 관절경 삽입 시 방향은 반드시 오구견봉인대(coracoacromial ligament)의 외측을 향하도록 하여, 견봉하 점액낭 근처에 관절경 끝이 위치할 수 있도록 한다(그림 2-5). 오구견봉인대의 내측으로는 출혈이 일어나기 쉬운 지방조직이 많고 두꺼운 회전근 개 근육도 위치하고 있어 시야 확보가 어려워 초심자가 당황할 수 있다.

② 외측 삽입구의 형성

후방 삽입구에서 견봉하공간을 확인하여 골극의 상태와

견봉하미란, 동반된 회전근 개의 손상 위치와 정도, 그리고 수술 전 확인한 영상 및 이학적 검사를 종합적으로 고려하여 견봉성형술의 시행 여부를 판단한다. 이를 토대로 외측 삽입구의 높낮이를 결정한다. 견봉성형술을 시행하지 않을 경우, 상완골 부착부의 골피질 제거(decortication)와 회전근 개 힘줄의 봉합사 통과(suture passage)를 용이하게 하기 위해 견봉하면과 약 5-10 mm 정도의 간격을 두는 것이 좋다. 그러나 견봉성형술을 시행하고자 한다면, 척추침(spinal needle)을 먼저 삽입해 보아 평탄하게 하고자 하는 견봉하면에 평행하게 접할 수 있는지 확인 후, 필요한 만큼 견봉하면에 근접하게 외측 삽입구를 형성한다(그림 2-4A).

견봉성형술 시 외측 삽입구에 삽입관(cannula)을 유치하면 기구 출입이 용이하며, 삼각근의 부종을 지연시키는 장점이 있다. 그러나 삽입구와 견봉 외연의 가까운 거리 내에 삽입관의 끝이 걸침으로써 견봉 외연과 삼각근 사이 정확

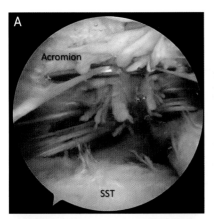
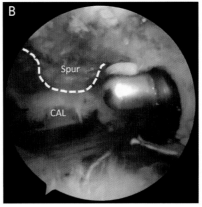
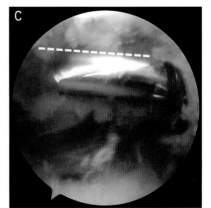
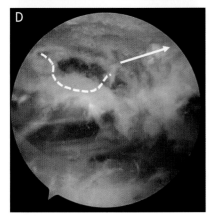

그림 2-4 **견봉성형술의 술기(우측 어깨)**
A: 견봉하공간을 후방삽입구에서 바라본 모습으로, 견봉하미란(subacromial fraying) 및 하방에 극상건(SST)의 미란이 관찰되며, 점액낭염 소견도 보인다. 견봉성형술을 시행하기로 하였으므로 전외측 견봉하면에 인접하도록 척추침을 삽입하여 외측 삽입구의 위치와 방향을 결정한다. B: 견봉하 연부조직이 제거된 상태로, 오구견봉인대(CAL)를 견봉하면 외측에서부터 박리하여 그 실질을 보존한 상태이다. 점선으로 표시된 전방의 견봉하 골극(spur)이 확인된다. C: 삽입구를 견봉하면에 인접하게 형성한 덕분에 관절경적 연마기의 장축을 견봉하면에 균일하게 접촉하며 원활한 견봉성형술이 가능하다. D: 성형술이 완료된 상태로, 전방의 골극이 제거되었으며(점선), 외측 상방을 향한 역경사(reverse slope; 화살표)가 형성되었다.

한 경계의 분간이 어려울 수 있고, 절삭기구가 삽입관 끝에 덮여 정상적인 작동이 어려울 수 있다. 이는 자칫 외측의 골극이 남는 불완전한 견봉성형술을 초래하게 된다. 이러한 점들을 감안하여 삽입관을 사용하는 가운데 견봉의 외측 경계면을 잘 확인하여 주의하도록 한다. 삽입관 없이 신속히 견봉성형술을 마친 후 회전근 개 복원술을 시행하기에 앞서 삽입관을 유치하는 것도 대안이 될 수 있겠다.

③ 점액낭절제술

견봉하점액낭은 견봉-쇄골관절의 후방 경계에서부터 전방을 향해 분포하고 있으며, 견봉하공간의 전방 ⅓에 걸쳐 위치한다(그림 2-5). 후방 삽입구 또는 후외측 삽입구에서 바라보며 외측 삽입구에 관절경적 절삭기(arthroscopic shaver)를 삽입하여 차량의 와이퍼가 작동하는 듯한 움직임으로 제거하면 편하다. 후방 점액낭벽(posterior bursal curtain)이 특히 발달되어 있으며, 이는 후방 삽입구로 들어간 관절경을 보다 넓은 시야를 확보하기 위해 다시 후퇴시킬 경우, 금세 관절경의 시야를 덮을 수 있다. 따라서 수술 초기, 관류액으로 인한 연조직 부종이 심해지기 전에 후방 점액낭벽을 충분히 절제하는 것이 유리하다. 점액낭

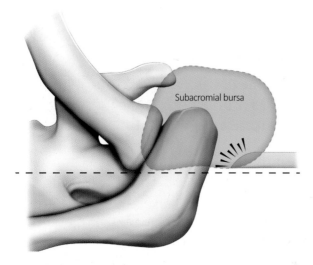

그림 2-5 견봉하점액낭의 위치
견봉하점액낭(subacromial bursa)은 견봉-쇄골관절의 후방 경계 근처에서부터 시작하여, 견봉하공간의 전방 1/2에 위치하고 있다. 후방 삽입구에서 관절경 진입 시, 오구견봉인대 외측을 향해 삽입해야 점액낭에 관절경 끝을 접근시킬 수 있다.

절제술을 너무 과하게 할 필요는 없으나, 시간이 지날수록 연부조직이 관류액에 불면서 시야를 방해할 수 있으므로 봉합하고자 하는 부위 근처의 점액낭만을 제거하기보다는 그보다 내측과 후내측 등에서 넉넉히 제거하여 양호한 시야를 유지하도록 한다. 수술 중에 카메라 바로 앞의 점액낭 조직 등이 관절경의 시야를 일부 덮을 때는, 절삭기를 관절경 렌즈 가까이에서 사용 시 렌즈의 손상 가능성이 있으므로 고주파소작기(radiofrequency ablator)를 이용하여 렌즈 주변 조직을 가볍게 수축시키는 방식을 택하면 안전한 시야 확보에 도움이 된다.

초심자의 경우 어디까지가 절제 가능한 점액낭이고, 어디부터가 회전근 개 힘줄인지에 대한 고민이 있을 것이다. 이에 대한 좋은 해결법은, 관절경적 절삭기의 구동부를 견봉하면을 기준으로 60도 정도 기울여 측상방을 향하게 하는 것이다. 회전근 개 힘줄에는 구동부의 측면이 닿게 되므로 힘줄을 보호할 수 있고, 비교적 조직이 성긴 점액낭은 절삭기의 음압에 딸려 들어오므로 안전하게 절제할 수 있다. 물론, 만성화된 점액낭염으로 인해 두껍고 질긴 점액낭 조직을 만날 수 있다. 이러한 조직은 절삭기의 음압에 딸려 들어오기가 어려울 수 있으므로, 고주파소작기로 일부를 잘라내어 절삭기가 그 절단면을 흡입할 수 있게 하는 것도 좋은 방법이다.

견봉하점액낭절제술 시 종종 출혈이 발생할 수 있으며, 염증의 정도가 심하여 혈류가 발달한 점액낭일수록 그 정도는 심하다. 이에 점액낭의 주요한 혈류공급 위치에 대해 이해하고, 절제술 시 해당 부위의 출혈에 대비하면 유리하다.[26] 견봉하점액낭의 전방으로는 오구견봉인대의 견봉측 기시부 전면에 견봉동맥(acromial artery)이 지나고 있다. 내측으로는 견봉-쇄골관절의 후방 경계 바로 아래의 지방조직들 가운데 출혈이 일어나는 경우가 흔하다. 원위쇄골절제술(distal clavicle excision) 등을 시행하지 않는 이상 해당 부위를 굳이 침범할 필요가 없으므로 주로 오구견봉인대의 박리 및 주변의 전방 점액낭절제술 시, 출혈을 예상하고 지혈을 준비한다.

한편, 견봉하공간의 외측 경계를 외측 고랑(lateral gutter)이라 칭하며, 삼각근과 상완골 두 사이에 마치 해먹처럼 분

포하는 연부조직으로 이루어져 있다. 과도한 점액낭절제술을 시행하다가 외측 고랑을 침범하고 원위부로 진행할 경우, 견봉 외연으로부터 5 cm 아래에 위치한 액와신경(axillary nerve)을 손상시킬 수 있으므로 주의를 요한다.

④ 견봉하 연부조직 및 오구견봉인대의 박리

본격적인 골극의 제거에 앞서 견봉하면의 오구견봉인대와 기타 연부조직을 제거한다. 주로 고주파소작기를 사용하는데, 사용 시 열이 발생하게 되므로 반드시 소작기에 탑재된 흡인관을 연결하여 뜨거운 물이 빠져나가도록 하며, 흡인관이 없는 소작기라면 별도 삽입관의 관류액 배출구(outflow)를 개방한다. 소작기를 견봉하면에 곧바로 접촉하여 단순히 연부조직을 태워 없애기보다는, 외측 경계에서부터 내측 전방을 향해 박리하는 방식으로, 최대한 오구견봉인대 조직을 보존한다. 이렇게 박리된 오구견봉인대는 추후 늘어난 상태로 재부착되어 어깨관절의 안정화에 기여하기를 기대할 수 있다(그림 2-4B).[27-29] 이 과정에서 견봉하면의 외측 경계를 명확히 구분 지을 수 있으며 이는 경계부위는 남기고 안쪽만 깎는, 마치 갈고리와 같은 모양을 남기는 불완전한 견봉성형술을 예방하는 데 도움이 된다.

⑤ 골극의 제거

기본적으로, 관절경적 연마기(arthroscopic burr)를 한 군데에 오래 머물게 하여 고랑을 파지 않도록 유의한다. 마치 배영을 하거나 물수제비를 뜨듯 아주 완만한 각도로 견봉에 "연착륙"하고 스치듯 지나가는 것이 좋다. 조금이라도 고랑이 파이면 그 부분에서 걸리게 되며 매끈한 견봉하면을 만들기가 어렵게 되므로 주의를 요한다. 또한 너무 과하거나 덜 깎지 않도록 주의해야 한다. 어느 정도 선에서 멈춰야 하는지 명확히 하기 위한 초심자에게 유용한 연마 방법은 다음과 같다.

처음에는 관절경을 후방 삽입구에, 연마기(burr)를 외측 삽입구에 넣고 연마를 시작한다. 이때, 상술한 대로 반드시 견봉의 외측 경계가 명확히 드러나 있어야 한다. 통상 4.5 mm 정도 되는 연마기의 둘레를 기준으로 하여 내측의 견봉은 남겨두고 외측 경계에 따라, 너비 약 10 mm, 높이 5 mm 정도의 "계단"을 만든다. 이후, 관절경을 외측 삽입구로, 연마기를 후방 삽입구로 옮긴다. 만들어 놓은 계단을 깎아 없앤다는 생각으로 외측에서 내측으로 절삭기를 움직이며, 후방에서 전방으로 점차적으로 진행한다. 이렇게 한다면, 항상 전방 내측에 원래의 견봉 높이가 남아있으므로 연마기의 두께를 기준 삼아 일정하게 깎아 나갈 수 있다.

그러나 위의 방법은 초심자의 입장에서 너무 많이 깎거나, 덜 깎는 것을 방지하기에는 나쁘지 않은 방법이나, 결국에는 견봉의 두께를 전반적으로 줄이는 것에서 그칠 수 있으므로 한계가 있다. 회전근 개 손상의 외재적 요인에서 중요한 부분은 골극 및 견봉의 전외측 부분이므로, 해당 부위를 정확히 연마하고 충돌이 일어나지 않는 이외의 부분은 남겨두는 것이 권장된다. 술기가 익숙해지는 대로 굳이 관절경 위치를 바꾸거나 계단 모양을 일부러 남겨가며 할 필요 없이 후방에서 바라보며 외측 삽입구에서 연마를 완료하도록 한다. 무엇보다 전외측으로 하강하는 모양의 견봉을 전방 및 외측에 역경사(reverse slope)를 부여하며 감압을 하는 것을 최종 목표로 해야 한다(그림 2-4C, D).

2) 관절경적 변연절제술

과거 회전근 개의 외재적 요인과 견봉성형술이 중시되던 때에는 봉합을 하기엔 경미한 Ellman grade 2 이하의 부분 파열에 대해서 견봉성형술과 동반된 변연절제술이 유효한 치료로 시행되곤 하였다. 견봉하 골극을 제거함과 동시에 기계적 걸림과 통증의 원인이 될 수 있는 파열편을 제거하고, 관절내공간과 건갑하공간 내의 통증 유발인자를 씻어 내는 효과도 있기 때문이다.[30]

그러나 5년 이상의 장기 추시 결과에서, 견봉성형술과 변연절제술이 회전근 개 파열의 진행을 막지 못하며 평균적으로 건측에 비해 20점 가까이 낮은 Constant 점수로 귀결된다는 것이 보고된 바 있다.[31] 이는 회전근 개 자체의 퇴행을 중시하는 내재적 요인과 일맥상통한다. 따라서, 현 시점의 관절경적 변연절제술은 단독 술식으로 행해지기보다는 봉합이 필요한 힘줄을 수술하면서 상대적으로 경미하게 손상된 인접 힘줄을 봉합할지, 다듬을지에 대한 기준을 제시하는 데 의미가 있다고 볼 수 있다.

같은 깊이의 부분 파열일지라도 점액낭 측 파열이 관절 내공간 측의 파열보다 변연절제술의 예후가 더 나쁘다.[32,33] 평균 57개월의 관찰 기간 동안 50% 이상의 부분 파열에 대해 변연절제술과 견봉성형술을 시행한 결과, 관절면 측의 부분 파열은 17%, 점액낭 측 부분 파열에서는 33%의 실패가 확인되었다.[34] 이와 유사하게, Cordasco 등은 평균 53개월의 추시 관찰동안 Ellman 2A와 2B에서 각각 5%, 38%의 실패를 보고하며, 보존적 치료가 실패한 Ellman 2B에 대해서는 복원술을 시행하는 것이 변연절제술보다 유리할 것이라 주장하였다.[35] 이러한 현상은 앞서 설명한 대로, 관절내 공간 측에는 두꺼운 상부관절낭의 층이 회전근 개의 상당 부분을 차지하고 있는 것에 비해, 점액낭 측은 실제 근육에 붙어 동작하는 힘줄의 실질부가 대부분인 것으로 설명할 수 있을 것이다.[3,4]

3) 관절경적 복원술

(1) 고려 사항

① 봉합 방법의 선택

관절경적 회전근 개 봉합법에는 여러 종류가 있지만, 현재는 일렬 복원술(single row repair)과 교량형 복원술(suture bridge technique), 두 방법이 주류라 할 수 있다(그림 2-6). 일렬 복원술의 장점으로는, 손상 힘줄을 봉합하기 위해 외측화(lateralization)를 덜 해도 되므로 장력(tension) 부하가 덜하며, 통상 더 적은 수의 봉합나사못(anchor)을 사용하므로 저렴한 비용 및 부착부의 골보존에 유리하며, 수술 시간이 더 빠르고, 봉합 후 힘줄의 압박이 덜 하므로 혈류공급에 유리하다는 점들이 있다.[36-40] 교량형 복원술의 장점으로는, 힘줄과 부착부의 접촉 면적이 넓으며 봉합사를 이용한 압력을 가할 수 있으며, 필요시 교량 구조를 이용해 콜라겐 패치(collagen patch) 등의 조직을 봉합부 위에 덮을 수 있다.[41-44]

과거 일렬 복원술을 위해 두 가닥의 봉합사를 가진 봉합나사못(double loaded suture anchor)을 사용하였을 때에는, 메타분석을 통해서도 재파열의 비율이 일렬 복원술에서 25.9%, 교량형 복원술에서 14.2%로 유의한 차이를 보였으며, 이를 근거로 교량형 복원술이 널리 사용되기도 하였다.[45] 그러나 세 가닥의 봉합사를 가진 봉합나사못들이 도입되면서, 이를 이용한 일렬 복원술과 교량형 복원술 간 재파열의 빈도에 차이가 없었으며 생역학적 실험에서는 오히려 유의하게 일렬 복원술이 우월한 결과를 보이기도 하였다.[46,47]

A
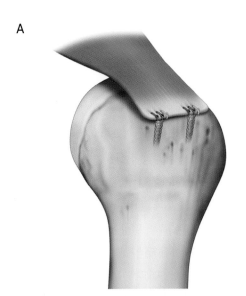

B
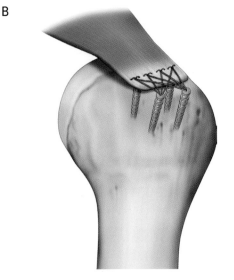

그림 2-6 일렬 복원술과 교량형 복원술의 모식도
세 가닥의 봉합사가 탑재된 일렬 복원술과, 교량형 복원술 중 가장 흔히 사용되는 2 x 2 교량 구성이다.

한편, 교량 복원술을 시행하기 위해서는 작은 파열이라도 통상 부착부 내측에 2점 고정을 위한 봉합나사못 2개, 부착부 외측에 교량형 압박을 시행하기 위한 봉합나사못 1-2개를 필요로 하는데, 부분 파열 또는 1 cm보다 작은 전층 소파열을 위해 직경 3-5 mm의 봉합나사못 3-4개를 삽입한다는 것은 겨우 노출된 상완골 두의 부착부에 과한 골소실을 야기할 가능성이 있다. 교량형 복원술은 이어질 더큰 회전근 개 파열에 대한 단원에서 다뤄질 것이므로, 여기서는 세 가닥의 봉합사를 가진 봉합나사못을 이용한 일렬 복원술을 위주로 설명한다.

② 봉합나사못의 선택

저자가 주로 사용하는 봉합나사못은 세 가닥의 #2 봉합사가 탑재된 2.8-2.9 mm의 연성 봉합나사못(all-suture soft anchor)이다. 이는 경성 봉합나사못과 달리, 스크류 모양의 단단한 부품이 없으며 뼈 안에서 매듭이 뭉치면서 고정되는 방식이다. 이를 위해 부착부를 준비할 때, 피질골은 전반적으로 거칠어져 약간의 점출혈이 일어날 정도로만 가볍게 준비하고, 해면골이 전부 보이도록 노출시키지 않는다. 이러한 연성 봉합나사못의 장점으로는 뼈에 별도의 기구로 구멍을 낼 필요 없이 봉합나사못 본체만으로도 신속한 삽입이 가능하다는 것과(self tapping), 4.5-5.5 mm의 경성 봉합나사못(hard anchor, screw-in type)에 비해 작은 직경 덕에 부분 파열 및 전층 소파열에서 비교적 작게 노출된 부착부의 골소실을 최소화할 수 있다는 것이다. 골다공증 환자에서 사용이 꺼려질 수 있겠으나, 그 작동 원리상 피질골과 그 바로 아래 뼈에 봉합나사못의 뭉친 매듭이 걸리므로 골다공증과는 비교적 무방하다는 생역학적 연구들도 있으며, 척추와 고관절에서 측정되는 골다공증이 꼭 상완골의 골다공증과 비례하지는 않기에 저자는 널리 사용하고 있다.[48,49] 그러나 장기간의 관절강직으로 국소적 불용성 골다공증(disuse osteoporosis)이 예상될 때는 주의하는 것이 좋다.

③ 연결이 유지된 힘줄층의 처리

아주 얇은 섬유조직만이 남아있는 완전 파열 직전의 부분 파열(near full thickness tear)은 통상 섬유조직의 변연절제 후 전층 파열로 전환(full thickness conversion, takedown)하여 봉합한다. 그러나 힘줄 두께의 50% 정도를 침범한 점액낭 측 또는 관절낭 측 부분 파열 중, 특히 연결성이 유지된 점액낭 측의 섬유들을 어떻게 처리할지는 여러 의견이 있다.[33,50-53] 끊어진 측의 섬유만을 봉합하는 제자리 복원술(in situ repair), 내지는 관절 측 부분 파열의 경우 경건 복원술(transtendon repair)은 정상적으로 연결된 힘줄이 보존되는 만큼 생역학적 사체 연구에서 더 우월한 결과를 보인적 바 있다.[54] 그러나 임상적으로는 수술 후 초기 3개월간 제자리 복원술이 완전 파열로 전환 후 봉합한 환자군에 비해 더 심한 통증과 관절강직을 야기함이 보고되기도 하였다.[55] 이는 경건 복원술을 시행하며 관절 측 파열단을 당겨오는 과정에서 과한 긴장이 야기되고, 반면 연결이 유지되고 있던 점액낭 측의 힘줄층은 뭉치면서 긴장도의 불균형(tension mismatch)이 발생하기 때문으로 여겨진다.

여러 연구 결과를 종합해 보았을 때, 결국 부분 파열의 잔존 힘줄을 남기든, 절제 후 완전 파열에 준하여 봉합하든, 최종 추시 결과에서는 재파열의 빈도, 임상증상의 호전, 통증의 경감 등에서 유의한 차이가 없는 것으로 나타났다.[50,53,55,56] 따라서 여기에는 술식이 더 간단하며, 수술 후 통증과 강직이 덜한 것으로 알려진 전층 파열로의 전환 후 봉합법을 위주로 설명한다.

(2) 극상건/극하건

① 파열 부위의 확인

파열이 곧바로 확인되는 전층 중파열 이상의 크기가 아니라면, 부분 파열과 전층 소파열에서는 봉합할 부위를 정확히 확인하는 것이 성공적인 수술의 첫 단추이다. 관절경 검사상 파열이 바로 보이지 않을 수 있고, 어느 정도 연결성이 보존된 힘줄을 일부 절제해야 파열이 보일 수도 있으므로 MRI 영상을 통해 대략적인 위치를 숙지하고 들어가는 것이 매우 중요하다. 또한 파열 부위 주변의 충분한 점액낭절제술을 시행하고, 시야가 제한되는 후방 삽입구에서 머물기보다는 후외측 삽입구에서 Grand canyon view를 통해 회전근 개의 전체를 꼼꼼히 볼 수 있도록 한다. 한편 이는 수술의 적응증과도 깊은 연관이 있는데, 관절경으로 도무지 확인이 어려운 경도의 회전근 개 손상이라면, 보존적 치료를 지속하는 것도 좋은 방법이었을 것이다.

점액낭 측 부분 파열의 다수를 이루는 극상건의 파열은 대개 견봉하공간의 점액낭절제술을 시행한 후 쉽게 확인이 가능하다. 부착부가 이미 일부 노출되어 있을 수 있고, 위치상으로 견봉하 골극과 마멸을 동반한 경우도 종종 있다.

건내파열(concealed interstitial delamination)의 경우, 점액낭 측의 힘줄 연결성이 보존되어 있을 뿐이지 완전히 이상이 없는 경우는 드물다. 따라서 점액낭절제술을 시행 후 주변에 비해 마멸이 있거나 종방향의 섬유조직의 결이 와해되어 보이는(fibrilliation) 모습이 표면에 보인다면 내부에 건내파열이 있을 가능성이 높다. 해당 부위의 힘줄 표면을 관절경적 탐침자(arthroscopic probe)나 절삭기 등으로 눌러 보았을 때 저항이나 탄성이 없이 유독 쉽게 들어가는 경우도 잦다.

간혹 외견상 크게 구별이 가지 않을 때는, MRI를 통해 예측한 부분을 탐침자로 문질러 본다. 건내 파열이 있을 경우 관절낭 측과 점액낭 측의 힘줄 층이 갈라져 있으므로, 그 두 층이 따로 움직이며 마치 미끄러지는 듯한 느낌이 들 수 있다. 주사기에 관절경 관류액을 일부 충진하여 해당 부위에 주사할 경우, 큰 저항 없이 들어가며 풍선처럼 부풀어 오르는 경우도 있다(bubble sign).[57] 이러한 파열 부위를 관절경적 절삭기로 다듬어 낸다(그림 2-7).

관절낭 측 부분 파열은 당연히 관절 내에서 확인하도록 한다. 이때 중요한 것은, 극하건의 부착부 앞에 정상적으로 존재하는 노출면(bare spot)을 관절낭 측 부분 파열로 인한 부착부 노출로 오해하면 안 된다는 것이다. 극상건은 연골면에 바로 인접하여 부착되는 데 비해, 극하건은 연골면과 관절측 부착부 사이에 삼각형 형태의 간격이 존재한다. 그 간격의 너비는 상부에서 하부로 갈수록 점차 넓어지며, 극

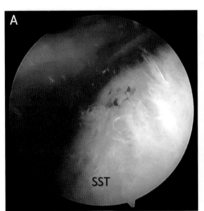
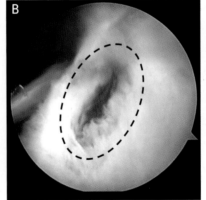
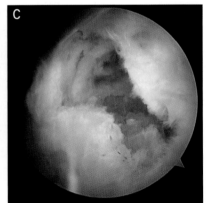
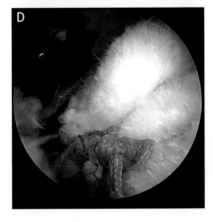

그림 2-7 건내파열의 확인과 봉합(좌측 어깨)
A: 견봉하공간을 후외측 삽입구에서 아무런 조작 없이 관찰했을 때 약간의 미란과 충혈 소견 외에는 저명한 파열은 보이지 않는다. B: 관절경적 절삭기의 뭉툭한 부분으로 문질러 보니, 힘줄 섬유의 갈라짐, 내부의 출혈 및 주변보다 노란색의 퇴행성 조직(타원)이 확인된다. C: 퇴행성 조직을 변연절제하고, 부착부의 피질골을 제거하여 회복에 이로운 환경을 조성하였다. D: 세 가닥의 봉합사가 탑재된 연성 봉합나사못 1개를 이용하여 일렬봉합술을 시행하였다.

하건 하부에서의 간격은 약 16 mm이다.[58] 정상적인 노출면에는 영양동맥 혈관공(nutrient foramen)이 있으며 인접 극하건의 미란과 손상소견이 없다.

손상부위가 관절낭 측에 국한되어 있더라도 봉합을 위해 전층파열 전환을 하기 위해서는 점액낭 측에서부터의 변연절제술이 필요하다. 이를 위해 손상부위의 경계를 척추침을 이용해 표시한다. 관절내공간 내 후방 삽입구에서 회전근 개 힘줄 손상부위를 올려본다. 18게이지 척추침을 견봉 바로 외연에서 경피적으로 삽입하여 손상부위의 전방 경계를 뚫고 관절내공간 내로 진입시킨다. 이어서 #0 PDS 봉합사를 척추침에 통과시키고, 전방 삽입구에서 뽑아 낸다. 후방경계에도 마찬가지로 시행하여, 통과된 2줄의 PDS를 통해 견봉하공간에서 변연절제술의 범위를 알 수 있도록 한다.

이때 몇 가지 주의사항이 있다. 관절내공간 내에서 같은 지점으로 척추침이 나오더라도, 해당 지점을 원뿔의 꼭지점이라 생각한다면 점액낭 측에서는 다양한 경로로 통과가 가능하다. 관상면에서야 어느 정도의 각도 차이를 용인할 수 있겠지만, 시상면에서는 최대한 힘줄에 수직으로 진입하여 파열 부위의 정확한 경계를 점액낭측에서도 확인할 수 있도록 한다. 이를 통해 건강한 힘줄 조직의 불필요한 절제를 예방한다. 비록 시간이 걸릴 수 있지만 초심자의 입장에서는 관절 내에서 파열 부위의 전후 길이를 탐침자(probe)를 통해 측정하고, 이를 점액낭 측에서 표시된 전후 길이와 비교해 보는 것도 방법이다. 한편, 점액낭절제술을 시행하다 보면 표시해둔 PDS 봉합사가 잘려 나가는 경우가 있는데, 이를 위해 PDS를 사용하지 않고 척추침 2개를 거치한 상태에서 점액낭절제술 및 봉합 전의 변연절제술까지 완료하여도 되고, 아예 점액낭절제술을 먼저 시행한 후 관절내공간 내로 다시 진입하여 술식을 이어나가는 방법도 있다(그림 2-8).

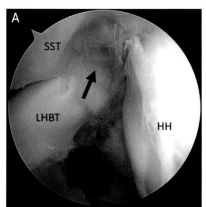
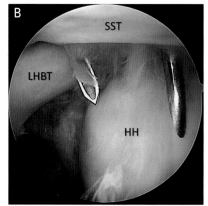
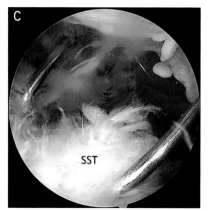
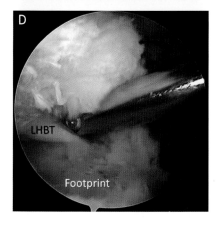

그림 2-8 관절낭 측 부분 파열의 확인 및 표시(우측 어깨)
A: 관절내공간에서 바라보았을 때 이두건 장두(LHBT) 바로 후방에 극상건(SST) 관절낭 측 파열(화살표)이 확인된다(HH: 상완골 두). B: 해당 파열의 전층 전환을 위해 척추침 2개를 평행에 가깝게 거치하였다. C: 견봉하공간에서 척추침 2개가 확인되며, 그 사이에 점액낭 측 힘줄 미란도 동반되어 있다. D: 척추침의 위치를 참고하여 전층 전환, 손상 조직 정리 및 부착부(Footprint)를 준비하였다. 처음 관찰한 파열의 위치대로 관절 안쪽의 이두건 장두가 확인된다.

② 봉합의 준비

봉합이 여의치 않고 회복을 기대하기 어려운 너덜거리는 파열편을 절삭기로 다듬고, 부착부의 뼈를 노출시킨다(그림 2-9A, B). 파열 단의 원위부 부착부에 힘줄의 일부(stump)가 남아 있을 때도 있다. 특히 외상성 파열의 경우에서 종종 볼 수 있는데, 힘줄 부착부의 퇴행성 마멸보다는 특정 순간의 충격으로 인해 힘줄 실질부(midsubstance)가 견봉

과 부딪히며 파열이 생기기 때문이다. 이미 파열이 진행된 힘줄-힘줄 회복은 기대하기가 어려우므로 힘줄-뼈 회복(tendon-to-bone healing)을 도모하기 위해 원위부의 힘줄이 남아있다면 제거하고, 부착부의 단단한 피질골을 연마기 등을 이용해 가볍게 긁어 내어 골수강 내의 줄기세포가 회복 과정에 기여할 수 있게 한다.

비록 "전층 파열로의 전환"이라고는 하지만, 부착부에

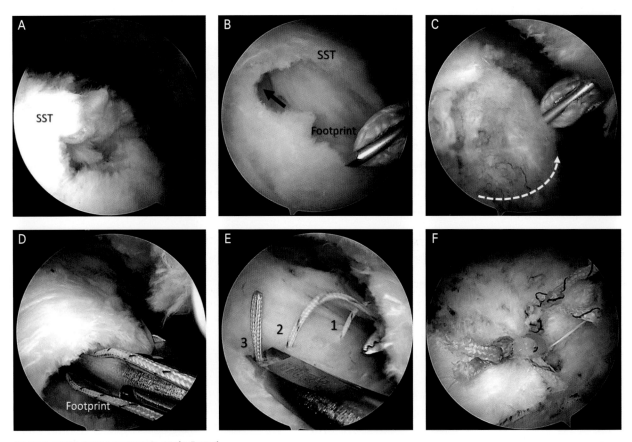

그림 2-9 점액낭 측 부분 파열의 봉합 술기(우측 어깨)
A: 점액낭절제술 시행 직후 후방 삽입구에서 바라본 모습. 위 형태와 같이, 파열편의 기계적 걸림으로 인해 부분 파열이 전층 파열보다 통증이 심한 경우도 흔하다. B: 후외측 삽입구에서 바라본 모습. 심한 파열 및 퇴행 조직의 변연절제술 및 부착부 준비를 완료하였으며, 봉합사가 전층을 통과할 수 있도록 5 mm 크기의 틈(화살표)이 준비되었다. 틈 외에 나머지 관절낭 측 회전근 개 조직은 부착된 상태를 유지하였다. 견봉 바로 외연의 별도의 절개창으로 도입된 봉합나사못의 끝을 갖다 대어 삽입 위치와 각도를 가늠한다. 부착부 바로 외측으로, 삽입될 피질골 면에 가능한 수직으로 삽입한다. C: 상완골을 내회전(화살표)하여 시상면/축상면에서도 가장 적합한 각도를 얻는다. 참고로, 사용하려는 봉합 방법이 수평(horizontal mattress)인지 수직(simple vertical)인지에 따라 봉합나사못의 손잡이를 돌려 봉합사가 적절히 위치하도록 한다. 위 술식은 수직 봉합법을 사용하였으므로 사진과 같이 봉합나사못을 삽입한다. D: 준비한 틈새를 통해 선행성 봉합사 통과기의 하부 구동부를 삽입한다. 이후 통과기를 사진과 같이 외회전시켜 전방의 힘줄 표면으로 봉합사가 통과되어 나오도록 한다. E: 같은 틈새로 봉합사 통과기의 하부를 통과시키더라도 통과기를 외회전-중립-내회전시킴에 따라 힘줄을 통과하는 봉합사(1, 2, 3)를 5-7 mm 가량 이격하여 넓은 표면을 부채꼴로 잡을 수 있다. 이때, 관절내에 이미 삽입된 다른 봉합사, 관절와순, 이두근 장두 등이 봉합사 통과기에 걸리지 않게 주의한다. 봉합사 통과기를 구동시킬 때 과한 저항이 걸리면 구동을 멈추고 살피도록 한다. F: 봉합이 완료된 모습. 카메라가 파열에 비해 후방에 위치한 만큼, 시야 확보를 위해 봉합사 통과는 전방→후방 순으로 시행했으며, 매듭은 후방→전방 순으로 만들었다.

붙어있는 관절측의 힘줄층을 모두 박리할 필요는 없다. 부착부의 내측 경계에 봉합나사못을 삽입하는 것이 필요한 교량 복원술에서는 해당 부위를 노출하기 위해 연결성이 유지된 힘줄층까지 모두 제거를 요한다. 그러나 이미 노출된 부착부의 외측 경계에 봉합나사못을 삽입하는 것으로 충분한 일렬 복원술에서는, 남은 힘줄층의 중앙부에 박리도(Liberator knife) 등의 기구를 이용하여 견봉하공간과 관절내공간이 교통하는 약 5 mm 정도의 틈(slit)을 만드는 것만으로도 충분하다(그림 2-9B). 관절낭 측 파열에 대해서도 마찬가지이다. 물론 견봉하공간에서 파열 부위 전반에 봉합사들을 충분히 통과시키기 위한 시야 확보가 필요하긴 하겠지만, 연결성이 유지된 점액낭측 힘줄을 전부 절제할 필요는 없다.

③ 봉합나사못의 삽입

상술한 세 가닥의 봉합사로 이뤄진 2.8 mm 연성 봉합나사못(triple-loaded 2.8 mm all-suture soft anchor)을 부착부의 외측 경계면에 삽입한다(그림 2-9B). 대부분의 회전근 개 파열은 이두건 장두 경로의 바로 후방에서부터 파열이 시작되고, 극상건의 장축에 비해 순수한 내측 방향의 당겨짐이라기보단 후내측으로의 당겨짐(posteromedial retraction)에 가까우므로, 그 벡터를 가급적 상쇄하기 위해 극상건 부착부의 전외측 경계에 봉합나사못을 삽입하는 것이 좋다.[59] 대부분의 경우 부분 파열 및 전층 소파열은 봉합나사못 1-2개만으로 충분하다.

봉합나사못은 후외측 삽입구에서 바라보며 기존의 외측 삽입구에서 삽입하거나, 견봉에 바로 인접하여 4 mm 정도의 최소 절개창(stab incision)을 통해 삽입할 수 있다. 외측 삽입구에서 삽입할 경우 별도의 절개를 내지 않는다는 장점이 있으나, 봉합나사못을 삽입하기 위한 최적의 각도를 얻기가 어렵다. 과거에는 회전근 개 봉합사가 당겨지는 방향(통상 피질골 기준 45도)과 수직으로, 즉 피질골 기준 관상면에서 45도로 기울여 외측상방에서 내측하방을 향해 봉합나사못를 삽입해야 한다는 이론인 Deadman's angle이 각광을 받았다.[60,61] 그러나 회전근 개 봉합술이 시행되는 연령대의 약한 골질, 피질골에 생기는 구멍의 모양, 봉합나

사못의 나사선 등에 대해 고려가 이뤄진 추후 실험들을 통해 피질골에 90도가 되도록 봉합나사못을 삽입하는 것이 뽑힘에 대한 저항이 가장 강한 것으로 밝혀졌다(그림 2-9B, C).[62-67] 이는 경성 및 연성 봉합나사못 모두에 해당한다. 물론, 실제 관절경 수술을 할 시에는 외측으로 돌출된 견봉과, 외전된 상완골 두로 인해 피질골에서 수직인 삽입각을 얻기가 어렵다. 그러나 이 개념에 대해 이해를 하고, 견봉에 바로 인접한 별개의 절개창을 사용할 경우 최대한 수직에 가까운 삽입각을 얻을 수 있을 것이다. 또한 봉합나사못을 삽입 후 봉합사를 전부 전방 삽입구에 거치(parking)를 해 둔 상태로 조작할 봉합사를 외측으로 꺼내어 사용하고, 통과한 봉합사를 다시 전방, 또는 후방 삽입구로 뽑아내는데, 이러할 경우 전방 삽입구 사용에 지장이 있을 수 있으며 봉합사가 엉키는 경우가 다반사다. 반면 별도의 절개창을 낼 경우, 봉합나사못을 삽입한 후 그대로 봉합나사못 손잡이를 빼내면 봉합사가 그대로 별도의 절개창에 거치되어 있는 상태이므로, 조작할 봉합사를 외측 삽입구로 뽑아 사용하고, 통과가 완료된 봉합사를 전방 삽입구로 옮김으로써 엉킴을 방지할 수 있고 수술 시간을 단축할 수 있다. 통상 견쇄관절(acromioclavicular joint) 및 전외측 견봉 바로 앞에 척추침(spinal needle)을 통과시키면 상술한 부착부의 전외측 경계에 적당한 관상면 각도로 도달이 가능하며, 이때 조수로 하여금 상완골을 내-외회전하여 봉합나사못이 미끄러지지 않을 시상면 각도를 획득한다(그림 2-9C).

④ 봉합사의 통과와 매듭 짓기

후외측 삽입구를 통해 바라보며 외측 삽입구를 통해 기구를 조작하므로, 시야 확보의 용이성을 위해 전방부부터 봉합사를 통과시킨다. 위에서 기술한 틈(slit)으로 선행성 봉합사 통과기(antegrade suture passer)의 아래쪽 구동부(lower jaw)를 삽입하여 극상건의 근건 이행부(musculotendinous junction)에 봉합나사못에 연결된 세 가닥의 봉합사를 통과시킨다(그림 2-9D, E). 이때, 기존의 봉합사, 관절와순, 이두건 장두 등을 물지 않도록 아래쪽 구동부를 힘줄 하면에 밀착시켜 진행한다. 제조사에 따라 차이는 있으나

통상 16-18 mm 정도 되는 봉합사 통과기의 구동부를 이용하여 변연절제술 후 근건 이행부(musculotendinous junction)에 근접하는 12-15 mm 정도의 힘줄을 물도록 한다. 그러나 극하건에 국한된 파열일 경우 극상건에 비해 힘줄 두께가 얇으며, 그 후퇴나 늘어남(attenuation)의 정도가 심한 경우가 많기 때문에 최대한 많은 힘줄을 구동부로 무는 노력이 필요하다. 전층 파열로 전환한 점액낭 측 파열도 유사하게 진행한다. 한편, 초심자의 경우 점액낭 측 파열의 전반에 걸쳐 봉합사가 잘 통과했는지 확인해 보는 것도 나쁘지 않다. 관절경을 다시 후방 삽입구를 통해 관절 내로 삽입하여 힘줄의 하면을 바라보거나, 점액낭공간에 머문 채 그대로 70도 관절경으로 힘줄의 하면을 확인해 볼 수 있다.

이후 봉합사를 통과시킨 순서와 반대로, 후방부에서부터 매듭을 짓는다(그림 2-9E, F).

(3) 견갑하건

① 고려 사항

견갑하건의 파열은 단독으로 발생할 수도 있으며, 극상건 파열과 함께 전상방 회전근 개 파열(anterosuperior rotator cuff tear)을 이룰 수도 있다. 어떤 경우든 이두건 장두 병변과 깊은 관계를 맺고 있다. 이두건 장두는 관절와(glenoid)의 상방 경계에서 기시하여 상완골 전외측의 이두건구(bicipital groove)로 주행하기에 지속적으로 내측으로 탈구되려 한다. 이를 막기 위해 견갑하건 상부(subscapular leading edge)는 주변의 오구상완인대(coracohumeral ligament, CHL)와 상관절와상완인대(superior glenohumeral ligament, SGHL) 조직과 함께 이두건 활차(biceps pulley)를 이루고 있다. 즉, 이두건 장두의 불안정성에는 대개의 경우 견갑하건의 손상이 동반된다고 볼 수 있다.[68-70] 견갑하건 상부의 파열과 함께 이두건 장두의 아탈구가 심해지며, 아탈구된 이두건 장두는 견갑하건의 손상부에 더욱 부하를 가하며 파열을 진행시킨다. 이러한 견갑하건의 파열은 이두건 장두와 인접한 상부에서부터 시작하여 하부로, 마치 위에서부터 지퍼가 열리듯 진행한다.[71,72] 이는 관상면에서

점액낭 측 또는 관절낭 측의 마멸과 퇴행이 시작되어 전층 파열로 발달하며 내측으로 퇴축하는 극상건 내지는 극하건의 부분 파열과 차이가 있다고 볼 수 있다. 이에 봉합의 방법도, 통상적인 경우 "지퍼의 윗부분을 닫는" 느낌으로, 소전자(lesser tuberosity)의 부착부 외측 상단에 봉합나사못을 삽입하여 내측 하단으로 끌려들어간 견갑하건을 다시 소전자 부착부에 덮어주는 방식으로 진행한다.

② 이두건 장두의 처리

견갑하건 봉합을 위해서는 이두건 장두를 관절내공간에서 제거해야 한다. 첫 번째 이유는, 상술한 대로 불안정한 이두건 장두가 견갑하건에 지속적인 부하를 가하기 때문이다. 견갑하건의 봉합을 시행했을 지라도 복잡한 이두건 활차의 구조물들이 완전히 재건되지는 않으므로 이두건 장두의 불안정성은 남을 수 있다. 이두건 활차 재건술을 개방 술식으로 시행한 보고가 있기는 하지만, 이두건 장두 이전술과 비교하였을 때 이로운 바가 없는 것으로 알려졌다.[73,74] 두 번째 이유는, 견갑하건 봉합을 위한 시야 확보를 위해서이다. 견갑하건의 관절경적 진단은 이두건 장두를 남긴 상태에서도 가능하겠으나, 봉합나사못을 소전자에 삽입하고, 봉합사를 통과시켜 매듭을 짓는 등의 술식을 위해서는 반드시 이두건 장두를 관절내공간 내에서 제거해야 한다. 이두건 장두의 처리 술식에 대해서는 본 교과서 Part 5 chapter 6에 자세히 설명되어있다.

③ 관절경적 진단법

먼저, 관절내공간 내 후방 삽입구를 통해 견갑하건을 관찰한다. 이때 70도 관절경을 이용하면 견갑하건의 부착부를 위에서 내려다보는 방식으로 관찰이 용이하며, 이에 더해 상완골을 내회전하면서 후방 전위(posterior lever push)를 가하면 손상된 부착부 병변을 더 잘 확인할 수 있다(그림 2-10). 견갑하건의 부분 파열은 MRI나 관절경으로 확인이 어려울 때가 있으며, 상당한 파열이 진행했을지라도 이두건 장두의 경로에 따라 외측 덮개(lateral hood)의 연결성이 유지되어 얼핏 보았을 때 파열이 없는 것처럼 보일 수 있어 "숨겨진 병변(hidden lesion)"이라고 하기도 한다.[75-78] 물론,

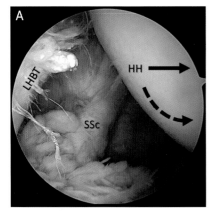
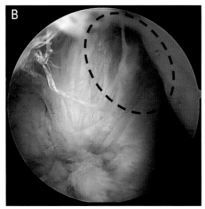

그림 2-10 견갑하건의 관절내 시야 확보(우측 어깨)
A: 관절내공간을 후방 삽입구에서 30도 관절경을 이용해 바라본 모습이다. 상완골 두에 견갑하건(SSc)의 원위부가 일부 가려 충분한 관찰이 어렵다. 이에 상완골 두(HH)의 후방 전위(직선 화살표) 및 내회전(점선 화살표) 방향의 힘을 가한다. B: 이후 상완골 두에 가려져 있던 견갑하건의 부분(타원)이 더 잘 확인되며, 부착부의 관찰이 용이하다. 이 시점에서 필요시 70도 관절경으로 교체하면 더 자세한 관찰을 할 수 있으나, 초심자에게는 방향 감각에 어려움을 줄 수 있어 익숙해질 시간이 필요하다.

이두건 장두를 제거하고 남아있는 외측 덮개를 절제하면 견갑하건 파열의 정확한 진단이 가능하겠으나, 이러한 술식도 어느 정도의 확신이 있어야 진행할 수 있을 것이다. 따라서 다음 간접적 징후들이 도움이 된다. 상완골의 "연골 자국(chondral print)"은 이두건 장두의 불안정성을 시사하며, 견갑하건 상부의 손상이 동반되었을 수 있다(그림 2-11A).[79,80] 활차 주변 이두건 장두 전방부의 미란, 부분 파열 등은 "파수꾼 징후(sentinel sign)"로 불리며 이 역시 견갑하건 상단의 부분 파열을 강하게 시사한다(그림 2-11A, 12A).[78,81,82] 이러한 소견들이 있다면, 견갑하건의 숨겨진 병변을 확인하기 위해 이두건 장두 및 외측 덮개의 절제를 고려할 수 있을 것이다(그림 2-11). 한편, 후술하겠지만 견갑하건 봉합을 위해서는 전방 삽입구의 위치부터 다르게 해야 할 수 있다. 따라서 관절경을 위한 후방 삽입구만 형성한 상태에서 견갑하건 파열의 확실한 진단을 위해 탐침자를 사용하고 싶다면, 경피적 척추침을 이용하여 이두건 장두와 견갑하건의 부착부를 조작해 보는 것도 좋은 방법이다.

④ 오구돌기 성형술

오구상완간격(coracohumeral distance, CHD)이 좁아진 경우 견갑하건의 전면과 오구돌기의 후면 사이의 충돌이 일어날 수 있다. MRI 축면(axial) 영상에서 남성의 경우 10 mm, 여성의 경우 8 mm 미만의 경우 오구돌기 성형술(coracoplasty)을 고려할 수 있다.[83-86] 골 부종 신호 증강이 해당 충돌 부위에 동반될 때도 있다. 그러나, 정상으로 보일지라도 내회전, 내전, 전방거상 등을 통해 그 간격이 줄어들 수 있으므로 영상검사에만 의존하지 말고 이학적 검사와 관절경적 검사 소견을 종합적으로 판단한다. 한편, 돌출된 오구돌기로 인해 견갑하건의 전면은 눌리고, 후면은 늘어나는 롤러-압착 효과(roller-wringer effect)에 대한 연구도 있다. 이로 인한 파열은 상단부터 시작되는 통상적인 견갑하건 파열과는 달리, 힘줄 실질의 장축에 따라 갈라진 양상(longitudinal split tear)의 모습을 보일 수도 있다.[87,88]

후술할 견갑하건 봉합법과 마찬가지로 오구돌기 성형술도 관절내 또는 견봉하공간 모두에서 시행이 가능하다. 관절내에서 시행할 때에는, 견갑하건의 상방 경계 바로 전면의 오구돌기를 촉지하며 회전근 개 간격(rotator interval)을 고주파소작기로 절제하면 곧바로 오구돌기의 후면이 나온다. 견봉하공간에서 시행할 때에는, 오구돌기의 기지부를 촉지한 후 하방으로 진행하면 오구돌기의 끝부분이 확인된다. 견봉성형술과 유사하게 고주파소작기로 연부조직을 제거한 후, 견갑하건과 평행하게 관절경적 연마기로 오구돌기의 후면을 갈아낸다. 통상 4-5 mm 정도 되는 연마기의 두께를 기준삼아 견갑하건과 갈아낸 오구돌기의 후면 사이 간격이 7 mm 정도가 되도록 진행한다. 이때, 오구돌기 끝의 융합 건(conjoined tendon)의 기시부가 손상되지 않게 유의한다.

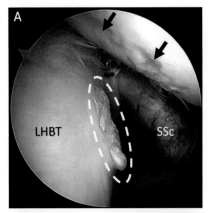
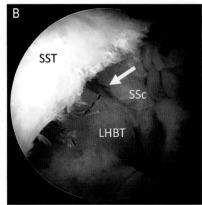
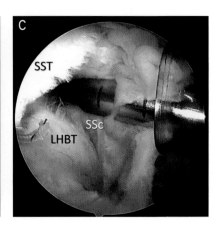
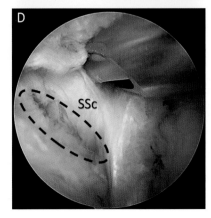

그림 2-11 견갑하건의 숨겨진 병변의 진단(우측 어깨)
A: 관절내공간 후방 삽입구에서 바라본 모습으로, 이두건 장두 전방부의 타원으로 표시된 미란 및 부분 파열 소견인 파수꾼 징후(sentinel sign) 및 상완골 전상부에 화살표로 표시된 연골 자국(chondral print)이 보인다. 위 사진에서 견갑하건(SSc) 힘줄의 손상은 확실하지 않으나 간접적 징후들이 포착되어 추가적 검사를 요한다. B: 견봉하공간 후외측 삽입구에서 바라본 모습으로, 별도의 술식을 통해 후방으로 전위시켜 고정한 이두건 장두(LHBT) 전방의 공간(화살표)으로 관절경과 기구를 진입시킨다. C: 숨겨진 병변을 확인하기 위해 이두건 장두 근처 외측 덮개를 일부 변연절제한다. D: 견갑하건 상부 부착부의 병변이 확인되어 봉합을 진행하였다.

⑤ 관절경적 견갑하건 봉합법

　관절경으로 견갑하건을 봉합하는 술식은 관절경을 어디에 위치(viewing portal)하는지에 따라 관절내 접근법과 견봉하공간 접근법으로 나눌 수 있다. 두 술식 사이의 임상적 우월함은 증명된 바가 없으나, 부분 파열 및 소파열에서는 회전근 개 간격 조직을 전부 제거하지 않는 이상 견봉하공간에서의 관찰과 조작이 여의치 않으므로 본 단원에서는 관절내 접근법을 위주로 설명한다(그림 2-12).

　상술한 대로 관절내공간 내에서 견갑하건 파열의 진단이 이루어진 후에는 다시 30도 관절경으로 바꾸어 회전근 개 간격을 바라보며 전방 삽입구를 준비한다. 이때 중요한 것은 회전근 개 간격 한가운데를 통과하여 관절내공간 내로 진입하는 통상적인 전방 삽입구보다는 훨씬 외측으로, 거의 이두건 활차에 근접하여 관절내공간 내로 진입해야 한다는 것이다. 이렇게 해야 견갑하건의 부착부인 소결절의 외측 상방에 정확하게 봉합나사못 삽입이 가능하다. 진

입 각도 또한 최대한 견갑하건 상부의 장축과 소결절의 접선과 평행하도록 해야 하며, 이를 위해선 견봉의 전외측 경계 근처의 절개창에서 진입하여야 한다. 이는 오구돌기의 바로 외측에서 진입하는 통상적인 전방 삽입구와 분명 다르다 할 수 있다. 이를 전방-상방-외측(anterosuperolateral, ASL)삽입구로 따로 지칭하기도 한다(그림 2-11C, E).[89,90] 반드시 이러한 각도로 진입을 하여야 소결절 부착부의 피질골을 연마할 수 있고, 견갑하건에 봉합사를 통과시킬 수 있으며, 본 단원에서는 다뤄지지 않으나 견갑하건의 유리술이 가능하다.

　전방 삽입구를 형성하고 직경 8 mm 이상의 삽입관(cannula)을 유치한다. 좁은 공간에 큰 삽입관을 사용하는 것이 부담스러울 수 있겠으나, 역행성 봉합사 통과기(retrograde suture passer)의 갈고리를 통과시키거나, 악어 모양의 선행성 봉합사 통과기의 구동 공간을 확보하기 위해서는 필연적이다. 삽입관을 유치하고 가장 먼저 이두건 절제를 한다.

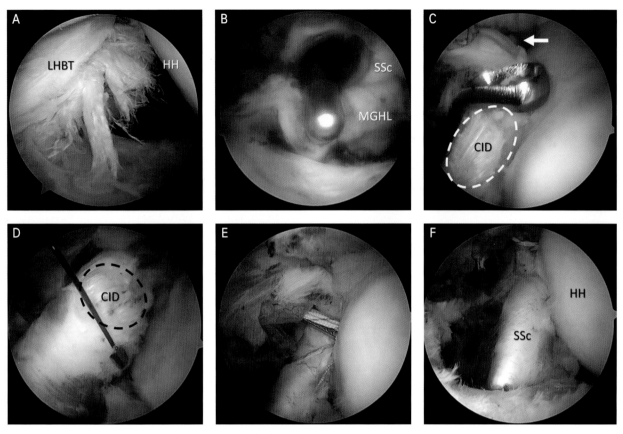

그림 2-12 관절경적 관절내공간 접근법을 통한 견갑하건 봉합법(우측 어깨)

후방 삽입구에서 관찰한 모습으로, 이두건 장두(LHBT) 전방의 심한 미란과 부분 파열이 확인된다. 이두건 이전술의 대상이 되며, 견갑하건의 손상도 있을 것이라 예상할 수 있다.

A: 염증으로 인해 비후된 중관절와상완인대(MGHL)을 절제한다. 견관절 안정성에 큰 저하 없이 견갑하건의 기계적 마찰을 줄일 수 있으며, 봉합사 통과에도 용이하다. B: 이두건 상부의 힘줄내 퇴행과 병변(concealed interstitial delamination, CID)이 확인되었으며, 화살표로 표시된 이두건 고랑 바로 전방에 위치한 견갑하건 상부 부착부의 연골과 피질골을 일부 제거하여 봉합을 준비하고 있다. 이 사진에서 확인 가능하듯, 관절내에서 견갑하건 봉합 시에는 평상시보다 더 상방-외측으로 전방 삽입구를 만들어 견갑하건의 상부 부착부 접근을 용이하게 한다. C: 병변 근위부의 양호한 상태의 힘줄에 봉합사를 통과시킨다. D: #2 봉합사 두 가닥과 4.75 mm 무매듭 봉합나사못을 이용하여 봉합을 마무리하고 있다. 전방-상방-외측 삽입구가 바르게 형성되어야 봉합나사못을 정확한 위치와 궤도로 삽입할 수 있다. E: 최종적으로 봉합된 모습으로, 병변을 악화시키던 이두건 장두는 관절 밖으로 이전되었으며, 양호한 상태의 견갑하건을 상완골 두(humeral head, HH)에 재부착하였다.

다른 단원에서 상세히 설명하겠지만, 이두건 이전술을 위해 표지 봉합사(tagging suture)가 이두건 장두에 거치될 것이다. 봉합사 통과기가 왕복하는 삽입관에 다른 봉합사가 있을 경우 엉키거나 끊어질 수 있으므로, 표지 봉합사가 삽입관에 통과된 상태로 삽입관을 뺐다가, 관절내공간 내에 봉합사 없이 재삽입하여 전방 삽입구를 통해 몸 밖으로 나온 표지 봉합사가 삽입관 바깥에 위치하도록 한다. 대부분 견갑하건의 부분 파열이나 소파열에서는 중관절와상완인대(middle glenohumeral ligament, MGHL)가 견갑하건의

중간을 가로지르고 있을 것이다. 봉합사 통과시 방해가 될 것 같으면 그 일부를 절제해도 무방하다(그림 2-12B).

이후 세 가닥의 봉합사가 탑재된 봉합나사못을 전방 삽입구를 통해 이두건 활차 부위, 소결절의 가장 상방 외측에 삽입한다. 이어서 사용할 역행성 또는 선행성 봉합사 통과기에는 각자 장단점이 있다. 갈고리 모양의 역행성 봉합사 통과기는 좁은 공간에서 사용하기가 용이하다(그림 2-12D). 그러나 추가적 삽입구가 없는 만큼 바꿈줄(shuttle relay)을 관절내공간 내에 충분히 삽입하고, 통과기를 완전

히 삽입구에서 빼낸 다음 관절경적 겸자로 남아있는 바꿈줄을 꺼내야 하며 이 과정에서 줄 엉킴이 발생할 수 있다. 선행성 봉합사 통과기는 한번에 봉합사를 통과시킨 후 뽑아낼 수 있으나, 삽입구와 근접한 상태에서 구동부가 열리기 위한 공간 확보가 여의치 않을 수 있어 삽입구를 잠시 후퇴시켜야 할 수 있으며 이 과정에서 부종이 빠르게 발생할 수 있다. 한편, 경피적 척추침을 통해 봉합하고자 하는 견갑하건의 부위를 통과하고, 바꿈줄을 이용하는 술식도 유용하다.

최근에는 #2 봉합사 두 가닥이나 2 mm 직경의 테이프 모양 봉합사 한 가닥, 그리고 4.75 mm의 무매듭 봉합나사못(knotless suture anchor)을 이용하여 견갑하건 봉합을 하는 방법도 쓰이고 있다(그림 2-12E). 짧은 소요 시간과 기존 술식과 차이가 없는 생역학적 강도 및 임상 결과가 보고된 바 있다.[91-93]

3. 회전근 개 복원술 후 관리

신체의 여타 관절과 마찬가지로 과거에는 회전근 개 복원술 후에도 가동범위의 조기 확보가 중요하다 여겨졌다. 그러나 여러 연구에서 관절경적 회전근 개 복원술 후의 조기에 무리한 가동범위 확보는 필요하지 않다는 것이 밝혀지고 있다.[94-96] 족관절이나 슬관절의 인대재건술에서 조기 가동범위를 통해 도모하는 콜라겐 섬유 방향의 종적 정렬을 무리하게 도모하기보다는, 회전근 개 힘줄-골 부착부의 안정적인 회복이 더 중요하게 여겨진다. 따라서 초기 5-6주간의 완전 고정이 권장된다. 이는 수술 후 재원일자에 제한이 있으며 외래에서 환자를 관리해야 하는 실정상, 단순한 지시를 통한 환자 순응도 확보에도 도움이 된다.

필자의 수술 후 관리 방법은 다음과 같다. 초기 5주간은 외전 보조기에서 중립 회전 상태의 완전 고정을 시행하며, 절대 보조기를 이탈하지 않는다. 이때 주먹 쥐고 펴기 운동을 적극적으로 시행하며 수부의 강직과 부종을 예방한다. 수술 후 5주가 지난 시점에 첫 수술 후 외래 방문을 하여 보조기를 제거하고, 수동적 전방거상과 0도 외전에서 수동적 외회전(external rotation at side)만을 교육한다. 수술 후 3개월이 지난 시점에 두 번째 외래 방문을 하여 능동적 전방거상 및 외전을 교육하고, 전 범위에 걸쳐 향후 3개월 내로 가동범위가 건측과 같이 확보되도록 스트레칭을 장려한다. 이때부터 어깨에 크게 무리가 가지 않는 일상생활이 가능하다. 수술 후 6개월 차에 다시 외래 방문을 안내하고, 회전근 개 강화운동 및 가벼운 체육활동을 허가한다.

참고문헌

1. Fukuda H. The Management of Partial-Thickness Tears of the Rotator Cuff. J Bone Jt Surg Br Volume. 2003;85-B(1):3–11.

2. Cofield RH. Subscapular muscle transposition for repair of chronic rotator cuff tears. Surg Gynecol Obstetrics. 1982;154(5):667–72.

3. Clark JM, Harryman DT. Tendons, ligaments, and capsule of the rotator cuff. Gross and microscopic anatomy. J Bone Jt Surg. 1992;74(5):713–25.

4. Nimura A, Kato A, Yamaguchi K, et al. The superior capsule of the shoulder joint complements the insertion of the rotator cuff. J Shoulder Elb Surg. 2012;21(7):867–72.

5. Ruotolo C, Fow JE, Nottage WM. The supraspinatus footprint: an anatomic study of the supraspinatus insertion. Arthrosc J Arthrosc Relat Surg. 2004;20(3):246–9.

6. Lohr JF, Uhthoff HK. The Microvascular Pattern of the Supraspinatus Tendon. Clin Orthop Relat R. 1990;254:35–8.

7. Burkhart SS, Esch JC, Jolson RS. The rotator crescent and rotator cable: An anatomic description of the shoulder's "suspension bridge." Arthrosc J Arthrosc Relat Surg. 1993;9(6):611–6.

8. Arai R, Matsuda S. Macroscopic and microscopic anatomy of the rotator cable in the shoulder. J Orthop Sci. 2020;25(2):229–34.

9. Huri G, Kaymakoglu M, Garbis N. Rotator cable and rotator interval: Anatomy, biomechanics and clinical importance. EFORT Open Rev. 2018;4(2):56–62.

10. Ellman H. Diagnosis and Treatment of Incomplete Rotator Cuff Tears. Clin Orthop Relat R. 1990;254:64–74.

11. Fukuda H, Hamada K, Yamanaka K. Pathology and Pathogenesis of Bursal-Side Rotator Cuff Tears Viewed From En Bloc Histologic Sections. Clin Orthop Relat R. 1990;254:75–80.

12. Fukuda H, Hamada K, Nakajima T, Tomonaga A. Pathology and Pathogenesis of the Intratendinous Tearing of the Rotator Cuff Viewed From En Bloc Histologic Sections. Clin Orthop Relat R. 1994;304:60–7.

13. Kim YS, Kim SE, Bae SH, Lee HJ, Jee WH, Park CK. Tear progression of symptomatic full-thickness and partial-thickness rotator cuff tears as measured by repeated MRI. Knee Surg Sports Traumatology Arthrosc. 2017;25(7):2073–80.

14. Kong BY, Cho M, Lee HR, Choi YE, Kim SH. Structural Evolution of Nonoperatively Treated High-Grade Partial-Thickness Tears of the Supraspinatus Tendon. Am J Sports Medicine. 2018;46(1):79–86.

15. Itoi E, Tabata S. Conservative Treatment of Rotator Cuff Tears. Clin Orthop Relat R. 1992;275:165–73.

16. Itoi E. Rotator cuff tear: physical examination and conservative treatment. J Orthop Sci. 2013;18(2):197–204.

17. Fukuda H. Partial-thickness rotator cuff tears: A modern view on Codman's classic. J Shoulder Elb Surg. 2000;9(2):163–8.

18. McConville OR, Iannotti JP. Partial-Thickness Tears of the Rotator Cuff: Evaluation and Management. J Am Acad Orthop Sur. 1999;7(1):32–43.

19. Neer CS. Anterior acromioplasty for the chronic impingement syndrome in the shoulder: a preliminary report. J Bone Jt Surg Am Volume. 1972;54(1):41–50.

20. Nho SJ, Yadav H, Shindle MK, MacGillivray JD. Rotator Cuff Degeneration. Am J Sports Medicine. 2008;36(5):987–93.

21. Budoff JE, Nirschl RP, Guidi EJ. Current Concepts Review - Débridement of Partial-Thickness Tears of the Rotator Cuff without Acromioplasty. Long-Term Follow-up and Review of the Literature. J Bone Jt Surg. 1998;80(5):733–48.

22. Ozaki J, Fujimoto S, Nakagawa Y, Masuhara K, Tamai S. Tears of the rotator cuff of the shoulder associated with pathological changes in the acromion. A study in cadavera. J Bone Jt Surg Am Volume. 1988;70(8):1224–30.

23. Nicholson GP, Goodman DA, Flatow EL, Bigliani LU. The acromion: Morphologic condition and age-related changes. A study of 420 scapulas. J Shoulder Elb Surg. 1996;5(1):1–11.

24. Chahal J, Mall N, MacDonald PB, et al. The Role of Subacromial Decompression in Patients Undergoing Arthroscopic Repair of Full-Thickness Tears of the Rotator Cuff: A Systematic Review and Meta-analysis. Arthrosc J Arthrosc Relat Surg. 2012;28(5):720–7.

25. Ellman H, Kay S. Arthroscopic subacromial decompression for chronic impingement. Two- to five-year results. J Bone Jt Surg Br Volume. 1991;73-B(3):395–8.

26. Yepes H, Al-Hibshi A, Tang M, Morris SF, Stanish WD. Vascular Anatomy of the Subacromial Space: A Map of Bleeding Points for the Arthroscopic Surgeon. Arthrosc J Arthrosc Relat Surg. 2007;23(9):978–84.

27. Hansen U, Levy O, Even T, Copeland SA. Mechanical properties of regenerated coracoacromial ligament after subacromial decompression. J Shoulder Elb Surg. 2004;13(1):51–6.

28. Levy O, Copeland SA. Regeneration of the coracoacromial ligament after acromioplasty and arthroscopic subacromial decompression. J Shoulder Elb Surg. 2001;10(4):317–20.

29. Hunt JL, Moore RJ, Krishnan J. The fate of the coracoacromial ligament in arthroscopic acromioplasty: An anatomical study. J Shoulder Elb Surg. 2000;9(6):491–4.

30. Shin S-J, Seo M-J. Partial Thickness Rotator Cuff Tears. Clin Shoulder Elb. 2012;17(2):91–100.

31. Kartus J, Kartus C, Rostgård-Christensen L, Sernert N, Read J, Perko M. Long-term Clinical and Ultrasound Evaluation After Arthroscopic Acromioplasty in Patients With Partial Rotator Cuff Tears. Arthrosc J Arthrosc Relat Surg. 2006;22(1):44–9.

32. Finnan RP, Crosby LA. Partial-thickness rotator cuff tears. J Shoulder Elb Surg. 2010;19(4):609–16.

33. Katthagen JC, Bucci G, Moatshe G, Tahal DS, Millett PJ. Improved outcomes with arthroscopic repair of partial-thickness rotator cuff tears: a systematic review. Knee Surg Sports Traumatology Arthrosc. 2018;26(1):113–24.

34. Weber SC. Arthroscopic Debridement and Acromioplasty Versus Mini-Open Repair in the Treatment of Significant Partial-Thickness Rotator Cuff Tears. Arthrosc J Arthrosc Relat Surg. 1999;15(2):126–31.

35. Cordasco FA, Backer M, Craig EV, Klein D, Warren RF. The Partial-Thickness Rotator Cuff Tear: Is Acromioplasty without Repair Sufficient? Am J Sports Medicine. 2002;30(2):257–60.

36. Kim SH, Kim J, Choi YE, Lee HR. Healing disturbance with suture bridge configuration repair in rabbit rotator cuff tear. J Shoulder Elb Surg. 2016;25(3):478–86.

37. Kim SH, Cho WS, Joung HY, Choi YE, Jung M. Perfusion of the Rotator Cuff Tendon According to the Repair Configuration Using an Indocyanine Green Fluorescence Arthroscope. Am J Sports Medicine. 2017;45(3):659–65.

38. Hersche O, Gerber C. Passive tension in the supraspinatus musculotendinous unit after long-standing rupture of its tendon: A preliminary report. J Shoulder Elb Surg. 1998;7(4):393–6.

39. Park S-G, Shim B-J, Seok H-G. How Much Will High Tension Adversely Affect Rotator Cuff Repair Integrity? Arthrosc J Arthrosc Relat Surg. 2019;35(11):2992–3000.

40. Cole BJ, ElAttrache NS, Anbari A. Arthroscopic Rotator Cuff Repairs: An Anatomic and Biomechanical Rationale for Different Suture-Anchor Repair Configurations. Arthrosc J Arthrosc Relat Surg. 2007;23(6):662–9.

41. Oh JH, Park JS, Rhee S-M, Park JH. Maximum Bridging Suture Tension Provides Better Clinical Outcomes in Transosseous-Equivalent Rotator Cuff Repair: A Clinical, Prospective Randomized Comparative Study. Am J Sports Medicine. 2020;48(9):2129–36.

42. Park JS, McGarry MH, Campbell ST, et al. The Optimum Tension for Bridging Sutures in Transosseous-Equivalent Rotator Cuff Repair. Am J Sports Medicine. 2015;43(9):2118–25.

43. Steinhaus ME, Makhni EC, Cole BJ, Romeo AA, Verma NN. Outcomes After Patch Use in Rotator Cuff Repair. Arthrosc J Arthrosc Relat Surg. 2016;32(8):1676–90.

44. Thangarajah T, Pendegrass CJ, Shahbazi S, Lambert S, Alexander S, Blunn GW. Augmentation of Rotator Cuff Repair With Soft Tissue Scaffolds. Orthop J Sports Medicine. 2015;3(6):2325967115587495.

45. Millett PJ, Warth RJ, Dornan GJ, Lee JT, Spiegl UJ. Clinical and structural outcomes after arthroscopic single-row versus double-row rotator cuff repair: a systematic review and meta-analysis of level I randomized clinical trials. J Shoulder Elb Surg. 2014;23(4):586–97.

46. Barber FA. Triple-Loaded Single-Row Versus Suture-Bridge Double-Row Rotator Cuff Tendon Repair with Platelet-Rich Plasma Fibrin Membrane: A Randomized Controlled Trial. Arthrosc J Arthrosc Relat Surg. 2016;32(5):753–61.

47. He H-B, Hu Y, Li C, et al. Biomechanical comparison between single-row with triple-loaded suture anchor and suture-bridge double-row rotator cuff repair. BMC Musculoskelet Di. 2020;21(1):629.

48. Krappinger D, Roth T, Gschwentner M, et al. Preoperative assessment of the cancellous bone mineral density of the proximal humerus using CT data. Skeletal Radiol. 2012;41(3):299–304.

49. Rosso C, Weber T, Dietschy A, Wild M de, Müller S. Three anchor concepts for rotator cuff repair in standardized physiological and osteoporotic bone: a biomechanical study. J Shoulder Elb Surg. 2020;29(2):e52–9.

50. Kim YS, Lee HJ, Bae SH, Jin H, Song HS. Outcome Comparison between in Situ Repair Versus Tear Completion Repair for Partial Thickness Rotator Cuff Tears. Arthrosc J Arthrosc Relat Surg. 2015;31(11):2191–8.

51. Smith CD, Corner T, Morgan D, Drew S. Partial Thickness Rotator Cuff Tears: What Do We Know? Shoulder Elb. 2010;2(2):77–82.

52. Ono Y, Woodmass JM, Bois AJ, Boorman RS, Thornton GM, Lo IKY. Arthroscopic Repair of Articular Surface Partial-Thickness Rotator Cuff Tears: Transtendon Technique versus Repair after Completion of the Tear—A Meta-Analysis. Adv Orthop. 2016;2016:1–7.

53. Jordan RW, Bentick K, Saithna A. Transtendinous Repair of Partial Articular Sided Supraspinatus Tears is associated with Higher Rates of Stiffness and Significantly Inferior Early Functional Scores than Tear Completion and Repair: A Systematic Review. Orthop Traumatology Surg Res. 2018;104(6):829–37.

54. Gonzalez-Lomas G, Kippe MA, Brown GD, et al. In situ transtendon repair outperforms tear completion and repair for partial articular-sided supraspinatus tendon tears. J Shoulder Elb Surg. 2008;17(5):722–8.

55. Shin S-J. A Comparison of 2 Repair Techniques for Partial-Thickness Articular-Sided Rotator Cuff Tears. Arthrosc J Arthrosc Relat Surg. 2012;28(1):25–33.

56. Castagna A, Borroni M, Garofalo R, et al. Deep partial rotator cuff tear: transtendon repair or tear completion and repair? A randomized clinical trial. Knee Surg Sports Traumatology Arthrosc. 2015;23(2):460–3.

57. Lo IKY, Gonzalez DM, Burkhart SS. The bubble sign: An arthroscopic indicator of an intratendinous rotator cuff tear. Arthrosc J Arthrosc Relat Surg. 2002;18(9):1029–33.

58. Curtis AS, Burbank KM, Tierney JJ, Scheller AD, Curran AR. The Insertional Footprint of the Rotator Cuff: An Anatomic Study. Arthrosc J Arthrosc Relat Surg. 2006;22(6):603-609.e1.

59. Cha S-W, Lee C-K, Sugaya H, Kim T, Lee S-C. Retraction pattern of delaminated rotator cuff tears: dual-layer rotator cuff repair. J Orthop Surg Res. 2016;11(1):75.

60. Burkhart SS. Can the Deadman Be Killed? Arthrosc J Arthrosc Relat Surg. 2015;31(2):181–2.

61. Burkhart SS. The deadman theory of suture anchors: observations along a South Texas fence line. Arthrosc J Arthrosc Relat Surg. 1995;11(1):119–23.

62. Oh JH, Jeong HJ, Yang SH, et al. Pullout Strength of All-Suture Anchors: Effect of the Insertion and Traction Angle—A Biomechanical Study. Arthrosc J Arthrosc Relat Surg. 2018;34(10):2784–95.

63. Green RN, Donaldson OW, Dafydd M, Evans SL, Kulkarni R. Biomechanical study: Determining the optimum insertion angle for screw-in suture anchors - Is deadman's angle correct? Arthrosc J Arthrosc Relat Surg. 2014;30(12):1535–9.

64. Itoi E, Nagamoto H, Sano H, Yamamoto N, Kawakami J. Deadman theory revisited. Bio-med Mater Eng. 2016;27(2–3):171–81.

65. Nagamoto H, Yamamoto N, Sano H, Itoi E. A biomechanical study on suture anchor insertion angle: Which is better, 90° or 45°? J Orthop Sci. 2017;22(1):56–62.

66. Sano H, Takahashi A, Chiba D, Hatta T, Yamamoto N, Itoi E. Stress distribution inside bone after suture anchor insertion: simulation using a three-dimensional finite element method. Knee Surg Sports Traumatology Arthrosc. 2013;21(8):1777–82.

67. Hong C-K, Hsu K-L, Kuan F-C, et al. When deadman theory meets footprint decortication: a suture anchor biomechanical study. J Orthop Surg Res. 2019;14(1):157.

68. Ono Y, Sakai T, Carroll MJ, Lo IKY. Tears of the Subscapularis Tendon. JBJS Rev. 2017;5(3): e1.

69. Arai R, Sugaya H, Mochizuki T, Nimura A, Moriishi J, Akita K. Subscapularis Tendon Tear: An Anatomic and Clinical Investigation. Arthrosc J Arthrosc Relat Surg. 2008;24(9):997–1004.

70. Godenèche A, Nové-Josserand L, Audebert S, Toussaint B, Denard PJ, Lädermann A. Relationship between subscapularis tears and injuries to the biceps pulley. Knee Surg Sports Traumatology Arthrosc. 2017;25(7):2114–20.

71. Lafosse L, Jost B, Reiland Y, Audebert S, Toussaint B, Gobezie R. Structural Integrity and Clinical Outcomes After Arthroscopic Repair of Isolated Subscapularis Tears. J Bone Jt Surg. 2007;89(6):1184–93.

72. Yoo JC, Rhee YG, Shin SJ, et al. Subscapularis Tendon Tear Classification Based on 3-Dimensional Anatomic Footprint: A Cadaveric and Prospective Clinical Observational Study. Arthrosc J Arthrosc Relat Surg. 2015;31(1):19–28.

73. McClelland D, Bell SN, O'Leary S. Relocation of a dislocated long head of biceps tendon is no better than biceps tenodesis. Acta Orthop Belg. 2009;75(5):595–8.

74. Maier D, Jaeger M, Suedkamp NP, Koestler W. Stabilization of the Long Head of the Biceps Tendon in the Context of Early Repair of Traumatic Subscapularis Tendon Tears. J Bone Jt Surg. 2007;89(8):1763–9.

75. Adams CR, Brady PC, Koo SS, et al. A systematic approach for diagnosing subscapularis tendon tears with preoperative magnetic resonance imaging scans. Arthrosc J Arthrosc Relat Surg. 2012;28(11):1592–600.

76. Adams CR, Schoolfield JD, Burkhart SS. Accuracy of preoperative magnetic resonance imaging in predicting a subscapularis tendon tear based on arthroscopy. Arthrosc J Arthrosc Relat Surg. 2010;26(11):1427–33.

77. Malavolta EA, Assunção JH, Guglielmetti CLB, et al. Accuracy of preoperative MRI in the diagnosis of subscapularis tears. Arch Orthop

Traum Su. 2016;136(10):1425–30.

78. Haritinian EG, Sendrea B, Josserand LN. The Challenges of Arthroscopic Diagnosis of Subscapularis Tears. Rev Chim-bucharest. 2018;69(9):2508–10.

79. Castagna A, Mouhsine E, Conti M, et al. Chondral print on humeral head: An indirect sign of long head biceps tendon instability. Knee Surg Sports Traumatology Arthrosc. 2007;15(5):645–8.

80. Domos P, Neogi DS, Longo UG, Ahrens PM. The chondral print sign: what does it really mean? J Shoulder Elb Surg. 2017;26(6):e188–92.

81. Neyton L, Daggett M, Kruse K, Walch G. The Hidden Lesion of the Subscapularis: Arthroscopically Revisited. Arthrosc Techniques. 2016;5(4):e877–81.

82. Sahu D, Fullick R, Giannakos A, Lafosse L. Sentinel sign: a sign of biceps tendon which indicates the presence of subscapularis tendon rupture. Knee Surg Sports Traumatology Arthrosc. 2016;24(12):3745–9.

83. Bonutti PM, Norfray JF, Friedman RJ, Genez BM. Kinematic MRI of the Shoulder. J Comput Assist Tomo. 1993;17(4):666–9.

84. Okoro T, Reddy VRM, Pimpelnarkar A. Coracoid impingement syndrome: a literature review. Curr Rev Musculoskelet Medicine. 2009;2(1):51–5.

85. Lo IKY, Burkhart SS. Arthroscopic coracoplasty through the rotator interval. Arthrosc J Arthrosc Relat Surg. 2003;19(6):667–71.

86. Martetschläger F, Rios D. Coracoplasty: Indications, Techniques, and Outcomes. Tech Shoulder Elbow Surg. 2012;

87. Dierckman BD, Shah NR, Larose CR, Gerbrandt S, Getelman MH. Non-insertional tendinopathy of the subscapularis. Int J Shoulder Surg. 2013;7(3):83–90.

88. Lo IKY, Burkhart SS. The etiology and assessment of subscapularis tendon tears: a case for subcoracoid impingement, the roller-wringer effect, and tuff lesions of the subscapularis. Arthrosc J Arthrosc Relat Surg. 2003;19(10):1142–50.

89. Burkhart SS, Tehrany AM. Arthroscopic subscapularis tendon repair Technique and preliminary results. Arthrosc J Arthrosc Relat Surg. 2002;18(5):454–63.

90. Burkhart SS, Brady PC. Arthroscopic Subscapularis Repair: Surgical Tips and Pearls A to Z. Arthrosc J Arthrosc Relat Surg. 2006;22(9):1014–27.

91. Denard PJ, Burkhart SS. A New Method for Knotless Fixation of an Upper Subscapularis Tear. Arthrosc J Arthrosc Relat Surg. 2011;27(6):861–6.

92. Sgroi M, Kappe T, Ludwig M, et al. Are Knotted or Knotless Techniques Better for Reconstruction of Full-Thickness Tears of the Superior Portion of the Subscapularis Tendon? A Study in Cadavers. Clin Orthop Relat Res. 2021;Publish Ahead of Print.

93. Katthagen JC, Vap AR, Tahal DS, Horan MP, Millett PJ. Arthroscopic Repair of Isolated Partial- and Full-Thickness Upper Third Subscapularis Tendon Tears: Minimum 2-Year Outcomes After Single-Anchor Repair and Biceps Tenodesis. Arthrosc J Arthrosc Relat Surg. 2017;33(7):1286–93.

94. Sheps DM, Silveira A, Beaupre L, et al. Early Active Motion Versus Sling Immobilization After Arthroscopic Rotator Cuff Repair: A Randomized Controlled Trial. Arthrosc J Arthrosc Relat Surg. 2019;35(3):749-760.e2.

95. Kim YS, Chung SW, Kim JY, Ok JH, Park I, Oh JH. Is early passive motion exercise necessary after arthroscopic rotator cuff repair? Am J Sports Medicine. 2012;40(4):815–21.

96. McNamara WJ, Lam PH, Murrell GAC. The Relationship Between Shoulder Stiffness and Rotator Cuff Healing. J Bone Jt Surg. 2016;98(22):1879–89.

중파열, 대파열의 수술적 치료

Surgical treatment: medium-to-large sized tear

정현장 · 김재윤

1. 서론

회전근 개 파열은 그 크기에 따라서 분류하는 경우가 흔하며, 통상적인 중파열은 파열부의 크기가 1-3 cm일 때, 대파열은 파열부의 크기가 3-5 cm일 때로 정의된다.[1] 회전근 개 파열은 대부분 퇴행성으로 발생함에 따라 환자의 나이가 증가하면서 발생 빈도가 늘어나게 되는데,[2,3] 50대에 발생하는 파열은 소파열이 가장 흔한 반면, 나이가 증가함에 따라 대파열의 빈도 또한 점차 늘어나서 60대 이후에서는 대파열이 전체 파열의 약 43-45% 정도를 차지한다.[3]

회전근 개 파열은 극상건에서 가장 흔하게 발생하며, 전층 파열의 경우 증상이 없더라도 점차 파열의 크기가 증가하게 될 확률이 높다.[4,5] 파열의 크기가 증가하여 광범위 회전근 개 파열로 진행하게 될 경우 짝힘의 소실로 상완골두의 상방 전위가 발생하고, 이로 인하여 회전근 개 파열 병증으로 악화될 수 있으므로,[6] 환자의 나이와 활동성, 파열의 크기 및 전층파열 여부 등에 따라 적절한 시기에 수술을 시행하는 것이 좋다.

회전근 개 봉합술의 적응증에 대해서는 이견의 여지가 있으나, 단기간 추시 상으로는 보존적 치료도 나쁘지 않은 결과를 보이며,[7] 동반된 기저질환이 많거나 고령의 환자에서 기능적으로 비교적 양호한 경우 고려해 볼 수 있다. 그러나 환자의 나이가 젊거나, 외상성 파열인 경우 혹은 가성마비나 외회전의 근력 저하가 최근에 발생한 경우 수술적 치료를 고려하는 것이 좋다.[5] 만약 환자의 나이가 65세 이

하로 비교적 젊고, 회전근 개의 기능이 적절하게 유지가 될 경우 충분한 설명 이후에도 수술적 치료를 원치 않는다면 보존적 치료를 시도해 볼 수 있으나, 회전근 개 파열의 병태생리를 고려해 본다면 파열 부위에 대한 주기적인 관찰이 필요함을 알 수 있다.[3-5]

회전근 개 파열은 그 크기가 증가함에 따라서 재파열의 발생 빈도 또한 증가하는 것으로 알려져 있으며, 파열의 크기가 2.5 cm 이상일 경우 회전근 개 봉합술 후 재파열의 빈도가 그 이하일 때 보다도 높다고 알려진 바 있다.[8,9] 또한 드물게 발생하기는 하지만 대파열 및 광범위 파열에서 파열된 극상건의 퇴축(retraction)이 30 mm 이상이거나, 견갑하건의 파열이 동반된 경우, 65세 이상인 경우 등에서는 회전근 개 봉합술 후 재파열이 되지 않더라도 수술 전에는 없었던 새로운 가성마비가 발생할 수 있다는 보고가 있어,[10] 적절한 시기에 수술적 치료를 시행하는 것이 중요함을 추정해 볼 수 있다.

2. 수술 기법

1) 종류

파열된 회전근 개를 봉합하는 것에는 여러 가지 방법이 있으나, 크게는 관절경하 봉합술과 개방적 술식으로 분류할 수 있을 것이다. 최근에는 수술 기구 및 기법의 발달 등으로 인해서 대부분 관절경하 봉합술로 시행되고 있으며,

2-4장에서 기술할 봉합 불가능한 파열이 아닌 경우에는 대부분 관절경하 봉합술로 충분히 좋은 결과를 얻을 수 있다. 특히 관절경하 봉합술은 견갑하건의 손상 없이 관절강 내의 병변을 보다 세밀하게 관찰할 수 있으며, 창상의 크기가 작기 때문에 수술 후 회복이 빠르다는 장점이 있다. 그러나 관절경수술의 특성상 수술이 숙련될 때까지 비교적 오랜 시간이 소요되며,[11,12] 장시간의 수술은 그 자체로 수술 부위의 감염 확률을 높일 수 있으므로[13] 무작정 관절경하 봉합술을 고집하는 것보다는 환자의 상태에 따라서 개방적 술식으로의 전환을 고려하는 것이 좋다.

2) 관절경하 봉합술

(1) 체위

관절경하 봉합술을 시행할 때에는 우선 환자의 체위를 어떻게 할 것인지를 결정해야 한다. 주로 측와위(lateral decubitus position) 혹은 해변의자 자세(beach-chair position)를 취하게 된다. 측와위의 경우 특수한 형태의 견인기(arm positioner)를 통해 추 혹은 유압 등을 이용한 물리적 견인이 가능하므로 관절와상완관절 및 견봉하공간이 넓어져서 접근이 쉽고, 수술 중 발생할 수 있는 저혈압 혹은 서맥 등에 의한 뇌혈류장애 등의 위험성이 낮아서 비교적 안전할 뿐 아니라 수술 중 시야를 방해하는 출혈을 조절하기 위해 혈압을 낮추는 것도 해변의자 자세에 비해서 쉽게 시행할 수 있다는 장점이 있다. 그러나 해부학적 자세가 아니므로 초심자에게는 해변의자 자세에 비해서 적응이 어렵고, 과도하게 견인을 시행할 경우 신경 및 혈관 등의 손상을 유발할 수 있을 뿐 아니라, 개방성 술식으로 전환이 해변의자 자세에 비해서 어려울 수 있다는 단점이 있다.[14]

해변의자 자세의 경우, 체위 자체가 어깨 및 상완부의 수술에 흔하게 사용되는 자세이므로 비교적 적응이 쉽고, 개방성 술식으로의 전환이 용이하며, 측와위와는 달리 견갑골이 고정되어 있으므로 마취된 상태에서의 검진이 편하다는 장점이 있다. 그러나 저혈압, 서맥 등에 의한 뇌혈류장애의 위험성이 상대적으로 높고, 이에 따라서 수술 중 출혈 조절을 위해서 혈압을 낮추기가 측와위에 비해서 더 힘들다는 단점이 있다.[14] 상기한 두 자세 모두 각기 장단점이

있으나, 대부분의 의사들은 본인에게 편한 한 가지 체위를 이용하는 경우가 많고, 이에 따라 임상적 결과에 있어서 차이가 있는지 여부에 대해서는 뚜렷하게 조사된 바가 없다. 따라서 상기 장단점을 고려하여 본인에게 가장 적절한 체위를 선택하면 될 것이다.

(2) 봉합나사의 선택

관절경하 회전근 개 봉합술이 널리 사용되는 것에는 봉합나사(suture anchor)의 개발 및 발전의 영향을 제외할 수 없다. 개방성 술식의 경우 결절부에 구멍을 뚫고 실을 통과시켜서 봉합하는 경골봉합술(transosseous repair)을 주로 사용했던 반면, 관절경하 회전근 개 봉합술에서 경골봉합술의 시행은 쉽지 않기 때문이다.

관절경하 회전근 개 봉합술에서 봉합나사의 사용은 기존의 경골봉합술과는 달리 상부와 외측부의 피질골을 모두 뚫지 않고도 봉합사를 대결절부에 고정하여 회전근 개의 파열단을 다시 본래의 부착부로 봉합을 시행할 수 있을 뿐 아니라, 경골봉합술에 비해서 비교적 사용이 용이하다는 장점이 있다.

봉합나사는 1세대인 금속 재질의 봉합나사부터, polyether ether ketone (PEEK) 등 생물학적 불용성 재질(biologic inert material)로 구성된 나사, 추후 골로 치환되는 흡수성 봉합나사(bio-absorbable suture anchor) 혹은 섬유직조물(fabric)로 만들어져서 단단한 부분이 없는 연성 봉합나사(all-suture anchor)까지 다양한 종류가 있다. 각 봉합나사마다 각기 장단점이 있으나 봉합나사 그 자체는 인체에는 이물질이므로 충분한 봉합력을 얻을 수 있는 한도 내에서는 가능한 적은 개수를 사용해서 봉합하는 것이 적합할 것으로 생각된다. 이를 고려할 때 동일한 크기의 봉합나사라면 두 가닥의 봉합사가 포함된 것(double-loaded suture anchor)보다는 세 가닥의 봉합사를 포함한 것(triple-loaded suture anchor)이 사용해야 하는 봉합나사의 수를 줄일 수 있을 뿐 아니라, 봉합에 사용하지 않는 봉합사를 남겨둠으로써 봉합사의 파열 같은 상황을 대비할 수 있으므로 보다 적절할 것으로 생각된다. 최근에는 기존의 실과 같은 형태의 얇은 봉합사가 아니라 보다 넓적한 테이프와 같은 형태의

봉합사가 연결된 봉합나사를 사용하기도 하는데, 생역학적으로 기존의 봉합사에 비해서 더 높은 강도를 보인바 있으나, 봉합을 시행하였을 때 그 매듭의 크기가 크다는 점이 있어 보다 많은 임상적 추시를 요한다.[15]

또한 봉합나사의 재질에 따라서 봉합나사 주위의 낭종성 변화(peri-anchor cyst formation)가 유발될 수 있는데, 연성 봉합나사와 30%의 β-tricalcium phosphate (TCP) 및 70%의 poly lactic-co-glycolic acid copolymer로 구성된 흡수성 봉합나사가 β-TCP 및 polylactic acid로 구성된 흡수성 봉합나사나 PEEK 재질의 봉합나사보다 낭종성 변화의 빈도가 낮았다는 보고가 있어 이에 대한 고려가 필요하다.[16,17] 다만 연성봉합나사의 경우 뼈에 뚫린 구멍 안으로 편평한 형태의 섬유직조물이 삽입되었다가 당겨지게 되면 구멍 안에서 섬유직조물이 3차원 형태로 형태가 변경되면서 구멍 바로 바깥의 피질골에 걸리면서 고정이 되는 형태인 만큼 근위 상완골 주위의 골밀도가 낮을 경우 봉합나사가 빠질 수 있다는 점을 고려해야 한다.[18]

봉합나사는 봉합사가 연결되어 있어 파열된 회전근 개를 직접 봉합할 수 있는 나사뿐 아니라 봉합을 마친 봉합사를 다시 연결하여 대결절부의 외측 원위부에 삽입하여 눌러주는 외측열 봉합나사(lateral row suture anchor) 또한 존재한다. 이는 이열 교량형 봉합술(double row suture-bridge repair)에 사용되며, 봉합의 형태가 이전 사용하던 경골봉합술과 유사하다고 하여 등 경골 동등 봉합술(transosseous equivalent repair)로 부르기도 한다.

(3) 봉합 방법의 종류

파열된 회전근 개의 봉합에 있어 가장 이상적인 형태는 봉합 직후 강도가 매우 강하면서 건-골 봉합부에서 치유(tendon-to-bone healing)가 발생할 때까지 기계적인 안정성을 유지하고, 동시에 과도한 장력으로 인한 건의 손상을 막는 것이라고 할 수 있을 것이다.[19-21] 이러한 목표를 달성하기 위해서 여러 가지 봉합술이 시도된 바 있으며, 이 중 단열 봉합술(single row repair), 이열 봉합술(double row repair), 이열 교량형 봉합술/경골 동등 봉합술(double row suture bridge/transosseous equivalent repair) 등이 우수한 임상적 결과를 보인 바 있으며, 변형 Mason-Allen 봉합술(modified Mason-Allen repair) 등 변형된 형태의 단열 봉합술(modified single row repair) 등 또한 그 임상적 결과를 보고한 바 있다.[22,23]

단열 봉합술은 대결절 외측부에 파열 크기에 따라 1개 이상의 봉합나사를 동일 선상에 삽입 후 파열된 회전근 개의 건에 봉합사를 통과시켜 매듭을 지어 묶는 것(그림 3-1)을 의미한다. 이는 이열 봉합술 및 이열 교량형 봉합술에 비해 사용하는 봉합나사의 수가 상대적으로 적어서 수술 시간이 짧고, 관련된 비용이 낮다는 장점이 있다.[24]

단열 봉합술은 회전근 개의 파열단이 봉합나사의 열을 따라 선의 형태로 결절부에 부착된다. 그러나 이는 회전근 개의 건이 결절부에 넓게 면의 형태로 부착되는 해부학적 특성과 차이가 있어, 이를 보완하기 위해 이열 봉합술(그림 3-2) 및 이열 교량형 봉합술(그림 3-3)의 개념이 도입되었다. 이열 봉합술과 이열 교량형 봉합술은 모두 내측열(medial row)과 외측열(lateral row)의 이열(double row)을 통해 회전근 개 건의 파열단을 결절부에 넓은 면의 형태로 눌러준다는 점에서는 동일하나 사용되는 봉합나사의 종류 및 세부적인 술기에 있어서는 차이를 보인다.

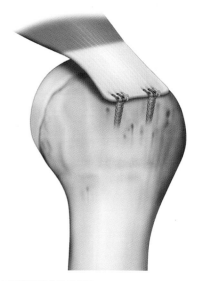

그림 3-1 단열 봉합술의 모식도
파열된 회전근 개의 부착부에 1열로 봉합나사를 삽입 후 파열된 회전근 개에 봉합사를 통과시켜 매듭짓는다.

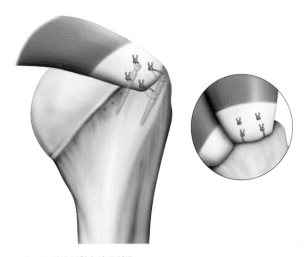

그림 3-2 이열 봉합술의 모식도
결절부의 내측단에 1열로 봉합나사를 삽입하여 봉합한 이후 결절부 외측단에 1열의 봉합나사를 추가하여 다시 봉합한다.

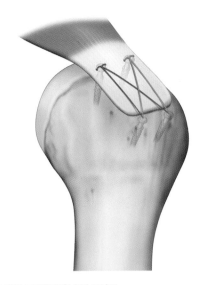

그림 3-3 이열 교량형 봉합술의 모식도
결절부의 내측단에 1열로 봉합나사를 삽입하여 봉합한 이후, 봉합사를 잘라내지 않고 교차하여 결절부 외측의 전후방에 삽입하는 외측열 봉합나사에 연결하여 봉합한다. 외측열 봉합나사는 이열 봉합술과 달리 추가적인 매듭 없이 삽입한다.

이열 봉합술의 경우 봉합사가 연결된 전통적인 형태의 봉합나사만을 사용하여 봉합을 시행하나, 이열 교량형 봉합술에서 사용되는 외측열 봉합나사의 경우 봉합사가 연결되어 있지 않으며, 내측열 봉합나사에서 사용되는 봉합사를 외측열 봉합나사에 연결하여 상완골에 부착시키는 형

태를 지니고 있다. 사용되는 봉합나사의 형태가 다른 만큼 술기에 있어서도 일부 차이가 발생하는데, 이열 봉합술의 경우 내측열과 외측열로 봉합나사의 삽입 위치가 구분되어 있으나 사용되는 봉합나사는 모두 전통적인 형태의 봉합사가 연결된 봉합나사(medial row suture anchor)를 사용하는 만큼, 내측열과 외측열 모두 매듭을 지어 봉합해야 하고 매듭이 끝난 봉합나사의 경우 봉합사를 절단하게 된다. 이열 교량형 봉합술의 경우 내측열은 전통적인 형태의 봉합나사를 사용하여 매듭을 지어 내측열을 봉합하나, 이열 봉합술과는 달리 매듭을 지은 봉합사를 절단하지 않고 남겨 두었다가 내측열의 봉합이 모두 완료되면 남겨둔 봉합사를 외측열 봉합나사에 연결하여 상완골 내로 함몰시켜 고정하는 방식을 사용한다. 이열 교량형 봉합술의 경우 그 봉합 방식의 특성상 내측열에 매듭을 지어 봉합하지 않더라도(knotless double row suture bridge repair) 외측열의 봉합나사를 통해 회전근 개 건의 파열단을 결절부에 부착시킬 수 있으며,[25,26] 이는 수술시간을 단축시킬 수 있고, 내측열 매듭의 교액(strangulation)으로 인한 회전근 개의 근-건 이행부(musculotendinous junction)에서의 재파열(medial cuff failure)을 줄일 수 있다는 보고가 있다.[27,28] 단, 내측열에 매듭을 짓는 통상적인 방식의 이열 교량형 봉합술에 비해 생역학적으로 고정력이 떨어진다는 점을 고려해야 할 것이다.[29,30]

생역학적인 측면에서는 이열 봉합술 혹은 이열 교량형 봉합술이 단열 봉합술에 비해 우월한 결과를 보이는 연구가 많다.[23,31] 이는 단열 봉합술의 특성상 결절부에 부착되는 부분의 면적이 상대적으로 작고, 봉합사의 구성 형태에 따른 초기 고정력에 있어 차이가 나기 때문인 것으로 추정된다. 그러나 임상적인 기능적 평가에서는 단열 봉합술과 이열 봉합술 혹은 이열 교량형 봉합술은 수술 후 기능에 있어 차이가 나지 않거나, 일부 기능적 평가에서만 차이가 발생함이 보고된 바 있다.[32-36] 이러한 차이는 사체를 대상으로 하는 생역학적 연구의 특성상 실제 인체의 근육의 움직임이나 장력 등을 모사하는 데 있어 한계가 있으며, 시간에 따른 변화를 관찰할 수 없다는 것에 기인하는 것으로 추정된다.

(4) 봉합 방법의 선택

중-대파열에 있어서 봉합 방법의 선택을 어떠한 방식으로 할 것인지에 대해서는 의견이 분분하다. 생역학적 측면에서는 이열 봉합술 혹은 이열 교량형 봉합술이 단열 봉합술에 비해서 우월하지만 임상적 기능평가에서는 차이가 나지 않는 것으로 보고된 연구들이 많기 때문이다. 다만 이열 봉합술 혹은 이열 교량형 봉합술이 단열 봉합술에 비해서 재파열률이 낮다고 보고된 바 있다.[35,37,38] 회전근 개 봉합술에 있어서 재파열 여부가 임상적 평가에 차이가 없다는 보고가 있으나,[4,39,40] 최근의 장기 추시연구들에서는 재파열에 따른 기능적 평가의 저하가 보고되고 있는 만큼 이에 대한 임상적 고려가 필요하다.[41-46]

봉합 방법의 선택에 있어 현재까지 정답은 없으나, 단열 봉합술이나 이열 봉합술 혹은 이열 교량형 봉합술을 무조건 선택하는 것은 바람직하지 않다고 생각된다. 이는 같은 크기의 파열이라도 파열의 위치나 형태, 지방변성 정도 등에 따라서 파열된 회전근 개를 부착부까지 정복하는 데 드는 장력이 달라질 수 있으며 경우에 따라서는 완전한 봉합이 힘들 수 있기 때문이다. 또한 파열된 회전근 개의 봉합시 과도하게 장력을 가할 경우 재파열률이 증가한다는 보고가 있어,[47,48] 실제 수술 시에는 이에 대한 고려가 필요할 것으로 생각된다. 이에 파열의 크기와 정복할 때 필요한 장력 등을 고려하여 봉합 방법을 선택하는 것이 적절할 것으로 추정된다. 장력 측정기(tensiometer)를 사용할 경우 파열부의 정복에 있어 정량적으로 수치화된 장력의 크기를 알 수 있고, 재현성이 높다는 장점은 있으나, 임상에서 모든 례에 적용하기에는 힘든 면이 있다. 필자의 경우 파열된 회전근 개 주변의 유착 등을 충분히 박리하고 난 이후 조직 파악기(tissue grasper)를 이용하여 파열된 회전근 개를 본래의 부착부인 결절부로 견인할 때 느껴지는 장력에 따라 봉합 방법을 선택하고 있다. 파열된 회전근 개를 결절부의 외측단까지 정복하는 데 드는 장력의 크기가 크지 않다면 이열 교량형 봉합술을 사용하여 봉합을 시행하지만, 충분한 박리 이후에도 결절부 외측단까지 정복이 되지 않는다면 장력이 크지 않은 위치에 1열로 봉합나사를 삽입하여 단열 봉합술을 시행한다. 만약 정복이 되는 정도가 결절부의 절

반에도 미치지 못한다면 상완골 두의 연골부를 일부 절삭하여 정상적인 부착부보다는 내측에 봉합을 시행한다(medialized single row repair).

(5) 봉합 술기

① 관절경의 선택

파열된 회전근 개의 봉합에 있어 가장 우선시되어야 할 것은 파열부의 정확한 위치를 파악하는 것이다. 중파열 및 대파열의 경우 전층 파열이므로 관절경을 통한 파열 부위의 확인이 어렵지는 않으나, 작은 크기의 전층 파열이 존재하고 그 주위로 부분 파열이 동반되어 있는 경우 위치 파악이 힘들 수 있으므로, 수술 전 MRI를 통해서 파열의 크기와 대략적인 위치를 미리 파악하는 것이 적절하다. 대부분의 중-대파열은 관절낭 측에서 관찰이 가능하나, 내-외측으로 퇴축(retraction) 정도가 심하지 않을 경우 관절낭 측에서는 관찰이 되지 않을 수 있다. 이는 견봉하공간으로 관절경을 위치시키면 원활하게 관찰할 수 있으며, 파열의 위치에 따라서는 어깨를 외회전 혹은 내회전시킴으로써 파열 부위를 보다 정확하게 파악할 수 있다.

견봉하공간에서의 파열 부위의 관찰은 주로 후외측 삽입구로 관절경을 삽입하여 Grand canyon view를 통해 이뤄지는 것이 일반적이다. 이는 관절낭 측에서 가장 먼저 삽입하는 후방 삽입구의 경우 시야가 제한이 되기 때문이다. 그러나 70도 관절경을 이용하면 후방 삽입구에서도 관찰할 수 있다. 70도 관절경은 30도 관절경에 비해 광각으로 더 넓은 부위를 한눈에 볼 수 있어 파열의 전반적인 형태를 관찰하기에 좋고, 광학적 특성상 변연부에서의 상의 왜곡이 30도 관절경에 비해서 더 적다는 장점이 있다.[49] 또한 측와위로 수술 시 후위측 삽입구로 30도 관절경을 삽입하는 경우 관절경을 잡고 있는 술자의 팔이 계속해서 외전되어 있어야 하는 반면, 후방 삽입구에서 70도 관절경을 사용할 경우 보다 편한 자세에서 수술을 진행할 수 있다는 장점이 있다. 그러나 70도 관절경의 경우 30도 관절경에 비해 숙달되기까지 좀 더 많은 연습이 필요하다는 점을 고려해야 한다.

② 삽입구(portal)의 선정

관절경의 삽입구는 병변의 위치, 술자의 선호도 등에 따라서 여러 부위에 만들 수 있으나, 일반적으로는 후방 삽입구를 가장 먼저 만들게 된다. 일반적으로 후방 삽입구는 관절와의 중간보다는 상부에 위치하며 견봉의 후외측 각(posterolateral corner of acromion)을 기준으로 2-3 cm 내측, 3-4 cm 하방에 위치시키는 것으로 알려져 있으나,[50] 환자의 신장을 비롯한 체형에 따라서 위치가 달라질 수 있으므로 이를 일방적으로 적용하는 것은 적절하지 않다. 전술한 위치는 대부분 극하근과 소원근 사이의 soft spot에 해당되는 위치로 엄지로 촉지할 경우 부드럽게 들어가는 것을 느낄 수 있다. Soft spot을 촉지하되 soft spot보다 내측의 관절와의 위치를 확인하여 관절와의 변연부를 따라 관절경이 삽입되도록 하는 것이 적절하다. 후방 삽입구의 적절한 위치를 찾기 위해서는 척추바늘(spinal needle)을 관절강내로 삽입하여 관절와와 외측의 상완골 두의 위치를 촉지하는 것이 좋으며, 척추바늘을 통하여 관절와와 상완골 두 사이의 공간에 생리식염수를 주입하여 공간을 충분히 넓혀두면 관절경의 삽입에 따른 관절내 연골의 손상을 줄일 수 있다. 후방 삽입구는 대부분 사각공간(quadrangular space)의 액와신경(axillary nerve) 및 후 상완 회선동맥(posterior humeral circumflex artery)으로부터 2-4 cm 정도 떨어져 있으며, 견갑상신경(suprascapular nerve)으로부터 약 1 cm 정도 외측에 위치하는 것으로 알려져 있다.[51] 후방삽입구는 척추바늘을 이용하여 파악한 위치에 절개를 가하고, 오구돌기(coracoid process)를 향하도록 관절경 집(arthroscope sheath)을 밀어넣는다. 후방삽입구가 지나치게 내측으로 향하면 견갑상신경의 손상이 유발될 수 있으며, 지나치게 외측에서 삽입될 경우 견봉하공간에서 삼각근에 의한 시야의 제한이 발생할 수 있으므로 주의해야 한다.

전방삽입구는 후방삽입구를 통해 거치한 관절경을 통해 관찰하여 삽입 위치를 결정한다. 관절와, 이두건 장두, 견갑하건로 구성되는 삼각형의 공간인 회전근 간격(rotator interval)에 위치시키게 되며, 오구돌기 내측에는 상완신경총 및 액와동맥 등이 주행하므로 항상 오구돌기 외측에서 삽입할 수 있도록 해야 한다.

관절강내공간에서 만든 후방 및 전방삽입구는 견봉하공간에서도 그대로 사용할 수 있다. 다만 후방삽입구로의 관절경의 삽입에 있어 관절강내공간으로의 삽입은 관절와와 상완골 두 간 간격을 촉지하여 오구돌기를 향하도록 삽입을 시행하였다면, 견봉하공간을 보기 위해서는 삽입 방향이 달라져야 하는데, 후방삽입구에서 견봉을 향하도록 관절경 집을 삽입하며 관절경 집이 삽입되면서 상부의 견봉이 촉지되어야 한다. 관절경 집이 충분히 삽입되었다면 이를 전방삽입구를 통과하여 체외로 관절경 집의 말단부가 나오도록 하고, 체외로 나와있는 관절경 집의 말단부로 삽입관(cannula)을 최대한 밀어 넣는다. 이후 관절경 집에 관절경을 삽입하여 견봉하공간을 확인하고 삽입관을 조금씩 체외로 후퇴시켜서 견봉하공간 내에 삽입관이 거치되도록 한다.

외측삽입구는 파열의 위치에 따라 전·후방에서의 위치를 조금씩 변경할 수 있는데, 일반적인 경우 견봉 외측연의 전방 1/3 지점에서 약 3 cm 정도 위치에 삽입하면 작업삽입구(working portal)로서 별다른 문제 없이 사용할 수 있다. 다만 견봉 외측연으로부터 어느 정도까지 하방으로 내려갈지에 대해서는 환자의 체형에 따라 변형이 필요하며, 척추바늘을 삽입하였을 때 대결절의 편평부와 평행하게 삽입되거나 약간 위쪽에서 삽입되도록 하는 것이 견봉성형술 및 회전근 개 봉합술을 시행하는 데에 있어 불편하지 않다.

③ 견봉하공간 감압술(subacromial decompression) 및 견봉성형술(acromioplasty)

견봉하공간(subacromial space)은 관절강내공간에 비해 수술 시야 내에서 표식으로 사용할 만한 구조물이 많지 않고, 관절경의 특성상 원근감이 개방성 술식에 비해서 작아서 공간에 대한 위치 및 구조물을 인지할 때까지 경험을 요한다. 특히 견봉하공간은 그 공간이 협소하고, 출혈 및 점액낭의 비후 등에 의해서 시야가 제한되는 경우가 많다. 이에 파열 부위의 정확한 관찰을 위해서는 견봉하 및 삼각근하 점액낭의 절제를 비롯한 견봉하공간 감압술이 필수적이다.

견봉하공간의 감압술은 시야를 가로막는 견봉하점액낭의 절제로부터 시작된다. 견봉하점액낭은 앞서 언급한 바 있는 외측 삽입구 후방에 두껍게 비후가 되어 있는 후벽(posterior bursal curtain)이 존재하는데, 후벽을 절제해야 관절경의 시야가 확보가 된다. 후방삽입구에 관절경을 거치하고, 전방삽입구를 통해 넣은 전기소작기(electrocautery unit)나 절삭기(shaver, debrider) 등을 이용하여 후벽을 절제하고 이후 척추바늘을 삽입하여 외측삽입구의 위치를 확정지은 뒤 외측삽입구를 만드는 순서로 진행을 한다. 외측삽입구를 만든 이후에는 이를 통하여 점액낭절제술을 시행하는 것이 견봉하공간의 전후방 모두에 접근하기 용이하다. 단 점액낭의 비후가 심하거나 출혈 등으로 인해 시야 확보가 어려운 상태에서 후방 점액낭을 절제하게 될 경우 극하건을 비롯한 후방 회전근 개의 손상을 유발할 수 있어 주의해야 하는데, 특히 후상방 파열(posterosuperior rotator cuff tear)일 경우 전기소작기나 절삭기가 파열된 회전근 개를 통하여 관절낭 내로 위치할 수 있으며 후방 점액낭이 아닌 극하건을 절제하게 될 수 있으므로 주의해야 한다. 만약 점액낭의 비후가 심하여 시야 확보가 용이하지 않은 경우 견봉의 바로 아래에 위치한 견봉하점액낭을 먼저 절제하여 어느 정도 시야를 확보한 이후 후방 점액낭절제술을 진행하는 것을 고려해야 한다.

견봉하점액낭의 절제 중 출혈로 인하여 시야 확보에 제한이 발생할 수 있다. 출혈이 심하여 수술의 진행이 힘들 경우 관류액의 압력을 증가시키거나, 환자의 혈압을 낮추거나, 관류액(irrigation saline)에 에피네프린(epinephrine)을 섞어서 투여하게 되면 출혈로 인한 시야 제한을 줄일 수 있다. 3L 생리식염수에 에피네프린 1 mg을 주입하여 관류액에 투여하는 에피네프린의 농도를 0.33 mg/L으로 맞출 경우 시야 확보에 도움이 된다.[52]

점액낭을 충분히 제거하면 견봉과 오구돌기를 연결하는 오구견봉인대(coracoacromial ligament, CAL)(그림 3-4)를 찾을 수 있다. 오구견봉인대는 상완골 두의 상방 전위를 막는 구조물[53]임과 동시에 충돌증후군(impingement syndrome)을 유발하는 구조물로 알려져 있다.[54] 따라서 견봉성형술을 시행할 때 오구견봉인대의 유리술(CAL release)을 동시에 시행할 것인지 여부에 대해서는 논란의 여지가 있다. 오구견봉인대의 유리술을 시행할 경우 견봉하 골극(subacromial spur)의 형태를 관찰하기 좋고, 견봉하공간이 넓어지면서 견봉하공간 감압술의 효과가 늘어나면서 동시에 견봉성형술이 편해진다는 장점이 있는 반면,[55] 생역학적 연구에서는 오구견봉인대 유리술 이후 발생할 수 있는 어깨관절의 불안정성에 대해 경고한 바 있어 이에 대한 고려가 필요하다.[53,56]

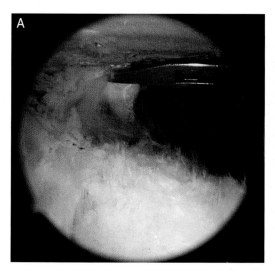 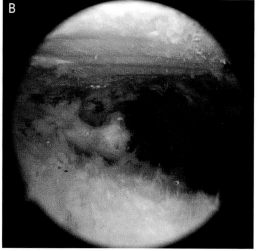

그림 3-4 견봉하공간에서 관찰되는 오구견봉인대(A) 및 오구견봉인대 유리술 시행 후 소견(B)

견봉성형술은 견봉하 골극을 절제함으로써 회전근 개와 견봉의 충돌에 의한 증상을 줄이고 이에 의한 회전근 개 파열을 예방할 수 있으며, 회전근 개 봉합술과 동시에 시행될 경우 견봉하 골극과의 충돌에 의한 재파열을 낮출 수 있을 것으로 기대된다.[57] 그러나 견봉성형술 시 견봉의 절삭 정도에 대해서는 정량화된 기준이 존재하지 않으며,[58] 견봉성형술에 따른 임상적 효과 또한 논란의 여지가 있다.[59] 또한 기촬영된 수술 영상을 통한 연구에서 숙련된 전문가들 사이에서도 견봉하 골극의 존재 여부 및 그 크기에 대한 합의가 이뤄지지 않은 점을 보았을 때,[60] 결국 견봉성형술의 시행 여부는 각 술자의 기준에 맞춰 행해질 수밖에 없을 것으로 생각된다. 견봉성형술의 시행 여부를 결정하는 기준으로는 여러 가지가 있을 수 있으나, 필자의 경우 견봉하 골극의 존재 여부 및 구두굽 모양의 골극(heel type spur), 자기공명영상의 시상면 상에서 견쇄관절(acromio-clavicular joint)의 후방 1 cm 위치에서 견봉 전방의 두께가 7 mm 이상인지 여부를 파악하여 견봉성형술을 시행한다.[61,62]

회전근 개 손상의 외재적 요인에서 중요하다고 알려진 것은 견봉하 골극 및 견봉 전외측부와의 충돌이기 때문에 이 부위를 절제하여 감압을 하는 것이 중요하다.[63] 그러나 견봉의 전방부는 쇄골의 원위부와 견쇄관절을 이루고 있는 만큼, 견봉성형술을 시행할 때 견쇄관절의 관절낭을 손상하지 않도록 주의해야 한다. 수술 전 단순방사선촬영 및 자기공명영상 등에서 견쇄관절에 관절염이 존재한다고 하더라도, 증상이 없었다면 예방적으로 원위쇄골절제술(distal clavicle resection)을 하는 것이 수술 후 임상적 결과나 재파열 여부의 감소 등에 있어 더 좋은 결과를 가져오지 못했으며, 일부 환자에서는 견쇄관절의 불안정성을 유발시킨다는 보고가 있는 만큼[64] 무증상의 견쇄관절염에서는 견쇄관절의 하부 관절낭이 손상되지 않도록 주의해야 한다. 수술 중 견쇄관절의 위치를 확인하는 방법은 여러 가지가 있겠으나 쇄골의 원위부를 환자의 다리 쪽(caudal direction)으로 강하게 누르면 쇄골 원위부가 눌리면서 견쇄관절의 위치를 쉽게 확인할 수 있어 불필요한 견쇄관절낭의 손상을 방지할 수 있다. 원위쇄골절제술을 시행하기 위해서

는 견쇄관절의 하부 관절낭을 절개해야 하며 관절경을 통해 접근이 가능하다. 원위쇄골절제술을 시행하는 방법에는 여러 가지가 있으나 70도 관절경을 사용할 경우 추가적인 삽입구의 제작 없이 후방 삽입구에 관절경을 거치하고 전방 삽입구를 통해 작은 구형의 연마기(round burr)를 넣어 견쇄관절로 접근하여 원위쇄골절제술을 시행할 수 있다. 단 원위쇄골절제술을 시행할 때에는 견쇄관절의 상부 관절낭에 손상을 주지 않도록 주의해야 한다.

④ 파열된 회전근 개의 정복 및 부착부의 준비

견봉하 감압술을 시행하여 시야의 확보가 용이해진 이후에는 파열된 회전근 개를 봉합하기 위한 준비를 시행해야 한다. 파열단의 원위부가 회복을 기대하기 어려울 정도로 얇고 너덜거린다면 그 부위를 절삭기나 전기소작기를 이용하여 비교적 튼튼하게 남아있는 부분만 남겨놓도록 다듬는다. 이후 파열단을 외측으로 당겨서 본래의 부착부까지 정복이 용이한지 확인한다. 정복이 용이하다면 계속하여 봉합을 진행하되 적절한 장력 하에서 충분한 정도의 정복이 불가능한 상황이라면 파열된 회전근 개 주변의 유착을 박리해야 한다. 회전근 개의 점액낭 측(bursal side)에서는 견갑골극(scapular spine)이 노출될 때까지 견봉하점액낭을 절제하고, 관절면 측(articular side)에서는 분리기(elevator)를 집어넣어 관절와의 상부와 파열된 회전근 개 사이에서 발생할 수 있는 유착을 박리하도록 한다. 다만 상견갑신경이 관절와 상부의 관절면을 기준으로 약 3, 4 cm 정도의 간격을 두고 주행한다는 보고가 있는 만큼 너무 깊숙하게 분리기를 집어넣어서 상견갑신경의 손상을 유발시키지 않도록 주의가 필요하다.

파열된 회전근 개와 주변 조직과의 박리가 충분히 이뤄진 이후에도 충분한 정복이 이뤄지지 않는다면 추가적인 술식을 고려해 볼 수 있다. 견갑하건과 극상건 전방의 퇴축이 심하다면 오구상완인대(coracohumeral ligament)의 유리술(그림 3-5)을 고려해 볼 수 있다. 이는 회전근 개 건의 이동거리(excursion of tendon)를 늘려서 보다 원활한 정복을 가능하게 할 수 있을 뿐 아니라,[65] 수술 이후 외회전의 회복을 보다 원활하게 회복시킬 수 있다는 보고가 있다.[66]

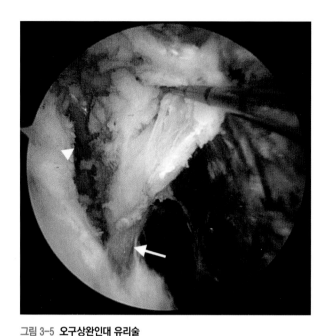

그림 3-5 오구상완인대 유리술
견갑하근 전방-오구돌기의 후면에 부착된 오구상완인대를 전기소작기를 이용하여 박리하면 오구돌기 후면(흰 삼각형)이 노출된다. 이때 오구돌기 첨단부 (tip of coracoid process)에 부착된 결합건(conjoined tendon, 화살표)을 손상시키지 않도록 주의한다.

오구상완인대의 유리술은 견봉하공간 측에서 회전근 간격의 손상을 유발하지 않고 시행할 수 있는데 전기소작기를 전방 삽입구에 넣고 오구견봉인대를 따라 원위부로 진행하면 견갑하근 전방에서 단단하게 촉지되는 오구돌기의 후면을 확인할 수 있다. 오구돌기 후면을 전기소작기로 소작하여 노출하는 것으로 오구상완인대를 오구돌기 측에서 유리할 수 있다.[66]

또 다른 방법으로는 퇴축된 극상건을 회전근 간격으로부터 박리하여 이동성을 증가시키는 간격 활주(interval slide)가 있다. 이는 극상건을 회전근 간격으로부터 분리하는 전방 간격 활주(anterior interval slide)와 극상건과 극하건 사이를 분리하는 후방 간격 활주(posterior interval slide)로 나뉜다. 최근의 생역학 연구에서 전방 간격 활주는 봉합 시 장력(repair tension)을 줄일 수 있으나, 후방 간격 활주를 추가로 하였을 때에는 봉합 시 장력을 더 줄일 수 없는 것으로 보고된 바 있다.[67] 또한 전후방 간격 활주를 시행하여 완전 봉합을 시행한 군이 임상적 평가 및 재파열 감소 여부에 있어 부분 봉합군에 비해 우월하지 않다는 보고가

있는 만큼 이에 대한 고려가 필요하다.[68,69]

파열된 회전근 개의 정복을 만족스러운 정도로 얻었다면 결절부의 노출 및 준비가 필요하다. 결절부에 힘줄의 일부분이 남아있는 경우도 있으나 이미 파열이 진행될 정도로 퇴행성 변화가 심한 힘줄에서는 만족스러울 정도의 건-건 봉합부에서의 회복(tendon-to-tendon healing)을 얻기가 힘들고, 남아있는 힘줄 자체가 봉합나사의 삽입을 힘들게 하거나 건-골 봉합부에서의 회복(tendon-to-bone healing)을 방해할 수 있으므로 회전근 개 부착부의 피질골이 완전히 노출될 때까지 남아있는 연부조직을 완전히 제거하도록 한다. 단 동물실험 상 전기소작기를 사용하여 연부조직을 제거한 경우 봉합한 회전근 개의 생역학적인 강도 및 조직학적 소견이 불량하다는 보고가 있는 만큼,[70] 과도하게 사용하지 않도록 주의를 요한다. 피질골을 완전히 노출시킨 이후에는 이 부분을 소파기(curette)나 줄(rasp) 등을 이용하여 긁어내는 경우(decortication)가 많다. 이는 단단한 피질골이 회전근 개의 부착에 방해가 될 수 있으며, 피질골을 긁어낸 이후 노출되는 상완골 골수 내의 혈소판(platelet) 및 중간엽 줄기세포(mesenchymal stem cell), 성장인자(growth factor)등이 생물학적인 건-골 봉합부의 회복을 촉진시킬 것을 기대하기 때문이다.[71] 피질골의 제거가 봉합나사의 체결 강도를 낮출 수 있으나,[72,73] 임상적으로 봉합나사의 빠짐(pullout of suture anchor)을 유발할 정도로 유의하지는 않을 것이라는 보고가 있는 만큼,[73] 연마기(motorized burr) 등을 이용하여 과도하게 피질골을 절삭하지 않는 이상 임상적으로 봉합나사의 빠짐을 유도하지는 않을 것이라 추정된다.

⑤ 봉합나사의 삽입

회전근 개의 정복에 필요한 장력을 확인하고 결절부의 준비가 완료되었으면, 전술한 바와 같이 어떠한 봉합 방법을 사용할 것인지를 선택해야 한다. 이는 봉합 방법에 따라 봉합나사가 삽입될 위치가 달라지기 때문이다. 단열 봉합술의 경우 일반적으로 결절부 상단의 외측단, 즉 회전근 개 건 부착부의 외측 경계면에 삽입하게 된다. 반면 이열 혹은 이열교량형 봉합술을 선택한 경우 내측열은 결절부

의 내측부에 삽입하게 되고, 외측열은 결절부 상단의 외측 단 혹은 결절부의 외측에 삽입을 하게 된다.

봉합나사의 삽입은 외측 삽입구를 사용하거나 별도의 절개창을 통해 삽입하는 방법이 있다. 외측 삽입구로 삽입을 하게 될 경우 별도의 절개가 필요 없다는 장점은 있으나 단열 봉합술 혹은 이열 봉합술 및 이열 교량형 봉합술의 내측열에 봉합나사를 삽입하기에는 충분한 삽입 각도의 확보가 힘든 경우가 많으며, 외측 삽입구를 주로 작업 삽입구로 사용하는 경우가 많으므로 봉합나사 삽입 후 봉합사를 술기의 수행에 방해되지 않도록 별도의 삽입구로 옮겨야 한다는 단점이 있다. 별도의 절개창을 내더라도 그 절개창의 크기가 크지 않고 이에 따른 추가적인 합병증 발생의 가능성이 낮으며, 봉합사의 위치를 옮겨야 할 필요가 없는 경우가 많으므로 외측 삽입구는 결절부 외측에 외측열의 봉합나사를 삽입할 때 사용하는 것이 적절할 것으로 생각된다. 추가 절개창의 위치는 파열의 위치 및 크기에 따라 달라질 수 있으나, 일반적으로 극상건의 파열이 회전근 간격 주위의 전상방부에서 흔하게 발생한다는 점을 고려하면 견쇄관절 주변의 견봉 전외측부에 위치하는 경우가 많다. 추가 절개창을 내기로 결정했을 경우 척추바늘을 삽입하여 봉합나사가 들어갈 위치와 삽입 각도를 미리 확인할 수 있으며, 파열의 위치에 따라서 추가 절개창의 위치를 옮기거나 추가 절개창의 위치 변동 없이 상완골을 외-내회전을 시켜서 최적의 위치로 접근하도록 할 수 있다.

봉합나사는 뼈에 삽입하기에 앞서 제조회사에 따라 정(awl) 혹은 나사선을 만들어주는 천자기(tap)를 사용하게 된다. 일부 봉합나사의 경우 먼저 구멍을 뚫을 필요가 없이 봉합나사를 밀어 넣으면서 고정되는 형태(self-tapping)로 제작되기도 하나, 연성 봉합나사의 경우 이 과정에서 봉합사에 손상이 올 가능성이 있고, 피질골이 너무 단단한 경우 삽입 과정에서 봉합나사가 부착된 지지대가 휘거나 봉합나사가 파손될 가능성이 있으므로 미리 작은 구멍을 뚫는 것도 이를 보완할 수 있는 방법으로 사용될 수 있다. 필자의 경우 불용성 골다공증 등으로 인해 상완골의 골질이 불량하다고 판단되는 경우 정이나 천자기를 정해진 만큼 삽입하기보다는 정해진 범위보다 적게 삽입하여 고정력을

높이려고 한다.

봉합나사의 삽입 시, 최적의 삽입각도가 어느 정도인지에 대해서는 논란의 여지가 있으나, 결절부 상단의 편평부를 기준으로 45도 각도로 기울여서 삽입하는 것이 봉합나사의 고정력이 가장 강할 것으로 예측된 바 있다(Deadman's angle theory).[74-76] 그러나 최근의 생역학 연구 및 유한요소 분석(finite element analysis) 등에 의한 연구 등에서는 45도 각도로 삽입하는 것보다는 90도로 삽입하는 것이 더 고정력이 높다는 보고가 있으며,[18,77,78] 특히 나사선이 없는 연성 재질의 봉합나사에서는 이러한 경향이 더 큰 것으로 보고된 바 있다.[18]

봉합나사의 삽입이 몇 개가 적정한지에 대해서는 봉합나사의 크기나 각 봉합나사에 연결되어 있는 봉합사의 개수, 술자의 선호도 등에 따라 차이가 있을 수 있으나 중파열에서 이열 교량형 봉합술로 수술을 시행하는 경우 일반적으로 내측열 2개, 외측열 2개씩 삽입하여 고정하는 경우가 많다. 생역학적 연구상 봉합나사 간 최소 6 mm 이상은 간격을 두는 것이 고정력에 있어 문제를 유발하지 않을 것이라는 보고가 있었다.[79] 연성 재질의 봉합나사의 경우 고정 기전의 특성상 나사가 삽입되는 구멍의 크기가 통상적인 형태의 봉합나사보다 작으므로 좁은 공간에 삽입하거나 파열의 크기가 커서 다량의 봉합나사를 삽입할 때 더 적절한 선택이 될 수 있다. 다만 연성 재질의 봉합나사는 상완골의 골밀도가 낮을 경우 빠질 위험성이 높고,[18] 상완골의 골밀도는 척추와 고관절에서 이중 에너지 방사선 흡수법(dual energy X-ray absorptiometry)을 이용하여 계측한 골밀도와 차이가 나는 경우가 많으며,[80-82] 파열의 크기가 크고 발생시기가 오래될수록 회전근 개 부착부의 파열로 인한 불용성 골다공증(disuse osteoporosis)이 국소적으로 발생할 가능성이 높은 만큼 이에 대한 고려가 필요하다.

⑥ 봉합사의 통과 및 봉합

봉합사를 통과시키기 전 파열된 회전근 개의 끝부분을 잡아당겨서 최종적으로 봉합이 완료되었을 때 어떠한 형태가 될 것인지에 대한 예측이 필요하다. 봉합사는 회전근 개의 근육 부분이 아닌 건 부분을 통과시켜야 하는데, 근-건

이행부에 가깝게 봉합사를 통과시킬수록 부착부의 면적이 넓어질 것이다.[83] 그러나 생역학적 시험에서 근-건 이행부에 봉합사를 통과시킬 경우 기계적 강도가 근-건 이행부로부터 5-10 mm 외측에 통과시킨 것보다 약하다는 결과가 보고되어 있는 만큼, 근-건 이행부보다는 약간 외측에 봉합사를 통과시키는 것이 적절할 것으로 생각된다.[84,85]

파열된 회전근 개를 통과하는 봉합사의 수가 늘어날수록 각 봉합사가 통과되는 구멍에 걸리는 장력이 분산되어 더 강한 기계적 강도를 보인다는 연구가 있는 만큼,[30,86-88] 가능한 많은 수의 봉합사를 통과시키는 것이 좋겠으나, 봉합나사 간 간격을 고려하여 적절한 봉합사의 개수를 정해야 한다.[79] 봉합사를 통과시키는 순서에 대해서는 특별히 정해진 것은 없으나, 봉합나사에 연결되어 있는 봉합사는 실마다 색 및 무늬가 다른 만큼 봉합사가 통과되는 해부학적 위치에 따라서 일정한 순서를 정해두는 것이 봉합사의 관리를 편하게 만든다. 즉 세 가닥의 봉합사(단색, 검은 줄무늬, 초록 줄무늬)가 연결된 봉합나사를 사용하여 회전근 개 파열단의 전방부부터 봉합사를 통과시킨다고 할 때 가장 앞부분은 단색 봉합사를, 그 후방부는 검은 줄무늬 봉합사를, 최후방부는 초록 줄무늬 봉합사를 통과시켰다고 한다면, 봉합나사를 새로 삽입할 경우에도 마찬가지로 단색-검은 줄무늬-초록 줄무늬 순서로 봉합사를 통과시키는 것이 봉합사의 관리를 보다 편하게 만들 수 있다.

봉합사를 매듭짓는 방법에는 여러 가지가 있으나 크게 봉합사를 잡아당김으로써 봉합사의 매듭이 미끄러져 들어가는 형태의 활주 매듭 방법(sliding knot technique)과 매듭이 미끄러져 들어가지 않아 매듭 밀대(knot pusher)로 매듭을 밀어 넣어야 하는 비활주 매듭 방법(non-sliding knot technique)으로 나눌 수 있다. 각각의 활주 매듭 방법 및 비활주 매듭 방법에는 여러 가지가 보고되어 있으나 각 매듭 방법에 따른 임상적 비교의 근거는 부족하며,[89] 숙련도에 따라 매듭의 강도가 달라질 수 있는 만큼,[90,91] 현재로서는 술자에게 있어 가장 익숙한 방식으로 매듭을 짓는 것이 적절할 것으로 생각된다. 필자의 경우 수술의 용이성 때문에 활주 매듭 방법을 선호하는 편이나, 제반 상황에 따라 활주 매듭이 불가능한 경우가 있을 수 있는 만큼 최소 1개

이상의 비활주 매듭 방법에도 숙련되기를 권고한다.

단열 봉합술 및 고전적인 형태의 이열 봉합술을 시행할 경우 봉합사를 매듭지은 이후 남는 봉합사는 바로 절단하여 봉합사의 관리가 비교적 수월하게 이뤄질 수 있는 반면, 이열 교량형 봉합술을 사용하는 경우 내측열의 봉합사를 매듭지은 이후 이를 바로 절단하지 않고 외측 봉합나사에 연결하여 눌러줘야 하므로 봉합사가 엉키지 않도록 관리하는 것이 중요하다. 외측 봉합나사로 봉합사를 연결할 때 봉합사가 엉키게 될 경우 외측 봉합나사에 연결되어 있는 봉합사에 의해서 아직 외측 봉합나사에 연결되지 않은 봉합사가 눌리게 될 경우가 있는데, 이는 새로운 외측 봉합나사를 삽입할 때 봉합사를 엉키게 만들어 봉합의 기계적 강도를 낮추거나 충분한 정도로 장력을 주지 못할 수 있으므로 주의해야 한다. 봉합사 간의 엉킴을 방지하기 위해서 매듭이 완료된 봉합사를 가볍게 견인하여 팽팽하게 만든 이후 봉합사 회수기(suture retriever)를 이용하여 봉합사를 살짝 위로 들어올리고, 동일한 색상의 한쌍의 봉합사 중에서 아래쪽에 위치한 봉합사를 회수하여 외측 봉합나사에 연결하여 삽입할 경우 봉합사 간의 엉킴을 줄이면서 이열 교량형 봉합술을 시행할 수 있다.

외측 봉합나사의 삽입은 일반적으로 파열의 전방부에 1개, 후방부에 1개씩 총 2개를 삽입하게 된다. 삽입 위치는 파열의 위치나 형태, 크기 및 봉합사에 의해 눌려지는 파열단의 형태 등에 따라 달라지게 된다. 대부분의 퇴행성 파열은 회전근 간격 주위에서 발생하여 후방으로 진행되는 형태가 많은 만큼 전방부의 외측 봉합나사는 대부분 결절간구(intertubercular sulcus)의 후방에 삽입되는 경우가 많으며, 후방부의 외측 봉합나사는 파열단을 최대한 넓게 눌러줄 수 있는 위치에 삽입하게 된다. 외측 봉합나사의 삽입 시 상완회선동맥(circumflex humeral artery)을 손상시킬 경우 이로 인한 골괴사를 유발할 수 있으므로 관절경상 관찰되는 혈관 주행부를 피해서 삽입하는 것이 적절할 것으로 생각된다.[92,93]

외측 봉합나사의 삽입 시에는 어느 정도의 장력을 줘서 내측열과 외측열 사이에 위치한 회전근 개 파열단을 눌러줘야 할지를 결정해야 하는 문제가 발생한다. 이론적으로

243

는 외측 봉합나사에 연결되는 실을 강하게 당겨서 삽입하게 되면 회전근 개 파열단이 결절부에 강하게 부착되는 효과를 지니지만 그 반대 급부로 과도한 장력에 의한 교액이 발생할 가능성이 있다. 생역학적 연구에서는 90 N 이상 장력을 가하여 외측 봉합나사를 고정하는 것은 파열단-결절부 간 접촉면의 표면적을 증가시키지 못하고 파열단에 가해지는 압력만 증가시킨다는 보고가 있어 과도하게 장력을 가하여 봉합하는 것보다는 적절한 정도의 장력만 가하여 봉합하는 것이 더 결과가 좋을 것으로 예측된 바 있었다.[94] 그러나 동일 연구진에 의한 무작위 배정 임상시험에서는 이와 달리 최대한 장력을 가하여 외측 봉합나사를 고정한 군에서 생역학적으로 적절한 정도의 장력으로 외측 봉합나사를 고정한 군에 비해 더 좋은 임상적 결과를 보였다는 보고가 있어,[95] 외측 봉합나사에 연결된 실의 장력은 파열단을 누를 수 있도록 강하게 당겨서 봉합하는 것이 더 적합할 것으로 사료된다.

⑦ 봉합부 확인

봉합이 완료된 이후에는 봉합이 튼튼하게 되었는지 점검을 하는 것이 좋다. 특히 이열 봉합술이나 이열 교량형 봉합술로 봉합을 시행한 경우 내측열의 봉합나사가 빠지더라도 외측열의 봉합나사에 의해 파열단이 눌려져서 이를 알아차리지 못할 수 있으므로 주의를 요하는데, 봉합부의 확인을 위해서는 견봉하공간 측에서의 확인뿐 아니라 관절강내공간으로 다시 관절경을 거치시켜 내측열의 나사가 빠져 있는지를 확인하는 것이 좋다. 관절강내공간으로 다시 돌아가는 것은 추가적인 이득이 있는데 봉합나사의 삽입 전 결절부의 준비 과정에서 피질골의 연마 과정에서 발생할 수 있는 부스러기 등을 제거하여 이로 인한 염증을 예방할 수 있을 것으로 생각된다.

3) 개방적 봉합술

(1) 서론

관절경 술기 및 관련 기구들의 발전에 따라 대파열이나 광범위 파열을 비롯한 대부분의 회전근 개 파열에서 관절경하 봉합술이 개방적 봉합술을 대체하고 있는 것이 사실

이지만, 개방적 봉합술도 나름대로의 장점과 쓰임새를 가지고 있다.

첫째, 개방적 수술은 관절경수술보다 수술을 익히기 훨씬 쉽다는 장점이 있다. 견관절의 관절경이 익숙해질 때까지 시간과 경험이 필요한데, 개방적 봉합술을 시행할 수 있다면 대파열이나 광범위 파열과 같이 파열의 크기가 커서 관절경하 봉합이 자신이 없거나 어려울 것으로 예상되는 경우 개방적 봉합술로 쉽게 봉합을 시행할 수 있으며, 관절경수술 중이라도 기술적으로나 경험적으로 만족스러운 봉합이 어려울 것 같은 경우에 개방적 봉합술로 전환할 수 있으면 만족스러운 봉합이 가능할 수 있다.

둘째, 퇴축된 건의 유리술이 보다 더 용이할 수 있다. 개방적 봉합술을 시행하게 되면 파열된 건과 유착된 부위로의 접근이 더 쉽고, 손가락이나 여러 종류의 scissor 등을 이용해서 건을 박리할 수 있어서 건 유리술이 더욱 효과적이다. 그렇기 때문에 건에 걸리는 장력을 최소화하여 봉합이 가능하고, 한층 넓은 접촉면을 얻을 수 있어, 관절경으로는 봉합이 어려운 대파열이나 광범위 파열을 더 쉽고 빠르게 봉합할 수 있다.

셋째, 파열 부위를 모니터를 통해서가 아니라 직접적으로 볼 수 있어 파열의 형태에 대한 3차원적 이해도가 높아지기 때문에 힘줄에 실을 통과시키는 위치를 결정하거나 부착부에 봉합나사못을 삽입하는 것이 훨씬 용이하다. 그럼으로써 봉합 시에 발생할 수 있는 dog ear 등의 변형을 최소화할 수 있다.

넷째, 팔의 움직임이 한층 더 자유롭기 때문에 파열을 관찰하거나 파열된 건에 실을 통과시키거나 나사못을 삽입하기가 더 용이하다. 그렇기 때문에 더욱 견고한 고정이 가능하고, 앞쪽의 견갑하건이나 뒤쪽의 극하건의 봉합을 관절경하 봉합보다 쉽게 할 수 있다. 이에 비해서 단점으로는 피부 절개와 박리가 크기 때문에 술후 통증이 더 클 수 있고, 일부 삼각근을 견봉에서 박리해야 하기 때문에 삼각근을 잘 봉합하지 않으면 위약이 발생할 수 있으며, 기본적으로 수액을 많이 사용하는 관절경에 비해서 감염의 위험이 커질 수 있다. 관절경수술에서도 마찬가지지만 대개 봉합나사못에 삽입되어 있는 실이 길기 때문에 자칫 실이 아래

쪽으로 늘어뜨려지면 오염이 될 수 있어 감염의 원인이 되므로 보다 조심해야 한다. 또한, 관절경수술에 비해서 보조의가 더 필요한데, 수술 부위를 효과적으로 보여주기 위해서는 적어도 두 명 이상의 보조의가 필요하다.

(2) 술기

개방적 봉합술은 예전에는 건 부착부에 bone trough를 만들고 transtendon technique을 이용해서 봉합하는 방법을 많이 사용하였지만, 봉합나사못을 이용하면 더욱 간단하고 효과적으로 봉합이 가능하다. 저자가 사용하는 봉합 방법은 많은 부분 관절경하 봉합술과 유사하다고 할 수 있다. 체위는 해변의자 자세를 취하고, 견봉의 외측 경계를 확인한 후에 외측 경계의 중앙부위에서 시작해서 아래쪽으로 약 5 cm가량 피부 절개를 가한다(그림 3-6).

박리를 진행하여 삼각근을 노출시킨 후에 삼각근의 견봉부착부에서 골막하 박리를 하고 삼각근의 전방 1/3과 중앙 1/3의 경계가 되는 전방 솔기(anterior raphe)를 따라 박리를 진행하여 견봉하공간으로 진입한다(그림 3-7). 삼각근의 전방 솔기는 지방층(fat plane)이 있는 경우가 있어 이를 참고하면 되고, 지방층이 없다고 하더라도 견봉의 전방 경계를 삼각근의 섬유방향을 따라서 삼각근의 박리를 연장하면 된다. Gelpi retractor와 같은 자가 견인기를 이용해서 박리한 삼각근을 벌리면 견봉하공간으로 진입할 수 있다(그림 3-8).

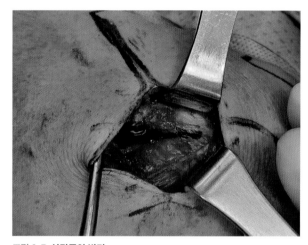

그림 3-7 삼각근의 박리
견봉의 전연을 따라서 삼각근을 박리한다. 대개 견봉의 전연을 따라서 골막하 박리를 진행하다가 삼각근의 섬유방향을 따라서 삼각근의 박리를 연장하면 된다.

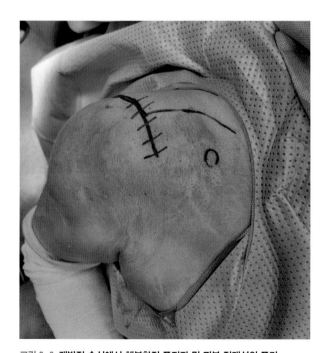

그림 3-6 개방적 술식에서 해부학적 표지자 및 피부 절개선의 표기
견봉의 외연의 중앙부위에서 시작해서 아래쪽으로 수직으로 약 5 cm가량 피부 절개를 가한다. 대개 견봉 외연을 따라 내려오다가 견봉 외연 길이의 1/2만큼 더 피부절개를 연장하면 충분한 노출이 가능하다.

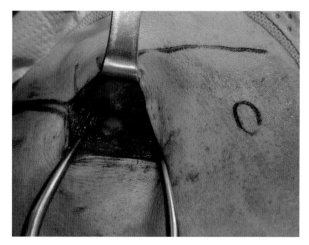

그림 3-8 견봉하공간의 노출
Gelpi retractor를 이용해서 삼각근을 벌리면 견봉하공간이 노출된다. 상완골의 연골이 잘 관찰되고 있으며, 우측에 상완이두근 장건이 보인다. 팔을 회전시키면서 전체 파열 위치와 범위를 확인할 수 있다.

파열된 건을 확인하고 팔을 회전시켜 파열의 위치와 범위가 어디까지인지 확인한다(그림 3-9). 팔을 내회전이나 외회전시키면 견갑하건과 극하건까지도 비교적 쉽게 노출이 가능하여 추가적인 피부 절개 없이 봉합이 가능하다. 파열된 건을 PDS로 tagging한 후에 건을 유리하는데, 견봉하공간은 주로 손가락을 이용하고, 관절와와 건의 사이는 Cobbs retractor나 Metzenbaum scissor를 이용하면 비교적 쉽게 박리할 수 있다(그림 3-10).

파열건이 충분이 유리되면 건을 당겨서 원래의 위치까지 잘 정복되는지 확인하고 팔을 잘 돌려가면서 상완골 건 부착부의 충분한 준비를 진행한다(그림 3-11, 12). 이후 봉합나사못을 삽입하고 봉합하는 과정은 관절경하 봉합술과 같은 방법을 이용한다(그림 3-13). 봉합을 마치면 수액을 이용하여 충분한 세척을 진행한 후에 삼각근을 봉합한다. 삼각근의 봉합은 근-근 봉합만을 시행하면 삼각근의 위약이 발생할 수 있으니 견봉 부착부에는 견봉에 실을 통과시켜 근-골 봉합이 되도록 한다(그림 3-14).

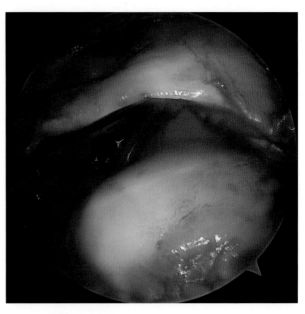

그림 3-10 파열된 건의 유리
파열된 건을 PDS로 tagging하였다. Tagging에 사용한 실을 당겨가면서 주변 조직과의 유착부를 노출하여 유리할 수 있다(좁은 공간을 촬영하기 위하여 관절경 카메라로 촬영).

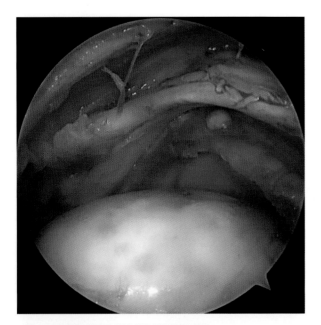

그림 3-9 파열된 회전근 개의 위치 및 범위의 확인
상완골 두와 관절와가 보이며, 우측에 상완이두근 장건이 확인된다. 파열건의 내측으로의 퇴축이 심하고, 전후방으로는 광범위 파열 양상을 보이고 있다(좁은 공간을 촬영하기 위하여 관절경 카메라로 촬영).

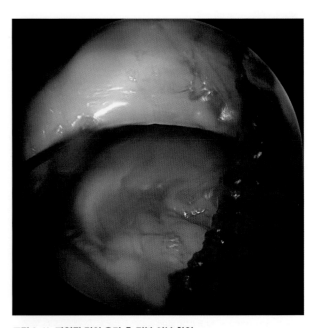

그림 3-11 파열된 건의 유리 후 정복 여부 확인
파열된 건이 주변 조직으로부터 충분히 유리되어 원래의 위치까지 잘 정복됨을 알 수 있다(좁은 공간을 촬영하기 위하여 관절경 카메라로 촬영).

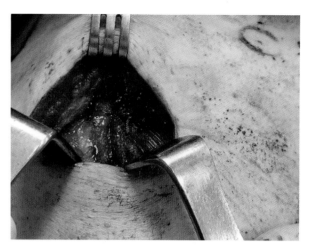

그림 3-14 삼각근의 봉합
견봉에 비흡수성 봉합사를 통과시켜 삼각근을 봉합하였다.

그림 3-12 상완골 건 부착부의 노출
봉합을 시행하기 위해서 팔을 외전시켜 상완골의 건 부착부를 노출하였다.
사진 위쪽에서 관절내 출혈을 조절하기 위해 거즈가 충전되어 있는 소견이
관찰된다(좁은 공간을 촬영하기 위하여 관절경 카메라로 촬영).

그림 3-13 회전근 개 봉합술의 완료
이열 교량형 봉합술로 파열건이 상완골 부착부에 튼튼하게 잘 봉합된 것을
확인할 수 있다(좁은 공간을 촬영하기 위하여 관절경 카메라로 촬영).

참고문헌

1. Cofield RH. Subscapular muscle transposition for repair of chronic rotator cuff tears. Surg Gynecol Obstet. 1982;154(5):667-72.

2. Yamamoto A, Takagishi K, Osawa T, et al. Prevalence and risk factors of a rotator cuff tear in the general population. J Shoulder Elbow Surg. 2010;19(1):116-20.

3. Minagawa H, Yamamoto N, Abe H, et al. Prevalence of symptomatic and asymptomatic rotator cuff tears in the general population: From mass-screening in one village. Journal of Orthopaedics. 2013;10(1):8-12.

4. Keener JD, Galatz LM, Teefey SA, et al. A prospective evaluation of survivorship of asymptomatic degenerative rotator cuff tears. J Bone Joint Surg Am. 2015;97(2):89-98.

5. Keener JD, Patterson BM, Orvets N, Chamberlain AM. Degenerative Rotator Cuff Tears. Journal of the American Academy of Orthopaedic Surgeons. 2019;27(5):156-65.

6. Neer CS, 2nd, Craig EV, Fukuda H. Cuff-tear arthropathy. J Bone Joint Surg Am. 1983;65(9):1232-44.

7. Kuhn JE, Dunn WR, Sanders R, et al. Effectiveness of physical therapy in treating atraumatic full-thickness rotator cuff tears: a multicenter prospective cohort study. J Shoulder Elbow Surg. 2013;22(10):1371-9.

8. Oh JH, Jun BJ, McGarry MH, Lee TQ. Does a critical rotator cuff tear stage exist?: a biomechanical study of rotator cuff tear progression in human cadaver shoulders. J Bone Joint Surg Am. 2011;93(22):2100-9.

9. Kwon J, Kim SH, Lee YH, Kim TI, Oh JH. The Rotator Cuff Healing Index: A New Scoring System to Predict Rotator Cuff Healing After Surgical Repair. Am J Sports Med. 2019;47(1):173-80.

10. Jeong HJ, Rhee SM, Oh JH. Postoperative New-Onset Pseudoparalysis: A Retrospective Analysis of 430 Consecutive Arthroscopic Repairs for Large to Massive Rotator Cuff Tears. Am J Sports Med. 2018;46(7):1701-10.

11. Guttmann D, Graham RD, MacLennan MJ, Lubowitz JH. Arthroscopic rotator cuff repair: the learning curve. Arthroscopy : the journal of arthroscopic & related surgery : official publication of the Arthroscopy Association of North America and the International Arthroscopy Association. 2005;21(4):394-400.

12. Elkins AR, Lam PH, Murrell GAC. Duration of Surgery and Learning Curve Affect Rotator Cuff Repair Retear Rates: A Post Hoc Analysis of 1600 Cases. Orthopaedic Journal of Sports Medicine. 2020;8(10):232596712095434.

13. Cheng H, Chen BP-H, Soleas IM, Ferko NC, Cameron CG, Hinoul P. Prolonged Operative Duration Increases Risk of Surgical Site Infections: A Systematic Review. Surgical infections. 2017;18(6):722-35.

14. Li X, Eichinger JK, Hartshorn T, Zhou H, Matzkin EG, Warner JP. A comparison of the lateral decubitus and beach-chair positions for shoulder surgery: advantages and complications. J Am Acad Orthop Surg. 2015;23(1):18-28.

15. Borbas P, Fischer L, Ernstbrunner L, et al. High-Strength Suture Tapes Are Biomechanically Stronger Than High-Strength Sutures Used in Rotator Cuff Repair. Arthrosc Sports Med Rehabil. 2021;3(3):e873-e80.

16. Kim SH, Yang SH, Rhee SM, Lee KJ, Kim HS, Oh JH. The formation of perianchor fluid associated with various suture anchors used in rotator cuff repair: all-suture, polyetheretherketone, and biocomposite anchors. Bone Joint J. 2019;101-B(12):1506-11.

17. Kim SH, Kim DY, Kwon JE, Park JS, Oh JH. Perianchor Cyst Formation Around Biocomposite Biodegradable Suture Anchors After Rotator Cuff Repair. Am J Sports Med. 2015;43(12):2907-12.

18. Oh JH, Jeong HJ, Yang SH, et al. Pullout Strength of All-Suture Anchors: Effect of the Insertion and Traction Angle-A Biomechanical Study. Arthroscopy : the journal of arthroscopic & related surgery : official publication of the Arthroscopy Association of North America and the International Arthroscopy Association. 2018;34(10):2784-95.

19. Sheean AJ, Hartzler RU, Burkhart SS. Arthroscopic Rotator Cuff Repair in 2019: Linked, Double Row Repair for Achieving Higher Healing Rates and Optimal Clinical Outcomes. Arthroscopy : the journal of arthroscopic & related surgery : official publication of the Arthroscopy Association of North America and the International Arthroscopy Association. 2019;35(9):2749-55.

20. Bedeir YH, Schumaier AP, Abu-Sheasha G, Grawe BM. Type 2 retear after arthroscopic single-row, double-row and suture bridge rotator cuff repair: a systematic review. Eur J Orthop Surg Traumatol. 2019;29(2):373-82.

21. Christoforetti JJ, Krupp RJ, Singleton SB, Kissenberth MJ, Cook C, Hawkins RJ. Arthroscopic suture bridge transosseus equivalent fixation of rotator cuff tendon preserves intratendinous blood flow at the time of initial fixation. J Shoulder Elbow Surg. 2012;21(4):523-30.

22. Brown MJ, Pula DA, Kluczynski MA, Mashtare T, Bisson LJ. Does Suture Technique Affect Re-Rupture in Arthroscopic Rotator Cuff Repair? A Meta-analysis. Arthroscopy : the journal of arthroscopic & related surgery : official publication of the Arthroscopy Association of

North America and the International Arthroscopy Association. 2015;31(8):1576-82.

23. Bishop ME, MacLeod R, Tjoumakaris FP, et al. Biomechanical and Clinical Comparison of Suture Techniques in Arthroscopic Rotator Cuff Repair. JBJS Rev. 2017;5(11):e3.

24. Tudisco C, Bisicchia S, Savarese E, et al. Single-row vs. double-row arthroscopic rotator cuff repair: clinical and 3 Tesla MR arthrography results. BMC Musculoskeletal Disorders. 2013;14(1):43.

25. Ide J, Karasugi T, Okamoto N, Taniwaki T, Oka K, Mizuta H. Functional and structural comparisons of the arthroscopic knotless double-row suture bridge and single-row repair for anterosuperior rotator cuff tears. J Shoulder Elbow Surg. 2015;24(10):1544-54.

26. Freislederer F, Scheibel M. Arthroscopic Knotless-Anchor Rotator Cuff Repair. JBJS Essent Surg Tech. 2020;10(3).

27. Hug K, Gerhardt C, Haneveld H, Scheibel M. Arthroscopic knotless-anchor rotator cuff repair: a clinical and radiological evaluation. Knee surgery, sports traumatology, arthroscopy : official journal of the ESSKA. 2015;23(9):2628-34.

28. Elbuluk AM, Coxe FR, Fabricant PD, Ramos NL, Alaia MJ, Jones KJ. Does Medial-Row Fixation Technique Affect the Retear Rate and Functional Outcomes After Double-Row Transosseous-Equivalent Rotator Cuff Repair? Orthopaedic Journal of Sports Medicine. 2019;7(5):232596711984288.

29. Chu T, McDonald E, Tufaga M, Kandemir U, Buckley J, Ma CB. Comparison of completely knotless and hybrid double-row fixation systems: a biomechanical study. Arthroscopy : the journal of arthroscopic & related surgery : official publication of the Arthroscopy Association of North America and the International Arthroscopy Association. 2011;27(4):479-85.

30. Pauly S, Kieser B, Schill A, Gerhardt C, Scheibel M. Biomechanical comparison of 4 double-row suture-bridging rotator cuff repair techniques using different medial-row configurations. Arthroscopy : the journal of arthroscopic & related surgery : official publication of the Arthroscopy Association of North America and the International Arthroscopy Association. 2010;26(10):1281-8.

31. Hohmann E, König A, Kat C-J, Glatt V, Tetsworth K, Keough N. Single- versus double-row repair for full-thickness rotator cuff tears using suture anchors. A systematic review and meta-analysis of basic biomechanical studies. European Journal of Orthopaedic Surgery & Traumatology. 2018;28(5):859-68.

32. Khoriati A-A, Antonios T, Gulihar A, Singh B. Single Vs Double row repair in rotator cuff tears – A review and analysis of current evidence. Journal of Clinical Orthopaedics and Trauma. 2019;10(2):236-40.

33. Sobhy MH, Khater AH, Hassan MR, El Shazly O. Do functional outcomes and cuff integrity correlate after single- versus double-row rotator cuff repair? A systematic review and meta-analysis study. European Journal of Orthopaedic Surgery & Traumatology. 2018;28(4):593-605.

34. Saridakis P, Jones G. Outcomes of Single-Row and Double-Row Arthroscopic Rotator Cuff Repair: A Systematic Review. JBJS. 2010;92(3).

35. Millett PJ, Warth RJ, Dornan GJ, Lee JT, Spiegl UJ. Clinical and structural outcomes after arthroscopic single-row versus double-row rotator cuff repair: a systematic review and meta-analysis of level I randomized clinical trials. J Shoulder Elbow Surg. 2014;23(4):586-97.

36. Spiegl UJ, Euler SA, Millett PJ, Hepp P. Summary of Meta-Analyses Dealing with Single-Row versus Double-Row Repair Techniques for Rotator Cuff Tears. The Open Orthopaedics Journal. 2016;10(1):330-8.

37. Duquin TR, Buyea C, Bisson LJ. Which Method of Rotator Cuff Repair Leads to the Highest Rate of Structural Healing? The American Journal of Sports Medicine. 2010;38(4):835-41.

38. Franceschi F, Papalia R, Franceschetti E, et al. Double-Row Repair Lowers the Retear Risk After Accelerated Rehabilitation. The American Journal of Sports Medicine. 2016;44(4):948-56.

39. Galanopoulos I, Ilias A, Karliaftis K, Papadopoulos D, Ashwood N. The Impact of Re-tear on the Clinical Outcome after Rotator Cuff Repair Using Open or Arthroscopic Techniques - A Systematic Review. Open Orthop J. 2017;11:95-107.

40. Jeon YS, Kim RG, Shin SJ. What Influence Does Progression of a Nonhealing Rotator Cuff Tear Have on Shoulder Pain and Function? Clin Orthop Relat Res. 2017;475(6):1596-604.

41. Jeong HJ, Nam KP, Yeo JH, Rhee SM, Oh JH. Retear After Arthroscopic Rotator Cuff Repair Results in Functional Outcome Deterioration Over Time. Arthroscopy : the journal of arthroscopic & related surgery : official publication of the Arthroscopy Association of North America and the International Arthroscopy Association. 2022.

42. Agout C, Berhouet J, Bouju Y, et al. Clinical and anatomic results of rotator cuff repair at 10 years depend on tear type. Knee surgery, sports traumatology, arthroscopy : official journal of the ESSKA. 2018;26(8):2490-7.

43. Elliott RSJ, Lim YJ, Coghlan J, Troupis J, Bell S. Structural integrity of rotator cuff at 16 years following repair: good long-term outcomes despite recurrent tears. Shoulder Elbow. 2019;11(1):26-34.

44. Nové-Josserand L, Collin P, Godenèche A, Walch G, Meyer N, Kempf JF. Ten-year clinical and anatomic follow-up after repair of antero-superior rotator cuff tears: influence of the subscapularis. J Shoulder Elbow Surg. 2017;26(10):1826-33.

45. Plachel F, Siegert P, Rüttershoff K, et al. Long-term Results of Arthroscopic Rotator Cuff Repair: A Follow-up Study Comparing Single-Row Versus Double-Row Fixation Techniques. Am J Sports Med. 2020;48(7):1568-74.

46. Randelli PS, Menon A, Nocerino E, et al. Long-term Results of Arthroscopic Rotator Cuff Repair: Initial Tear Size Matters: A Prospective Study on Clinical and Radiological Results at a Minimum Follow-up of 10 Years. Am J Sports Med. 2019;47(11):2659-69.

47. Kim DH, Jang YH, Choi YE, Lee H-R, Kim SH. Evaluation of Repair Tension in Arthroscopic Rotator Cuff Repair. The American Journal of Sports Medicine. 2016;44(11):2807-12.

48. Park SG, Shim BJ, Seok HG. How Much Will High Tension Adversely Affect Rotator Cuff Repair Integrity? Arthroscopy : the journal of arthroscopic & related surgery : official publication of the Arthroscopy Association of North America and the International Arthroscopy Association. 2019;35(11):2992-3000.

49. Kekatpure AL, Adikrishna A, Sun J-H, Sim G-B, Chun J-M, Jeon I-H. Comparative analysis of visual field and image distortion in 30° and 70° arthroscopes. Knee Surgery, Sports Traumatology, Arthroscopy. 2016;24(7):2359-64.

50. Lo IK, Lind CC, Burkhart SS. Glenohumeral arthroscopy portals established using an outside-in technique: neurovascular anatomy at risk. Arthroscopy : the journal of arthroscopic & related surgery : official publication of the Arthroscopy Association of North America and the International Arthroscopy Association. 2004;20(6):596-602.

51. Nottage WM. Arthroscopic portals: anatomy at risk. Orthop Clin North Am. 1993;24(1):19-26.

52. van Montfoort DO, van Kampen PM, Huijsmans PE. Epinephrine Diluted Saline-Irrigation Fluid in Arthroscopic Shoulder Surgery: A Significant Improvement of Clarity of Visual Field and Shortening of Total Operation Time. A Randomized Controlled Trial. Arthroscopy : the journal of arthroscopic & related surgery : official publication of the Arthroscopy Association of North America and the International Arthroscopy Association. 2016;32(3):436-44.

53. Moorman CT, Warren RF, Deng XH, Wickiewicz TL, Torzilli PA. Role of coracoacromial ligament and related structures in glenohumeral stability: a cadaveric study. J Surg Orthop Adv. 2012;21(4):210-7.

54. Rothenberg A, Gasbarro G, Chlebeck J, Lin A. The Coracoacromial Ligament: Anatomy, Function, and Clinical Significance. Orthopaedic journal of sports medicine. 2017;5(4):2325967117703398-.

55. Lerch S, Elki S, Jaeger M, Berndt T. [Arthroscopic subacromial decompression]. Oper Orthop Traumatol. 2016;28(5):373-91.

56. Lee TQ, Black AD, Tibone JE, McMahon PJ. Release of the coracoacromial ligament can lead to glenohumeral laxity: a biomechanical study. J Shoulder Elbow Surg. 2001;10(1):68-72.

57. Gerber C, Catanzaro S, Betz M, Ernstbrunner L. Arthroscopic Correction of the Critical Shoulder Angle Through Lateral Acromioplasty: A Safe Adjunct to Rotator Cuff Repair. Arthroscopy: The Journal of Arthroscopic & Related Surgery. 2018;34(3):771-80.

58. Lavignac P, Lacroix PM, Billaud A. Quantification of acromioplasty. Systematic review of the literature. Orthop Traumatol Surg Res. 2021;107(4):102900.

59. Singh C, Lam PH, Murrell GAC. Effect of Acromioplasty on Postoperative Pain Following Rotator Cuff Repair. Hss j. 2021;17(2):150-7.

60. Ponzio DY, VanBeek C, Wong JC, et al. Profile of Current Opinion on Arthroscopic Acromioplasty: A Video Survey Study. Arthroscopy : the journal of arthroscopic & related surgery : official publication of the Arthroscopy Association of North America and the International Arthroscopy Association. 2016;32(7):1253-62.

61. Oh JH, Kim JY, Lee HK, Choi JA. Classification and clinical significance of acromial spur in rotator cuff tear: heel-type spur and rotator cuff tear. Clin Orthop Relat Res. 2010;468(6):1542-50.

62. Oh JH, Park HB, Lee YH. Arthroscopic Bony Procedure During of Rotator Cuff Repair: Acromioplasty, Distal Clavicle Resection, Footprint Preparation and Coracoplasty. Clin Shoulder Elbow. 2013;16(2):153-62.

63. Buss DD, Freehill MQ, Marra G. Typical and atypical shoulder impingement syndrome: diagnosis, treatment, and pitfalls. Instr Course Lect. 2009;58:447-57.

64. Oh JH, Kim JY, Choi JH, Park SM. Is arthroscopic distal clavicle resection necessary for patients with radiological acromioclavicular joint arthritis and rotator cuff tears? A prospective randomized comparative study. Am J Sports Med. 2014;42(11):2567-73.

65. Tetro AM, Bauer G, Hollstien SB, Yamaguchi K. Arthroscopic release of the rotator interval and coracohumeral ligament: An anatomic study in cadavers. Arthroscopy : the journal of arthroscopic & related surgery : official publication of the Arthroscopy Association of North America and the International Arthroscopy Association. 2002;18(2):145-50.

66. Park JH, Yang SH, Rhee SM, Oh JH. The effect of concomitant coracohumeral ligament release in arthroscopic rotator cuff repair to prevent postoperative stiffness: a retrospective comparative study. Knee surgery, sports traumatology, arthroscopy : official journal of the ESSKA. 2019;27(12):3881-9.

67. Porschke F, Nolte PC, Knye C, et al. Does the Interval Slide Procedure Reduce Supraspinatus Tendon Repair Tension?: A Biomechanical Cadaveric Study. Orthopaedic Journal of Sports Medicine. 2022;10(1):232596712110668.

68. Jeong JY, Kim SJ, Yoon TH, Eum KS, Chun YM. Arthroscopic Repair of Large and Massive Rotator Cuff Tears: Complete Repair with Aggressive Release Compared with Partial Repair Alone at a Minimum Follow-up of 5 Years. J Bone Joint Surg Am. 2020;102(14):1248-54.

69. Kim SJ, Kim SH, Lee SK, Seo JW, Chun YM. Arthroscopic repair of massive contracted rotator cuff tears: aggressive release with anterior and posterior interval slides do not improve cuff healing and integrity. J Bone Joint Surg Am. 2013;95(16):1482-8.

70. Ficklscherer A, Loitsch T, Serr M, et al. Does footprint preparation influence tendon-to-bone healing after rotator cuff repair in an animal model? Arthroscopy : the journal of arthroscopic & related surgery : official publication of the Arthroscopy Association of North America and the International Arthroscopy Association. 2014;30(2):188-94.

71. Snyder SJ, Burns J. Rotator Cuff Healing and the Bone Marrow "Crimson Duvet" From Clinical Observations to Science. Tech Shoulder Elb Surg. 2009;10(4).

72. Hyatt AE, Lavery K, Mino C, Dhawan A. Suture Anchor Biomechanics After Rotator Cuff Footprint Decortication. Arthroscopy : the journal of arthroscopic & related surgery : official publication of the Arthroscopy Association of North America and the International Arthroscopy Association. 2016;32(4):544-50.

73. Ruder JA, Dickinson EY, Peindl RD, Habet NA, Fleischli JE. Greater Tuberosity Decortication Decreases Load to Failure of All-Suture Anchor Constructs in Rotator Cuff Repair. Arthroscopy : the journal of arthroscopic & related surgery : official publication of the Arthroscopy Association of North America and the International Arthroscopy Association. 2018;34(10):2777-81.

74. Burkhart SS. The deadman theory of suture anchors: observations along a south Texas fence line. Arthroscopy : the journal of arthroscopic & related surgery : official publication of the Arthroscopy Association of North America and the International Arthroscopy Association. 1995;11(1):119-23.

75. Liporace FA, Bono CM, Caruso SA, et al. The mechanical effects of suture anchor insertion angle for rotator cuff repair. Orthopedics. 2002;25(4):399-402.

76. Burkhart SS. The deadman theory is alive and well. Arthroscopy : the journal of arthroscopic & related surgery : official publication of the Arthroscopy Association of North America and the International Arthroscopy Association. 2014;30(9):1049-50.

77. Strauss E, Frank D, Kubiak E, Kummer F, Rokito A. The effect of the angle of suture anchor insertion on fixation failure at the tendon-suture interface after rotator cuff repair: deadman's angle revisited. Arthroscopy : the journal of arthroscopic & related surgery : official publication of the Arthroscopy Association of North America and the International Arthroscopy Association. 2009;25(6):597-602.

78. Clevenger TA, Beebe MJ, Strauss EJ, Kubiak EN. The effect of insertion angle on the pullout strength of threaded suture anchors: a validation of the deadman theory. Arthroscopy : the journal of arthroscopic & related surgery : official publication of the Arthroscopy Association of North America and the International Arthroscopy Association. 2014;30(8):900-5.

79. Kawakami J, Yamamoto N, Nagamoto H, Itoi E. Minimum Distance of Suture Anchors Used for Rotator Cuff Repair Without Decreasing the Pullout Strength: A Biomechanical Study. Arthroscopy : the journal of arthroscopic & related surgery : official publication of the Arthroscopy Association of North America and the International Arthroscopy Association. 2018;34(2):377-85.

80. Jeong HJ, Ahn JM, Oh JH. Trabecular Bone Score Could Not Predict the Bone Mineral Density of Proximal Humerus. J Bone Metab. 2021;28(3):239-47.

81. Oh JH, Song BW, Kim SH, et al. The measurement of bone mineral density of bilateral proximal humeri using DXA in patients with unilateral rotator cuff tear. Osteoporosis International. 2014;25(11):2639-48.

82. Oh JH, Song BW, Lee YS. Measurement of volumetric bone mineral density in proximal humerus using quantitative computed tomography in patients with unilateral rotator cuff tear. J Shoulder Elbow Surg. 2014;23(7):993-1002.

83. Ponce BA, Hosemann CD, Raghava P, Tate JP, Sheppard ED, Eberhardt AW. A Biomechanical Analysis of Controllable Intraoperative Variables Affecting the Strength of Rotator Cuff Repairs at the Suture-Tendon Interface. The American Journal of Sports Medicine. 2013;41(10):2256-61.

84. Virk MS, Bruce B, Hussey KE, et al. Biomechanical Performance of Medial Row Suture Placement Relative to the Musculotendinous Junc-

tion in Transosseous Equivalent Suture Bridge Double-Row Rotator Cuff Repair. Arthroscopy : the journal of arthroscopic & related surgery : official publication of the Arthroscopy Association of North America and the International Arthroscopy Association. 2017;33(2):242-50.

85. Kullar RS, Reagan JM, Kolz CW, Burks RT, Henninger HB. Suture placement near the musculotendinous junction in the supraspinatus: implications for rotator cuff repair. Am J Sports Med. 2015;43(1):57-62.

86. Senju T, Okada T, Takeuchi N, et al. Biomechanical analysis of four different medial row configurations of suture bridge rotator cuff repair. Clin Biomech (Bristol, Avon). 2019;69:191-6.

87. Maguire M, Goldberg J, Bokor D, et al. Biomechanical evaluation of four different transosseous-equivalent/suture bridge rotator cuff repairs. Knee Surgery, Sports Traumatology, Arthroscopy. 2011;19(9):1582-7.

88. Jost PW, Khair MM, Chen DX, Wright TM, Kelly AM, Rodeo SA. Suture Number Determines Strength of Rotator Cuff Repair. JBJS. 2012;94(14).

89. Morrissey CD, Houck DA, Jang E, et al. Sliding or Nonsliding Arthroscopic Knots for Shoulder Surgery: A Systematic Review. Orthop J Sports Med. 2020;8(4):2325967120911646.

90. Cronin KJ, Cox JL, Hoggard TM, Marberry ST, Santoni BG, Nofsinger CC. The effect of residency training on arthroscopic knot tying and knot stability: which knot is best tied by Orthopaedic surgery residents? Journal of experimental orthopaedics. 2018;5(1).

91. Lacroix PM, Commeil P, Chauveaux D, Fabre T. Learning and optimizing arthroscopic knot-tying by surgery residents using procedural simulation. Orthop Traumatol Surg Res. 2021;107(8):102944.

92. Kim JK, Jeong HJ, Shin SJ, et al. Rapid Progressive Osteonecrosis of the Humeral Head After Arthroscopic Rotator Cuff Surgery. Arthroscopy : the journal of arthroscopic & related surgery : official publication of the Arthroscopy Association of North America and the International Arthroscopy Association. 2018;34(1):41-7.

93. Keough N, Lorke DE. The humeral head: A review of the blood supply and possible link to osteonecrosis following rotator cuff repair. Journal of Anatomy. 2021;239(5):973-82.

94. Park JS, McGarry MH, Campbell ST, et al. The Optimum Tension for Bridging Sutures in Transosseous-Equivalent Rotator Cuff Repair: A Cadaveric Biomechanical Study. The American Journal of Sports Medicine. 2015;43(9):2118-25.

95. Oh JH, Park JS, Rhee S-M, Park JH. Maximum Bridging Suture Tension Provides Better Clinical Outcomes in Transosseous-Equivalent Rotator Cuff Repair: A Clinical, Prospective Randomized Comparative Study. The American Journal of Sports Medicine. 2020;48(9):2129-36.

광범위 파열, 봉합 불가능한 파열의 수술적 치료

Surgical treatment: massive tear, irreparable tear

윤종필

회전근 개 파열(rotator cuff tears)은 중년 및 노인 어깨 통증의 가장 흔한 원인이며 최근 고령화와 함께 발생 빈도가 높아지고 초음파, 자기공명영상 등의 영상장치들의 발달로 진단율이 높아지고 있다.[1] 회전근 개 파열의 전체적인 유병률은 5%에서 40% 사이이며,[2,3] 60세 이상의 개인 중 약 54%가 부분 또는 완전 회전근 개 파열을 가지고 있다고 한다.

일반적으로 광범위 회전근 개 파열(massive rotator cuff tears)은 관상면에서 파열 부위의 최대 직경이 5 cm 이상인 경우[4]와 2개 이상의 건이 전층 파열된 경우로 정의된다.[5] 광범위 회전근 개 파열은 모든 회전근 개 파열 중 약 20%의 비중을 차지하며, 약 80%의 재발성 파열이 발생하는 것으로 추정된다. 극상건(supraspinatus tendon, SSP)과 극하건(infraspinatus tendon, ISP)이 파열된 경우가 가장 많으며 이를 후상방형(posterosuperior) 파열이라고 한다. 견갑하건(subscapularis tendon, SSC)과 극상건이 파열되는 경우는 전상방형(anterosuperior) 파열이라고 한다.[6]

광범위 회전근 개 파열에 대한 치료가 적절히 시행되지 않으면, 상완골 두를 관절와에 중심화시켜서 동적인 안정성을 제공하는 회전근 개의 기능이 소실되고 상완골 두의 상방 전위로 인한 관절와 및 오구견봉궁(coracoacromial arch)의 침식 등을 동반하는 견관절염으로 진행된다.[7] 이러한 이유로 회전근 개의 광범위 파열은 보존적 또는 수술적 치료가 필요하다. 보존적 치료의 임상적 경과가 좋은 경우가 보고되기는 하나 장기간 추적 결과가 좋지 않다고 보고

되고 있어,[8] 수술적 치료가 선호되고 있다. 하지만, 회전근 개의 광범위 파열은 큰 파열 크기, 건의 심한 퇴축(retraction) 및 근육의 위축(atrophy), 고도의 지방 변성 등의 퇴행성 변화가 동반되는 경우가 많아서 봉합을 시행하여도 재파열 가능성이 상대적으로 높으며[9] 이러한 퇴행성 변화는 대개 비가역적이기 때문에 봉합이 불가능한 경우도 있어 수술적 치료에 상당한 어려움이 따른다.[10]

1. "봉합 불가능한" 회전근 개 파열의 확인

"봉합 불가능한(irreparable)"과 "광범위"라는 용어가 종종 부정확하고 혼용되어 사용되는 경우가 많다. 대부분의 봉합 불가능한 회전근 개 파열은 광범위 파열이라고 간주될 수 있지만, 모든 광범위 파열이 실제로 봉합 불가능한 것은 아니다.[11] 회전근 개 파열은 기존의 수술적 박리(release)/ 가동화(mobilization) 기술에도 불구하고 파열의 크기, 퇴축, 및 위축과 지방 변성에 의한 근육의 손상에 의해 병변이 결절(tuberosity)에 있는 그들의 기시부(insertion)에 일차적으로 봉합될 수 없는 경우 "봉합 불가능한" 것으로 정의한다.[12,13] 후상방 회전근 개 파열의 경우, 적절한 박리에도 불구하고 60도 미만의 외전에서 파열된 힘줄을 고정하기가 불가능할 때 "봉합 불가능"으로 간주했다.[14]

봉합 불가능한 회전근 개 파열의 임상적 측면은 긴 증상 발현 기간, 외회전 약화, X-ray에서 견봉-상완 간격이

6 mm 미만, 관절와까지 퇴축된 힘줄 파열(patte 분류 3기), 회전근 개 근육 지방 변성이 50%를 초과하는 경우가 포함된다.[15]

봉합 가능성(reparability)의 최종적인 평가는 힘줄 가동화(tendon mobilization) 및 간격 박리(interval release) 후에 수술 중에 결정된다. 이전 보고에서는 광범위 회전근 개 파열의 85%가 완전히 봉합 가능하지만, 극상근의 지방 변성이 Goutallier 3 또는 4일 경우에 57%만 봉합이 가능하다고 보고했다.[16,17] 그러나, 철저한 수술 전 평가는 대체 치료 전략을 준비하기 위해 잠재적으로 봉합이 불가능한 파열의 패턴을 확인하는 수술 계획에서 굉장히 중요하다.

1) 환자 평가(patient evaluation)

환측 어깨의 통증과 장애를 평가하기 위해 환자의 자세한 병력 청취가 필요하다. 직업적 요구, 여가 또는 스포츠 활동 참여, 우세수(hand dominance), 흡연 여부, 동반질환 등이 평가되어야 한다. 통증과 장애의 정도는 회전근 개 파열의 크기 및 봉합 가능성과 상관관계가 없을 수 있다.[8] 일반적으로 외상성 파열 또는 급성 양상일 경우 봉합 가능성이 높기 때문에 외상성·비외상성 발병 및 증상의 만성도는 평가에 중요한 변수들이다. 마지막으로, 초기 파열 패턴, 조직의 질, 수반되는 절차, 치료되지 않은 병리 및 잠재적인 기술적 오류를 결정하기 위해서 방사선영상, 관절경 영상 및 수술기록 등을 포함한 이전 수술 병력을 확보하고 면밀히 조사해야 한다.[18]

신체 진찰은 환측의 어깨와 견갑골 주위 근육을 꼼꼼히 시진하는 것으로 시작하며, 극상근과 극하근의 위축을 주의 깊게 평가한다. 시진에서 보이는 위축은 만성도와 진행성 회전근 개 지방 변성을 시사하며, 이는 조직의 이동성이 불량하고 일차 봉합의 어려움에 기여한다. 환측과 건측의 능동 및 수동적 관절운동범위를 평가한다. 광범위 또는 봉합 불가능한 파열로 인한 회전근 개 짝힘(force couples) 또는 케이블(cable)이 손상된 환자는 수동적 운동범위는 보존되고, 능동적 운동범위는 상당한 소실을 보이는 경우가 많다.[19] 회전근 개 근력(strength)을 건측과 비교하여 평가하고, 만약 상당한 정도의 약화가 보인다면 이럴 때는 광범위 또는 봉합 불가능한 파열을 의심해 볼 수 있다. 그 밖에 회전근 개의 각 근육에 해당하는 특이적 신체 진찰을 통해서 파열 부위와 정도를 유추해 볼 수 있다.[18]

2) 영상(image)

환자는 초진에서 AP, Outlet (Scapular Y), Axillary lateral 영상을 포함하는 표준 견관절 3가지 단순 방사선영상으로 평가한다. 단순 방사선영상을 통해 Hamada 분류나, 견봉-상완 간격, 아탈구 여부, 전상방 탈출, 견봉 형태를 통한 분류 등을 파악할 수 있고, 이와 관련된 관절와상완관절염 또는 회전근 개 관절병증을 확인할 수 있다.[20] 견봉-상완 간격이 5-6 mm 이하로 감소되어 있을 경우 지방 변성이 진행된 광범위 회전근 개 파열과 관련이 있으며, 이는 봉합 불가능한 파열을 암시하는 소견일 수도 있다.[21]

MRI는 봉합 불가능한 회전근 개 파열의 평가에 사용되는 중요한 소견으로, 파열의 크기, 모양, 관련된 힘줄 및 지방변성을 정의하는 데 사용된다. 지방 변성은 처음에 Goutallier 등이 CT를 기반으로 측정하는 것을 소개하였지만,[22] 이후 T1 시상 경사 영상에서 평가하는 것으로 변형하여 회전근 개 병리를 파악하는 데 많이 이용되고 있다.[23] 3, 4등급은 근육과 같거나 많은 정도의 심각한 지방 변성을 나타내고, 이는 일반적으로 봉합 불가능한 파열에서 발견된다.

회전근 개 파열의 봉합 가능성과 관련되는 수술 전 MRI 특징들을 몇몇 연구에서 보고되었다. 이전 연구에서 봉합 불가능한 파열은 4 cm 이상의 파열 길이와 너비, 극상근 및 극하근의 심각한 지방 변성과 상관관계가 있다는 것을 발견했다.[24] 유사하게, 봉합 불가능한 파열은 극상근의 4등급 지방 변성, 극하근의 3 또는 4등급 지방 변성, 3.1 cm 이상의 파열 길이 및 3.2 cm 이상의 파열 너비와 상관관계가 있다고 보고되기도 하였다.[25] 다른 연구에서는 관절와로 또는 그 너머로 파열의 퇴축, 극상근과 극하근의 심각한 지방변성, tangent 징후 양성, 상완골의 상부 이동(superior migration)이 봉합 불가능한 파열과 관련이 있음을 확인했다.[26] 다른 연구에서 봉합 가능한 파열의 가장 좋은 예측 인자로 극하건 지방 변성 3등급 이하, 상완골 두 또는 골 두보다

근위부로의 근육 퇴축과 같은 MRI 요인들을 분석했다.[27]

이를 요약해 보면, 견봉-상완 간격이 5-6 mm 이하, 극상근과 극하근의 심각한 지방 변성(3 또는 4등급), 파열이 관절와까지 퇴축된 경우 등의 영상학적 소견이 있을 경우 봉합 불가능한 파열일 가능성을 고려해 두어야 한다.

2. 수술적 치료

1) 관절경적 변연절제술(arthroscopic debridement)

견봉하 윤활낭은 많은 통증 유발에 관련되는 염증성 사이토카인(cytokine)들을 포함하고 있다. 활막유사세포(synovial-like cells), 림프구(lymphocytes), 대식세포(macrophages), 형질세포(plasmacytes), 어린 섬유세포(young fibrocytes) 및 때때로 이영양성 석회화(dystrophic calcifications)와 같은 만성 염증 침윤물이 파열 변연부에 존재한다.[28] 그러므로 활액낭 절제술 및 변연절제술은 통증을 감소시키는 데 효과가 있다.

이러한 이론적 배경을 바탕으로 Rockwood 등이 1995년에 봉합이 불가능한 회전근 개 파열의 치료로서 회전근 개의 변연절제술 및 견봉하 감압술을 처음 소개했다.[11] 50명(53례의 견관절)의 환자들이 평균 6.5년의 추적기간 동안 상당한 통증 감소 효과 및 평균 능동 거상의 35도 증가와 같은 만족할 만한 결과를 얻었다. 다른 연구에서도 33명의 환자를 대상으로 변연절제술 및 견봉하 감압술을 시행하였으며, 상당한 통증 감소, 운동범위 증가 및 일상생활활동 수행능력 향상을 보고하였다. 또한 이후 22례의 봉합 불가능한 회전근 개 파열에 대해서 관절경적 변연절제술이 근육의 강도를 증가시키지는 못했지만, UCLA 및 통증 점수에서 만족할 만한 결과를 얻었다고 보고하였고, 다른 연구에서도 210례의 견관절을 포함하는 연구에서, 26.6개월 추적기간 동안 변연절제술과 견봉성형술 또는 이두박 장건 절제술을 같이 시행했을 때 만족할 만한 결과를 얻었다고 보고했다.[29]

최근 메타분석에서는 변연절제술에 대한 임상적 결과를 보고하였는데, 7개의 연구 중 5개의 연구에서 수술 전과 후

Constant-Murley score (CMS) 평균 26점 증가를 보고했고, 2개의 연구에서 American Shoulder and Elbow Surgeons score (ASES) 평균 37점 증가를 보고했다. 2개의 연구에서 수술 전과 후 관절운동범위를 비교하여, 전방 거상이 평균 32도 증가하였음을 보고하였다. 합병증으로는 드물게 1형 복합부위 통증증후군(Type 1 complex regional pain syndrome), 장액종(seromas), 감염 등이 보고되었다.[30]

2) 결절성형술(tuberoplasty)

결절성형술의 개념은 견봉-상완관절(acromiohumeral articulation)을 생성하는 것이며, Fenlin 등에 의해 2002년에 처음 소개되었다. 이 술식의 목표는 상완골 대결절과 견봉 하부 사이에 부드럽고 일치하는 관절을 만들기 위해 대결절의 윤곽을 잡고 모양을 바꾸는 것이다. 20명의 환자에서 평균 27개월의 추적 보고에서 임상적 점수와 환자 만족도에서 좋은 결과를 얻었다.[31] 이후 역행 관절경적 감압술의 개념인 관절경적 결절성형술을 처음 소개하였다. 이 술식은 결절성형술 전에 견봉하공간과 견갑-상완관절의 관절경적 괴사조직 제거가 먼저 필요하다. 23명 환자들의 평균 40개월 추적 보고에서 임상적 점수, 운동범위, 통증 및 일상생활활동의 향상된 결과가 보고되었다. 따라서 관절경적 방법으로 안전하고 정확하게 결절성형술을 시행할 수 있다고 결론지었다.[32]

Verhelst 등은 34례의 견관절을 포함하는 연구에서 결절성형술을 시행하였으며, 평균 38개월의 추적기간 동안 상당한 통증의 감소와 운동범위 증가를 보고했다. 하지만 견봉-상완 간격(acromiohumeral distance, AHD)은 2.58 mm 감소하였으며, 심각한 관절와-상완골관절염이 동반되었다고 보고했다. 전체적으로 이 술식이 봉합 불가능한 회전근 개 파열을 가진 고령의 환자에게 유용할 것이라고 결론지었다.[33] 다른 연구에서는 견봉성형술에 동반된 결절성형술과 단독 결절성형술을 비교하였으며, 견봉성형술에 동반된 결절성형술이 통증 감소와 전방 거상의 향상 측면에서 우월한 결과를 보였다고 보고했다.[34] 또한, 견봉-상완 간격과 견갑-상완 하부선의 연속성이 좋은 임상적 결과의 예후인자라고 제시했다. 다른 연구에서는 결절성형술을 받은 16명

환자들의 평균 8년 추적 보고에서 통증의 감소와 임상적 점수(UCLA, Constant score)의 증가를 보고했다. 장기 추적에서 훌륭한 기능적 결과를 얻었지만, 상완골 두의 상방 이동이 관찰되었다고 보고했다.[35]

3) 부분 봉합(partial repair)

Burkhart 등이 1993년에 회전근 개 파열에 현수교(suspension bridge)라는 생역학적 개념을 처음으로 도입하여, 기능적 회전근 개에 대한 가설과 파열의 기능적 부분 봉합 가능성에 대한 이론적 배경을 마련하였다. 그들은 파열된 회전근 개를 짝힘을 회복하고, 힘 전달을 촉진하기 위해 고안된 가장자리 봉합을 통해 좋은 결과를 보고하였다.[36,37] 봉합은 관절와-상완 운동학을 위한 짝힘과 안정적인 지렛대(fulcrum)를 회복하기 위해 전체 견갑하근과 극하근 하부 1/2 이상을 포함하여야 한다.[38] 장력 없는 봉합(tension free repair)을 하는 것이 중요하며, 비록 견관절 생체역학이 변할 수도 있지만 극상근을 10 mm 이상 내측화(medialization)하여 부분 봉합의 성공률을 향상시킬 수 있다.[18]

최근 메타분석에서는 부분 봉합에 대한 임상적 결과에 대해서, 7개의 연구 중 6개의 연구에서 수술 후 호전을 보고하였다. Constant-Murley score (CMS)와 American Shoulder and Elbow Surgeons score (ASES)의 평균 변화는 각각 32점, 35점씩 증가하였고, 통증 점수는 4.5점 감소하였다. 3개의 연구에서 수술 전과 후의 운동범위를 보고하였는데, 전방 거상 및 외회전이 각각 30도, 11도로 증가하였다. 합병증으로는 만족스럽지 않은 임상적 결과, 재수술이 있었으며, 재수술의 이유로 재파열, 감염, 나사못 이완 (anchor loosening), 견봉-쇄골관절 낭종 등이 보고되었다.[30]

4) 완전 봉합(complete repair)

많은 연구들에서 광범위 회전근 개 파열의 완전 봉합이 불가능할 때 부분 봉합이 2-8년 추적 결과 안전하고 효과적이라고 보고하였지만, 전반적으로는 완전 봉합이 좀더 나은 임상적 결과 점수를 보이기 때문에, 가능하다면 완전 봉합을 추천하고 있다.[39] 파열의 패턴, 지방 변성의 정도, 가성마비의 여부와 상관없이 대부분 만족할 만한 장기 추적결과를 보고하고 있으며, 만약 봉합이 불가능한 경우라 하더라도 역행성 견관절 전치환술과 같은 더 침습적이고 위험한 치료보다 관절경적 봉합이 우선 고려되어야 한다는 의견이 우세하다.[40]

상완골 결절로 이동시킬 수 없는 내측으로 퇴축된 회전근 개 파열의 변연을 상완골의 족문(footprint)에 재부착해 주기 위한 다양한 테크닉들이 있다.

5) 간격 활주(interval slide)

Bigliani 등이 관혈적 수술을 사용되는 간격 활주 술식을 처음 소개한 이래로, 파열의 크기가 크고 심하게 퇴축된 극상건을 회전근 간격(rotator interval)으로부터 박리하여 이동성을 좋게 하는 관절경적 간격 활주 술식이 대중화되었다.[41-43] Lo 등이 회전근 간격으로부터 박리하는 전방 간격 활주(anterior interval slide)와 극상건과 극하건 사이의 간격을 박리하는 후방 간격 활주(posterior interval slide)를 각각 정의하였으며, 이후 극상건의 이동성을 증가시키기 위해 간격 활주 술식을 이용하여 심각하게 퇴축된 광범위 회전근 개 파열의 완전 봉합을 시행함으로써, 우수한 임상적 결과를 보고하였다.[44] 하지만 간격 활주 술식이 극상근의 혈류차단(devascularization)을 야기한다는 보고도 있는데, 간격 활주 술식을 통한 완전 봉합과 변연 수렴을 통한 부분 봉합의 2년 추적 결과를 비교한 결과, 두 군 모두에서 임상적 점수(SST, ASES, UCLA)의 증가가 있었으며 두 군 간의 유의한 차이는 없다고 보고했다. 또한 6개월 추적 MRI 결과 완전 봉합한 군에서 높은 재파열이 발생하므로, 치료 결과의 측면에서 볼 때 간격 활주 술식을 이용한 완전 봉합술이 부분 봉합술보다 그다지 유리하지 않다고 결론지었다.[45] 또한, 심하게 퇴축되고 잘 움직이지 않는 광범위 회전근 개 파열에 간격 활주 술식을 이용하여 완전 봉합을 시행하였을 때, 평균 25.2개월 추적 MRI에서 55%의 재파열이 발견되었다고 보고되기도 하였다.[46]

6) 변연 수렴(margin convergence)

회전근 개 봉합에서 고정 강도를 높이고 파열 변연의 역학적 응력(strain)을 감소시킬 수 있는 방법으로 변연 수렴

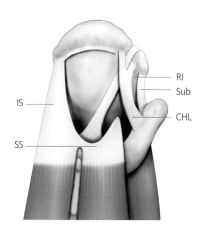
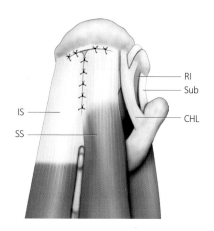

그림 4-1 변연 수렴(margin Convergence)을 통해서 회전근 개에 가해지는 장력을 감소시킬 수 있다.

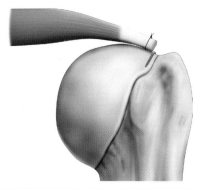

그림 4-2 적절한 정도의 내측화는 견관절 생역학에 큰 영향을 미치지 않고, 봉합 부위에 가해지는 장력을 줄이며, 봉합 가능성을 향상시킬 수 있는 수술적 치료 방법이다.

술식을 제안되기도 하였다.[47] 이 술식은 회전근 개 조직의 U자형 결손을 정점(apex)에서 외측으로 측측(side-to-side) 봉합을 하는 방법이다. 가장자리에서의 장력 감소는 다른 술식에 비해서 상대적으로 봉합의 안정성을 높이고 장력 과부하로 인한 봉합의 실패를 거의 유발하지 않는다.[48] 견관절 사체 연구를 통해 이 술식이 회전근 개 장력과 간격 크기(gap size)를 상당히 감소시켜 줄 수 있음이 확인되기도 하였다.[49] 또한 변연 수렴 술식의 생역학적 효과에 대한 연구에서, 한 차례의 변연 수렴만으로 봉합할 경우 근육과 봉합부 장력 부하에 부정적인 영향을 미치지만, 변연 수렴 봉합 횟수가 증가할수록 이러한 부정적인 영향은 점차 줄어든다고 했다.[50] 이후 2년 추적 연구에서 U자형의 회전근

개 파열에서 시행된 변연 수렴 술식이 ASES 점수, 능동 전방 거상, 능동 외회전을 향상시킨다고 보고되기도 하였지만, 2년 추적 초음파상에서 46.2%만이 치유되었다는 다소 실망스러운 결과가 있었다.[51] 다른 견관절 사체 연구에서는 간격 형성(gap formation)을 감소시키고 운동범위 회복을 위한 전방 변연 수렴 술식과 더불어 비정상적 상완골 두 위치의 회복을 위한 후방 극하건 봉합을 강조하였다.[52]

7) 내측화(medialization)

회전근 개 파열의 이상적인 수술적 치료는 회전근 개의 해부학적 기시부에 직접적인 골-건(bone-to-tendon) 봉합하는 것이다. 하지만 직접적인 골-건 봉합은 고도의 근육 위축, 지방 변성, 파열 건의 퇴축 등이 동반된 만성 회전근 개 파열에서 수행하기는 어렵다. 해부학적 봉합을 하더라도 봉합 부위의 장력이 증가하면서 결과적으로 재파열을 유발할 수 있다. 이런 경우 내측화를 통해서 봉합 부위의 장력을 감소시킬 수 있는데, 이 술식은 새로운 건 부착 부위를 생성해서 회전근 개의 해부학적 족문을 상완골 두 내측으로 이동시키는 비해부학적 봉합 방식이다. 내측화 술식을 이용한 회전근 개의 봉합은 외전에서 모멘트 암(moment arm)을 감소시킬 것이라는 우려도 있다.[53] 견관절 사체 연구에서 3 mm, 10 mm, 17 mm 내측 봉합의 결과를 비교한 결과, 3 mm와 10 mm 내측 봉합은 거상 운동하는 동안 모멘트 암에 거의 영향을 미치지 않지만, 17 mm 내

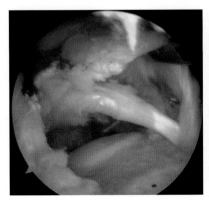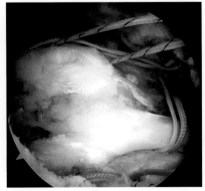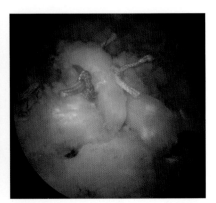

그림 4-3 광범위 회전근 개 파열에서 이두근 장건을 이용하면 결손부를 적절히 보강할 수 있다.

측 봉합은 모멘트 암의 상당한 감소를 보이며 견관절 생역학에 부정적인 영향을 미치게 된다고 보고했다.[54] 다른 견관절 사체 연구에서는 10 mm 이상의 내측화는 상당한 운동범위 제한을 유발할 수 있다고 보고했다. 이후 다른 연구에서 내측화 술식을 이용한 35명의 임상적 결과를 분석하였는데, 통증 점수, 능동 전방 거상, 능동 외회전의 감소와 임상적 점수(constant score, ASES, UCLA score)의 향상을 보고하였다. 종합해보면 봉합이 불가능한 회전근 개 파열에서 10 mm 미만의 내측화는 견관절 생역학에 부정적인 영향 및 운동범위 감소 없이 고려될 수 있는 수술적 치료 방법이다.

8) 이두근 장건 보강술식(biceps augmentation)

이두근 장건을 이용한 보강술식은 1971년 Neviaser에 의해서 처음 소개되었고,[55] 이후 앞쪽 결손부와 회전근의 퇴축으로 인해 충분한 박리에도 불구하고 일차 봉합이 불가능한 상황에서 후방 회전근 개를 이두근 장건에 변연 수렴을 하여 좋은 결과를 보고했다. 이후 임상연구에서는 이 술식을 이용한 광범위 회전근 개 봉합 후 평균 31개월 추적 결과를 보고했는데, 관절경을 이용한 16례 및 기타 15례 모두에서 수술의 방법과 상관없이 기능적 점수의 향상을 보였다. 관절경 보강을 한 군에서 64%의 환자에서 MRI상 완전 치유가 확인되었다.[57] 또한, 이두근 장건 보강술식을 이용하여 봉합한 군(37례)과 이용하지 않고 봉합한 군(31례)을 비교한 결과, UCLA 점수의 향상 측면에서 두 군 간의

유의한 차이는 없었다고 보고했으나, 이 술식을 이용하여 봉합한 군에서 전방 거상, 외회전, 내회전 강도가 상당히 증가하였다고 했다.[58] 최근에는 이두근 장건 보강을 통한 회전근 개 봉합술이 기능 개선, 통증 완화, 운동범위 회복 측면에서 우수한 결과를 보인다고 보고했다. 또한 대부분의 환자(82%)에서 2년의 추적 기간 내에 시행한 MRI상 봉합이 잘 유지되고 있음을 확인했다. 따라서 봉합이 불가능한 광범위 회전근 개 파열에 있어 이 술식이 좋은 치료의 선택지가 될 수 있을 것이라고 결론지었다.[59] 이를 볼 때, 광범위 회전근 개 파열에서 이두근 장건이 온전하다면 회전근 개 봉합 시 결손부에 보강한다면 상완골 두의 상부 이동과 임상적 기능 향상을 얻을 수 있을 것으로 기대된다.

9) 이식편을 이용한 보강술식(patch augmentation)

이식편을 이용한 보강술식(patch augmentation)은 봉합 불가능한 회전근 개 파열의 치료로 소규모 증례 연구에서부터 단기 추적까지 좋은 결과를 보여준다고 보고되고 있다. 이식편은 봉합 불가능한 회전근 개 힘줄에 보강되어, 남아있는 회전근 개와 상완골의 족문을 연결한다. 사용되는 이식편에는 자가 이두근 건 및 대퇴근막, 동종 이식편, 이종 이식편, 합성 재료 등이 있다. 구조적 치유(structural healing)는 58-100%로 다양하게 보고되며, 환자들은 수술 전과 비교하여 향상된 임상적 결과를 보였다.[60] Mori 등은 부분 봉합술을 시행한 환자군과 자가 대퇴근막 가교 삽입성 이식과 함께 부분 봉합술을 시행한 군을 비교하였다.

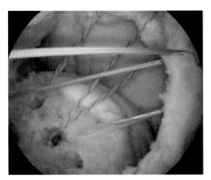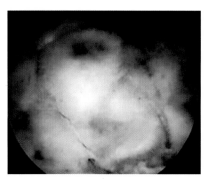

그림 4-4 이식편을 이용한 보강술식은 파열된 힘줄에 작용한 장력을 감소시키는 효과를 기대해 볼 수 있다.

36개월의 추적 기간 동안 두 군 모두에서 수술 전과 비교해서 향상된 임상적 결과를 보였다. 이식편을 사용한 군에서 Constant와 ASES 점수가 상당히 높게 나타났으나 UCLA 점수는 부분 봉합술 단독으로 시행한 환자군과 비교해서 유의한 차이는 보이지 않았다.[61] Rhee 등은 봉합이 불가능한 회전근 개 파열에 자가 이두근 장건 이식(24명)과 동종 진피 패치를 사용하여 비교하였다. 자가 이두근 장건 이식군에서 견관절 기능 점수, 통증, 운동범위에서 향상을 보였다. 반면에, 동종 진피 패치군에서는 견관절 기능 점수, 운동범위 향상은 확인되지 않았으며 단지 통증만 상당히 감소하였다. 자가 이두근 장건 이식군과 동종 진피 패치군에서 1년 추적 재파열률은 각각 54.2%, 75%로 보고되었다.[62] 광범위 회전근 개 봉합술 실패를 극복하기 위해서 Yoon 등은 패치 보강 및 골수자극술을 같이 시행한 환자군(A, 21명)과 일반적인 봉합술을 시행한 환자군(B, 54명)을 비교하였다. 1년 추적 MRI에서 재파열률은 A, B 군 각각 19%, 46.3%로 보고되었다. 특히, 내측열 실패(medial-row failure, Type 2 retear)율은 A, B 군 각각 0%, 72%로 나타났다. 이식편 보강이 파열된 힘줄 변연을 측부 족문으로 당기는 동안 파열된 힘줄에 작용하는 고도의 장력을 감소시키며, 내측열 봉합 부위의 감소된 장력은 2형 재파열률을 감소시킬 것으로 결론지었다.

10) 견봉하 스페이서(subacromial spacer)

봉합 불가능한 회전근 개 파열의 치료를 위한 새로운 치료 중 하나로, 상완골 두 상방 이동을 방지하여 상완골 두를 관절와 중심에 위치시켜서 삼각근이 상지 능동 거상 능력을 향상시키는 생분해성 견봉하 스페이서를 삽입하는 것이다.[64] 이 술식은 E. Savarese 와 R. Romeo 가 2012년 처음 소개한 이래로, 견봉하 스페이서라는 제품으로 봉합 불가능한 회전근 개 파열의 치료에 이용되어 왔다.[65] 관절경으로 견봉하공간에 삽입될 수 있으며, 삽입 후 생리식염수로 팽창시키게 된다. 수술 후 2-12개월 사이에 분해되도록 고안된 공중합체(a copolymer poly-l-lactide-co-ε-caprolactone)로 만들어졌다. 이 풍선은 알레르기 반응 또는 이식 부위의 활동성 감염 등이 있을 때 금기이며, 이상적인 적응증은 아직 정립되지 않았다. 측와위나 해변의자 위치 하에 시술을 하며, 풍선이 삽입될 때 풍선이 견봉하공간에서 견봉하 와(subacromial fossa)와 같은 공간으로 빠지지 않도록 견봉하 윤활낭의 변연절제술은 하지 않거나 최소화하는 것이 좋다. 풍선 크기는 소, 중, 대 세 가지가 있으며, 스페이서의 내측 경계는 상부 관절와연(superior glenoid rim)에서 1 cm 내측, 외측 경계는 외측 견봉 경계에 위치하여야 한다.[66] 삽입물의 이동을 최소화시키기 위해서, 만약 측정이 두 개의 크기 사이일 경우 좀 더 큰 풍선을 사용해야 한다. 부분 회전근 개 봉합술에서 같이 사용할 경우, 두 개의 크기 사이일 경우 작은 크기의 풍선을 사용하여 혈류 제한 및 봉합 부위의 잠재적인 스트레스가 가지 않도록 해야 한다는 연구도 있다.[67]

임상연구에서 회전근 개 봉합없이 이 술식을 시행한 24명의 환자를 대상으로 5년 추적관찰에서 추적기간 동안 기능적 향상이 유지되는 것을 확인하였으며 84.6% 환자가 결과에 만족하였다고 보고했다.[68] 다른 연구에서는 37명의 환자의 스페이서 삽입 후 평균 32.8개월 추적 관찰에서 전방 거상 및 외회전의 증가와 Constant score의 증가를 보고했다. 1명의 환자에서 스페이서 이동으로 재수술이 필요했고 Hamada 진행은 19%의 환자에서 나타났다.[64] 최근 연구에서는 봉합 불가능한 광범위 회전근 개 파열을 가진 44명의 환자에게 이 술식을 사용하여 전향적 연구를 진행하였으며, 상당한 통증 감소와 기능적 일상 활동의 향상을 보고했다. 83%의 환자가 합병증 없이 결과에 만족감을 보였고 관절경적 견봉하 생분해성 풍선 삽입술이 최소 침습적이고 안전하고 효과적인 술식이라고 결론짓고 있다.[69]

11) 상부 관절낭 재건술
(superior capsular reconstruction, SCR)

견갑-상완관절의 상부 관절낭은 극상근과 극하근 힘줄의 아래쪽 표면에 위치하며, 회전근 개와 함께 관절의 상부 안정성을 제공하는 역할을 한다.[70] 따라서 봉합 불가능한 회전근 개 파열 환자에서 상부 관절낭의 추가적인 결손은 상완골 두의 결손 부위로 이동 및 모든 방향의 움직임에 영향을 미쳐 견관절의 불안정성을 유발한다.[71,72] SCR은 이러한 봉합 불가능한 회전근 개 파열의 새로운 치료 전략으로 대두되고 있다. 이 술식은 상부 관절낭을 재건함으로써 상완골 두의 상부 이동을 막고 정상적인 관절와상완관절 기능을 유지하도록 한다.[70] SCR을 시행할 때 이식편의

마모를 방지하기 위해서 견봉성형술을 병행하고 극하근과 견갑하근을 봉합할 수 있는 만큼 최대한 봉합한다. 회전근 개 결손의 2-3배 크기의 자가 대퇴근막 장근(tensor fascia lata) 이식편을 채취하고 6-8 mm 두께로 접어 견봉하공간에 삽입한다. 이식편은 2개의 봉합 앵커를 사용하여 관절와 결절의 상부 측면에 내측으로 부착되고 압박 이열 봉합술(compression double-row technique)을 사용하여 대결절의 외측에 부착된다. 그 후, 이식편은 관절의 짝힘(coupling force)을 회복하기 위해 후방으로 극하근, 전방으로 견갑하근에 봉합된다.[73]

Mihata 등은 2012년에 관절경적 SCR의 상부 안정성을 평가하기 위해 사체 연구를 진행했다. 이들은 파열된 힘줄에 삽입성 패치 이식이 부분적인 안정성만 회복시켜 삽입물에 충돌(impingement)을 일으키는 반면에, SCR은 상부 안정성의 완전한 회복과 충돌 방지를 할 수 있다고 결론지었다.[70] Mihata 등은 2013년 24례의 견관절을 대상으로 자가 대퇴근막 장근 이식편을 이용한 SCR을 시행하고 평균 34.1개월 추적하였으며, SCR 수술 후 전방 거상 평균 64도, 외회전 평균 14도, ASES 점수 평균 69.4점 향상되었다고 보고했다. 방사선학적으로, 관절-상완골관절염의 진행 없이 견봉-상완 간격이 수술 전보다 후에 4.1 mm 증가하였다고 보고했다. 수술 후 MRI에서 20례의 견관절(20/24, 83.3%)에서 SCR 이식편과 회전근 개 모두 잘 유지되고 있음을 확인했다.[73] Mihata 등은 2018년에 조금 더 큰 환자군

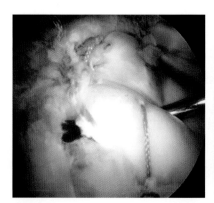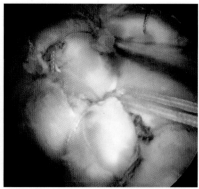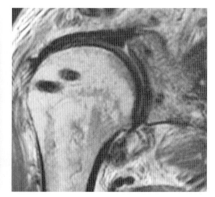

그림 4-5 SCR을 시행할 때는 극하근과 견갑하근을 봉합할 수 있는 만큼 최대한 봉합하도록 한다.

을 대상으로 연구를 진행하였으며, 100례의 자가 대퇴근막
장근 이식편을 이용한 SCR에서 비슷한 운동범위와 기능적
점수의 향상을 보고했다. 또한 이식편과 힘줄의 유지 91%
(91/100), 이전 직장으로의 복귀 94% (32/34), 여가생활 스
포츠로의 복귀 100% (26/26)와 같이 우수한 결과를 보고
했다.[74]

Denard 등은 59명의 환자를 대상으로 동종 진피 이식편
을 이용한 SCR의 1년 이상 추적 결과를 발표했으며, 전방
거상, 외회전, ASES 점수, VAS 통증 점수 항목에서 향상된
결과를 보고했다. 그들은 수술 후 MRI에서 이식편의 45%
(9/20)가 완전히 치유(healed)되었고, 이식편의 실패의 위치
는 상완골(7례), 이식편 중간(3례), 관절와(1례)로 보고했
다. 이식 성공률은 74.6% (46/59)였으나, 11명(18.6%)의 환
자는 7례의 역행성 견관절 인공관절치환술 등의 재수술을
받았다고 보고했다.[75]

SCR은 관절염이 없는 광범위 봉합 불가능한 후상방 회
전근 개 파열을 가진 환자에 적응이 된다. 일반적으로 극
상근이나 극하근 건이 관절와나 그 내측으로 퇴축되어 있
는 Goutallier 지방 변성 3기 이상에서 고려해 볼 수 있다.
고정된 상위 상완골 두(fixed high riding humeral head)의
경우 금기에 해당하나 SCR 이식편에 의해 안정화될 수 있
는 충분한 이동성이 있어 상완골이 정상 위치로 정복이 될
경우에는 시도해 볼 수 있다.[76]

12) 힘줄 이전술(tendon transfer)

가장 적절한 힘줄 이전술의 선택은 통증, 장애 정도(dis-
ability), 환자 나이, 기능적 요구, 기저질환, 관절 안정성,
관절염 유무 등의 임상적 양상에 의해 영향을 받는다. 힘
줄 이전술의 이상적인 조건은 관절염이 없고, 회전력의 소
실과 약화와 관련된 심각한 장애가 있는, 젊고 활동적인
환자이다.[12,77,78] 근육이 길고 수축과 이완 시의 근육의 길
이차가 많이 나는(large amplitude) 근육을 사용해야 수술
시 장력(tension)이 적게 생기며 또한 근육의 상대적 근력
(relative strength)이 커야 수술 후 공여근의 기능이 좋을 가
능성이 높기 때문에 이러한 조건을 충족하는 근육을 선택
하여 이전술을 시행하는 것이 좋다. 이러한 조건에 충족하
는 근육은 광배근(latissimus dorsi)과 대흉근(pectoralis
major)의 흉골 기시부 건이다. 일반적으로 봉합이 불가능
한 후상방 회전근 개 결손에는 광배근이 유용하고 전상방
의 결손에는 대흉근을 이전시키는 수술이 유용하다.[79] 다
른 술식으로는 광배근과 대원근(teres major) 이전술(L'Epis-
copo procedure), 하부 승모근(lower trapezius) 이전술, 소
흉근(pectoralis minor) 등이 있다.

13) 광배근 이전술(latissimus dorsi transfer)

광배근 이전술은 Gerber 등이 1988년에 처음으로 상완신
경총 마비 환자의 외회전 마비를 치료하기 위해 소개되었
다.[14] 광배근 이전술은 견관절의 내회전, 외전에 기여

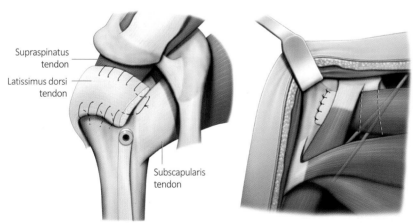
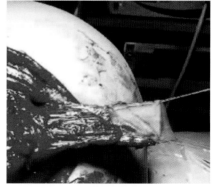

그림 4-6 광배근 이전술(latissimus dorsi transfer)과 대흉근 이전술(pectoralis major transfer)은 관절염이 없고, 회전력의 소실과 약화와 관련된 심각한
장애가 있는, 젊고 활동적인 환자에서 고려할 수 있는 수술적 치료이다.

하는 근육에서 크고 혈관이 풍부한 힘줄을 제공한다. 후상방 회전근 개 결손 부위를 봉합하기 위해 분리되어 이전된 힘줄은 상완골 두의 외회전 모멘트 힘과 함몰(depression)을 가하는 힘으로 전환되어 외전 시 삼각근이 보다 효과적인 움직일 수 있도록 한다.[38]

외전과 외회전 장애가 있는 후상방 봉합 불가능한 회전근 개 파열, 근육 위축, 지방변성 등이 있는 환자에서 광배근 이전술을 고려해 볼 수 있다. 봉합 불가능한 극상건 및 극하건은 일반적으로 관절와부위까지 퇴축된 파열(Patte 3기), 팔 떨어뜨리기 징후 양성, 외회전 지연 검사 양성, MRI 상 Goutallier 3 등급 초과의 지방변성 등의 소견을 보인다.[38]

견갑하건(subscapularis tendon) 파열(Lafosse >2), 편심성 관절염(eccentric arthritis, Hamada >4), 가성마비(pseudoparalysis), 삼각근 기능부전(deltoid dysfunction), 소원근 위축(teres minor atrophy)이 있는 환자에서는 금기이다. 견갑하건의 기능부전은 전방 거상 및 관절와상완관절 안정성을 현저히 감소시킬 수 있기 때문에 견갑하건은 온전하고 기능적으로 정상이어야 한다.[80]

이전의 연구에서 광배근 이전술이 내회전/외회전운동범위와 관절와상완관절의 균형을 회복하는 데 도움을 준다고 밝혔다. 동시에, 그들은 외전 60도에서의 제한된 편위(limited excursion)는 과도한 보상(overcompensation phenomenon)과 접촉부위의 압력(contact pressure)을 증가시켜 어깨의 정상적인 생체역학을 더욱 악화시킬 수 있다고 지적했다. 또한 상완골 두의 비정상적인 운동학은 지속적인 통증과 견갑-상완관절염을 유발할 수 있다고 보고했다.[81] 다른 연구에서 광배근 이전술 후 평균 35개월 추적 결과 능동 전방 거상이 향상되었지만, 관절염 변화가 41%에서 관찰되었다고 보고했다.[82] Gaber 등도 광배근 이전술 후 운동범위, 근육 강도, 기능 점수에서 향상을 보였으나, 관절염 변화가 30%에서 진행되었다고 보고했다. 또한 그들은 견갑하근의 기능부전은 수술 후 불량한 예후와 관련이 있음을 밝혔다.[83] Werner 등은 사체를 통한 생체역학 연구에서 견갑하건 파열이 광배근 이전술의 불량한 예후와의 관계를 보고히였고[80] 다른 연구에서는 봉합 불가능한 후상

방 회전근 개 파열에 광배근 이전술을 시행 후 평균 9.3년 장기간 추적하여 통증경감과 견관절 기능 향상을 보였던 반면, 추적기간 동안 임상적 실패는 10% 정도였다고 보고했다. 또한 젊은 환자일수록 좋은 임상적 결과를 가진다고 하였다.[84] Grimberg 등은 55명의 봉합 불가능한 후상방 회전근 개 파열을 가진 환자에게 관절경적 광배근 이전술을 시행하여 평균 29개월 추적하였으며, 관혈적 수술의 결과와 비교해서 임상적 및 방사선학적 결과에서 비슷한 결과를 가지면서 통증과 기능에서 향상된 결과를 보고하였다.[85]

14) 대흉근 이전술(pectoralis major transfer)

견갑하건 파열은 후상방 회전근 개 파열보다 발생률이 낮다. 견갑하건은 내회전 및 전방 동적 안정성에 중요한 역할을 한다. 견갑하건 파열을 가진 환자는 일반적으로 belly-press, bear-hug, Lift-off 검사에서 양성 소견을 보인다.[86] 고등급의 지방변성(goutallier grade ≥3)을 가진 만성 견갑하건 파열의 직접 봉합(direct repair)은 예후가 좋지 않다.[87,88] 이러한 경우, 대흉근 이전술이 내회전력을 회복하는데 고려해 볼 수 있는 치료이다.

대흉근은 상완골의 굴곡, 내회전, 내전시키는 기능을 한다. 대흉근 이전술은 관절와상완관절의 관절염 변화가 거의 없고, 정상적인 삼각근 기능, 65세 미만, 봉합 가능한 후상방 회전근 개 파열 또는 온전한 전상방 회전근 개를 가진 봉합 불가능한 전상방 회전근 개 파열 환자에서 고려해볼 수 있다.[89,90]

Rockwood 등이 1997년 대흉근을 conjoined tendon 앞쪽으로 이동시키는 방법으로 처음 소개하였으며,[87] Resch 등은 힘줄의 상부 2/3만 결합된 힘줄 아래로 이전시킬 수 있다고 기술했다.[89] Warner 등은 2001년 근피신경(musculocutaneous nerve) 손상을 피하기 위해서 쇄골 골두 아래에 있는 하부 흉골 부착부를 이용해서 이전술을 하는 방법을 소개하기도 했다.[91]

이전 연구에서 12례의 대흉근 이전술 시행 후 평균 28개월 추적 결과를 통해 통증경감과 Constant 점수가 향상되었다고 보고했다.[89] 다른 연구에서는 15례의 대흉근 이전

술 시행 후 평균 37개월 추적 결과를 통해 통증과 Constant 점수는 향상되었지만, 운동범위의 증가는 없었다고 보고했다. 13명의 환자에서 MRI 추적이 가능했으며, 이전된 대흉근의 70%가 온전했고 15%가 파열된 것으로 나타났다.[92] Jost 등은 30례의 대흉근 이전술 시행 후 평균 32개월 추적 결과를 통해 통증, 운동범위, Constant 점수가 향상되었지만, 극상근 파열과 동반된 극하근 파열에서 대흉근 이전술은 불량한 예후를 보인다고 보고했다.[93] Moroder 등은 27례의 대흉근 이전술 시행 후 10년 장기 추적을 통해 통증과 내회전이 향상되었고 77%의 만족도를 얻었다고 보고했다. 또한 67%의 환자에서 회전근 개 관절병증이 진행되었지만 단지 1명의 환자만 역행성 견관절 인공관절전치환술로 재수술을 받았다고 보고했다.[94] 최근 연구에서는 봉합이 불가능한 견갑하건 파열에서 광배근 이전술과 대흉근 이전술의 결과를 비교하는 문헌고찰을 통해서 광배근 및 대흉근 이전술 모두 전체적인 임상적 결과는 좋았지만, 전반적으로 광배근 이전술이 대흉근 이전술보다 수술 후 상당히 좋은 임상적 결과를 보였다고 보고했다.[95]

15) 역행성 견관절 인공관절 전치환술
(reverse total shoulder arthroplasty, RTSA)

전통적인 인공관절치환술로 효과적으로 치료되지 않는 여러 견관절질환에 대한 해결 방법으로 1985년 Paul Grammont가 회전 중심(center of rotation)의 내측 이동과 상완골의 하방 이동에 근거한 생역학적 개념을 도입한 이래 RTSA는 지속적인 발전을 거두어 왔다. 즉, 회전 중심의 내측 이동을 통해 삼각근의 작용에 대한 회전 팔(monent arm)을 증가시키고 하방 이동을 통해 지렛대 팔(lever arm)을 증가시켜 삼각근의 작용력을 높이는 동시에, 상지의 거상 시 상완 컵(humeral cup)이 압박력을 받을 수 있도록 하였다. 이를 통해 광범위 회전근 개 파열 등으로 회전근 개의 기능이 없는 상태에서도 고정된 지렛대(fixed fulcrum)의 작용이 가능하게 하여 삼각근이 상지의 일차 거상근으로 작용할 수 있도록 하였다.[96] RTSA는 Hamada 3등급 이상, 상완골 두의 전상방 탈출(escape), 가성마비, 65세 이상의 환자에서 고려해 볼 수 있는 치료이다. 나이는 일반적으로 상대적인 금기이므로, 환자 개개인의 평가에 따라 조정될 수 있다.[18]

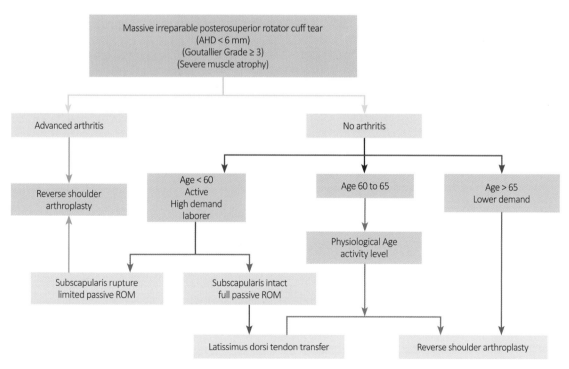

그림 4-7 힘줄 이전술과 역행성 견관절 인공관절 전치환술의 적응증

Sirveaux 등은 80례의 RTSA 시행 후 평균 44개월 추적에서 constanst 점수, 능동 전방 거상이 향상되었으며, 96%의 환자에서 통증경감 효과가 있었다고 보고했다.[97] Favard 등은 다기관 장기간 추적 연구에서 회전근 개 관절병증이 동반된 489명의 환자에게 시행한 RTSA의 10년 생존율을 89%로 보고했다. 하지만 그들은 Constant 점수가 시간이 지날수록 떨어졌으며 endpoint를 Constant 점수 30점으로 설정하면 10년 생존율이 72%까지 떨어진다고 언급했다.[98] Petrillo 등은 문헌 고찰을 통해서 RTSA가 약간의 외회전 제한이 있지만, 견관절운동, 임상적 점수에서 통계적으로 상당한 향상을 보였다고 보고했다. 하지만 그들은 재수술률을 증가시키는 높은 수술 후 합병증 발생률이 동반된다고 보고했다. 대표적인 합병증으로 기계적 실패(mechanical failure, 2.4%), 견봉골절(acromion fracture, 2.7%), 감염(infection, 0.9%), 이소성 골화(heterotopic ossification, 6.6%) 등으로 나타났다.[99]

외회전 지연 징후(exteranal roation lag sign)나 hornblower sign 양성인 봉합 불가능한 회전근 개 파열 환자들에서 광배근 이전술이나 광배근, 대원근 이전술을 RTSA와 함께 시행해 볼 수 있다.[100,101] Boughebri 등은 단일 절개를 통한 RTSA 및 광배근, 대원근 이전술을 시행하여 2년 추적에서 능동 거상 및 외회전 회복에 도움을 준다고 보고했다.[102]

참고문헌

1. Dang A, Davies M. Rotator cuff disease: treatment options and considerations. Sports Med Arthrosc Rev. 2018;26(3):129-33.

2. Neer CS. Impingement lesions. Clin Orthop Relat Res. 1983;173:70-7.

3. Oh JH, Chung SW, Kim SH, Chung JY, Kim JY. 2013 Neer Award: effect of the adipose-derived stem cell for the improvement of fatty degeneration and rotator cuff healing in rabbit model. J Shoulder Elbow Surg. 2014;23(4):445-55.

4. Gerber C, Fuchs B, Hodler J. The results of repair of massive tears of the rotator cuff. JBJS. 2000;82(4):505.

5. Cofield R. Subscapular muscle transposition for repair of chronic rotator cuff tears. Surgery, gynecology & obstetrics. 1982;154(5):667-72.

6. Su W-R, Budoff JE, Luo Z-P. The effect of posterosuperior rotator cuff tears and biceps loading on glenohumeral translation. Arthroscopy: The Journal of Arthroscopic & Related Surgery. 2010;26(5):578-86.

7. Neer 2nd C, Craig E, Fukuda H. Cuff-tear arthropathy. J Bone Joint Surg Am. 1983;65(9):1232-44.

8. Zingg P, Jost B, Sukthankar A, Buhler M, Pfirrmann C, Gerber C. Clinical and structural outcomes of nonoperative management of massive rotator cuff tears. JBJS. 2007;89(9):1928-34.

9. Hersche O, Gerber C. Passive tension in the supraspinatus musculotendinous unit after long-standing rupture of its tendon: a preliminary report. J Shoulder Elbow Surg. 1998;7(4):393-6.

10. Gladstone JN, Bishop JY, Lo IK, Flatow EL. Fatty infiltration and atrophy of the rotator cuff do not improve after rotator cuff repair and correlate with poor functional outcome. Am J Sports Med. 2007;35(5):719-28.

11. Rockwood Jr CA, Williams Jr GR, Burkhead Jr WZ. Débridement of degenerative, irreparable lesions of the rotator cuff. J Bone Joint Surg Am. 1995;77(6):857-66.

12. Dines DM, Moynihan DP, Dines JS, McCann P. Irreparable rotator cuff tears: what to do and when to do it; the surgeon's dilemma. JBJS. 2006;88(10):2294-302.

13. Merolla G, Chillemi C, Franceschini V, Cerciello S, Ippolito G, Paladini P, et al. Tendon transfer for irreparable rotator cuff tears: indications and surgical rationale. Muscles Ligaments Tendons J. 2014;4(4):425.

14. Gerber C, Vinh TS, Hertel R, Hess CW. Latissimus dorsi transfer for the treatment of massive tears of the rotator cuff. A preliminary report. Clin Orthop Relat Res. 1988(232):51-61.

15. Khair MM, Gulotta LV. Treatment of irreparable rotator cuff tears. Curr Rev Musculoskelet Med. 2011;4(4):208.

16. Denard PJ, Jiwani AZ, Lädermann A, Burkhart SS. Long-term outcome of arthroscopic massive rotator cuff repair: the importance of double-row fixation. Arthroscopy: The Journal of Arthroscopic & Related Surgery. 2012;28(7):909-15.

17. Sheean AJ, Hartzler RU, Denard PJ, Lädermann A, Sanders TG, Zlatkin MB, et al. Preoperative radiographic risk factors for incomplete arthroscopic supraspinatus tendon repair in massive rotator cuff tears. Arthroscopy: The Journal of Arthroscopic & Related Surgery. 2018;34(4):1121-7.

18. Cvetanovich GL, Waterman BR, Verma NN, Romeo AA. Management of the irreparable rotator cuff tear. JAAOS-Journal of the American Academy of Orthopaedic Surgeons. 2019;27(24):909-17.

19. Tokish JM, Alexander TC, Kissenberth MJ, Hawkins RJ. Pseudoparalysis: a systematic review of term definitions, treatment approaches, and outcomes of management techniques. J Shoulder Elbow Surg. 2017;26(6):e177-e87.

20. Hamada K, Fukuda H, Mikasa M, Kobayashi Y. Roentgenographic findings in massive rotator cuff tears. A long-term observation. Clin Orthop Relat Res. 1990(254):92-6.

21. Goutallier D, Le Guilloux P, Postel J-M, Radier C, Bernageau J, Zilber S. Acromio humeral distance less than six millimeter: its meaning in full-thickness rotator cuff tear. Orthop Traumatol Surg Res. 2011;97(3):246-51.

22. Goutallier D, Postel J-M, Bernageau J, Lavau L, Voisin M-C. Fatty muscle degeneration in cuff ruptures. Pre-and postoperative evaluation by CT scan. Clin Orthop Relat Res. 1994(304):78-83.

23. Fuchs B, Weishaupt D, Zanetti M, Hodler J, Gerber C. Fatty degeneration of the muscles of the rotator cuff: assessment by computed tomography versus magnetic resonance imaging. J Shoulder Elbow Surg. 1999;8(6):599-605.

24. Sugihara T, Nakagawa T, Tsuchiya M, Ishizuki M. Prediction of primary reparability of massive tears of the rotator cuff on preoperative magnetic resonance imaging. J Shoulder Elbow Surg. 2003;12(3):222-5.

25. Yoo JC, Ahn JH, Yang JH, Koh KH, Choi SH, Yoon YC. Correlation of arthroscopic repairability of large to massive rotator cuff tears with preoperative magnetic resonance imaging scans. Arthroscopy: The Journal of Arthroscopic & Related Surgery. 2009;25(6):573-82.

26. Dwyer T, Razmjou H, Henry P, Gosselin-Fournier S, Holtby R. Association between pre-operative magnetic resonance imaging and reparability of large and massive rotator cuff tears. Knee Surg Sports Traumatol Arthrosc. 2015;23(2):415-22.

27. Kim JY, Park JS, Rhee YG. Can preoperative magnetic resonance imaging predict the reparability of massive rotator cuff tears? Am J Sports Med. 2017;45(7):1654-63.

28. Gumina S, Di Giorgio G, Bertino A, Della Rocca C, Sardella B, Postacchini F. Inflammatory infiltrate of the edges of a torn rotator cuff. Int Orthop. 2006;30(5):371-4.

29. Kempf J-F, Gleyze P, Bonnomet F, Walch G, Mole D, Frank A, et al. A multicenter study of 210 rotator cuff tears treated by arthroscopic acromioplasty. Arthroscopy: The Journal of Arthroscopic & Related Surgery. 1999;15(1):56-66.

30. Kovacevic D, Suriani Jr RJ, Grawe BM, Yian EH, Gilotra MN, Hasan SA, et al. Management of irreparable massive rotator cuff tears: a systematic review and meta-analysis of patient-reported outcomes, reoperation rates and treatment response. J Shoulder Elbow Surg. 2020; 29(12):2459-2475.

31. Fenlin Jr JM, Chase JM, Rushton SA, Frieman BG. Tuberoplasty: creation of an acromiohumeral articulation—a treatment option for massive, irreparable rotator cuff tears. J Shoulder Elbow Surg. 2002;11(2):136-42.

32. Scheibel M, Lichtenberg S, Habermeyer P. Reversed arthroscopic subacromial decompression for massive rotator cuff tears. J Shoulder Elbow Surg. 2004;13(3):272-8.

33. Verhelst L, Vandekerckhove P-J, Sergeant G, Liekens K, Van Hoonacker P, Berghs B. Reversed arthroscopic subacromial decompression for symptomatic irreparable rotator cuff tears: mid-term follow-up results in 34 shoulders. J Shoulder Elbow Surg. 2010;19(4):601-8.

34. Lee BG, Cho NS, Rhee YG. Results of arthroscopic decompression and tuberoplasty for irreparable massive rotator cuff tears. Arthroscopy: The Journal of Arthroscopic & Related Surgery. 2011;27(10):1341-50.

35. Park JG, Cho NS, Song JH, Baek JH, Rhee YG. Long-term outcome of tuberoplasty for irreparable massive rotator cuff tears: is tuberoplasty really applicable? J Shoulder Elbow Surg. 2016;25(2):224-31.

36. Burkhart SS, Nottage WM, Ogilvie-Harris DJ, Kohn HS, Pachelli A. Partial repair of irreparable rotator cuff tears. Arthroscopy: The Journal of Arthroscopic & Related Surgery. 1994;10(4):363-70.

37. Burkhart SS, Esch JC, Jolson RS. The rotator crescent and rotator cable: an anatomic description of the shoulder's "suspension bridge". Arthroscopy: The Journal of Arthroscopic & Related Surgery. Orthop Res Rev. 2018;10:93-103.

38. Novi M, Kumar A, Paladini P, Porcellini G, Merolla G. Irreparable rotator cuff tears: Challenges and solutions. Orthop Res Rev. 2018;10:93.

39. Malahias M-A, Kostretzis L, Chronopoulos E, Brilakis E, Avramidis G, Antonogiannakis E. Arthroscopic partial repair for massive rotator cuff tears: does it work? A systematic review. Sports medicine-open. Sports Med Open. 2019;5(1):13.

40. Besnard M, Freychet B, Clechet J, Hannink G, Saffarini M, Carrillon Y, et al. Partial and complete repairs of massive rotator cuff tears maintain similar long-term improvements in clinical scores. Knee Surg Sports Traumatol Arthrosc. 2021;29(1):181-91.

41. Bigliani LU, Cordasco FA, McIlveen SJ, Musso ES. Operative repair of massive rotator cuff tears: long-term results. J Shoulder Elbow Surg. 1992;1(3):120-30.

42. Tauro JC. Arthroscopic "interval slide" in the repair of large rotator cuff tears. Arthroscopy: The Journal of Arthroscopic & Related Surgery. 1999;15(5):527-30.

43. Anley CM, Chan SK, Snow M. Arthroscopic treatment options for irreparable rotator cuff tears of the shoulder. World J Orthop. 2014;5(5):557.

44. Lo IK, Burkhart SS. Arthroscopic repair of massive, contracted, immobile rotator cuff tears using single and double interval slides: technique and preliminary results. Arthroscopy: The Journal of Arthroscopic & Related Surgery. 2004;20(1):22-33.

45. Kim S-J, Kim S-H, Lee S-K, Seo J-W, Chun Y-M. Arthroscopic repair of massive contracted rotator cuff tears: aggressive release with anterior and posterior interval slides do not improve cuff healing and integrity. JBJS. 2013;95(16):1482-8.

46. Berdusco R, Trantalis JN, Nelson AA, Sohmer S, More KD, Wong B, et al. Arthroscopic repair of massive, contracted, immobile tears using interval slides: clinical and MRI structural follow-up. Knee Surg Sports Traumatol Arthrosc. 2015;23(2):502-7.

47. Burkhart SS, Athanasiou K, Wirth MA. Margin convergence: a method of reducing strain in massive rotator cuff tears. Arthroscopy: The Journal of Arthroscopic & Related Surgery. 1996;12(3):335-8.

48. Burkhart SS. The principle of margin convergence in rotator cuff repair as a means of strain reduction at the tear margin. Ann Biomed Eng. 2004;32(1):166-70.

49. Mazzocca AD, Bollier M, Fehsenfeld D, Romeo A, Stephens K, Solovyoya O, et al. Biomechanical evaluation of margin convergence. Arthroscopy: The Journal of Arthroscopic & Related Surgery. 2011;27(3):330-8.

50. Hatta T, Giambini H, Zhao C, Sperling JW, Steinmann SP, Itoi E, et al. Biomechanical effect of margin convergence techniques: quantitative assessment of supraspinatus muscle stiffness. PloS one. 2016;11(9):e0162110.

51. Shindle MK, Nho SJ, Nam D, MacGillivray JD, Cordasco FA, Adler RS, et al. Technique for margin convergence in rotator cuff repair. HSS J. 2011;7(3):208-12.

52. Oh JH, McGarry MH, Jun BJ, Gupta A, Chung KC, Hwang J, et al. Restoration of shoulder biomechanics according to degree of repair completion in a cadaveric model of massive rotator cuff tear: importance of margin convergence and posterior cuff fixation. Am J Sports Med. 2012;40(11):2448-53.

53. Kim Y-K, Jung K-H, Won J-S, Cho S-H. Medialized repair for retracted rotator cuff tears. J Shoulder Elbow Surg. 2017;26(8):1432-40.

54. Liu J, Hughes RE, O'DRISCOLL SW, An K-N. Biomechanical effect of medial advancement of the supraspinatus tendon. A study in cadavera. JBJS. 1998;80(6):853-9.

55. Neviaser JS. Ruptures of the rotator cuff of the shoulder: new concepts in the diagnosis and operative treatment of chronic ruptures. Arch Surg. 1971;102(5):483-5.

56. Richards DP, Burkhart SS, Lo IK. Arthroscopic biceps tenodesis with interference screw fixation: The lateral decubitus position. Oper Tech Sports Med. 2003;11(1):15-23.

57. Rhee YG, Cho NS, Lim CT, Yi JW, Vishvanathan T. Bridging the gap in immobile massive rotator cuff tears: augmentation using the tenotomized biceps. Am J Sports Med. 2008;36(8):1511-8.

58. Cho NS, Yi JW, Rhee YG. Arthroscopic biceps augmentation for avoiding undue tension in repair of massive rotator cuff tears. Arthroscopy: The Journal of Arthroscopic & Related Surgery. 2009;25(2):183-91.

59. Veen EJ, Stevens M, Diercks RL. Biceps autograft augmentation for rotator cuff repair: a systematic review. Arthroscopy: The Journal of Arthroscopic & Related Surgery. 2018;34(4):1297-305.

60. Lewington MR, Ferguson DP, Smith TD, Burks R, Coady C, Wong IH-B. Graft utilization in the bridging reconstruction of irreparable rotator cuff tears: a systematic review. Am J Sports Med. 2017;45(13):3149-57.

61. Mori D, Funakoshi N, Yamashita F. Arthroscopic surgery of irreparable large or massive rotator cuff tears with low-grade fatty degeneration of the infraspinatus: patch autograft procedure versus partial repair procedure. Arthroscopy: The Journal of Arthroscopic & Related Surgery. 2013;29(12):1911-21.

62. Rhee SM, Oh JH. Bridging graft in irreparable massive rotator cuff tears: autogenic biceps graft versus allogenic dermal patch graft. Clin Orthop Surg. 2017;9(4):497-505.

63. Park JH, Oh KS, Kim TM, Kim J, Yoon JP, Kim JY, et al. Effect of Smoking on Healing Failure After Rotator Cuff Repair. Am J Sports Med. 2018;46(12):2960-8. Epub 2018/08/22. doi: 10.1177/0363546518789691. PubMed PMID: 30129777.

64. Deranlot J, Herisson O, Nourissat G, Zbili D, Werthel JD, Vigan M, et al. Arthroscopic subacromial spacer implantation in patients with massive irreparable rotator cuff tears: clinical and radiographic results of 39 retrospectives cases. Arthroscopy: The Journal of Arthroscopic & Related Surgery. 2017;33(9):1639-44.

65. Savarese E, Romeo R. New solution for massive, irreparable rotator cuff tears: the subacromial "biodegradable spacer". Arthrosc Tech. 2012;1(1):e69-74. Epub 2013/06/15. doi: 10.1016/j.eats.2012.02.002. PubMed PMID: 23766979; PubMed Central PMCID: PM-CPMC3678622.

66. Riff AJ, Verma NN. Subacromial spacer for irreparable rotator cuff tears. Oper Tech Sports Med. 2018;26(1):44-7.

67. Bozkurt M, Akkaya M, Gursoy S, Isik C. Augmented fixation with biodegradable subacromial spacer after repair of massive rotator cuff tear. Arthrosc Tech. 2015;4(5):e471-e4.

68. Senekovic V, Poberaj B, Kovacic L, Mikek M, Adar E, Markovitz E, et al. The biodegradable spacer as a novel treatment modality for massive rotator cuff tears: a prospective study with 5-year follow-up. Arch Orthop Trauma Surg. 2017;137(1):95-103.

69. Piekaar R, Bouman I, van Kampen P, van Eijk F, Huijsmans P. The subacromial balloon spacer for massive irreparable rotator cuff tears: approximately 3 years of prospective follow-up. Musculoskeletal surgery. 2020;104(2):207-14.

70. Mihata T, McGarry MH, Pirolo JM, Kinoshita M, Lee TQ. Superior capsule reconstruction to restore superior stability in irreparable rotator cuff tears: a biomechanical cadaveric study. Am J Sports Med. 2012;40(10):2248-55.

71. Schwartz E, Warren RF, O'Brien SJ, Fronek J. Posterior shoulder instability. Orthop Clin North Am. 1987;18(3):409-19.

72. Mihata T, Watanabe C, Fukunishi K, Tsujimura T, Ohue M, Kinoshita M. Clinical outcomes after arthroscopic superior capsular reconstruction for irreparable rotator cuff tear. Shoulder Joint. 2010;34:451-3.

73. Mihata T, Lee TQ, Watanabe C, Fukunishi K, Ohue M, Tsujimura T, et al. Clinical results of arthroscopic superior capsule reconstruction for irreparable rotator cuff tears. Arthroscopy: The Journal of Arthroscopic & Related Surgery. 2013;29(3):459-70.

74. Mihata T, Lee TQ, Fukunishi K, Itami Y, Fujisawa Y, Kawakami T, et al. Return to sports and physical work after arthroscopic superior capsule reconstruction among patients with irreparable rotator cuff tears. Am J Sports Med. 2018;46(5):1077-83.

75. Denard PJ, Brady PC, Adams CR, Tokish JM, Burkhart SS. Preliminary results of arthroscopic superior capsule reconstruction with dermal allograft. Arthroscopy: The Journal of Arthroscopic & Related Surgery. 2018;34(1):93-9.

76. Wall KC, Toth AP, Garrigues GE. How to use a graft in irreparable rotator cuff tears: A literature review update of interposition and superior capsule reconstruction techniques. Curr Rev Musculoskelet Med. 2018;11(1):122-30.

77. Bedi A, Dines J, Warren RF, Dines DM. Massive tears of the rotator cuff. JBJS. 2010;92(9):1894-908.

78. Namdari S, Voleti P, Baldwin K, Glaser D, Huffman GR. Latissimus dorsi tendon transfer for irreparable rotator cuff tears: a systematic review. JBJS. 2012;94(10):891-8.

79. 신상진. 봉합이 불가능한 회전근 개 광범위 파열에 대한 건 이전 수술. 대한견주관절학회지. 2010;13(1):161-6.

80. Werner CM, Zingg PO, Lie D, Jacob HA, Gerber C. The biomechanical role of the subscapularis in latissimus dorsi transfer for the treatment of irreparable rotator cuff tears. J Shoulder Elbow Surg. 2006;15(6):736-42.

81. Oh JH, Tilan J, Chen Y-J, Chung KC, McGarry MH, Lee TQ. Biomechanical effect of latissimus dorsi tendon transfer for irreparable massive cuff tear. J Shoulder Elbow Surg. 2013;22(2):150-7.

82. Aoki M, Okamura K, Fukushima S, Takahashi T, Ogino T. Transfer of latissimus dorsi for irreparable rotator-cuff tears. J Bone Joint Surg Br. 1996;78(5):761-6.

83. Gerber C, Maquieira G, Espinosa N. Latissimus dorsi transfer for the treatment of irreparable rotator cuff tears. JBJS. 2006;88(1):113-20.

84. El-Azab HM, Rott O, Irlenbusch U. Long-term follow-up after latissimus dorsi transfer for irreparable posterosuperior rotator cuff tears. JBJS. 2015;97(6):462-9.

85. Grimberg J, Kany J, Valenti P, Amaravathi R, Ramalingam AT. Arthroscopic-assisted latissimus dorsi tendon transfer for irreparable posterosuperior cuff tears. Arthroscopy: The Journal of Arthroscopic & Related Surgery. 2015;31(4):599-607. e1.

86. Gerber C, Krushell RJ. Isolated rupture of the tendon of the subscapularis muscle. Clinical features in 16 cases. The Journal of bone and joint surgery British volume. 1991;73(3):389-94.

87. Wirth MA, Rockwood Jr CA. Operative treatment of irreparable rupture of the subscapularis. JBJS. 1997;79(5):722-31.

88. Lyons RP, Green A. Subscapularis tendon tears. JAAOS-Journal of the American Academy of Orthopaedic Surgeons. 2005;13(5):353-63.

89. Resch H, Povacz P, Ritter E, Matschi W. Transfer of the pectoralis major muscle for the treatment of irreparable rupture of the subscapularis tendon. JBJS. 2000;82(3):372-82.

90. Elhassan B, Ozbaydar M, Massimini D, Diller D, Higgins L, Warner J. Transfer of pectoralis major for the treatment of irreparable tears of subscapularis: does it work? The Journal of bone and joint surgery British volume. 2008;90(8):1059-65.

91. Warner J. Management of massive irreparable rotator cuff tears: the role of tendon transfer. Instr Course Lect. 2001;50:63-71.

92. Gavriilidis I, Kircher J, Magosch P, Lichtenberg S, Habermeyer P. Pectoralis major transfer for the treatment of irreparable anterosuperior rotator cuff tears. Int Orthop. 2010;34(5):689-94.

93. Jost B, Puskas GJ, Lustenberger A, Gerber C. Outcome of pectoralis major transfer for the treatment of irreparable subscapularis tears. JBJS. 2003;85(10):1944-51.

94. Moroder P, Schulz E, Mitterer M, Plachel F, Resch H, Lederer S. Long-term outcome after pectoralis major transfer for irreparable anterosuperior rotator cuff tears. JBJS. 2017;99(3):239-45.

95. Luo Z, Lin J, Sun Y, Zhu K, Wang C, Chen J. Outcome Comparison of Latissimus Dorsi Transfer and Pectoralis Major Transfer for Irreparable Subscapularis Tendon Tear: A Systematic Review. Am J Sports Med. 2021:03635465211018216.

96. 오주한, 최준하. 광범위 회전근 개 파열의 치료들 중 관절 치환술의 역할. 대한정형외과학회지. 2013;48(1):78-87.

97. Sirveaux F, Favard L, Oudet D, Huquet D, Walch G, Mole D. Grammont inverted total shoulder arthroplasty in the treatment of glenohumeral osteoarthritis with massive rupture of the cuff: results of a multicentre study of 80 shoulders. The Journal of bone and joint surgery British volume. 2004;86(3):388-95.

98. Favard L, Levigne C, Nerot C, Gerber C, De Wilde L, Mole D. Reverse prostheses in arthropathies with cuff tear: are survivorship and

function maintained over time? Clin Orthop Relat Res. 2011;469(9):2469-75.

99. Petrillo S, Longo U, Papalia R, Denaro V. Reverse shoulder arthroplasty for massive irreparable rotator cuff tears and cuff tear arthropathy: a systematic review. Musculoskeletal surgery. 2017;101(2):105-12.

100. Boileau P, Chuinard C, Roussanne Y, Neyton L, Trojani C. Modified latissimus dorsi and teres major transfer through a single delto-pectoral approach for external rotation deficit of the shoulder: as an isolated procedure or with a reverse arthroplasty. J Shoulder Elbow Surg. 2007;16(6):671-82.

101. Wall B, Nové-Josserand L, O'Connor DP, Edwards TB, Walch G. Reverse total shoulder arthroplasty: a review of results according to etiology. JBJS. 2007;89(7):1476-85.

102. Boughebri O, Kilinc A, Valenti P. Reverse shoulder arthroplasty combined with a latissimus dorsi and teres major transfer for a deficit of both active elevation and external rotation. Results of 15 cases with a minimum of 2-year follow-up. OTSR. 2013;99(2):131-7.

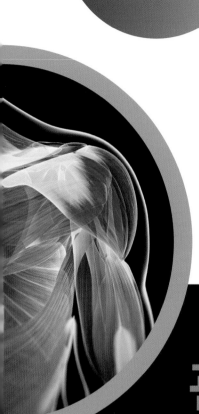

책임편집 ●

김세훈 이경재 이성민 오주한 정현장 윤종필

관절염–인공관절치환술

골관절염
Osteoarthritis

김세훈·이경재

1. 서론

골관절염은 관절염 중 가장 흔한 질환으로 관절연골이 점진적으로 마멸되며 관절내 마찰이 증가하여 심한 통증과 강직을 유발하는 비가역적인 질환이다. 견관절의 골관절염은 슬관절 또는 고관절에 비하여 매우 드물며,[1] 이는 하지의 관절과는 다르게 직접적인 체중부하를 하지 않기 때문으로 생각된다. 하지만, 직접적인 체중이 관절면에 전달되지는 않으나 능동적인 외전 시 견관절에 가해지는 힘은 체중의 90%에 이른다.[2] 관절연골에 가해지는 힘은 크기뿐 아니라 방향과 지속시간, 힘이 가해지는 지점과 관절 사이의 거리 등에 의해 결정된다.

1) 병리

골관절염은 대표적인 염증성 관절염인 류마티스 관절염과는 크게 다른 병리적 소견을 보인다. 골관절염 발생의 병리학적 기전에 대해서는 아직 분명하지 않은 부분이 많이 있으나 연속적인 세포 및 생화학적 변화에 의하여 관절연골이 파괴되는 반면에 재생은 불충분한 상태로 요약할 수 있다. 골관절염에서 관찰되는 생화학적 변화는 교원섬유 기질의 소실과 그로 인한 수분 함량의 증가, 단백다당(proteoglycan) 구성의 변화, 단백분해 효소와 사이토카인(cytokine)의 증가 등이다. 연골파괴(cartilage degradation)와 재생이 촉진됨으로써 연골파괴 산물의 생성과 연골 단백다당의 합성이 증가된다.

관절파괴의 진행에 따라 관절연골은 점차 얇아지고 단단함을 잃게 된다. 초기 소견은 연골 표면이 갈라져서 털이 거칠게 난 것 같은 원섬유형성(fibrillation)과 분열(disruption)이며, 병이 진행하면서 표면의 불규칙성은 갈라진 틈(cleft)을 형성하게 된다. 원섬유형성 연골은 심층부로 진행하며 결국은 열구(fissure)를 형성하여 연골하골(subchondral bone)까지 다다른다. 이런 과정을 통해 연골이 완전이 벗겨지면 연골하골이 노출되며 정상적으로 철면을 보이는 상완골 두는 편평화된다. 노출된 연골하골은 경화되며 이에 따라 연골층의 전단 응력(shear stress)이 증가된다. 이는 연골내의 미세구조를 변화시켜 수분 함량의 증가와 연골파괴를 초래하는 여러 연쇄반응으로 이어져 결국에는 관절에 가해지는 힘을 감당하기 어렵게 된다. 이와 같은 점진적인 관절연골의 파괴(degradation)로 관절면의 마찰이 증가되어, 남아 있는 연골에는 기계적인 파괴가 발생한다(그림 1-1).

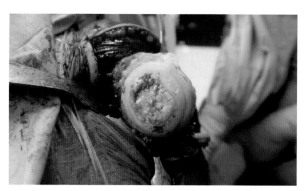

그림 1-1 **상완골 두의 편평화 및 노출된 연골하골**

이와 같은 관절연골의 변성은 연골에 가해지는 응력을 분산시키는 능력을 저하시킴으로써 연골하골의 최대응력(peak stress)을 상승시키며, 이에 대한 반응성 골 형성으로 인한 연골하골의 경화와 골 표면의 미세 균열(microfissure)을 초래하게 된다. 때로는 노출된 연골하골의 결손이 발생하며, 관절내 압력이 높은 경우는 연골하골수강(subchondral marrow space)내로 액체가 침투하게 되며 주변의 골소주의 이차적 흡수에 따라 관절면과 연결되는 낭종(cyst)이 형성되기도 한다.[3] 관절연골과 뼈에서 일어나는 반응성 변화로 만들어지는 부스러기(debris)에 대한 반응으로 활막(synovium)에 염증세포의 침윤이 심해지면서 비후된다. 이렇듯 활막의 변화는 다른 염증성 관절병변과는 달리 이차적으로 발생하는 것으로 염증세포 침윤, 신생혈관형성과 함께 활막세포(synoviocyte)의 증식(proliferation)과 과형성(hyperplasia)이 관찰된다. 또한, 관절에 부하가 가해지는 부분에는 골형성이 진행하여 관절의 변연부에 생긴 골극(osteophyte)은 관절면을 넓게 만들며 초자연골(hyaline cartilage)이나 섬유연골(fibrous cartilage)로 피복되기도 한다.

견관절의 골관절염은 초기에 기본적으로는 골성 병변이지만 연부조직도 이환하게 되어 전방 관절낭의 구축과 견갑하건의 단축으로 견관절의 외회전 제한이 초래되며 상완골 두는 후방으로 밀려나 후방 아탈구가 오게 된다. 또한 이에 속발하여 관절와 후방의 마모(wear)와 침식(erosion)이 흔히 보인다.[4,5] 아울러 후방 관절낭은 이완된다. 손상된 관절 표면에서 떨어진 골과 연골의 분리 조각들로부터 생긴 골연골 유리체(osteocartilagenous loose body)의 형성도 흔하게 볼 수 있다. 관절연골의 파괴와 변형에 따라 관절면의 불일치(incongruity)에 의한 운동범위 감소, 변연부 골극(marginal osteophyte) 및 관절간격 협소화 등을 보인다. 골관절염에서 연골 손상의 정도는 Outerbridge 분류, 국제연골재생학회(International Cartilage Repair Society, ICRS) 등급체계 등으로 분류할 수 있으며, 견관절에서 관절염의 단계는 변형 Outerbridge 분류에 의하여 나눈다.[6,7] 1단계는 관절연골의 연화 또는 수포형성, 2단계는 연골의 균열과 원섬유형성, 3단계는 연골의 깊은 궤양(ulceration), 4단계는 연골하골의 노출이다(그림 1-2).

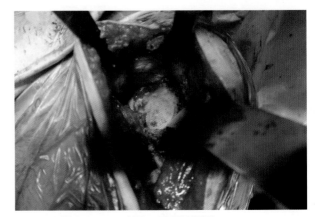

그림 1-2 변형 Outerbridge 분류 IV 단계의 관절와

Neer는 골관절염의 발생에 회전근에 의한 압박력을 필요조건으로 생각하였으며 실제로 골관절염 환자에서 회전근 개 파열이 동반되는 경우는 드물다. Pollock 등은 견관절 전치환술(total shoulder arthroplasty)을 시행한 골관절염 중 3.6%에서 회전근 개 전층 파열이 동반된 것으로 보고했으며,[8] 회전근 개 파열이 동반되는 경우도 대부분 중형(medium size) 이하의 파열이다. 골관절염은 일단 발생하면 점차 진행하여 통증의 점진적인 악화를 보인다.

2) 역학

흔히 활동이 왕성한 40, 50대에 시작하며 초기에는 증상이 경미하여 병이 상당히 진행된 이후에 발견되는 경우가 많다. 유병률은 정확히 조사된 바는 없으나, 65세 이상의 동양인의 16.1-20.1%가 영상검사에서 견관절의 골관절염이 확인되었다.[9,10] 발병률이 나이에 따라 증가하며,[11] 남녀간 발생률의 차이는 없다고 알려져 있으나[12] 여성에서 더 흔하다는 보고도 있다.[1] 보통 우세 상지측에서 비우세 상지측보다 흔하다.

2. 진단

병력과 이학적 검사 및 단순 방사선 검사에 의하여 쉽게 진단할 수 있다. 피 검사나 관절액 검사는 골관절염의 진단에는 도움이 되지 않으며, 류마티스 관절염 등의 염증성 관절염이나 화농성 관절염의 진단에 도움이 된다.

1) 병력

환자는 점진적으로 진행하는 견부의 통증과 경직, 관절 기능저하를 보인다. 통증의 위치는 주로 견관절의 뒤쪽 부분에서 관찰되는 경우가 흔하며, 이는 경추 신경근병증의 통증이 주로 승모근 부분에서 관찰되는 것과 차이가 있다. 통증은 휴식에도 불구하고 호전되지 않으며 점진적으로 악화되고, 진행에 따라 진통소염제의 효과도 감소한다. 골관절염이 진행하게 되면, 환자들은 밤에 잠에서 깰 정도의 통증을 호소하게 되고, 마찰음(crepitus)과 강직 및 관절운동제한이 동반된다.[13] 다른 유형의 관절염과 감별을 위하여 다른 관절의 이환, 외상 및 전신적 질환 유무, 수술 여부 등에 대해서도 자세히 조사해야 한다.

2) 신체검진

신체검진을 통해 통증을 유발하는 다른 어깨질환들을 감별해야 한다. 수동적 운동 시 통증이 유발되지 않거나 압통이 없다면 윤활낭염이나 이두박근 힘줄염 등을 의심할 수 있다.[14] 견관절의 운동범위는 개인차가 많으며 연령에 따라 점차 감소하므로 수동적 운동범위를 양측에서 측정하여 비교하여야 하며, 상완골 두의 후방 아탈구로 인한 전방 관절낭의 구축으로 인해 외회전의 저하가 굴곡운동의 저하보다 뚜렷하게 관찰된다. 수동적 운동 시 관절에서 마찰음(crepitus)이 나타나는 경우도 드물지 않으며, 능동적 운동범위와 수동적 운동범위의 차이가 없는지도 봐야 한다. 또한 거상 및 내, 외회전에 대한 등장성 근력검사 (isometric muscle power test)를 시행하여 회전근 개 질환을 감별해야 한다.[15]

3) 영상 검사

단순 방사선검사가 기본으로 진성 전후면 영상과 액와면 영상을 촬영하며, 관절 간격의 두께, 상완골 두와 관절와의 상대적 위치, 골극, 골 침식 및 변형, 골 위축 유무 및 정도 등의 여러 소견을 관찰한다. 관절간격 협소화 및 소실, 연골하골의 경화, 연골하 낭종, 변연부 골극 등이 골관절염의 전형적인 단순 방사선 소견이다(그림 1-3). 진성 전후면 영상에서 상완골 두의 상방 전위가 관찰되면 골관절염

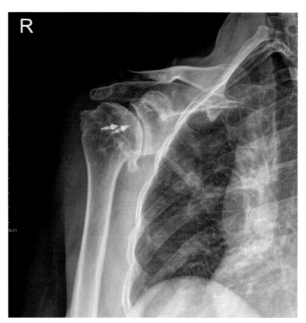

그림 1-3 전후면 영상에서 보이는 상완골 두의 하방 골극 및 관절 간격 협소

보다는 광범위 회전근 개 파열(massive rotator cuff tear) 또는 회전근 개 파열 병증(cuff tear arthropathy)을 좀 더 의심할 수 있다. 골관절염에서 골극 형성은 상완골 두의 전하방에서 가장 흔하며, 만약 대결절 주위의 낭성 변화 또는 골극이 관찰된다면 회전근 개 질환의 감별이 필요하다. 액와면 영상은 관절와의 침식, 비정상적인 경사(version), 상완골 두의 아탈구를 평가할 수 있다. 때로는 연부조직 구축에 의하여 정확한 위치에서 단순 방사선 촬영이 어려운 경우가 있으며, 그러한 경우는 전산화 단층촬영(computed tomography, CT)이 유용하다. 특히 인공관절 전치환술을 시행할 경우에는 여러 영상검사를 통해 관절와의 모양과 용적, 상완골 두와의 관계 등을 파악하는 것이 중요하다. 전산화 단층촬영을 통해 관절와의 모양, 마모(wear)된 정도, 마모된 위치를 정확히 확인할 수 있으며, 자기공명영상 (magnetic resonance imaging, MRI)을 통해 연부조직과 관절연골의 변화를 확인할 수 있다. 주로 후방 관절와의 마모가 가장 흔하며, 이는 골관절염에서 상완골 두의 후방 전위가 흔하기 때문이다.[5] 관절와의 모양과 마모는 인공관절 수술 시 관절와 삽입물의 위치를 결정하는 데 중요하고, 이에 Walch 등은 관절와의 모양을 크게 세 가지 유형으로 분

류했으며[16] Bercik 등은 이를 발전시킨 변형 Walch 분류를 발표했다(그림 1-4).[17]

3. 치료

골관절염은 비가역적이며 점진적 진행을 보이는 질환이 므로 우선 환자에게 질환에 대해 이해시키는 것이 중요하 다. 질환의 빠른 진행을 막기 위해 관절의 과도한 사용을 줄이도록 해야 하며, 경우에 따라 직업에 따른 사용 가능 범위에 대한 조언이 필요할 수도 있다.

1) 비수술적 치료

물리치료는 운동범위의 증가와 근력 강화를 목표로 하 며, 대부분 관절염 환자의 증상 완화에 도움을 준다. 만성 적인 통증에서는 표층 및 심부 열치료에 의하여 조직의 유 연성과 국소 대사를 증가시킬 수 있다. 이와 같은 물리치료 에 더하여 견관절의 스트레칭과 회전근 개 강화운동은 필 수적이다. 물속에서의 운동은 부력을 이용함으로써 운동 을 용이하게 하며, 근육과 관절에 가해지는 하중을 감소시 켜 도움이 되는 경우가 많다.

골관절염에서 비스테로이드성 소염진통제(nonsteroid anti-inflammatory drug, NSAID)가 아스피린이나 아세트아 미노펜과 같은 단순 진통제에 비하여 이점이 있는가에 대 하여는 논란이 있었다.[18] 그러나 최근 메타 분석에 의하면,

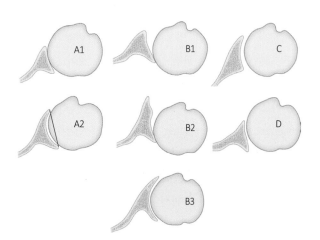

골관절염 환자에서 아세트아미노펜 대신에 비스테로이드 성 소염 진통제를 사용했을 때 통증의 경감에 더 효과적이 었다.[19] 국소 스테로이드 주사는 류마티스 관절염에 비하여 골관절염에는 제한적으로 사용되며 단기간의 증상 호전만 을 가져온다.

2) 수술적 치료

보존적 치료에 의하여 증상이 호전되지 않는 진행된 골 관절염의 외과적 치료는 인공관절치환술이며 통증완화와 기능회복 면에서 우수한 결과를 보인다. 그러나 관절의 파 괴가 비교적 심하지 않은 경우 및 젊은 연령으로 인공관절 치환술이 바람직하지 않은 경우에는 관절을 보존하는 수 술법을 먼저 고려하는 것이 바람직하다.

3) 관절경적 수술

관절경적 변연절제술(arthroscopic debridement) 및 관절 경적 관절낭 유리술(arthroscopic capsular release)은 관절간 격이 남아있으면서 상완골 두와 관절와가 동심성 관계를 유지하는 조기 골관절염에서 통증 완화 및 운동범위 호전 에 좋은 결과를 보인다.[7] 그러나 진행된 골관절염에서의 결 과는 양호하지 않으며,[20] 변연절제술은 질환 자체의 자연경 과를 바꾸지는 못하며 일시적인 효과만을 보인다.[21] Skelley 등이 관절경적 변연절제술 및 관절낭 유리술을 시행한 결과, 수술 후 평균 3.8개월 뒤 운동범위 및 통증 점수가 수술 전과 같아졌으며 42.4%의 환자들이 수술 후 평균 8.8개월째 인공관절 전치환술을 받았다고 보고했다.[22] 반면 Millett 등은 관절경적 변연절제술, 관절낭 유리술 이외에 상완골 두 전하방의 골극 제거, 액와신경 박리술, 연골결손 부위의 미세골절술 등의 추가적인 술식들을 포함한 종합적인 관절경 관리(comprehensive arthroscopic management, CAM) 절차를 시도하였다.[23] 하지만 이 수술 을 시행한 뒤 환자들을 장기 추적한 결과, 수술 전 골관절 염이 심한 환자들의 수술 후 결과는 좋지 않았다.[24,25]

그림 1-4 **변형 Walch 분류**

(1) 인공관절치환술

관절와상완관절의 말기 골관절염에서 인공관절치환술은 우수한 결과를 보인다. 인공 견관절의 개발 초기에는 골관절염에서 대부분 반치환술(hemiarthroplasty)이 시행되어 좋은 결과가 보고되었다. 그러나 인공견관절 치환물의 발전에 따라 전치환술의 시행이 증가하게 되었으며, 골관절염에서 반치환술과 전치환술 중 어느 쪽을 선택할 것인지에 대한 논란이 있어 왔다. 상완골 두만이 아니라 관절와의 관절면까지 치환하는 전치환술의 경우 관절와부품 주변의 방사선투과 음영이 흔히 관찰되며, 그것이 관절염에 대한 인공관절치환술에서 전치환술을 반대하는 배경이 되었다. 그러나 방사선투과 음영은 대부분 비진행성으로서 해리(loosening)를 의미하지 않으며 불량한 결과와 관련이 없는 것으로 알려졌다. 반면 반치환술을 시행하는 경우에는 시간 경과에 따른 관절와연골의 침식으로 통증의 증가가 흔하다.[26] 일반적으로 반치환술을 시행하는 경우에도 상당한 정도의 증상 호전을 볼 수 있으나, 통증과 운동범위의 호전은 전치환술을 시행한 경우에서 더 우수하다.[27] Levine 등은 동심성 관절와가 유지된 경우에는 반치환술만으로도 양호한 결과를 얻을 수 있다고 보고하였다.[28]

최근에는 인공관절치환물의 발달로 스템리스 상완골 부품(stemless humeral component)을 이용한 인공관절 전치환술 기구가 사용되고 있다(그림 1-5). 이 치환물은 상완골의 삽입물 주변 골절의 위험성 및 상완골의 골손실을 줄여주고, 이를 통해 재수술이 필요한 경우, 치환물 제거를 쉽다는 장점이 있다.[29] Wiater 등은 스템리스 인공관절 전치환술과 기존의 인공관절 전치환술을 비교한 무작위 대조시험을 진행했으며, 단기 추적 결과 스템리스 인공관절 전치환술이 기존의 인공관절 전치환술과 비교하여 비열등했다.[30] 하지만, 장기 추적 결과에 대한 연구가 더 필요하다.

인공관절 전치환술 후 삽입물의 위치이상(malposition) 또는 회전근 개 파열이 확인되어 재수술이 필요한 경우, 역행성 인공관절치환술(reverse total shoulder arthroplasty)로 전환이 필요하다. 이러한 재수술을 쉽게 하기 위하여 모듈식 시스템(modular system)의 치환물이 개발되었다. Weber-Spickschen 등은 모듈식 시스템의 치환물 사용하여 역행성 인공관절로의 재수술 후 단기 추적 시 결과가 좋다고 주장했으나,[31] Theelen 등은 스템의 재치환이 필요한 경우도 있기 때문에 주의해서 사용해야 한다고 보고했다.[32] 관절와의 후방경사가 심하거나 상완골 두의 후방 아탈구가

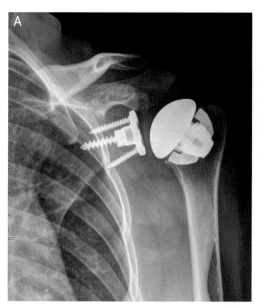
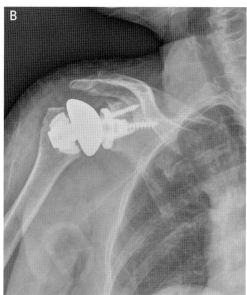

그림 1-5 **스템리스 인공관절 전치환술의 수술 후 전후면 영상**

심한 골관절염 환자의 경우, 처음부터 통상적인 인공관절 전치환술 대신 역행성 인공관절치환술을 시도한 연구들이 있었고 중기 추적 시 좋은 결과를 보였다.[33] 실제 증례로, 77세 여자 환자의 좌측 견관절에 골관절염 소견이 확인되며(그림 1-6), 회전근 개 힘줄의 이상소견은 보이지 않았다(그림 1-7). 수술 전 전산화 단층촬영을 시행한 결과 관절와의 후방경사가 15도 이상 측정되었고(그림 1-8), 이에 역행성 인공관절치환술을 시행했다(그림 1-9).

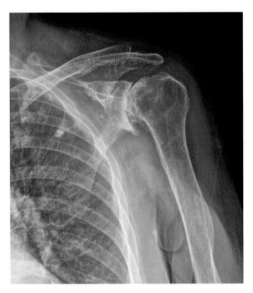

그림 1-6 골관절염 소견이 확인된 전후면 영상

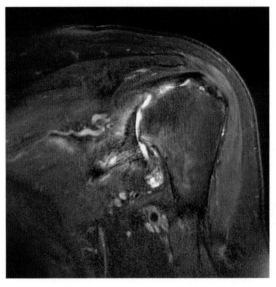

그림 1-7 회전근 개 힘줄 상태를 평가한 MRI T2 강조 관상면 영상

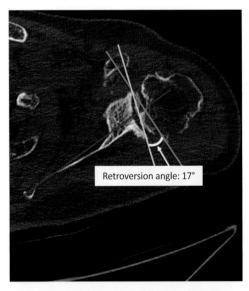

Retroversion angle: 17°

그림 1-8 후방 관절와의 마모 소견이 보이는 CT 축 영상
빨간 선: 프리드만 선(Friedman line); 초록 선: 프리드만 선에 90도 수직선; 노란 선: 관절와의 앞쪽과 뒤쪽 가장자리 연결선; 흰색 각도: 관절와 후방경사 각도.

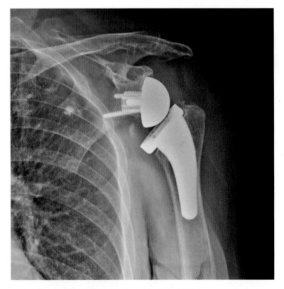

그림 1-9 역행성 인공관절치환술 후 전후면 영상

참고문헌

1. Nakagawa Y, Hyakuna K, Otani S, Hashitani M, Nakamura T. Epidemiologic study of glenohumeral osteoarthritis with plain radiography. J Shoulder Elb Surg. 1999;8(6):580–4.

2. Poppen NK, Walker PS. Forces at the glenohumeral joint in abduction. Clin Orthop Relat Res. 1978;(135):165–70.

3. Ondrouch AS. Cyst formation in osteoarthritis. J Bone Joint Surg Br. 1963;45(4):755–60.

4. Cole BJ, Yanke A, Provencher MT. Nonarthroplasty alternatives for the treatment of glenohumeral arthritis. J Shoulder Elb Surg. 2007;16(5 SUPPL.):231–40.

5. Neer CS 2nd, Watson KC, Stanton FJ. Recent experience in total shoulder replacement. J Bone Joint Surg Am. 1982;64(3):319–37.

6. Outerbridge RE. The etiology of chondromalacia patellae. J Bone Joint Surg Br. 1961;43-B:752–7.

7. Weinstein DM, Bucchieri JS, Pollock RG, Flatow EL, Bigliani LU. Arthroscopic debridement of the shoulder for osteoarthritis. Arthroscopy. 2000;16(5):471–6.

8. Pollock RG, Higgs GB, Codd TP, et al. Total shoulder replacement for the treatment of primary glenohumeral osteoarthritis. J Shoulder Elb Surg. 1995;4(1):S12.

9. Oh JH, Chung SW, Oh CH, et al. The prevalence of shoulder osteoarthritis in the elderly Korean population: Association with risk factors and function. J Shoulder Elb Surg. 2011;20(5):756–63.

10. Kobayashi T, Takagishi K, Shitara H, et al. Prevalence of and risk factors for shoulder osteoarthritis in Japanese middle-aged and elderly populations. J Shoulder Elb Surg. 2014;23(5):613–9.

11. Jurmain RD. The pattern of involvement of appendicular degenerative joint disease. Am J Phys Anthropol. 1980;53(1):143–50.

12. Iannotti JP, Jr. GRW, Miniaci A, Zuckerman JD. Disorder of the Shoulder: Diagnosis and Management. 3rd ed. New York: Lippincott Williams & Wilkins; 2013. 233–245 p.

13. Macías-Hernández SI, Morones-Alba JD, Miranda-Duarte A, et al. Glenohumeral osteoarthritis: overview, therapy, and rehabilitation. Disabil Rehabil. 2017;39(16):1674–82.

14. Gomoll AH, Katz JN, Warner JJP, Millett PJ. Rotator cuff disorders: Recognition and management among patients with shoulder pain. Arthritis Rheum. 2004;50(12):3751–61.

15. Charles Rockwood, Michael Wirth, Edward Fehringer, Frederick Matsen, John Sperling SL. Rockwood and Matsen's The Shoulder. 5th ed. Amsterdam: Elsevier; 2016. 831–856 p.

16. Walch G, Mesiha M, Boileau P, et al. Three-dimensional assessment of the dimensions of the osteoarthritic glenoid. Bone Jt J. 2013;95 B(10):1377–82.

17. Bercik MJ, Kruse K, Yalizis M, Gauci MO, Chaoui J, Walch G. A modification to the Walch classification of the glenoid in primary glenohumeral osteoarthritis using three-dimensional imaging. J Shoulder Elb Surg. 2016;25(10):1601–6.

18. Dieppe P. Drug treatment of osteoarthritis. J Bone Joint Surg Br. 1993;75(5):673–4.

19. Lee C, Straus WL, Balshaw R, Barlas S, Vogel S, Schnitzer TJ. A comparison of the efficacy and safety of nonsteroidal anti-inflammatory agents versus acetaminophen in the treatment of osteoarthritis: a meta-analysis. Arthritis Rheum. 2004;51(5):746–54.

20. Ogilvie-Harris DJ, Wiley AM. Arthroscopic surgery of the shoulder. A general appraisal. J Bone Joint Surg Br. 1986;68-B(2):201–7.

21. Norris T, Green A. Arthroscopic treatment of glenohumeral osteoarthritis. In: Annual Meeting of American Shoulder and Elbow Surgeons, San Francisco, California. 1997. p. 13–7.

22. Skelley NW, Namdari S, Chamberlain AM, Keener JD, Galatz LM, Yamaguchi K. Arthroscopic debridement and capsular release for the treatment of shoulder osteoarthritis. Arthrosc J Arthrosc Relat Surg. 2015;31(3):494–500.

23. Millett PJ, Gaskill TR. Arthroscopic management of glenohumeral arthrosis: humeral osteoplasty, capsular release, and arthroscopic axillary nerve release as a joint-preserving approach. Arthrosc J Arthrosc Relat Surg. 2011;27(9):1296–303.

24. Mitchell JJ, Warner BT, Horan MP, et al. Comprehensive Arthroscopic Management of Glenohumeral Osteoarthritis: Preoperative Factors Predictive of Treatment Failure. Am J Sports Med. 2017;45(4):794–802.

25. Arner JW, Elrick BP, Nolte PC, Haber DB, Horan MP, Millett PJ. Survivorship and Patient-Reported Outcomes After Comprehensive Arthroscopic Management of Glenohumeral Osteoarthritis: Minimum 10-Year Follow-up. Am J Sports Med. 2021;49(1):130–6.

26. Cofield RH, Frankle MA, Zuckerman JD. Humeral head replacement for glenohumeral arthritis. Semin Arthroplasty. 1995;6(4):214–21.

27. Gartsman GM, Roddey TS, Hammerman SM. Shoulder arthroplasty with or without resurfacing of the glenoid in patients who have os-

teoarthritis. J Bone Joint Surg Am. 2000;82(1):26-34.

28. Levine WN, Djurasovic M, Glasson JM, Pollock RG, Flatow EL, Bigliani LU. Hemiarthroplasty for glenohumeral osteoarthritis: results correlated to degree of glenoid wear. J shoulder Elb Surg. 1997;6(5):449-54.

29. Habermeyer P, Lichtenberg S, Tauber M, Magosch P. Midterm results of stemless shoulder arthroplasty: a prospective study. J shoulder Elb Surg. 2015;24(9):1463-72.

30. Wiater JM, Levy JC, Wright SA, et al. Prospective, Blinded, Randomized Controlled Trial of Stemless Versus Stemmed Humeral Components in Anatomic Total Shoulder Arthroplasty: Results at Short-Term Follow-up. J Bone Joint Surg Am. 2020;102(22):1974-84.

31. Weber-Spickschen TS, Alfke D, Agneskirchner JD. The use of a modular system to convert an anatomical total shoulder arthroplasty to a reverse shoulder arthroplasty: Clinical and radiological results. Bone Jt J. 2015;97B(12):1662-7.

32. Theelen LMA, Mory B, Venkatesan S, Spekenbrink-Spooren A, Janssen L, Lambers Heerspink FO. Stem retention and survival in revision of anatomical convertible shoulder arthroplasty to reverse arthroplasty: a Dutch registry study. BMC Musculoskelet Disord. 2021;22(1):396.

33. Collin P, Hervé A, Walch G, Boileau P, Muniandy M, Chelli M. Mid-term results of reverse shoulder arthroplasty for glenohumeral osteoarthritis with posterior glenoid deficiency and humeral subluxation. J Shoulder Elb Surg. 2019;28(10):2023-30.

염증성 관절염

Inflammatory arthritis

이성민

류마티스 관절염(rheumatoid arthritis)은 관절파괴의 진행이 특징적인 전신적 자가면역질환이다. 정확한 원인은 불명이나 관절염 유발인자나 항원에 유전적으로 민감한 사람에서 발병하는 것으로 보인다. 인종에 따라 1-2% 정도의 이환율을 보이며 여성에서 남성보다 2-3배 흔하다.[1] 발병률은 50대에서 가장 높다.[1] 5년 이상 류마티스 관절염을 앓아왔던 환자들 중 90% 이상이 견관절에도 통증을 호소한다.[2,3] 류마티스 관절염은 미세혈관의 손상과 활액세포의 증식, 그리고 혈관 주변의 림프구증가증을 야기한다.[4] 지속적인 염증은 관절의 부종과 함께 침식과 증식을 일으킨다. 동시에 여러 염증성 사이토카인들이 분비가 되어

골에 침식을 유발하며, 연골을 파괴시키고, 주변의 회전근개의 약화 혹은 전층 파열을 초래하기도 한다(그림 2-1).[4]

기존에는 류마티스 관절염이 있다고 하면 장해가 생기고 사망률도 높아진다고 하였으나, 최근에는 류마티스 관절염의 병인에 대하여 이해가 높아지고 여러 치료 방법들이 발전하고 있어 치료 후 좋은 결과들이 보고되고 있다.[1]

전신적 류마티스 관절염 환자에서 견관절이 이환되는 경우 초기에는 방사선사진상의 변화가 분명하지 않은 경우가 흔하며 그러한 경우 운동범위 측정은 견부 이환의 초기 진단에 중요한 단서가 된다.

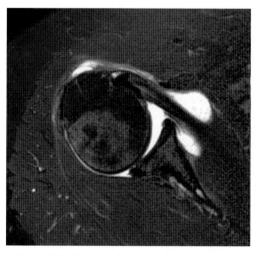
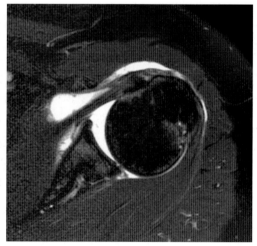

그림 2-1 양측 견관절에 류마티스 관절염이 있는 환자의 MRI
류마티스 관절염은 관절의 부종을 야기하며, 주변 연부조직의 약화로 안정성을 깨뜨려 그림과 같이 안정성이 깨지기도 한다. 그 외 회전근 개의 약화를 야기할 수 있다.

1. 병리

류마티스 관절염의 원인은 아직 명확하게 알려지지 않았다. 류마티스 관절염의 병리적 변화는 활액막하 미세혈관 내벽 세포의 활성화와 손상으로부터 시작되는 것으로 보인다. T-림프구, B-림프구, 단핵구 등이 관절 주변에 침윤하게 되고 새로운 혈관들이 형성이 되면서 활액낭염을 유발하게 된다. 활액의 섬유아세포유사 활막세포(fibroblast-like synoviocyte)와 대식세포유사 활막세포(macrophage-like synoviocyte)는 활막을 두껍게 만들고, 다량의 염증성 사이토카인을 생산한다. 또한, 염증이 확산되면서 인접해 있는 연골과 뼈를 국소적으로 침습해 파괴하는 판누스(pannus)를 형성한다. 이러한 활막세포와 림프구는 receptor activator of nuclear factor-kappa B ligand (RANKL)를 발현하게 되며, 그 결과 파골세포를 활성화시킨다. Tumor necrosis factor (TNF), interleukin (IL)-6 등은 RANKL, 프로스타글란딘(prostaglandin), matrix metalloproteinases를 발현시키며, 관절의 통증과 부종을 일으키며[5] 파골세포를 자극하며, 이는 결국 골의 손상을 유발한다.[6]

류마티스 관절염의 발병은 유전자적 요인과 환경적인 요인 모두 작용을 한다. Human leukocyte antigen (HLA)-DR4가 관련되어 있으며, 정상인은 28%에서만 이 항원이 발현되었으나, 류마티스 관절염이 있는 환자에서는 70%에서 발현이 되었다.[7,8] 여러 유전자가 관련이 있지만 그중에서도 HLA class II 항원인 HLA-DRB1*01과 HLA-DRB1*04가 가장 크게 작용을 하며, 이들은 T-림프구를 활성화시킨다.[9] 환경적인 요소로는 담배가 특히 관련이 있으며, 위장관의 미생물 군집뿐만이 아니라 치주염이나 바이러스 감염도 류마티스 관절염의 발생에 위험인자라고 알려져 있다.[10,11]

1940년대에 류마티스 인자(rheumatoid factor)가 발견되면서 류마티스 관절염의 진단에 새로운 지평이 열렸다.[12] 즉, 류마티스 관절염이 있는 환자의 약 70%에서 류마티스 인자가 관찰되었고, C-reactive protein (CRP)과 erythrocyte sedimentation rate (ESR)가 증가해 있다.[13-15] 류마티스 관절염이 발생하기 전의 기간은 자가항체의 발현 정도와 큰 관련이 있다. Anti-citrullinated protein antibody (ACPA)만 발현된 환자는 자가항체가 생기더라도 5-10년 이후에나 류마티스 관절염이 발병하게 되지만, ACPA뿐만이 아니라, 류마티스 인자도 양성이며, CRP 수치도 높은 경우에는 자가항체가 생긴 직후 관절염이 발생할 수 있다.[16] 질병의 중증도는 활액막 조직에 표현되는 TNF-a, IL-6에 비례하며, CD4+ T-림프구의 수와 반비례한다.[17]

2. 진단

류마티스 관절염에 관하여 빠른 진단과 치료는 관절의 손상을 약 90%에서 막으므로 매우 중요하다.[18]

1) 임상 증상

류마티스 관절염의 증상은 다양하다고 알려져 있으나, 90% 이상의 환자에서 피로, 근육통, 열감, 그리고 체중 감소를 호소한다.[2,3] 초기에는 수부나 족부관절 등 작은 관절에 증상이 나타나다가 조금씩 보다 근위부의 큰 관절에 증상이 나타난다. 견관절까지 진행된 경우에는 통증과 부종, 그리고 관절범위의 감소를 보인다.

병변 초기에는 환자 본인이 자각하지 못하는 경우가 많다.[4] 첫 증상은 견부의 통증 및 관절범위의 감소. 초기에는 특별한 영상의학적 소견 없이 견봉하점액낭염이 있을 수 있으며, 일부 환자들에서는 rice body가 관찰될 수 있다.[19] 운동 시 형성된 판누스로 인하여 소리(crepitation)나 통증이 발생할 수 있다.[1] 염증이 심한 경우에는 가만히 있을 때도 지속적으로 통증이 있을 수 있으며, 특히 밤에 더 심한 통증을 호소할 수 있다.

2) 이학적 검사소견

초기에는 영상 검사에 나타나지 않는 경우가 많다. 따라서 이학적 검사로 감별하는 것이 다른 질환보다 중요하다. 견부 이학적 검사상 관절와상완관절의 동통 및 운동범위 감소가 보이며, 골관절염의 경우 수동적 외회전의 감소가 더욱 특징적이나, 류마티스 관절염에서는 연관된 회전근개의 기능이상으로 인해 수동적 운동과 능동적 운동범위이 분류 기준이 필요한 대상 환자(어떤 사람을 검사해야 하는가?)

1) 적어도 하나의 관절에서 분명한 활막염*의 증상을 갖는 환자

2) 다른 질환에 의해 잘 설명되지 않는 활막염[†]

분류기준 범주 A-D에서 10점 만점 중 합이 6점 이상이면 확실한 류마티스관절염으로 분류한다.[†]

A. 관절 침범

큰 관절 1개[*] ···································· 0점
큰 관절 2-10개[*] ······························· 1점
작은 관절 1-3개[#] ······························· 2점
작은 관절 4-10개[#] ······························ 3점
작은 관절 1개 이상 포함 10개 이상[**] ·········· 5점

B. 혈청 검사[††]

류마티스인자와 항CCP 항체 모두 음성 ········ 0점
낮은 역가의 류마티스인자 또는 항CCP 항체 양성
··· 2점
높은 역가의 류마티스인자 또는 항CCP 항체 양성
··· 3점

C. 혈청 염증반응물질(ESR 또는 CRP)[††]

혈청 염증반응물질 음성 ······················ 0점
혈청 염증반응물질 양성 ······················ 1점

D. 증상의 발생 기간[§]

6주 이내 ································· 0점
6주 이상 ································· 1점

[†] 큰 관절은 어깨, 팔꿈치, 엉덩이, 무릎, 발목을 말한다.

[#] 작은 관절은 중수지절관절, 근위지절간관절, 두 번째부터 다섯 번째 수근중수골관절, 근위지절간관절, 두 번째에서 다섯 번째 중족지절관절, 엄지지간절간관절, 손목을 말한다.

[**] 이 부문에서는 침범된 관절 중 최소 하나 이상이 작은 관절이어야 한다. 다른 관절은 큰 관절과 작은 관절의 다양한 조합이 포함될 수 있으며 특별히 언급되지 않은 다른 관절 증상에 따라 다양한 감별진단이 있을 수 있으나, 전신홍반도 포함된다(악관절, 견봉-쇄골관절, 흉쇄관절 등).

[††] 음성은 검사 수치가 정상 상한치 이하일 경우를 말한다. 약양성은 정상 상한치보다는 높으나, 정상 상한치의 3배 이하인 경우이고, 강양성은 정상 상한치의 3배 이상인 경우이다. 류마티스 인자가 양성 혹은 음성으로만 나올 경우 양성 결과를 약양성으로 간주한다. ACPA = anti-citrallinated protein antibody.

[††] 정상과 비정상은 각 기관의 실험실 검사값으로 결정한다. CRP = C-reactive protein, ESR =

Erythrocyte sedimentation rate.

[§] 증상의 지속기간은 환자의 자가 보고를 바탕으로 하며, 치료 상태와는 관련이 없다.

[*] 이 분류 기준의 목적은 새로 증상이 발생한 환자를 분류하는 것이다. 추가로 류마티스관절염에 전형적인 미란성 질환을 가지면서 2010년 분류 기준에 합당한 병력을 가지는 환자는 류마티스관절염 환자로 분류해야 한다. 이환 기간이 오래된 환자는 이전 자료에 근거하여 2010년 분류 기준을 만족시키는 경우 류마티스관절염 환자로 분류해야 한다.

[†] 증상에 따라 다양한 감별진단이 있을 수 있으나, 전신홍반루푸스나 건선관절염, 통풍 등이 포함될 수 있고, 관련된 감별진단을 생각하기 어려울 경우에는 류마티스내과 전문의에게 의뢰해야 한다.

[†] 6점 미만의 환자를 류마티스관절염으로 분류하지는 않으나, 환자의 상태는 재평가해야 하며 시간이 경과하면서 분류 기준을 만족시킬 수 있다.

[†] 관절의 침범은 부종이 있거나 통증이 있는 관절을 말한다. 원위지절간관절과 첫 번째 수근중수골관절, 첫 번째 중족지절관절은 평가에서 제외한다. 관절의 분류는 위치와 포함된 관절 수에 따라 달라지며, 관절 침범의 형태는 가장 상위 분류로 결정한다.

그림 2-2 2010년에 새롭게 만들어진 진단기준

에 차이가 있는 경우가 흔하다. 또한 견부의 외전, 외회전, 내회전의 근력이 전반적으로 저하된 경우가 흔하다. 이학적 검사 시 경추, 견봉쇄관절, 흉쇄관절, 완관절 및 수부에 대한 검사가 필수적이다.

3) 진단기준

2010년 ACR과 European League Against Rhematism (EULAR)에서 새로운 진단기준을 설립하였다.

2010년에 새롭게 만들어진 진단기준은 82%의 민감도와 61%의 특이도를 보인다.[16] 또한 새로운 진단기준은 1987년 나온 진단기준에 비하여 민감도가 11% 높았으며, 특이도는 4% 낮았다고 보고되었다.[20]

진단기준 중 류마티스 인자도 언급되어 있으나, 류마티스 관절염이 있다고 하더라도 약 70%에서만 양성이 나오며,

정상인이어도 나이가 들면서 양성으로 나올 수 있음은 반드시 알아야만 한다.[21,22] 다만, 류마티스 관절염이 있는 환자에서 류마티스 인자도 양성인 경우 병변의 진행이 빠르다는 연구 결과가 있다.[23]

4) 영상 검사

(1) 방사선학적 분류 및 결과

류마티스 관절염에 이환된 견부의 표준적 방사선 검사는 중립위, 내·외 회전위에서의 전후면 상과 액와면상 촬영이다. 류마티스 관절염은 활막이 존재하는 모든 관절에 증상을 야기할 수 있는데, 와상완관절(glenohumeral joint), 견봉쇄관절(acromioclavicular joint), 흉쇄관절(sternoclavicular joint) 모두에 영향을 끼칠 수 있다.[4] 견봉쇄관절을 침범하는 경우가 와상완관절에 침범하는 경우보다 많다고는

하나, 반 이상에서는 두 관절 모두 동시에 침범한다.[24] 따라서, 임상 증상이 있을 때는 견봉쇄관절을 중심으로 촬영을 추가한다. 1977년에 Larsen은 류마티스 관절염의 단순 방사선사진을 바탕으로 분류하였다.[25] 0단계는 단순 방사선사진에 이상이 없는 것이며, 1단계는 골감소 소견을 보이면서 주변 조직에 부종이 관찰되는 것이다. 2단계는 관절 간격이 좁아지면서 침식이 관찰되는 것이며, 3단계는 골내 낭종 형성과 함께 관절 간격이 좁아지면서 회전근 개에 문제가 생겨 견봉상완 간격이 줄어든 것이다. 4단계는 관절면의 모양이 망가지면서 상완골 두의 곡선이 사라지고, 관절와는 내측화되는 것이다. 마지막으로 5단계는 심한 골결손 및 변형이 있으면서 관절면이 울퉁불퉁해지고, 상완골이 상부 전위가 되어 견봉상완 간격이 많이 줄어드는 것이다.

방사선적 변화는 이환 기간과 질환의 중증도에 따라 다양하게 나타난다. 초기에는 단순 방사선사진에서 이상을 발견하지 못하는 경우도 있다. 그러한 경우 동위원소를 이용한 골주사 검사가 견부 이환 여부를 아는 데 도움을 줄 수 있다.

(2) 전산화 단층촬영, 자기공명영상, 초음파 검사의 역할

전산화 단층촬영은 연골하골과 연골의 초기 병변을 보여준다. 또한 상완골 두와 관절와의 골 침식과 낭종을 잘 보여 준다. 아울러 수술계획에 중요한 자료가 되는 근육, 골질에 대한 정보를 제공한다.

류마티스 관절염은 관절뿐만이 아니라 주변 연부조직에도 염증을 유발하며, 그 결과 회전근 개에도 염증을 야기할 수 있다. 실로 류마티스 관절염이 있는 환자의 75%에서 회전근 개에 문제가 있었으며, 20-35%에서는 전층 파열을 야기한다고 보고되었다.[26] 자기공명영상은 견부에서 중요한 검사이며 활액막 증식, 골 연골병변, 회전근 개 등에 대해 정확한 평가를 가능하게 한다. 관절내 삼출, 활액막 염증, 판누스 형성 및 관절낭 확장(capsular distension) 등 관절내의 변화뿐 아니라 관절 주변 구조물들의 염증성 병변에 의한 침범을 잘 보여주며 이는 특히 T2 강조영상에서 두드러진 신호 변화를 보인다. 회전근 개는 파열이 흔히 보이며 파열이 없는 경우에도 흔히 얇게 보이거나 염증성 변화를 보인다. 또한 관절와의 피질골의 양뿐만 아니라 부종이 흔하게 존재하는 연골하골의 질까지 보여주며 이러한 정보는 인공관절치환술을 시행하는 경우 유용하게 사용된다.

초음파도 큰 도움이 될 수 있는데, 초기에 이두근구 주변 삼출, 견봉하점액낭염이 생긴 것을 관찰할 수 있다. 그뿐만 아니라 류마티스 관절염에서 잘 동반하는 회전근 개 자체에 문제가 있는지 여부를 알 수 있다.[27] 초음파 검사는 비침습적이며 경제적인 검사방법으로 방사선 노출은 없으나 견부와 같은 근골격계 영상부위의 경우 고주파(10-15 MHz) 탐침이 필요할 뿐 아니라 영상을 해석하는 데 상당한 경험이 요구된다.

3. 치료

1) 비수술적 치료

(1) 약물 치료

류마티스 관절염은 완치가 불가능하나, 최근 여러 치료 약제들의 개발로 관절염의 진행을 늦추고 기능을 회복할 수 있다. 류마티스 관절염이 있는 환자는 질병 변형 항류마티스 약제(disease-modifying antirheumatic drugs, DMARDs)를 사용해야만 한다.[16] 비스테로이드 항염증제(non-steroidal anti-inflammatory drugs, NSAIDs)는 염증을 없애주거나 통증을 줄여주기만 할 뿐, 관절염의 진행을 막지는 않는다. DMARDs는 류마티스 관절염의 증상을 줄이고 기능을 향상시키면서, 동시에 관절염의 진행을 막는다. 대표적인 DMARDs는 methotrexate이다. Methotrexate와 글루코코르티코이드(glucocorticoid)를 같이 사용할 경우 초기 류마티스 관절염이 있는 환자의 약 50%에서 질병의 관해를 얻었다.[28,29] 단, 부작용으로 구역, 탈모, 간독성 등이 보고가 되었는데, 이는 엽산을 같이 복용하는 경우 호전될 수 있다.[30] 그 외, sulfasalazine과 leflunomide도 대표적인 DMARDs로 알려져 있다.[16]

(2) 주사 치료

국소 코르티코이드의 관절내 주사도 효과적이다. 하지만, 일시적으로 증상의 완화만 얻는 경우가 대부분이다. 또한, 같은 부위에 여러 번, 짧은 간격으로 주사치료를 하는 경우 주변 연부조직이나, 연골에 손상을 일으킬 수 있다. 주사의 간격은 정해진 바 없으나 일반적으로 1년에 3-4차례 이내로 맞는 것을 권유하고 있다.[31,32]

(3) 운동요법

질병이 활성화되어 있는 단계에서는 견관절 운동범위의 유지를 위한 수동적 스트레칭 운동을 꾸준히 시행하도록 한다. 질환의 관해기에는 운동범위를 증가시키기 위한 최종 호(terminal arc) 스트레칭을 집중적으로 시행한다. 동시에 회전근과 삼각근의 등장성 운동 및 고무줄을 이용한 저항운동을 추가한다.

2) 수술적 치료

비수술적 치료법과 물리치료에도 불구하고 지속적으로 통증이 있는 경우에 수술적 치료를 고려하게 된다.

상지와 하지의 수술 중 어느 쪽을 먼저 시행하는가에 대하여는 아직 논쟁이 있다. 기본적으로는 가장 통증이 심하고 기능이 떨어지는 관절을 먼저하는 것이 우선이다.[4] 다만, 견관절의 수술을 한 후에는 최소한 3개월이 경과한 후에 하지에 대한 수술을 시행하며 이는 목발의 사용 시 견관절에 가해지는 체중부하 때문이다. 견관절에서 회전근 개 복원술을 같이 시행한 경우는 병변의 정도에 따라 그 기간이 6개월까지 연장될 수도 있다. 하지의 수술을 먼저 시행하는 경우에는 목발의 사용 없이 보행이 가능하게 된 후에 견부의 수술을 시행한다.[20]

상지에서 여러 관절에 대한 수술이 필요한 경우, 마찬가지로 가장 증상이 심한 관절을 먼저 하는 것이 우선이다. 주관절과 견관절의 치환술을 동일 상지에서 시행하게 되는 경우에는 치환물의 주대(stem)의 길이에 대한 고려도 필요하다.

수술의 시기는 증상의 정도와 임상 양상에 의하여 결정하게 된다. 하지만, 무조건 이 두 가지로 시기를 결정하는 것은 옳지 않으며, 질환이 진행되어 과도한 골손실 있는 경우에는 점차 진행할수록 삽입물의 견고한 고정이 어렵게 되는 것도 고려를 해야 한다.

(1) 관절 보존수술

충분한 기간의 적절한 약물치료에 의하여 활액막염으로 인한 증상이 완화되지 않는 경우에 시행되는 류마티스 관절염에 대한 외과적 처치에는 활액막제거술, 점액낭제거술 및 견봉쇄관절절제술 등이 있다.

관절경으로 활액막제거술을 시행한 경우 좋은 결과들이 보고가 되었다. 특히, Kanbe 등은 54명의 류마티스 관절염이 있는 환자에서 관절경적 활액막제거술을 시행하였으며, 아주 만족스러운 결과를 얻었고, 회전근 개 파열이 발생하기 전에 약물 치료와 함께 활액막제거술을 시행하는 것이 삶의 질을 높일 수 있다고 주장하였다.[33] 하지만, 병변이 이미 많이 진행된 경우에는 활액막제거술을 하는 것보다는 인공관절치환술을 시행하는 것이 좋다.[34]

(2) 관절치환술(joint replacement)

관절치환술은 방사선사진상 관절염이 진행이 되어 와상완관절 간격의 소실이 있을 때 시행해 볼 수 있다. 일반적인 퇴행성 관절염과 류마티스 관절염은 명백히 다르다. 예를 들어 류마티스 관절염이 있는 환자는 관절와에 골감소증이 동반되는 경우가 많으며, 회전근 개 힘줄이 약하거나 파열이 있는 경우가 많다.[35] 그뿐만 아니라, 퇴행성 관절염은 관절와의 뒷부분에 골침식이 있는 경우가 많으나 류마티스 관절염은 관절의 중간에 골침식이 있어 관절와의 내측화가 진행되어 있는 경우가 많다.[35]

회전근 개에 병변이 동반되지 않았거나 봉합이 가능할 때에 인공관절 반치환술이 결과가 좋은지, 인공관절 전치환술이 경과가 좋은지에 대해서는 아직까지 이견이 많다. 하지만, 관절와의 골감소증 혹은 골소실이 심한 경우에는 마땅히 관절와에 치환물을 고정하기가 마땅치 않으므로, 인공관절 반치환술을 고려하는 것이 좋을 것이다.[36] 하지만, 몇몇 연구에서 인공관절 반치환술을 시행한 경우가 전치환술을 시행한 경우보다 생존율이 떨어졌다고 보고하였다.[1] 또한, 회전근 개에 병변이 없는 경우에는 인공관절 전치환술을 시행하는 것이 반치환술보다 결과가 좋다고 하였다.[37] 한편, 인공관절 전치환술 시행 시 회전근 개 힘줄이 끊어지지 않은 경우와 끊어졌는데 봉합한 경우에 그 임상적 결과는 차이가 없다고 보고되었다.[36]

회전근 개에 병변이 심하거나 파열이 큰 경우에는 역행성 인공관절치환술을 고려해 봐야 한다. 많은 수의 연구에서 좋은 결과들이 보고되었다.[38-40] 심지어, 이전에 류마티스 관절염으로 인공관절 반치환술을 시행받은 환자에게 역행성 인공관절치환술로 재치환술을 하였을 경우에도 좋은 결과를 보였다.[41] 하지만, 반대로 역행성 인공관절치환술을 시행 받은 335명의 환자 중에 류마티스 관절염이 있는 경우 유의하게 견봉이나 견갑골극의 골절이 더 많이 발생하였다고 보고되었다.[42] 그뿐만 아니라, 류마티스 관절염으로 역행성 인공관절치환술을 시행 받는 경우 수술 후 감염이 5-9.5%로 상대적으로 높게 발생하였다.[43,44]

참고문헌

1. Aydin N, Aslan L, Lehtinen J, Hamuryudan V. The Rheumatoid Shoulder: Current Surgical Treatments. Advances in Shoulder Surgery. 2018;169.

2. Cuomo F, Greller MJ, Zuckerman JD. The rheumatoid shoulder. Rheum Dis Clin North Am. 1998;24(1):67-82.

3. Petersson CJ. Painful shoulders in patients with rheumatoid arthritis. Prevalence, clinical and radiological features. Scand J Rheumatol. 1986;15(3):275-9.

4. Chen AL, Joseph TN, Zuckerman JD. Rheumatoid arthritis of the shoulder. J Am Acad Orthop Surg. 2003;11(1):12-24.

5. Wallach D. The cybernetics of TNF: Old views and newer ones. Semin Cell Dev Biol. 2016;50:105-14.

6. Redlich K, Smolen JS. Inflammatory bone loss: pathogenesis and therapeutic intervention. Nat Rev Drug Discov. 2012;11(3):234-50.

7. Heldt C, Listing J, Sözeri O, Bläsing F, Frischbutter S, Müller B. Differential expression of HLA class II genes associated with disease susceptibility and progression in rheumatoid arthritis. Arthritis Rheum. 2003;48(10):2779-87.

8. Altman RD. Osteoarthritis. Differentiation from rheumatoid arthritis, causes of pain, treatment. Postgrad Med. 1990;87(3):66-72, 7-8.

9. Gregersen PK, Silver J, Winchester RJ. The shared epitope hypothesis. An approach to understanding the molecular genetics of susceptibility to rheumatoid arthritis. Arthritis Rheum. 1987;30(11):1205-13.

10. Tan EM, Smolen JS. Historical observations contributing insights on etiopathogenesis of rheumatoid arthritis and role of rheumatoid factor. J Exp Med. 2016;213(10):1937-50.

11. Scher JU, Sczesnak A, Longman RS, et al. Expansion of intestinal Prevotella copri correlates with enhanced susceptibility to arthritis. Elife. 2013;2:e01202.

12. Rose HM, Ragan C, et al. Differential agglutination of normal and sensitized sheep erythrocytes by sera of patients with rheumatoid arthritis. Proc Soc Exp Biol Med. 1948;68(1):1-6.

13. van der Helm-van Mil AH, Huizinga TW. Advances in the genetics of rheumatoid arthritis point to subclassification into distinct disease subsets. Arthritis Res Ther. 2008;10(2):205.

14. Stahl EA, Raychaudhuri S, Remmers EF, et al. Genome-wide association study meta-analysis identifies seven new rheumatoid arthritis risk loci. Nat Genet. 2010;42(6):508-14.

15. Pincus T, Gibson KA, Shmerling RH. An evidence-based approach to laboratory tests in usual care of patients with rheumatoid arthritis. Clin Exp Rheumatol. 2014;32(5 Suppl 85):S-23-8.

16. Aletaha D, Smolen JS. Diagnosis and Management of Rheumatoid Arthritis: A Review. Jama. 2018;320(13):1360-72.

17. Tak PP, Bresnihan B. The pathogenesis and prevention of joint damage in rheumatoid arthritis: advances from synovial biopsy and tissue analysis. Arthritis Rheum. 2000;43(12):2619-33.

18. Goekoop-Ruiterman YP, de Vries-Bouwstra JK, Allaart CF, et al. Clinical and radiographic outcomes of four different treatment strategies in patients with early rheumatoid arthritis (the BeSt study): a randomized, controlled trial. Arthritis Rheum. 2005;52(11):3381-90.

19. Subramaniam R, Tan JW, Chau CY, Lee KT. Subacromial bursitis with giant rice bodies as initial presentation of rheumatoid arthritis. J Clin Rheumatol. 2012;18(7):352-5.

20. Radner H, Neogi T, Smolen JS, Aletaha D. Performance of the 2010 ACR/EULAR classification criteria for rheumatoid arthritis: a systematic literature review. Ann Rheum Dis. 2014;73(1):114-23.

21. Shim CN, Hwang JW, Lee J, Koh EM, Cha HS, Ahn JK. Prevalence of rheumatoid factor and parameters associated with rheumatoid factor positivity in Korean health screening subjects and subjects with hepatitis B surface antigen. Mod Rheumatol. 2012;22(6):885-91.

22. Shin YS, Choi JH, Nahm DH, Park HS, Cho JH, Suh CH. Rheumatoid factor is a marker of disease severity in Korean rheumatoid arthritis. Yonsei Med J. 2005;46(4):464-70.

23. Aletaha D, Alasti F, Smolen JS. Rheumatoid factor determines structural progression of rheumatoid arthritis dependent and independent of disease activity. Ann Rheum Dis. 2013;72(6):875-80.

24. Lehtinen JT, Kaarela K, Belt EA, Kautiainen HJ, Kauppi MJ, Lehto MU. Relation of glenohumeral and acromioclavicular joint destruction in rheumatoid shoulder. A 15 year follow up study. Ann Rheum Dis. 2000;59(2):158-60.

25. Larsen A, Dale K, Eek M. Radiographic evaluation of rheumatoid arthritis and related conditions by standard reference films. Acta Radiol Diagn (Stockh). 1977;18(4):481-91.

26. Curran JF, Ellman MH, Brown NL. Rheumatologic aspects of painful conditions affecting the shoulder. Clin Orthop Relat Res.

1983(173):27-37.

27. Amin MF, Ismail FM, El Shereef RR. The role of ultrasonography in early detection and monitoring of shoulder erosions, and disease activity in rheumatoid arthritis patients; comparison with MRI examination. Acad Radiol. 2012;19(6):693-700.

28. Nam JL, Villeneuve E, Hensor EM, et al. Remission induction comparing infliximab and high-dose intravenous steroid, followed by treat-to-target: a double-blind, randomised, controlled trial in new-onset, treatment-naive, rheumatoid arthritis (the IDEA study). Ann Rheum Dis. 2014;73(1):75-85.

29. Emery P, Bingham CO, 3rd, Burmester GR, et al. Certolizumab pegol in combination with dose-optimised methotrexate in DMARD-naïve patients with early, active rheumatoid arthritis with poor prognostic factors: 1-year results from C-EARLY, a randomised, double-blind, placebo-controlled phase III study. Ann Rheum Dis. 2017;76(1):96-104.

30. Nam JL, Takase-Minegishi K, Ramiro S, et al. Efficacy of biological disease-modifying antirheumatic drugs: a systematic literature review informing the 2016 update of the EULAR recommendations for the management of rheumatoid arthritis. Ann Rheum Dis. 2017;76(6):1113-36.

31. Gray RG, Tenenbaum J, Gottlieb NL. Local corticosteroid injection treatment in rheumatic disorders. Semin Arthritis Rheum. 1981;10(4):231-54.

32. Jones A, Regan M, Ledingham J, Pattrick M, Manhire A, Doherty M. Importance of placement of intra-articular steroid injections. Bmj. 1993;307(6915):1329-30.

33. Kanbe K, Chiba J, Inoue Y, Taguchi M, Iwamatsu A. Analysis of clinical factors related to the efficacy of shoulder arthroscopic synovectomy plus capsular release in patients with rheumatoid arthritis. Eur J Orthop Surg Traumatol. 2015;25(3):451-5.

34. Wakitani S, Imoto K, Saito M, et al. Evaluation of surgeries for rheumatoid shoulder based on the destruction pattern. J Rheumatol. 1999;26(1):41-6.

35. Rozing PM, Brand R. Rotator cuff repair during shoulder arthroplasty in rheumatoid arthritis. J Arthroplasty. 1998;13(3):311-9.

36. Rozing PM, Nagels J, Rozing MP. Prognostic factors in arthroplasty in the rheumatoid shoulder. Hss j. 2011;7(1):29-36.

37. Sperling JW, Cofield RH, Schleck CD, Harmsen WS. Total shoulder arthroplasty versus hemiarthroplasty for rheumatoid arthritis of the shoulder: results of 303 consecutive cases. J Shoulder Elbow Surg. 2007;16(6):683-90.

38. John M, Pap G, Angst F, et al. Short-term results after reversed shoulder arthroplasty (Delta III) in patients with rheumatoid arthritis and irreparable rotator cuff tear. Int Orthop. 2010;34(1):71-7.

39. Mangold DR, Wagner ER, Cofield RH, Sanchez-Sotelo J, Sperling JW. Reverse shoulder arthroplasty for rheumatoid arthritis since the introduction of disease-modifying drugs. Int Orthop. 2019;43(11):2593-600.

40. Postacchini R, Carbone S, Canero G, Ripani M, Postacchini F. Reverse shoulder prosthesis in patients with rheumatoid arthritis: a systematic review. Int Orthop. 2016;40(5):965-73.

41. Tiusanen H, Sarantsin P, Stenholm M, Mattie R, Saltychev M. Ranges of motion after reverse shoulder arthroplasty improve significantly the first year after surgery in patients with rheumatoid arthritis. Eur J Orthop Surg Traumatol. 2016;26(5):447-52.

42. Miller M, Chalmers PN, Nyfeler J, et al. Rheumatoid arthritis is associated with increased symptomatic acromial and scapular spine stress fracture after reverse total shoulder arthroplasty. JSES Int. 2021;5(2):261-5.

43. Holcomb JO, Hebert DJ, Mighell MA, et al. Reverse shoulder arthroplasty in patients with rheumatoid arthritis. J Shoulder Elbow Surg. 2010;19(7):1076-84.

44. Morris BJ, O'Connor DP, Torres D, Elkousy HA, Gartsman GM, Edwards TB. Risk factors for periprosthetic infection after reverse shoulder arthroplasty. J Shoulder Elbow Surg. 2015;24(2):161-6.

상완골 두 무혈성 괴사
Osteonecrosis of the humeral head

이성민

견관절에 발생한 무혈성 골괴사는 고관절에 비하여 체중 부하가 되는 관절이 아니기에 증상이 고관절의 골괴사에 비하여 경미하다. 크게 외상으로 인한 골괴사가 있을 것이고, 외상 없이 다른 원인으로 인해 발생하는 골괴사가 있을 것이다. 남자가 여자에 비하여 약 2배 정도 잘 발생하며, 다양한 연령층에서 발병할 수 있다.[1]

1. 역사

1911년 Bornstein과 Plate가 심해잠수로 인하여 견관절에 발생한 이압성 골괴사(dysbaric osteonecrosis)에 대하여 처음으로 보고하였다.[2] 그 이후 1913년 Bassoe가 압축 공기를 다루는 작업을 하는 사람에서 견관절에 무혈성 괴사가 발생하였으며, 이를 방사선사진으로 확인을 하였다.[3] 1960년 Heimann과 Freiberger 등이 견관절 무혈성 골괴사에 관해 정리를 하였으며,[4] 1968년 Cruess 등이 이에 관해 체계적인 분류법을 제시하였다(그림 3-1).[5]

2. 원인

무혈성 상완골 두 괴사는 매우 다양한 원인으로 발병한다. 여기서는 흔한 원인에 대해서만 언급하고자 한다.

1) 사고

상완골 두의 골절로 인하여 관혈적 정복술 및 금속고정술을 시행하는 경우 무혈성 골괴사가 발생하기도 한다. 대부분이 골절 당시 상완골 두에 영양을 공급하는 혈관이 다쳐서 발생한다. 전상완회선동맥(anterior humeral circumflex artery)이 주로 상완골 두에 영양을 공급하는 것으로 알려져 있으며, 이는 견갑하건 아래를 따라 주행을 하다가 상완골 경부에 도달하게 된다.[6] 최근에는 전상완회선동맥뿐만이 아니라 후상완회선동맥도 상완골 두의 영양 공급에 큰 역할을 한다고 보고되었다.[7]

Hertel 등은 상완골 근위부 골절이 있는 환자에서 무혈성 골괴사가 발생하는 데는 내측 피질골의 상완골 두에 대한 연결 부위가 8 mm 이내로 남아있는 경우에 특히 금속고정술 후 무혈성 골괴사가 잘 발생할 수 있다고 하였다.[8]

2) 스테로이드

비외상성 골괴사의 가장 흔히 보고되는 원인인자는 스테로이드 치료이다.[9] 아직까지 그 원인에 대해서는 명확하게 밝혀지지 않았지만, 스테로이드를 주입한 이후에 골수 안에 지방이 축적되었고, 이는 결국 골내 압력을 높이고 혈류를 줄이는 것으로 보고되었다.[10] 또한 스테로이드 자체가 혈관의 형성을 방해하며 혈액이 과하게 응고되게 만든다고도 언급하였다.[10] 그 외 스테로이드를 주입하는 경우 골세포의 자멸(apoptosis)이 발생한다고 한다.[11] 스테로이드의 용량, 주입 방법, 주입 기간에 대한 골괴사의 발생은 여전히 논란이 있으나, 일반적으로 고용량의 스테로이드를 사용하면 골괴사가 발생한다고 알려져 있다.[12]

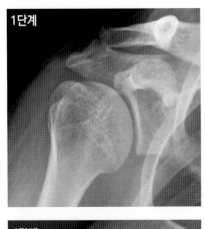
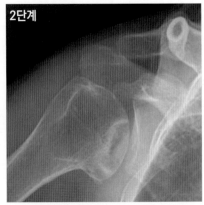
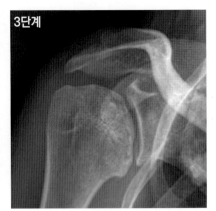
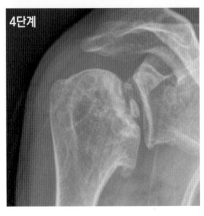
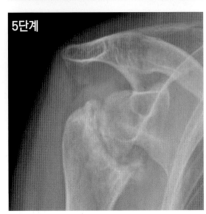

그림 3-1 1단계는 단순 방사선사진에서 골괴사 소견이 관찰되지 않으며, 2단계는 상완골 두에 골경화 소견이 관찰되지만 상관골 두의 곡선은 유지된다. 3단계는 상완골 두에 초승달 징후(crescent sign)가 관찰 되면서 연골하골의 골절이 관찰된다. 4단계는 연골하골의 골절이 더 진행이 되며 5단계에서는 관절와의 골관절염이 같이 동반된다.

3) 헤모글로빈 이상

겸상적혈구질환이나 다른 헤모글로빈 이상은 골괴사의 중요한 원인이 된다.[10]

4) 잠수병(Caisson 병)

잠수부들이나 높은 기압에서 일하는 노동자들이 문제가 될 수 있다.[13]

5) 알코올 섭취와 흡연

만성적인 알코올 섭취와 흡연은 보고에 따라 중요성이 다르긴 하나 주요한 위험인자이다.[14,15]

6) 다른 원인들

그 외 고쉐병이나 골수증식질환, 전신홍반루프스 등 다양한 원인이 있다. 최근에는 드물기는 하나, 회전근 개 봉합술 후 무혈성 골괴사의 발생도 보고되고 있다.[16]

3. 진단

대부분의 상완골 두 골괴사가 있는 환자는 간헐적이며, 깊고, 팔꿈치까지 내려가는 통증을 호소한다. 야간통을 호소하는 경우가 많으며,[17] 특정한 동작에서 골괴사가 된 부분이 자극을 받아 통증을 호소한다.[1] 연골 조각이나 유리체로 인하여 관절에서 소리가 나기도 한다.[17] 하지만, 일부 환자에서는 증상이 없는 경우도 있다.

상완골 두 골괴사 환자들의 연령은 일차성 또는 다른 형태의 관절염 환자보다 적은 경우가 많으며, 원인을 고려해 보았을 때, 스테로이드 사용, 음주 혹은 흡연 여부를 반드시 물어봐야 한다. 정확한 진단과 치료 방침을 결정하기 위해서라면 단순 방사선사진과 자기공명영상 촬영이 반드시 필요하다. 특히 Cruess stage 1의 경우에는 단순 방사선사진만으로는 정상으로 판단할 수 있기에, 자기공명영상 촬영이 필요하며, 이를 통해 병변 초기에 진단할 수 있다.[18,19]

자기공명영상은 죽은 골과 살아있는 골의 경계를 알 수 있게 해주면서, 골수안의 수분과 지방을 보여주기에, 단순 방사선사진에 나오지 않은 병소를 확인할 수 있게 해준다.[5,10] T1 강조영상에서 고신호 강도를 보이면서 고신호 강도와 저신호 강도의 선이 번갈아 보이는 이중선 징후가 보이는 경우가 많다.[10,19] 그뿐만 아니라, 한 관절만이 아닌 여러 관절에 골괴사가 있을 수 있으므로, 골주사 검사 등 전신적인 검사도 도움이 될 수 있다.[20] 실로, 상완골 두에 골괴사가 발견된 경우 약 50%에서 다른 관절에도 골괴사가 발견되었다.[21,22] Sakai 등은 골주사 검사를 하는 경우 견관절의 중간 혹은 그 이상 크기의 골괴사 병변을 발견하는 데 좋다고 언급을 하였으나,[23] 반대로 Mont 등은 골주사 검사를 했을 때 골괴사 병변의 크기가 컸음에도 불구하고 56%만 발견하였으므로 제한점이 있다고 하였다.[24]

4. 치료

1) 비수술적 치료

병변의 단계가 낮거나 통증이 심하지 않은 경우에는 비수술적 치료를 먼저 고려해 볼 수 있다. 물리치료와 활동 범위의 변경 등을 권유할 수 있으며, 최근에는 약제를 이용한 치료도 시도해보고 있다. 대표적으로 항응고약제, 고지혈증 치료약제, 골다공증 치료약제나 프로스타클란딘 유사체를 사용하기도 한다. 하지만, 이러한 약제의 효능에 대해서는 그 효과가 명확하게 밝혀지지 않았다.[25]

2) 관절경적 변연절제술

1986년에 상완골 두의 무혈성 골괴사에 관절경을 이용한 치료가 소개된 이후로,[26] 관절경을 이용한 다양한 치료가 시도되었다.[27-29] 관절경적으로 변연절제술을 하면서 중심 감압술을 같이 시행한 경우 좋은 결과를 보고하기도 하였다.[28] 하지만, 대부분의 연구가 단기간 추시로 끝났으며, 좋은 결과를 보고한 연구에서도 중심 감압술을 동시에 시행하는 등 다른 술식을 같이 사용하였기에 관절경적 변연절제술만의 효과가 있다고 말하기는 어렵다.

3) 중심 감압술

중심 감압술은 골내압을 줄이고 재혈류화를 돕는다.[1] 중심 감압술은 절개해서 할 수도 있으나, 관절경을 이용하여 시행하기도 한다.[28] LaPorte가 시행한 연구에서는 1단계 병변이 있었던 16명의 환자 중 15명, 그리고 2단계 병변이 있었던 17명 중 15명이 수술 후 10년 째까지도 좋은 결과가 유지되었다 하였다.[30] 최근에는 Harreld 등이 1단계와 2단계 환자들에게 중심 감압술을 시행하였을 경우 평균 32개월 추시관찰 시 96%의 성공률을 보고하였다. 하지만, 반대로 1단계와 2단계 상완골 두 무혈성 골괴사가 있는 8명의 환자에게 중심 감압술을 시행한 경우 그 실패율이 무려 88%라는 보고도 있다.[31] 따라서 아직 그 결과에 대해서 논란이 있으나, 많은 수의 연구에서 3단계 이상에서는 인공관절치환술을 시행하는 것을 권유하고 있다.[31,32]

4) 골이식

골이식을 하는 이유는 골괴사가 일어난 골을 제거하고 새롭게 대체함으로써 관절면이 기계적 지지(mechanical support)를 받고, 따라서 더 이상의 무너짐이 발생하지 않게 막는 것이다. Nakagawa 등은 4단계의 병변이 있는 환자에게 관절경을 이용하여 장골에서 채취한 자가골을 이식하였고 2년 추시 때까지 좋은 결과를 보였다고 하였다.[33] 삼각근 유경 골이식법이 3단계의 병변에서 시도된 바가 있다.[34] 하지만, 골이식술은 아직 실험적이며 더 많은 연구가 필요하다.

5) 인공관절치환술

골괴사의 치료에서 일관된 결과를 보이는 것은 인공관절치환술이다. 초기 단계에서라도 환자의 증상이 심하거나 나쁜 예후인자들이 있는 경우 고려해 볼 수 있다. 상완골 두 치환술(humeral head replacement), 인공관절 반치환술(hemiarthroplasty), 혹은 인공관절 전치환술(total shoulder arthroplasty)를 시행할 수 있다. 인공관절 반치환술과 인공관절 전치환술 중 어느 것이 수술 후 결과가 좋은지에 대해서는 아직 논란이 있으나, 관절와의 심한 변형이 동반된 5단계의 골괴사가 있는 경우에는 역행성 인공관절치환술을 권유하고 있다.[1,35]

참고문헌

1. Harreld KL, Marker DR, Wiesler ER, Shafiq B, Mont MA. Osteonecrosis of the humeral head. J Am Acad Orthop Surg. 2009;17(6):345-55.

2. Bornstein A. Uber chronische Gelenk-veranderungen, entstanden durch Presslufterkrankung. Fortschr Geb Rontgenstrahlen Nuklearmedizin. 1911;18:197-206.

3. Bassoe P. THE LATE MANIFESTATIONS OF COMPRESSED-AIR DISEASE. 1. The American Journal of the Medical Sciences (1827-1924). 1913;145(4):526.

4. Heimann WG, Freiberger RH. Avascular necrosis of the femoral and humeral heads after high-dosage corticosteroid therapy. New England Journal of Medicine. 1960;263(14):672-5.

5. Cruess RL, Blennerhassett J, MacDonald FR, MacLean LD, Dossetor J. Aseptic necrosis following renal transplantation. J Bone Joint Surg Am. 1968;50(8):1577-90.

6. Gerber C, Schneeberger AG, Vinh TS. The arterial vascularization of the humeral head. An anatomical study. J Bone Joint Surg Am. 1990;72(10):1486-94.

7. Keough N, Lorke DE. The humeral head: A review of the blood supply and possible link to osteonecrosis following rotator cuff repair. J Anat. 2021.

8. Hertel R, Hempfing A, Stiehler M, Leunig M. Predictors of humeral head ischemia after intracapsular fracture of the proximal humerus. J Shoulder Elbow Surg. 2004;13(4):427-33.

9. Hernigou P, Flouzat-Lachaniette CH, Roussignol X, Poignard A. The natural progression of shoulder osteonecrosis related to corticosteroid treatment. Clin Orthop Relat Res. 2010;468(7):1809-16.

10. Hernigou P, Hernigou J, Scarlat M. Shoulder Osteonecrosis: Pathogenesis, Causes, Clinical Evaluation, Imaging, and Classification. Orthop Surg. 2020;12(5):1340-9.

11. Calder JD, Buttery L, Revell PA, Pearse M, Polak JM. Apoptosis--a significant cause of bone cell death in osteonecrosis of the femoral head. J Bone Joint Surg Br. 2004;86(8):1209-13.

12. McAvoy S, Baker KS, Mulrooney D, et al. Corticosteroid dose as a risk factor for avascular necrosis of the bone after hematopoietic cell transplantation. Biol Blood Marrow Transplant. 2010;16(9):1231-6.

13. White TC, Davis DD, Cooper JS. Dysbaric Osteonecrosis. StatPearls. Treasure Island (FL): StatPearls Publishing Copyright © 2021, StatPearls Publishing LLC.; 2021.

14. Orlić D, Jovanović S, Anticević D, Zecević J. Frequency of idiopathic aseptic necrosis in medically treated alcoholics. Int Orthop. 1990;14(4):383-6.

15. Hirota Y, Hirohata T, Fukuda K, et al. Association of Alcohol Intake, Cigarette Smoking, and Occupational Status with the Risk of Idiopathic Osteonecrosis of the Femoral Head. American Journal of Epidemiology. 1993;137(5):530-8.

16. Kim JK, Jeong HJ, Shin SJ, et al. Rapid Progressive Osteonecrosis of the Humeral Head After Arthroscopic Rotator Cuff Surgery. Arthroscopy. 2018;34(1):41-7.

17. Loebenberg MI, Plate AM, Zuckerman JD. Osteonecrosis of the humeral head. Instr Course Lect. 1999;48:349-57.

18. Sakai T, Sugano N, Ohzono K, Matsui M, Hiroshima K, Ochi T. MRI evaluation of steroid- or alcohol-related osteonecrosis of the femoral condyle. Acta Orthop Scand. 1998;69(6):598-602.

19. Sakai T, Sugano N, Nishii T, Hananouchi T, Yoshikawa H. Extent of osteonecrosis on MRI predicts humeral head collapse. Clinical orthopaedics and related research. 2008;466(5):1074-80.

20. An Y-S, Park S, Jung J-Y, Suh C-H, Kim H-A. Clinical characteristics and role of whole-body bone scan in multifocal osteonecrosis. BMC Musculoskeletal Disorders. 2019;20(1):23.

21. Cruess RL. Corticosteroid-induced osteonecrosis of the humeral head. Orthop Clin North Am. 1985;16(4):789-96.

22. LaPorte DM, Mont MA, Mohan V, Jones LC, Hungerford DS. Multifocal osteonecrosis. J Rheumatol. 1998;25(10):1968-74.

23. Sakai T, Sugano N, Nishii T, Miki H, Ohzono K, Yoshikawa H. Bone scintigraphy screening for osteonecrosis of the shoulder in patients with non-traumatic osteonecrosis of the femoral head. Skeletal Radiol. 2002;31(11):650-5.

24. Mont MA, Ulrich SD, Seyler TM, et al. Bone scanning of limited value for diagnosis of symptomatic oligofocal and multifocal osteonecrosis. J Rheumatol. 2008;35(8):1629-34.

25. Lee YJ, Cui Q, Koo KH. Is There a Role of Pharmacological Treatments in the Prevention or Treatment of Osteonecrosis of the Femoral

Head?: A Systematic Review. J Bone Metab. 2019;26(1):13-8.

26. Johnson LL. Arthroscopic abrasion arthroplasty historical and pathologic perspective: present status. Arthroscopy. 1986;2(1):54-69.

27. Chapman C, Mattern C, Levine WN. Arthroscopically assisted core decompression of the proximal humerus for avascular necrosis. Arthroscopy. 2004;20(9):1003-6.

28. Dines JS, Strauss EJ, Fealy S, Craig EV. Arthroscopic-assisted core decompression of the humeral head. Arthroscopy. 2007;23(1):103.e1-4.

29. Hardy P, Decrette E, Jeanrot C, Colom A, Lortat-Jacob A, Benoit J. Arthroscopic treatment of bilateral humeral head osteonecrosis. Arthroscopy. 2000;16(3):332-5.

30. LaPorte DM, Mont MA, Mohan V, Pierre-Jacques H, Jones LC, Hungerford DS. Osteonecrosis of the humeral head treated by core decompression. Clin Orthop Relat Res. 1998(355):254-60.

31. Kennon JC, Smith JP, Crosby LA. Core decompression and arthroplasty outcomes for atraumatic osteonecrosis of the humeral head. J Shoulder Elbow Surg. 2016;25(9):1442-8.

32. Alkhateeb JM, Arafah MA, Tashkandi M, Al Qahtani SM. Surgical treatment of humeral head avascular necrosis in patients with sickle cell disease: a systematic review. JSES Int. 2021;5(3):391-7.

33. Nakagawa Y, Ueo T, Nakamura T. A novel surgical procedure for osteonecrosis of the humeral head: reposition of the joint surface and bone engraftment. Arthroscopy. 1999;15(4):433-8.

34. Rindell K. Muscle pedicled bone graft in revascularization of aseptic necrosis of the humeral head. Ann Chir Gynaecol. 1987;76(5):283-5.

35. Le Coz P, Herve A, Thomazeau H. Surgical treatments of atraumatic avascular necrosis of the shoulder. Morphologie. 2021;105(349):155-61.

회전근 개 파열 병증

Cuff tear arthropathy

오주한

1. 서론

회전근 개 파열 병증은 19세기 문헌부터 그 특징적인 임상 양상이 기술되기 시작하였으나 당시에는 어깨의 상방 탈구가 동반된 만성 류마티스 관절염으로 오인되었다.[1] 현대적인 의미에서의 회전근 개 파열 병증은 1983년 Neer에 의해 최초로 정의가 된 이후로 보아야 하며,[2] 이는 회전근 개와 관련된 여러 질환 중 가장 심한 형태의 질병으로 알려져 있다. 회전근 개 파열 병증의 병태생리는 인체 내의 다른 관절에서 발생하는 관절염과는 다른 특징적인 양상을 나타내며, 역행성 인공관절치환술이라는 비해부학적 관절성형술(arthroplasty)이 이뤄지는 것으로 특징지어질 수 있다.

2. 병태생리

어깨관절은 상대적으로 크기가 큰 구형의 상완골 두(humeral head)와 크기가 작은 얇고 오목한 접시 형태의 관절와(glenoid)로 구성되어 있다. 상완골 두와 관절와 간 닿는 면적은 전체 상완골 두의 크기에 비해서 매우 적은 불안정한 골성 구조를 지니고 있으며, 이러한 비대칭성은 인체 내의 관절 중 가장 넓은 범위의 운동을 가능하게 해준다는 장점이 있으나, 인체 내에서 탈구가 가장 일어나기 쉬운 불안정한 관절이라는 단점 또한 동시에 가지고 있다. 이러한 불안정성을 보상하고 정상적인 관절운동을 유지하기 위해서는 관절와순(labrum), 관절와상완인대(glenohumeral ligament), 관절낭(joint capsule), 관절내 음압 등의 정적 안정화(static stabilizer) 기전과 회전근 개를 비롯한 견관절 주위 근육들의 수축에 의한 동적 안정화(dynamic stabilizer) 기전이 모두 중요한 역할을 하고 있다.

회전근 개의 광범위한 파열은 어깨의 이러한 동적 안정화 기전의 손상을 유발하고, 이는 필연적으로 어깨관절의 불안정성을 유발할 수밖에 없다. 이러한 상태가 지속될 경우 상완골 두는 삼각근에 의해 상방으로 전위가 되어 상부 구조물인 견봉 등과 지속적으로 충돌하게 되고, 궁극적으로는 회전근 개 파열 병증(cuff tear arthropathy)을 야기하게 된다. 즉, 회전근 개 파열 병증은 회전근 개 파열로 인한 회전근 개 근육의 위축(muscle atrophy) 및 지방변성(fatty infiltration)을 비롯한 근육의 퇴행성 변화와, 이로 인한 동적 안정화 기전의 손상에 따른 상완골 두의 전상방 전위가 유발하는 상완골 두의 대퇴골두화(femoralization) 및 견봉(acromion)의 비구화(acetabularization)을 포함한 골성 변화가 동반된 경우로 정의될 수 있다. 회전근 개 파열 병증의 정확한 원인에 대해서는 알 수 없으나, 다음과 같은 여러 가설들이 제시된 바 있다.

1) 결정-매개 가설(crystal-mediated theory)

Halverson 등은 활액(synovial fluid) 및 관절 주변 조직 내 분포한 인산칼슘 결정(calcium phosphate crystal)이 회전근 개 파열 병증과 연관이 있음을 주장한 바 있다.[3] 이는 인산칼슘 결정이 활액조직 내의 면역반응을 유도하여 단백질분해효소(proteolytic enzyme)의 분비를 촉진하고, 분비된 단백질분해효소가 관절연골의 급격한 분해와 관절 및 관절 주위 조직의 손상을 유발하여 회전근 개 파열 병증을 유도한다는 가설이다.

2) 회전근 개 파열 가설(rotator cuff tear theory)

Neer 등은 수술 시 임상 소견과 조직 검사를 통한 병리적 소견을 관찰하여 광범위 회전근 개 파열(massive rotator cuff tear)이 기계적 요소(mechanical factor) 및 영양적 요소(nutritional factor)에서 문제를 유발하여 어깨관절의 퇴행성 변화를 촉진시킨다고 주장하였다.[2]

기계적인 문제란 상완골 두의 상방 전위를 막는 회전근 개 및 이두건 장두건(long head of biceps tendon)이 광범위하게 손상될 경우 상완골 두가 전상방으로 전위하게 되고, 이로 인해 견봉과 충돌하여 반복적인 관절의 손상을 유발한다는 것이다. 이런 식으로 반복되는 관절의 손상은 관절와 전상방부의 비대칭적인 미란(eccentric erosion)을 유발하며, 이러한 비대칭적인 미란은 다시 회전근 개 및 관절연골의 손상을 악화시켜서 회전근 개 파열 병증을 지속적으로 유도한다는 것이다.

영양적인 문제란 광범위 회전근 개 파열이 어깨관절의 운동을 제한하고, 정상적인 관절 환경을 손상시키는 것에 기인한다. 회전근 개 파열은 관절의 운동을 감소시키고 관절 내에서 정상적으로 활액막에 가해지던 압력을 줄여서,

불용성 골다공증(disuse osteoporosis), 관절연골 내 수분 및 당아미노글리칸(glycosaminoglycan)의 생화학적 변화, 관절액 내의 화학성분의 변화를 촉진하여 관절연골 및 연골하골의 손상을 유발한다. 또한, 반복적인 관절의 손상에 의한 관절내 혈액의 삼출과 관절연골 내 당아미노글리칸의 손상은 이러한 뼈와 주위 연부조직의 손상을 촉진시킨다는 가설이다.[4]

3) 짝힘 가설(force couple theory)

회전근 개는 삼각근(deltoid)과 상완골 두 하부의 회전근 개(lower rotator cuff muscle) 간의 균형을 통한 수직 방향으로의 힘의 균형(coronal plane force couple, 그림 4-1A)과 견갑하근(subscapularis)과 극하근-소원근 복합체(infraspinatus-teres minor) 간의 수평방향으로의 힘의 균형(transverse plane force couple, 그림 4-1B)을 통해 어깨관절의 동적 안정화(dynamic stabilization)에 기여하며,[5] 이러한 힘의 균형을 짝힘(force couple)으로 부른다. 짝힘은 회전근 개가 상완골 두에 축성 압박력을 가하여 상완골 두가 관절와 위에서 회전하는 동안 동심성(concentric reduction)을 유지할 수 있도록 하여 1차적인 동적 안정기전(primary dynamic stabilizer)으로 작용할 수 있도록 한다.

광범위 회전근 개 파열이 적절하게 치료되지 않고 방치될 경우, 짝힘이 소실되며 어깨의 동적 안정화 기전이 손상되고, 이로 인해 상완골 두가 전상방으로 탈출하게 된다(그림 4-2). 상완골 두의 전상방 탈출이 지속될 경우 상완골

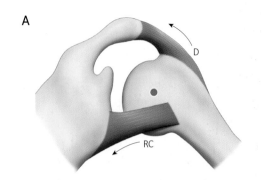
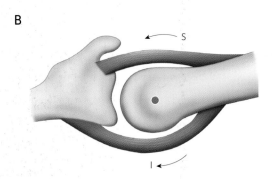

그림 4-1 A: 관상면 상 짝힘(coronal plane force couple). 상완골 두의 회전중심(center of rotation, o)을 기준으로 하부의 회전근 개(lower rotator cuff, RC)와 삼각근(deltoid, D)간 수직 방향으로의 힘의 균형을 의미한다. B: 수평면 상 짝힘(transverse plane force couple). 견갑하근(subscapularis, S)과 극하근-소원근 복합체(infraspinatus-teres minor complex, I)간 수평방향으로의 힘의 균형을 의미한다.

두와 관절와 상부(superior glenoid), 견봉 및 오구돌기(cor-acoid process) 간 비정상적 마찰을 유발하며, 이는 결국 관절연골(articular cartilage) 및 연골하골(subchondral bone)의 파괴를 유발하여 관절염 변화(arthritic change)를 유도한다.[6] 이러한 연골 및 골의 파괴는 염증성 사이토카인(inflammatory cytokine)의 분비를 촉진시키고, 이는 주위 연부조직의 파괴를 진행시켜 통증 및 기능저하를 유발한다. 또한 이러한 짝힘의 소실은 관절의 불안정성을 증가시키고, 능동운동에 제한을 유발하게 된다.

회전근 개의 대파열 혹은 광범위 파열에서 파열로 인해 퇴축된 극상근은 견갑상절흔(suprascapular notch)으로 지나가는 견갑상신경(suprascapular nerve)을 압박하여 손상을 줄 수 있으며, 이로 인한 극상건 및 극하건의 탈신경화(denervation)는 근위축을 유발할 수 있다.[7,8] 또한, 회전근 개 파열은 지방 변성을 유발하는데, 동물실험 모델에서 회전근 개 파열은 섬유-지방전구세포(fibro-adipoprogenitor cells, FAPs)의 생성 및 분화를 촉진하고, TGF-β (trans-forming growth factor-β)를 억제하여 지방 변성을 유도하는 것으로 보고된 바 있다.[9] 이러한 근위축 및 지방 변성은 인체에서도 관찰되며, 회전근 개 파열로 인해 지방 변성이 발생한 환자의 근육은 세포외기질(extracellular matrix)이 증가되어 있고, 염증성 세포(proinflammatory cell)가 증가되

어 있을 뿐 아니라, 생역학적으로도 경화(stiffness)가 심한 것이 보고된 바 있다.[10,11] 이러한 조직학적 변화는 상당한 크기로 퇴축된 회전근 개의 정복이 힘들고 재파열이 호발하는 것인지에 대한 설명이 될 수 있다.

3. 위험인자

회전근 개 파열 병증의 위험인자로는 여러 가지가 제시되어 있으며, 단일 위험인자에 기인하기보다는 여러 위험 인자들이 복합적으로 작용하는 다인성 질환(multifactorial disease)으로 간주해야 할 것이다. 여성이 남성에 비해서 호발하는 것으로 알려져 있으며,[12-14] 이는 건의 병증과 관련된 콜라겐의 합성과 대사 과정에서의 티록신(thyroxine)이나 에스트로겐(estrogen) 등 호르몬의 작용이 성별에 따라 달라지기 때문인 것으로 추정된다.[15,16] 그러나, 여성의 평균 수명이 남성에 비해서 길다는 점이 교란변수로서 작용했을 가능성이 있다.[17]

전술한 바와 같이 회전근 개 파열은 견관절의 안정화 기전에 손상을 유발하여 회전근 개 파열 병증을 유발시킬 수 있는 주요 병인으로, 나이가 증가함에 따라 유병률이 증가하며,[14] 또한 팔을 머리 위로 들고 하는 행동(overhead activity)이 많은 직업에서도 유병률이 높은 것으로 알려져 있다.[18] 흡연이나 고콜레스테롤 혈증 또한 위험인자로 보고된 바 있다.[19] 이러한 회전근 개 파열은 적절한 시기에 치료되지 않을 경우 회전근 개 파열 병증으로 진행할 것으로 추정된다.[20-22]

4. 진단

회전근 개 파열 병증의 진단은 병력 청취와 신체검진 그리고 단순 방사선 검사를 통해서 이뤄진다. CT 및 MRI 등의 영상 검사는 추후 치료계획을 결정하는 데에 있어서 도움을 줄 수 있으며, 혈액검사나 관절천자를 통한 검사는 회전근 개 파열 병증 자체의 진단보다는 류마티스 관절염을 비롯한 염증성 관절염이나 화농성 관절염과의 감별에 도움이 될 수 있다.

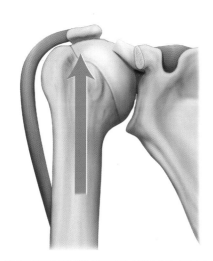

그림 4-2 회전근 개 파열에 의해서 짝힘이 소실되면 삼각근의 수축력에 의해서 상완골 두가 전상방으로 탈출하며, 이로 인해 관절와의 상부, 견봉, 오구돌기와 비정상적인 마찰을 유발하게 된다.

1) 병력 및 신체검진

어깨의 통증과 함께 근력 저하 및 관절운동의 제한이 동반된 고령의 환자에서 의심해 볼 수 있다. 증상은 대부분 점진적으로 진행하며, 야간통이 심한 경우가 많다. 류마티스 등에 의한 염증성 관절염과의 감별을 위해서 환자의 과거력을 철저히 문진해야 하며, 기존 동일한 어깨에 대한 수술력을 확인해야 한다.

시진상 극상근 및 극하근의 근위축이 관찰될 수 있다. 상완골 두가 전상방으로 탈출한 것이 관찰되는 경우는 극상근 및 견갑하근의 기능 부전을 의미한다.[23] 견봉하점액낭의 염증으로 인해 어깨 부위의 부종이 관찰(fluid sign)될 수 있다.

관절가동범위를 확인하기 전에는 경추 문제로 인한 통증 및 운동제한과의 감별을 위해 연관통(referred pain) 및 상지의 방사통(radiating pain) 여부를 반드시 확인해야 한다. 관절가동범위는 근력의 약화, 통증, 관절강직 등에 의해서 능동 및 수동 운동에서 모두 악화되어 있을 수 있으나, 이는 환자에 따른 편차가 크다. 상대적으로 관절운동 시 지렛점(fulcrum of motion)이 안정적이고 삼각근이 회전근 개 파열에 의한 근력 약화를 보상할 수 있다면 상당한 정도로 관절운동범위가 보존되어 있는 경우도 있으나, 능동적 거상(forward elevation)이 불가능한 가성마비(pseudo-paralysis)가 발생하는 경우도 있다. 가성마비는 수동적 운동범위는 유지되어 있으나, 회전근 개 파열로 인한 근력 약화로 능동적 거상이 90도 이상 불가하고, 팔을 들어올리려고 할 때 상완골 두가 전상방으로 탈출하는 상태를 의미한다. 이를 보상하기 위해서 견갑골-흉곽운동을 이용하려고 시도(scapular shrugging)하며, 이를 유발할 신경학적 이상이 없어야 한다. 가성마비는 통증으로 인해 발생한 운동제한과는 구별되어야 하며, 관절강내 혹은 견봉하공간으로 Lidocaine과 같은 국소마취제를 투여함으로써 통증의 감소를 유도하여 자발적 운동의 회복이 나타나는지 여부를 관찰하는 것이 감별에 도움이 될 수 있다. 즉, 진정한 의미의 가성마비란, 회전근 개 파열 병증으로 인하여 상완골 두가 전상방으로 전이되어 고정되어 있으면서(fixed humeral head escape), 팔을 들려는 시도를 할 때 scapular shrugging

의 현상이 동반되는 상황으로, 통증과는 상관없이 능동적 거상이 90도 이하이지만, 수동적인 거상은 정상적인 상태로 정의할 수 있을 것이다. 손상된 회전근 개의 부위에 따라 각 방향으로 움직이는 근력의 저하가 발생할 수 있어서 회전근 개 파열 병증이 의심되는 경우라면 모든 회전근 개 근육에 대한 근력의 측정(Part 1 chapter 5, 신체검진 참조)이 필수적이다.

2) 영상 검사

(1) 단순 방사선 검사

① 회전근 개 파열 병증의 진단

신체검진 및 단순 방사선사진만으로도 가능한 경우가 많다. 단순 방사선사진은 진성 견관절 전후 촬영(True shoulder AP view, Grashey view, 그림 4-3A), 견갑골 Y-촬영(scapular Y-view, 그림 4-3B), 액와 촬영(axillary view, 그림 4-3C)을 기본으로 한다. 회전근 개 파열 병증의 단순 방사선사진은 다음과 같은 특징적인 양상을 보이는 경우가 많다(그림 4-3A).

A. 대퇴골두화(femoralization)

상완골의 대결절(greater tuberosity)이 견봉과 반복적으로 충돌이 일어나게 되면 대결절에 미란이 생겨 융기부가 소실되어 대퇴골두와 유사한 형태가 될 수 있다.

B. 견봉상완간격(acromiohumeral interval, AHI)의 감소 및 오구-견봉궁(coracoacromial arch)의 비구화 (acetabularization)

상완골 두의 전상방 전이로 인해서 견봉상완간격이 감소하고, 상완골의 대결절과 견봉이 반복적으로 충돌이 일어남에 따라 견봉에 골성 미란이 생겨 견봉에 오목한 부분이 생기거나 오구돌기-견봉 궁(coracoacromial arch)이 얇아질 수 있으며, 상부 관절와의 골 파괴가 발생할 수 있다.

C. 관절와상완간격(glenohumeral space narrowing)의 감소 및 상완골 두, 관절와의 골극 형성

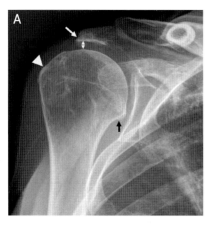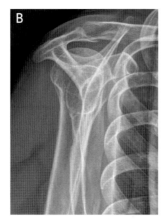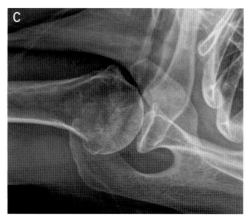

그림 4-3 회전근 개 파열 병증의 단순 방사선 소견
A: 진성 견관절 전후 촬영. 상완골의 대퇴골두화(흰 삼각형), 견봉의 비구화(흰 단방향 화살표), 견봉상완간격의 감소(흰 양방향 화살표), 상완골 두 골극(검은 화살표). B: 견갑골 Y-촬영. C: 액와 촬영

그림 4-4 관절와의 골결손에 따른 Favard-Sirveaux 분류
E0: 상완골 두의 상방 전위는 있으나 관절와의 골결손은 관찰되지 않음. E1: 관절와 중심부에 발생한 동심성 골결손(concentric medialized glenoid erosion). E2: 관절와 상부에 주로 집중된 편심성 골결손. E3: 관절와 전반에 걸쳐 발생하였으나 상부의 골결손이 더 심한 경우. E4: 관절와 전하방부의 골결손

상완골 두의 전상방 전위와 관절염의 진행에 따른 골극의 형성으로 관절강 간격의 감소가 발생할 수 있다.

D. 상완골 두 및 관절와의 골감소증(osteopenia)

어깨의 기능저하로 인한 불용성 골감소증이 발생할 수 있다.

E. 관절와 상부의 미란

회전근 개 파열 병증은 파열된 회전근 개에 의한 상완골 두의 상방 전위로 인하여 관절와 상부에 비정상적인 마찰에 의한 미란(bony erosion)이 발생하고, 이로 인한 관절와 상부의 특징적인 골결손 소견이 관찰된다. 이는 퇴행성 골관절염에서 후방 골결손이, 류마티스 관절염에서 관절와 중심부의 골결손이 주로 발생하는 것과 다른 특징적인 양상으로 회전근 개 파열 병증에서 관절와의 골결손에 따른 분류는 Favard-Sirveaux 분류법[24,25]을 사용하는 경우가 많다(그림 4-4).

② 회전근 개 파열이 없는 퇴행성 골관절염 (degenerative osteoarthritis)과의 감별

회전근 개 파열 병증과 퇴행성 골관절염은 발생 기전이 다르며 이에 따라 치료가 달라질 수 있기 때문에 정확하게 감별하는 것이 중요하다. 단순 방사선사진상 회전근 개 파열이 없는 일차성 퇴행성 골관절염은 상완골 두의 상방 전위가 관찰되지 않으며, 관절와의 미란이 상방이 아닌 후방에서 관찰되는 경우가 많다.[26]

③ 회전근 개 파열 병증의 방사선학적 분류

A. 회전근 개 파열 병증의 분류 방법

여러 가지가 제시되어 있으나, Hamada 분류법[27]과 Seebauer 분류법[4]이 가장 흔하게 사용되고 있다. Hamada 분류법은 진성 견관절 전후 촬영에서 견봉상완간격의 감소와 오구-견봉궁의 방사선 변화에 따라 분류한 것으로, 회전근 개 파열 병증의 원인인 회전근 개 파열과 그에 따른 상완골 두의 상방 이동을 중증도에 따라 분류한 방법이다(표 4-1).

B. Seebauer 분류

회전근 개 파열 병증에 따른 생역학적인 특성의 변화를 방사선 변화에 대입하여 분류한 것으로 광범위 회전근 개 파열, 관절의 불안정성 정도, 상완골 두 전위 정도, 관절면의 미란 정도에 따라 분류하게 된다(표 4-2).

(2) 기타 특수 검사

전산화 단층촬영(computed tomography, CT) 및 자기공명영상(magnetic resonance imaging, MRI)은 회전근 개 파열 병증을 진단하는 데에 있어서 필수적인 검사는 아니다. 그러나, 이러한 검사들은 수술 계획을 결정하는 데에 있어 도움을 줄 수 있으므로 회전근 개 파열 병증에서 수술적 치료를 고려한다면 시행하는 것이 좋다.

① 전산화 단층촬영

CT는 수술 전 관절와의 골량(glenoid bone stock)을 평가하고, 관절와의 염전각(glenoid version)을 측정하는 데 있어

표 4-1 회전근 개 파열 병증의 Hamada 분류법

Hamada 분류	특성
1	AHI ≥ 6 mm
2	AHI ≤ 5 mm
3	AHI ≤ 5 mm 및 오구견봉궁의 비구화 동반
4	관절와상완관절의 간격 감소
4a	오구견봉궁의 비구화가 동반되어 있지 않을 경우
4b	오구견봉궁의 비구화가 동반된 경우
5	상완골 두의 골괴사가 진행한 경우

유용하게 사용될 수 있으며, 팔꿈치관절을 동시에 촬영할 경우 근위 상완골의 후염각(humeral retroversion)을 측정할 수 있다(그림 4-5).

② 자기공명영상

자기공명영상을 통해 회전근 개의 파열 여부 및 정도, 지방변성 정도를 파악할 수 있으며, 회전근 개의 봉합 가능 여부를 판단하는 데 있어서 큰 도움이 된다. 회전근 개의

표 4-2 회전근 개 파열 병증의 Seebauer 분류법

Seebauer 분류	특성
IA. centered-stable	- 전방 안정화 구조물 손상 없음. - 상완골 두 상방 전위가 거의 없음. - 관절의 동적 안정화 기전이 유지됨. - 오구-견봉궁 비구화 및 상완골 두 대퇴골두화
IB. centered-medialized	- 전방 안정화 구조물 손상이 없거나 짝힘이 유지 혹은 보상됨. - 상완골 두 상방 전위가 거의 없음. - 관절의 동적 안정화 기전이 일부 손상됨. - 오구-견봉궁 비구화 및 상완골 두 대퇴골두화 - 관절와 내측부의 미란(medial erosion of glenoid)
IIA. Decentered-limited stable	- 전방 안정화 구조물이 일부 손상되었거나, 짝힘의 보상이 일부 손상됨. - 상완골 두 상방 전위가 확연하게 관찰됨. - 관절의 동적 안정화 기전이 손상됨. - 오구-견봉궁 비구화 및 상완골 두 대퇴골두화 - 관절와 상내측부의 미란(superior-medial erosion of glenoid) - 오구 견봉궁에 의한 최소한의 안정화 기전만 유지됨.
IIB. Decentered, unstable	- 전방 안정화 구조물이 손상됨. - 상완골 두 전상방 탈출(anterior-superior escape) - 관절의 동적 안정화 기전 소실 - 오구 견봉궁에 의한 안정화 소실

지방 변성 정도는 주로 시상면 상 견갑골 Y-촬영 소견에서 Goutallier 분류(표 4-3)를 이용하여 평가하는 경우가 많다.[28,29] 광범위 회전근 개 파열에서 파열된 회전근 개의 봉합 가능 여부는 관절염이 없는 광범위 회전근 개 파열 환자에서 회전근 개 봉합술을 시행할 것인지 역행성 인공관절치환술을 시행할 것인지를 결정하는 데 큰 영향을 미치므로 이에 대한 감별은 필수적이라고 볼 수 있다. 회전근 개 파열 병증은 전술한 바와 같이 연부조직과 골 조직의

손상이 동반되어 있으므로 MRI의 중요성이 광범위 회전근 개 파열에 비해서는 낮다고 볼 수 있다. 그러나 회전근 개 파열 병증의 치료를 위해서 통상적으로 행해지는 역행성 인공관절치환술은 외회전 및 내회전의 부전(external and internal rotation deficits)을 완전히 해결하지 못할 수 있으며,[30] 경우에 따라서는 건 이전술(tendon transfer) 등 추가적인 술식이 필요할 수 있다.[31] 따라서, MRI의 촬영은 극상근, 극하근 외에도 남아있는 견갑하근과 소원근의 상태를 파악하고 이에 따른 치료 계획의 수립 및 관절연골 손상의 정도 및 위치를 파악하는 데에 있어 도움이 될 수 있다.

5. 치료

회전근 개 파열 병증은 비가역적으로 진행하는 질환으로 자연 경과에 따른 병의 예후를 설명하고 환자를 이해시키는 것이 치료 방침의 결정에 있어 가장 중요한 요소라고 볼 수 있다. 방사선학적 영상 소견과 환자의 주관적인 증상의 정도가 반드시 일치하는 것은 아니므로, 치료 방침의 결정에 있어 환자의 나이, 활동력, 통증 정도 등을 면밀히 평가해야 한다.

1) 보존적 치료

일상 활동 조정(activity modification)과 비스테로이드성 소염진통제(nonsteroidal anti-inflammatory drugs, NSAIDs)를 포함한 경구 진통제의 투여 및 물리치료의 병행이 환자의 증상 개선에 도움을 줄 수 있다.[21] 위장관계 부작용 등으로 경구 NSAIDs의 투여가 여의치 않은 경우 피부를 통한 국소적인 NSAIDs의 투여가 도움이 될 수 있다.[32] 물리치료는 운동범위의 증가를 위한 스트레칭과 근력강화운동을 포함하며, 온열 치료 등을 통해서 견관절 주위 연부조직의 유연성을 증가시키는 것도 도움이 될 수 있다.

진통제의 경구 투여가 충분한 효과를 보지 못할 경우, 어깨에 국소적인 스테로이드 주사를 시행해 볼 수 있다. 회전근 개 파열 병증은 관절강과 견봉하공간 사이의 해부학적 경계인 회전근 개의 파열로 인해 관절강내 주사(intra-articular steroid injection)와 견봉하공간내 주사(subacromi-

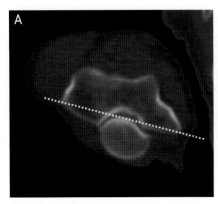 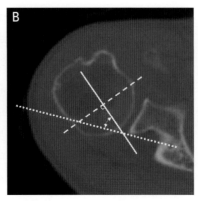 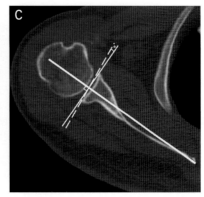

그림 4-5 A: 어깨와 동측의 팔꿈치에서 상과간 축(transepicondylar axis, 얇은 점선)을 그린다. B: 상과간 축을 상완골 두의 중심부에 위치시키고, 상완골 두의 전후방을 연결한 후(굵은 점선), 이에 수직인 선(실선)을 그린다. 상완골의 후염각은 상과간 축과 상완골 두 전후방의 수직선 간 각도로 측정할 수 있다. C: 관절와의 염전각은 관절와 중심부에서 관절와의 전후방을 연결하는 선(굵은 점선)과 관절와 중심에서 견갑골의 내측까지 연결하는 선(실선)간 각도와 90도와의 차이로 측정할 수 있다.

표 4-3 회전근 개 지방 변성 정도의 Goutallier 분류

지방 변성 정도	특성
0	정상, 지방 선조(fatty streak)가 관찰되지 않음.
1	소수의 지방 선조가 관찰됨.
2	지방침윤(fatty infiltration) 소견이 관찰되며, 단면적 상 근육이 지방보다 많음.
3	지방침윤 소견이 관찰되며, 단면적 상 근육과 지방의 넓이가 유사함.
4	지방침윤 소견이 관찰되며, 단면적 상 지방이 더 많음.

al steroid injection)을 구분하는 것이 의미가 없을 것으로 생각된다. 스테로이드 주사는 통증을 일시적으로 경감시킬 수 있으나 반복적인 사용은 남아있는 골성 구조와 연부조직의 상태를 더욱 나쁘게 할 수 있으며, 감염의 위험성을 증가시킬 수 있다. 특히 수술 전후 3개월 내에 스테로이드를 주사하는 것은 감염의 위험성을 증가시킨다는 보고가 있어 이에 대한 주의가 필요하다.[33-35]

이러한 보존적 치료는 일상생활이 가능할 정도로 관절 운동범위가 유지되는 환자에게 있어서 증상 개선에 도움을 줄 수 있으나,[21] 회전근 개 파열 병증에 의한 비가역적 변화를 근본적으로 해결하지 못한다는 단점이 있어 결국에는 수술적 치료가 필요한 경우가 많다.

2) 수술적 치료

전술한 바와 같이 회전근 개 파열 병증은 비가역적으로 진행하는 질환으로 보존적 치료로는 증상을 완전히 해결하기 힘든 경우가 많다. 또한, 회전근 개 파열과 이로 인한 관절염이라는 문제가 같이 발생한 상태이므로 두 가지 문제 중 1개만 해결하게 된다면 통증 및 기능 회복 측면에서 적절한 결과를 얻기 힘든 경우가 많다. 이에 최근에는 두 가지 문제를 동시에 해결할 수 있는 역행성 인공관절치환술(reverse total shoulder arthroplasty)을 이용하는 것이 일상적

인 치료라고 할 수 있을 것이다.[36]

역행성 인공관절치환술은 상완골 두의 볼록한 구 형태를 오목한 형태의 소켓(humerosocket)으로 관절와의 오목한 형태를 볼록한 반구(glenosphere) 형태로 교체하여, 견관절의 회전중심(center of rotation)을 상완골 두에서 glenosphere로 옮긴다. 이는 회전근 개 파열에 의한 동적 안정화 기전의 손상에 따라 고정되지 못하고 움직이는 회전중심을 관절와에 부착된 glenosphere에 고정하여 지렛점의 역할을 하게 하여 삼각근의 길이를 유지시키고, 회전중심을 내측, 원위부로 옮겨서 팔의 가동에 사용되는 삼각근의 부위를 증가시켜, 파열된 회전근 개의 기능을 삼각근이 보상하도록 한다. 따라서 역행성 인공관절치환술을 하기 전에는 삼각근이 파열 등으로 인하여 기능 부전이 발생하지 않았는지를 반드시 확인해야 한다.[36]

역행성 인공관절치환술은 회전근 개 파열 병증에서 통증의 조절 및 기능 회복에 뛰어난 결과를 보인 바 있으며,[37] 최근에는 기존의 적응증인 봉합 불가능한 회전근 개 파열 및 회전근 개 파열 병증뿐 아니라 류마티스성 관절염, Neer 분류 3 혹은 4-part의 근위 상완골 분쇄 골절 등으로 점차 그 적응증을 늘려가고 있다.[38,39]

그러나, 다른 모든 인공관절과 마찬가지로 역행성 인공관절치환술 또한 시간 경과에 따라 재수술이 필요한 경우가 발생할 수 있다. 재수술 여부를 기준으로 하였을 때, 역행성 인공관절치환술의 5년 생존율은 85%, 10년 생존율은 74%, 15년 생존율은 70% 정도로 보고된 바 있다.[40-43] 역행성 인공관절의 재치환술은 최초 치환술에 비해서 결과가 좋지 않은 경우가 많으므로,[44,45] 방사선학적 소견만 보고 수술 시행 여부를 결정하기보다는 환자의 증상 정도 및 일상생활 가능 여부, 나이, 활동력 등을 종합적으로 고려하여 신중하게 적응증을 선택해야 할 것이다.

일반적으로 회전근 개 파열 병증에서 역행성 인공관절치환술의 적절한 적응증은 기능적 요구량이 높지 않은 고령의 환자에서, 삼각근의 기능이 보존되어 있을 때로 간주되는 경우가 많다.[46] 65세 미만의 비교적 젊은 환자군에서 역행성 인공관절치환술을 시행했던 연구를 분석한 체계적 문헌 고찰에서는 65세 미만에서도 기능적 결과가 양호하다고 보고된 바 있으나,[47,48] 증거 수준(level of evidence)이 III, IV로 낮고, 장기 추시에 대한 보고가 적어, 비교적 젊은 환자에서 역행성 인공관절치환술을 시행하는 것에는 신중한 고려가 필요하다.

참고문헌

1. Brorson S. Cuff tear arthropathy in the nineteenth century: 'chronic rheumatic arthritis' with 'partial luxation upwards' of the humeral head. Int Orthop. 2019;43(10):2415-23.

2. Neer CS, 2nd, Craig EV, Fukuda H. Cuff-tear arthropathy. J Bone Joint Surg Am. 1983;65(9):1232-44.

3. Halverson PB, Cheung HS, McCarty DJ, Garancis J, Mandel N. "Milwaukee shoulder"--association of microspheroids containing hydroxyapatite crystals, active collagenase, and neutral protease with rotator cuff defects. II. Synovial fluid studies. Arthritis Rheum. 1981;24(3):474-83.

4. Visotsky JL, Basamania C, Seebauer L, Rockwood CA, Jensen KL. Cuff tear arthropathy: pathogenesis, classification, and algorithm for treatment. J Bone Joint Surg Am. 2004;86-A Suppl 2:35-40.

5. Abboud JA, Soslowsky LJ. Interplay of the static and dynamic restraints in glenohumeral instability. Clin Orthop Relat Res. 2002(400):48-57.

6. Collins DN, Harryman DT. ARTHROPLASTY FOR ARTHRITIS AND ROTATOR CUFF DEFICIENCY. Orthopedic Clinics of North America. 1997;28(2):225-39.

7. Boykin RE, Friedman DJ, Zimmer ZR, Oaklander AL, Higgins LD, Warner JJP. Suprascapular neuropathy in a shoulder referral practice. Journal of Shoulder and Elbow Surgery. 2011;20(6):983-8.

8. Costouros JG, Porramatikul M, Lie DT, Warner JJ. Reversal of suprascapular neuropathy following arthroscopic repair of massive supraspinatus and infraspinatus rotator cuff tears. Arthroscopy : the journal of arthroscopic & related surgery : official publication of the Arthroscopy Association of North America and the International Arthroscopy Association. 2007;23(11):1152-61.

9. Davies MR, Liu X, Lee L, et al. TGF-β Small Molecule Inhibitor SB431542 Reduces Rotator Cuff Muscle Fibrosis and Fatty Infiltration By Promoting Fibro/Adipogenic Progenitor Apoptosis. PLOS ONE. 2016;11(5):e0155486.

10. Silldorff MD, Choo AD, Choi AJ, et al. Effect of Supraspinatus Tendon Injury on Supraspinatus and Infraspinatus Muscle Passive Tension and Associated Biochemistry. Journal of Bone and Joint Surgery. 2014;96(20):e175.

11. Gibbons MC, Sato EJ, Bachasson D, et al. Muscle architectural changes after massive human rotator cuff tear. Journal of Orthopaedic Research. 2016;34(12):2089-95.

12. Ecklund KJ, Lee TQ, Tibone J, Gupta R. Rotator cuff tear arthropathy. J Am Acad Orthop Surg. 2007;15(6):340-9.

13. Feeley BT, Gallo RA, Craig EV. Cuff tear arthropathy: current trends in diagnosis and surgical management. J Shoulder Elbow Surg. 2009;18(3):484-94.

14. White JJ, Titchener AG, Fakis A, Tambe AA, Hubbard RB, Clark DI. An epidemiological study of rotator cuff pathology using The Health Improvement Network database. Bone Joint J. 2014;96-b(3):350-3.

15. Hart DA, Archambault JM, Kydd A, Reno C, Frank CB, Herzog W. Gender and neurogenic variables in tendon biology and repetitive motion disorders. Clin Orthop Relat Res. 1998(351):44-56.

16. Oliva F, Berardi AC, Misiti S, Maffulli N. Thyroid hormones and tendon: current views and future perspectives. Concise review. Muscles Ligaments Tendons J. 2013;3(3):201-3.

17. Aumiller WD, Kleuser TM. Diagnosis and treatment of cuff tear arthropathy. Jaapa. 2015;28(8):33-8.

18. Svendsen SW, Bonde JP, Mathiassen SE, Stengaard-Pedersen K, Frich LH. Work related shoulder disorders: quantitative exposure-response relations with reference to arm posture. Occup Environ Med. 2004;61(10):844-53.

19. Tashjian RZ. Epidemiology, natural history, and indications for treatment of rotator cuff tears. Clin Sports Med. 2012;31(4):589-604.

20. Ecklund KJ, Lee TQ, Tibone J, Gupta R. Rotator Cuff Tear Arthropathy. J Am Acad Orthop Surg. 2007;15(6):340-9.

21. Nam D, Maak TG, Raphael BS, Kepler CK, Cross MB, Warren RF. Rotator cuff tear arthropathy: evaluation, diagnosis, and treatment: AAOS exhibit selection. J Bone Joint Surg Am. 2012;94(6):e34.

22. Moosmayer S, Tariq R, Stiris M, Smith HJ. The natural history of asymptomatic rotator cuff tears: a three-year follow-up of fifty cases. J Bone Joint Surg Am. 2013;95(14):1249-55.

23. Roberts CC, Ekelund AL, Renfree KJ, Liu PT, Chew FS. Radiologic Assessment of Reverse Shoulder Arthroplasty. Radiographics : a review publication of the Radiological Society of North America, Inc. 2007;27(1):223-35.

24. Walch G, Collotte P, Raiss P, Athwal GS, Gauci MO. The Characteristics of the Favard E4 Glenoid Morphology in Cuff Tear Arthropathy: A CT Study. Journal of Clinical Medicine. 2020;9(11):3704.

25. Sirveaux F, Favard L, Oudet D, Huquet D, Walch G, Mole D. Grammont inverted total shoulder arthroplasty in the treatment of glenohu-

meral osteoarthritis with massive rupture of the cuff. The Journal of Bone and Joint Surgery British volume. 2004;86-B(3):388-95.

26. Zeman CA, Arcand MA, Cantrell JS, Skedros JG, Burkhead WZ, Jr. The rotator cuff-deficient arthritic shoulder: diagnosis and surgical management. J Am Acad Orthop Surg. 1998;6(6):337-48.

27. Hamada K, Fukuda H, Mikasa M, Kobayashi Y. Roentgenographic findings in massive rotator cuff tears. A long-term observation. Clin Orthop Relat Res. 1990(254):92-6.

28. Fuchs B, Weishaupt D, Zanetti M, Hodler J, Gerber C. Fatty degeneration of the muscles of the rotator cuff: assessment by computed tomography versus magnetic resonance imaging. J Shoulder Elbow Surg. 1999;8(6):599-605.

29. Goutallier D, Postel JM, Bernageau J, Lavau L, Voisin MC. Fatty muscle degeneration in cuff ruptures. Pre- and postoperative evaluation by CT scan. Clin Orthop Relat Res. 1994(304):78-83.

30. Herrmann S, König C, Heller M, Perka C, Greiner S. Reverse shoulder arthroplasty leads to significant biomechanical changes in the remaining rotator cuff. Journal of Orthopaedic Surgery and Research. 2011;6(1):42.

31. Wey A, Dunn JC, Kusnezov N, Waterman BR, Kilcoyne KG. Improved external rotation with concomitant reverse total shoulder arthroplasty and latissimus dorsi tendon transfer: A systematic review. Journal of Orthopaedic Surgery. 2017;25(2):2309499017711839.

32. American Geriatrics Society Panel on Pharmacological Management of Persistent Pain in Older P. Pharmacological management of persistent pain in older persons. J Am Geriatr Soc. 2009;57(8):1331-46.

33. Cancienne JM, Brockmeier SF, Carson EW, Werner BC. Risk Factors for Infection After Shoulder Arthroscopy in a Large Medicare Population. The American Journal of Sports Medicine. 2018;46(4):809-14.

34. Kew ME, Cancienne JM, Christensen JE, Werner BC. The Timing of Corticosteroid Injections After Arthroscopic Shoulder Procedures Affects Postoperative Infection Risk. The American Journal of Sports Medicine. 2019;47(4):915-21.

35. Werner BC, Cancienne JM, Burrus MT, Griffin JW, Gwathmey FW, Brockmeier SF. The timing of elective shoulder surgery after shoulder injection affects postoperative infection risk in Medicare patients. J Shoulder Elbow Surg. 2016;25(3):390-7.

36. Drake GN, O'Connor DP, Edwards BT. Indications for Reverse Total Shoulder Arthroplasty in Rotator Cuff Disease. Clinical Orthopaedics & Related Research. 2010;468(6):1526-33.

37. Petrillo S, Longo UG, Papalia R, Denaro V. Reverse shoulder arthroplasty for massive irreparable rotator cuff tears and cuff tear arthropathy: a systematic review. MUSCULOSKELETAL SURGERY. 2017;101(2):105-12.

38. Best MJ, Aziz KT, Wilckens JH, McFarland EG, Srikumaran U. Increasing incidence of primary reverse and anatomic total shoulder arthroplasty in the United States. J Shoulder Elbow Surg. 2021;30(5):1159-66.

39. Coscia AC, Matar RN, Espinal EE, Shah NS, Grawe BM. Does preoperative diagnosis impact patient outcomes following reverse total shoulder arthroplasty? A systematic review. J Shoulder Elbow Surg. 2021;30(6):1458-70.

40. Ernstbrunner L, Andronic O, Grubhofer F, Camenzind RS, Wieser K, Gerber C. Long-term results of reverse total shoulder arthroplasty for rotator cuff dysfunction: a systematic review of longitudinal outcomes. Journal of Shoulder and Elbow Surgery. 2019;28(4):774-81.

41. Ek ETH, Neukom L, Catanzaro S, Gerber C. Reverse total shoulder arthroplasty for massive irreparable rotator cuff tears in patients younger than 65 years old: results after five to fifteen years. Journal of Shoulder and Elbow Surgery. 2013;22(9):1199-208.

42. Ernstbrunner L, Suter A, Catanzaro S, Rahm S, Gerber C. Reverse Total Shoulder Arthroplasty for Massive, Irreparable Rotator Cuff Tears Before the Age of 60 Years: Long-Term Results. J Bone Joint Surg Am. 2017;99(20):1721-9.

43. Gerber C, Canonica S, Catanzaro S, Ernstbrunner L. Longitudinal observational study of reverse total shoulder arthroplasty for irreparable rotator cuff dysfunction: results after 15 years. Journal of Shoulder and Elbow Surgery. 2018;27(5):831-8.

44. Bartels DW, Marigi E, Sperling JW, Sanchez-Sotelo J. Revision Reverse Shoulder Arthroplasty for Anatomical Glenoid Component Loosening Was Not Universally Successful: A Detailed Analysis of 127 Consecutive Shoulders. J Bone Joint Surg Am. 2021;103(10):879-86.

45. Werner BS, Abdelkawi AF, Boehm D, et al. Long-term analysis of revision reverse shoulder arthroplasty using cemented long stems. Journal of Shoulder and Elbow Surgery. 2017;26(2):273-8.

46. Eajazi A, Kussman S, Lebedis C, et al. Rotator Cuff Tear Arthropathy: Pathophysiology, Imaging Characteristics, and Treatment Options. American Journal of Roentgenology. 2015;205(5):W502-W11.

47. Chelli M, Lo Cunsolo L, Gauci MO, et al. Reverse shoulder arthroplasty in patients aged 65 years or younger: a systematic review of the literature. JSES Open Access. 2019;3(3):162-7.

48. Vancolen SY, Elsawi R, Horner NS, Leroux T, Alolabi B, Khan M. Reverse total shoulder arthroplasty in the younger patient (≤65 years): a systematic review. Journal of Shoulder and Elbow Surgery. 2020;29(1):202-9.

05 반치환술, 해부학적 인공관절치환술의 기구적 특징

Biomechanical properties of the hemiarthroplasty and anatomical total shoulder arthroplasty

정현장

1. 인공관절치환술의 발전

어깨의 인공관절치환술은 1893년 어깨의 결핵성 관절염을 치료하기 위해 Jules Emile Péan에 의해 최초로 시행되었다고 기록되어 있다.[1] 그러나 현대적인 의미에서 최초의 인공관절치환술은 1950년대에 들어서 어깨의 해부학적 구조를 본 딴 인공관절이 개발되며 시작했다 볼 수 있으며,[2] Neer에 의해서 정복이 불가능한 근위 상완골 골절의 치료에서 반치환술(hemiarthroplasty, HA)의 개념이 도입되며 발전하기 시작했다고 보아야 할 것이다.[3-5] 반치환술에서부터 시작된 어깨의 인공관절의 개발은 현재의 해부학적 인공관절치환술(anatomical total shoulder arthroplasty, aTSA)의 기본적인 형태인 상완골 치환물과 관절와 치환물로 구성된 인공관절치환물(Neer II, Smith & Nephew)로 발전하게 된다.[4,5] 이후 Grammont에 의해 역행성 인공관절치환술(reverse total shoulder arthroplasty)의 개념이 도입되었고, 수술 술기와 치환물의 형태를 비롯한 기구들도 계속해서 빠른 속도로 발전이 되어 왔다.[4]

최초의 인공관절치환물은 상완골 치환물이 한 개의 덩어리로 되어 있는 구조(monoblock implants)였으며, 이는 이후 환자의 해부학적 다양성을 만족시키기 위한 조립식 구조(modular type)의 개념이 도입되기 시작하면서 1세대 인공관절치환물로 분류되었다. 2세대 인공관절치환물은 조립식 구조라는 개념이 도입되면서 1세대 인공관절치환물보다는 좀 더 환자의 해부학적 구조를 반영할 수 있었으나 이상적인 형태와는 거리가 있었다.

이를 보완하기 위해 1980년대에 Boileau 및 Walch에 의해 해부학적 특징을 좀더 정확하게 반영하기 위한 시도가 있었다.[6] 근위 상완골에 대한 해부학적 연구를 통해서 상완골 두를 구(sphere), 상완골 간부를 원기둥(cylinder)의 형태로 분리하고, 상완골 두와 상완골 간부 사이의 offset 개념을 최초로 도입하였다. 또한 상완골 두의 크기나 경간각(neck-shaft angle), 염전(torsion) 등에 있어서 개인에 따른 편차가 큼을 밝히고 이에 따른 환자 개개인의 해부학적 특징을 반영할 수 있도록 하였다. 이러한 3세대 인공관절치환물의 개념적 특성은 현재까지 지속되고 있다.

2. 해부학적 특성

어깨관절은 상완골과 견갑골의 관절와로 구성된 골성 구조물과 관절와순, 회전근 개 등의 연부조직으로 이루어져 있다. 상완골 두는 90% 이상의 완전한 구에 가까운 형상을 보이며, 상완골 두의 관절면은 전체 상완골 두의 1/3 정도를 차지하고 있다. 견갑골의 관절와는 세로 길이가 가로 길이에 비해서 더 길고, 원위부의 가로 길이가 근위 부의 가로 길이에 비해서 더 큰 서양배 형태(pear shape)를 보인다. 그러나 상완골 두의 직경, 경간각, 염전 정도 및 관절와의 크기, 수직 경사(inclination), 수평 경사(version) 등의 해부학적 지표는 인종별, 성별로 차이가 클 뿐 아니라,[7] 어깨의 병변이 없는 개인에서도 편차가 큼이 보고된 바 있다.[8-11]

이를 볼 때, 정상 해부학적 구조를 복원하는 것을 필요로 하는 해부학적 인공관절치환술에서 전산화 단층촬영(computed tomography, CT) 등을 이용한 환자 개개인의 해부학적 구조에 대한 정확한 파악이 수술의 예후에 있어 중요한 요소임을 알 수 있다.

3. 상완골 치환물(Humeral component)의 분류

1) 시멘트 충전 고정 여부

Neer에 의해 최초로 현대적 상완골 치환물이 도입된 이후로 오랫동안 상완골 치환물은 시멘트 고정을 전제로 제작되었다. 확공한 골수내 공간으로 시멘트를 충전하고 충전된 시멘트 안으로 상완골 주대를 밀어넣어 고정하는 형태로, 상완골 주대의 표면은 매끈한 형태로 유지되었다. 시멘트를 이용한 상완골 치환물의 삽입은 골다공증 및 근위 상완골의 골절 등으로 인해 골밀도 및 골질이 불량한 환자에서도 비교적 튼튼한 고정력을 얻을 수 있고, 시멘트 자체에 항생제를 포함시킬 경우 감염 예방 측면에서도 도움을 받을 수 있다는 장점이 있다.

그러나 골 시멘트는 충분히 고정력을 얻을 수 있을 정도로 굳기까지 기다려야 해서 수술 시간이 증가하고, 시멘트가 누출될 경우 시멘트가 굳으면서 발생하는 열에 의해 요골 신경의 손상이 발생할 수 있음이 보고된 바 있다.[12,13] 또한 재수술을 시행할 경우 시멘트 제거에 따른 수술 시간의 증가가 발생하고, 시멘트 및 기존에 삽입한 상완골 치환물 제거 시 골소실, 골절이 발생할 위험성이 있다. 이에 골 시멘트를 사용하지 않고 상완골 치환물을 삽입하려는 시도가 계속되었다.

그러나 초기의 상완골 치환물은 골 시멘트의 사용을 전제로 설계되어, 시멘트를 사용하지 않았을 경우 상완골 치환물의 전위가 발생하고, 치환물 주위 방사선 투과성 병변의 지속적인 확장이 관찰되었다. 이에 골 시멘트 없이 사용할 수 있도록 뼈가 자라 들어갈 수 있는 ingrowth, porous coating을 상완골 치환물 주대에 시행하여, 현재 국내 시판 중인 상완골 치환물은 시멘트 충전형 고정(cemented fixa-tion type) 및 비충전형 고정(cementless fixation type, press-fit fixation type)이 모두 가능하다.

시멘트 비충전형 고정은 골 시멘트 충전에 따른 추가적인 수술 시간의 증가가 없고, 시멘트 누출에 의한 의인성 요골 신경손상을 원천적으로 막을 수 있다. 또한 porous coating에 의해 골이 주대로 자라 들어가며 고정력을 높일 수 있다. 재수술 시에도 시멘트 제거에 따른 수술 시간의 증가를 방지할 수 있고, 시멘트 제거 과정에서 발생할 수 있는 골소실이나 골절의 위험성을 낮출 수 있다는 장점이 있어, 최근에는 점차 시멘트 비충전형 고정이 선호되는 추세를 보인다.

그러나 시멘트 비충전형 고정은 상완골의 해면골의 골질에 따라 적절한 고정 여부를 획득할 수 있는지에 대한 여부가 결정되므로, 골질이 불량한 환자에서 press-fit을 얻기 위해서 너무 강하게 충격을 줄 경우 의인성 골절을 유발할 수 있으므로 특히 주의해야 하며, 근위 상완골의 골절 등의 경우나 근위 상완골의 해면골이식 후에도 적절한 고정력을 얻을 수 없을 것으로 판단되는 경우에는 시멘트 충전형 고정을 시행하는 것이 적절할 것으로 사료된다.[14] 시멘트 충전형 고정을 시행할 경우에는 전술한 바 있는 의인성 요골 손상을 방지하기 위해서, 상완골 골수강(medullary canal) 내의 시멘트 충전 원위부에 bone plug를 삽입하여 의도치 않은 시멘트 누출을 막아야만 하고, 나사 구멍이나 골절 부위 등으로 시멘트가 누출되지 않도록 주의를 기울여야 한다.

2) 상완골 주대의 길이에 따른 분류

현재까지 상완골 치환물 고정의 gold standard는 적절한 길이의 주대(standard stem)를 가지는 상완골 치환물을 사용한 고정이다. 그러나 시멘트 비충전형 고정에서는 시멘트 충전형 고정과는 달리 초기 고정력이 상완골 치환물의 전장에 걸쳐서 발생하기보다는 주로 상완골 치환물의 근위부 혹은 골간단부(metaphysis)에서 발생함이 밝혀졌다. 또한 상완골 치환물과 상완골 간의 경도 차이에 의한 부하 차폐 효과(stress shielding effect)가 근위 상완골의 내측 경골부(medial calcar of proximal humerus)의 골소실을 유발할 수 있다는 점으로 인해 상완골 주대의 길이를 줄이는 것을 시도하게 되었다.

어깨관절은 하지의 관절들과는 달리 체중을 부하하는 관절(weight bearing joint)이 아니므로, 고정력에 있어서 주대가 짧아질 수 있는 여력이 상당하며, 최근 전술한 바와 같은 이유로 주대의 길이가 짧은 형태의 상완골 치환물 (short stem humeral component)이 개발되고 있다. 주대의 길이가 짧아질 경우, 최초 삽입 시 보존할 수 있는 골량을 늘릴 수 있으며 재수술 시에도 상대적으로 상완골 치환물의 제거가 용이해지고, 발생하는 골소실을 줄일 수 있다는 장점이 있다. 또한 주대가 길 경우 상완골 치환물이 골간부(diaphysis)에 고정됨에 따라 골간단부의 부하 차폐 효과에 의한 골소실을 유발하게 되는데, 이론적으로 이를 줄일 수 있다는 장점이 있다.[15-20] 또한 부정 유합 등으로 인해서 근위 상완골 부위의 해부학적 변형이 발생한 경우에도 비교적 용이하게 상완골 치환물을 삽입할 수 있고, 최근 증가 중인 전 주관절치환술(total elbow replacement arthroplasty)을 시행 받은 환자에서도 적용 가능하다.[16,21,22]

이에 최근 상완골 치환물은 주대의 길이를 줄이는 방향으로 진행되는 경향을 보이며, 이러한 방향성의 가장 극단적인 형태는 주대가 없는 상완골 치환물(stemless humeral component)로 볼 수 있다. 주대가 없는 상완골 치환물의 경우 해부학적 경부에서만 절골이 일어나고, 상완골 치환물 삽입 시 소실되는 골량을 획기적으로 줄일 수 있다는 장점이 있다. 비록 장기 추시가 필요하나, 기존의 상완골 치환물에 비해서 단기 추시상 안정성 측면에서는 뒤처지지 않은 결과를 보인 바 있다. 그러나 주대가 없다는 기구적 특성상 상완골 경부를 적절하게 절단하지 못할 경우 center of rotation이 정상 해부학적 위치에서 벗어날 수 있어 이에 대한 주의가 필요하다.[23] 단기 추시상으로는 short stem humeral component나 stemless humeral component 모두 기존의 상완골 치환물에 비해 크게 뒤처지지 않는 결과를 보인 바 있으나, 장기 추시에 따른 안정성 여부 등에 대해서는 관찰이 필요하다.[24]

전술한 바와 같은 이론적인 장점으로 최근의 추세는 점차 길이가 짧은 상완골 치환물을 선택하는 비율이 증가하

고 있다. 그러나 근위 상완골의 골질이 불량할 경우 short stem 혹은 stemless humeral component를 사용 시 상완골 치환물의 전위 및 이완 등을 유발할 수 있어 상완골 치환물의 근위부에 bone ingrowth를 촉진하는 porous coating이 된 치환물을 사용하는 것이 적합할 것이다. 이는 단순하게 모든 환자에서 주대의 길이가 짧은 상완골 치환물을 사용하는 것보다는 환자의 골질에 대한 특성을 고려하여 상완골 치환물의 크기 및 고정 방법을 선택해야 함을 의미한다.[25,26]

3) 조립식 구조 형태의 상완골 치환물

상완골 치환물은 초기 상완골 두와 상완골 주대가 결합된 monoblock 형태에서, 다양한 크기의 상완골 두와 상완골 주대를 조합할 수 있는 조립식 구조(module) 형태의 상완골 치환물의 개념이 도입되었다(modular humeral component). 조립식 구조 형태의 상완골 두 치환물의 개념은 환자의 해부학적 특성에 따른 상완골 경간각의 조절, 상완골 두의 직경에 따른 적절한 크기의 상완골 두 치환물의 선택을 가능하게 할 뿐 아니라, 완전한 구 형태의 동심성 상완골 두 치환물(concentric humeral head)에서 벗어난 편심성 상완골 두 치환물(eccentric humeral head) 등의 사용으로 각 환자 개개인의 해부학적 특성에 따른 조정이 가능하도록 시도되고 있다. 조립식 구조에 의한 다양한 조합이 시도되면서, 기존의 monoblock 형태의 상완골 치환물에 비해서 수술의 난이도가 낮아졌으며, 관절의 정렬(alignment), 운동범위 및 안정성 등에 있어서도 유의한 향상이 있어, 최근의 상완골 치환물은 모두 조립식 구조 형태를 지니고 있다.[27,28]

이러한 조립식 구조 형태의 상완골 치환물은 환자 개개인의 해부학적 특성에 가깝게 상완골 치환물을 조합할 수 있다는 장점뿐만 아니라, 재수술 시에도 도움을 줄 수 있다는 점에서 유용하게 사용될 수 있다. 어깨 인공관절의 재치환술을 시행할 때, 감염 등의 소견이 없고 상완골 주대의 고정이 적절하게 유지되어 있다면 상완골 두 치환물만을 교체할 수 있다. 상완골 주대를 교체하지 않을 경우, 상완골 주대의 교체에 따라 발생하는 골소실의 정도를 줄

일 수 있으며, 수술 중 의인성 골절의 빈도를 낮춰서 수술의 난이도 및 수술 시간을 감소시켜 수술 중 출혈량을 줄이고 감염의 위험성을 낮출 수 있다는 장점을 가지고 있다.[22,29] 조립식 구조 형태의 또 다른 장점은 해부학적 인공관절치환술로의 재치환술뿐 아니라 역행성 인공관절 재치환술로의 전환에서도 사용 가능하다는 점이다. 현재 시판 중인 상당수의 상완골 치환물들은 동일한 회사의 역행성 인공관절치환물로 재치환술을 시행할 경우, 상완골 치환물의 고정이 적절하다면 상완골 주대 부분은 교체하지 않고 상완골 두 부분만 교체하는 것으로 비교적 간단하게 역행성 인공관절치환술로 전환을 할 수 있다.

4) 골절에 사용되는 상완골 치환물

반치환술은 Neer에 의해 최초로 시도된 이후 현재까지도 복잡한 3-4분 근위 상완골 골절의 표준 치료법으로 간주되고 있으나, 그 결과는 기대만큼 좋지 않은 경우가 많다. 대부분 술후 통증 조절 측면에서는 비교적 우수한 결과를 보이나, 적절한 관절운동범위를 회복하지 못하는 경우가 많고, 환자 개개인마다 관절운동범위 편차가 크게 나타난다.[30-32] 이는 근위 상완골 결절부의 유합이 적절하게 이뤄지지 않는 것이 가장 큰 원인으로 간주되고 있으며,[33] 골다공증성 골절이 흔한 근위 상완골 골절의 특성에 기인하는 것뿐 아니라, 부정확한 위치로의 상완골 치환물 삽입, 결절부 고정의 난이도 등 기술적 요소에 의존하는 바도 크다고 알려져 있다.

기구적 특성에서 본다면 금속으로 된 상완골 치환물 자체가 결절부의 유합을 방해한다고 볼 수 있다. 근위 상완골 골절에서 인공관절치환술은 대결절 및 소결절의 분쇄 골절이 동반된 경우에서 시행할 확률이 높은데, 특히 부피가 큰 형태의 상완골 치환물을 사용하면 골절이 발생한 결절부에 충분한 양의 골이식을 시행하지 못하게 되는 경우가 많고 이는 결국 결절부의 불유합 및 부정유합으로 이어져서 불량한 예후를 유발하게 된다. 이에 근위 상완골 골절에서 사용 가능한 특수한 형태의 상완골 치환물(fracture stem humeral component)이 많이 사용되고 있다. Fracture stem은 통상적인 상완골 치환물보다 근위부의 굵기가 더 얇고, 구멍이 뚫려있어서 골이식의 용이성을 높이는 등 결절부의 유합률을 올리기 위한 여러 가지 시도를 하고 있다.

4. 관절와 치환물(Glenoid component)의 분류

1) 관절와 치환물의 이완

1974년 Neer는 어깨의 골관절염(glenohumeral osteoarthritis) 치료를 위한 관절와 치환술(glenoid resurfacing)의 시행을 최초로 보고하였다.[34] 이는 기존 골절로 국한되어 있던 어깨 인공관절수술의 적응증을 확장시켰으며, 이후 어깨의 인공관절의 발전에 있어 중요한 사건이라고 볼 수 있을 것이다. 그러나 관절와 치환물은 반치환술을 제외한 해부학적 혹은 역행성 인공관절치환술에 있어 장기적인 안정성에 있어 가장 약한 고리라고 할 수 있다.

해부학적 인공관절치환술 후 임상적으로 증상이 없는 방사선 투과성 병변의 관찰 확률은 수술 이후 해마다 7.3%씩 증가하고, 증상을 동반하는 관절와 치환물의 이완은 1.2%, 이로 인한 재수술의 확률은 0.8%씩 증가한다고 보고된 바 있다.[35] 관절와 치환물의 이완이 발생하는 원인에는 여러 가지가 있으나, 치환물의 형태에 따른 특성, 수술 기법 및 의사의 숙련도에 따른 영향, 골다공증 등의 환자 특성, 회전근 개의 보존 여부, 감염 여부 등에 의해서 영향을 받는다고 알려진 바 있다.[36,37]

해부학적 인공관절치환술 후 관절와 치환물의 이완은 흔들 목마 현상(rocking horse phenomenon)으로 설명되어 왔다(그림 5-1). 이는 상완골 치환물이 관절와 치환물의 끝으로 이동(translation)되면서 상완골 치환물이 닿는 관절와 치환물 부위는 압박력이 가해지고, 반대측은 신연력이 가해지는 edge loading의 반복에 따라 관절와의 골-치환물 간 해리가 발생하는 것을 의미한다. 흔들 목마 현상에 의한 관절와 치환물의 이완은 관절와상완관절의 불안정성이 있는 경우나, 회전근 개의 기능저하 등으로 상완골의 translation이 증가하는 경우 더 급속하게 진행하는 것으로 밝혀진 바 있다.[37] 이에 관절와 치환물의 기구적인 특징에

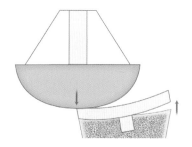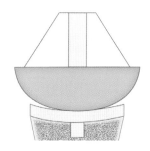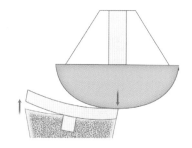

그림 5-1 흔들목마 현상(rocking horse phenomenon)의 모식도
상완골 치환물이 이동하여 관절와 치환물의 끝 부위로 가게되면 상완골 치환물이 닿는 부위에는 압박력이 가해지고, 반대측에는 신연력이 발생한다. 화살표는 이러한 이동에 따라 관절와 치환물에 가해지는 edge loading을 의미한다.

따른 이완을 줄이고자 여러 방향으로의 개발이 이뤄져 왔다.

2) 뒷면의 형태에 따른 분류

관절와 치환물은 뒷면이 평평한 폴리에틸렌(poly-ethylene, PE) 재질의 관절와 치환물(flat-back glenoid component)을 평평하게 갈아낸 관절와에 골 시멘트를 이용하여 고정하는 방식으로 출발하였다. 이는 단기간의 기능적 추시상으로는 비교적 만족스러운 결과를 얻었으나, 시간 경과에 따라 관절와 치환물 주위로 방사선투과성 병변이 발생함이 관찰되었으며, 결국 삽입된 관절와 치환물의 이완을 유발하는 것으로 알려졌다. 관절와 치환물의 뒷면이 평평할 경우 전술한 바 있는 흔들목마 현상의 영향이 클 것으로 예상되어 이를 방지하고자 뒷면이 볼록한 형태의 관절와 치환물(convex-back glenoid component)이 개발되었다. 이는 생역학적 실험을 통해 관절와와 관절와 치환물 사이에서 기존의 flat-back component보다 상대적으로 압박력(compressive force)은 증가하고, 전단력(shear force)은 감소하는 것으로 측정되어 흔들 목마 현상을 줄일 수 있는 생역학적으로 보다 안정된 형태로 여겨졌다.[38] 이에 현재는 대부분의 관절와 치환물이 convex-back 형태를 채택하고 있다. 그러나 Collin 등은 10년 이상의 장기 추시 연구에서는 두 가지 형태 모두 방사성 투과성 병변의 발생률이나 기능적 결과상으로는 큰 차이가 없었으며, 여기에는 다른 요인들(젊은 연령, 우세수, 관절와치환술 삽입 숙련도)이 더

큰 영향을 끼치는 것으로 밝혀진 바 있다.[39]

3) 고정 부위의 형태에 따른 분류

All PE component의 경우 골 시멘트를 통한 고정이 필요하므로 관절와-골 시멘트-관절와 치환물 간 고정력을 높이기 위한 구조물이 필요하다. Neer가 최초로 개발한 형태는 관절와 치환물의 중심부에 배의 용골 형태로 튀어나온 구조물(keeled implant)을 만들어서 고정에 사용되는 부위의 표면적을 넓히고자 하였다. 그러나 keeled type implant는 삽입하는 과정에서 관절와 중심부의 골소실이 필연적으로 발생하게 되고 이에 따른 고정력의 약화를 유발할 수 있어, 3-4개의 작은 기둥 형태의 구조물(peg)을 이용하여 고정하는 구조물(multiple pegged type implant)이 개발되었다.

Pegged implant는 가장 골량이 풍부한 관절와의 중심부의 골소실을 keeled implant에 비해서 줄일 수 있고, 사용하는 골 시멘트의 양을 감소시킬 수 있으며, 다수의 peg을 이용하므로 관절와 치환물과 관절와 간 접촉 면적을 증가시킬 수 있어 고정력이 커질 수 있다는 장점을 가지고 있다.[40] 이에 Pegged implant는 생역학 실험에서 keeled implant에 비해서 미세운동(micromotion)이 더 작게 발생하고,[41] 단순 방사선사진상의 방사선 투과성 병변의 크기 또한 더 작게 관찰된다. 그러나 이에 따른 임상적 결과 및 치환물의 안정성에 있어 pegged implant가 keeled implant에 비해서 더 우월하다는 보고는 현재까지는 관찰되지 않았으며, 이는 두 치환물 고정부의 형태가 다르기 때문에 방사선 투과

성 병변의 크기를 비교하기가 어렵다는 것도 한가지 이유가 될 수 있을 것으로 보인다.[42-44] 다만 추후 재치환술이나 역행성 인공관절치환술로의 전환 가능성을 고려해본다면, 상대적으로 관절와 중심부의 골소실량이 적은 pegged implant가 keeled implant에 비해서 장점을 가진다고 볼 수 있으며, 관절와 변연부의 미란(erosion) 등으로 인해 pegged implant의 삽입이 여의치 않은 경우에는 keeled implant의 삽입을 고려해 볼 수 있을 것이다.

4) 재질에 따른 분류

전술한 바와 같이 관절와 치환물은 PE로 제작된 치환물(all PE glenoid component)을 골 시멘트를 이용하여 고정하는 것부터 시작되었으나, 경과 추시상 관절와 치환물의 이완이 빈번하게 보고되었다. 이에 골 시멘트를 이용하지 않고 나사를 통해 단단히 고정하는 금속 재질의 tray에 PE으로 제작된 insert를 조립하는 관절와 치환물(cementless, metal-backed glenoid component)이 개발되었다.

그러나 metal-backed component는 조기 치환물 이완, 고정나사의 파절, PE 재질의 insert 파괴, 견관절 통증 등으로 기존의 all PE component와 비교해도 매우 높은 재수술율을 보였다.[45] 이를 보완하기 위해 bone ingrowth가 가능한 재질을 이용한 press-fit fixation이 시도되었으나, 여전히 높은 실패율을 보인 바 있다.[46] 또한 재수술 시에도 금속 재질의 tray는 그대로 두고 PE insert만 교체할 수 있다는 최초 의도와는 달리, 관절와의 골소실 및 이에 따른 치환물의 이완과 불안정성에 의해 재수술 시 약 3%에서만 PE insert의 교체가 가능했고, 나머지 경우에는 관절와 치환물 자체를 교체해야 하는 약점을 보였다.[45]

Metal-backed component의 실패율이 높은 원인으로는 여러 가지가 있으나, 금속 재질의 tray 위에 PE 재질의 insert를 얹는 metal-backed glenoid component의 구조적 문제 자체에서 기인하는 바가 가장 큰 것으로 추정된다. Metal-backed component는 all PE component에 비해서 상대적으로 PE insert의 두께는 얇으나, metal-backed tray와 PE insert를 결합한 상태의 전체 두께는 all PE component에 비해서 두꺼워진다. 이는 견관절 연부조직의 장력을 과도하게 하여 PE insert에 가해지는 부하를 증가시키고, 금속 재질의 tray의 rigidity가 all PE component에 비해 높은 물성으로 인해 PE insert의 wear를 가속시킨다.[45] 그리고 이로 인해 발생한 PE debris들은 육아종 형성 및 골 융해를 유발하여, 조기 치환물 이완을 유발한 것으로 추정되며, 이로 인해 현재 대다수의 관절와 치환물은 all PE component로 대체된 상태이다.

해부학적 인공관절치환술을 시행 받은 환자들은 고령인 경우가 많고, 수술 당시에는 회전근 개의 상태가 비교적 양호했다고 하더라도 시간이 경과함에 따라 회전근 개의 파열이 동반되는 경우가 많아서, 역행성 인공관절치환술로의 재치환술을 시행하는 빈도가 증가하게 된다. 그러나 기존의 all PE component는 재치환술을 시행하는 과정에서 반드시 제거가 필요하며, 골 시멘트와 관절와 치환물의 제거 과정에서 관절와의 골소실이 발생할 가능성이 높아서 역행성 인공관절치환술과 호환될 수 있는 관절와 치환물의 필요성이 대두되었다. 이에 역행성 인공관절치환술의 base-plate 형태로 metal tray를 제작하여 해부학적 인공관절치환술에서 사용되는 PE insert를 역행성 인공관절치환술의 glenosphere로 교체하여 부착할 수 있는 기구들이 계속해서 개발 중이다. 이는 조립식 구조 형태의 인공관절치환물의 발전 및 재료공학의 발달 등에 따른 재질 개선 등으로 단기 추시상에서는 기존의 metal-backed component에 비해서 호전된 결과를 보인 바 있으나,[47] 장기 안정성에 대해서는 판단할 수 있는 근거가 아직 부족하여 추가적인 연구를 요한다.

5) 관절와의 골결손이 심할 때 사용할 수 있는 관절와 치환물

해부학적 인공관절치환술의 적응증이 되는 질환들은 관절와의 미란을 흔하게 동반한다. 퇴행성 골관절염의 경우 관절와 후방 미란이 흔하게 발생하며, 류마티스 관절염은 관절와 중심부, 회전근 개 관절병증의 경우 관절와 상부에 골소실을 동반한 미란이 발생하는 경우가 많다고 알려져 있다.[48] 축상면(axial plane)에서 관절와의 골소실 등으로 인한 관절와의 전경각(anteversion) 혹은 후경각(retroversion)이 10-15도 미만이라면 이는 비대칭적 절삭술(asymmetric reaming)을 통해서 더 많이 돌출된 쪽을 더 많이 갈아내는 방식으로 교정할 수 있다. 그러나 전경각 혹은 후경각이 이보다 더 큰 골결손이 동반되어 있을 때, asymmetric reaming만으로 교정을 시도할 경우 충분한 교정을 얻기 힘든 경우가 많고, 교정이 되더라도 관절와의 골소실이 너무 심하므로, 대부분 골이식 등의 추가적 술식을 동반한다.[49,50]

그러나 해부학적 인공관절치환술에서 관절와의 골이식을 동시에 시행하면서 충분한 안정성을 얻기는 쉽지 않다. 이에 reaming 과정 중에서 발생하는 골소실의 양을 줄이고, 골이식을 피하기 위해서 특수한 형태의 관절와 치환물(augmented glenoid component)의 개발이 시도되고 있다. 전술한 바와 같이 통상적인 관절와 치환물의 뒷면은 평평하거나(flat-back), 볼록한 형태(convex-back)를 보이는데, augmented glenoid component의 경우 골소실된 부위를 관절와 치환물로 채워주기 위해서 쐐기 형태(wedge type)를 보이거나 계단 형태(step type)를 보이는 돌출부가 뒷면에 존재한다. 컴퓨터 모델링을 통한 연구에서는 half-wedge type의 glenoid component가 가장 골소실이 적은 것으로 알려져 있으나,[51] 실제 임상 경과상으로는 형태에 따른 유의한 차이는 없는 것으로 보고된 바 있다.[52]

Augmented glenoid component는 가장 골소실이 심한 부분을 기준으로 동일한 수준으로 관절와를 절삭할 필요가 없기 때문에 기존의 방식에 비해서 소실되는 골의 양을 줄일 수 있으며, 골소실부를 적절한 형태로 다듬었다면 골이식 없이 관절와 치환물을 삽입할 수 있다는 점에서 골이식에 따른 여러 부작용을 줄일 수 있고 안정성을 높일 수 있다는 장점을 가지고 있다. Posterior augment glenoid component는 단기 추시상 비교적 양호한 결과를 보고한 바 있으나,[52,53] 현재로서는 장기 추시에서의 안정성을 평가할 수는 없다.

6) 관절와 치환물 안정성을 얻기 위한 새로운 시도들

(1) Hybrid fixation

초창기 metal-backed glenoid component의 실패 이후 최근까지 관절와 치환물의 고정은 골 시멘트를 이용하여 시행되어 왔다. 그러나 골 시멘트를 사용한 고정에도 관절와 치환물은 여전히 해부학적 인공관절치환술의 장기 안정성에 있어 가장 취약한 부분으로 작용하고 있었으며, 이에 골 시멘트를 통한 고정과 press-fit을 이용한 고정을 동시에 시행하려는 시도가 계속해서 있어 왔다. 재료 공학의 발전으로 인해 이전보다 내구성이 개선되면서 다수의 peg을 이용하되 관절와의 중심부에 삽입되는 central peg은 골 시멘트를 사용하지 않는 press-fit 방식으로, 변연부에 삽입되는 peripheral peg은 골 시멘트를 사용하여 고정하는 방식인 hybrid fixation 방식이 시도되었다. Central peg은 bone ingrowth를 위해 porous coating된 금속 재질을 사용하거나 뼈가 자라들어가서 붙을 수 있도록 지느러미 형태(fin)의 구조물을 갖춘 형태의 것을 이용하였고, 변연부는 기존의 방식대로 골 시멘트를 이용하여 고정을 하였다. 단기 추시상으로는 모두 양호한 결과를 보였으나,[47,54-56] 장기 안정성에 대해서는 추가 연구가 필요하다.

(2) Inlay glenoid component

기존까지의 관절와 치환물은 모두 관절와에 고정을 할 수 있는 구조물이 들어갈 수 있는 구멍을 파고 그 위에 관절와 치환물을 얹어 놓는 형태의 구조(onlay)였다. Onlay component의 경우 그 구조적 특징상 전술한 rocking horse phenomenon을 피할 수 없는데, 관절와 중심부에 구멍을 파서 그 안에 관절와 치환물을 삽입하는 형태(inlay)는 상대적으로 rocking horse phenomenon으로부터 자유롭다는 장점을 지니게 된다. Inlay 구조는 생역학 실험 및 유한 요소 분석법을 통한 연구에서 관절와 치환물의 안정성이 전통적인 onaly 구조보다 더 우수한 결과를 보인 바 있으며,[57,58] 최근 보고된 임상연구에서도 단기 추시의 결과는 양호한 것으로 나타난 바 있다.[59]

참고문헌

1. Lugli T. Artificial shoulder joint by Péan (1893): the facts of an exceptional intervention and the prosthetic method. Clin Orthop Relat Res. 1978(133):215-8.

2. Krueger FJ. A vitallium replica arthroplasty on the shoulder: a case report of aseptic necrosis of the proximal end of the humerus. Surgery. 1951;30(6):1005-11.

3. Neer CS, 2nd. Articular replacement for the humeral head. J Bone Joint Surg Am. 1955;37-A(2):215-28.

4. Flatow EL, Harrison AK. A history of reverse total shoulder arthroplasty. Clin Orthop Relat Res. 2011;469(9):2432-9.

5. Neer CS, 2nd, Watson KC, Stanton FJ. Recent experience in total shoulder replacement. J Bone Joint Surg Am. 1982;64(3):319-37.

6. Boileau P, Walch G. Anatomical Study of the Proximal Humerus: Surgical Technique Considerations and Prosthetic Design Rationale. In: Walch G, Boileau P, eds. Shoulder Arthroplasty. Berlin, Heidelberg: Springer; 1999. 69-82.

7. Cabezas AF, Krebes K, Hussey MM, et al. Morphologic Variability of the Shoulder between the Populations of North American and East Asian. Clin Orthop Surg. 2016;8(3):280-7.

8. Checroun AJ, Hawkins C, Kummer FJ, Zuckerman JD. Fit of current glenoid component designs: an anatomic cadaver study. J Shoulder Elbow Surg. 2002;11(6):614-7.

9. Churchill RS, Brems JJ, Kotschi H. Glenoid size, inclination, and version: an anatomic study. J Shoulder Elbow Surg. 2001;10(4):327-32.

10. Habermeyer P, Magosch P, Luz V, Lichtenberg S. Three-dimensional glenoid deformity in patients with osteoarthritis: a radiographic analysis. J Bone Joint Surg Am. 2006;88(6):1301-7.

11. Mallon WJ, Brown HR, Vogler JB, 3rd, Martinez S. Radiographic and geometric anatomy of the scapula. Clin Orthop Relat Res. 1992(277):142-54.

12. Sherfey MC, Edwards TB. Cement extrusion causing radial nerve palsy after shoulder arthroplasty: a case report. J Shoulder Elbow Surg. 2009;18(3):e21-4.

13. Akhtar A, Ng CY. Cement extrusion and radial nerve palsy during revision shoulder and elbow arthroplasty: Beware of the cortical breach. Journal of Clinical Orthopaedics and Trauma. 2021;16:226-9.

14. Hacker SA, Boorman RS, Lippitt SB, Matsen FA, 3rd. Impaction grafting improves the fit of uncemented humeral arthroplasty. J Shoulder Elbow Surg. 2003;12(5):431-5.

15. Denard PJ, Noyes MP, Walker JB, et al. Proximal stress shielding is decreased with a short stem compared with a traditional-length stem in total shoulder arthroplasty. J Shoulder Elbow Surg. 2018;27(1):53-8.

16. Harmer L, Throckmorton T, Sperling JW. Total shoulder arthroplasty: are the humeral components getting shorter? Curr Rev Musculoskelet Med. 2016;9(1):17-22.

17. Razfar N, Reeves JM, Langohr DG, Willing R, Athwal GS, Johnson JA. Comparison of proximal humeral bone stresses between stemless, short stem, and standard stem length: a finite element analysis. J Shoulder Elbow Surg. 2016;25(7):1076-83.

18. Romeo AA, Thorsness RJ, Sumner SA, Gobezie R, Lederman ES, Denard PJ. Short-term clinical outcome of an anatomic short-stem humeral component in total shoulder arthroplasty. J Shoulder Elbow Surg. 2018;27(1):70-4.

19. Schnetzke M, Rick S, Raiss P, Walch G, Loew M. Mid-term results of anatomical total shoulder arthroplasty for primary osteoarthritis using a short-stemmed cementless humeral component. Bone Joint J. 2018;100-B(5):603-9.

20. Schnetzke M, Wittmann T, Raiss P, Walch G. Short-term results of a second generation anatomic short-stem shoulder prosthesis in primary osteoarthritis. Archives of orthopaedic and trauma surgery. 2019;139(2):149-54.

21. Raiss P, Edwards TB, Deutsch A, et al. Radiographic changes around humeral components in shoulder arthroplasty. J Bone Joint Surg Am. 2014;96(7):e54.

22. Werner BC, Dines JS, Dines DM. Platform systems in shoulder arthroplasty. Curr Rev Musculoskelet Med. 2016;9(1):49-53.

23. von Engelhardt LV, Manzke M, Breil-Wirth A, Filler TJ, Jerosch J. Restoration of the joint geometry and outcome after stemless TESS shoulder arthroplasty. World J Orthop. 2017;8(10):790-7.

24. Collin P, Matsukawa T, Boileau P, Brunner U, Walch G. Is the humeral stem useful in anatomic total shoulder arthroplasty? Int Orthop. 2017;41(5):1035-9.

25. Reeves JM, Athwal GS, Johnson JA. An assessment of proximal humerus density with reference to stemless implants. J Shoulder Elbow Surg. 2018;27(4):641-9.

26. Szerlip BW, Morris BJ, Laughlin MS, Kilian CM, Edwards TB. Clinical and radiographic outcomes after total shoulder arthroplasty with an anatomic press-fit short stem. J Shoulder Elbow Surg. 2018;27(1):10-6.

27. Sassoon A, Schoch B, Rhee P, et al. The role of eccentric and offset humeral head variations in total shoulder arthroplasty. J Shoulder Elbow Surg. 2013;22(7):886-93.

28. Schoch B, Werthel JD, Schleck C, Sperling JW, Cofield RH. Does an increase in modularity improve the outcomes of total shoulder replacement? Comparison across design generations. Int Orthop. 2015;39(10):2053-60.

29. Kirsch JM, Khan M, Thornley P, et al. Platform shoulder arthroplasty: a systematic review. J Shoulder Elbow Surg. 2018;27(4):756-63.

30. Hoel S, Jensen TG, Falster O, Ulstrup A. Hemiarthroplasty for proximal humerus fracture and consequences of a comminuted greater tubercle fragment. Musculoskelet Surg. 2016;100(1):9-14.

31. Kontakis G, Koutras C, Tosounidis T, Giannoudis P. Early management of proximal humeral fractures with hemiarthroplasty: a systematic review. J Bone Joint Surg Br. 2008;90(11):1407-13.

32. Boileau P, Winter M, Cikes A, et al. Can surgeons predict what makes a good hemiarthroplasty for fracture? J Shoulder Elbow Surg. 2013;22(11):1495-506.

33. Cadet ER, Ahmad CS. Hemiarthroplasty for three- and four-part proximal humerus fractures. J Am Acad Orthop Surg. 2012;20(1):17-27.

34. Neer CS, 2nd. Replacement arthroplasty for glenohumeral osteoarthritis. J Bone Joint Surg Am. 1974;56(1):1-13.

35. Papadonikolakis A, Neradilek MB, Matsen FA, 3rd. Failure of the glenoid component in anatomic total shoulder arthroplasty: a systematic review of the English-language literature between 2006 and 2012. J Bone Joint Surg Am. 2013;95(24):2205-12.

36. Pinkas D, Wiater B, Wiater JM. The glenoid component in anatomic shoulder arthroplasty. J Am Acad Orthop Surg. 2015;23(5):317-26.

37. Franklin JL, Barrett WP, Jackins SE, Matsen FA, 3rd. Glenoid loosening in total shoulder arthroplasty. Association with rotator cuff deficiency. J Arthroplasty. 1988;3(1):39-46.

38. Anglin C, Wyss UP, Pichora DR. Mechanical testing of shoulder prostheses and recommendations for glenoid design. J Shoulder Elbow Surg. 2000;9(4):323-31.

39. Collin P, Tay AK, Melis B, Boileau P, Walch G. A ten-year radiologic comparison of two-all polyethylene glenoid component designs: a prospective trial. J Shoulder Elbow Surg. 2011;20(8):1217-23.

40. Geraldes DM, Hansen U, Amis AA. Parametric analysis of glenoid implant design and fixation type. J Orthop Res. 2017;35(4):775-84.

41. Anglin C, Wyss UP, Nyffeler RW, Gerber C. Loosening performance of cemented glenoid prosthesis design pairs. Clin Biomech (Bristol, Avon). 2001;16(2):144-50.

42. Lazarus MD, Jensen KL, Southworth C, Matsen FA, 3rd. The radiographic evaluation of keeled and pegged glenoid component insertion. J Bone Joint Surg Am. 2002;84-A(7):1174-82.

43. Edwards TB, Labriola JE, Stanley RJ, O'Connor DP, Elkousy HA, Gartsman GM. Radiographic comparison of pegged and keeled glenoid components using modern cementing techniques: a prospective randomized study. J Shoulder Elbow Surg. 2010;19(2):251-7.

44. Kilian CM, Press CM, Smith KM, et al. Radiographic and clinical comparison of pegged and keeled glenoid components using modern cementing techniques: midterm results of a prospective randomized study. J Shoulder Elbow Surg. 2017;26(12):2078-85.

45. Boileau P, Moineau G, Morin-Salvo N, et al. Metal-backed glenoid implant with polyethylene insert is not a viable long-term therapeutic option. J Shoulder Elbow Surg. 2015;24(10):1534-43.

46. Taunton MJ, McIntosh AL, Sperling JW, Cofield RH. Total shoulder arthroplasty with a metal-backed, bone-ingrowth glenoid component. Medium to long-term results. J Bone Joint Surg Am. 2008;90(10):2180-8.

47. Panti JP, Tan S, Kuo W, Fung S, Walker K, Duff J. Clinical and radiologic outcomes of the second-generation Trabecular Metal glenoid for total shoulder replacements after 2-6 years follow-up. Archives of orthopaedic and trauma surgery. 2016;136(12):1637-45.

48. Seidl AJ, Williams GR, Boileau P. Challenges in Reverse Shoulder Arthroplasty: Addressing Glenoid Bone Loss. Orthopedics. 2016;39(1):14-23.

49. Clavert P, Millett PJ, Warner JJ. Glenoid resurfacing: what are the limits to asymmetric reaming for posterior erosion? J Shoulder Elbow Surg. 2007;16(6):843-8.

50. Nowak DD, Bahu MJ, Gardner TR, et al. Simulation of surgical glenoid resurfacing using three-dimensional computed tomography of the arthritic glenohumeral joint: the amount of glenoid retroversion that can be corrected. J Shoulder Elbow Surg. 2009;18(5):680-8.

51. Knowles NK, Ferreira LM, Athwal GS. Augmented glenoid component designs for type B2 erosions: a computational comparison by volume of bone removal and quality of remaining bone. J Shoulder Elbow Surg. 2015;24(8):1218-26.

52. Ghoraishian M, Abboud JA, Romeo AA, Williams GR, Namdari S. Augmented glenoid implants in anatomic total shoulder arthroplasty: review of available implants and current literature. J Shoulder Elbow Surg. 2019;28(2):387-95.

53. Favorito PJ, Freed RJ, Passanise AM, Brown MJ. Total shoulder arthroplasty for glenohumeral arthritis associated with posterior glenoid bone loss: results of an all-polyethylene, posteriorly augmented glenoid component. J Shoulder Elbow Surg. 2016;25(10):1681-9.

54. Calcei JG, Berhouet J, Elpers M, et al. Retrieval Analysis of Porous Titanium Glenoid Posts: An Evaluation of Osteointegration. Orthopedics. 2017;40(4):e703-e7.

55. Kilian CM, Morris BJ, Sochacki KR, et al. Radiographic comparison of finned, cementless central pegged glenoid component and conventional cemented pegged glenoid component in total shoulder arthroplasty: a prospective randomized study. J Shoulder Elbow Surg. 2018;27(6S):S10-S6.

56. Denard PJ, Werner BC, Gobezie R, Tokish JM, Kissenberth MJ, Lederman E. Lower rates of radiolucency with a hybrid all-polyethylene pegged glenoid component compared to a completely cemented pegged glenoid component. Seminars in Arthroplasty: JSES. 2020;30(1):56-62.

57. Gagliano JR, Helms SM, Colbath GP, Przestrzelski BT, Hawkins RJ, DesJardins JD. A comparison of onlay versus inlay glenoid component loosening in total shoulder arthroplasty. Journal of Shoulder and Elbow Surgery. 2017;26(7):1113-20.

58. Gunther SB, Lynch TL, O'Farrell D, Calyore C, Rodenhouse A. Finite element analysis and physiologic testing of a novel, inset glenoid fixation technique. Journal of Shoulder and Elbow Surgery. 2012;21(6):795-803.

59. Cvetanovich GL, Naylor AJ, O'Brien MC, Waterman BR, Garcia GH, Nicholson GP. Anatomic total shoulder arthroplasty with an inlay glenoid component: clinical outcomes and return to activity. J Shoulder Elbow Surg. 2020;29(6):1188-96.

역행성 인공관절치환술의 생역학적 특성 및 기계적 특징

Biomechanical properties of the reverse total shoulder arthroplasty

윤종필

1893년 Jules Emile Pe'an[1]이 최초로 견관절의 결핵성 관절염에 인공 견관절성형술을 시행한 이후 1955년 Neer는 상완골 근위부 골절 치료를 위해 개발된 인공관절이었던 Neer 1의 임상 결과를 보고했으며 환자 12명 중 11명에서 통증 개선을 보고한 바 있다.[2] 이후 Neer는 견갑상완 관절염의 치료를 위한 상완골 근위부 관절성형술의 이용을 보고하였으며, 비록 반측(hemi) 관절성형술이 통증의 개선에 기여했지만, 회전근 개로 인한 견관절의 안정화기전이 소실된 환자에서 수술 후 상완골 두의 상방이동(superior migration)이 관찰되었다.[3,4] 1977년, Marmor는 관절와 삽입물(관절와구)을 추가하면 상완골 두를 안정시키고 상완골 두의 상방이동을 방지할 수 있다고 가정하여 견관절 전치환술을 제안했다.[5] 그 이후로 많은 외과의들이 회전근 개로 인한 견관절의 안정화기전이 소실된 환자에서 견관절 전치환술의 기능이 저하될 수 있다고 언급하였다. Neer는 회전근 개가 제 기능을 하지 못하면 인공관절치환술의 결과가 좋지 않음을 인지하고 이를 보완하기 위해 역행성 견관절 전치환술 형태의 임플란트를 설계하였다.[6-9] 그러나 큰 관절와구를 가진 Mark I은 회전근 개를 재부착할 수 없는 구조였고, 두 번째 디자인인 Mark II는 이러한 결점을 보완하였지만 여전히 견관절운동범위의 제한이 있었다. 세 번째 디자인인 Mark III는 운동범위를 개선했지만 탈구와 견관절 고정 등의 문제가 있었다.[10-12] 이런 끊임없는 시도 끝에 다양한 형태의 역행성 인공관절 임플란트들이 설계되

었지만, 초기의 디자인들은 관절와 치환물의 실패로 인해서 대개 결과가 좋지 못했다.

Paul Grammont는 1987년에 4가지 주요 기능에 초점을 맞추어 기존의 인공관절치환물의 디자인을 크게 개선시켰다. 우선 경부를 제거함으로써 관절의 회전중심(center of rotation, COR)이 관절와구의 중심과 직접 접촉하여 고정된 회전중심(COR)을 제공하고 관절와구와 골 접촉면에 가해지는 토크의 양을 줄였다. 또한, large-diameter glenosphere를 통해 이동성과 안정성을 향상시켰다. 회전중심의 내측화(medialization)는 거상과 외회전을 위해 더 많은 수의 삼각근의 근섬유를 동원하는 것이 가능해졌으며, 마지막으로 회전중심의 원위화는 삼각근의 길이를 회복함으로써 근육의 모멘트 암을 개선하고, 이에 따라 외전을 위해 필요한 힘을 감소시켰다. 이러한 변형은 극상건이 제대로 기능을 하지 못할 때 삼각근이 견관절 외전의 역할을 일부 할 수 있도록 하였다.[8-10] 종합해보면 원래의 상완와 관절과 비교하여 볼 때, 회전중심을 원위 및 내측으로 이동함으로써 삼각근의 기능을 현저하게 증가시킬 수 있게 되었다. Grammont이 도입한 이런 개념들과 DELTA 인공 삽입물의 연이은 개발은 이후의 역행성 견관절 전치환술 발전의 바탕이 되었다. 현재의 역행성 인공관절 전치환술은 이러한 Grammont의 기본 원칙을 바탕으로 지속적으로 발전하고 있다.

1. 역행성 견관절 전치환술과 견관절 전치환술의 차이

일반적인 관절성형술(견관절 전치환술)과 역행성 견관절 전치환술의 적응증의 차이는 회전근 개의 결손 여부에 따라 달라진다. 초기의 역행성 견관절 전치환술은 견관절 전치환술이 불가능한 환자를 위한 구제술로 알려져 있었으며, 최근에는 역행성 견관절 전치환술의 적응증이 확대되어 골절, 재수술, 종양과 심한 관절파괴 등 다양한 견관절의 질환에 적용되고 있다.[13-15] 최근 몇 년 동안 역행성 견관절 전치환술 이용은 빠른 속도로 증가했으며, 반면 통상적인 견관절 전치환술은 뚜렷한 증가세를 보이지 않았다.[16] 현재 역행성 견관절 전치환술은 미국에서 견관절 전치환술에 비해서 보다 더 빈번하게 사용되는 것으로 알려져 있다.[17] 초기 역행성 견관절 전치환술은 빈번한 합병증 발생과 재치환율로 인해 고령에서 구제술로 사용되었다.[18,19] 그러나 최근 보고된 견관절 전치환술 및 역행성 견관절 전치환술의 합병증 및 재치환율은 임플란트 디자인과 기술의 발달로 인해 감소하고 있는 것으로 보고되고 있다.[20-25] 최근의 대규모 데이터베이스 분석에 따르면, 견관절 전치환술 및 역행성 견관절 전치환술 합병증 비율은 각각 10.7% 및 8.9%로 보고되었으며, 재치환술의 비율은 각각 5.6%와 2.5%였다.[23] 견관절 전치환술의 가장 흔한 합병증은 회전근 개 파열과 무균성 관절와 치환물의 이완이었으며, 역행성 견관절 전치환술에서는 견봉/견갑골 골절과 불안정이 가장 흔한 합병증이었다. 또한 감염 비율은 견관절 전치환술과 역행성 견관절 전치환술 모두 비슷한 비율을 보였다.[23] 이 두 가지 유형의 관절치환술의 임상 결과를 비교해 보면, 견관절 전치환술과 역행성 견관절 전치환술 모두 2년 이상의 추시에서 통증과 기능에 유의한 개선을 보였다.[20,24,26,27] 또한, 견관절 전치환술은 역행성 견관절 전치환술보다 수술 후 동작범위가 더 우수했으며, 특히 역행성 견관절 전치환술보다 외회전의 개선에 더 효과적인 것으로 보고되기도 하였다.[20,21,24] 반면에, 역행성 견관절 전치환술은 견관절 전치환술에 비해 전방거상의 개선에 더 효과적이었다.[21,24]

1) 외측화(lateralization) 임플란트

회전중심의 내측화는 Grammont 임플란트에서 관절와 베이스플레이트의 이완을 해결했지만 이후에 높은 비율의 견갑와 패임(scapular notching)이 지속적으로 보고되었다.[28-30] 견갑와 패임은 역행성 견관절 전치환술에서 상완골 인공 삽입물의 내측 상부가 견관절 내전 시에 견갑골 경부 하방에 충돌할 때 발생하는 것으로 알려져 있다.[31,32] 과도한 내측화는 또한 손상되지 않은 회전근 개의 긴장을 유발할 수 있으며, 이는 불안정성과 외회전의 약화로 이어질 수 있다.[33,34] 이러한 이유로 견갑와 패임과 이에 따른 합병증을 줄이고 임상 결과를 향상시키기 위해 임플란트 회전중심의 외측화가 제안되었다. 이것은 Grammont가 설계한 임플란트와 비교하여 임플란트 회전중심의 상대적으로 외측화되었지만, 해부학적 상완와관절에 비해서는 여전히 내측화되었다는 것을 의미한다.

관절와 측에서 외측화를 달성하기 위해 두 가지 방법이 사용되었다. 첫 번째는 관절와구 또는 베이스플레이트의 외측화를 통해 회전 중심을 변경하는 금속 외측화(metallic lateralization)과, 두 번째는 관절와의 골이식을 통해서 관절와 측의 오프셋을 증가시키는 생물학적 외측화(biologic lateralization)였다.[35,36] 그러나 금속 외측화는 관절와와 베이스플레이트 사이의 접촉면에서 과도한 회전력을 유발시켜 과도한 움직임이나 이완을 유발하여 장기적인 임플란트의 이환으로 이어질 가능성이 보고되었다.[37,38] 반면에 생물학적 외측화는 증가된 과도한 전단력으로 인한 골 흡수와

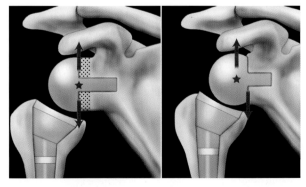

그림 6-1 **금속 외측화(metallic lateralization)와 생물학적 외측화(biologic lateralization)**

불유합 같은 이식 실패로 이어질 수 있었다.[36,39] 회전중심의 외측화의 단점을 보완하기 위해 최근에 여러 개의 고정 나사, 긴 금속 포스트, 나사형 포스트를 가진 베이스플레이트가 관절와와 베이스플레이트 사이의 접촉면에서 과도한 전단력을 줄이기 위해 사용되기도 하였다.[40]

외측화 오프셋 디자인을 사용한 역행성 견관절 전치환술에 대한 5년 및 10년 추적 연구에서는 각각 94% 및 90%의 생존율이 보고되었다.[41,42] 방사선학 추시에서는 생존 분석에 포함된 76명의 환자 중 2명(3%)에서 무증상 상완골 삽입물 이완을 보였고, 7명(9%)에서 견갑와 패임이 확인되었으며, 관절와 베이스플레이트 이완과 실패는 보고되지 않았다.[41]

2) 견갑와 패임

견갑와 패임(scapular notching)은 관절와 베이스플레이트 바로 아래 견갑와 외측 기둥의 부식이나 마모가 방사선학적으로 확인되는 것을 의미한다. 이것은 상완골이나 상완 구조물이 관절와에 충돌하면서 발생한다. 회전중심의 내측에 있는 Grammont형 인공 삽입물에서 견갑와 패임 비율은 51%에서 96%까지 보고되고 있으며,[29,43] 외측화 관절와구 디자인에서 견갑와 패임은 0%에서 14.5%로 보고된 바가 있다.[44,45] 견갑와 패임은 4 grades로 분류되었으며,[46] Grade 1은 기둥에 국한된 병변, Grade 2는 하방 나사로, Grade 3은 나사를 둘러싼 병변, Grade 4는 병변이 베이스플레이트 아래로 확장된 것이며, 이는 관절와 삽입물의 이완을 시사한다.

견갑와 패임의 발생률과 심각도는 삽입물 디자인 및 수술 테크닉과 관련이 있다. 임플란트 디자인 요인에는 관절와구 크기, 모양 및 위치, 상관골 경간각, 임플란트 오프셋 및 견갑골 고유의 해부학적 구조가 영향을 미치는 것으로 알려져 있다. 견갑와 패임은 기능 결과의 악화와 관절와 임플란트 이완과 실패로 이어질 수 있다. 외측 오프셋, 관절와구 하방 돌출, 수술 전 관절와 형태에 대한 고려가 견갑와 패임을 예방하는 데 도움이 될 수 있다.

역행성 견관절 전치환술에서 견갑와 패임과 관절와 삽입물 고정 관련성을 연구한 시체 연구에서 견갑와 패임은 관절와 측에서 역행성 견관절 전치환술의 안정성에 거의 영향을 미치지 않았다.[47] 3가지 임플란트 디자인 요인에 따른 합병증 발생률을 조사한 조직 재검토에서 견갑와 패임의 비율은 관절와 내측화/상완 외측화(MGLH) (18%) 및 관절와 외측화/상완 내측화(LGMH) (12%)와 비교하여 관절와 내측화/상완 내측화(MGMH) 임플란트(52%)에서 유의하게 높은 것으로 나타났다.[48] 324명의 역행성 견관절 전치환술 환자에 대한 5 years of minimum follow-up study에서 견갑와 패임 환자는 견갑와 패임이 없는 환자보다 임상 결과가 유의하게 낮았으며, 운동범위도 작은 것으로 보고되었다.[33] 역행성 견관절 전치환술 후 관절와 패임(scapular notching)의 임상 결과에 대한 조직 재검토에서도 관절와 패임이 있는 환자가 Constant-Murley score (CMS), American Shoulder and Elbow Surgeons (ASES) score 및 굴곡과 외전 등의 임상 결과가 유의하게 낮은 것으로 보고되었다.[49] 견갑와 패임은 관절와 내측화/상완 내측화(MGMH) 임플란트 디자인 요인에서 확실히 더 높은 발생률을 갖는 것으로 확인된 유일한 합병증이었다.[48] 상완골 경사각이 155도인 표준형 임플란트와 표준형 관절와구를 비교한 최근 임상 연구에 따르면, 상완골 경사각이 135도, 4 mm 외측화 관절와구 임플란트는 유사한 임상 결과와 회전 기능을 나타내는 반면, 관절와 패임의 비율이 거의 50% 감소한 것으로 보고되었다.[49]

3) 관절와 기구(glenoid component)에 대한 특성

(1) 베이스플레이트 위치

관절와구 위치의 상하 방향으로의 변화는 관절와 패임 및 충돌이 일어나지 않는 운동범위에 영향을 미치지만 외측 오프셋은 영향을 받지 않는 것으로 알려져 있다.[31,50] 관절와의 center에서 관절와구의 편심성 위치는 하방 돌출로 이어지며 외전 및 내전에서 상당한 개선이 있는 것으로 보고되었다.[51,52] 생체역학적 연구는 관절와구의 하방 돌출이 외전 각도를 36 mm 관절와구에서 20도, 44 mm 관절와구에서 6.5도 개선되었다고 보고하였다.[53,54] 또 생체역학적 연구에서는 추가 외측화 없는 2.5 mm 하향 조절된 관절와구를 가진 역행성 견관절 전치환술은 4 mm 외측화 관절와구에 비해 견관절의 외전 시에 발생하는 삼각근 근력이 더 작은 것으로 나타났다.[55] 하방 편심성 관절와구에 비해 관절와구의 하방 기울기는 베이스플레이트와 골 접촉면에서 힘의 분포가 가장 일정하지 않고(58.7 N), 중립 경사에서 가장 균일한 힘의 분포(27.7 N)를 나타냈다.[56]

15도 하방 기울기에서 구심성과 편심성 관절와구를 비교한 단기간(13.9개월) 추시 연구에서는 임상 결과는 유의한 차이를 보이지 않았으나, 역행성 견관절 전치환술에서 편심성 관절와구가 구심성 관절와구보다 관절와 패임의 발생을 줄이는 데 더 효과적이었다고 보고한 바가 있다.[57]

(2) 관절와 기울기

생체역학적 연구에 따르면 외측 구심성 관절와구의 경우 베이스플레이트의 15도 하방 기울기가 가장 균일한 힘 분포를 제공하고(베이스플레이트의 위쪽 부분과 아래쪽 부분 사이의 평균 힘 차이: 각각 11.3 N 및 24.7 N), 상방 기울기가 가장 균일하지 않은 힘의 분포(각각 109.3 N 및 78.7 N)를 나타냈다고 보고하였다.[56] 또 다른 생체역학적 연구는 역행성 견관절 전치환술에서 관절와 기구의 하방 기울기의 경우 1차 안정성을 감소시키고 관절와 기구의 기계적 실패를 증가시켜 인공 삽입물의 수명을 감소시킬 수 있다고 보고한 바가 있다.[58] 역행성 견관절 전치환술에서 관절와 기구의 10도 하방 기울기는 중립 기울기와 비교할 때 탈구의 위험도가 증가하는 것으로 알려져 있으며,[59,60] 상방 베이스플레이트 경사는 하방 충돌을 증가시켜 불안정성을 야기하는 것으로 보고되었다.[61] 베이스플레이트 고정을 위해 5.0 mm 주변부 고정나사를 사용하고 회전 중심의 외측화 및 하방 기울기를 사용하여 변형된 역행성 견관절 전치환술을 시행한 74명의 환자를 대상으로 한 전향적 연구에서 5년 추적 관찰에서 베이스플레이트의 기계적 손상이 없는 것으로 보고되었으며, 이는 베이스 플레이트와 골 접촉면에서 미세움직임 감소에 의한 것으로 알려졌다.[62] 최근 임상연구에 따르면 중립과 하방 경사와 비교하여 외측화 역행성 견관절 전치환술 디자인에서 최대 6±3도의 상방 관절와 베이스플레이트 각도는 수술 후 관절가동범위

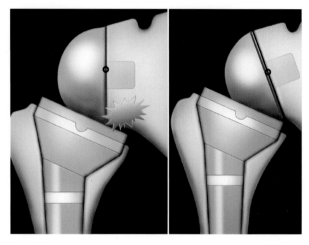

그림 6-2 관절와 기울기는 관절와 임플란트의 안정성과 견갑와 패임에 영향을 미친다.

또는 임상 결과에 차이가 없으며, 견갑와 패임(scapular notching)과 이소성 골화의 발생률 역시 유의한 차이가 없는 것으로 보고되었다.[63] 결론적으로 가장 적절한 관절와 기울기에 대한 확립된 이론은 아직 없지만, 역행성 견관절 전치환술에서 최소한 관절와 기구의 상방 기울기를 피하는 것이 불안정성과 이완을 줄일 수 있는 대안이 될 수 있다.

(3) 관절와구 크기

관절와구 크기에 대해 연구한 생체역학적 연구들은 관절와구의 크기가 안정성, 운동범위 및 견갑와 패임에 영향을 미친다고 보고하고 있다.[64-66] 견관절의 외전 과정에서 역행성 견관절 전치환술의 접촉 역학에 대한 생체역학 연구에서 42 mm 관절와구는 38 mm 관절와구에 비해 접촉 면적을 12% 증가시켰고 최대 접촉 응력은 2% 감소됨을 보고한 바가 있다.[67] 38 mm 또는 42 mm 직경의 관절와구의 임상 결과를 비교한 연구에서는, 더 큰 직경의 관절와구는 능동적 전방 거상과 외회전을 증가시키고, 견갑와 패임(scapular notching)의 발생이 유의하게 적은 것으로 나타났다. 그러나 또 다른 연구에서는 관절와구가 클수록 부피 마모가 훨씬 더 높고 폴리에틸렌 양(polyethylene volume)의 손실이 더 크다는 사실이 밝혀졌다.[69]

4) 상완 구조물(humeral component)에 대한 특성

(1) 인레이형 vs 온레이형

초기 Grammont형 인공삽입물은 근위 상완골과의 골 접촉을 강화하기 위해 인레이 디자인을 적용하였으며, 이러한 인레이 디자인은 근위 상완골의 골간단부의 리밍을 시행하여야 한다. 굽은형 스템 디자인과 결합된 온레이 디자인과 결합된 온레이 디자인은 근위 상완골의 골간단부를 보존할 수 있으며 상완골 두 절단 시 대결절과 남아있는 회전근 개의 손상을 줄일 수 있는 장점이 있다. 또한 회전근 개에 손상이 발생하거나 재치환술을 요하는 경우 견관절 전치환술과 역행성 견관절 전치환술 사이에서 서로 다른 치환물로의 전환이 가능하다. 마지막으로 온레이 디자인은 상완골의 더 많은 측면 변위를 초래하여 전방 및 후방 회전근 개의 장력을 증가시키고 삼각근 모멘트 암을 연장하는 효과가 있다.[68]

인레이와 온레이 디자인을 비교한 임상 및 생체역학 연구에서 온레이 디자인은 인레이 디자인에 비해 내전, 신전 및 외회전이 더 증가한다고 보고한 바가 있다.[68] 그러나 이러한 증가된 삼각근의 긴장으로 인해 온레이 디자인에서 견갑골 골절의 발생이 증가할 수 있다.[70,71]

(2) 경간각

역행성 견관절 전치환술에서 가장 많이 사용됐던 경간각은 155도이지만, 이 상완 구조물(humeral component)은 견갑와의 외측 기둥에서의 패임(notching)과 내전 제한을 유도할 수 있다고 보고되었다.[72,73] 따라서 최근에는 견갑와 패임(scapular notching)을 줄이기 위해 수직 각도를 증가시키고, 해부학적 경사도를 재현한 135-145도의 경간각을 갖는 상완 구조물(humeral component)이 개발되었다.[69,74] 그러나 감소된 경간각은 탈구 발생률에 대한 우려가 있다.[75] 생체역학적 연구(biomechanical studies)에서 경간각이 감소함에 따라 충돌이 일어나지 않는 운동범위가 증가한다고 보고되었다.[76] 한편, 관절면 접촉 역학에 대한 생체역학적 연구에서, 모든 외전 각도에서 평균적으로 경간각이 155도에서 145도로 감소되었을 때 접촉 면적은 29% 감소했고, 경간각이 155도에서 135도로 감소했을 때는 59%까지 접촉

면적이 감소하는 것으로 보고되었다.[67] 155도와 135도의 경간각을 가진 인공삽입물 간의 관절와 패임과 탈구 발생률을 비교한 메타 분석에서 견갑와 패임은 155도에서 16.8%, 135도에서 2.83%였으며, 견갑와 패임은 155도에서 유의하게 더 높은 것으로 보고되었다. 탈구는 155도에서 2.33%, 135도에서 1.74%로 유의한 차이를 보이지 않았다.[77] 유사한 그룹의 다른 메타 분석에서도 155도 인공 삽입물에 비해 135도 경간각에서 외회전이 증가하는 것으로 나타났다.[78] 최근 임상연구에서 경간각은 중장기 추시에서 역행성 견관절 전치환술 후 임상 결과나 합병증 발생률에 유의한 영향을 미치지 않는 것으로 나타났다. 그러나 155도의 경간각은 견갑와 패임의 비율이 훨씬 더 높지만 상당히 더 굴곡과 외전 각도를 보였다.[79] 지금까지 경간각이 감소하면

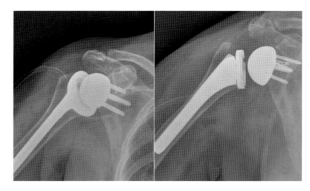

그림 6-3 인레이형과 온레이형의 임플란트

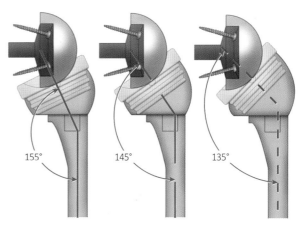

그림 6-4 경간각의 변화는 견갑와 패임과 관절운동범위에 영향을 미치게 된다.

견갑와 패임이 감소하고 외회전이 증가하는 것으로 알려져 있었다. 그러나 역행성 견관절 전치환술에서 상완 구조물 (humeral component)의 경간각이 다른 임상적으로 어떤 영향을 미치는지는 여전히 불분명하며, 지속적인 연구의 필요성이 있다.

(3) 상완 구조물 후경(humeral retrovesion)

이론적으로 상완 구조물의 후경(retroversion)은 역행성 견관절 전치환술에서 내회전과 외회전 모두에 영향을 미치며 0도에서 30도 사이에 위치하는 것이 이상적인 것으로 알려져 있다. 3D CT scan 연구에서 상완골 후경(humeral retroversion)이 증가할수록 내회전은 감소하고 외회전은 증가하였다.[81] 다른 시뮬레이션 연구에서 후경(retroversion)이 10도 증가함에 따라 내회전은 적어도 한 개의 척추 레벨 정도 감소하는 것으로 보고되었다.[82] 생체역학적 연구에서 Gulotta 등은 상완 구조물을 0도에서 20도의 retroversion으로 배치했을 때, 일상 활동에 필요한 움직임인 팔을 옆에 붙인 상태에서 최대 내회전을 가능하게 한다고 보고한 바가 있다.[83] 이것은 팔을 옆에 붙인 상태에서 외회전을 제한하지만 팔을 높이 든 상태에서는 외회전에 영향을 미치지 않았다. 운동범위에 대한 상완 구조물의 후경을 연구하는 시체 연구에서 20도에서 40도의 후경 시에 충돌 없이 동작의 기능범위를 보존한다고 보고되었다.[84]

그러나 이러한 이론적 및 생체역학적 증거에도 불구하고 임상연구에 따르면 0도와 20도 사이의 상완 구조물의 후경은 운동범위, 강도 및 기능 결과에서 유의한 차이를 보이지 않았다.[82,85,86] 대부분의 일상적인 움직임은 0도와 20도 후경 사이에서 차이가 없었지만, 내회전과 관련된 활동에 서는 0도 후경 각도(retroversion angle) 그룹의 환자가 더 나은 활동도를 보였다.[85]

(4) 시멘트형 vs 무시멘트형(Cemented vs Noncemented)

역행성 견관절 전치환술의 초창기에는 시멘트형 상완골 치환물이 주로 사용되었으나, 점차 무시멘트형 상완골 치환물의 사용이 증가하고 있다.[87] Melis 등은 시멘트형과 무시멘트형 역행성 견관절 전치환술의 비교 연구에서 시멘트형 상완골 치환물에서 스템 침강과 방사선투과성 선들이 더욱 증가했으며, 무시멘트형 상완골 치환물은 특히 결절 주변과 스템의 말단부에서 훨씬 더 큰 응력 차폐를 보였다고 보고한 바 있다.[88] 그러나 Phdnis 등은 조직 재검토를 통해 1,455개의 시멘트형 역행성 견관절 전치환술과 329개의 무시멘트형 역행성 견관절 전치환술의 임상 결과와 합병증 비율을 비교하였으며,[89] 무시멘트형 역행성 견관절 전치환술은 조기 상완골 스템의 이동(p < 0.001)과 비진행성 방사선투과성 선들(p < 0.001)의 발생률이 유의하게 높았지만 견봉의 수술 후 골절 발생률은 시멘트형 역행성 견관절 전치환술에 비해 유의하게 낮았다(p = 0.004).[89] 또한 스템 이완이나 재치환술률은 두 군 간에 유의한 차이가 없었다. 시멘트형 상완골 치환물은 감염, 신경손상 및 혈전색전증의 상대적 위험이 더 높았으나, 기능 결과와 운동범위 역시 두 군 간에 유의한 차이를 보이지 않았다.[89] 가장 최근의 연구에서 시멘트형 상완골 치환물은 방사선투과성 선 및 골융해의 증가와 관련이 있으며, 무시멘트형 상완골 치환물은 응력 차폐가 증가하는 것과 연관이 있는 것으로 보고되었다.[90]

참고문헌

1. Lugli T. Artificial shoulder joint by Péan (1893): the facts of an exceptional intervention and the prosthetic method. Clin Orthop Relat Res. 1978(133):215-8.

2. Neer CS. Articular replacement for the humeral head. JBJS. 1955;37(2):215-28.

3. Neer 2nd C, Craig E, Fukuda H. Cuff-tear arthropathy. J Bone Joint Surg Am. 1983;65(9):1232-44.

4. CHARLES S NEER I. Replacement arthroplasty for glenohumeral osteoarthritis. JBJS. 1974;56(1):1-13.

5. Marmor L. Hemiarthroplasty for the rheumatoid shoulder joint. Clin Orthop Relat Res. 1977(122):201-3.

6. Cofield RH. Status of total shoulder arthroplasty. Arch Surg. 1977;112(9):1088-91.

7. Reeves B, Jobbins B, Flowers F, Dowson D, Wright V. Some problems in the development of a total shoulder endo-prosthesis. Ann Rheum Dis. 1972;31(5):425.

8. Severt R, Thomas BJ, Tsenter MJ, Amstutz HC, Kabo JM. The influence of conformity and constraint on translational forces and frictional torque in total shoulder arthroplasty. Clin Orthop Relat Res. 1993(292):151-8.

9. Neer 2nd C, Watson K, Stanton F. Recent experience in total shoulder replacement. JBJS. 1982;64(3):319-37.

10. Neer CI. Shoulder reconstruction. Shoulder. 1990:427-33.

11. Katz D, O'Toole G, Cogswell L, Sauzieres P, Valenti P. A history of the reverse shoulder prosthesis. Int J Shoulder Surg. 2007;1(4).

12. Flatow EL, Harrison AK. A history of reverse total shoulder arthroplasty. Clin Orthop Relat Res. 2011;469(9):2432-9.

13. Smith C, Guyver P, Bunker T. Indications for reverse shoulder replacement: a systematic review. J Bone Joint Surg Br. 2012;94(5):577-83.

14. Simone J, Streubel P, Athwal G, Sperling J, Schleck C, Cofield R. Anatomical total shoulder replacement with rotator cuff repair for osteoarthritis of the shoulder. The bone & joint journal. 2014;96(2):224-8.

15. Kozak T, Bauer S, Walch G, Al-Karawi S, Blakeney W. An update on reverse total shoulder arthroplasty: current indications, new designs, same old problems. EFORT Open Rev. 2021;6(3):189-201. Epub 2021/04/13. doi: 10.1302/2058-5241.6.200085. PubMed PMID: 33841918; PubMed Central PMCID: PMCPMC8025709.

16. Familiari F, Rojas J, Nedim Doral M, Huri G, McFarland EG. Reverse total shoulder arthroplasty. EFORT Open Rev. 2018;3(2):58-69.

17. Ma GC, Bradley KE, Jansson H, Feeley BT, Zhang AL, Ma CB. Surgical Complications After Reverse Total Shoulder Arthroplasty and Total Shoulder Arthroplasty in the United States. J Am Acad Orthop Surg Glob Res Rev. 2021;5(7). Epub 2021/07/21. doi: 10.5435/JAAOSGlobal-D-21-00146. PubMed PMID: 34283038; PubMed Central PMCID: PMCPMC8294907.

18. Werner C, Steinmann P, Gilbart M, Gerber C. Treatment of painful pseudoparesis due to irreparable rotator cuff dysfunction with the Delta III reverse-ball-and-socket total shoulder prosthesis. JBJS. 2005;87(7):1476-86.

19. Guery J, Favard L, Sirveaux F, Oudet D, Mole D, Walch G. Reverse total shoulder arthroplasty: survivorship analysis of eighty replacements followed for five to ten years. JBJS. 2006;88(8):1742-7.

20. Simovitch RW, Friedman RJ, Cheung EV, Flurin PH, Wright T, Zuckerman JD, et al. Rate of Improvement in Clinical Outcomes with Anatomic and Reverse Total Shoulder Arthroplasty. J Bone Joint Surg Am. 2017;99(21):1801-11. Epub 2017/11/01. doi: 10.2106/JBJS.16.01387. PubMed PMID: 29088034.

21. Simovitch R, Flurin PH, Marczuk Y, Friedman R, Wrigh TW, Zuckerman JD, et al. Rate of Improvement in Clinical Outcomes with Anatomic and Reverse Total Shoulder Arthroplasty. Bull Hosp Jt Dis (2013). 2015;73 Suppl 1:S111-7. Epub 2015/12/04. PubMed PMID: 26631206.

22. Shah SS, Fu MC, Ling D, Wong A, Warren RF, Dines DM, et al. The Comparative Effect of Age on Clinical Outcomes Following Anatomic Total Shoulder Arthroplasty and Reverse Total Shoulder Arthroplasty. Orthopedics. 2021;44(4):e600-e6. Epub 2021/07/23. doi: 10.3928/01477447-20210618-24. PubMed PMID: 34292824.

23. Parada SA, Flurin PH, Wright TW, Zuckerman JD, Elwell JA, Roche CP, et al. Comparison of complication types and rates associated with anatomic and reverse total shoulder arthroplasty. J Shoulder Elbow Surg. 2021;30(4):811-8. Epub 2020/08/09. doi: 10.1016/j.jse.2020.07.028. PubMed PMID: 32763380.

24. Flurin PH, Marczuk Y, Janout M, Wright TW, Zuckerman J, Roche CP. Comparison of outcomes using anatomic and reverse total shoulder arthroplasty. Bull Hosp Jt Dis (2013). 2013;71 Suppl 2:101-7. Epub 2013/12/18. PubMed PMID: 24328590.

25. Grammont P, Trouilloud P, Laffay J, Deries X. Concept study and realization of a new total shoulder prosthesis. Rhumatologie. 1987;39(10):407-18.

26. Welborn BT, Butler RB, Dumas BP, Mock L, Messerschmidt CA, Friedman RJ. Patient reported outcome measures of bilateral reverse total shoulder arthroplasty compared to bilateral anatomic total shoulder arthroplasty. J Orthop. 2020;17:83-6. Epub 2019/12/28. doi: 10.1016/j.jor.2019.08.001. PubMed PMID: 31879480; PubMed Central PMCID: PMCPMC6919371.

27. Flurin PH, Roche CP, Wright TW, Marczuk Y, Zuckerman JD. A Comparison and Correlation of Clinical Outcome Metrics in Anatomic and Reverse Total Shoulder Arthroplasty. Bull Hosp Jt Dis (2013). 2015;73 Suppl 1:S118-23. Epub 2015/12/04. PubMed PMID: 26631207.

28. Wierks C, Skolasky RL, Ji JH, McFarland EG. Reverse total shoulder replacement: intraoperative and early postoperative complications. Clin Orthop Relat Res. 2009;467(1):225-34. Epub 2008/08/08. doi: 10.1007/s11999-008-0406-1. PubMed PMID: 18685908; PubMed Central PMCID: PMCPMC2600997.

29. Cheung E, Willis M, Walker M, Clark R, Frankle MA. Complications in reverse total shoulder arthroplasty. J Am Acad Orthop Surg. 2011;19(7):439-49. Epub 2011/07/05. PubMed PMID: 21724923.

30. Kolmodin J, Davidson IU, Jun BJ, Sodhi N, Subhas N, Patterson TE, et al. Scapular Notching After Reverse Total Shoulder Arthroplasty: Prediction Using Patient-Specific Osseous Anatomy, Implant Location, and Shoulder Motion. J Bone Joint Surg Am. 2018;100(13):1095-103. Epub 2018/07/06. doi: 10.2106/JBJS.17.00242. PubMed PMID: 29975263.

31. Berliner JL, Regalado-Magdos A, Ma CB, Feeley BT. Biomechanics of reverse total shoulder arthroplasty. J Shoulder Elbow Surg. 2015;24(1):150-60.

32. Samitier G, Alentorn-Geli E, Torrens C, Wright TW. Reverse shoulder arthroplasty. Part 1: Systematic review of clinical and functional outcomes. Int J Shoulder Surg. 2015;9(1):24.

33. Mollon B, Mahure SA, Roche CP, Zuckerman JD. Impact of scapular notching on clinical outcomes after reverse total shoulder arthroplasty: an analysis of 476 shoulders. J Shoulder Elbow Surg. 2017;26(7):1253-61.

34. Wellmann M, Struck M, Pastor MF, Gettmann A, Windhagen H, Smith T. Short and midterm results of reverse shoulder arthroplasty according to the preoperative etiology. Arch Orthop Trauma Surg. 2013;133(4):463-71.

35. Friedman RJ, Barcel DA, Eichinger JK. Scapular notching in reverse total shoulder arthroplasty. JAAOS. 2019;27(6):200-9.

36. Kazley JM, Cole KP, Desai KJ, Zonshayn S, Morse AS, Banerjee S. Prostheses for reverse total shoulder arthroplasty. Expert Rev Med Devices. 2019;16(2):107-18.

37. Harman M, Frankle M, Vasey M, Banks S. Initial glenoid component fixation in "reverse" total shoulder arthroplasty: a biomechanical evaluation. J Shoulder Elbow Surg. 2005;14(1):S162-S7.

38. Hopkins AR, Hansen UN, Bull AM, Emery R, Amis AA. Fixation of the reversed shoulder prosthesis. J Shoulder Elbow Surg. 2008;17(6):974-80.

39. Greiner S, Schmidt C, Herrmann S, Pauly S, Perka C. Clinical performance of lateralized versus non-lateralized reverse shoulder arthroplasty: a prospective randomized study. J Shoulder Elbow Surg. 2015;24(9):1397-404.

40. Valenti P, Sekri J, Kany J, Nidtahar I, Werthel J-D. Benefits of a metallic lateralized baseplate prolonged by a long metallic post in reverse shoulder arthroplasty to address glenoid bone loss. Int Orthop. 2019;43(9):2131-9.

41. Cuff D, Pupello D, Virani N, Levy J, Frankle M. Reverse shoulder arthroplasty for the treatment of rotator cuff deficiency. JBJS. 2008;90(6):1244-51.

42. Cuff DJ, Pupello DR, Santoni BG, Clark RE, Frankle MA. Reverse shoulder arthroplasty for the treatment of rotator cuff deficiency: a concise follow-up, at a minimum of 10 years, of previous reports. JBJS. 2017;99(22):1895-9.

43. Boileau P, Watkinson D, Hatzidakis AM, Hovorka I. Neer Award 2005: The Grammont reverse shoulder prosthesis: results in cuff tear arthritis, fracture sequelae, and revision arthroplasty. J Shoulder Elbow Surg. 2006;15(5):527-40. Epub 2006/09/19. doi: 10.1016/j.jse.2006.01.003. PubMed PMID: 16979046.

44. Simovitch R, Flurin PH, Wright TW, Zuckerman JD, Roche C. Impact of scapular notching on reverse total shoulder arthroplasty midterm outcomes: 5-year minimum follow-up. J Shoulder Elbow Surg. 2019;28(12):2301-7. Epub 2019/07/18. doi: 10.1016/j.jse.2019.04.042. PubMed PMID: 31311751.

45. Friedman RJ, Barcel DA, Eichinger JK. Scapular Notching in Reverse Total Shoulder Arthroplasty. J Am Acad Orthop Surg. 2019;27(6):200-9. Epub 2018/09/28. doi: 10.5435/JAAOS-D-17-00026. PubMed PMID: 30260909.

46. Sirveaux F, Favard L, Oudet D, Huquet D, Walch G, Mole D. Grammont inverted total shoulder arthroplasty in the treatment of glenohumeral osteoarthritis with massive rupture of the cuff. Results of a multicentre study of 80 shoulders. J Bone Joint Surg Br. 2004;86(3):388-

95. Epub 2004/05/06. doi: 10.1302/0301-620x.86b3.14024. PubMed PMID: 15125127.

47. Zhang M, Junaid S, Gregory T, Hansen U, Cheng CK. Impact of scapular notching on glenoid fixation in reverse total shoulder arthroplasty: an in vitro and finite element study. J Shoulder Elbow Surg. 2020;29(10):1981-91. Epub 2020/05/18. doi: 10.1016/j.jse.2020.01.087. PubMed PMID: 32414612.

48. Burden EG, Batten TJ, Smith CD, Evans JP. Reverse total shoulder arthroplasty. Bone Joint J. 2021;103-B(5):813-21. Epub 2021/02/23. doi: 10.1302/0301-620X.103B.BJJ-2020-2101. PubMed PMID: 33616421.

49. Holschen M, Kiriazis A, Bockmann B, Schulte TL, Witt KA, Steinbeck J. Treating cuff tear arthropathy by reverse total shoulder arthroplasty: do the inclination of the humeral component and the lateral offset of the glenosphere influence the clinical and the radiological outcome? Eur J Orthop Surg Traumatol. 2021. Epub 2021/04/22. doi: 10.1007/s00590-021-02976-4. PubMed PMID: 33880654.

50. Li X, Dines JS, Warren RF, Craig EV, Dines DM. Inferior glenosphere placement reduces scapular notching in reverse total shoulder arthroplasty. Orthopedics. 2015;38(2):e88-93. Epub 2015/02/11. doi: 10.3928/01477447-20150204-54. PubMed PMID: 25665124.

51. De Biase CF, Ziveri G, Delcogliano M, de Caro F, Gumina S, Borroni M, et al. The use of an eccentric glenosphere compared with a concentric glenosphere in reverse total shoulder arthroplasty: two-year minimum follow-up results. Int Orthop. 2013;37(10):1949-55. Epub 2013/06/12. doi: 10.1007/s00264-013-1947-9. PubMed PMID: 23748462; PubMed Central PMCID: PMCPMC3779548.

52. Mizuno N, Denard PJ, Raiss P, Walch G. The clinical and radiographical results of reverse total shoulder arthroplasty with eccentric glenosphere. Int Orthop. 2012;36(8):1647-53. Epub 2012/04/27. doi: 10.1007/s00264-012-1539-0. PubMed PMID: 22534957; PubMed Central PMCID: PMCPMC3535036.

53. Nyffeler RW, Werner CM, Gerber C. Biomechanical relevance of glenoid component positioning in the reverse Delta III total shoulder prosthesis. J Shoulder Elbow Surg. 2005;14(5):524-8. Epub 2005/10/01. doi: 10.1016/j.jse.2004.09.010. PubMed PMID: 16194746.

54. Chou J, Malak SF, Anderson IA, Astley T, Poon PC. Biomechanical evaluation of different designs of glenospheres in the SMR reverse total shoulder prosthesis: range of motion and risk of scapular notching. J Shoulder Elbow Surg. 2009;18(3):354-9. Epub 2009/04/28. doi: 10.1016/j.jse.2009.01.015. PubMed PMID: 19393929.

55. Nolte PC, Miles JW, Tanghe KK, Brady AW, Midtgaard KS, Cooper JD, et al. The effect of glenosphere lateralization and inferiorization on deltoid force in reverse total shoulder arthroplasty. J Shoulder Elbow Surg. 2021;30(8):1817-26. Epub 2020/12/09. doi: 10.1016/j.jse.2020.10.038. PubMed PMID: 33290849.

56. Gutierrez S, Walker M, Willis M, Pupello DR, Frankle MA. Effects of tilt and glenosphere eccentricity on baseplate/bone interface forces in a computational model, validated by a mechanical model, of reverse shoulder arthroplasty. J Shoulder Elbow Surg. 2011;20(5):732-9. Epub 2011/02/04. doi: 10.1016/j.jse.2010.10.035. PubMed PMID: 21288743.

57. Choi CH, Kim SG, Lee JJ, Kwack BH. Comparison of Clinical and Radiological Results according to Glenosphere Position in Reverse Total Shoulder Arthroplasty: A Short-term Follow-up Study. Clin Orthop Surg. 2017;9(1):83-90. Epub 2017/03/07. doi: 10.4055/cios.2017.9.1.83. PubMed PMID: 28261432; PubMed Central PMCID: PMCPMC5334032.

58. Chae SW, Lee J, Han SH, Kim SY. Inferior tilt fixation of the glenoid component in reverse total shoulder arthroplasty: A biomechanical study. Orthop Traumatol Surg Res. 2015;101(4):421-5. Epub 2015/04/25. doi: 10.1016/j.otsr.2015.03.009. PubMed PMID: 25907513.

59. Randelli P, Randelli F, Arrigoni P, Ragone V, D'Ambrosi R, Masuzzo P, et al. Optimal glenoid component inclination in reverse shoulder arthroplasty. How to improve implant stability. Musculoskelet Surg. 2014;98 Suppl 1:15-8. Epub 2014/03/25. doi: 10.1007/s12306-014-0324-1. PubMed PMID: 24659201.

60. Kempton LB, Balasubramaniam M, Ankerson E, Wiater JM. A radiographic analysis of the effects of glenosphere position on scapular notching following reverse total shoulder arthroplasty. J Shoulder Elbow Surg. 2011;20(6):968-74. Epub 2011/03/15. doi: 10.1016/j.jse.2010.11.026. PubMed PMID: 21398149.

61. Tashjian RZ, Martin BI, Ricketts CA, Henninger HB, Granger EK, Chalmers PN. Superior Baseplate Inclination Is Associated With Instability After Reverse Total Shoulder Arthroplasty. Clin Orthop Relat Res. 2018;476(8):1622-9. Epub 2018/05/22. doi: 10.1097/CORR.0000000000000340. PubMed PMID: 29781910; PubMed Central PMCID: PMCPMC6259729.

62. Cuff D, Clark R, Pupello D, Frankle M. Reverse shoulder arthroplasty for the treatment of rotator cuff deficiency: a concise follow-up, at a minimum of five years, of a previous report. J Bone Joint Surg Am. 2012;94(21):1996-2000. Epub 2012/11/10. doi: 10.2106/JBJS.K.01206. PubMed PMID: 23138240.

63. Mahendraraj KA, Shields MV, Grubhofer F, Golenbock SW, Jawa A. Reassessing glenoid inclination in reverse total shoulder arthroplasty with glenosphere lateralization. Bone Joint J. 2021;103-B(2):360-5. Epub 2021/02/02. doi: 10.1302/0301-620X.103B2.BJJ-2020-0843.R1.

PubMed PMID: 33517737.

64. Chou J, Malak SF, Anderson IA, Astley T, Poon PC. Biomechanical evaluation of different designs of glenospheres in the SMR reverse total shoulder prosthesis: range of motion and risk of scapular notching. Journal of shoulder and elbow surgery. 2009;18(3):354-9.

65. Langohr GDG, Willing R, Medley JB, Athwal GS, Johnson JA. Contact mechanics of reverse total shoulder arthroplasty during abduction: the effect of neck-shaft angle, humeral cup depth, and glenosphere diameter. J Shoulder Elbow Surg. 2016;25(4):589-97.

66. Berhouet J, Garaud P, Favard L. Evaluation of the role of glenosphere design and humeral component retroversion in avoiding scapular notching during reverse shoulder arthroplasty. J Shoulder Elbow Surg. 2014;23(2):151-8.

67. Langohr GD, Willing R, Medley JB, Athwal GS, Johnson JA. Contact mechanics of reverse total shoulder arthroplasty during abduction: the effect of neck-shaft angle, humeral cup depth, and glenosphere diameter. J Shoulder Elbow Surg. 2016;25(4):589-97. Epub 2015/12/26. doi: 10.1016/j.jse.2015.09.024. PubMed PMID: 26704359.

68. Beltrame A, Di Benedetto P, Cicuto C, Cainero V, Chisoni R, Causero A. Onlay versus Inlay humeral steam in Reverse Shoulder Arthroplasty (RSA): clinical and biomechanical study. Acta Biomed. 2019;90(12-S):54-63. Epub 2019/12/11. doi: 10.23750/abm.v90i12-S.8983. PubMed PMID: 31821285; PubMed Central PMCID: PMCPMC7233693.

69. Haggart J, Newton MD, Hartner S, Ho A, Baker KC, Kurdziel MD, et al. Neer Award 2017: wear rates of 32-mm and 40-mm glenospheres in a reverse total shoulder arthroplasty wear simulation model. J Shoulder Elbow Surg. 2017;26(11):2029-37.

70. Merolla G, Walch G, Ascione F, Paladini P, Fabbri E, Padolino A, et al. Grammont humeral design versus onlay curved-stem reverse shoulder arthroplasty: comparison of clinical and radiographic outcomes with minimum 2-year follow-up. J Shoulder Elbow Surg. 2018;27(4):701-10. Epub 2018/01/02. doi: 10.1016/j.jse.2017.10.016. PubMed PMID: 29290604.

71. Ascione F, Kilian CM, Laughlin MS, Bugelli G, Domos P, Neyton L, et al. Increased scapular spine fractures after reverse shoulder arthroplasty with a humeral onlay short stem: an analysis of 485 consecutive cases. J Shoulder Elbow Surg. 2018;27(12):2183-90. Epub 2018/08/14. doi: 10.1016/j.jse.2018.06.007. PubMed PMID: 30098923.

72. Gutiérrez S, Levy JC, Frankle MA, Cuff D, Keller TS, Pupello DR, et al. Evaluation of abduction range of motion and avoidance of inferior scapular impingement in a reverse shoulder model. J Shoulder Elbow Surg. 2008;17(4):608-15.

73. Sayana M, Kakarala G, Bandi S, Wynn-Jones C. Medium term results of reverse total shoulder replacement in patients with rotator cuff arthropathy. Ir J Med Sci. 2009;178(2):147-50.

74. Trouilloud P, Gonzalvez M, Martz P, Charles H, Handelberg F, Nyffeler R, et al. Duocentric® reversed shoulder prosthesis and Personal Fit® templates: innovative strategies to optimize prosthesis positioning and prevent scapular notching. EJOST. 2014;24(4):483-95.

75. Boileau P, Watkinson DJ, Hatzidakis AM, Balg F. Grammont reverse prosthesis: design, rationale, and biomechanics. J Shoulder Elbow Surg. 2005;14(1):S147-S61.

76. Oh JH, Shin S-J, McGarry MH, Scott JH, Heckmann N, Lee TQ. Biomechanical effects of humeral neck-shaft angle and subscapularis integrity in reverse total shoulder arthroplasty. J Shoulder Elbow Surg. 2014;23(8):1091-8.

77. Erickson BJ, Frank RM, Harris JD, Mall N, Romeo AA. The influence of humeral head inclination in reverse total shoulder arthroplasty: a systematic review. J Shoulder Elbow Surg. 2015;24(6):988-93.

78. Erickson BJ, Harris JD, Romeo AA. The effect of humeral inclination on range of motion in reverse total shoulder arthroplasty: a systematic review. Am J Orthop (Belle Mead NJ). 2016;45(4):e174-e9.

79. Otto A, Baldino JB, Mehl J, Morikawa D, Divenere J, Denard PJ, et al. Clinical and Radiological Outcomes in Reverse Total Shoulder Arthroplasty by Inclination Angle With a Modular Prosthesis. Orthopedics. 2021;44(4):e527-e33. Epub 2021/07/23. doi: 10.3928/01477447-20210618-12. PubMed PMID: 34292823.

80. Grammont P, Baulot E. Delta shoulder prosthesis for rotator cuff rupture. SLACK Incorporated Thorofare, NJ; 1993.

81. Jeon B-K, Panchal KA, Ji J-H, Xin Y-Z, Park S-R, Kim J-H, et al. Combined effect of change in humeral neck-shaft angle and retroversion on shoulder range of motion in reverse total shoulder arthroplasty—a simulation study. Clinical Biomechanics. 2016;31:12-9.

82. Aleem AW, Feeley BT, Austin LS, Ma CB, Krupp RJ, Ramsey ML, et al. Effect of humeral component version on outcomes in reverse shoulder arthroplasty. Orthopedics. 2017;40(3):179-86.

83. Gulotta LV, Choi D, Marinello P, Knutson Z, Lipman J, Wright T, et al. Humeral component retroversion in reverse total shoulder arthroplasty: a biomechanical study. J Shoulder Elbow Surg. 2012;21(9):1121-7. Epub 2011/11/01. doi: 10.1016/j.jse.2011.07.027. PubMed PMID: 22036543.

84. Stephenson DR, Oh JH, McGarry MH, Hatch III GFR, Lee TQ. Effect of humeral component version on impingement in reverse total

shoulder arthroplasty. J Shoulder Elbow Surg. 2011;20(4):652-8.

85. Rhee YG, Cho NS, Moon SC. Effects of humeral component retroversion on functional outcomes in reverse total shoulder arthroplasty for cuff tear arthropathy. J Shoulder Elbow Surg. 2015;24(10):1574-81. Epub 2015/05/09. doi: 10.1016/j.jse.2015.03.026. PubMed PMID: 25953489.

86. De Boer F, Van Kampen P, Huijsmans P. Is there any influence of humeral component retroversion on range of motion and clinical outcome in reverse shoulder arthroplasty? A clinical study. Musculoskelet Surg. 2017;101(1):85.

87. Mullan B. Annual Report-Australia. European Health Psychologist. 2015;17(4):214-5.

88. Melis B, DeFranco M, Lädermann A, Molé D, Favard L, Nérot C, et al. An evaluation of the radiological changes around the Grammont reverse geometry shoulder arthroplasty after eight to 12 years. J Bone Joint Surg Br. 2011;93(9):1240-6.

89. Phadnis J, Huang T, Watts A, Krishnan J, Bain GI. Cemented or cementless humeral fixation in reverse total shoulder arthroplasty? a systematic review. Bone Joint J. 2016;98-B(1):65-74. Epub 2016/01/07. doi: 10.1302/0301-620X.98B1.36336. PubMed PMID: 26733517.

90. Brolin TJ, Cox RM, Horneff Iii JG, Namdari S, Abboud JA, Nicholson K, et al. Humeral-sided Radiographic Changes Following Reverse Total Shoulder Arthroplasty. Arch Bone Jt Surg. 2020;8(1):50-7. Epub 2020/02/25. doi: 10.22038/abjs.2019.36065.1951. PubMed PMID: 32090146; PubMed Central PMCID: PMCPMC7007723.

인공관절치환술의 수술적 술기

Basic surgical technique of the shoulder arthroplasty

오주한

1. 서론

어깨의 관절염에 있어서 보존적 치료의 결과가 만족스럽지 못한 경우 인공관절치환술을 시행하게 된다. 인공관절치환물은 초창기 하나의 구조물 형태의 상완골 치환물(monoblock humeral implant)부터 조립식 구조(modular type implant)까지 발전을 거듭해왔으며, 최근에는 환자 맞춤형 치환물(patient specific instrument, PSI)이나 실시간으로 반응하는 내비게이션(navigation guided surgery, NGS)까지 개발되며, 이와 관련된 수술적 술기에도 점진적으로 발전이 계속되어 왔다. 이에 가장 최근의 수술적 술기에 대해 설명하고자 한다.

2. 수술 준비

어깨의 인공관절수술은 사용하는 기구가 많고, 수술장 내 동선을 최소화하기 위해서 가능한 넓은 수술실을 사용하는 것이 좋다. 수술실 내에서 움직임이 늘어나면 감염의 위험성이 증가할 수 있으므로,[1] 불필요한 인원의 출입을 막는 것이 좋다.

수술 중 환자의 자세는 상체를 약 30-40도 정도 기울인 해변의자 자세(beach chair position)를 취한다(그림 7-1). 일반적인 형태의 수술용 침대를 사용할 경우 견갑골 사이에 포를 접어서 받치면(그림 7-2) 어깨와 침대 사이의 공간이 떠서 어깨의 뒤쪽까지 소독하기 쉬워진다. 탈착 가능한 어깨

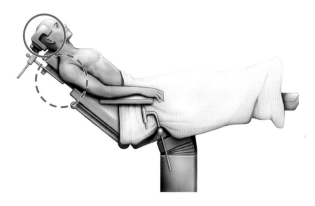

그림 7-1 수술 중 체위
특수한 형태의 머리 고정기(실선 원)와 탈착 가능한 어깨 받침대(점선 원)를 사용할 경우 수술 중 체위 변경을 통한 시야 확보가 원활해진다.

받침대를 사용할 경우 수술할 어깨 부위를 탈착시키면 소독 및 준비가 용이해지며, 상완골 두를 수술적으로 탈구시키기 쉽고 시야 확보가 용이해진다는 장점이 있다. 머리는 움직이지 않도록 단단히 고정하되, 중립위를 유지하고 과도하게 신전되지 않도록 주의해야 한다. 상지에 체위 변경 및 고정 장치(limb positioner)를 연결할 경우 팔을 잡고 있어야 하는 보조자의 역할을 대신할 수 있어 술자가 비교적 편한 자세에서 수술을 시행할 수 있고, 수술장 내 동선을 줄일 수 있다는 장점이 있다(그림 7-3). 저자는 상완골 삽입물을 보다 수직으로 삽입하기 용이하도록 낮은 수술 침대에서 수술하며, 뇌로의 저혈류를 예방하기 위하여 약 10도 정도만 기울인 lazy beach chair position 상태에서 상지 고정 장치를 사용한다(그림 7-3).

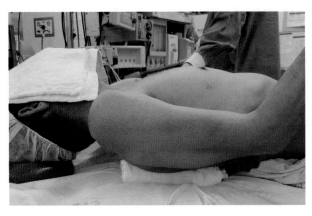 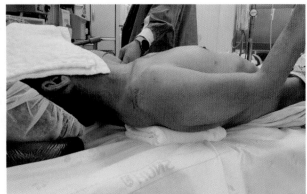

그림 7-2 포를 접어서 견갑골 밑에 받쳐 어깨 뒤의 공간을 만들어 준 모습

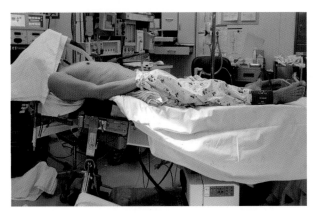 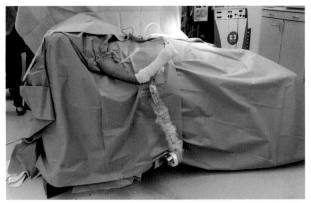

그림 7-3 Lazy beach chair 자세에서 체위 변경 및 고정 장치를 이용하여 팔을 고정할 경우 자세의 변경 및 유지 시 보조자의 역할을 대신할 수 있다.

감염의 예방을 위해서는 피부의 소독부터 원칙을 지켜야 할 것이다. 액와부를 포함한 수술할 어깨 부분 전체를 제모제(thioglycolic acid)를 이용하여 수술 전일 제모를 시행한다. 면도기를 사용하는 것은 제모를 하지 않거나 제모제를 사용하는 것보다 수술 부위 감염(surgical site infection)이 증가할 수 있다는 보고가 있어 사용하지 않는다.[2] 소독의 범위는 손을 포함한 상지 전체와 견관절부이며, 체간 쪽은 상방으로는 하악골(mandible) 내측으로는 흉골(sternum)의 중앙부, 하방으로는 유두의 직하방부까지 포함한다. 최초 소독은 손을 포함한 전완부 일부에만 시행한다. 피부 소독은 가장 먼저 계면 활성제가 포함된 7.5% povidone iodine (betadine soap)을 이용하여 시행하고, 이후 어깨 수술에서 수술 후 감염의 호발 균주로 알려진 Cutibacterium acnes (C. acnes)에 의한 감염의 예방을 위해서 과산화수소(H_2O_2)를 사용하여 betadine soap을 닦아낸다. 이후 2% chlorhexidine gluconate 용액을 사용하여 다시 닦아내고, 마지막으로 10% povidone iodine 용액(betadine solution)을 이용하여 닦아내고 충분히 건조가 된 이후에 수술 가운을 착용한 보조자가 멸균된 스타키넷(stockinet)을 이용하여 betadine solution이 도포된 부위의 원위부를 잡는다. 각 소독 용액을 사용할 때마다 이전에 사용한 소독 용액의 도포된 부위보다 범위를 줄여서 각 소독 용액마다 명확한 경계가 발생하도록 한다(그림 7-4). 보조자가 팔을 들고 있는 동안 상지의 남은 부위 및 체간을 동일한 방법으로 소독하도록 한다.

소독이 완료된 이후에는 betadine solution이 건조될 때까지

그림 7-4 피부의 소독은 7.5% povidone iodine soap (A) 부터 시작하여 과산화수소(B), 2% chlorhexidine gluconate (C), 10% povidone iodine solution (D)까지 차례로 시행한다. 새로운 용액을 사용할 때에는 이전 단계에서 도포한 소독액보다 더 원위부만 닦아내서 각 소독액 도포 부위 간 경계가 명확하게 지어지도록 한다.

기다린 후 멸균된 소독포를 이용하여 수술 부위를 제외한 나머지 신체 부위를 덮는다(surgical drape). 방수 재질의 "U"자형 소독포(disposable impermeable "U" drape)를 어깨 주변에 부착하고, 1회용 소독포(disposable drape)를 이용하여 수술 부위를 제외한 모든 부분을 드러나지 않도록 덮는다. 수술 중 상완골의 후염각(humeral retroversion)을 확인하기 위해서 멸균된 스타키넷의 엄지손가락 부위를 가위를 이용하여 절제하고 탄력붕대(elastic bandage)를 이용하여 스타키넷이 흘러내리지 않도록 감싸서 묶는다. 만약 limb positioner(그림 7-3)를 사용한다면 스타키넷이 씌워진 상태로 "ㄱ"자형의 연결막대(그림 7-5)를 손에 쥐도록 하고 척골에 닿게 한 상태에서 탄력붕대를 이용하여 단단하게 고정한다(그림 7-6). 이후 limb positioner와 연결(그림 7-3)하는데 그 본체 또한 멸균된 1회용 비닐(sani-sleeve, 그림 7-5)을

이용하여 감싸도록 한다(그림 7-6). 이후 아이오딘(iodine)이 도포된 접착성 소독포(iodine-impregnated surgical drape)를 이용하여 소독포로 덮여지지 않은 모든 부분을 덮는다(그림 7-7).

3. 수술 전 계획

어깨의 인공관절치환술에 있어서 적절한 위치로의 인공관절의 삽입은 환자의 기능 회복과 인공관절의 수명을 위해서 필수적인 요소이다. 이를 위해서는 수술 전 영상 검사를 통해서 환자의 해부학적 구조 및 골결손 등의 병리적인 요소를 면밀히 파악해야 한다. 환자 개개인의 해부학적 특성에 대한 고려 없이 수술을 시행할 경우 잘못된 위치로 인공관절을 삽입할 수 있으며, 이는 수술 후 기능적 회복에 지장을 주거나 심한 경우는 인공관절의 조기 실패를 유발하여 재수술의 가능성을 높이게 된다. 특히 해부학적 인공관절 전치환술(anatomical total shoulder arthroplasty, aTSA)이나 역행성 인공관절 전치환술(reverse total shoulder arthroplasty, rTSA)에서 관절와 치환물의 부적절한 선택은 합병증을 유발하는 가장 흔한 요인 중 하나이며, 수술 당시의 기술적인 문제로 인해 발생하는 합병증을 줄여야 하는 수술자로서는 더욱 주의를 요하는 문제인 것이다.[3-5]

상완골의 치환은 상완골의 반치환술(hemiarthroplasty, HA) 및 해부학적 인공관절 전치환술과 역행성 인공관절 전치환술에서 서로 다르게 고려될 수 있는 부분이 있다. 반치환술 및 해부학적 인공관절 전치환술은 정상 해부학적

그림 7-5 체위 변경 및 고정 장치의 연결 부속품

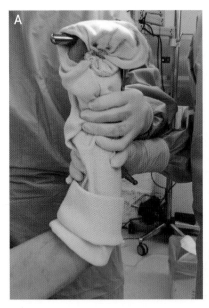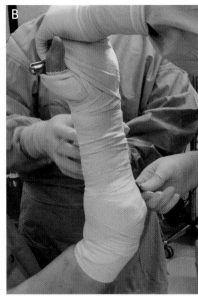

그림 7-6 A: "ㄱ"자형의 연결막대의 둥근 부분을 말아 쥐고, 긴 부분을 척골에 닿게 한다. B: 엄지손가락을 노출시킨 상태로 탄력붕대를 이용하여 팔과 연결막대를 단단하게 묶는다. C: 체위 변경 및 고정 장치의 본체를 1회용 멸균 비닐을 이용하여 감싸서 소독되지 않은 부분이 노출되지 않도록 한다.

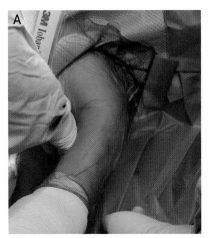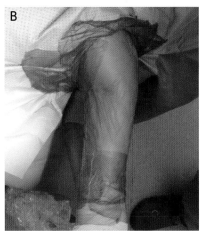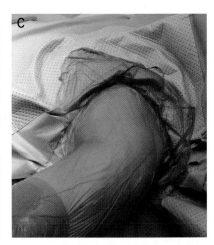

그림 7-7 아이오딘이 도포된 접착성 소독포를 이용하여 소독포로 덮여 있지 않은 노출된 부위를 모두 덮는다. 관절의 움직임에 의해서 접착성 소독포가 떨어질 수 있으므로, 움직임이 발생하는 부분은 추가로 보강을 시행해서 떨어지지 않도록 한다.

재건을 목표로 하기 때문에 상완골 후염각 및 상완골 두의 크기를 측정하고 이에 따라 상완골의 치환을 시행하는 것에는 대부분 이견이 없으나,[6] 역행성 인공관절 전치환술의 경우 해부학적 구조를 변경하고 파열된 회전근 개의 기능을 삼각근으로 대치하는 기능적 재건에 목적을 둔 만큼 환자 본인의 해부학적 후염각을 따라 재건하지 않는 경우가 많다.[7-11] 일반적으로 상완골 치환물의 후염각이 커질수록

수술 후 외회전은 증가하는 반면 내회전은 감소하게 된다. 역행성 인공관절치환술에서 최적의 상완골 치환물 후염각이 무엇인지에 대해서는 논쟁의 여지가 있다.[9-11] 그러나, 본 저자는 환자 본인의 해부학적 후염각에 맞춰서 상완골 치환물을 삽입하는 것이 수십 년간 적응된 환자 본인의 연부 조직의 긴장도 및 근육 간의 균형을 해치지 않으므로 더 좋은 임상적 결과를 얻을 수 있음을 발표한 바 있으며,[12]

이에 따라 인공관절의 종류와 관계없이 상완골 치환물의 삽입은 환자 본인의 해부학적 후염각에 맞춰서 시행하고 있다.

1) 단순 방사선(X-ray)

진성 견관절 전후 촬영(true shoulder AP view, Grashey view), 견갑골 Y-촬영(scapular Y-view), 액와 촬영(axillary view)을 기본으로 한다. 진성 견관절 전후 촬영은 상완관절와 관절의 상태를 보는데 필수적인 촬영이며, critical shoulder angle이나 견갑골 경부의 길이(scapular neck length)를 측정하며, 액와 촬영은 관절와의 마모를 관찰할 수 있다.

(1) 진성 견관절 전후 촬영

관절와 및 상완골의 골극(osteophyte) 및 유리체(loose body)의 유무, 상완골의 변형 여부, 견갑골 경부의 길이 (scapular neck length), 상완골 골수내강(humeral medullary canal) 및 상완골 두의 직경, 견봉상완간격의 길이(acromiohumeral distance), critical shoulder angle (CSA) 등을 측정한다(그림 7-8).

골절이나 기형 등에 의해 상완골의 변형이 발생한 경우 적절한 위치로 상완골 치환물을 삽입하기 힘들 수 있다.

이러한 경우 주대가 없는 상완골 치환물(stemless humeral implant)을 사용하는 것이 도움이 될 수 있다. 주대가 없는 상완골 치환물도 기존의 상완골 치환물에 비해서 기능적 결과가 나쁘지 않다는 보고가 계속되고 있으나,[13-16] 아직 장기 추시에 따른 생존율의 보고가 부족하며, 기존의 상완골 치환물에 비해 내반되어 삽입될 가능성이 높다는 연구가 있어 이에 대한 고려가 필요하다.[17]

견갑골 경부의 길이(scapular neck length)는 관절와의 외측 끝과 관절와와 견갑골 체부의 외측 경계(lateral border of scapula)간 변곡점 사이의 길이를 이용하여 측정한다(그림 7-8A). 역행성 인공관절치환술을 시행할 때 견갑골 경부의 길이가 짧으면 수술 후 견갑골 절흔(scapular notching)이 발생할 가능성이 높으므로 관절와 치환물에 lateral offset을 주는 것을 고려할 수 있다.[18,19] 보통 8-9 mm를 기준으로 한다.

상완골 골수내강의 직경과 상완골 두 직경을 측정하는 것은 수술 전 삽입할 상완골 치환물의 크기를 예측하는데 있어 도움이 될 수 있으나, 최종 삽입물의 크기 결정은 수술을 하면서 결정하게 된다. 상완골 삽입물의 주대 (stem)의 길이에 따라 골수내강의 직경을 측정하는 부위가 달라지므로 수술 전 측정 시 사용할 삽입물의 주대를 고려하여 측정한다.

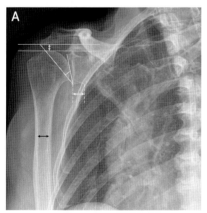 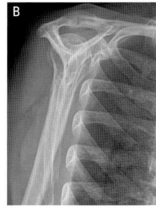 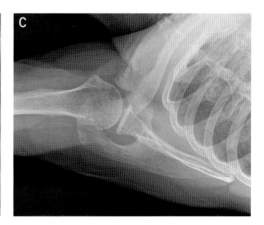

그림 7-8 어깨의 단순 방사선 촬영 영상
A: 진성 견관절 전후 촬영. 상완골 골수내강 직경(검은 양방향 화살표), 견갑골 경부의 길이(SNL, 흰 양방향 화살표), 견봉상완간격의 길이(AHD, 노란 양방향 화살표), critical shoulder angle(CSA, 흰 실선 간 각도) 등을 측정한다. B: 견갑골 Y-촬영. C: 액와 촬영

견봉상완간격은 견봉의 최하단부와 상완골 두의 최상단부 사이의 거리로 측정하며, 길이가 짧을 경우 회전근 개의 기능 부전을 시사한다. 견봉상완간격이 좁아진 경우에는 부하 방사선사진(stress X-ray)을 촬영하여 상완골 두의 상방 전위가 완전히 고착되었는지를 확인할 수 있으며, fixed humeral head elevation이 있다면 수술 중 수술 공간이 좁을 가능성이 많고, 상완골 경부 절골(neck osteotomy)을 조금 더 많이 해야 할 수 있음을 예상하고 수술에 들어갈 수 있다.

Critical shoulder angle은 관절와의 최상단과 최하단을 연결하는 선과 관절와의 최하단과 견봉의 외측단을 연결하는 선 사이의 각도로 측정한다. 인종별 해부학적 특성이 다르므로[20] 이에 따른 차이가 있을 수는 있으나, 일반적으로 CSA가 크면 삼각근의 힘의 방향(deltoid vector)을 변경하여 회전근 개의 상방 전단력(superior shear force)을 증가시켜 회전근 개의 파열이 잘 발생하며, CSA가 작으면 관절와상완관절에 가해지는 압박력이 증가하여 퇴행성 관절염의 발생 빈도가 증가하는 것으로 알려져 있다.[21] 한국인 같은 동양인에서 이 critical shoulder angle이 더 크며,[20] 인공관절치환술을 하는 경우에는 관절치환물의 회전중심축(center of rotation, COR)을 결정하는 하나의 지표로 삼기도 한다. 즉, critical shoulder angle이 34도 이상이라면 외측 중심의 COR 삽입물(lateralized implant)을 사용하는 것이 좋을 수 있는 것이다.

(2) 견갑골 Y-촬영 및 액와 촬영

견갑골 Y-촬영 및 액와 촬영은 상완골 두의 전후방 전위를 평가하는 데 유용하게 사용될 수 있다. 퇴행성 골관절염의 경우 관절와 후방부의 미란(posterior erosion of glenoid)이 발생하는 경우가 많고, 이에 따른 골결손에 의해서 상완골 두가 후방으로 전위가 되어있는 경우가 많다. 액와 촬영은 이러한 관절와의 미란을 직접적으로 평가할 수 있어 관절와 치환술의 수술 계획 수립에 도움이 될 수 있다.

2) 전산화 단층촬영(computed tomography, CT)

(1) 관절와의 평가

CT는 관절와의 골량(glenoid bone stock)을 평가하고, 관절와 염전각을 측정하며, 골극의 위치와 크기를 판별하는 데에 있어 유용하게 사용될 수 있다. 수술 기구 및 기법의 발전에도 불구하고 관절와 치환물의 해리(glenoid component loosening)는 해부학적 인공관절 전치환술 및 역행성 인공관절 전치환술 모두에서 장기적 예후에 가장 큰 영향을 미치는 요소 중 하나로 남아있으며, 이는 수술 시 술기적 문제(technical error)에서 기인하는 경우가 많으므로 정확한 수술 전 평가가 필수적이다.[3-5]

CT를 통해 골결손의 위치 및 정도를 파악할 수 있으며, 일반적으로 퇴행성 골관절염은 후방부에서, 류마티스 등의 염증성 관절염에서는 중앙부가, 회전근 개 파열 병증의 경우에는 상방부에서 골결손이 발생하는 경우가 많다고 알려져 있다. 골결손이 심할 경우 골이식이나 골결손부를 보강할 수 있는 특수한 형태의 baseplate (augmented baseplate)를 사용해야 할 수 있다.

관절와의 염전각을 평가하는 것은 매우 중요하며 통상적으로는 관절와의 전후방을 잇는 선과 관절와의 중심부와 견갑골 내측단을 연결하는 선 사이의 각도를 이용하여 측정하는 Friedman 방법(그림 7-9A)이 흔히 사용된다.[22] 관절와의 골량이 충분하고, 염전각이 크지 않은 경우 골량을 더 많이 보존하고 있는 쪽을 비대칭적으로 더 많이 절삭하는 방법(asymmetric reaming, eccentric reaming)을 사용할 수 있다. 이는 추가적인 처치가 필요 없고 기술적으로도 간단하게 시행할 수 있는 방법이지만, 염전각이 큰 경우에는 절삭되는 골량이 많고, 관절면이 내측으로 이동한다는 단점이 있어 염전각이 10-15도 이내인 경우에만 시행을 하는 것이 좋다. 만약 염전각이 이보다 더 크다면 골이식이나 augmented baseplate의 사용을 고려해야 한다.[23]

(2) 상완골의 평가

CT를 통해 상완골 골극의 위치 및 크기, 변형 여부, 상완골 후염각의 평가, 심한 분쇄 골절에서의 골편의 위치 및 크기 등을 평가할 수 있다. 전술한 바와 같이 상완골 후염각(humeral retroversion)의 평가는 상완골 치환물의 삽입에 있어서 중요한 요소이다. 해부학적 경부를 따라 상완골 두를 절제하는 방법을 사용할 수 있으나, 기술적으로 숙련

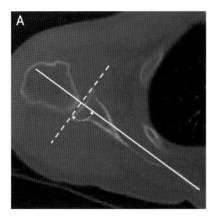
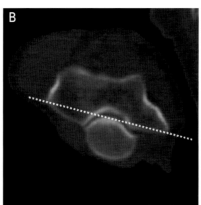
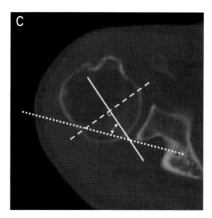

그림 7-9 A: 관절와의 염전각은 관절와의 중심부에서 관절와의 전후방을 연결하는 선(굵은 점선)과 관절와 중심에서 견갑골의 내측까지 연결하는 선(실선)간 각도로 측정할 수 있다. B: 어깨와 동측의 팔꿈치에서 상과간 축(transepicondylar axis, 얇은 점선)을 그린다. C: 상과간 축을 상완골 두의 중심부에 위치시키고, 상완골 두의 전후방을 연결한 후(굵은 점선), 이에 수직인 선(실선)을 그린다. 상완골의 후염각은 상과간 축과 상완골 두 전후방의 수직선간 각도로 측정할 수 있다.

되지 않은 경우 적절하지 않은 위치에서 상완골 치환물의 후염각을 결정할 수 있으므로 수술 전 CT를 통해서 평가하는 것이 상완골 치환물 삽입의 정확도를 높일 수 있다. CT를 통해서 상완골 후염각을 평가하기 위해서는 동측의 원위 상완골에서 상과간 축(transepicondylar axis)을 먼저 측정해야 한다(그림 7-9B). 상완골 후염각을 측정하는 방법은 여러 가지가 있으나,[24] 통상적으로는 상완골 두 관절면의 경계 전후방을 연결하는 선을 수직으로 이분하는 가상의 상완골 두 중심축과 상과간 축 간의 각도를 이용하여 측정을 시행한다(그림 7-9C).

만약 Neer 분류 3분 혹은 4분 골절에서 인공관절치환술을 계획한 경우라면 CT를 통하여 대결절 및 소결절의 분쇄 정도를 파악하고, 정복 및 유합 가능성을 판단하는 것이 좋다. 정복 및 유합 가능성이 높을 것으로 판단된다면 반치환술을, 그렇지 않을 것이라고 판단된다면 역행성 인공관절 전치환술을 시행하는 것이 기능적으로 우수한 결과를 보이기 때문이다.[25-27]

3) 자기공명영상(magnetic resonance imaging, MRI)

어깨의 인공관절수술을 계획 중인 환자에서 회전근 개의 상태를 평가하는 것은 반치환술, 해부학적 인공관절 전치환술을 시행할지 역행성 인공관절 전치환술을 시행할지를 결정하는 매우 중요한 요소이다. 자기공명영상은 회전

근 개를 비롯한 어깨의 연부조직 상태를 평가할 수 있는 매우 중요한 검사이다. 극상건의 파열이 있는 경우, 그 정도에 따라 반치환술이나 해부학적 인공관절치환술을 시행하면 만족스러운 기능적 결과를 얻기 힘든 경우가 많다.

극하건이나 견갑하건의 파열이 동반되어 있다면 반치환술이나 해부학적 인공관절 전치환술보다는 역행성 인공관절치환술을 시행하는 편이 더 적합하며,[28] 그 정도에 따라서는 역행성 인공관절 전치환술을 시행하더라도 외회전 및 내회전의 만족스러운 회복을 얻기 힘들 수 있어 건 이전술(tendon transfer) 등을 동시에 시행하는 것 등을 고려해 볼 수 있다.[29] 광배근건 이전술을 역행성 인공관절치환술과 동시에 시행하였을 때 관절가동범위가 증가하였다는 보고들이 있으나, 역행성 인공관절 전치환술에서 광배근 건 이전술을 시행 여부에 따라 직접적으로 비교하였을 때 유의한 차이를 발견할 수 없다는 보고가 있으며,[29] lateralized type의 역행성 인공관절치환술을 시행하였을 때 견갑하건의 봉합 여부에 따른 기능적 결과의 차이가 없었다는 보고도 있어,[12] 이에 대해서는 추후 지속적인 연구가 필요하다. 저자는 환자의 능동적인 외회전이 전혀 안 되는 경우에 국한하여 역행성 인공관절치환술과 동시에 광배근건 이전술을 시행하며, 적절한 인공관절 삽입물의 선택을 통하여 남아있는 회전근 개의 장력을 늘이는 형태로 능동적인 외회전력을 회복하도록 도모한다.

이두건 장두(long head of biceps brachii tendon)는 수술 시 해부학적 지표의 역할을 하므로 수술 전 이두건 장두의 상태를 미리 파악하는 것이 좋으며, 탈구/아탈구 여부, 파열 여부 등에 대해서 상세하게 파악하는 것이 좋다.

4. 수술적 접근법

1) 서론

어깨 인공관절의 수술적 접근법은 주로 삼각-흉근 간 접근법(deltopectoral approach)이 사용되며, 역행성 인공관절 전치환술에서는 삼각-흉근 간 접근법과 전상방 접근법(anterosuperior approach)이 모두 사용된다. 두 접근법은 수술 후 기능적 결과 및 인공관절의 수명 등에 있어서 유사하여 어느 것이 더 우월하다고 할 수는 없으나, 각기 장단점을 가지고 있어(표 7-1) 어느 방법을 사용할지에 대해서는 집도의가 결정을 하게 된다.

2) 표면 해부학

수술은 적절한 위치에서 절개를 시행하는 것에서부터 시작한다. 부적절한 위치에 절개를 가할 경우 수술 부위의 적절한 노출이 불가능할 수 있으며, 이를 보완하기 위해서 절개를 연장해야 할 수 있다. 이는 절개부의 흉터가 커진다는 미용적인 면에서의 문제뿐만 아니라, 수술 시간의 연장으로 인한 수술 후 감염의 위험성의 증가 측면을 고려해서도[30] 최초에 적절한 위치에서 절개를 가하는 것이 중요함을 알 수 있다. 어깨관절의 골성 구조물들은 비교적 촉지가 쉬워서 이를 기준으로 절개선을 표시하는 것이 좋다. 일반적으로 오구돌기(coracoid process), 견봉(acromion), 쇄골(clavicle) 등을 해부학적 지표로 사용한다(그림 7-10).

3) 삼각-흉근 간 접근법(deltopectoral approach)

삼각-흉근 간 접근법은 어깨 인공관절수술의 표준적인 접근법으로 사용되며, 근위 상완골의 골절 등에서도 널리 사용되므로 대부분의 의사들에게 비교적 친숙하다는 장점이 있다. 삼각근에 손상을 주지 않으며, 절개를 연장할 수 있어 심한 근위 상완골의 분쇄 골절에서 전상방 접근법 보다 더 수술이 용이할 수 있다.

(1) 절개 및 표층부 접근

삼각-흉근 간 접근법의 해부학적 지표는 오구돌기와 액와 높이의 상완골 간부 근위부를 기준으로 한다(그림 7-11A). 대부분 쉽게 촉지가 되며, 체지방이 적은 환자의 경우 삼각-흉근 간격(deltopectoral interval)이 촉지되기도 한다. 일반적인 삼각-흉근 간 접근법은 표기한 해부학적 지표를 따라 직선으로 10-15 cm 정도 절개를 시행하나(그림 7-11B), 인공관절치환술을 시행할 때에는 관절와 쪽의 시야 확보 등을 위해서 보다 외측에서 절개를 시행하여 통상적인 절

표 7-1 각 수술적 접근법의 장단점

수술적 접근법	장점	단점
삼각-흉근 간 접근법	- 삼각근 및 대흉근의 기시부 보존 - 삼각근에 손상을 주지 않고 접근 가능 - 액와신경손상 위험성 적음 - 출혈량 적음 - 필요시 절개를 쉽게 연장 가능함 - 어깨관절의 하부 구조물(하부 관절낭, 관절와 하부)에 접근 용이함	- 견갑하건 절단 및 봉합으로 인하여 수술 후 전방 탈구 가능성이 상대적으로 높음 - 어깨관절의 후방 구조물에 대한 접근이 어려움
전상방 접근법	- 견갑하건의 손상이 없어서 상대적으로 수술 후 전방 탈구 가능성이 낮음 - 어깨관절의 후방 구조물에 대한 접근이 용이함	- 삼각근의 손상을 유발함 - 액와신경의 주행 경로상 절개의 연장이 불가함 - 어깨관절의 하부 구조물에 대한 접근이 어려움

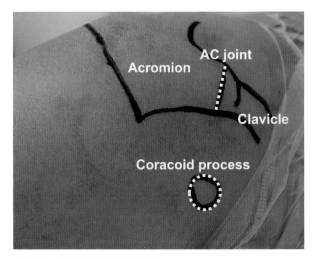

그림 7-10 **어깨 표면의 해부학적 지표**

이 만져지며, 지방조직에 의해 덮여있는 경우가 많다. 두정맥은 대흉근과 함께 내측으로 견인하거나 삼각근과 함께 외측으로 견인할 수 있으며 이는 술자의 선호에 따라 결정한다. 두정맥을 내측으로 견인할 경우 두정맥 외측에서 진입하는 분지를 미리 결찰해야 출혈을 방지할 수 있다. 외측으로 견인할 경우 두정맥의 분지를 결찰할 필요는 없으나, 수술 중 수술 기구로 삼각근을 과도하게 견인할 경우 파열이 발생할 가능성이 높다.

② 대흉근 부착부 부분 절개

삼각-흉근 간격을 Army-Navy retractor로 견인하여 벌린 상태에서 대흉근 부착부의 상부를 일부 절개한다(그림 7-12). 이는 관절구축이 심한 환자에서 수술 시야를 확보하는데 도움이 되며, 따라서 견갑하건 및 전방 상완 회선 혈관(anterior humeral circumflex vessel)을 노출하는 데 좀 더 용이하고, 후에 수술적 탈구(surgical dislocation)를 시키기에도 편하다. 절개한 대흉근은 수술 종료 후 봉합을 위해서 봉합사를 통과시켜 표기를 해두는 것이 좋다. 대흉근 부착부를 절개하면 그 하부로 바로 이두건 장두를 발견할 수 있다.

개보다 더욱 수직 방향으로 절개를 시행하는 경우도 있다 (그림 7-11B). 이런 경우는 두정맥(cephalic vein)이 더 내측에서 발견됨을 생각해야 할 것이다.

① 두정맥(cephalic vein)

절개를 하고 박리를 진행하면 삼각근과 대흉근 사이로 두정맥이 관찰된다. 삼각-흉근 간격을 촉지할 경우 두정맥

A

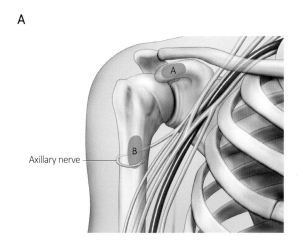

B

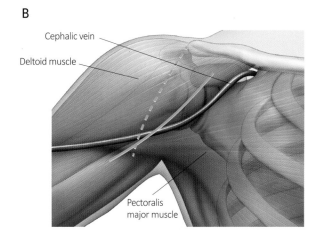

그림 7-11 A: 삼각-흉근 간 접근법의 해부학적 지표는 오구돌기와 액와 높이의 상완골 간부 근위부를 기준으로 한다. B: 일반적인 삼각-흉근 간 접근법은 삼각-흉근 간격의 위로 오구돌기부터 상완골 간부 근위부까지 일직선으로 절개를 시행한다(실선). 그러나, 인공관절치환술을 시행할 경우에는 관절와부위의 노출을 용이하게 하기 위해서 보다 외측에서 절개를 시행하여 통상적인 절개보다 수직 방향으로 진행하기도 한다(점선). 이런 경우는 두정맥(cephalic vein)이 더 내측에서 발견됨을 고려한다.

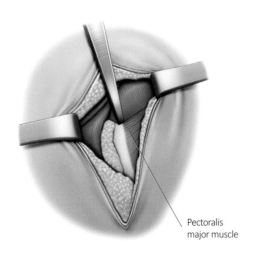
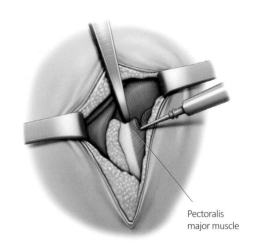

Pectoralis major muscle

Pectoralis major muscle

그림 7-12 대흉근 상부를 부분적으로 절개할 경우, 관절구축이 심한 환자에서 수술 시야를 확보하는 데 도움이 되며, 견갑하근을 비롯한 어깨의 전방 심부 구조물의 노출이 용이해지고, 수술적 탈구(surgical dislocation)를 시키기 편하다는 장점이 있다. 절개한 이후에는 재봉합을 하기 위해서 봉합사를 이용하여 표기를 해두는 것이 좋다.

(2) 심부 접근

팔을 외회전 시키면 소결절부가 전방으로 노출되며 회전근 개 간격(rotator interval), 결절간구(이두구, intertubercular sulcus, bicipital groove) 및 이두건 장두를 촉지할 수 있으며, 견갑하근 또한 외회전되면서 오구돌기 및 오구완근(coracobrachialis)과 이두건 단두(short head of biceps brachii)의 결합건(conjoined tendon)에 의해 가려져 있던 부분이 전방으로 노출된다. Metzenbaum scissor 등을 이용하여 이두건 장두를 덮고 있는 횡상완인대(transverse humeral ligament)를 절개하고 이두건 장두를 노출시킨 후 이두건 장두의 주행 방향을 따라 무딘 박리(blunt dissection)를 시행한다. 이두건 장두가 주변 조직에서 완전히 박리가 되면 이를 원위부로 견인하면서 Metzenbaum scissor를 이용하여 회전근 개 간격에 절개를 시행한다. 회전근 개 간격이 절개되면서 관절와상완관절이 노출되면 내부의 활액막이 배출된다. 이두건 장두는 관절와의 해부학적 지표로 삼기 위해 기시부의 일부를 남겨놓고 완전히 절제하고 원위부는 봉합사를 이용하여 표지를 한다. 이두구는 대개 이두건 장두의 부분 파열이나 탈구 등이 동반되는 경우가 많고, 따라서 주변으로 흔하게 출혈이 많이 되는 부위 중 하나이다.

전방으로 노출된 견갑하근의 표면에는 1개의 전방 상완 회선 동맥 및 2개의 전방 상완 회선 정맥이 주행하는 것이 관찰되며, 이를 묶어서 세 자매 혈관(three sisters)이라 부른다. 이 혈관들은 견갑하근의 하방 경계의 표지점(reference)으로 생각할 수 있으며, 상부 견갑하근은 힘줄의 형태로 상완골의 소결절에 부착되어 있는 반면(tendinous portion of subscapularis), 하부는 근육의 형태(muscular portion of subscapularis)로 되어 있다. 세 자매 혈관 내측 및 하부로 액와신경이 주행하므로 이에 손상을 주지 않도록 박리 과정에서 항상 골성 조직을 따라 진행하여야 한다. 관절와상완관절의 수술적 탈구를 위해서는 견갑하근을 절개(subscapularis tenotomy) 또는 박리(subscapularis peel)하거나 부착되어 있는 소결절에 절골술(lesser tuberosity osteotomy)을 시행해야 한다. 최근의 메타분석에 의하면 세 가지 방법 간 유의한 기능적 차이는 관찰되지 않아서 술자에게 익숙한 방법을 시행하면 된다.[31] 저자의 경우 역행성 인공관절치환술의 경우는 견갑하근을 절개(tenotomy)하지만, 해부학적 인공관절치환술의 경우는 박리(peel)하는 방법을 택하는데, 인공관절치환술 후 견갑하건의 단축 등으로 인하여 봉합 실패 등의 위험을 줄이기 위함이다. 견갑하근의 절개 및 박리를 위해서는 세 자매 혈관의 결찰이 필요하며, 해부학적 경부 위치에서 흡수성 봉합사를 이용하여 결찰을 시행한다. 절개는 결찰된 부분 사이의 간격에 시행하며, 박리는 견갑하근의 기시부에 절개를 시행하여 소결절에서 분리를 하는데, 재봉합을 염두에 둔다면 전기소작기(electrocautery)를 사용하는 것보다는 scalpel을 이용하여 박리를 하여 열 손상을 받지 않도록 하는 것이 좋다. 절개 혹은 박리를 시행한 견갑하건이나 절골술을 시행한 소결절은 그 크기에 따라 3-4개의 봉합사를 통과시켜 표기하고 이를 이용하여 견인을 시행하는 것이 좋다. 이는 견갑하건이나 소결절의 재부착 시에 표지로 사용될 수 있으며, 상완골의 관절낭을 박리하는 데 있어서도 유용하게 사용될 수 있다.

견갑하건 혹은 소결절에 표지한 봉합사를 견인하면서 상완골에 부착된 관절낭을 박리한다. 상완골에 부착된 관절낭의 박리는 수술적 탈구 시 발생 가능한 골절의 예방에도 중요하지만, 인공관절치환술의 수술적 접근 중 가장 어려운 부분의 하나인 관절와부위의 수술적 노출도 훨씬 용이하게 할 수 있기 때문에 매우 중요한 수술 과정이라고 할 수 있다. 관절낭 외부에 위치한 액와신경의 손상을 방지하기 위해 팔은 내전시킨 상태에서 외회전을 조금씩 더 시켜가면서, 상완골 두 하부에 부착된 관절낭을 관절 내부 및 심부 쪽으로, 하부에서 후방으로 순차적으로 박리시킨다. Cobbs elevator 등으로 하부에 위치하는 액와신경을 보호하면서, 골성 구조물을 따라서 박리하는 것이 안전하다.

상완골의 퇴행성 골극에 의해 시야가 제한될 경우 골극을 상완골 두를 따라 제거하는데, 너무 골극 제거를 많이 하다 보면 상완골 삽입물이 지지할 부분이 감소할 수 있음을 생각해야 한다. 관절낭의 박리가 끝나면 상완골을 외측으로 견인하며 신전, 외회전을 시키면 탈구를 시킬 수 있으나, 과도하게 힘을 줄 경우 골절이 발생할 가능성이 있으므로 주의해야 한다.[32] 수술적 탈구가 힘들다면 견갑하근 하방 광배근의 부착 부위 일부를 절개하는 것도 의인성 골절을 예방하는 방법이며, 회전근 간의 절개가 부족한 경우도 탈구가 안 되는 원인 중 하나이므로 이 부분도 확인한다. 탈구가 되면서 남아있는 극상근이 파열되는 경우도 종종 있는데, 파열의 정도에 따라서는 해부학적 인공관절치환술이 역행성 인공관절치환술로 계획이 변경되기도 한다.

4) 전상방 접근법(경삼각근 접근법, anterosuperior approach, transdeltoid approach)

(1) 절개 및 표층부 접근

전상방 접근법의 해부학적 지표는 견봉과 쇄골 원위부, 삼각근의 전방 및 중앙 근섬유 다발을 기준으로 한다. 견봉의 전외측 끝부분(anterolateral corner of acromion)에서 외측으로 삼각근의 전방(anterior bundle of deltoid) 및 중앙(middle bundle of deltoid) 근섬유 다발의 사이를 따라 하방으로 5 cm 정도 피부에 절개를 가한다(그림 7-13A).[33,34]

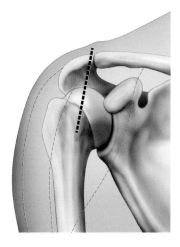

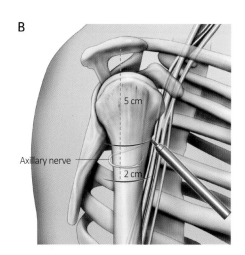

그림 7-13 A: 전상방 접근법의 절개선. B: 액와신경과 견봉 간 해부학적 위치

삼각근의 근섬유 다발의 주행 경로를 따라 전방부와 중앙부 사이를 박리한다. 삼각근 전방부는 견봉 전방부에서 골막을 포함하여 박리시킨 후 봉합사를 이용하여 표지한다. 절개의 하단으로 액와신경이 주행하므로 손상받지 않도록 주의해야 하며(그림 7-13B), 절개선의 최하단부에서 박리한 삼각근의 전방부와 중앙부를 봉합사를 이용하여 묶어서 신경을 보호하는 것이 안전하다. Hohmann retractor를 이용하여 1개는 전방의 오구돌기에 위치시키고 다른 1개는 상완골의 뒤쪽에 위치시켜서 삼각근을 견인하고, 시야 확보를 위해 삼각근하 점액낭(subdeltoid bursa)를 제거하고 회전근 개의 상태를 평가한다.

(2) 심부 접근

극상건의 파열이 있을 경우 관절강이 바로 노출된다. 관절의 전방 및 견갑하근을 노출시키기 위해서는 상완골을 굴곡 및 외회전시키고, 관절의 후방부와 극하근, 소원근을 노출시키기 위해서는 반대로 신전 및 내회전을 시킨다. 팔을 신전시킨 상태에서 전상방으로 밀어올리면 상완골 두의 수술적 탈구가 가능하다.

5. 상완골 치환물 삽입 준비
(Humeral preparation)

상완골 치환물의 삽입과 이에 필요한 상완골 두의 절골 및 확공 등은 사용하는 인공관절 기구에 따라 다를 수 있다. 이에 일반적인 원칙에 따라 저자가 사용하는 방법을 중심으로 기술하고자 한다.

상완골의 장축을 시진과 촉진을 통해 파악하고 상완골의 장축이 수술장의 바닥에 수직으로 서 있는 편이 절골 과정에서 실수를 방지하는 데 도움이 된다. 팔꿈치관절은 상완골에 수직이 되도록 구부려야 염전각의 측정에 오차를 줄일 수 있다. 상완골 두의 절골 과정에서 회전근 개의 손상이 발생할 수 있으므로, 극상건 및 극하건의 부착부를 완전히 노출시키고 Hohmann retractor를 이용하여 회전근 개를 완전히 젖혀서 보호한다.

상완골 치환물의 삽입을 위한 상완골 두의 절골은 크게

골수 내 절골 가이드(intramedullary resection guide)를 사용하는 것과 골수 외 절골 가이드(extramedullary resection guide)를 사용하는 방법으로 나눌 수 있다. 절골 가이드는 인공관절 제조사마다 제공하는 형태나 모양이 다를 수 있어 술자는 이에 대한 고려가 필요하다.

골수 내 절골 가이드의 삽입은 인공관절 제조사마다 차이가 있을 수 있으나, 일반적으로 결절간 구의 1 cm 후방, 상완골 두 관절면의 최상단의 외측과 회전근 개 부착부의 내측 사이로 시행한다. 술자의 손으로 상완골의 골간부(diaphysis) 피질을 전후좌우로 촉지하여 정중앙에 표시를 한 후, 송곳(awl) 혹은 가장 작은 크기의 확공기(start reamer)를 그 표시한 곳에 위치시키고, 상완골의 장축과 평행한 위치에 있는지 확인한 이후 망치를 이용하여 삽입하여 구멍(pilot hole)을 낸다. 이후 확공기의 크기를 순차적으로 늘려가면서 교체한다. 최근에는 시멘트를 사용하지 않는 상완골 삽입물이 많이 사용되는데, 상완골은 체중을 부하하는 뼈가 아니므로 인공 고관절처럼 아주 빡빡한 정도까지 확공을 할 필요는 없다. 주대(stem)의 길이도 짧아지는 것이 최근의 추세이며, 골간부의 협부(isthmus)에서 이루어지는 골간부 고정(diaphyseal fixation)보다는 골간단부 고정(metaphyseal fixation)의 개념이 최근 제시되며, 따라서 적절한 주대의 길이나 직경 등에 대해서는 보다 많은 임상 및 기초 연구가 필요한 부분이다. 확공 시 무리하게 삽입할 경우 골절을 유발할 수 있으므로 과도하게 힘이 가지 않을 정도의 크기로 확공기를 삽입하여 거치하고, 염전 막대(version rod)를 사전에 측정한 상완골의 염전각에 골수 내 절골 가이드에 조립한 후 전완부의 장축과 평행하게 위치시키고 절골 가이드를 삽입된 확공기에 고정한다. 절골 가이드를 고정한 이후에는 blade runner 등을 이용하여 상완골 두의 절골 범위 및 크기 등을 예측하고 필요에 따라 이를 조절한다(그림 7-14). 해부학적 인공관절치환술의 경우는 상완골 두의 절골 시 극상건이 손상되지 않는 높이에서 진행되어야 하고, 역행성 인공관절치환술의 경우에는 남아있는 극하근이나 소원근(teres minor)에 손상받지 않도록 이 과정에서 세심하게 확인하여야 한다. 절골 가이드의 고정이 끝났으면 절골에 방해가 되는 확공기를 제거하고

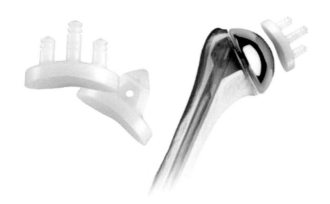

그림 7-14 일렬로 배열된 peg type과 keel type의 PE로 구성된 관절와 치환물(all PE glenoid component)

가이드를 따라 전동 톱(oscillating saw) 등을 이용하여 절골을 시행한다. 상완골의 반치환술이나 해부학적 인공관절 전치환술에서 절골한 상완골 두는 상완골 두 치환물의 크기를 결정하는데 사용되고, 관절와의 골결손 등으로 인해서 골이식이 필요할 경우 중요한 공여부로 사용될 수 있으므로 절골 시 떨어지지 않도록 주의해야 한다. 절골한 상완골 두 및 후방 회전근 개 파열의 보호를 위해서 전동 톱을 후방부 끝까지 밀어 넣지 않고 일부를 남긴 이후, Kocher clamp 등을 이용하여 잡고 절골기(osteotome) 등을 이용하여 잔존한 후방부를 절골시킬 수 있다. 절골을 시행한 이후에는 상완골의 장축과 염전각을 따라 크기를 늘려가며 broach를 순차적으로 삽입 후 제거한다. Broach의 삽입과 제거 시에도 확공 때와 마찬가지로 무리하게 힘이 가지 않도록 주의해야 한다. 이 과정에서 염전의 각도가 조금 틀어지게 삽입되면, 특히 골다공증이 있는 환자의 경우는 쉽게 상완골에 균열(crack)이 발생하게 된다. Broach의 크기가 정확하게 맞으면 그대로 사용한다. 만약 크기가 작은 broach는 헐겁고, 이보다 한 단위가 더 큰 broach가 적절한 깊이로 들어가지 않을 정도로 크다면, 의인성 골절의 예방 및 부하 차폐(stress shielding)에 의한 상완골 두 치환물의 해리를 예방하기 위해 무리해서 큰 broach를 사용하는 것보다는 작은 broach를 사용하는 편이 더 적절하다. Broaching이 끝난 이후에는 관절와의 노출 및 관절와 치환물의 삽입 시 발생할 수 있는 절골면의 골절을 막기 위해서

보호기(protector)를 연결한다.

골수 외 절골 가이드를 사용할 경우 상완골 두의 관절면 경계(articular margin)가 완전히 노출되어야 하며, 골극이 있는 경우 이를 모두 제거해야 한다. 골수 내 절골 가이드를 사용할 때와 동일하게 상완골의 장축과 염전각에 따라 위치시킨 후 고정하고, 골수 내 절골 가이드를 사용할 때와 동일한 방법으로 상완골 두의 절골, 확공 및 broaching을 시행한다.

6. 관절와 치환물 삽입 준비 (Glenoid preparation)

관절와 치환물은 인공관절에서 가장 합병증이 많이 발생하는 부위 중 하나이다. 특히 삽입 시 기술적인 실수가 발생했을 경우 인공관절의 안정성을 보장할 수 없고, 이로 인한 재수술의 가능성이 증가하므로 주의를 해야 한다.[3-5] 관절와 치환물의 가이드는 인공관절 기구에 따라 다른 형태를 지니고 있어, 이에 대한 고려가 반드시 필요하다. 최근에는 관절와 치환물 삽입의 정확도를 높이기 위해서 환자 맞춤형 기구나 실시간 내비게이션을 사용하는 경우도 있다.

관절와의 노출을 위해서는 상완골 두의 절제면에 따른 팔 위치의 조정이 필요하다. 삼각-흉근 간 접근법에서는 상완골 두의 절제를 위해서 신전 및 외회전된 상태에서 신전 및 외회전을 줄이고 팔을 외전시켜서 상완골 두 절제면과 관절와의 관절면이 최대한 노출되도록 한다. 이후 glenoid rim retractor나 Hohmann retractor 등을 관절와의 후방부에 위치시키고, 손잡이 부분을 후방부로 젖히면서 상완골 두 절제면이 관절와의 후방으로 견인되도록 한다. 시야 확보를 위해서 전방, 상방, 하방에 2-3개의 견인기를 추가로 위치시키고 관절와의 전장을 노출시킨다. 이미 상완골에 부착하는 하부 및 후방 관절낭을 절개하였지만, 이 과정에서도 관절와를 둘러싸고 있는 관절와순과 관절낭을 절개 및 절제하여 관절와의 노출이 용이하도록 한다. 역행성 인공관절치환술을 하는 경우는 관절와구(glenosphere)를 하방 오프셋(offset)을 주어 삽입하는 것이 견갑골 절흔(scapular notching)을 예방하는 가장 중요한 방법 중 하나이므로, 삼두근(triceps)의 관절와 기시부를 절개하여 관절와 하방에 충분한 공간을 만들어 노출시키는 것이 중요하다.

전상방 접근법에서는 관절와 하방의 견인기가 가장 중요한 역할을 하게 된다. 관절와의 전방에 견인기를 위치시켜서 삼각근 전방부 및 견갑하근을 견인하고, 후방의 견인기로는 삼각근 중앙부 및 극하근, 소원근을 견인한다. 하방의 견인기는 상완골을 하방으로 견인시켜 관절와의 관절면이 완전히 노출되도록 한다.

남아있는 이두건 장두 기시부를 기준으로 관절와의 해부학적 구조를 추정할 수 있다. 이두건 장두 기시부를 12시 방향으로 설정하고 전기소작기 등을 이용하여 관절와 연골면에 표기한다. 이두건 장두와 관절와 주변의 관절와순을 모두 제거하는데, 삼두건 장두가 기시하는 관절하결절(infraglenoid tubercle)로부터 10-15 mm 하방으로 액와신경이 주행하므로 관절와순의 제거 시에는 관절와의 골성 구조에 붙여서 제거하는 것이 안전하다. 관절와의 세로 길이가 가장 큰 수직 장축과 가로 길이가 가장 큰 수평 장축을 전기소작기로 표기하여 그 교차하는 부위를 관절와의 중심부로 설정하고 통상적으로는 이 위치에 관절와 치환물 중심부를 고정시킨다. 만약 관절와의 골결손 등으로 인해 관절와 중심부의 골량이 충분하지 않다면 수술 전 계획 단계에서 적절한 삽입 위치를 선정하여 변경할 수 있다.

관절와 치환물의 삽입 위치를 선정한 이후 가이드를 이용하여 유도핀(guide pin)을 삽입한다. 유도핀과 관절와의 관절면 간 각도를 이용하여 관절와의 염전 및 경사(inclination) 등이 적절한지 확인한다. 통상적으로 해부학적 인공관절 전치환술에서는 관절와의 관절면을 기준으로 유도핀을 중립위에 두고, 역행성 인공관절 전치환술에서는 중립 혹은 하방(inferior tilting)으로 향하도록 한다. 관절와 치환물이 상방으로 향하도록 삽입되면 관절와 치환물의 해리나 인공관절치환물의 탈구가 발생하기 쉬우므로 반드시 피해야 한다. 정상 해부학적으로 관절와가 상방으로 5도 정도 기울어져 있는 것을 고려하며, 회전근 개 파열 병증의 경우 관절와가 상부로 마모되어 있는 것까지 고려한다면

하방으로 기울여서 유도핀을 삽입하는 것이 정당화될 수 있을 것이다. 또한, 역행성 인공관절치환술의 가장 흔한 합병증인 견갑골 절흔이나 팔의 외전 시 생길 수 있는 견봉 절흔(subacromial notching)을 예방하는데 가장 중요한 과정이 이 유도핀을 정확한 위치에 삽입하여 기저판(baseplate)을 적절히 위치시키는 것인데, baseplate의 inferior rim이 관절와의 하방 골성 부위에 딱 맞도록 하는 것이 중요하며, 따라서 전술한 것처럼 하방 부위의 관절와와 연부조직들을 잘 박리하는 것이 필요하다.

유도핀의 위치를 확인하고 이를 따라 관절와 치환물의 중심부 고정물(central fixator)이 들어갈 구멍을 뚫고, 관절면의 절삭을 시행한다. 골다공증이 있거나, 관절와의 퇴행성 변화가 심할 경우 경화된 골(sclerotic bone)의 탄력성(elasticity)이 떨어져서 관절와의 절삭 중 골절이 발생할 가능성이 높다. 특히 관절와 절삭기(glenoid reamer)는 뼈에 닿기 전 작동이 된 상태로 관절와의 관절면과 맞닿아야 하며, 관절와 절삭기를 관절와의 관절면에 접촉시킨 이후 작동을 시키면 절삭기의 염전력(torsional force)이 관절와에 전달되면서 골절을 유발할 수 있으므로 주의해야 한다.[35] 관절면의 절삭을 연골하골(subchondral bone)보다 더 깊이 시행하는 것도 골절의 위험성을 높이니 주의해야 한다.[35]

관절와의 염전각이 중립에 가깝고 변형이 없는 경우 관절와의 관절면 절삭은 깊게 할 필요가 없다. 관절와의 연골하골을 보존하는 것이 관절와 치환물에 가해지는 압박력(compressive force) 및 관절와 치환물의 변연부에 가해지는 편심력(eccentric force)에 의한 손상에 저항을 할 수 있도록 하여, 인공관절의 장기적인 사용(longevity)에 도움이 된다.[36] 변형이 있는 경우 이에 맞춰서 절삭 방법을 변형하거나, 골이식술 등 추가적인 조치가 필요할 수 있다. 전술한 바와 같이 관절와의 골량이 충분하고, 관절 염전각의 크기가 10-15도 이내라면 비대칭적 절삭법(asymmetric reaming)을 이용하여 교정할 수 있다. 다만 비대칭적 절삭법은 골량이 더 많이 보존된 부분을 더 적게 보존된 부분에 맞춰서 절삭을 더하는 것으로 인공관절치환물의 관절면이 내측으로 이동(joint line medialization)하는 것을 피할 수 없다. 관절와 염전각의 크기가 매우 크거나, 관절와의 골량

이 충분하지 않다고 판단되는 경우 골이식이나 특수한 형태의 관절와 치환물(augmented glenoid component)을 사용하는 것이 더 적절하다. 변형이 심한 경우에는 관절와 치환물의 삽입 위치를 관절와의 중심부로 고집하기보다는 잔존한 관절와의 골량에 맞춰서 선정하거나 골이식 등의 추가적인 술식에 맞춰서 선정하는 것이 좋다.

7. 관절와 치환물의 삽입

1) 해부학적 인공관절 전치환술

관절와 치환물의 삽입 준비 과정이 종료되면 절삭한 관절와의 관절면을 따라 관절와 치환물을 삽입한다. 해부학적 인공관절 전치환술의 경우 통상적으로 폴리에틸렌(polyethylene, PE)으로 구성된 치환물(all PE glenoid component)을 사용하며 골 시멘트를 이용하여 고정한다. 주로 다수의 peg을 이용하는 pegged type과 중심부에 크고 넓적한 구조물을 넣어 고정의 표면적을 높이는 keel type 치환물이 사용된다. 관절와 치환물의 peg 혹은 keel이 삽입될 부위에 골 시멘트를 채워 넣고 관절와 치환물을 위치시킨 후 골 시멘트가 굳을 때까지 강하게 누른다. 관절와 치환물 외부로 새어 나온 골 시멘트를 모두 제거한다. 동양인들과 같이 체구가 작은 환자의 경우에는 peg type의 관절와 치환물을 사용하게 되는 경우 전하방 혹은 후하방의 peg을

삽입하기 위한 관절와의 두께가 얇아서 골 시멘트가 새는 경우가 있으므로 치환물 선택에 유의해야 한다. 이런 경우에는 삼각형으로 배열된 peg type보다는 일렬로 배열된 peg type이나 keel type이 선호될 수 있을 것이다(그림 7-14).

최근 기존 all PE glenoid component의 장기 생존성을 높이기 위하여 뼈가 자라 들어갈 수 있는 재질의 중심부 고정물을 이용하여 중심부는 골 시멘트를 사용하지 않고 변연부만 골 시멘트를 이용하여 고정하는 hybrid fixation이 시도된 바 있으며 비교적 뛰어난 단기 추시 결과를 보고하고 있으나, 장기 안정성에 대해서는 추가 연구가 필요하다.[37-40]

해부학적 인공관절 전치환술은 대부분 고령의 환자에서 시행되며, 이에 최초 치환 시에는 회전근 개의 상태가 비교적 양호했더라도 시간 경과에 따라서 회전근 개의 파열이 발생하며 역행성 인공관절 전치환술로 재치환술이 시행될 가능성이 있다. 이에 최근 역행성 인공관절 전치환술로의 전환이 쉽도록 glenosphere를 결합할 수 있는 형태의 convertible metal-backed component의 사용이 시도되고 있다. 이전에 시도되었다가 퇴출된 1세대 metal-backed component와는 달리, 마모에 강한 Vitamin E가 코팅된 특수 PE를 사용하여 양호한 단기 추시 결과가 보고되고 있으나, 장기 추시 연구는 부족하여 사용 시에는 이에 대한 고려가 필요하다(그림 7-15).

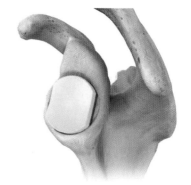

그림 7-15 역행성 인공관절 전치환술로의 전환이 쉽도록 glenosphere를 결합할 수 있는 형태의 convertible metal-backed component와 vitamin E가 코팅된 특수 PE로 구성된 관절와 치환물

2) 역행성 인공관절 전치환술

역행성 인공관절 전치환술은 해부학적 인공관절 전치환술과는 달리 골 시멘트를 사용하지 않고, baseplate를 관절와 절삭부에 강하게 밀착(press-fit)시킨 후 여러 개의 나사를 이용하여 고정하는 방식이 주로 이용된다. Baseplate를 관절와에 고정한 후 그 위에 glenosphere를 얹어서 고정하는데, baseplate의 중심부는 screw를 이용하거나 peg을 이용하여 고정하게 된다. 변연부는 적게는 2개, 많게는 6개까지의 나사를 이용하여 고정하게 되며 각 인공관절 기구마다 삽입되는 나사의 방향 및 길이 등이 다르기 때문에 환자의 해부학적 특성에 맞는 기구의 사용을 고려해야 한다. 기구에 따라서 baseplate 중심부의 고정이 안정적일 경우 변연부의 고정은 locking screw를 이용하여 시행할 수 있는데, 상방부 및 후방부의 나사는 너무 깊게 삽입할 경우 상견갑신경(suprascapular nerve)의 손상을 유발할 수 있으므로 원위 피질골(far cortex)을 통과하지 않도록 주의를 기울여야 하며, 원위 피질골을 통과한 것으로 의심되는 경우 계측한 길이보다 짧은 나사를 사용하여 고정하는 것이 안전하다. 변연부의 고정에서 locking screw의 사용이 불가능한 기구나 중심부의 고정이 부실하다고 판단될 경우 compression screw를 사용할 수 있다. 상방부의 나사는 전상방 오구돌기 쪽을 향하게 하며, 하방부의 나사는 baseplate의 수직선과 견갑골의 하방연(inferior border of scapula) 사이의 후하방 각도로 삽입하여 최대한 긴 길이의 나사를 사용할 수 있도록 한다. 저자는 Baseplate의 고정이 충분하다고 판단하면 glenosphere를 삽입하며, scapular notching을 예방하기 위하여 inferior offset을 3 mm 정도 주는 것을 선호한다.[19]

8. 상완골 치환물의 삽입

1) 주대(humeral stem)의 삽입

현재 사용되는 대부분의 상완골 치환물은 반치환술, 해부학적 인공관절 전치환술, 역행성 인공관절 전치환술이 모두 호환되는 모듈 형태로 구성되어 있다. 따라서, 상완골 주대를 삽입한 이후 필요에 따라 반치환술 및 해부학적 인공관절 전치환술, 역행성 인공관절 전치환술에 필요한 상완골 두 치환물을 선택하여 조립하게 된다. 골 시멘트를 사용하거나 사용하지 않고 고정이 가능하며, 두 가지 방법 모두 생존율이나 기능면에서는 유사한 결과를 보이나,[41,42] 추후 재치환술 등을 고려하였을 때 수술의 용이성 문제로 골 시멘트를 사용하지 않고 고정하는 경우가 많다.

상완골 치환물에서 주대의 길이는 점차 짧아지는 경향을 보이는데 이는 어깨가 체중을 부하하는 관절(weight bearing joint)이 아니며, 골량을 보존할 수 있고, 긴 주대에 의한 부하 차폐와 관련된 합병증 등을 줄일 수 있다는 것에 기인한다. 가장 극단적인 형태는 주대가 존재하지 않고 골간단부(metaphysis)에 고정하는 stemless implant이다. 주대의 길이가 짧아져도 기존의 상완골 삽입물에 비해서 생존율 및 기능적 결과에 있어서는 큰 차이가 없는 것으로 알려져 있으며,[43] stemless implant 또한 중단기 추시 상으로는 양호한 결과를 보인 바 있다.[44,45] 하지만 주대가 짧거나 없는 경우에는 상완골 치환물이 내반 혹은 외반되어 삽입될 위험성이 있으며, 이런 경우는 장기적으로 주대의 말단 끝부분이 부하 유발원(stress riser)으로 작용하여 피로 골절이 발생할 가능성이 있음을 염두에 두어야 한다.

상완골의 주대를 삽입하기 위해서는 준비 과정에서 삽입한 broach를 제거하고 이에 맞춰서 최종 삽입할 주대의 크기를 결정한다. 견갑하건을 박리하거나 절개한 경우, 주대를 삽입하기 전에 견갑하건의 재봉합을 위해서 봉합사를 소결절부에 통과(transosseous)시켜 2-4개 거치한다.

골 시멘트를 사용하여 고정을 시행할 경우 시멘트의 유출을 막기 위해 마개(cement plug)를 골수내 강에 집어넣는다. 확공한 상완골 골수내 강-골 시멘트-상완골 주대 간 고정을 강하게 하기 위해서 골 시멘트를 적절하게 충전하는 것이 중요한데, 골 시멘트를 넣기 전 얇은 배액관(ventilating tube)을 골수내 강에 집어넣고 골 시멘트를 충전하면 골수내 강의 혈액을 비롯한 삼출물들이 배출되어 좀 더 강하게 고정할 수 있을 것으로 추정한다. 배액관은 주대를 삽입하면서 제거한다. 골 시멘트가 단단하게 굳을 때까지 상완골 주대를 눌러주고, 밖으로 유출된 골 시멘트는 모두 제거한다.

골 시멘트를 사용하지 않을 경우 broaching 과정에서 정한 크기 및 염전각에 맞춰서 주대를 삽입하고 망치로 두들겨서 고정하는 방식(press-fit)을 사용한다. 만약 broach를 제거할 때 헐겁게 느껴지거나, 크기가 더 큰 broach를 사용하였다가 중간에 더 넣지 못하고 작은 broach로 바꿔서 broach와 골수내 강 사이의 공간이 남는다면 절골한 상완골 두에서 해면골을 채취하여 이식하는 것으로 이를 보완할 수 있다.

2) 상완골 두 치환물의 삽입

(1) 반치환술 및 해부학적 인공관절 전치환술

반치환술 및 해부학적 인공관절치환술은 해부학적 재건을 목표로 하므로 상완골 두 치환물의 크기는 본래의 상완골 두에 맞춰서 결정한다. 절제한 상완골 두의 크기를 자를 이용하여 측정하며(그림 7-16), 인공관절의 수술용 기구에 따라서 자로 재지 않고 특정한 형태의 틀에 맞춰서 크기를 결정할 수 있는 경우도 있다. 상완골 두는 대부분 완전한 원형이 아니라 타원의 형태를 보이므로 가장 직경이 짧은 쪽을 기준으로 직경을 측정한다. 만약 측정한 크기가 작은 크기의 상완골 두 치환물과 크기가 큰 상완골

그림 7-16 상완골 두 직경의 측정
상완골 두는 대부분 타원 형태이므로 가장 직경이 짧은 쪽의 길이를 기준으로 상완골 두 치환물의 크기를 결정한다.

두 치환물 사이라면 overstuffing을 막기 위해 작은 크기의 상완골 두 치환물을 선택한다.

상완골 두 치환물은 해부학적 형태를 모사하기 위해서 높이를 조정하고 offset을 통해서 형태를 조정할 수 있다. 절단면과 가장 유사한 크기의 상완골 두 치환물을 선택하되 회전근 개와의 충돌을 방지하기 위해서, 상방 및 전후방에서 상완골 두 치환물이 절단면보다 더 커서(overhang) 절단면 밖을 빠져나가지 않도록 한다. 크기를 정했으면 시험용 상완골 두 치환물을 삽입하고 다시 정복하여 크기 및 장력이 적절한지 파악하고 이에 맞춰서 최종 삽입물의 크기를 결정한다. 보통 시험용 정복(trial reduction) 후 가벼운 힘으로 상완골을 후방으로 밀었을 때, 50% 정도의 후방 아탈구가 생길 정도의 상완골 두 치환물로 결정한다.

(2) 역행성 인공관절 전치환술

역행성 인공관절 전치환술의 경우 상완골 두 치환물은 주대와 연결되는 납작한 접시(humeral tray)와 이와 연결되는 insert로 구성되어 있다. 각 인공관절 기구마다 조금씩 차이는 있으나 tray와 insert의 두께와 offset을 조절하는 것으로 장력을 조절할 수 있다. 시험용 상완골 두 치환물을 삽입하고 다시 정복하여 크기 및 장력이 적절한지 파악하고 이에 맞춰서 최종 삽입물의 크기를 결정하는데, 역행성 인공관절 전치환술의 경우 시험용 정복(trial reduction)에서 재탈구를 시키기 어려운 경우가 많다. 이에 본 저자는 시험용 상완골 두 치환물을 주대에 조립한 상태에서 완전히 정복시키지 않고 살짝 팔을 당겨서 상완골 두 치환물이 glenosphere의 절반 정도만 노출되는지 여부를 파악하여 장력을 측정한다. 만약 glenosphere가 그 이상 노출된다면 충분한 장력을 받을 수 없을 것이라고 추정하여 상완골 두 치환물의 높이를 증가시킨다.

3) 봉합

인공관절을 삽입하고 최종적으로 가동범위 및 장력 등을 다시 확인한다. 견갑하건 혹은 소결절부를 재부착하고, 절개한 대흉근이나 삼각근을 다시 봉합한다. 봉합을 완료하기 전 감염의 예방을 위해서 충분한 양의 관류액을 통하여

세척을 시행한다. 봉합 시 창상 감염의 예방을 위해 항생제 함유 콜라겐 삽입물(gentamicin-containing collagen implant)의 사용을 고려할 수 있다. 이는 부드러운 재질의 스폰지 형태로 겐타마이신이 삽입물 주변으로 유리되어 수술 후 감염의 위험성을 낮추는 것으로 보고된 바 있다.[46]

인공관절은 상완골 두를 절제하고, 관절와부위를 절삭하는 만큼 그 출혈량이 관절경 수술이나 기타 절개 수술보다 많은 경향을 보인다. 어깨의 인공관절치환술은 그 종류가 다양하여 그 종류에 따라 출혈량에 있어 차이가 나는데, 특히 재치환술의 경우 다른 인공관절치환술에 비해서 높은 출혈량을 보인다.[47] 과도한 출혈은 여러 합병증을 동반할 수 있는 수혈을 필요로 할 수 있으며, 수술 부위에서 적절하게 배출되지 못한 출혈은 혈종이 되어 국소 감염의 배지가 될 수 있다. 이에 출혈 자체를 줄이기 위한 방법으로 트라넥삼산(tranexamic acid)의 투여를 고려해 볼 수 있다.[48] 트라넥삼산은 플라스미노겐(plasminogen)의 리신(lysine) 수용기에 부착하여 플라스미노겐이 플라스민(plasmin)으로 활성화되는 것을 억제하고, 섬유소 기질(fibrin matrix)의 안정화를 유도하여 출혈을 억제하는 것으로 알려져 있다. 트라넥삼산은 정주를 통한 전신 투여(intravenous systemic injection)뿐 아니라 수술 부위의 연부조직에 투여하는 국소 투여(local injection) 또한 가능하여 유용하다. 어깨의 인공관절치환술 후 출혈량 감소 효과는 정주 투여와 국소 투여간 유의한 차이는 관찰되지 않았으나,[49] 정주를 통한 전신 투여의 경우 전신 합병증의 발병 가능성이 올라갈 것으로 예측되며 또한 급성 관상동맥 혈전증이 유발된 사례가 보고된 바 있다.[50] 이에 본 저자는 정맥 및 동맥 혈전증의 발생 위험성이 높지 않은 환자에서 2 g의 트라넥삼산을 50 ml의 생리식염수에 섞어서 수술 후 봉합을 시행하면서 주변 연부조직에 투여하는 방식을 취하고 있다.[49]

역행성 인공관절치환술은 인공관절치환물의 구조상 해부학적 인공관절치환술에 비해서 사강(dead space)이 더 크고, 배액관으로 배출되는 양이 많다.[47] 이에 많은 환자에서 수술 후 폐쇄성 흡입 배액관(closed suction drainage)이 거치되는 경우가 많다. 폐쇄성 흡입 배액관은 혈종의 생성을 억제하고 수술 후 부종을 감소시키며, 이에 따라 수술 후 창상의 회복을 돕고 감염률을 낮출 것으로 기대되어 왔다.[51-54] 그러나, 적절한 시점에 제거되지 않을 경우 이로 인한 역행성 감염(retrograde infection)의 위험이 있어 장기간 거치하는 것은 바람직하지 않다. 이에 본 저자는 해부학적 인공관절치환술이나 반치환술의 경우 하루 배출량이 30 ml 이하일 때, 역행성 인공관절치환술의 경우 하루 배출량이 20 ml 이하일 때 제거하는 것을 원칙으로 한다.

9. 환자에 맞는 기구의 선택

역행성 인공관절 전치환술은 기존의 인공관절 전치환술에서 통용되던 개념을 완전히 바꾼 새로운 형태의 인공관절이다. 종래의 인공관절 전치환술의 목표는 환자의 해부학적 구조를 최대한 모사하는 것이었던 반면, 역행성 인공관절 전치환술은 파열된 회전근 개의 생역학적 기능을 대체하기 위한 기능적 치환술이기 때문이다. 이에 반치환술이나 해부학적 인공관절 전치환술과는 다른 역행성 인공관절 전치환술에 대한 생역학적인 이해가 동반되어야 적절한 기구의 선택이 가능하다.

1) 역행성 인공관절 전치환술의 생역학적 기초

현대적인 역행성 인공관절 전치환술의 개념은 1985년 Grammont에 의해서 처음 도입되었다고 볼 수 있다. 이는 손상된 회전근 개를 삼각근이 보상하여 그 기능을 대체하고 안정적으로 유지되어야 한다는 원칙에 준하여 고안되었다.[55] 이를 위해서 관절와상완관절의 회전중심을 기존의 상완골 두 중심부에서 관절와 측으로 옮기고 움직이지 않도록 고정하여, 회전중심을 정상적인 해부학적 상태보다 내측으로 옮기고, 상완골을 원위부로 이동시켰다. 이러한 회전중심의 내측화(medialization)는 어깨의 거상과 외회전에 더 많은 양의 삼각근을 동원할 수 있도록 하고, 상완골의 원위화(distalization)는 삼각근의 길이를 늘려서 모멘트암(moment arm)을 복원시켜 삼각근으로 외전을 더 용이하게 하는 역할을 하게 된다(그림 7-17).

Grammont 형태의 역행성 인공관절 전치환술은 파열된

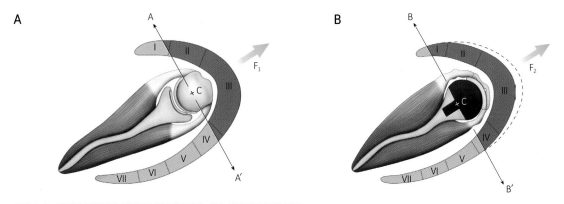

그림 7-17 **관절와상완관절 회전중심의 내측화에 따른 삼각근의 동원 정도**
해부학적 관절에 비해서 역행성 인공관절치환술에서는 회전중심(C)이 내측으로 이동하면서 거상 및 외회전에 동원할 수 있는 삼각근의 양이 늘어나게 된다.

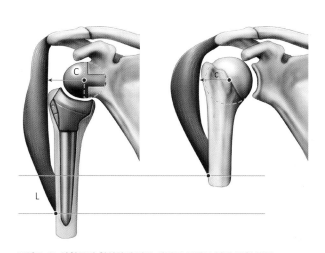

그림 7-18 **상완골의 원위화에 따른 삼각근 모멘트 암의 복원 정도**
상완골이 원위부로 내려가면서 삼각근 부착부가 원위부로 같이 이동하면서 삼각근의 길이가 늘어나서(L) 외전이 더 용이하게 된다.

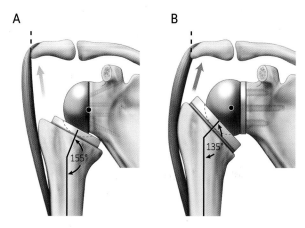

그림 7-19 **역행성 인공관절치환물의 종류에 따른 삼각근 힘의 방향 (vector) 및 삼각근 덮임 각(deltoid wrapping angle)의 변화**
내측 관절와 내측 상완골(medial glenoid-medial humerus) 유형의 역행성 인공관절치환물(A)은 deltoid wrapping angle이 감소하면서 삼각근의 vec-tor가 외상방으로 향하여 상완골을 내측의 관절와로 눌러주는 압박력(compression force)이 감소하는 반면, 관절와의 회전중심을 보다 외측으로 옮긴 외측 관절와 치환물(B)은 deltoid wrapping angle이 증가하면서 삼각근의 vector가 내상방으로 향하게 되어 상완골의 압박력을 증가시키는 역할을 하게 된다. 또한 경간각을 155도에서 135도로 줄이면서 상완골 치환물과 견갑골 경부 간 거리를 증가시켜 견갑골 절흔을 줄여줄 수 있다.

회전근 개의 기능을 삼각근으로 대치하는 데에 있어 뛰어난 결과를 보였으나, 회전중심의 내측화와 상완골의 원위화에 따른 단점을 동반하게 되었다. 우선 팔의 길이가 늘어나고, 회전중심이 내측으로 이동하면서 정상적인 어깨 형태(shoulder contour)의 소실이 일어나게 된다(그림 7-18). 이는 외형상의 문제뿐 아니라 삼각근 덮임 각(deltoid wrapping angle)의 감소를 유발하면서 삼각근이 작용하는 힘의 방향(vector)을 변형시켜 상완골을 관절와 측으로 압박하는 힘의 감소를 유발하고, 이는 결국 인공관절치환물의 불안정성을 증가시킨다(그림 7-19). 또한 내전 시 상완골 치환

물이 견갑골 경부에 닿도록 하여 견갑골 경부 하단부의 골이 소실되는 견갑골 절흔(scapular notching)이 유발되며 (그림 7-18), 전후방 회전근 개의 긴장도(tension of rotator cuffs)를 낮춰서 내회전 및 외회전의 힘의 감소를 야기한다 (그림 7-20).

347

<u>그림 7-20</u> **내측 관절와 치환물의 삽입에 따른 전후방 회전근 개 긴장도의 변화**
역행성 인공관절치환술에 의해서 관절와의 회전중심이 내측으로 이동하게 되면 삼각근의 동원 정도는 증가하나(그림 7-17), 전후방 회전근 개의 긴장도가 줄어들게 된다.

2) 내측화 치환물 vs 외측화 치환물

(1) 관절와 치환물

앞서 언급한 전통적인 형태의 역행성 인공관절치환물의 단점을 보완하기 위해서 역행성 인공관절치환물의 회전중심을 보다 외측으로 변형시키는 방법이 고안되었다. 이는 baseplate 아래에 두껍고 단단한 골편을 이식하여 얻을 수 있으며(bony increased offset reverse total shoulder arthroplasty, BIO-RSA), 관절와 치환물의 크기를 늘리거나, 반구 형태의 관절와구를 타원 형태로 변경하는 등 관절와 치환물의 형태를 변형하여 얻을 수 있다. 이러한 형태의 변화를 준 관절와 치환물을 외측화 관절와 치환물(lateralized glenoid implant, LG)로 명명하며, 기존 형태의 관절와 치환물을 이에 대비하여 내측화 관절와 치환물(medialized glenoid implant, MG)로 명명할 수 있다. 다만 한 가지 명심해야 할 점은 외측화 관절와 치환물이라도 내측화 관절와 치환물에 비해서 상대적으로 회전중심이 외측으로 이동되어 있다는 점이지, 정상적인 해부학 구조에서의 관절와상완관절의 회전중심보다는 여전히 내측에 위치한다는 점이다.

외측화 관절와 치환물은 회전중심을 보다 외측으로 옮기면서 어깨 형태의 소실(loss of shoulder contour)을 줄이고, 삼각근 덮임 각의 증가를 통해 삼각근의 vector를 변형시켜 상완골의 압박력을 개선하여 내측화 관절와 치환물에 비해서 치환물의 불안정성이 감소하며, 상완골과 견갑골 경부의 거리를 증가시켜 견갑골 절흔을 감소시킬 수 있고(그림 7-18),[56] 전후방 회전근 개의 긴장도 및 내-외회전에 필요한 moment arm을 유지하여 내회전 및 외회전을 보다

수월하게 할 수 있다는 장점을 가지고 있다.[57,58]

그러나, 외측화 관절와 치환물은 이론적으로 기저판에 가해지는 부하를 증가시켜 관절와-기저판 계면(glenoid-baseplate interface)의 전단력이 증가하게 되고, 이는 관절와 치환물의 과도한 운동 및 이완을 유발할 수 있다는 단점을 지니고 있다.[59,60] 이는 골편 이식을 통해 외측화를 얻는 BIO-RSA의 경우에도 예외는 아니어서 골이식재의 흡수 및 불유합을 유발할 수 있다는 보고가 있다.[61,62] 관절와 치환물의 직경을 늘리는 것 또한 회전근 개의 긴장도 유지 및 삼각근 덮임의 향상을 얻을 수 있으나, 특히 체구가 작은 환자나 근육이 발달된 환자에서는 관절와 치환물의 삽입이 직경이 작은 관절와 치환물에 비해서 힘들고, 직경이 클수록 상완골 치환물의 폴리에틸렌(polyethylene)의 용적 마모율(volumetric wear rate)이 유의하게 증가한다는 보고가 있어 이에 대한 고려가 필요하다.[63]

(2) 상완골 치환물

전통적인 Grammont 형태의 역행성 인공관절치환물의 경간각은 155도로 해부학적 경사에 비해서 높은 경간각을 가진다. 이는 상완골의 원위화를 증가시켜 삼각근의 길이를 증가시키고 안정성을 확보할 수 있다는 장점을 지니고 있지만, 전술한 바 있는 어깨 형태의 소실, 삼각근 덮임의 감소를 유발하고, 내전 시 상완골 치환물과 견갑골 경부와의 충돌에 의한 견갑골 절흔을 야기시킬 수 있다. 이에 상완골 치환물 또한 관절와 치환물과 유사하게 외측화시키려는 시도가 있어 이를 외측화 상완골 치환물(lateral humeral implant, LH)이라고 명명하고, 전통적인 형태의 상완골 치환물은 내측화 상완골 치환물(medial humeral implant, MH)라고 명명하게 된다. 외측화 상완골 치환물은 전후방 회전근 개의 긴장도를 유지하고, 삼각근 덮임의 향상을 얻을 수 있다는 장점이 있다.

상완골 치환물의 외측화 방법은 여러 가지가 있으나, 경간 각을 전통적인 Grammont 형태의 155도에서 해부학적 경간 각에 가까운 135-145도로 감소시키는 방법(그림 7-19, 21)을 이용하거나, humeral tray 및 insert를 기존의 inlay 형태에서 onlay 형태로 변경시키는 방법(그림 7-21) 혹은 humeral tray 및 insert의 두께를 증가시키는 방법으로 얻을 수 있다. 단, humeral tray와 insert의 두께를 증가시키는 것은 해당 기구에 따라서 distalization이 변하게 되는데, tray와 insert의 두께를 증가시키면 상완골이 lateralization됨과 동시에 distalization이 되고, concentric tray에서 eccentric tray로 바꾸게 되면 상완골이 보다 medialzation이 되면서 distalization이 일어나게 된다.

외측화 상완골 치환물은 외측화 관절와 치환물과 마찬가지로 어깨 형태의 소실을 방지하고, 삼각근 덮임을 개선시켜 안정성을 높이고,[64] 견갑골 절흔을 감소시킬 수 있으며,[65,66] 전후방 회전근 개의 moment arm을 개선시켜 내-외 회전의 증가를 기대할 수 있다.[67] 또한, 외측화 관절와 치환물과는 달리 회전중심을 관절와 절삭면에 가깝게 위치시켜, 관절와 치환물의 외측화에 따른 전단력의 증가를 방지하여 관절와 치환물의 안정성을 높일 수 있다.[68] 그러나, 상완골 치환물의 외측화가 과도할 경우 외전 시 견봉과의 충돌을 유발할 수 있고, 이는 견봉의 외전 절흔(abduction notching)을 유발할 수 있다(그림 7-22).[69] 이에 최근에는 외측화 상완골 치환물에서 medial offset을 줄 수 있는 eccentric tray가 개발되어 있으며, 본 저자의 경우에는 외전 절흔을 예측할 수 있는 방사선학적 계측을 통해서 eccentric tray의 사용 여부를 결정하고 있다(그림 7-23).

(3) 관절와상완골 치환물 조합

전술한 바와 같이 관절와 치환물과 상완골 치환물은 외측화 여부에 따라 내측화/외측화 치환물로 나눌 수 있으며, 전통적인 Grammont 형태의 내측 관절와-내측 상완골 조합(MG-MH)부터 외측 관절와-내측 상완골(LG-MH), 내측 관절와-외측 상완골(MG-LH), 외측 관절와-외측 상완골(LG-LH)의 조합을 만들 수 있다. 이는 인공관절치환물의 형태에 따라 달라지므로 술자는 자신이 사용하는

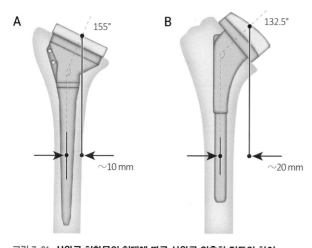

그림 7-21 **상완골 치환물의 형태에 따른 상완골 외측화 정도의 차이**
A: 전통적인 Grammont 형태의 상완골 치환물은 상완골 절골면보다 깊게 상완골 주대의 내측으로 파고드는 형태(inlay)로 humeral tray와 insert가 결합되었다. B: 상완골 절골면 위로 결합하는 형태(onlay)의 상완골 치환물은 상완골 치환물의 위치를 inlay 형태에 비해서 보다 외측에 위치시킬 수 있다.

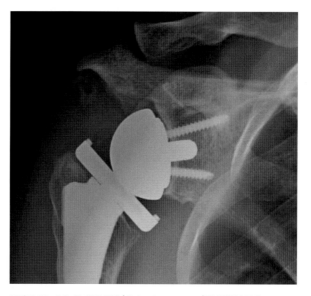

그림 7-22 **수술 후 외전 절흔(abduction notching)된 견봉의 모습**

349

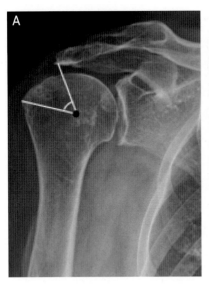
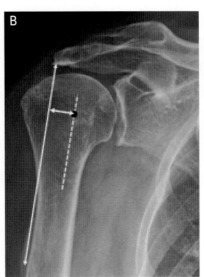
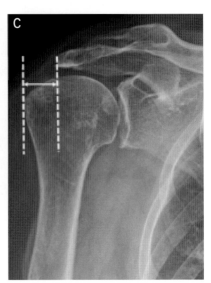

그림 7-23 외전 절흔을 예측할 수 있는 방사선학적 인자

A: Acromion-GT angle (AGA). 상완골 두의 회전중심(검은 점)으로부터 견봉의 외측단 및 대결절의 외측단에 각각 선을 그은 이후 그 각도를 측정함. AGA가 작을수록 상완골 두가 상방으로 전위가 되어있음을 의미함. B: Rotational center to acromion distance (RAD). 견봉 외측단에서 삼각근 조면(deltoid tuberosity)을 연결하는 선을 긋고 이 선과 수직인 각도로 상완골 두 회전중심과 연결되는 선을 그어 그 길이를 측정함. RAD가 클수록 상완골이 외측으로 전위되어 있음을 의미함. C: Humerus lateralization offset (HL). 견봉 외측단과 대결절 외측단 사이의 거리. HL이 클수록 상완골이 외측으로 전위되어 있음을 의미함.

기구가 어떠한 형태의 조합을 지니는 지를 수술 전에 미리 숙지하는 것이 좋겠다.

내측 관절와-내측 상완골 유형(MG-MH)은 역행성 인공관절치환술의 기본적인 형태로 가장 장기간 사용되어 이에 대한 임상적 데이터가 많고, 삼각근의 외전 모멘트 암이 커서, 특히 가성마비 환자에서 능동적 전방 굴곡 및 외전을 얻을 수 있다는 장점이 있다. 그러나, 전술한 바와 같이 견갑골 절흔의 발생률이 높고, 남아있는 회전근 개의 장력 감소로 인하여 능동적 내·외회전 회복에 있어서는 한계가 있다. 현재 국내에서 사용할 수 있는 기구로는 DePuy-Synthes의 XTEND™, Lima의 SMR®, Tornier의 Aequalis™, Zimmer-Biomet의 Trabecular Metal™이 있다.

외측 관절와-내측 상완골 유형은 회전근 개의 긴장도 및 삼각근 덮임의 향상과 견갑골 절흔의 감소를 기대할 수 있으나, 관절와 치환물에 가해지는 전단력의 증가로 인한 해리가 발생할 가능성을 염두에 두어야 한다. 내측 관절와-외측 상완골 유형은 외측 관절와-내측 상완골 유형과 마찬가지로 회전근 개 긴장도 및 삼각근 덮임의 향상, 견갑골 절흔의 감소를 기대할 수 있으며, 관절와 치환물의 전단력을 증가시키지 않는다는 장점을 가지고 있으나, 견봉의 외전 절흔이 발생할 수 있는 가능성이 있다. 현재 국내에서 LG-MH 유형으로는 DJO의 Altivate®, MG-LH 유형으로는 Exactech의 Equinoxe®, Tornier의 Aequalis Ascend™, Implant Cast의 Agilon®을 사용할 수 있다.

외측 관절와-외측 상완골 유형은 역학적으로 관절와 및 상완골 외측화의 장점을 동시에 얻을 수 있으나, 체구가 작거나 연부조직의 구축이 동반된 환자에서는 수술 시 치환물의 삽입이 힘들 수 있다. 또한 이로 인해 overstuffing이 발생할 경우 관절운동범위의 제한 및 PE insert의 마모가 증가할 수 있어 이에 대한 고려가 필요하다. 현재 국내에서는 Zimmer-Biomet의 Comprehensive®를 Corentech의 Coralis® 등을 사용할 수 있다.

3) 적절한 치환물의 선택

최적의 치환물의 조합이 무엇인지에 대해서는 확립된 바 없으며, 이에 대한 보다 많은 임상 연구가 필요하다. 그러나, 각 치환물 조합의 이론적인 배경을 감안하여 환자 개개인에 맞춘 치환물의 조합을 선택할 수 있을 것이다. 본 저자는 우선 관절와 치환물의 형태를 먼저 결정하고 이후 상완골 치환물의 형태를 결정하는 방식을 취하고 있다.

우선 견갑골 절흔을 막기 위해 하방 오프셋을 줄 수 있는 관절와 치환물을 사용한다. 환자의 critical shoulder angle이 32도 미만이고, 가성마비(pseudoparalysis)를 동반한 경우나, 수술 전 부하 방사선 촬영에서 상완골의 상방 전위가 교정되지 않아 수술 시야가 좁을 가능성이 높은 경우 내측화 관절와 치환물을 우선적으로 고려하고 있다. 반면, 전술한 바와 같이 견갑골 경부의 길이가 9 mm 이하인 경우는 견갑골 절흔 발생 가능성이 높을 것으로 판단하여 외측화 관절와 치환물을 선택한다. 물론 이외에도 견갑하건의 파열이 동반되어 불안정성이 염려되는 환자, 혹은 능동적 외회전의 제한은 있으나 전방 거상이 가능한 환자의 경우 외측화 관절와 치환물을 고려할 수 있으나, 외측화 상완골 치환물이 가능하다면 상완골을 외측화 치환물을 우선적으로 사용한다. 단, 체구가 큰 환자의 경우 가능하다면 더 직경이 큰 관절와구를 삽입하며, 만약 관절와의 골량이 충분하지 않은 환자라면 골이식을 통해 외측화를 얻을 수 있는 BIO-RSA를 고려해야 한다.

관절와 치환물의 형태를 결정하고 연부조직의 긴장도와 외전 절흔의 가능성 등을 고려하여 상완골 치환물의 형태를 조절한다. 내측 상완골 치환물은 가성마비가 만성적으로 진행되어 팔의 전방 거상이 필수적인 경우와 critical shoulder angle이 32도 미만이면서 능동적인 외회전이 가능하고 이학적 검사상 external rotation lag sign이 없다면 우선적으로 고려한다. 그 이외의 경우는 대부분 외측 상완골 치환물을 사용하는데, 한국인의 해부학적 특성상 critical shoulder angle이 32도보다 커서 COR이 주로 외측에 있기 때문이다. 하지만, 상완골 치환물의 외측화가 과도할 경우 외전 시 견봉의 외전 절흔(abduction notching)이 유발될 수 있어서,[69] 필요한 경우에는 medial offset을 줄 수 있는 eccentric tray를 사용한다. 이는 지나친 외측 COR을 예방하면서 어깨를 distalization 시키는 효과가 있어서, 외전 절흔의 예방 및 가성마비 회복에도 도움을 줄 수가 있다(그림 7-21). 저자는 이를 다음과 같은 flowchart 형태로 정리하여 참고한다(그림 7-24).

10. 환자 맞춤형 술기

관절와 치환물의 삽입은 인공관절 전치환술의 장기 예후를 결정하는 가장 중요한 요소 중 하나이며, 술기적인 오류로 인한 합병증의 발생률이 높다고 알려진 만큼 이에 대한 주의가 각별히 요구된다.[3-5] 그러나 관절와 치환물의 적절한 삽입은 쉽지 않은 경우가 많으며, 특히 관절와의 골결손 및 변형이 심할 경우 난이도가 더욱 증가하게 된다. 이에 최근에는 환자 맞춤형 기구(patient specific instrument, PSI, 그림 7-25) 및 실시간 유도 수술(navigation guided surgery, NGS)에 대한 관심이 증가하고 있으며, 단기 추시상 양호한 결과들이 보고되고 있다.

1) 수술 계획 프로그램(preoperative planning software)

PSI 및 NGS의 시행을 위해서는 수술 전 미리 환자의 해부학적, 병리적 특성을 파악하고, 환자별 특성에 맞춘 수술 계획의 결정이 필수적이다. 현재까지 어깨의 인공관절 치환술에서 환자 맞춤형 술기는 관절와 치환물의 삽입 위치를 선정하는 용도로만 사용되고 있으며, 상완골 절골과 관련해서 상용 가능한 제품은 없다. 환자 맞춤형 술기를 위해서는 각 인공관절에 맞는 수술 계획 프로그램을 사용하여 계획을 먼저 결정하고 이를 각 인공관절 제작업체에 전송을 해야 한다. 이러한 수술 계획 프로그램은 전술한 바 있는 여러 해부학적 지표의 측정 및 관절와 치환물 삽입 위치의 선정이 자동화가 되어 수술 계획에 들이는 시간을 줄일 수 있으며, 영상이 3차원 형태로 재구성되어 시각화가 되므로 인공관절의 형태를 미리 알 수 있고, 집도의가 관절와 치환물의 위치 및 크기 등을 세부적으로 조정하면서 이에 따른 관절가동범위의 변화를 수치화된 형태로 예측할 수 있다는 장점이 있다.

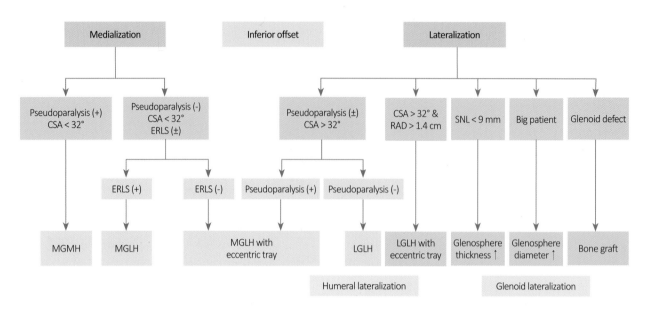

그림 7-24 역행성 인공관절치환술에서 환자에 따른 치환물 선택 안내도

CSA, critical shoulder angle; ERLS, external rotation lag sign; AGA, acromion-GT angle; HL, humerus lateralization offset; RAD, rotational center to acromion distance; SNL, scapular neck length; MGMH, medial glenoid-medial humerus implant; MGLH, medial glenoid-lateral humerus implant(그림 7-8, 그림 7-21 참조).

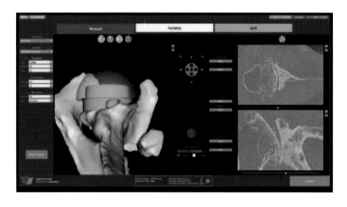

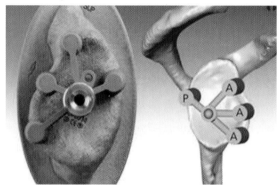

그림 7-25 관절와 치환물의 적절한 삽입을 위한 환자 맞춤형 소프트웨어와 기구

그러나 이러한 수술 계획 프로그램은 현재까지는 표준화가 되어있지 않고 각 인공관절 제작업체에 의해 각자 개발되어 있어 인공관절의 종류에 따라서 호환될 수 없으며, 대부분의 프로그램이 1 mm 이하의 간격을 두고 촬영한 CT를 요구하는 경우가 많아 CT 장비의 수준에 따라 프로그램을 통한 수술 계획의 수립이 불가능한 경우도 있다. 또한, 최근의 연구에서는 각 프로그램 간 일치도가 낮아서 해부학적 계측치 간 편차가 크고,[70] 관절와의 골결손 정도가 심할수록 의사와 프로그램 간 수술 계획의 일치도가 낮아진다는 보고도 있어[71] 이에 대한 고려가 필요하다.

2) 환자 맞춤형 기구(patient specific instrument)

환자 맞춤형 기구의 제작을 위해서는 프로그램을 사용하여 미리 수술 계획을 작성하고, 이를 인공관절 제작업체에 전달하여 수술 전 제작하는 과정이 필요하다. 전술한 바와 같이 현재까지 환자 맞춤형 기구는 관절와 치환물의 삽입 위치의 선정에 한정되어 있어 엄밀하게 보자면 환자 맞춤형 관절와 치환물 삽입 가이드라고 보아야 할 것이다. 관절와의 골량을 측정하기 위해서는 각 영상 간 간격이 1 mm 이하인 CT를 요구하는 경우가 많다. 각 프로그램마다 사용법은 다르나 대부분 해부학적 지표가 되는 부분을 표기하면 거기에 맞춰서 해부학적 지표의 측정 및 관절와 치환물 삽입 위치의 선정이 자동적으로 된다. 만약 선정된 위치가 적절하지 않다고 판단된다면 그 위치를 조정할 수 있으며, 그에 따라 변경된 위치에서의 예상 관절가동범위 및 고정 가능 여부 등이 표기된다. 환자 맞춤형 기구는 육안상 관찰이 힘든 관절와의 골량을 미리 예측하고 이에 맞춰서 수술을 진행하기 때문에 안정적으로 수술을 시행할 수 있다는 장점이 있다. 그러나, 각 환자별로 PSI를 제작해야 하므로 제작 기간이 추가로 필요하고 추가적인 비용이 요구되므로 현재까지 모든 환자에서 사용하기에는 제한이 있다.[72]

3) 실시간 유도 수술(navigation guided surgery)

실시간 유도 수술 또한 환자 맞춤형 기구와 마찬가지로 프로그램을 통해 미리 수술 계획을 결정해야 하며, 관절와 치환물의 삽입에 사용이 한정되어 있다. 실시간 유도 수술을 하기 위해서는 수술 기구와 환자의 신체 간의 거리 및 방향 등의 측정이 필요하며, 이를 위한 측정 기구 및 해부학적 측정 기준의 지표가 필요하다. 측정 지표의 위치가 바뀌면 수술 전 결정한 계획에 맞춰서 사용할 수 없으므로 상대적 위치가 변동되지 않을 부위에 지표를 설정해야 하는데 현재는 오구돌기(coracoid process)에 구멍을 뚫어서 고정하는 방식이 이용되고 있다.

오구돌기에 측정 지표를 고정하고, 특수한 기구를 통해 관절와의 관절면을 따라서 표기를 한다. 이는 측정 지표로 전달되어 수술 전 입력한 CT 데이터와 연동되어 현재 수술 기구의 위치 및 각도 등을 모니터를 통해 보여준다. 설정이 완료되면 술자는 모니터를 보면서 현재 시행 중인 술기의 적절성 여부를 판단하며 수술을 진행한다. NGS의 경우 PSI와는 달리 관절와 치환물의 삽입 위치를 선정하는 것에 더하여 변연부 고정 나사의 깊이 및 삽입 방향 등을 실시간으로 보고 판단할 수 있다는 장점이 있다. 그러나 오구돌기까지 완전히 노출시켜야 하므로 수술 절개창이 커지고, 관절와의 해부학적 측정에 의해 수술 시간이 늘어나며, 측정 지표를 고정하기 위한 과정에서 오구돌기의 골절이 발생할 가능성이 있다.[73,74]

환자 맞춤형 술기는 단기 추시상 만족할 만한 성과를 보이고 있다. 그러나 수술 비용, 수술 절개창의 크기, 수술 시간의 증가 등에서 기존의 술식에 비해 단점이 존재하며, 장기 추시를 보고한 연구가 없다는 점에 대한 고려가 필요하다.

참고문헌

1. Pokrywka M, Byers K. Traffic in the operating room: a review of factors influencing air flow and surgical wound contamination. Infect Disord Drug Targets. 2013;13(3):156-61.

2. Tanner J, Melen K. Preoperative hair removal to reduce surgical site infection. Cochrane Database Syst Rev. 2021;8(8):CD004122.

3. Boileau P. Complications and revision of reverse total shoulder arthroplasty. Orthop Traumatol Surg Res. 2016;102(1 Suppl):S33-43.

4. Favard L, Levigne C, Nerot C, Gerber C, De Wilde L, Mole D. Reverse prostheses in arthropathies with cuff tear: are survivorship and function maintained over time? Clin Orthop Relat Res. 2011;469(9):2469-75.

5. Gutierrez S, Greiwe RM, Frankle MA, Siegal S, Lee WE, 3rd. Biomechanical comparison of component position and hardware failure in the reverse shoulder prosthesis. J Shoulder Elbow Surg. 2007;16(3 Suppl):S9-S12.

6. Matache BA, Lapner P. Anatomic Shoulder Arthroplasty: Technical Considerations. Open Orthop J. 2017;11(1):1115-25.

7. Henninger HB, Barg A, Anderson AE, Bachus KN, Tashjian RZ, Burks RT. Effect of deltoid tension and humeral version in reverse total shoulder arthroplasty: a biomechanical study. J Shoulder Elbow Surg. 2012;21(4):483-90.

8. Jassim SS, Ernstbrunner L, Ek ET. Does Humeral Component Version Affect Range of Motion and Clinical Outcomes in Reverse Total Shoulder Arthroplasty? A Systematic Review. J Clin Med. 2021;10(24):5745.

9. Gulotta LV, Choi D, Marinello P, et al. Humeral component retroversion in reverse total shoulder arthroplasty: a biomechanical study. J Shoulder Elbow Surg. 2012;21(9):1121-7.

10. Kontaxis A, Chen X, Berhouet J, et al. Humeral version in reverse shoulder arthroplasty affects impingement in activities of daily living. J Shoulder Elbow Surg. 2017;26(6):1073-82.

11. Rhee YG, Cho NS, Moon SC. Effects of humeral component retroversion on functional outcomes in reverse total shoulder arthroplasty for cuff tear arthropathy. J Shoulder Elbow Surg. 2015;24(10):1574-81.

12. Oh JH, Sharma N, Rhee SM, Park JH. Do individualized humeral retroversion and subscapularis repair affect the clinical outcomes of reverse total shoulder arthroplasty? J Shoulder Elbow Surg. 2020;29(4):821-9.

13. Ambros L, Schoch C, Merz C, Huth J, Mauch F. Clinical and radiologic results after anatomic stemless shoulder prosthesis: a minimum 4-year follow-up. J Shoulder Elbow Surg. 2021;30(9):2082-9.

14. Goldberg SS, Baranek ES, Korbel KC, Blaine TA, Levine WN. Anatomic total shoulder arthroplasty using a stem-free ellipsoid humeral implant in patients of all ages. J Shoulder Elbow Surg. 2021;30(9):e572-e82.

15. Magosch P, Lichtenberg S, Habermeyer P. Survival of stemless humeral head replacement in anatomic shoulder arthroplasty: a prospective study. J Shoulder Elbow Surg. 2021;30(7):e343-e55.

16. Romeo AA, Erickson BJ, Costouros J, et al. Eclipse stemless shoulder prosthesis vs. Univers II shoulder prosthesis: a multicenter, prospective randomized controlled trial. J Shoulder Elbow Surg. 2020;29(11):2200-12.

17. Cox RM, Sholder D, Stoll L, et al. Radiographic humeral head restoration after total shoulder arthroplasty: does the stem make a difference? J Shoulder Elbow Surg. 2021;30(1):51-6.

18. Paisley KC, Kraeutler MJ, Lazarus MD, Ramsey ML, Williams GR, Smith MJ. Relationship of scapular neck length to scapular notching after reverse total shoulder arthroplasty by use of plain radiographs. J Shoulder Elbow Surg. 2014;23(6):882-7.

19. Rhee SM, Lee JD, Park YB, Yoo JC, Oh JH. Prognostic Radiological Factors Affecting Clinical Outcomes of Reverse Shoulder Arthroplasty in the Korean Population. Clin Orthop Surg. 2019;11(1):112-9.

20. Cabezas AF, Krebes K, Hussey MM, et al. Morphologic Variability of the Shoulder between the Populations of North American and East Asian. Clin Orthop Surg. 2016;8(3):280-7.

21. Li X, Olszewski N, Abdul-Rassoul H, Curry EJ, Galvin JW, Eichinger JK. Relationship Between the Critical Shoulder Angle and Shoulder Disease. JBJS Rev. 2018;6(8):e1.

22. Friedman RJ, Hawthorne KB, Genez BM. The use of computerized tomography in the measurement of glenoid version. J Bone Joint Surg Am. 1992;74(7):1032-7.

23. Stephens SP, Paisley KC, Jeng J, Dutta AK, Wirth MA. Shoulder arthroplasty in the presence of posterior glenoid bone loss. J Bone Joint Surg Am. 2015;97(3):251-9.

24. Oh JH, Kim W, Cayetano AA, Jr. Measurement Methods for Humeral Retroversion Using Two-Dimensional Computed Tomography Scans: Which Is Most Concordant with the Standard Method? Clin Orthop Surg. 2017;9(2):223-31.

25. Chalmers PN, Slikker W, 3rd, Mall NA, et al. Reverse total shoulder arthroplasty for acute proximal humeral fracture: comparison to open reduction-internal fixation and hemiarthroplasty. J Shoulder Elbow Surg. 2014;23(2):197-204.

26. Shukla DR, McAnany S, Kim J, Overley S, Parsons BO. Hemiarthroplasty versus reverse shoulder arthroplasty for treatment of proximal humeral fractures: a meta-analysis. J Shoulder Elbow Surg. 2016;25(2):330-40.

27. Voos JE, Dines JS, Dines DM. Arthroplasty for fractures of the proximal part of the humerus. J Bone Joint Surg Am. 2010;92(6):1560-7.

28. Edwards TB, Boulahia A, Kempf JF, Boileau P, Nemoz C, Walch G. The influence of rotator cuff disease on the results of shoulder arthroplasty for primary osteoarthritis: results of a multicenter study. J Bone Joint Surg Am. 2002;84(12):2240-8.

29. Scholten DJ, 2nd, Trasolini NA, Waterman BR. Reverse Total Shoulder Arthroplasty with Concurrent Latissimus Dorsi Tendon Transfer. Curr Rev Musculoskelet Med. 2021;14(5):297-303.

30. Cheng H, Chen BP-H, Soleas IM, Ferko NC, Cameron CG, Hinoul P. Prolonged Operative Duration Increases Risk of Surgical Site Infections: A Systematic Review. Surgical infections. 2017;18(6):722-35.

31. Del Core MA, Cutler HS, Ahn J, Khazzam M. Systematic review and network meta-analysis of subscapularis management techniques in anatomic total shoulder arthroplasty. J Shoulder Elbow Surg. 2021;30(7):1714-24.

32. Fram B, Elder A, Namdari S. Periprosthetic Humeral Fractures in Shoulder Arthroplasty. JBJS Rev. 2019;7(11):e6.

33. Mole D, Wein F, Dezaly C, Valenti P, Sirveaux F. Surgical technique: the anterosuperior approach for reverse shoulder arthroplasty. Clin Orthop Relat Res. 2011;469(9):2461-8.

34. Nove-Josserand L. Exposing the glenoid in shoulder arthroplasty. EFORT Open Rev. 2019;4(6):248-53.

35. Shah SS, Roche AM, Sullivan SW, et al. The modern reverse shoulder arthroplasty and an updated systematic review for each complication: part II. JSES International. 2021;5(1):121-37.

36. Walch G, Young AA, Boileau P, Loew M, Gazielly D, Mole D. Patterns of loosening of polyethylene keeled glenoid components after shoulder arthroplasty for primary osteoarthritis: results of a multicenter study with more than five years of follow-up. J Bone Joint Surg Am. 2012;94(2):145-50.

37. Calcei JG, Berhouet J, Elpers M, et al. Retrieval Analysis of Porous Titanium Glenoid Posts: An Evaluation of Osteointegration. Orthopedics. 2017;40(4):e703-e7.

38. Kilian CM, Morris BJ, Sochacki KR, et al. Radiographic comparison of finned, cementless central pegged glenoid component and conventional cemented pegged glenoid component in total shoulder arthroplasty: a prospective randomized study. J Shoulder Elbow Surg. 2018;27(6S):S10-S6.

39. Panti JP, Tan S, Kuo W, Fung S, Walker K, Duff J. Clinical and radiologic outcomes of the second-generation Trabecular Metal glenoid for total shoulder replacements after 2-6 years follow-up. Archives of orthopaedic and trauma surgery. 2016;136(12):1637-45.

40. Denard PJ, Werner BC, Gobezie R, Tokish JM, Kissenberth MJ, Lederman E. Lower rates of radiolucency with a hybrid all-polyethylene pegged glenoid component compared to a completely cemented pegged glenoid component. Seminars in Arthroplasty: JSES. 2020;30(1):56-62.

41. Phadnis J, Huang T, Watts A, Krishnan J, Bain GI. Cemented or cementless humeral fixation in reverse total shoulder arthroplasty? a systematic review. Bone Joint J. 2016;98-B(1):65-74.

42. Uy M, Wang J, Horner NS, et al. Cemented humeral stem versus press-fit humeral stem in total shoulder arthroplasty: a systematic review and meta-analysis. Bone Joint J. 2019;101-B(9):1107-14.

43. Erickson BJ, Chalmers PN, Denard PJ, Gobezie R, Romeo AA, Lederman ES. Current state of short-stem implants in total shoulder arthroplasty: a systematic review of the literature. JSES Int. 2020;4(1):114-9.

44. Kostretzis L, Konstantinou P, Pinto I, Shahin M, Ditsios K, Papadopoulos P. Stemless reverse total shoulder arthroplasty: a systematic review of contemporary literature. Musculoskelet Surg. 2021;105(3):209-24.

45. Hawi N, Tauber M, Messina MJ, Habermeyer P, Martetschlager F. Anatomic stemless shoulder arthroplasty and related outcomes: a systematic review. BMC Musculoskelet Disord. 2016;17(1):376.

46. Knaepler H. Local application of gentamicin-containing collagen implant in the prophylaxis and treatment of surgical site infection in orthopaedic surgery. Int J Surg. 2012;10 Suppl 1:S15-20.

47. Jeong HJ, Kong BY, Rhee SM, Oh JH. Hemodynamic change and affecting factors after shoulder arthroplasty in the Asian population. J Orthop Sci. 2019;24(1):95-102.

48. Hartland AW, Teoh KH, Rashid MS. Clinical Effectiveness of Intraoperative Tranexamic Acid Use in Shoulder Surgery: A Systematic Re-

view and Meta-analysis. Am J Sports Med. 2021;49(11):3145-54.

49. Yoon JY, Park JH, Kim YS, Shin SJ, Yoo JC, Oh JH. Effect of tranexamic acid on blood loss after reverse total shoulder arthroplasty according to the administration method: a prospective, multicenter, randomized, controlled study. J Shoulder Elbow Surg. 2020;29(6):1087-95.

50. Bridges KH, Wilson SH. Acute Coronary Artery Thrombus After Tranexamic Acid During Total Shoulder Arthroplasty in a Patient With Coronary Stents: A Case Report. A A Pract. 2018;10(8):212-4.

51. Alexander JW, Korelitz J, Alexander NS. Prevention of wound infections. A case for closed suction drainage to remove wound fluids deficient in opsonic proteins. Am J Surg. 1976;132(1):59-63.

52. Holt BT, Parks NL, Engh GA, Lawrence JM. Comparison of Closed-Suction Drainage and No Drainage After Primary Total Knee Arthroplasty. Orthopedics. 1997;20(12):1121-5.

53. Zeng WN, Zhou K, Zhou ZK, et al. Comparison between drainage and non-drainage after total hip arthroplasty in Chinese subjects. Orthop Surg. 2014;6(1):28-32.

54. Omonbude D, El Masry MA, O'Connor PJ, Grainger AJ, Allgar VL, Calder SJ. Measurement of joint effusion and haematoma formation by ultrasound in assessing the effectiveness of drains after total knee replacement: A prospective randomised study. J Bone Joint Surg Br. 2010;92(1):51-5.

55. Grammont PM, Baulot E. Delta shoulder prosthesis for rotator cuff rupture. Orthopedics. 1993;16(1):65-8.

56. Hasan SS, Levy JC, Leitze ZR, Kumar AG, Harter GD, Krupp RJ. Reverse Shoulder Prosthesis With a Lateralized Glenosphere: Early Results of a Prospective Multicenter Study Stratified by Diagnosis. Journal of Shoulder and Elbow Arthroplasty. 2019;3:247154921984404.

57. Greiner S, Schmidt C, Konig C, Perka C, Herrmann S. Lateralized reverse shoulder arthroplasty maintains rotational function of the remaining rotator cuff. Clin Orthop Relat Res. 2013;471(3):940-6.

58. Greiner S, Schmidt C, Herrmann S, Pauly S, Perka C. Clinical performance of lateralized versus non-lateralized reverse shoulder arthroplasty: a prospective randomized study. J Shoulder Elbow Surg. 2015;24(9):1397-404.

59. Harman M, Frankle M, Vasey M, Banks S. Initial glenoid component fixation in "reverse" total shoulder arthroplasty: a biomechanical evaluation. J Shoulder Elbow Surg. 2005;14(1 Suppl S):162S-7S.

60. Virani NA, Harman M, Li K, Levy J, Pupello DR, Frankle MA. In vitro and finite element analysis of glenoid bone/baseplate interaction in the reverse shoulder design. J Shoulder Elbow Surg. 2008;17(3):509-21.

61. Kazley JM, Cole KP, Desai KJ, Zonshayn S, Morse AS, Banerjee S. Prostheses for reverse total shoulder arthroplasty. Expert Rev Med Devices. 2019;16(2):107-18.

62. Gutierrez S, Comiskey CAt, Luo ZP, Pupello DR, Frankle MA. Range of impingement-free abduction and adduction deficit after reverse shoulder arthroplasty. Hierarchy of surgical and implant-design-related factors. J Bone Joint Surg Am. 2008;90(12):2606-15.

63. Haggart J, Newton MD, Hartner S, et al. Neer Award 2017: wear rates of 32-mm and 40-mm glenospheres in a reverse total shoulder arthroplasty wear simulation model. J Shoulder Elbow Surg. 2017;26(11):2029-37.

64. Liou W, Yang Y, Petersen-Fitts GR, Lombardo DJ, Stine S, Sabesan VJ. Effect of lateralized design on muscle and joint reaction forces for reverse shoulder arthroplasty. J Shoulder Elbow Surg. 2017;26(4):564-72.

65. Nelson R, Lowe JT, Lawler SM, Fitzgerald M, Mantell MT, Jawa A. Lateralized Center of Rotation and Lower Neck-Shaft Angle Are Associated With Lower Rates of Scapular Notching and Heterotopic Ossification and Improved Pain for Reverse Shoulder Arthroplasty at 1 Year. Orthopedics. 2018;41(4):230-6.

66. Langohr GD, Willing R, Medley JB, Athwal GS, Johnson JA. Contact mechanics of reverse total shoulder arthroplasty during abduction: the effect of neck-shaft angle, humeral cup depth, and glenosphere diameter. J Shoulder Elbow Surg. 2016;25(4):589-97.

67. Chan K, Langohr DGG, Mahaffy M, Johnson JA, Athwal GS. Does Humeral Component Lateralization in Reverse Shoulder Arthroplasty Affect Rotator Cuff Torque? Evaluation in a Cadaver Model. Clinical Orthopaedics and Related Research®. 2017;475(10).

68. Giles JW, Langohr GD, Johnson JA, Athwal GS. Implant Design Variations in Reverse Total Shoulder Arthroplasty Influence the Required Deltoid Force and Resultant Joint Load. Clin Orthop Relat Res. 2015;473(11):3615-26.

69. Lädermann A, Denard PJ, Boileau P, et al. Effect of humeral stem design on humeral position and range of motion in reverse shoulder arthroplasty. International Orthopaedics. 2015;39(11):2205-13.

70. Erickson BJ, Chalmers PN, Denard P, et al. Does commercially available shoulder arthroplasty preoperative planning software agree with surgeon measurements of version, inclination, and subluxation? J Shoulder Elbow Surg. 2021;30(2):413-20.

71. Hartzler RU, Denard PJ, Griffin JW, Werner BC, Romeo AA. Surgeon acceptance of an initial 3D glenoid preoperative plan: rates and risk factors. J Shoulder Elbow Surg. 2021;30(4):787-94.

72. Cabarcas BC, Cvetanovich GL, Gowd AK, Liu JN, Manderle BJ, Verma NN. Accuracy of patient-specific instrumentation in shoulder arthroplasty: a systematic review and meta-analysis. JSES Open Access. 2019;3(3):117-29.

73. Barrett I, Ramakrishnan A, Cheung E. Safety and Efficacy of Intraoperative Computer-Navigated Versus Non-Navigated Shoulder Arthroplasty at a Tertiary Referral. Orthop Clin North Am. 2019;50(1):95-101.

74. Verborgt O, Vanhees M, Heylen S, Hardy P, Declercq G, Bicknell R. Computer navigation and patient-specific instrumentation in shoulder arthroplasty. Sports Med Arthrosc Rev. 2014;22(4):e42-9.

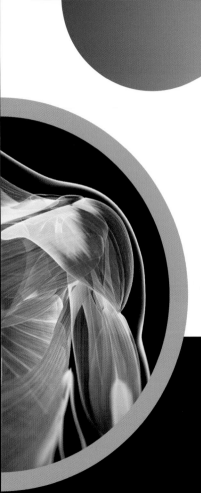

PART

4

책임편집 ●
조현철

불안정성

급성 탈구

Acute dislocation of the shoulder

조현철

I. 해부학 및 생역학

견관절은 우리 몸에서 탈구가 가장 많이 발생하는 곳이다. 견관절 탈구에 대한 최초의 기록이 기원전 2,500년의 책에서 발견되었고, 히포크라테스의 저서에서 기술하고 있듯이 아주 오래전부터 우리 주위에서 흔히 발생하는 병변으로 여겨진다.[1] 견관절의 탈구, 보다 해부학적으로 정확히 말하여 관절와상완관절(glenohumeral joint)의 탈구는 견갑골의 관절와와 상완골 두의 정상적인 접촉이 완전히 분리된 것을 의미한다. 이러한 견관절의 탈구에 대한 손상 기전과 치료에 대하여 정확한 지식이 없으면 여러 가지의 합병증이 발생할 가능성이 있어서 주의를 요한다. 견관절 탈구는 그 방향에 따라서 전방, 후방, 하방, 상방 및 다방향성 등으로 분류하며, 그 정도에 따라서는 아탈구 및 탈구로 나눌 수 있고, 수상 시기와 관련하여 급성 및 만성으로, 반복성의 유무에 따라서는 원발성 및 재발성으로, 발생 원인에 따라서는 외상성 및 비외상성 등으로 분류할 수 있으며, 환자 의지와의 관계에 따라서 수의적 및 불수의적 탈구 등으로 분류할 수 있다. Matsen은 대부분의 외상성(traumatic) 불안정이 편측성(unilateral)이며 Bankart 병변이 있는 예가 대부분이고, 수술(surgery)이 요하는 경우가 많다고 하여 "TUBS"라는 약자로 그 특징을 표현하였다. 비외상성(atraumatic) 불안정은 흔히 다방향성(multi-directional)이며 양측성(bilateral)이고, 보존적 치료가 효과적인 경우가 많으며, 특히 하방(inferior) 관절낭에 유의해야 한다

고 하여 "AMBRI"라는 약자를 사용하였다.[2] 근간에는 이에 회전근 간격 봉합(interval closure)을 합하여 "AMBRII"라고 칭하기도 한다.[3,4] 이러한 약자들은 각 불안정성에 대한 특징을 잘 요약하고 있다는 장점이 있으나, 모든 예를 단순히 두 가지 범주로 나누기에는 어려움이 있다. 전형적인 경우는 소위 "TUBS" 및 "AMBRII"로 표현할 수 있으나, 실제로는 두 가지 범주가 혼재하는 다양한 형태의 존재가 있으며, 경미한 외상에 반복적으로 노출이 되어도 불안정해질 수 있음을 염두에 두는 것이 좋다. 특히 운동선수 등에서는 경미한 외상의 반복으로 인하여 편측 견관절에 불안정한 상태가 초래될 수 있어서 이를 획득성 불안정성(acquired instability)으로 따로 구분하기도 한다.[5] 견관절, 특히 관절와상완관절(glenohumeral joint)은 상완골(humerus)두와 견갑골(scapula)의 관절와(glenoid)가 만나서 이루는 관절이다. 관절와상완관절은 여러 가지 해부학적 특징으로 인하여 우리 몸에서 가장 넓은 운동범위를 움직일 수 있는 반면에 매우 불안정한 구조를 가지고 있다.

1. 불안정성과 관련된 해부학 및 생역학

견관절, 특히 관절와상완관절은 상완골 두와 견갑골의 관절와가 만나서 이루는 관절이다. 관절와상완관절은 여러 가지 해부학적 특징으로 인하여 우리 몸에서 가장 넓은 운동범위를 움직일 수 있는 반면에 매우 불안정한 구조를 가지고 있다.

1) 상완골

상완골(humerus) 두는 큰 구형의 골성 구조물로서, 관절면은 골 두의 약 1/3 정도를 차지하고 있으며 내측, 상부, 후방을 향하고 있다. 상완골 두는 간부(diaphysis)를 기준으로 평균 130도에서 150도(경부-간부간 각) 기울어져 있으며, 원위 상완골 양측 과(epicondyle)를 기준으로 하여 상대적으로 평균 30도 후방경사를 이루고 있다(그림 1-1). 중요한 해부학적 기준이 되는 이두구(bicipital groove)는 상완골 간부와 상완골 두의 중심을 지나는 선에 대하여 30도 내측에 위치하게 되며, 상완골의 대결절(greater tuberosity)이 이두구의 외측 벽을, 소결절(lesser tuberosity)이 내측 벽을 이루고 있다. 상완골 두의 관절면 표면의 수직 dimension은 평균 48 mm, 곡면반경은 25 mm이고, 수평 dimension은 평균 45 mm, 곡면반경은 22 mm이다.[3]

2) 관절와

관절와(glenoid)는 상부는 좁고 하부는 넓어, 뒤집어 놓은 쉼표 모양 혹은 서양배 모양을 하고 있다(그림 1-2). 관절와는 초자(hyaline) 연골로 덮여 있는 오목한 관절면을 가지고 있는데, 가운데 부분에는 연골이 얇아져 있는 부분이 확연히 보이는 경우가 많다(bare spot). De Palma 등은 이 부분이 상완골 두와 가장 많이 접촉되는 부분이라고 하였다.[6] 관절와의 수직 dimension은 평균 35 mm, 수평 직경은 25 mm이다. 일반적으로 관절와는 견갑골을 기준으로 하여 후방경사를 가지고 있다고 알려져 있으나(그림 1-3), 연구에 의하면 25% 정도에서는 2도에서 10도 정도의 전방 경사를 갖고 있기도 한 것으로 알려져 있다. 또한, 관절와의 상하부를 연결한 선이 견갑골을 기준으로 평균 15도의 내측 경도를 가지고 있으며, 이러한 해부학적 특징은 상완골 두와의 관절면을 수평으로 유지하게 한다. 관상면(coronal plane)에서는 상방으로 5도 기울어져 있다.[7]

3) 관절와순

관절와순(glenoid labrum)은 단면의 모양이 삼각형을 가지고 있는 섬유성 조직으로 관절와의 변연부에 붙어있다. 관절와순의 크기와 두께는 다양하며, 슬관절의 반월상 연골처럼 관절내로 반월판 연골의 형태를 가지기도 하며, 어떤 경우에는 부위에 따라 전혀 없기도 하다. 또한, 상부

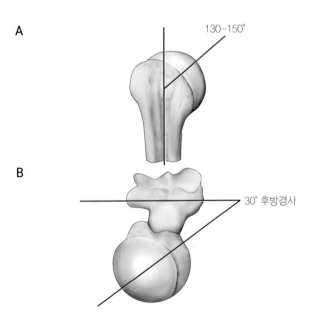

그림 1-1 상완골 두의 해부학
A: 상완골 두는 간부를 기준으로 평균 130도에서 150도 기울어져 있다. B: 상완골 두는 원위 상완골 양측 과를 기준으로 하여 상대적으로 평균 30도 후방경사를 이루고 있다.

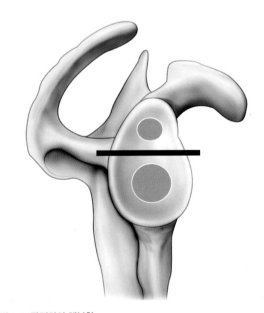

그림 1-2 관절와의 해부학
관절와는 상부는 좁고 하부는 넓은, 뒤집어 놓은 쉼표 모양 혹은 서양배 모양을 하고 있다.

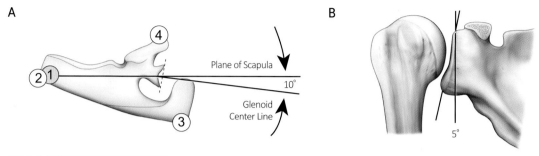

그림 1-3 관절와의 견갑골에 대한 해부학
A: 관절와는 견갑골을 기준으로 하여 평균 10-15도의 후방경사를 가지고 있다. B: 관상면에서는 견갑골의 관절와는 상방으로 5도 기울어져 있다.

혹은 하부 관절와순은 각각 이두근 장건이나 관절와상완인대의 기시부를 형성하기도 한다.

Mosley 등에 의하면 이전에 알려진 바와는 달리 관절와순은 관절와 변연의 뼈 부분에 붙어있는 전이층 일부를 제외하면 섬유 연골 성분이 없다고 하였으며, 대부분의 관절와순은 치밀한 섬유조직과 일부의 탄성 섬유가 혼재되어 있는 것으로 알려져 있다.[8] 관절와순의 역할은 잘 알려진 대로 견관절의 안정성 유지에 중요한 역할을 한다. 관절막인대성 조직의 부착 부위로서의 역할과 함께 관절와의 깊이를 상하 9 mm, 전후방으로 5 mm 정도 깊게 해주어(그림 1-4) 상완골 두가 관절와 내에 있을 수 있게 하는 범퍼 역할을 한다. Bankart 병변과 같이 관절와순 결손 시 관절와

깊이가 50% 감소한다고 한다. 또한, 관절와순은 관절와와 상완골 두와의 접촉 면적을 50% 이상 증가시켜서 슬관절의 반월상 연골처럼 하중을 분산시키는 역할을 한다. 하지만, 반월상 연골과는 달리 미세 구조가 hoop stress를 분산시키는 구조로 되어있지 않아서 효과적인 하중 분산을 하기는 힘들다.

해부학적인 변이로서, 특히 관절와의 상부에서는 관절와순이 느슨하게 붙어있거나 떨어져 있는 경우가 있으며, 이런 경우에는 병적인 상태와 감별이 필요하다.

Cooper 등의 연구에 의하면 상부 및 전상부의 관절와순은 후상부나 하부의 관절와순에 비하여 혈행이 적고, 변연부로 갈수록 혈액공급이 제한되는 것으로 보고하였다.[9]

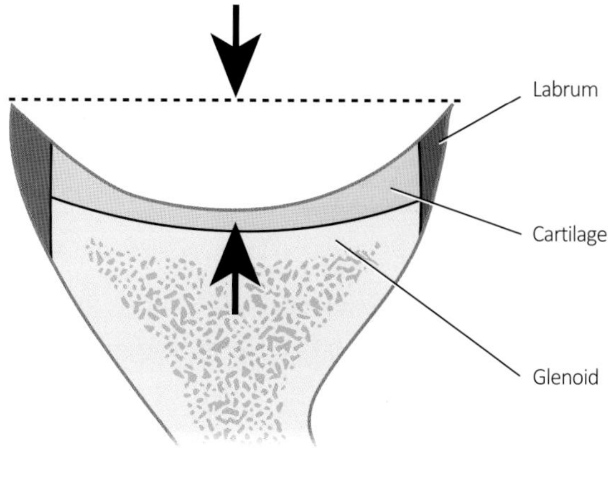

4) 견갑골

견갑골(scapula)은 흉벽에 맞닿아 있으면서 30도 전방으로 기울어져 있고, 횡단면(transverse plane)을 기준으로는 3도 위로 기울어져 있으며 시상면(sagittal plane)에서는 평균 20도 전방으로 경사져 있다(그림 1-5). 견갑골의 하각(inferior angle)은 제7흉추(thoracic vertebrae)의 극돌기(spinous process)에 위치하고 있으며, 견갑극(scapular spine)의 내측 끝은 제3흉추의 극돌기, 견봉(acromion)은 제7경추(cervical spine)의 극돌기에 위치하게 된다. 오구견봉궁(coracoacromial arch)은 견갑골의 오구돌기와 견봉, 그리고 오구견봉인대에 의해 이루어지는 공간으로서 견봉하공간의 상부 경계에 해당되며 극상근(supraspinatus)이 지나가는 극상근 출구를 이룬다.

그림 1-4 관절와순의 해부학
관절와순은 관절막인대성 조직의 부착 부위로서의 역할과 함께 관절와의 깊이를 상하로 9 mm, 전후방으로 5 mm 정도 깊게 해주어, 상완골 두가 관절와 내에 있을 수 있게 하는 범퍼 역할을 한다.

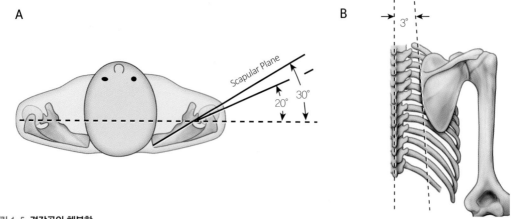

그림 1-5 견갑골의 해부학

A: 견갑골은 흉벽에 대해 30도 전방으로 기울어져 있고, 시상면에서는 평균 20도 전방으로 경사져 있다. B: 횡단면을 기준으로는 3도 위로 기울어져 있다.

5) 견관절 막

견관절의 관절막(capsule)은 크고 느슨해서 상완골 두의 관절면에 비해서 약 두 배 정도의 단면적을 가지고 있다. 대개 정상적인 상태에서 10 mL에서 15 mL 정도의 용액을 담을 수 있는 것으로 알려져 있다. 유착성 관절막염이 있는 경우에는 이 용적이 5 mL 이하로 줄어들며, 관절의 불안정성이 있는 경우에는 30 mL 이상으로 늘어나는 것을 알 수 있다.

견관절 막은 활액막으로 둘러싸여 있고, 관절와 경부나 관절와순으로부터 기시하여 상완골의 해부학적 경부나 근위 간부로 부착한다. 일부의 관절막은 상부로 진행하여 오구상완인대(coracohumeral ligament)를 형성하면서 오구돌기와 견갑골의 전후방부에 부착하고, 일부는 이두근건과 상완골의 결절간구(intertubercular groove)에 부착한다.

관절막에서 중요하고 항상 일정하게 비후된 부분이 존재하는데, 이 부위는 소위 인대라고 불리고, 부위에 따라 크기, 모양, 두께 부착 부위가 다양하게 나타난다. 횡상완인대(transverse humeral ligament)는 대결절과 소결절 사이를 지나는 관절막의 일부 횡 섬유로 이루어지며, 이두근 장건을 이두구에 유지시키는 기능을 한다.

관절막의 하방 부분을 제외하고 관절막의 모든 부분은 회전근 개 건들에 의하여 보강되고 강화된다. 회전근 개 건들은 관절막에 유합되면서 약 2.5 cm의 길이로 붙으며,

견갑하근의 전방 부착 부위가 가장 두드러져 보인다.

후방 관절막은 후 관절와상완인대 중 후방 밴드의 후상방 부분에서 상완이두근 장건의 관절내 구조물까지의 부분으로, 회전근 개의 관절막 부분을 제외하고 견관절막 중 가장 얇은 부분으로 알려져 있으나 아직 자세한 해부학적 연구가 이루어지지 않은 부분이다. 후방 관절막에 직접적으로 부착되는 인대 구조물은 없다. 후방 관절막은 내전, 전방 굴곡되고 내회전된 견관절의 주된 정적 후방 안정 구조물로 알려져 있고, 임상적으로 견관절 후방 불안정성을 보이는 경우 연관이 있다.

이러한 관절막과 인대들은 임상적으로 견관절의 안정성과 밀접한 관계를 갖고 있다.

6) 관절와상완인대

관절와상완인대(glenohumeral ligaments)(그림 1-6)는 견관절 막을 강화시키는 교원질성 조직이며 견관절 외부에서는 관찰되지 않는다. 관절경 검사에서 잘 관찰할 수 있으며 교원질 섬유의 강도, 부착 부위, 그리고 팔의 위치 등에 의하여 그들의 기능이 결정된다. 이들의 기본 역할은 견관절의 움직임 과정 중에서 독립적으로 긴장되거나 이완되면서 상완골 두의 전이와 회전을 막는 데 있다. 이들 관절와상완인대들이 가장 이완되는 중간 범위의 관절운동에서는 회전근 개와 이두근이 이들 관절와상완관절에 작용하는

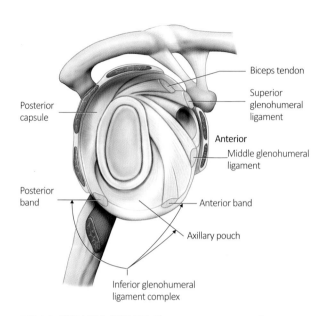

그림 1-6 **견관절의 관절와상완인대(glenohumeral ligaments)**

concavity-compression 효과에 의하여 안정성이 유지된다.[10] 이들 인대는 견관절운동의 가장 끝단에서의 안정성에 중요한 역할을 하며, 특히 다른 안정화 기전들이 손상되었을 때 더욱 중요하다. 또한 관절막재건술을 시행할 경우에 있어 과도한 긴장은 회전운동을 제한하여 심한 경우 상완골 두의 후방 아탈구나 관절염을 초래할 수 있다.

이 부분에서는 각 관절와상완인대들의 해부학적 특징과 함께 견관절의 안정성 등에 관련된 생역학적인 부분도 같이 다루기로 하겠다.

(1) 오구상완인대, 상관절와상완인대 및 회전근 간격

상관절와상완인대와 같이 언급하여야 하는 구조물은 오구상완인대(coracohumeral ligament)이다. 이 두 인대는 주행 방향이 서로 평행하고, 회전근 간격(rotator interval)을 보강하는 구조물이다. 회전근 간격은 견갑하근 건의 위쪽 경계와 극상근 건의 앞쪽 경계로 이루어진 삼각형의 영역으로, 섬유층으로 구성되어 있다. 회전근 간격(rotator interval) 안에 오구상완인대, 이두근건(biceps tendon), 상관절와상완인대(superior glenohumeral ligament)가 존재한다. 위쪽으로는 극상건의 전연, 아래쪽으로는 견갑하근의 상연, 안쪽으로는 오구돌기의 기저부, 외측으로는 상완이두근 장건과 이두근구로 경계 지어지고, 밑면은 관절막으로 이루어져 있는 공간이다. 오구상완인대는 이중 표층에서 볼 수 있는 반면에, 상관절와상완인대는 이두근건을 감싸고 돌며 이 공간 안에서 도르래(pulley) 역할을 하게 된다. 오구상완인대와 상관절와상완인대는 각각 오구돌기(coracoid process)와 상관절와(superior labrum)에서 기시한다.

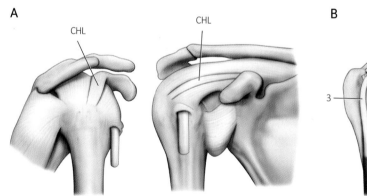
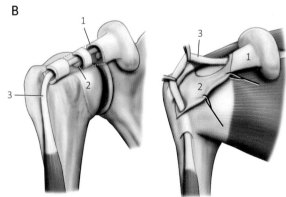

그림 1-7 **오구상완인대(coracohumeral ligament) 및 회전근 간격(rotator interval)**
A: 오구상완인대는 약 1-2 cm 정도의 너비를 가진 얇은 섬유성 관절외 구조물로서, 오구돌기의 기저부 및 외측연에서 기시하여 수평으로 진행하여 상완골의 이두구 근처의 대결절과 소결절에 부착하고 주변의 극상근과 견갑하근 건 조직, 관절막에 붙는다. 내전된 견관절의 하방 전위와 외회전을 막고, 상완골 두를 관절와에 위치시키는 역할을 한다. B: 회전근 간격은 견갑하근 건의 위 경계와 극상근 건의 앞 경계로 이루어진 삼각형의 영역으로, 회전근 간격 안에 오구상완인대, 이두근건, 상관절와상완인대가 존재한다. 임상적으로 회전근 간격의 결손이 견관절 불안정성과 연관이 되며, 유착성 관절낭염에서도 이 부위의 구축이 관찰된다(1. coracohumeral ligament; 2. superior glenohumeral ligament; 3. biceps tendon).

오구상완인대(그림 1-7)는 약 1-2 cm 정도의 너비를 가진 얇은 섬유성 관절외 구조물로서, 상당히 강한 힘을 받는 인대로 알려져 있다. 오구돌기의 기저부 및 외측연에서 기시하여 수평으로 진행하여 상완골의 이두근구 근처의 대결절과 소결절에 부착하고 주변의 극상근과 견갑하근 건 조직, 관절막과 융합한다.

상관절와상완인대는 관절와상완인대 중 가장 변이가 적고 일정하게 관찰되는 구조물로서, 오구상완인대의 심부에 위치하면서 상완이두근 장건이 부착하는 상관절와 결절 바로 밑 전방의 관절막에서 기시한다. 관절와 기시부의 변이로서, 상완이두근 장건과 같이 기시하거나 중관절와상완인대(middle glenohumeral ligament)와 같이 기시하는 경우도 있으며, 오구상완인대와 평행하게 주행하여 이두근구 내측의 상완골 소결절 바로 전방에 부착된다.

(2) 중관절와상완인대

중관절와상완인대(middle glenohumeral ligament)는 관절와상완인대들 중 가장 변이가 심한 인대로서(그림 1-8), 약 30%에서 이 인대가 없고, 10% 정도에서는 정확히 구분하기 힘들다.[11,12] 중관절와상완인대는 상관절와상완인대의

바로 밑 상부관절와결절과 하관절와상완인대의 전방 밴드의 상부, 전상부 관절와순 내측에서 기시하고, 견갑하근건과 융합하면서 그 밑의 소결절 바로 내측에 부착한다. 형태학적으로 두 가지의 변이가 있는데, 종잇장처럼 얇고 하관절와상완인대의 전방 밴드와 융합하는 형과 cord처럼 두꺼워져 있으면서 하관절와상완인대의 전방 밴드 사이의 관절와순이 없는 형태가 있다(그림 1-9). 두 번째 같은 경우에는 관절와순 파열 혹은 방카르트 병변과 감별할 필요가 있다.

중관절와상완인대는 정적으로는 팔이 60도에서 90도 사이의 외전 및 외회전 시에 상완골 두의 전방 전위를 막아주고, 팔이 내전되어 있을 때 하방 전이를 막아주며, 가장 중요한 정적 전방 저항체인 하관절와상완인대의 전방 밴드의 결손이 있을 때 전방 전위를 막는 중요한 이차 저항체의 역할을 한다.

(3) 하관절와상완인대

하관절와상완인대(inferior glenohumeral ligament)는 꼭 짓점을 관절와순으로 하고, 밑변을 견갑하근과 삼두근 사이로 관절와순과 상완골 두를 주행하는 삼각형 모양의 구

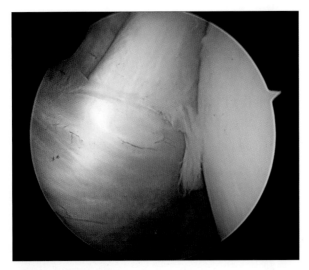

그림 1-8 중관절와상완인대
관절와상완인대들 중 가장 변이가 심한 인대로서 관절경 소견상 견갑하근을 가로지른다.

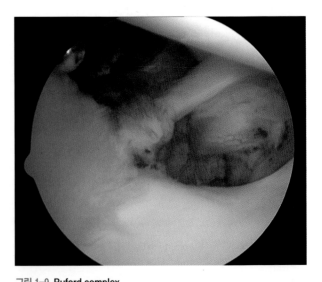

그림 1-9 Buford complex
중관절와상완인대가 cord처럼 두꺼워져 있으면서 전상부의 관절와순이 없는 형태를 칭한다.

조물로서 외전된 견관절의 주된 안정 구조물이다. 하관절와상완인대는 전하방 관절와순이나 관절와순에 인접한 관절와 경부의 하방 1/2에서 기시하여 상완골 경부의 중관절와상완인대 부착부의 직하방에 부착된다. 조직학적 연구 및 관절경의 발달에 의하여 하관절와상완인대는 전방 밴드(2-4시 방향), 후방 밴드(7-9시 방향), 그리고 액와 주머니의 세 가지 성분의 복합체로 구성되었고, 이를 하관절와상완인대 복합체(inferior glenohumeral ligament complex)라고 한다. 팔이 외전되면 전방 및 후방 밴드가 잘 경계 지어지고, 그 사이가 액와 주머니임을 알 수 있다. 전방 밴드가 후방 밴드보다는 잘 관찰되고 두꺼우며, 하관절와상완인대의 관절와부착 부분에서 상완골 부착 부분보다 더 두꺼운 것으로 알려져 있다.

팔이 외전되면서 하관절와상완인대는 상완골 두를 지지하게 되고, 아울러 팔이 회전되면서 해먹(hammock) 모양으로 긴장과 이완을 반복하게 된다(그림 1-10). 즉 팔이 외전을 하면 하관절와상완인대가 골 두 밑으로 움직이면서 긴장을 받아서 효과적으로 하방 전이를 막아주며, 상완골의 회전에 따라 하관절와상완인대는 외전된 상완골 두의 전

방, 후방, 하방 전이를 막는 역할을 한다. 팔이 내회전된 경우에는 이 인대가 상완골 두의 후방으로 이동하여 후방 전이를 막아주고, 외회전된 경우에서는 이 인대가 전방으로 이동하여 전방 전이를 막아준다. 외전된 견관절의 수평 굴곡 시에는 하관절와상완인대의 후방 부분이 긴장되면서 전후방 전이를 모두 제한하는 역할을 하며, 외전된 견관절의 수평 신전 시에는 이 인대의 전방 부분이 긴장되면서 전후 방향으로의 전이를 막아준다. O'Brien은 견관절의 90도 외전상태에서 1차 전후방 안정 구조물이 하관절와상완인대라고 하였으며, 전방 밴드는 30도 수평 신전에서, 그리고 후방 밴드는 30도 수평 신전에서의 1차 전후방 안정 구조물이라고 하였다.[13] 하관절와상완인대는 정적인 상태에서 외전된 견관절의 하방 전이를 막아주는 역할이 있기는 하지만 팔이 내전된 경우에 2차적인 역할뿐이다.

이러한 하관절와상완인대 복합체의 손상은 견관절 불안정성을 일으키는 주된 원인이 된다. 수술적으로 이 부분에 대한 해부학적인 복원을 시도하는 것이 중요한 개념이었고, 하관절와상완인대의 변화는 견관절의 전방 불안정을 일으키는 가장 중요한 요소로 여겨지고 있다.

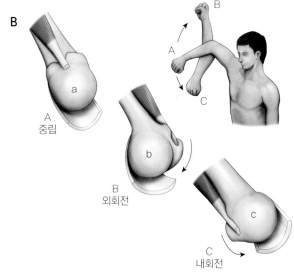

그림 1-10 하관절와상완인대(inferior glenohumeral ligament)
A: 하관절와상완인대는 팔이 회전되면서 해먹(hammock) 모양으로 긴장과 이완을 반복하게 된다. B: 팔이 외전을 하면 하관절와상완인대가 골 두 밑으로 움직이면서 긴장을 받아서 효과적으로 하방 전이를 막아주며, 팔이 내회전된 경우에는 이 인대가 상완골 두의 후방으로 이동하여 후방 전이를 막아주고, 외회전된 경우에서는 이 인대가 전방으로 이동하여 전방 전이를 막아준다.

7) 견관절의 안정성과 관련된 생역학

견관절의 가동범위가 넓은 것은 다른 관절에 비해 상대적으로 구속(constraint)이 적기 때문이다. 관절와상완인대는 중립 위에서는 느슨하게 이완되어 있으며, 관절운동범위의 끝에 가서야 긴장하게 된다. 이러한 까닭으로 견관절은 우리 몸에서 가장 넓은 운동범위를 움직일 수 있는 반면에 매우 불안정한 구조를 가지고 있다. 이러한 불안정한 구조를 상완골 두와 관절와의 관절면의 일치성, 관절와순(glenoid labrum), 활액의 점성, 관절막 내의 음압, 견갑골의 위치, 회전근 개의 근력 및 회전근 개 자체의 두께, 그리고 관절와상완인대 등이 보완하여 견관절의 자유롭고 부드러운 움직임에 필요한 부가적인 안정성을 제공해 주며, 동적인 안정성은 회전근 개의 조화롭고 협응된 수축 등을 통해서 얻을 수 있다. 이러한 여러 가지 기전이 서로 유기적으로 작용하는 현상은 대체적으로 세 가지의 상황으로 구분된다. 팔을 옆에 늘어뜨리고 쉬고 있는 자세에서는 관절와순, 활액의 점성, 관절막 내의 음압 등이 주로 작용하며, 중등도의 운동범위에서는 회전근 개의 작용에 의한 동적 안정(dynamic stability) 기전이 주로 작용하고, 극단적인 자세에서는 관절와상완인대 등의 정적 안정(static stability) 기전이 보다 중요하게 작용한다. 이렇듯 관절운동과 안정성 사이에는 정교한 균형이 존재하여 한 부분의 역할이 증가할 때는 다른 부분의 역할이 감소하며, 이러한 여러 가지의 힘보다 강력한 외력이 주어지거나 이러한 기전들에 이상이 있는 경우에는 견관절의 아탈구나 탈구 등 불안정성이 발생할 수 있다.[14,15]

(1) 정적인 인자들(static factors)

견관절의 골성 구조는 편평한 관절와와 크고 볼록한 상완골 두로 이루어졌고, 이는 마치 티 위에 놓인 골프공과 같이 매우 불안정한 구조를 가지고 있다. 골절 후 부정 유합으로 인한 변형, 상완골 두 혹은 관절와 이형성증 등의 선천성 기형, 견관절 불안정성에서 보이는 상완골 두 후외측의 골결손(Hill-Sachs 병변) 등은 견관절의 불안정성을 가중시키는 요인이 될 수 있다. 골성 구조의 불안정성은 상완골 두의 최대 직경에 대한 관절와의 최대 직경의 비로 표

시되는데, 시상면과 수평면에서 평균 0.75 및 0.76 정도이다(그림 1-11). 또한, 두 관절면이 맞닿는 표면적의 불일치가 존재하며, 관절와상완관절이 어떤 각도에 위치하더라도 상완골 두의 25-30%는 관절와와 접촉하고 있다고 한다.[16]

① 골성 구조와 관절면의 일치성

골성 구조의 취약성 및 크기의 불일치성은 관절연골의 존재로 인하여 일부 극복이 되는데, 관절연골이 관절면의 일치성(congruency)을 증대시켜서 상완골 두와 관절와 간의 일정한 접촉이 이루어지게 하며, 대개 3 mm 이내의 관절 일치성을 보인다. 또한, 관절연골로 인하여 상대적으로 편평한 관절와가 오목한 형태를 가질 수 있어 상완골 두와의 접촉을 일정하게 하며, 이는 여러 연구에서 입증되었다. 상완골 두의 해부학적 구조가 관절면의 일치성을 증대시켜 줄 수 있는 요인이 될 수 있으며, 입체 사진 측량(stereo photogrammetry)을 이용한 연구에서도 관절연골로 인하여 관절와와 상완골 두의 표면적의 차이, 반지름 차이는 2 mm 이내로 밝혀져 관절와상완관절의 일치성(congruency)이 있는 것으로 나타났다.[17] 관절연골 두께의 차이도 안정성에 일조를 하는 것으로 알려졌는데, 관절연골이 가장 두꺼운 부분은 관절와 관절연골은 변연부였고, 상완골 두 관절연골의 경우는 중심부였다. 이와는 반대로 관절와 관절연골은 중심부에서, 그리고 상완골 두 관절연골은 변연부에서 가장 얇았다.

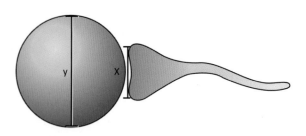

Glenohumeral index (GHI) = x/y
= 0.75(Sagittal)/0.76(Transverse)

<u>그림 1-11</u> **관절와상완 지표(glenohumeral index)**
골성 구조의 불안정성을 표시하는 것으로, 상완골 두의 최대 직경에 대한 관절와의 최대 직경의 비로 표시되며, 시상면과 수평면에서 각각 평균 0.75 및 0.76 정도이다.

이러한 관절연골 등에 의한 관절면의 일치성과 주변 근육 및 관절와순의 역할, 팔의 위치에 따른 상완골 두의 회전 및 전이 등으로 견관절은 볼-소켓 관절에 거의 가까운 형태를 이룰 수 있게 되는 것이다.

② 관절와순

관절와순은 세 가지 정도의 기전으로 관절와상완관절의 안정성에 기여한다. 첫 번째로는 관절와 둘레에 부착하는 섬유성 연골로서, 견관절 안정성에 중요한 역할을 하는 각종 관절막-인대 구조물들이 부착하는 곳을 제공하며, 두 번째로는 관절와를 깊게 하고, 마지막으로 상완골 두와의 접촉 면적을 넓히는 역할을 하여 관절와상완관절의 안정화에 일조한다.

③ 관절내 음압

관절내 음압은 견관절이 몸통 옆에 편안히 붙어있는 상태에서 상완골 두의 하방 전이를 막는 중요한 역할을 한다. 이 상태에서는 각종 회전근 개들이 이완된 상태로 있게 되며 상관절와상완인대도 긴장하지 않는 위치라서 관절내 음압이 중요한 안정화 기전으로 작용한다. 따라서 관절막이나 회전근 간격의 파열로 이러한 음압이 소실되면 상완골 두의 하방 전이가 발생하게 되는 것이다. 이러한 관절내 음압은 팔의 위치에 따라서 그 크기가 달라지는데, 내전된 상태에서 더 큰 음압이 작용하는 것으로 알려져 있다.[18,19]

④ 관절막-인대 구조물들(capsuloligamentous structures)

극단적인 운동범위에서 주로 작용하는 관절와상완인대는 앞쪽 관절막이 두꺼워진 부분으로, 흔히 상, 중, 하관절와상완인대의 세 부분으로 구별된다. 이 중에서 하관절와상완인대는 다시 전방 밴드, 액와 주머니, 후방 밴드로 구분할 수 있으며, 이러한 하관절와상완인대가 견관절의 전방 탈구를 막는 중요한 역할을 한다. 견관절의 안정성에 관련된 관절막-인대 구조물에 대한 생역학적인 내용은 앞부분의 해부학 부분에 자세히 기술하였다.

(2) 동적인 요소들(dynamic factors)

① 회전근 개의 조화된 수축 및 관절압박(joint compression)

비록 관절와상완관절에서 관절막과 관절와순 복합체가 일차적인 정적 안정성을 유지한다 하더라도 견관절에서의 동적 안정성을 유지하는 데 회전근 개의 역할이 크다. 견관절의 가동 시에 받침점(fulcrum)을 잘 유지하는 것이 회전근 개의 중요한 기능이라고 할 수 있다. 회전근 개의 모든 부위는 견관절의 안정성을 증대시키는 데 중요한 역할을 한다. 초기의 거상에서 견갑하근 건은 전방에 위치하여 전방 전위에 대한 효과적인 안정화 구조물로 작용하며, 회전근 개의 어느 부위에서라도 긴장이 소실되면 관절의 전방 안정성이 감소된다. 퇴행성 질환과 연관된 40세 이후에서의 탈구는 회전근 개 파열과 연관되는 경우가 많고, 회전근 개가 파열되면 견갑골면에 대한 외전 시 상완골 두가 상방으로 전위하게 된다. 따라서 상완골이 관절와 내에 위치하는 데는 전반적인 회전근 개의 조화로운 동시 수축이 중요한 것이다.

정상적인 기능을 하는 회전근 개는 다양한 기전을 통해 동적인 안정성을 얻는다. 관절의 움직임이 있을 때 비대칭적인 수축으로 상완골 두를 관절와 안쪽으로 유도하며, 직접적인 관절면의 압력(joint compression) 등으로 안정성을 얻는다. 압력(compression) 기전은 상완골 두를 관절와 쪽으로 잡아당김으로써 관절이 아탈구되려는 경향을 최소화시키는 것이다. 즉, 회전근 개와 이두근건의 수축으로 상완골 두를 관절와로 압박하여 상완골 두의 전위를 막아 관절의 안정성을 증대시킨다는 것이다. 인대를 절제한 연구나 동적 안정성의 효과를 직접 측정한 연구들의 결과도 관절 압박의 중요성을 시사한다. 이러한 관절 압박력의 증가는 상완골 두를 관절와 중심에 위치하게 하여 추후에 발생할 수 있는 전위를 감소시킨다. 그 예로 overhead 운동선수에 있어서 회전근 개는 전방 전위를 막는 중요한 역할을 수행하며, 그런 의미에서 불균형된 근육의 보강은 이런 미세한 불안정성을 가진 사람에게 효과적일 수 있다.[20,21]

② 인대의 활성화(ligament dynamization)

회전근 개와 관절막-인대 구조물 사이에는 직접적인 연관이 있다. Clark 등은 회전근 개의 건들과 관절막과의 복잡한 해부학적 연관성에 대해 보고하였는데,[22] 견관절의 능동적 운동은 관절막과 인대를 활성화시켜(dynamization), 관절막과 인대가 상대적으로 느슨해져 있는 중간 운동범위의 회전에서 중요한 안정화 구조물로 작용하게 한다고 하였다.[23,24]

또한, 견관절의 능동적 회전운동은 관절막의 각 부분의 긴장도에 변화를 주는 효과를 갖고 있어서 회전근 개나 이두건의 수축이 관절와상완인대 복합체의 긴장을 감소시키며, 이런 동적 요소들의 작용으로 과도한 외전-외회전 자세에서도 전방 안정성이 유지될 수 있다.

③ 견갑골 회전근들(scapular rotators)

일반적으로 견갑골면으로 거상 시 정상 견갑상완 리듬의 운동은 관절와 상완 회전과 견갑-흉부 회전이 2:1의 비율로 동반된다.[25] 임상적 연구와 방사선학적 연구에서 견관절 불안정성의 환자들에게서 비정상적인 견갑 흉부의 운동을 관찰할 수 있었고, 반복적으로 머리 위로 움직이는 행동을 수행시킨 후 견갑 흉부 근육에 대한 근전도의 분석에서 전거근과 승모근에서 피로가 나타났으며, 이는 견갑 상완 리듬의 조절이 잘 안 되는 것으로 나타났다.[26,27]

견갑골 회전근에는 승모근, 능형근, 광배근, 전거근, 견갑거근들이 포함된다. 이 견갑골 회전근들은 견관절의 운동 시 상완골 두에게 안정된 기저면(platform)을 제공하는 기능을 한다. 즉, 이 근육들은 팔의 위치에 따라서 관절와의 위치를 조절하는 역할을 하는 것이다. 예를 들어, 팔을 거상하면 전거근의 수축과 함께 견갑골은 정상적으로 상방으로 회전하여 상완골 두의 하방 전이를 막는 것이다.[28]

임상적으로 견갑 흉부의 약화나 기능 소실은 다양한 정도의 익상견갑(winging scapula)을 동반하며, 이는 견관절 불안정성 환자에서 종종 발견된다. Warner 등은 견갑-흉부의 기능장애가 "비출구성 충돌증후군(nonoutlet impingement)"의 원인이 되어 전방 거상 시 대결절의 회전근 개가

오구 견봉궁에서 충돌을 피하지 못한다고 하였다.[29] 따라서 견관절의 불안정성에 대한 비수술적 치료 방법에는 견갑골 주변의 회전근에 대한 재활도 반드시 포함되어야 한다.

8) 견관절의 운동학

견관절의 관절운동은 매우 복합적이며, 관절와상완관절(glenohumeral joint), 견봉-쇄골관절(acromioclavicular joint), 흉쇄관절(sternoclavicular joint) 및 견갑-흉곽 운동(scapulothoracic motion)과 견봉하운동(subacromial motion) 등이 유기적으로 서로 복합되어 마치 하나의 관절에서 움직이는 것과 같은 양상을 보인다.

견갑골을 고정하고 상지를 중립 위에서 수동적으로 움직이면 약 120도 외전이 가능하다. 그 이상을 외전하면 상완골의 대결절 부위가 견봉에 부딪히기 시작하면서 외전이 더 이상 일어나지 않는다. 그러나 상지를 외회전하면 대결절과 견봉이 부딪히지 않게 되어 외전이 더욱 증가한다. 반면에 상지를 내회전하면 대결절이 견봉에 빨리 부딪히기 때문에 약 60도 정도의 외전에서 그치게 된다.

상지를 완전히 들어올리거나 외전하는 경우에 견갑골은 흉곽 위에서 약 60도 정도 움직이며, 관절와상완관절 자체에서는 약 120도 정도가 움직여서 모두 약 180도의 움직임을 갖는다. 팔을 들어올리면 약 30도까지는 견갑골의 움직임이 뚜렷하지 않으며 일정하지도 않으나, 그 이후에는 관절와상완관절과 조화를 이루어서 관절와상완관절이 2도 움직일 때마다 견갑 흉곽 운동이 1도가 움직이는 견갑상완 리듬(scapulohumeral rhythm)을 보이면서 움직인다.[30]

흉쇄관절에서는 상지를 처음 90도 올리는 동안에 10도 올릴 때마다 쇄골이 4도씩 움직이고, 90도를 넘어서면 이 관절에서의 움직임이 일어나지를 않으며, 전체적으로 약 40도 정도의 움직임을 갖는다. 또한 상지를 올림에 따라서 견갑골이 회전하면서 쇄골도 회전하며, 상지를 완전히 들어올릴 때 쇄골은 상방으로 약 40도 내지 50도 회전한다.[31]

견봉-쇄골관절에서는 처음 30도 외전과 마지막 60도 거상에서만 관절운동이 발생한다고 알려져 있다. 관절운동

이 가능한 범위는 약 20도 정도로 알려져 있으며, 이러한 운동범위와 흉쇄관절의 운동범위를 합한 범위가 견갑골의 운동범위와 동일하게 된다. 또한 쇄골과 견갑골의 움직임이 잘 조화되고 견봉-쇄골관절에서 쇄골과 견갑골이 따로 움직이는 정도는 10도 정도에 불과하므로, 견봉-쇄골관절이 고정되거나 유합되어도 견관절의 운동에는 큰 장애가 보이지 않는다는 근거로 제시되고 있다.[32]

상완골 두의 평행 이동(obligate translations)은 최대 관절 운동범위에서 관절막이 비대칭적으로 긴장(tight)되었을 때 나타나는 것으로 생각되고 있다. 다른 관점에서 보면 회전 운동과 함께 일어나는 평행 이동은 상완골 두의 모양 때문이라고도 볼 수 있다. 최대 관절운동범위에서 평행 이동이 일어날 때 타원형으로 생긴 상완골 두의 변연부에서 관절면 접촉이 생기므로 평행 이동을 가능하게 한다고 볼 수 있다. 그 외에도 약간의 견관절 불일치성 및 관절연골의 가역적인 변형이 일어나는 등의 요인으로 평행 이동이 증가할 수도 있다. 비정상적이고 비대칭의 관절막 긴장이나 회전근 개의 기능 이상이 있을 때에는 최대 관절운동범위가 아닌 중간 범위의 운동에서도 상완골 두의 평행 이동은 일어날 수 있다.[33]

Ⅱ 급성 탈구

1. 견관절 전방 탈구 (Anterior dislocation of the shoulder)

인체 관절의 모든 탈구 중에서 약 45%가 견관절 탈구이고, 이 중 85%가 전방 탈구이다.[34] 견관절의 전방 탈구는 견관절 탈구 중에서 가장 흔한 형태이며, 탈구된 상완골 두의 위치에 따라서 가장 흔한 형태부터 빈도순으로 오구돌기하(subcoracoid), 관절와하(subglenoid), 쇄골하(subclavicular), 흉곽내(intrathoracic) 탈구 등으로 구분된다.

1) 견관절 급성 외상성 전방 탈구

(1) 손상 기전

상완골 근위부에 직접 힘이 가해져서 탈구가 발생하기도 하지만 대부분은 간접적으로 힘이 전달되어서 발생한다. 흔히 외전, 신전 및 외회전력이 과도하게 주어져서 전방 탈구가 일어난다. 배구의 스파이크, 농구 시 방어 자세, 빠르게 오는 물건을 잡으려고 팔을 뻗친 상태에서 힘이 가해진 경우 등에서 흔히 볼 수 있다. 드물게 경련성 질환이나 전

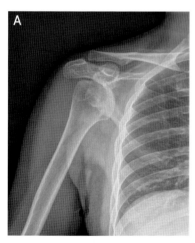
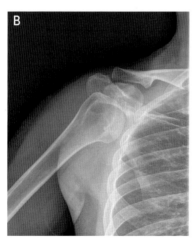
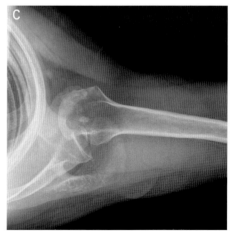

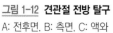
그림 1-12 **견관절 전방 탈구**
A: 전후면. B: 측면. C: 액와

기 충격 등이 있을 때에 과도한 근육수축 때문에 발생하기도 한다.[35]

탈구의 형태에 따라서 손상기전이 약간씩 다르다. 오구돌기하 탈구에서는 외전, 신전, 외회전력이 주로 작용하며, 관절와하 탈구에서는 외회전력보다 외전력이 강하게 작용하여 발생한다고 생각한다. 쇄골하 탈구 및 흉곽내 탈구는 간접적 힘과 함께 옆에서도 힘이 직접 주어져서 탈구되며, 힘의 크기에 따라서 쇄골하 탈구나 흉곽내 탈구가 된다고 생각한다.[36]

(2) 병인

견관절이 탈구되려면 필연적으로 연부조직의 파손이 동반된다. 탈구 시의 연령은 어떠한 부위가 파손되는지를 결정하는 중요한 요소 중 하나이다. 40대 이상에서는 회전근개의 파열이 흔하며, 40대 이전에서는 전하방 관절와순의 파열(Bankart 병변)이 가장 흔한 소견이다.[37-39]

급성 탈구가 재발성 탈구 또는 불안정성으로 진행하는 것은 나이와 함께 어느 부위가 손상되었는지가 매우 중요한 요소로 작용한다.

급성 외상성 전방 탈구는 통상적으로 관절와상완관절 전방부의 손상과 그 관절의 후방부[상완골 골성(Hill-Sachs 병변), 인대 또는 건]의 손상이 반드시 동반된다.[40] 한 방향으로 탈구가 일어나기 위해서는 관절막 양쪽의 손상이 있어야 한다는 것이며, 이는 관절의 안정성에는 관절와와 상완골 두 사이의 관절막이 원 개념(circle concept)으로 형성되어,[41] 급성 또는 재발성 탈구에 의해 한쪽이 손상되면 반대쪽의 손상이 동반된다는 것이다.

(3) 증상

외상에 의해서 탈구가 발생하면 심한 통증이 생기며, 탈구된 상지는 외전 및 외회전 상태로 고정된다. 흔히 환자는 반대편 손으로 탈구된 팔을 잡아 몸 가까이 유지하며, 팔을 전혀 움직이지 않으려고 한다. 탈구된 팔은 내전 및 내회전을 할 수 없고, 정상적으로 둥그스름한 모습을 가지고 있는 삼각근 부위가 편평해지며, 견봉 아래 부분에 있어야

할 상완골 두가 탈구되기 때문에 견봉 바로 아래 부분이 함몰되며, 견봉은 오히려 돌출되어 보인다. 상지의 혈관 및 신경손상이 동반할 수 있으므로 이러한 동반 손상에 대해 면밀하게 검진해야 한다.

처음 탈구되는 환자들 중 많은 경우는 병원에 오기 전 또는 오지 않고도 스스로 정복되는 경우가 많다. 이런 경우는 경한 손상에 의한 탈구를 의심할 수 있으며, 이는 견관절이 비교적 이완된 관절임을 시사한다고 볼 수 있다.

(4) 방사선 소견

대부분의 급성 외상성 견관절 탈구의 진단은 전형적인 병력과 진찰 소견으로 추정할 수 있는 것이 통례이며, 방사선 촬영으로 탈구의 방향과 골절의 유무 등을 확인한다. 견관절의 전방 탈구가 의심되는 경우에는 견관절의 진성 전후면, 측면 및 액와 촬영 등의 외상 촬영법을 촬영하여 진단을 확인한다. 간혹 통증과 관절운동제한 등으로 액와 촬영이 어려운 경우가 있으나 약간 견인하면서 외전하면 어렵지 않게 촬영할 수 있는 것이 보통이다. 환자가 외전을 할 수 없는 경우에는 벨포 등 팔걸이를 한 채로 벨포 액와 촬영을, 혹은 외상 액와 측면 사진(traumatic axillary lateral view)으로 대체하여 한다. 이러한 액와 촬영은 탈구의 방향 및 골절의 유무를 밝히는 중요한 정보를 제공한다.

(5) 기타 검사

탈구와 동반하여 혈관손상이 의심되는 경우에는 혈관 촬영술이 도움이 되며, 신경손상의 유무를 확진하고자 할 때에는 근전도 및 신경전도 검사 등이 이용된다. 나이가 많은 경우에는 회전근 개 파열이 곧잘 동반하며, 회전근 개 파열에 대한 검사에는 초음파 검사나 자기공명영상 등이 이용된다. 또한 관절경 검사는 탈구 자체의 진단보다는 관절와순의 손상과 같은 동반 손상을 찾는 데에 도움이 된다. 일반적으로 급성 외상성 전방 탈구의 진단은 병력, 진찰 소견, 방사선 촬영 등으로 확진할 수 있기 때문에 이러한 검사들은 통상 특수한 예에 한해서 시행한다.

(6) 동반 손상

① Bankart 병변

전하방의 관절와순이 관절와로부터 분리되며, 이를 소위 Bankart 병변이라고 한다. 젊은 연령층에서는 흔히 재발성 전방 탈구로 진행되는 요인이 될 수 있다(그림 1-13).[42]

② 골절

관절와, 상완골 두, 오구돌기 골절 등이 동반될 수 있다. 특히 전위 없는 상완골 경부 골절은 정복하면서 전위가 초래될 수 있으므로 정복 전에 반드시 확인하여야 한다. 골절의 진단에는 전산화 단층촬영이 가장 유용하다. 상완골 두가 전방으로 탈구되면 상완골 두의 후외측 부분이 견갑골 관절와 전연의 피질골에 눌려서 함몰되는 일이 흔하며, 이러한 병소를 소위 Hill-Sachs 병변(그림 1-14)이라고 하고, 견관절에 과도한 외력이 주어졌다는 증거의 하나로 여겨진다. 따라서 이러한 병변의 유무가 재발성 탈구 치료를 위한 수술 여부를 결정하는 중요한 지표로 이용되기 때문에 이를 방사선 촬영으로 확인하는 것이 치료 방침을 결정하는 데에 매우 중요하다.

외상성 견관절 전방 탈구와 잘 동반하는 골절은 대결절의 골절, 관절와 전연 골절, 상완골 두 후외측의 압박골절 등이 있다. 대결절 골절이 동반한 경우에는 탈구를 정복함에 따라 대결절의 골편도 같이 정복되는 경우가 많다. 대결절의 정복된 상태가 양호하면 주기적인 방사선 촬영으로 골편의 전위가 악화되지 않는지 세심하게 주의를 기울이면서 비수술적인 방법으로 치료한다. 대결절이 양호하게 유합된 경우에는 재발성 탈구가 잘 발생하지 않는다고 알려져 있다. 이와는 대조적으로 관절와의 전연의 골절과 상완골 두 후외측의 압박 골절은 재발성 탈구와 밀접한 관계를 갖는다. 그러나 관절와 전연골절 및 상완골 두 후외측의 압박 골절은 흔히 탈구에 대한 치료를 마친 후에 재발의 유무를 관찰하여 재발성 탈구가 있을 경우에 한해 재발성 탈구에 준하여 치료하는 것이 보통이다. 드물게 관절와의 골편이 너무 커서 관절와의 25% 이상을 침범하는 경우에는 관혈적 정복 및 내고정 등이 필요한 경우도 있으며, 상완골 두의 압박골절이 상완골 두의 반 이상을 침범한 경우에는 상완골 두 치환술을 고려하기도 한다.

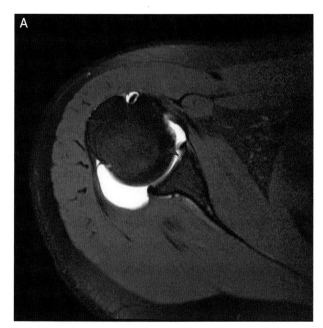
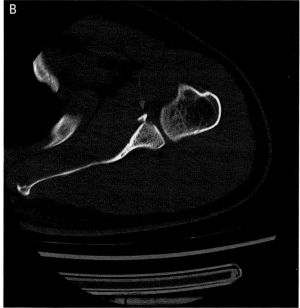

그림 1-13 액와면 영상(axillary lateral view)
A: Bankart lesion. MR 조영술 검사상 전방 관절와순의 파열이 관찰된다. B: CT 검사에서 골성(bony) Bankart 병변이 관찰된다.

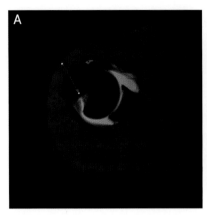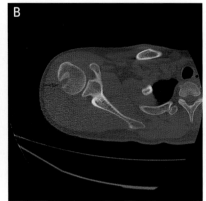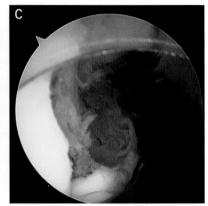

그림 1-14 Hill-Sachs 병변
상완골 두의 후외측 부분이 견갑골 관절와 전연의 피질골에 눌려서 함몰된 것으로, A: MR 조영술 검사상 상완골 두 후외측이 관찰된다. B: CT 소견. C: 관절경 소견

③ 회전근 개 파열

견관절 탈구와 동반하여 회전근 개가 파열되는 빈도는 연령이 증가하면서 증가하는데, 40세 이상에서는 30% 이상에서, 60세 이상에서는 80%에서 동반될 수 있다. 따라서 40세 이상에서 처음으로 견관절 탈구가 발생하였거나 관절와하(subglenoid) 탈구처럼 탈구되어 전위된 거리가 먼 경우, 그리고 탈구된 지 3주 이상이 경과하였음에도 통증이 지속되거나 외전 및 외회전 등의 근력 약화가 있다면 의심하여야 한다.[43] 초음파 검사 및 자기공명영상 검사가 유용하다. 특히 신경손상이 동반된 경우에는 회전근 개 파열을 더욱 의심하지 않을 수 있으므로 주의한다. 회전근 개의 파열이 있는 경우에는 수술로서 봉합하여야 한다.

④ 신경-혈관손상

견관절의 전방, 하방 및 내측에 상완신경총이 근접해 있어서 신경손상이 발생할 수 있다. 그중에서도 특히 액와신경은 견관절 앞에 있는 견갑하근의 앞을 지나 견관절의 아래쪽을 지나 뒤쪽으로 돌아가서 사각공간(quadrangular space)을 통과하여 견관절의 뒤로 간 후에 삼각근의 안쪽을 따라서 상완골의 외측을 돌아서 다시 앞쪽으로 나오기 때문에 견관절이 외상에 의해서 전방으로 탈구되면 상완골 두가 견갑하근을 전방으로 밀면서 액와신경이 손상되기가 쉽다.[44]

신경손상이 동반되는 경우가 33-45%까지 보고되고 있는데, 액와신경손상이 가장 흔하고 그 이외에도 요골 신경, 근피신경, 척골 신경, 상완신경총 등이 손상될 수 있다.[45] 신경손상의 빈도는 나이가 많고 탈구된 시간이 오래될수록, 심한 손상일수록 높다. 근력 약화와 저림을 호소하는 경우가 많다. 임상적으로 뚜렷하지 않은 경미한 손상은 지나치기가 쉽기 때문에 발표된 빈도보다 더 높을 가능성이 많다.

견관절 탈구의 환자가 상지의 쇠약감이나 팔이 저린 느낌을 호소하는 경우에는 신경손상을 염두에 두어야 한다. 수상 후 약 3-4주 후에는 근전도 및 신경전도 검사 등으로 신경손상을 진단할 수 있다. 대부분 경미한 신경증(neurapraxia)으로 장애 없이 완전히 회복되는 경우가 대부분이지만, 3개월이 지나도록 회복되지 않으면 예후가 나쁘다.

혈관손상은 어느 연령층이나 발생할 수는 있으나 대개 노인층에서 동맥경화 등이 있어서 쉽사리 동맥이 손상되는 경우 등 연령이 높을수록 쉽게 발생한다. 주로 액와혈관의 손상이 흔하며 종종 그 분지들도 발생한다. 액와동맥 중에서도 소흉근의 바로 뒤에 해당하는 제2부분의 흉견봉 동맥(thoracoacromial trunk)이 견열되는 손상이 많고,[46] 제3부분에서 견갑하동맥(subscapular artery)과 상완회선동맥(humeral circumflex arteries) 등이 견열되거나 액와동맥 자체가 파열되기도 한다. 액와동맥은 소흉근의 외언에 의해서 비교적 고정되어 있기 때문에 상지가 외전 및 외회전되면 긴장하게 되며, 관절이 탈구되면 액와동맥이 전방으로 전위되어 소흉근을 지렛점으로 하여 동맥이 변형되고 파열될 수 있다.[47] 또한 상완 회선 동맥이나 견갑하동맥에 의해서 제3부분이 고정되어 있기 때문에 손상이 잘 발생한다. 특히 하방 탈구에서 더 흔하다. 혈관손상은 견관절이 탈구될 때에 발생할 수도 있지만 탈구를 도수 정복할 때에 발생하기도 한다. 특히 노인에게 발생한 오래된 탈구를 도수 정복을 시도하거나 도수 정복할 때에 너무 과도한 힘을 주는 경우에 잘 발생한다.

혈관손상의 증상은 통증, 팽창성 혈종, 맥박 소실, 말초 부위의 청색증, 냉감 및 창백한 피부, 신경마비, 실혈에 의한 쇼크 등이 나타날 수 있다. 혈관손상의 유무와 손상된 위치는 동맥 촬영술로 확인할 수 있다. 혈관손상이 의심되면 액와동맥을 제1늑골 쪽으로 눌러 더 이상의 출혈을 막도록 노력하면서 시급히 수술을 시행한다. 손상된 혈관을 결찰하는 것은 위험하며, 손상된 부분을 제거하고 정상 부분의 혈관끼리 봉합하거나 정맥이나 인공혈관 등을 사용하여 말초 부분의 혈류가 회복되도록 하여야 한다.

(7) 치료

견관절이 탈구되면 가능한 한 빨리, 되도록 부드럽게 정복을 하여야 한다. 외상 직후에 정복하는 경우에는 특별한 투약을 하지 않고도 정복이 가능한 경우도 있으나 일반적으로 valium 등의 투약으로 근육의 경련을 어느 정도 이완시키는 것이 편리하다. 탈구된 관절내에 국소마취제(1% lidocaine 10-20 cc)를 주입하여 통증을 경감시킨 후에 도수 정복을 하는 방법도 시도할 수 있다. 탈구가 오래되면 연부조직의 종창이 심해지고 근육의 경련이 증가하여 도수 정복이 점차 어려워지는 경향이 있기 때문에 도수 정복이 실패하면 마취를 하여 근육을 이완시킨 뒤에 정복을 시행하도록 한다.

도수 정복을 하는 방법은 단순 견인, 견인 및 대항 견인, 견인 및 외측 견인 등의 방법이 있으며, 그 외에도 Stimson 방법, Hippocrates 방법, Kocher 방법, Milch 방법, 거상법 등이 있다.

① 단순 견인(simple traction method)

탈구가 오래되지 않은 경우에는 팔의 종축을 따라 견인하면서 약간의 회전을 하여 정복한다.

② 견인 및 대항 견인(traction-counter traction method)

방포를 접어서 환자의 가슴 앞에서 액와부를 돌아서 다시 등 뒤로 뺀다. 한 사람은 팔의 종축을 따라 팔을 견인하면서, 다른 사람은 방포를 잡고 환자의 몸이 딸려가지 않도록 대항 견인한다. 이러한 자세에서 팔을 약간씩 회전하여 정복한다. 이 방법은 과격한 힘이 주어지지 않기 때문에 다른 조직에 손상을 주지 않는 비교적 안전한 방법으로 알려져 있으며 근래에 널리 쓰인다(그림 1-15).

③ 견인 및 외측 견인(traction-lateral traction method)

한 사람이 팔의 종축을 따라 팔을 견인하면서 다른 사람이 방포를 이용하여 팔의 근위부를 바깥쪽으로 견인하여 정복한다. 비교적 다른 조직의 손상이 적다(그림 1-16).

④ Stimson 방법

환자를 높은 침대의 가장자리에 엎드리게 한 다음에 침대 밖으로 팔을 늘어뜨린다. 늘어뜨린 팔목에 3 kg 정도 무게의 추를 매달고 약 20분 정도 기다리면 추의 무게에 의해

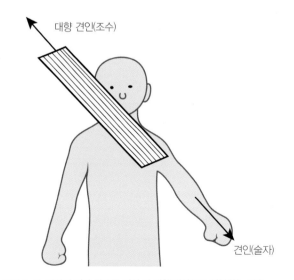

그림 1-15 **견관절 전방 탈구를 견인 및 대항 견인으로 정복하는 모습**

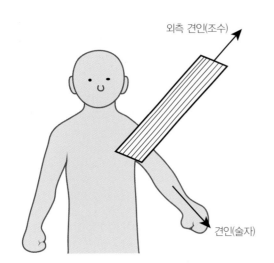

그림 1-16 견관절 전방 탈구를 견인 및 외측 견인으로 정복하는 모습

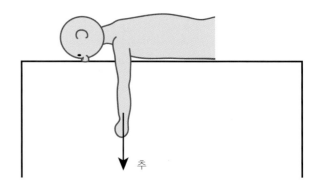

그림 1-17 견관절 전방 탈구를 정복하는 Stimson 방법

서 점차 견인되면서 자연히 정복된다. 비교적 안전하기 때문에 널리 쓰이는 방법 중의 하나이다(그림 1-17). 환자가 추를 단 끈을 손으로 잡지 않도록 하고, 침상의 높이가 충분히 높아야 한다.

⑤ Hippocrates 방법

환자를 눕히고 환자의 팔을 잡아서 팔의 종축을 따라 견인하면서 술자의 발을 환자의 액와부에 넣어서 대향 견인하여 정복한다. 발뒤꿈치가 환자의 액와부의 혈관이나 신경을 압박하지 않도록 유의해야 한다. 발 전체가 액와부에 위치하여 발의 중간 부위가 액와부를 지나도록 해야 한다. 혼자서 시행할 수 있다는 장점이 있으며 매우 효과적이기는 하지만, 액와부에 발을 넣는 것을 환자가 꺼릴 수 있고 혈관이나 신경손상이 발생할 수 있기 때문에 특별한 상황이 아닌 경우에는 자주 쓰이지 않는다(그림 1-18).

⑥ Kocher 방법

이 방법은 네 가지의 단계로 이루어져 있다. 먼저 환자의 주관절을 90도 굴곡시키고 상완골의 종축을 따라 점진적인 견인을 시행하면서, 상지를 천천히 완전히 외회전시킨 후에 가슴의 중심 부위까지 팔을 내전한다. 그 다음에 환측의 수부가 건측의 견관절에 닿을 정도로 상지를 내회전

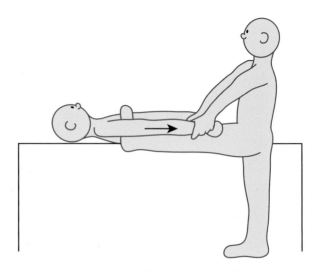

그림 1-18 견관절 전방 탈구를 정복하는 Hippocrates 방법

하여 정복을 한다. 이 방법은 관절와의 전연을 받침점으로 상완골 두를 지레처럼 움직여서 정복하는 방법이다. 따라서 과도한 힘이 주어지기 쉽기 때문에 관절막, 액와혈관 및 상완신경총 등의 손상이나 상완골 골절 등을 초래할 수 있어 근래에는 잘 이용되지 않는다.

⑦ Milch 방법

환자를 눕히고 상지를 외전, 외회전하면서 상완골 두를 후방으로 밀어서 정복한다.

⑧ 거상법(elevation method)

환자를 눕힌 다음 처음에는 상지를 25-30도 외전시킨 상

태에서 시작하여 점차 상외측으로 견인을 하면서 손으로 상완골 두를 밑에서 관절와 쪽으로 들어올리며, 상지를 전방 굴곡시켜 점차 머리 위까지 들어올려서 정복하는 방법이다. 이때 환자가 상지의 감각 이상을 호소하면 중지하는 것이 안전하다. 이 방법은 환자의 협조가 있어야 하며 혼자 시행할 수 있다는 장점이 있다.

흉곽내 탈구는 상완골 두가 늑골 사이에 끼어 있으므로 전신마취하에서 외측으로 견인하면서 탈구를 정복한다. 흉곽내 탈구는 대부분 상완골 경부 골절, 대결절 골절, 회전근 개 파열, 혈관이나 신경의 손상, 피하 기종 등의 동반 손상이 많이 발생하므로 이에 유의하여야 한다.

⑨ 관혈적 정복술(open reduction)

마취하에서도 도수 정복이 되지 않으면 관혈적 정복을 시행한다. 드물게 파열된 회전근 개나 관절막 또는 상완이 두근의 장두건 등이 관절내에 끼어서 정복을 방해하는 경우에는 수술적 치료가 필요하다. 급성 탈구 후 조기 수술적 치료의 적응증으로는 연부조직의 개재, 정복이 원활하지 않거나 정복이 불충분한 경우, 정복 후 5 mm 이상의 전위된 대결절 골절이 동반된 경우, 관절와 골절이 25% 이상 동반된 경우, 동반된 혈관손상이 있는 경우 등이다. 일반적으로 삼각 흉근 절개를 사용하여 관절을 노출하고 끼어 있는 연부조직을 제거하고 정복한다.

종래에 20세 이하의 환자에 발생한 견관절 탈구의 90% 이상에서 재발성 탈구가 발생하였다는 보고가 있었으나,[48] 근래의 보고에 따르면 전체의 약 1/3에서 재발성 탈구가 발생하며 어린 나이라고 하더라도 재발성 탈구가 50% 내지 60%에 머무른다고 한다.[49] 근래에 젊은 연령이나 활동적인 경우 등 재발성 탈구의 고위험군에서 관절경적 수술이 도움이 된다는 보고를 포함하여, 급성 외상성 탈구 후에 재발성 탈구를 예방하기 위해서 수술적 치료를 시행하는 것이 바람직하다고 추천하는 의견도 일부에서 제기되고 있다.

급성 외상성 탈구 후에 재발성 탈구가 발생하는 빈도가 약 50-60% 정도라는 근래의 보고에 따르면 모든 탈구를 수술하는 것은 재발성 탈구가 발생하지 않을 가능성이 있는 환자까지 수술을 시행하게 될 우려가 있다. 또한 탈구가

재발한다고 해도 재발의 횟수가 매우 드물거나 탈구의 간격이 장기간인 경우도 있으며, 탈구가 재발하는 사이의 활동에는 큰 문제가 없는 것이 대부분이다. 더구나 재발성 탈구가 되었을 경우에 수술해도 큰 장애를 남기지 않는 경우가 대부분이기 때문에 보다 장기적이고 철저한 연구가 이루어질 때까지는 급성 탈구에서는 특별한 이유가 없는 한 수술을 시행하지 않는 것이 보편적인 견해이다.

⑩ 정복 후 고정 및 운동치료

재발을 줄이는 가장 중요한 개념 두 가지는 보호 및 근력 강화이다.

탈구를 정복한 후에는 팔걸이 등을 이용하여 정복을 유지하고 보호한다. 고정을 할 때 어떤 자세가 최선인지에 대한 최근의 논란은 좀 더 추시가 필요하지만, 현재는 전통적인 내회전 고정법과 최근의 외회전 고정법이 모두 사용될 수 있다. 팔걸이를 착용한 기간 중에도 손가락이나 주관절의 운동은 허용하여 손이나 주관절의 강직을 예방하도록 한다. 일반적으로 젊은 연령에서는 약 3주 내지 4주 정도를 보호하며 나이가 많은 경우에는 관절강직이 오기 쉽기 때문에 약 1주의 보호 기간 후에 추 운동을 시작하여 관절운동을 한다. 특별한 합병증이 없는 한 수주일 내에 관절운동이 회복되는 것이 보통이다. 단계적인 관절운동을 거치면서 6주 정도까지는 정상 범위에 도달할 수 있도록 독려하지만, 외회전은 30-40도 이상의 무리한 운동은 시키지 않는다.

관절운동이 회복된 후에는 회전근 개 및 견관절 주변 근육들의 강화운동을 시행하여 재발성 탈구의 가능성을 되도록 줄이도록 노력하는 것이 바람직하다.

2) 견관절 전방 아탈구
(anterior subluxation of the shoulder)

견관절의 전방 아탈구는 흔히 젊은 연령에서, 특히 운동선수 등에서 호발한다. 상지가 신전, 외전, 외회전되는 경우에 상완골 두가 관절와의 전연에 걸렸다가 정복되는 양상을 보인다. 저절로 정복이 되는 경우가 많기 때문에 특별한 치료를 받지 않고 방치하는 경우가 많다. 상지를 신전,

외전, 외회전할 때마다 통증, 쇠약감, 무감각, 저린 감각 등이 유발되기 때문에 일상생활에 많은 제약을 갖는 경우가 있다. Rowe 등은[50] 팔을 아탈구가 되는 자세를 취하였을 때에 팔이 마비가 되는 것과 같은 느낌을 갖는 현상을 소위 "dead arm syndrome"이라고 부르기도 하였다.[51] 재발성 탈구의 경우에는 대부분 탈구가 없는 기간 동안에는 별다른 증상이 없는 것에 반해서, 아탈구의 경우에는 통증을 비롯한 일상생활의 제약이 큰 경우가 더욱 많다고 알려져 있다. 간혹 여러 번 아탈구가 지속되던 환자가 경미한 외상으로 인하여 완전 탈구로 진행하는 경우도 있다. 완전 탈구가 없는 경우에는 비외상성 탈구나 다른 질환으로 오인되어 진단 및 치료가 늦어지는 경우가 있다. 자세한 병력과 세밀한 진찰이 진단에 필수적이며, 재발이 잦은 경우에는 재발성 탈구와 동일한 방사선 소견이 나타나는 경우가 있다. 치료는 외상성 탈구에 준하며 증상이 지속되는 경우에는 재발성 탈구와 동일한 수술의 적응증이 된다.

3) 견관절 비외상성 전방 아탈구 및 탈구(atraumatic anterior subluxation and dislocation of the shoulder)

드물게 외상이 없거나 경미한 외력이 가해진 경우에도 견관절의 아탈구나 탈구가 유발되는 경우가 있다. Rowe는 견관절 탈구의 약 4%에서 비외상성 탈구가 있었다고 보고하였다.[50] 건강한 견관절에 있어서 탈구를 유발할 만한 힘이 주어졌는지를 판단하여 외상 유무를 결정하며, 첫 탈구가 어떻게 발생하였는지 잘 기억을 하지 못하는 경우는 비외상성인 경우가 많다. 대체로 탈구가 저절로 정복되는 일이 흔하고 정복된 후에는 통증이 거의 남지 않아서 다음 날에도 일상생활에 전혀 지장이 없는 경우가 대부분이다.

비외상성인 경우에는 흔히 전신 인대 이완 현상이 보인다. 전신적인 인대 이완 현상은 손가락의 중수지관절 및 원위지절의 과신전, 완관절의 과굴곡, 주관절의 과신전, 슬관절의 과신전 및 족부의 편평족 등을 검사하여 진단한다. 비외상성 탈구는 종종 양측성으로 발생하고, Bankart 병변 등의 기질적인 손상이 없는 경우가 대부분이며, 방사선 검사에 골 조직의 변화가 발견되지 않는다.

약 80% 정도에서 회전근 개 및 견갑골 주위 근육 등을 강화함으로써 증상이 호전될 수 있다. 이러한 운동치료에 반응이 없는 경우에는 수술적 치료를 시행할 수 있다. 수술을 할 경우에는 관절운동범위를 한쪽에서 과도하게 제한하면 상완골 두가 반대 방향으로 더욱 불안정해지면서 통증이 유발되는 경우가 있으므로 유의해야 한다. 또한 경우에 따라서는 퇴행성관절염이 촉발될 수도 있으므로 관절막의 이전이나 중첩이 과도하지 않도록 주의를 기울여야 한다.

2. 견관절 후방 탈구 (Posterior dislocation of the shoulder)

1) 견관절 급성 외상성 후방 탈구 (acute traumatic posterior dislocation of the shoulder)

견관절의 후방 탈구는 발견되지 않은 채로 방치되는 일이 흔하다. 후방 탈구의 60-70% 이상에서 진단을 놓친다고도 보고되며 많은 후방 탈구가 수일 내지 길게는 수년 후에야 발견되기도 한다. 견관절의 후방 탈구의 발생 빈도가 2% 내외로 드물기 때문에, 후방 탈구를 경험할 수 있는 경우가 매우 적어서 자칫하면 지나치기 쉽다는 점이 중요한 원인 중의 하나이다.[52] 따라서 모든 견관절 외상 환자에서 진찰과 방사선 검사를 충실하게 시행하여 후방 탈구를 지나치는 일이 없도록 주의해야 한다.

견관절은 견갑골이 후방에서 앞쪽으로 약 45도 정도 기울어 있기 때문에 후방 탈구를 막는 효과가 있으며, 견갑골의 견봉 및 견갑극 등도 어느 정도 후방 탈구를 방지하는 역할을 한다. 후방 탈구가 되면 전방 탈구의 Hill-Sachs 병변과 마찬가지의 기전에 의해서 상완골 두의 전방부가 관절와의 후연에 압박되어 함몰되면서 "역 Hill-Sachs 병변(reverse Hill-Sachs lesion)"이라고 부르는 골결손이 발생하기도 한다.

(1) 손상 기전

견관절의 후방 탈구는 팔이 굴곡, 내전, 내회전되어 있는 자세에서 팔의 종축을 따라서 뒤쪽으로 힘이 주어져서 발생하는 경우가 많다. 간혹 전기 충격이나 경련성 질환의 경우에도 발생한다. 경련성 질환의 경우에는 견관절의 내회전근(광배근, 대흉근, 견갑하근)의 힘이 상대적으로 약한 외회전근(극하근, 소원근)의 힘을 압도하여 후방 탈구가 많이 발생한다고 한다. 드물게 견관절의 앞쪽에 직접 힘이 가해져서 후방 탈구가 발생할 수도 있으나 대부분의 후방 탈구는 간접적인 힘에 의해서 발생한다.

(2) 병인

견관절의 후방 탈구도 전방 탈구와 마찬가지로 원인에 따라 외상성, 비외상성, 수의적, 비수의적, 선천성 등으로 나뉘며, 탈구된 기간 및 재발 여부에 따라 급성, 만성, 재발성 등으로 분류한다. 상완골 두의 위치에 따라서 견봉하(subacromial), 관절와하(subglenoid), 견갑극하(subspinous) 등으로 분류하며, 견봉하 탈구가 95% 이상을 차지한다.[53]

(3) 증상

후방 탈구가 발생해도 외양의 변형은 뚜렷하지 않다. 팔을 내전 및 내회전하고 있어서 팔걸이를 착용한 상태와 같은 자세이기 때문에 진단이 늦어지기 쉽다. 자세히 진찰함으로써 되도록 조기에 진단하여 치료하도록 하여야 한다. 후방 탈구는 환자를 앉히고 진찰자가 환자의 뒤쪽에 서서 내려다보는 자세로 진찰해야 변형을 찾기 쉽다. 후방 탈구가 되면 상지는 내전 및 내회전된 위치로 고정되며, 견관절의 외회전 및 전방 거상 등의 제한이 온다. 이러한 현상 때문에 흔히 동결견으로 오인되기도 한다. 상완골 두가 후방으로 탈구되기 때문에 건측에 비하여 견관절의 뒤쪽이 볼록해지고 앞쪽은 편평해진다. 또한 상완골 두가 후방으로 탈구됨에 따라서 오구돌기가 정상보다 돌출되어 보인다.

(4) 방사선 소견

모든 골격계의 방사선 검사와 마찬가지로 견관절의 방사선 검사도 서로 90도를 이루는 최소한 두 방향에서의 촬영이 필수적이다. 이러한 면에서 Neer의 외상 촬영법의 진성 전후면, 측면 및 액와 촬영 등의 세 가지 촬영법은 크게 도움이 된다.

일반적으로 흔히 이용되어 왔던 견관절의 단순 전후면상에서도 견관절의 후방 탈구를 암시하는 다음과 같은 징후가 있어 이를 숙지하여 관찰하면 진단에 도움이 된다. 정상에서 보이는 상완골 두와 관절와가 겹쳐서 만드는 타원형의 음영이 보이지 않으며, 관절와에 위치해야 하는 상완골 두가 관절와 내에 없고(vacant glenoid sign), 이와 같은 현상이 심해지면 상완골 두와 관절와 사이에 간격이 나타난다(day-light sign). 또한 관절와 후연에 의해서 함몰된 부위가 상완골 두에 나타나고(trough sign) 상지가 내회전한 상태에서 방사선이 대결절과 소결절을 통과하여 상완골 두의 속이 마치 빈 것처럼 보이며(cystic or hollow appearance of the humeral head), 상완골 경부의 형태가 불확실하고 상완골 두가 상부나 하부로 전위됨에 따라서 관절와의 하부나 상부의 1/3 정도가 빈 공간으로 나타난다.

후방 탈구가 되면 측면 촬영상에서는 상완골 두가 오구돌기, 견갑극, 견갑골 체부 등이 이루는 Y형태의 중앙을 벗어나서 후방에 위치한다. 이 방법은 팔을 움직이지 않고 촬영할 수 있다는 장점이 있으나, 영상들이 겹치고 팔의 위치에 따라 판독의 오류가 발생할 수 있기 때문에 불편한 점이 있다. 이에 반하여 액와 촬영은 촬영할 때에 팔을 약간 벌려야 한다는 단점은 있으나, 약간 견인을 하며 외전하면 촬영이 가능하며 후방 탈구 및 동반 골절 등의 판독에 편리하기 때문에 매우 중요하다. 단순 전후면 촬영에 나타나는 간접적인 증거에 진단을 의존하는 것보다 직접 관절이 탈구된 양상을 명확하게 보여주는 액와 촬영으로 판단하는 것이 보다 실제적이다(그림 1-19). 이 외에도 환측의 견관절의 측면에 필름 카세트를 대고 건측의 팔을 머리 위쪽으로 들어올린 후에 방사선을 가슴을 투과하도록 찍는 횡흉측면상(transthoracic lateral view)을 이용할 수도 있다.

정상의 횡흉 측면상에서는 상완골 간부, 상완골 두 및 경부, 견갑골의 액와연이 잘 연결되어 소위 Moloney선이 형성된다. 이는 마치 고관절 탈구의 진단에 사용되는 Shenton선과 유사하다. 후방 탈구가 있으면 이 Moloney선의 폭이 좁아지며, 전방 탈구가 있으면 폭이 넓어진다. 경우에 따라서는 전산화 단층촬영을 이용하여 후방 탈구의

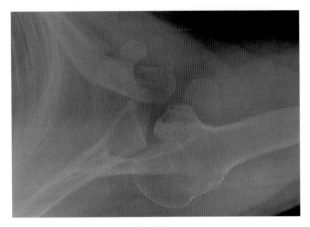

그림 1-19 견관절 후방 탈구의 액와 촬영

진단과 상완골 두의 전위 정도, 관절와의 상태, 상완골 두 골절의 정도 등을 관찰하기도 한다.

(5) 동반 손상

후방 관절와연의 골절과 상완골 근위 골절 등이 비교적 흔히 동반된다. 특히 상완골 두의 전내측부 골결손과 관절와 후연 골절이 흔하다. 이는 액와 측면상이나 CT에서 잘 보이며, 상당수에서 상완골 골절과 동반되어 초기의 진단에서 간과되는 경우가 많으므로 주의를 요한다.

(6) 치료

급성 후방 탈구는 다른 동반된 합병증이 없는 경우 의외로 쉽게 정복되는 경우가 많다. 하지만 견관절의 급성 외상성 후방 탈구는 흔히 전방 탈구보다 통증이 심하다. 근육 이완제나 진정제를 사용하면서 도수 정복하는 것보다 전신 마취를 하여 근육을 충분히 이완시킨 뒤에 도수 정복을 시행하는 것이 바람직하다. 환자를 앙와위로 눕힌 상태에서 팔이 내전되어 있는 상태에서 팔의 종축을 따라 견인하면서 상완골 두를 견관절의 뒤에서 부드럽게 들어 올려서 정복한다. 힘을 주어서 외회전하면 골절의 위험성이 있다. 상완골 두가 관절와 후연에 박혀있다고 생각되는 경우에는 방포를 팔에 걸어서 외측으로 견인하면서 같은 방법으로 정복한다. 간혹 약간 내회전하는 것이 정복을 수월하게 해주는 경우도 있다. 정복이 되면 팔을 움직여서 안정성을 확

인하고 가장 안정된 자세를 찾는다. 대부분 팔을 약간 신전, 외전 및 외회전한 위치가 가장 안정된 자세이다. 이러한 위치로 약 4주간 고정한다. 관절운동이 돌아오면 견관절 주위 근육 및 회전근 개 등의 강화운동을 시행하는 것은 전방 탈구와 동일하다.

급성 외상성 후방 탈구의 대부분이 도수 정복에 의해서 정복되기 때문에 수술이 필요한 경우는 흔하지 않으나 도수 정복이 안 되거나, 동반된 소결절 골절의 골편이 심하게 전위되었거나, 관절와 후연에 전위가 심한 큰 골편이 있는 골절이 동반된 경우, 개방성 탈구 등에서는 수술을 요한다. 관절와 후연 골절 이외에는 대부분 삼각근과 대흉근 사이로 접근하는 전방 절개를 이용하여 탈구를 정복하고 동반된 손상을 복원할 수 있다. 정복된 상태가 불안정하고 상완골 두의 함몰된 부분이 상완골 두의 20% 정도인 경우에는 견갑하근 자체를 함몰 부위에 이전하는 McLaughlin 술식이나[54] 견갑하근이 부착되어 있는 소결절을 함몰된 부위에 이전하는 Neer의 개선식이[55] 널리 쓰인다. 상완골 두의 40% 이상이 파괴된 경우에는 상완골 두 치환술을 고려해 볼 수 있다.

수술 후 고정은 환자의 상태에 따라 적용하지만, 약 4-6 주간 팔을 겨드랑이에 붙인 상태에서 팔이 몸통보다 위에 놓이게 고정하는 보조기나 석고 고정 등을 고려할 수 있으며, 그 후 약 3-6개월 정도 추가적인 운동치료가 필요하다.

2) 견관절 비외상성 수의적 후방 탈구
(atraumatic voluntary posterior dislocation of the shouder)

견관절의 비외상성 후방 탈구는 단독으로 나타나는 경우보다는 다방향성 불안정성의 일부로 나타나는 경우가 많다. 다른 방향으로 불안정한 정도보다 후방 불안정성이 뚜렷하게 나타나는 경우가 보통이다. 따라서 비외상성 후방 탈구가 의심되는 경우에는 항상 전방 및 하방 불안정성에 대해서도 관심을 기울여서 진찰하는 것이 바람직하다. 비외상성 전방 탈구와 마찬가지로 첫 탈구가 정복된 후에 통증이 남지 않으며 흔히 저절로 정복되고, 양측 견관절이 모두 이완된 상태를 보이며, 방사선 소견이 대부분 정상이다.

대부분 외상의 병력이 뚜렷하지 않으며, 흔히 주로 사용하는 상지 쪽의 견관절에서 증상이 발생한다. 치료 또한 비외상성 전방 탈구에 준하여 견갑골 주위 근육 및 회전근 개 등의 근력강화운동을 위주로 하는 운동치료를 시행하는 것이 일차적인 치료 방침이다.

수의적 후방 탈구 또한 수의적 전방 탈구와 마찬가지로 정서 장애 및 정신적인 문제가 있는 경우가 있다. 정서 장애나 정신적인 문제가 있을 경우에는 이에 대한 치료를 우선해야 하며, 근력강화운동 등을 병행할 수는 있으나 수술은 금기이다. 정신적인 문제가 없는 환자에서 근력강화운동에 반응이 없는 경우에는 수술을 고려해 볼 수 있다.

3. 견관절의 상방 탈구 및 하방 탈구
(Superior & inferior dislocation of the shoulder)

1) 견관절의 상방 탈구
(superior dislocation of the shoulder)

매우 드물게 발생한다. 내전된 팔에 과도한 힘이 전방 및 상방으로 가해져서 발생한다. 상완골이 위쪽으로 전위되면서 견봉, 견봉-쇄골관절, 쇄골, 오구돌기, 상완골 결절 등이 골절되기도 한다. 관절막, 회전근 개, 상완이두근 및 주변 근육 등에 손상이 심하다. 상완골 두가 견봉보다 위로 전위되어 팔 길이가 짧아 보이고, 팔이 내전된 위치에서 견관절의 움직임이 제한되며 통증이 유발된다. 흔히 신경 및 혈관의 이상이 동반한다. 상지를 약간 외전시키고 아래쪽으로 견인하면서 도수 정복하고 손상된 조직을 복원한다.

2) 견관절의 하방 탈구
(inferior dislocation of the shoulder)

견관절의 하방 탈구는 드물게 발생한다. 급성 하방 탈구는 1859년 처음 보고된[56] 후 현재까지 문헌상 보고된 예는 100여 차례이다. 그러나 탈구된 외양이 특이해서 진단은 비교적 용이하다. 대체적으로 심한 외전 손상에 의해서 발생한다고 생각된다. 상완골이 과도하게 외전되면서 견봉을 받침점으로 해서 상완골이 뒤집어져 상완골 두가 아래를 향하면서 관절와를 벗어나 탈구가 발생한다. 결과적으로 상완골이 관절와 하방에서 잠김 현상(lock)이 발생되고, 상완골이 120도 내지 160도로 외전되어 팔이 마치 만세 부르는 듯한 자세로 고정된다(그림 1-20). 주관절은 구부릴 수 있어서 전완부가 머리 위나 뒤쪽에 위치한다. 상완골 두가 가슴 옆에서 촉지되기도 한다. 이러한 양상 때문에 "luxatio erecta"라고 불리기도 한다. 이를 전방 탈구의 한 형태에 포함시켜야 한다는 의견도 있으나 그 양상이 크게 달라서 구분하여 생각하는 것이 일반적이다.

하방으로 탈구되면 방사선 소견에는 상완골 두가 관절와 하방에 위치하고 상완골 두의 관절면이 아래쪽을 향하며 관절와 하연과 접촉이 없다. 비교적 노인에게 잘 발생하며 심한 연부조직 손상을 동반한다. 관절막 파열, 회전근 개 파열, 대흉근 파열, 액와 혈관손상, 상완신경총 손상과 상완골 두의 골절 등이 흔히 동반한다. 통증이 심하며 거의 항상 혈관 및 신경의 장애가 나타난다.

도수 정복은 견인 및 대향 견인 방법이 사용된다. 방포를 접어서 어깨 위쪽에서 가슴 앞뒤를 지나서 반대편 가슴 옆

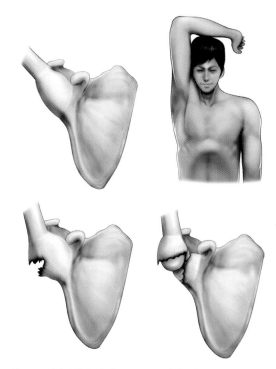

그림 1-20 견관절 하방 탈구(luxatio erecta)의 모습

에 이르게 한다. 시술자는 환자의 팔의 종축을 따라 위쪽 및 약간 바깥쪽으로 견인하고, 조수는 걸쳐 둔 방포를 이용하여 반대편 가슴 옆에서 팔을 견인하는 방향과 반대로 대향 견인한다. 점차 외전을 줄이면서 외측 견인을 거쳐서 하방 견인으로 옮기는 방법으로 정복한다(그림 1-21). 너무 무리하게 정복을 시도하지 않고, 정복이 잘 안될 경우에는 마취하 도수 정복 혹은 개방적 정복을 유도한다.

상완골 두가 관절막의 파열된 부분에 끼여서 도수 정복이 불가능한 경우에는 수술을 시행한다. 관절막이 파열된 부분을 확장하여 상완골 두를 빠져나오게 한 후에 정복한다. 혈관 및 신경 장애는 탈구를 정복한 후에 회복되는 경우가 많으나 액와동맥이 파열되거나 막힌 경우에는 복원술을 시행하여 말초 혈류가 회복되도록 해야 한다. 간혹 대결절, 견봉 및 관절와 등에 골절이 동반하기도 한다.

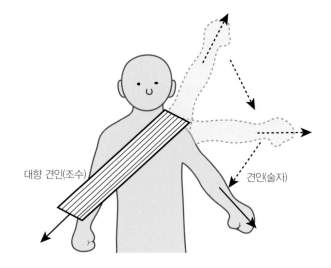

대향 견인(조수) 견인(술자)

그림 1-21 **하방 탈구를 정복하는 모습**

참고문헌

1. Brockbank W, Griffiths DL. ORTHOPAEDIC SURGERY IN THE SIXTEENTH AND SEVENTEENTH CENTURIES 1. Luxations of the Shoulder. The Journal of Bone and Joint Surgery British volume. 1948;30(2):365-75.

2. Thomas SC, Matsen 3rd F. An approach to the repair of avulsion of the glenohumeral ligaments in the management of traumatic anterior glenohumeral instability. The Journal of bone and joint surgery American volume. 1989;71(4):506-13.

3. Rockwood CA. The shoulder: Elsevier Health Sciences; 2009.

4. Lippitt SB, Harryman DT, Sidles JA, Matsen III FA. Diagnosis and management of AMBRI syndrome. Techniques in Orthopaedics. 1991;6(1):61-74.

5. Mazoue CG, Andrews JR. Injuries to the shoulder in athletes. Southern Medical Journal; 2004. 748+.

6. DePalma A. Variational anatomy and degenerative lesions of the shoulder joint. AAOS Instructional Course Lecture. 1949;6:255-81.

7. Steinbeck J, Liljenqvist U, Jerosch J. The anatomy of the glenohumeral ligamentous complex and its contribution to anterior shoulder stability. Journal of Shoulder and Elbow Surgery. 1998;7(2):122-6.

8. Moseley H, Övergaard B. The anterior capsular mechanism in recurrent anterior dislocation of the shoulder. The Journal of Bone and Joint Surgery British volume. 1962;44(4):913-27.

9. Cooper DE, Arnoczky S, O'brien S, Warren R, Dicarlo E, Allen A. Anatomy, histology, and vascularity of the glenoid labrum. An anatomical study. The Journal of bone and joint surgery American volume. 1992;74(1):46-52.

10. Lippitt S, Matsen F. Mechanisms of glenohumeral joint stability. Clinical orthopaedics and related research. 1993(291):20-8.

11. Chandnani VP, Gagliardi JA, Murnane TG, et al. Glenohumeral ligaments and shoulder capsular mechanism: evaluation with MR arthrography. Radiology. 1995;196(1):27-32.

12. Park YH, Lee JY, Moon SH, et al. MR arthrography of the labral capsular ligamentous complex in the shoulder: imaging variations and pitfalls. American Journal of Roentgenology. 2000;175(3):667-72.

13. O'Brien SJ, Neves MC, Arnoczky SP, et al. The anatomy and histology of the inferior glenohumeral ligament complex of the shoulder. The American journal of sports medicine. 1990;18(5):449-56.

14. Lugo R, Kung P, Ma CB. Shoulder biomechanics. European journal of radiology. 2008;68(1):16-24.

15. Lucas DB. Biomechanics of the shoulder joint. Archives of Surgery. 1973;107(3):425-32.

16. Halder AM, Itoi E, An K-N. Anatomy and biomechanics of the shoulder. Orthopedic Clinics. 2000;31(2):159-76.

17. Kelkar R, Wang VM, Flatow EL, et al. Glenohumeral mechanics: a study of articular geometry, contact, and kinematics. Journal of Shoulder and Elbow Surgery. 2001;10(1):73-84.

18. Habermeyer P, Schuller U, Wiedemann E. The intra-articular pressure of the shoulder: An experimental study on the role of the glenoid labrum in stabilizing the joint. Arthroscopy: The Journal of Arthroscopic & Related Surgery. 1992;8(2):166-72.

19. Kumar V, Balasubramaniam P. The role of atmospheric pressure in stabilising the shoulder. An experimental study. The Journal of Bone and Joint Surgery British volume. 1985;67(5):719-21.

20. Lee S-B, Kim K-J, O'Driscoll SW, Morrey BF, An K-N. Dynamic glenohumeral stability provided by the rotator cuff muscles in the midrange and end-range of motion: a study in cadavera. JBJS. 2000;82(6):849.

21. Warner JJ, Bowen MK, Deng X, Torzilli PA, Warren RF. Effect of joint compression on inferior stability of the glenohumeral joint. Journal of shoulder and elbow surgery. 1999;8(1):31-6.

22. Clark J, Sidles JA, Matsen F. The relationship of the glenohumeral joint capsule to the rotator cuff. Clinical orthopaedics and related research. 1990(254):29-34.

23. Levine WN, Flatow EL. The pathophysiology of shoulder instability. The American journal of sports medicine. 2000;28(6):910-7.

24. Warner JJ, Caborn DN, Berger R, Fu FH, Seel M. Dynamic capsuloligamentous anatomy of the glenohumeral joint. Journal of Shoulder and Elbow Surgery. 1993;2(3):115-33.

25. Bagg SD, Forrest WJ. A biomechanical analysis of scapular rotation during arm abduction in the scapular plane. Am J Phys Med Rehabil. 1988;67(6):238-45.

26. Ebaugh DD, McClure PW, Karduna AR. Effects of shoulder muscle fatigue caused by repetitive overhead activities on scapulothoracic and glenohumeral kinematics. Journal of Electromyography and Kinesiology. 2006;16(3):224-35.

27. Struyf F, Cagnie B, Cools A, et al. Scapulothoracic muscle activity and recruitment timing in patients with shoulder impingement symptoms and glenohumeral instability. Journal of Electromyography and Kinesiology. 2014;24(2):277-84.

28. Voight ML, Thomson BC. The role of the scapula in the rehabilitation of shoulder injuries. Journal of athletic training. 2000;35(3):364.

29. Warner JJ. Frozen shoulder: diagnosis and management. JAAOS-Journal of the American Academy of Orthopaedic Surgeons. 1997;5(3):130-40.

30. McQuade KJ, Smidt GL. Dynamic scapulohumeral rhythm: the effects of external resistance during elevation of the arm in the scapular plane. Journal of Orthopaedic & Sports Physical Therapy. 1998;27(2):125-33.

31. Sewell M, Al-Hadithy N, Le Leu A, Lambert S. Instability of the sternoclavicular joint: current concepts in classification, treatment and outcomes. The bone & joint journal. 2013;95(6):721-31.

32. Bontempo NA, Mazzocca AD. Biomechanics and treatment of acromioclavicular and sternoclavicular joint injuries. British journal of sports medicine. 2010;44(5):361-9.

33. Harryman 2nd D, Sidles J, Clark JM, McQuade KJ, Gibb TD, Matsen 3rd F. Translation of the humeral head on the glenoid with passive glenohumeral motion. JBJS. 1990;72(9):1334-43.

34. Matsen 3rd F, Harryman 2nd D, Sidles JA. Mechanics of glenohumeral instability. Clinics in sports medicine. 1991;10(4):783-8.

35. Rethnam U, Ulfin S, Sinha A. Post seizure anterior dislocation of shoulder—beware of recurrence. Seizure-European Journal of Epilepsy. 2006;15(5):348-9.

36. Cunningham NJ. Techniques for reduction of anteroinferior shoulder dislocation. Emergency Medicine Australasia. 2005;17(5-6):463-71.

37. Tarkin IS, Morganti CM, Zillmer DA, McFarland EG, Giangarra CE. Rotator cuff tears in adolescent athletes. Am J Sports Med. 2005;33(4):596-601.

38. Neviaser RJ, Neviaser TJ, Neviaser JS. Anterior dislocation of the shoulder and rotator cuff rupture. Clinical orthopaedics and related research. 1993(291):103-6.

39. Sonnabend DH. Treatment of primary anterior shoulder dislocation in patients older than 40 years of age. Conservative versus operative. Clinical orthopaedics and related research. 1994(304):74-7.

40. Provencher MT, Frank RM, LeClere LE, et al. The Hill-Sachs lesion: diagnosis, classification, and management. JAAOS-Journal of the American Academy of Orthopaedic Surgeons. 2012;20(4):242-52.

41. Lo IK, Burkhart SS. Triple labral lesions: pathology and surgical repair technique—report of seven cases. Arthroscopy: The Journal of Arthroscopic & Related Surgery. 2005;21(2):186-93.

42. Flinkkilä T, Hyvönen P, Ohtonen P, Leppilahti J. Arthroscopic Bankart repair: results and risk factors of recurrence of instability. Knee Surgery, Sports Traumatology, Arthroscopy. 2010;18(12):1752-8.

43. Gombera MM, Sekiya JK. Rotator cuff tear and glenohumeral instability : a systematic review. Clin Orthop Relat Res. 2014;472(8):2448-56.

44. Gumina S, Postacchini F. Anterior dislocation of the shoulder in elderly patients. The Journal of bone and joint surgery British volume. 1997;79(4):540-3.

45. De Laat E, Visser C, Coene L, Pahlplatz P, Tavy D. Nerve lesions in primary shoulder dislocations and humeral neck fractures. A prospective clinical and EMG study. The Journal of bone and joint surgery British volume. 1994;76(3):381-3.

46. Archambault R, Archambault H, Mizeres N. Rupture of the thoracoacromial artery in anterior dislocation of the shoulder. The American Journal of Surgery. 1959;97(6):782-3.

47. Drury J, Scullion J. Vascular complications of anterior dislocation of the shoulder. Journal of British Surgery. 1980;67(8):579-81.

48. Simonet WT, Cofield RH. Prognosis in anterior shoulder dislocation. The American Journal of Sports Medicine. 1984;12(1):19-24.

49. Vermeiren J, Handelberg F, Casteleyn P, Opdecam P. The rate of recurrence of traumatic anterior dislocation of the shoulder. International orthopaedics. 1993;17(6):337-41.

50. Rowe CR. Prognosis in dislocations of the shoulder. JBJS. 1956;38(5):957-77.

51. Rowe CR. Recurrent anterior transient subluxation of the shoulder. The "dead arm" syndrome. Orthop Clin North Am. 1988;19(4):767-72.

52. Robinson CM, Seah M, Akhtar MA. The epidemiology, risk of recurrence, and functional outcome after an acute traumatic posterior dislocation of the shoulder. JBJS. 2011;93(17):1605-13.

53. Kowalsky MS, Levine WN. Traumatic posterior glenohumeral dislocation: classification, pathoanatomy, diagnosis, and treatment. Orthopedic Clinics of North America. 2008;39(4):519-33.

54. McLaughlin HL. Posterior dislocation of the shoulder. JBJS. 1952;34(3):584-90.

55. Finkelstein JA, Waddell JP, O'Driscoll SW, Vincent G. Acute posterior fracture dislocations of the shoulder treated with the Neer modification of the McLaughlin procedure. Journal of orthopaedic trauma. 1995;9(3):190-3.

56. Middeldorpf M. De nova humeri luxationis specie. Clin Eur. 1859;2:12.

불안정성

Instability of the shoulder

조현철

1. 전방 불안정성(Anterior instability)

전방 견관절 불안정성은 전체 인구의 2%에서 발생되며 이 중 견관절 전방 탈구가 불안정성의 가장 흔한 손상 유형으로 전체 견관절 탈구의 90%를 차지한다.[1] 전방 불안정성의 가장 흔한 발생 기전은 외전 상태에서 가해지는 외회전에 의한 전하방 관절와순-관절와상완인대 복합체 손상이며 이로 인한 상완골 두의 반복적인 전방 아탈구 혹은 탈구가 발생하는 것이다. 이 같은 Bankart lesion이 가장 흔하게 외상성 견관절 전방 불안정성을 일으키는 병변이지만, 골성 병변 또한 하나의 중요한 원인 병변이며 특히 보고에 따라 수술적 치료가 만족스럽지 않은 경우 89%에서 골성 병변이 동반되어 있다고 보고된 바 있다.

한편, Bost와 Inman은 소위 Bankart 병변으로 알려진 관절와순 및 관절막 전방부의 분리, 관절와 전연의 미란이나 골절, Hill-Sachs 병변이라고 알려진 상완골 두 후외측의 골 함몰의 세 가지를 재발성 견관절 탈구의 삼주징(triad)이라고 하였으나 경우에 따라서는 이 중에서 한두 가지의 병변만이 발견되기도 한다. 사체에 의한 연구에 의하면 Bankart 병변만으로는 재발성 탈구가 발생할 가능성이 적으며, 관절와상완인대 및 관절막의 손상이 동반해야 견관절의 불안정성 및 재발성 탈구가 발생한다고 한다.

일반적으로 첫 외상성 탈구가 어린 나이에 발생할수록, 그리고 환자의 활동 정도가 활발할수록 재발성 불안정성의 발생 빈도가 높은 것으로 알려져 있다. Hovelius 등의 연구에 따른 탈구 환자 245명을 대상으로 arm sling을 이용한 보존적 치료를 시행하였고 이 중 52%에서는 재발성 불안정이 발생하지 않았으나, 23세 미만 환자 중 70%에서는 재발성 불안정성이 발생하였다.[2]

1) 병력 및 임상 증상

불안정성이 처음 발생한 연령, 경험한 횟수, 정복을 위해 응급실이나 병원 방문이 필요했는지의 여부를 세세하게 확인해야 하며 생애 기간 동안 병원을 방문한 횟수와 매 사건 발생 시 영상이나 의사의 신체검진을 통해 탈구를 확인했는지의 유무를 확인하여야 한다. 또 수상 기전, 증상을 유발하는 자세 등에 대한 자세한 병력 청취가 필요하다. 특히 외상성 탈구 등에 의한 전방 불안정성과 다방향 불안정성은 치료 원칙이 다르므로 이를 감별 진단하는 것이 중요하기 때문에 병력 청취 및 신체검진 시 이를 잘 구별해야 한다. 일반적으로 수상 기전이 70도 정도 외전되고 30도 신전된 상태에서 고에너지 손상을 받는 경우, 즉 미식축구에서 럭비공을 한 손에 들고 달리는 자세에서 손상을 받는 경우 힘의 벡터가 전방 관절와연에 가해지고 관절와 골결손이 쉽게 동반되는 것으로 알려져 있다.[3]

2) 신체검진

신체검진은 변형(deformity)과 근위축(muscle atrophy)을 먼저 확인하고 환자의 어깨에 다른 수술절개창(surgical incision)이 있는지 확인하는 것으로부터 시작한다. 견관절의 능동 및 수동 가동범위를 확인하고 전반적인 신경학적 검사를 시행한다. 특히 급성 탈구에서 종종 동반되는 액와 신경(axillary nerve)의 손상을 유심히 확인하여야 한다.[4]

이후 전방 불안정성을 확인하기 위해 상완골 두를 앞으로 밀어서 움직이는 범위를 보는 전방 전위 검사(anterior drawer sign)(그림 2-1), 팔을 외전, 외회전, 신전하면서 탈구되는 방향으로 움직일 때에 탈구가 발생하려 하는 느낌을 검사하는 탈구 유발 검사(apprehension test)(그림 2-2), 환자를 눕힌 자세에서 침대 모서리 옆에서 침대 모서리를 지렛

점으로 이용하여 팔을 외전, 신전, 외회전하면서 탈구되는 느낌을 보는 지레 검사(fulcrum test) 등으로 불안정성의 유무와 정도를 확인한다. 검사자의 손으로 견관절을 누르면서 환자의 견관절이 정복하는 원위치 검사(relocation)(그림 2-3)도 함께 시행할 수 있다.

동반된 하방 불안정성에 대한 평가도 시행해 본다. 주로 팔을 아래로 잡아당기면서 견봉 아래에 형성되는 함몰의 정도를 보는 함몰 검사(sulcus sign), 팔을 90도로 외전한 상태에서 어깨를 아래로 당기면서 보는 Feagin test(그림 2-4)

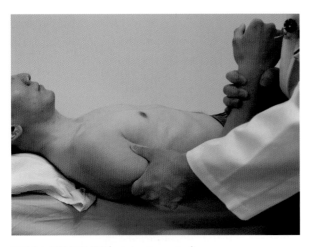

그림 2-1 전방 전위 검사(anterior drawer test)
Supine position abduction 40 자세에서, 한 손으로 forearm을 잡고, 한 손으로 상완골 근위를 잡고 전방으로 전위시켜서 그 정도를 평가한다.

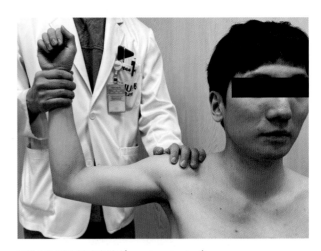

그림 2-2 전방 불안감 검사(apprehension test)
한 손으로 shoulder girdle을 잡고 엄지로 상완골 두를 밀면서 다른 손으로 forearm을 잡고 외회전시킨다.

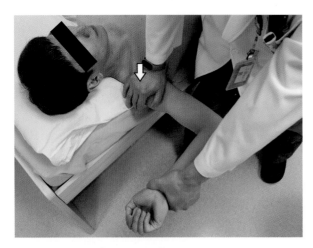

그림 2-3 원위치 검사(relocation test)
검사자의 손으로 견관절을 눌러 정복시킬 때 불안감이 사라지면 양성이다.

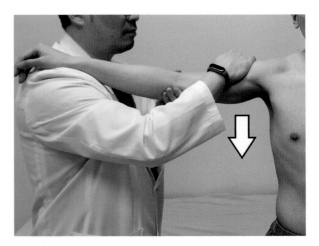

그림 2-4 Feagin test
주관절 신전 상태에서 외전 90도 자세로 검사자의 어깨 위에 팔을 놓는다. 검사자는 양손으로 환자의 상완 근위를 잡고 아래로 당긴다.

등을 이용한다. 이 외에도 과이완(hyperlaxity)을 평가하는 Beighton 기준을 이용하여 전신 유연성의 유무를 확인하는 것이 중요하다. 이는 전반슬(genu recurvatum) 유무, 주관절 과신전 유무, 중수지관절의 수동적 배굴 정도, 엄지가 수동적으로 전박의 수장부에 닿는 정도 등을 평가한다.[5] 이 외에도 SLAP 병변이나 연골손상 회전근 개 손상 등 동반될 가능성이 있는 병변에 대한 신체검사 또한 필요하다.

3) 영상 검사

단순 방사선 검사에는 진성 견관절 전후면 영상(true anteroposterior view), 액와면 영상(axillary lateral view), 견갑골 Y 영상(scapular Y-view)을 기본적으로 항상 포함하여야 한다. 여기에 더하여 Hill-Sachs 병변을 확인하기 위해 Stryker notch view를 추가 촬영할 수 있고 관절와연의 골절 또는 골소실을 확인하기 위해 West point axillary view를 추가 촬영해 볼 수 있다.

진성 견관절 전후면 영상은 방사선이 견관절의 관절면에 수직이 되도록 환자를 후방으로 돌려 세우거나 카세트를 어깨 후방에 밀착시키고 방사선을 35-40도 외측으로 주사하여 촬영한다. 전반적인 관절와 및 상완골 두의 관절면 상태를 파악할 수 있으며 관절와 하방의 골성 Bankart 병

변, 상완골 두의 Hill-Sachs 병변 유무를 개략적으로 관찰한다(그림 2-5).

액와면 영상(axillary lateral view)은 환자를 앙와위로 눕히고 촬영 측 어깨 밑에 단단한 스펀지(sponge)를 받쳐서 약 10 cm 정도 거상하고 상원이 체부에 수직이 되게 외전한 후 어깨의 upper border에 카세트를 수직으로 세워놓고, 경부에 가능한 밀착시키며 머리는 반대 측으로 돌린다. 방사선은 액와를 통해 견봉-쇄골관절(AC joint)에 수평으로 입사한다. 상완골 두의 아탈구나 탈구 유무를 관찰하는 데 용이하며 골성 Bankart 병변 및 관절와의 골결손이 관찰될 수도 있다(그림 2-6).

견갑골 Y 영상(scapular Y-view)은 환자가 서 있는 자세에서 상지를 편안한 자세를 취하게 하고, 환자를 40-60도 전방으로 돌려세운 후 방사선을 후방에서 전방으로 견갑골 극돌기에 평행하게 주사한다. 견갑골 체부와 오구돌기 및 견봉이 Y자 형태를 보이며 그 중심이 관절와의 중심부이다. 상완골 두의 탈구를 관찰하기 쉬우며 촬영이 용이해 급성 탈구 시에 유용하다. 액와면 영상에 비해 Hill-Sachs 병변의 관찰이 용이한 것으로 알려져 있다(그림 2-7).

이 밖에도 Hill-Sachs 병변을 보기 위해서는 상완골을 내회전한 상태에서 전후면 상(AP view)을 촬영할 수 있고, Stryker notch 촬영, Adam의 방법, Hermodsson의 방법 등

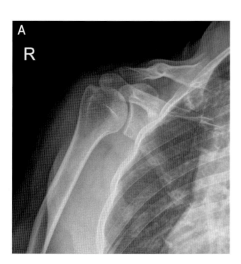

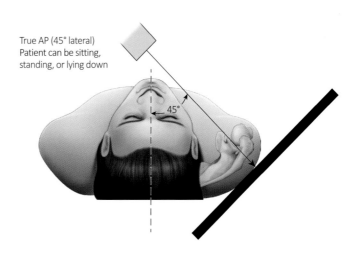

True AP (45° lateral)
Patient can be sitting, standing, or lying down

45°

그림 2-5 **진성 전후면 방사선 촬영**
A: 영상. B: 자세

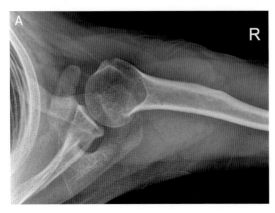

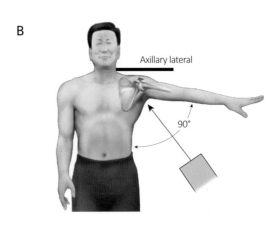

그림 2-6 액와면 영상(axillary lateral view)
A: 영상. B: 자세

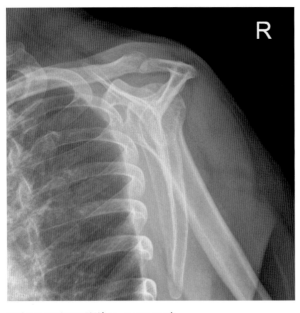

그림 2-7 견갑골 Y 영상(scapular Y-view)

다양한 방식이 소개되었고 이 중 Stryker notch 촬영이 가장 널리 쓰인다. Stryker notch 촬영은 환자를 앙와위로 눕힌 자세에서 카세트의 중앙에 견관절을 위치시키고 환자의 손바닥은 두정부 또는 촬영 측 귓바퀴 옆에 놓은 후 주관절이 위쪽을 향하도록 당긴다. 이때 주관절이 바깥쪽으로 외전되지 않고 정면을 향하도록 주의해야 한다. 팔꿈치가 앞을 향하는 자세에서 약 10도 각도로 머리쪽을 향하여 방사선을 촬영한다(그림 2-8). 간혹 진성 전후면 촬영이나

West point 촬영 또는 apical oblique 촬영 등에서도 Hill-Sachs 병변이 보일 수 있다.

Bankart 병변이 있는 경우에는 관절와 변연부의 전하방에 미란, 이소성 골 형성, 견열 골절 등이 동반되는 경우가 있으며, 이러한 소견들도 외상의 존재를 시사하기 때문에 치료 방침을 결정하는 데에 중요한 지침이 된다. 이러한 병변을 촬영하는 방법에는 West point 촬영, apical oblique 촬영 등이 이용된다. West point 촬영은 환자가 엎드린 자세에서 어깨 앞쪽에 약 8 cm 가량의 패드를 대고 머리를 반대편으로 돌린 자세에서 환자의 팔을 옆으로 벌리고, 방사선 필름 카세트는 환자의 어깨 위에 수직으로 세워 환자의 허리 부위에서 수평선과 25도 아래를 향한 뒤 몸의 종축과 25도 내측을 향하는 방향으로 액와부를 향해서 방사선을 촬영한다(그림 2-9). Apical oblique 촬영은 환자를 앉힌 다음에 필름 카세트를 어깨 뒤에 견갑골에 평행으로 대고 몸과 45도 각도이면서 45도 아래를 향하여 촬영한다(그림 2-10).

일반 촬영 검사와 함께 CT arthrography, MRI, MR-arthrography, 3D CT 등을 시행하여 연부조직과 골성 병변을 보다 자세히 평가해 볼 수 있다.

CT arthrography는 골성 병변의 위치와 크기에 대한 평가뿐만 아니라 전방 및 후방 관절와순의 상태를 평가하는 데 유용하다. MRI는 견관절 해부학적 구조의 전반적인 관찰에 유용한 진단 검사로 연부조직 구조물의 관찰에 매우

특이적이며 방사선에 대한 노출 우려가 없어 현재는 CT 관절 조영술은 대체하고 불안정성 평가의 표준 검사법이 되었다.[6,7] 특히 급성 손상인 경우 탈구에 의한 관절내 출혈이나 삼출물이 관절낭을 확장시켜 조영제를 사용한 것과 같은 효과를 나타내어 관절내 구조물의 평가를 용이하게 한다(그림 2-11).

반면 만성 불안정성의 경우 조영제를 관절강내에 주입 후 촬영된 MR arthrography이 단순 MRI에 비해 관절와순-관절와상완인대 복합체 상태를 보다 세밀히 관찰할 수 있는 것으로 알려져 있다. 특히나 경험이 적은 정형외과 의사나 영상의학과 의사는 조영제를 주입하지 않은 환자의 MRI만으로는 해부학적으로 정상인지 판단하기 어려운 것

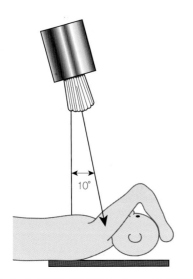

그림 2-8 Hill-Sachs 병변을 찾기 위한 Stryker notch 촬영법

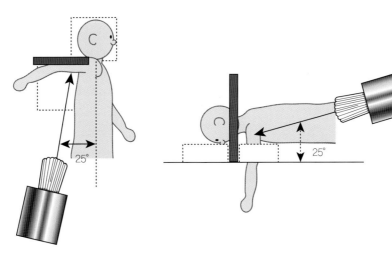

그림 2-9 관절와 전연부의 병변을 찾기 위한 West point 촬영법

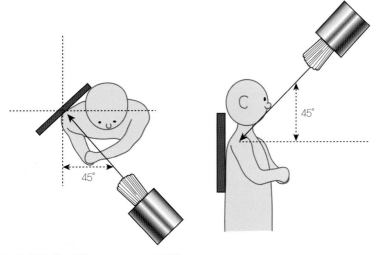

그림 2-10 관절와 전연부의 병변을 찾기 위한 Apical oblique 촬영법

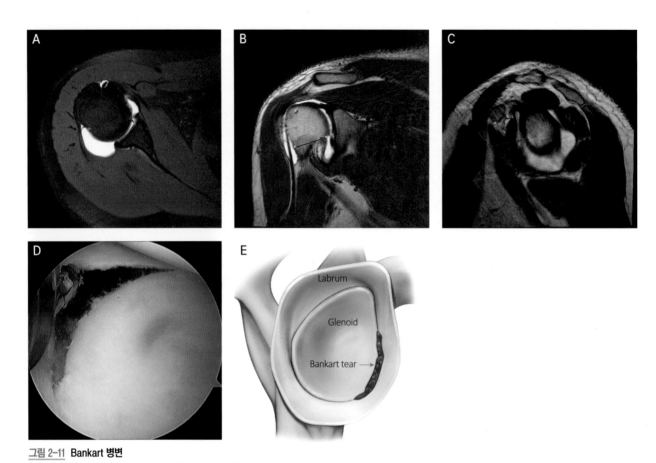

그림 2-11 Bankart 병변
A: MR 관절조영술 액와면상. B: 관상면상. C: 시상면상. D: 관절경 소견. E: 모식도

으로 알려져 있다. 더욱이 관절막의 느슨함(capsular laxity)은 관절강내 조영제 주입 없이는 평가하기 불가능에 가깝다.[8]

골결손이 동반된 견관절 불안정성의 경우 3D CT 재구성 영상을 이용해 관절와 골결손의 평가에 매우 유용한 것으로 알려져 있으며 골결손의 정도를 정확히 측정하기 위한 많은 방법들이 고안되었다. 이 중 best-fit circle을 이용한 방법이 가장 널리 사용되고 있는데 3D CT 재구성 영상에서 관절와 전체가 잘 나오는 영상을 찾은 후, 관절 아래쪽 2/3의 관절와연 모양을 따라 원을 그린다. 이 원의 직경과 결손부 폭(width)의 비율을 골결손의 정도로 측정한다(그림 2-12). 이 외에도 결손부의 넓이와 원의 넓이의 백분율로 구하는 방식, 관절와 지수(glenoid index)를 이용하는 방식, 골소실이 있는 관절와의 높이와 폭의 비를 이용하는 방식(W-L ratio), 3D 재구성 영상을 이용하지 않고 기존 2D CT를 이용해서 구하는 방식이 있으나 3D를 이용해 best-fit

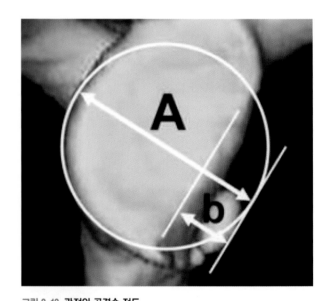

그림 2-12 관절와 골결손 정도
3D CT에서 관절와연 모양을 따라 원을 그린 후 이 원의 직경(A)과 결손부의 너비(b)의 비율로 관절와 표면에 대한 결손부의 백분율을 구한다.
b/A×100(%)

circle을 이용한 방법에 비해 정확도와 재현성이 떨어지는 것으로 보고되었다.[9]

4) 자연 경과

견관절 전방 불안정성 환자의 활동성이 높을수록, 첫 탈구의 연령이 낮을수록 그 재발률이 높은 것으로 알려져 있다. Hovelius 등의 연구에 따르면 첫 견관절 탈구 후 보존적 치료를 시행하였을 때 52%에서는 재발이 일어나지 않았으나 23세 미만의 환자들만을 평가했을 때는 70%에서 재발성 탈구가 보고되었다.[2] 또한 외상성 탈구의 경우 재발률이 더 높은 것으로 알려져 있는데 Rockwood 등은 비외상성 견관절 아탈구 환자를 대상으로 보존적 치료를 통해 좋거나 우수한 치료 결과를 보고한 반면, 외상으로 인한 견관절 아탈구 환자에서는 16%에서만 비슷한 결과를 보고하였다.[10] 이런 연구 결과들로 젊은 층에서 발생된 견관절 전방 불안정성의 높은 재발률은 처음 발생된 전방 불안정성의 치료로 수술적 접근이 필요하다는 의견이 제기되기도 하나, 처음 발생한 전방 불안정성의 치료는 보존적 치료를 우선 시행하는 추세이다.

5) 치료

(1) 보존적 치료

견관절 전방 불안정성은 보존적 치료 또는 수술적 치료를 시도할 수 있다. 보존적 치료에는 근력 강화, 관절운동범위 회복, 고유 수용 관련 기능 및 견갑 흉곽 역학의 회복을 통해 불안정성을 유발하는 원인을 교정하는 것을 목표로 삼는다.

치료 방침을 설정할 때에는 앞서 기술한 외상력과 연령 외에도 전방 불안정성의 재발에 영향을 많이 끼치는 인자에 대한 종합적인 고려가 필요하며 이에 대한 많은 연구가 진행되었다. 일반적으로 견관절 전방 불안정성의 치료 후 재발에 영향을 미치는 위험인자에는 젊은 나이, 전방 관절와의 골결손이 있는 경우 또는 후외측 상완골 두 골결손 (Hill-Sachs 병변), 견관절 불안정성 기왕력이 있는 경우나 다방향 불안정성이 동반된 경우, 신경손상이 동반된 경우, 수의적 불안정성, 회전근 개 파열이 동반된 경우 등이 있다. 첫 번째 견관절 탈구에 대해서는 보존적 치료를 시행하는 것이 일반적이지만, 상기 기술한 위험인자를 고려하여 치료 방법을 주장하자는 주장도 있으며 이에 대해서는 아직도 논쟁이 지속되고 있다.

보존적 치료로 방향을 설정하였다면 첫 탈구 후에 팔걸이 등을 이용하여 정복을 유지하고 보호한다. 고정 시의 자세가 최선인지에 대한 최근의 논란은 좀 더 추시가 필요하지만, 현재는 전통적인 내회전 고정법과 최근의 외회전 고정법이 모두 사용될 수 있다. 팔걸이를 착용한 기간 중에도 손가락이나 주관절의 운동은 허용하여 손이나 주관절의 강직을 예방하도록 한다. 일반적으로 젊은 연령에서는 약 3주 내지 4주 정도를 보호하며 나이가 많은 경우에는 관절강직이 오기 쉽기 때문에 약 1주의 보호 기간 후에 추운동을 시작하여 관절운동을 한다. 특별한 합병증이 없는 한 수주일 내에 관절운동이 회복되는 것이 보통이다. 단계적인 관절운동을 거치면서 6주 정도까지는 정상 범위에 도달할 수 있도록 독려하지만, 외회전은 30-40도 이상의 무리한 운동은 시키지 않는다.

관절운동이 회복된 후에는 회전근 개 및 견관절 주변 근육들의 강화운동을 시행하여 재발성 탈구의 가능성을 되도록 줄이도록 노력하는 것이 바람직하다.

(2) 수술적 치료

충분한 기간 동안의 운동치료를 시행했음에도 견관절의 불안정성을 보이거나, 재발의 위험인자를 가지고 있는 환자의 경우 수술적 치료의 적응증이다. 수술 방법은 매우 다양하지만 대체로 해부학적 복원술을 목표로 하는 생리적인 방법(physiologic method)과 비생리적인 방법(non-physiologic method)으로 구분할 수 있다. 생리적인 방법에는 Bankart 복원술, 관절막 이전술, 관절막 중첩술 등이 있고 비생리적인 방법의 대표적인 방법에는 견갑하근 단축술(Putti-Platt operation), 견갑하근 전이술(Magnuson-Stack method), 전방 골 차단술(Eden-Hybinnete operation), 오구 돌기 이전술(Bristow operation), 상완골 절골술(Weber osteotomy) 등이 있다.[11] 최근의 경향은 생리적인 해부학적 복원술이 보다 많이 사용되며, 비생리적인 수술은 점차 감소하는 추세이다.

① 개방적 Bankart 복원술 vs 관절경적 Bankart 복원술

Bankart 병변에 대한 최선의 수술 방법에 대해서는 아직 논란의 여지가 있다. 초기 데이터에서는 관절경을 이용한 수술이 개방 수술법에 비해 덜 예측 가능한 임상 결과를 도출하는 것처럼 보였으나 최근 관절경기구와 수술기법 등의 발전으로 말미암아 임상 결과의 차이가 미미해져 가는 추세이며 비교적 최근에 발표된 systemic review에서 견관절의 전방 불안정성을 관절경으로 수술하였을 때 재발률은 6.4%였고, 개방 복원술을 시행하였을 때의 재발률은 8.2%로 오히려 관절경 수술의 결과가 더 좋다는 주장도 대두되고 있다.[12] 하지만 한편으로 젊은 운동선수(young contact athlete)군에서는 평균 72개월의 추적 조사에서 관절경 수술 그룹에서 25%가 재발하였고 개방 수술군에서는 13%에서만 불안정성이 재발하여 젊은 운동선수 등의 재발위험률이 높은 특정군에서는 개방적 수술이 관절경 수술에 비해 재발률을 낮춘다는 주장도 있다.[13]

A. 개방적 Bankart 복원술

개방적 수술의 방법은 beach chair position으로 환자를 눕힌 후 삼각 흉근간 접근법, 액와 접근법, 최소 절개 접근 등으로 도달하여 견갑하근을 노출한다. 견갑하근은 하방 2/5는 근성 부착을 하므로 이 부분을 제외한 상방 3/5을 부착부 근위 약 1 cm 부위에서 분리하게 된다. 견갑하근 분리 시에는 밑에 있는 관절막과의 분리를 세심하게 하여야 하는데 상부, 즉 회전근 간격 부위는 관절막과 밀접하게 붙어있기 때문에 하부에서 상부로 진행하며 관절막과 분리하는 것이 필요하다. 견갑하근 전방부 하방을 지나가는 전방 상완 회선 동맥과 정맥은 결찰할 수 있다. 견갑하근의 근성 종지부, 즉 하방 2/5는 견인 시에 밑을 지나는 액와신경을 보호할 수 있다. 견갑하근의 기능을 최대한 보존하기 위해 견갑하건의 횡 절개를 시행하거나 관절낭 이동술을 동시에 하기 위해 관절낭의 T형 절개를 시행하기도 한다. 관절와순이 분리되어 있는 경우 봉합 나사못을 관절와에 삽입한 후 관절막을 포함하여 복원해준다. 관절와 전면에 관절와순을 봉합하는 방법은 골관통식 봉합을 하거나 봉합나사못을 이용하는 방법이 있다. 필요시 관절막 이전술을 함께 시행할 수 있는데 관절막 이전술은 하부 관절막을 상방으로 상부 관절막을 하방으로 이전하여 관절막의 부피를 줄이는 것이며 시행 시 팔을 외전 45도, 외회전 30도 정도를 하여 과도하게 이전하지 않도록 주의를 하여야 한다. 관절막은 비흡수성 봉합사로 단단히 봉합하도록 한다.

B. 관절경적 Bankart 복원술

관절경적 수술을 시행하는 방법은 환자를 마취하에 측와위로 눕히고 마취하 불안정성 검사를 시행하게 된다. 후방 삽입구를 통하여 30도 관절경을 삽입하여 관절내를 관찰하게 된다. 관찰 시 주의 사항은 Hill-Sachs 병변을 관찰하고 관절와와 잠김 현상을 평가하는 것이다. 또한 하방관절와상완인대 복합체의 상완골 측 부착부위를 잘 살펴보아 HAGL 병변 유무를 확인하여야 한다. 전하방 삽입구(작업 삽입구)를 만들 때는 되도록 견갑하건에 가깝게 하방으로 하고, 상완골 두에 가깝게 외측으로 하여야 나사못의 삽입을 적절한 각도로 시행할 수 있게 된다. 이 삽입구는 8 mm 삽입관을 사용하여 봉합에 필요한 기구들이 원활히 통과할 수 있게 한다. 전상방 삽입구는 이두건에 붙여서 삽입하여야 전하방 삽입구와 충돌하는 일을 막을 수 있다. 전하방 관절와순의 봉합 전 준비는 관찰 삽입구를 전상방 삽입구로 이동시켜 관찰할 수 있으나 주로 70도 관절경을 후방 삽입구에 두고 시행하게 된다. 관절와순은 ALPSA 병변과 같이 견갑골 경부에 유착이 되어 있는 경우가 흔하므로 연부조직을 견갑하근의 근육 부위가 보일 정도로 유리하는 것이 중요하다. 관절막을 하방에서 상방으로 이동시키기 위해 관절와순의 박리는 6시 부위까지 충분히 하여야 한다. 나사못의 위치는 3시에서 6시까지 사이에 적어도 세 개의 나사못을 위치시킬 수 있게 한다. 3개 미만의 나사못 사용은 높은 재발률과 연관이 있다. 관절막은 하방에서 상방으로 이전될 수 있도록 하고 관절와순에서 약 1 cm 원위부를 봉합하여 관절막의 소성 변형을 해결하도록 한다. 나사못의 위치는 관절연에서 3-5 mm 정도 들어와서 삽입하여야 둔턱을 효과적으로 만들어 줄 수 있다. 나사 삽입부는 연골을 다듬어내어 골에 치유가 일어날 수 있도록 한다. 나사못은 매듭법을 이용하는 것을 사용할 수도 있고 그렇지 않은 것(knotless anchor)을 사용할 수 있다. 매듭이 필요한 나사못을 사용할 때에는 매듭의 위치를 관절에서 멀게 위치시켜야 매듭에 의한 연골의 자극을 피할 수 있다(그림 2-13).

② 관절와 골결손이 동반된 경우

관절와 골결손이 관절와 전후방 직경의 15% 미만인 경우 경도, 15%에서 25% 미만의 경우 중등도, 30% 이상일 경우를 중증으로 분류하고 있다. 일반적으로 15% 미만의 골결손이 동반된 전방 불안정성은 Bankart 복원술만으로도 충분히 좋은 결과를 기대할 수 있다. 중등도 골결손의 경우 환자의 요구도를 고려하는 것이 치료계획 수립에 중요하다. 요구도가 낮은 환자는 Bankart 복원술만으로 성공

적 치료가 가능하나, 요구도가 높은 환자의 경우 불안정성의 재발을 예방하기 위해서는 골결손을 회복시키기 위한 치료가 추가적으로 필요할 수 있다. 25-30% 이상의 관절와 골결손의 경우 모든 환자에서는 불안정성의 재발을 방지하기 위해 골결손에 대한 보강 수술을 꼭 시행해야만 한다(그림 2-14).[3]

골결손에 대한 술식은 크게 세 가지가 있다. 1) 관혈적 정복술 및 내고정술, 2) 오구돌기를 이전하는 술식(Bristow 수술법과 Latarjet 수술법), 3) 자가골 또는 동종골을 이용한 골이식술이다. 위의 술식 중 어떤 방법을 택하든지 원래 관절와 골성 구조의 너비를 회복하는 것이 가장 핵심이다.

정복술 및 내고정술은 급성 골성 Bankart 병변은 봉합 나사나 lag 나사를 이용하여 해부학적 위치에 골편을 고정

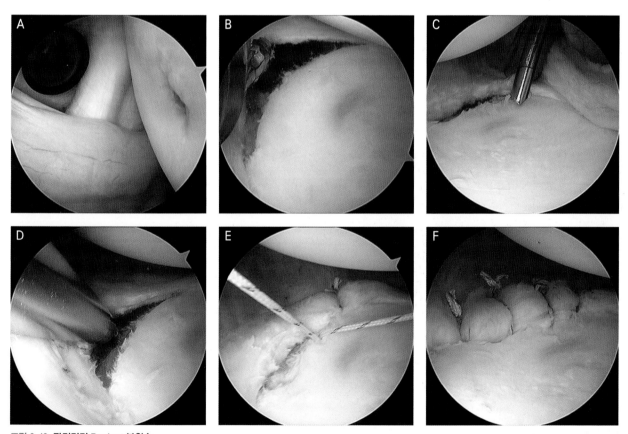

그림 2-13 관절경적 Bankart 복원술
A: 전하방 삽입구의 위치. 견갑하건에 가깝게 하방으로 만든다. B: 관절낭-관절와순 복합체 박리되어 있다. C, D: 관절낭-관절와순 복합체를 충분히 분리하여 하부의 견갑하근의 근섬유를 노출하고 관절와연에서 3-5 mm 내측에 봉합 나사못을 위치시킨다. E, F: 매듭의 위치는 관절에서 멀리 위치시킨다. 복원술이 끝난 후의 모습

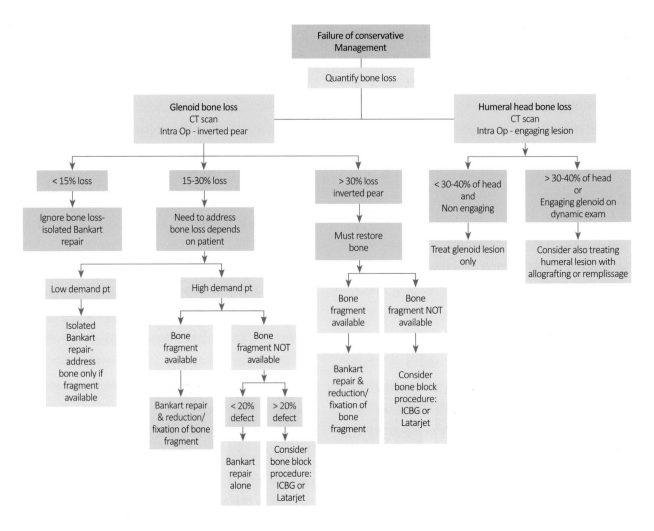

그림 2-14 관절와와 상완골의 골소실 정도에 따른 불안정성 치료 지침

하는 술기로서 최근에는 관절경으로도 많이 시행되고 있다. 관절경적 수술법은 관혈적 수술 방법에 비해 견관절 전방의 광범위한 박리를 피할 수 있고 견갑하건 절개에 의한 합병증을 예방할 수 있다는 장점이 있으나 수술 방법이 다소 어려울 수 있다.

한편, 관절와 골편이 심하게 분쇄되었거나 마모되어 관절와의 골소실이 심한 경우 전방 관절와연으로의 오구돌기 이전술을 시행할 수 있다. 오구돌기를 이전하는 술기로는 Bristow 수술 방법과 Latarjet 수술 방법이 있으며 최근에는 Latarjet 수술 방법이 더 많이 사용되고 있다.[14] Latarjet 수술 방법의 적응증은 일반적으로 25% 이상 골소실이 존재

하는 경우, 15%에서 25%의 중등도 관절와 골결손을 보이는 전방 불안정성 환자의 재수술 시, 감입성 Hill-Sachs 병변에 대한 수술적 치료 실패로 재수술이 필요한 경우 등이다.

Latarjet 수술 방법은 세 가지의 효과를 통해 수술 후 견관절의 안정화에 기여하게 된다. 첫 번째로 오구돌기의 골 구조를 결손부로 이전하여 관절와의 전후방 직경을 크게 함으로써 관절면을 늘려 안정성에 기여하는 'bone effect', 두 번째로 오구돌기에 부착되어 있는 연합 건을 함께 이전함으로써 외전 및 외회전 위치에서 견관절에 대한 전방 지지 효과를 나타내는 'sling effect'와 세 번째로 오구돌기에

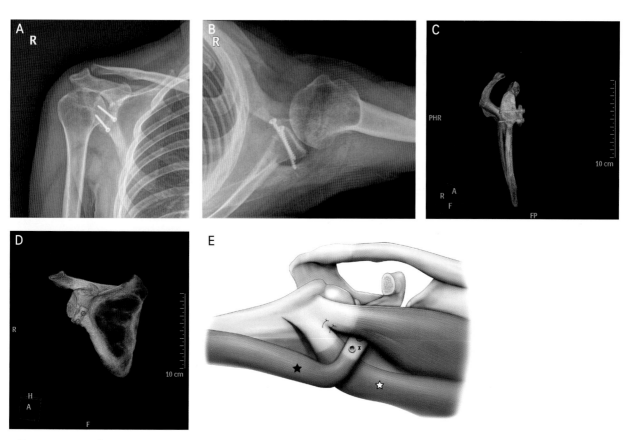

그림 2-15 Latarjet 수술
A, B: 단순 방사선영상. C, D: 3D CT 영상. E: 모식도

부착되어 있는 오구견봉인대를 관절낭과 직접 봉합함으로써 발생하는 'capsule effect'이다(그림 2-15). 이러한 효과들을 통해 관절와의 큰 골결손이 동반된 전방 불안정성의 치료에 Latarjet 수술 방법을 사용할 경우 굉장히 만족스러운 결과들이 보고되고 있는데, Latarjet 수술을 시행 받은 47명을 대상으로 평균 4.9년간 추적 관찰을 시행하였을 때 재발한 환자는 한 명도 없었고 Constant 점수는 평균 94.4, Walch-Duplay 점수는 91.7로 매우 만족스러웠다.[15] 또한 최근 관절경 술기의 발달로 Latarjet 수술 방법이 관절경을 이용하여 시행하기도 하며 여러 연구에서 관혈적 수술법과 비교했을 때 임상 결과가 열등하지 않았고, 수술 후 합병증은 더 적었다.[16]

이 밖에도 자가골 또는 동종골을 이용하여 관절와연에 골이식술을 시행하기도 한다. 만성 불안정성에서 반복적인 마멸로 심한 골소실이 존재하는 경우 일차적 치료 방법으로 사용될 수 있으며, Bankart 봉합술 또는 오구돌기 이전술 시행 후에도 불안정성이 지속될 경우 재수술 시의 수술 방법으로도 선택할 수 있다. 주로 장골 능에서 채취한 자가골이식을 가장 많이 사용하고 동종 원위 경골 및 대퇴골 두도 사용한다.

③ 상완골 두 골결손이 동반된 경우

관절와의 골결손 빈도가 더 흔한 병변이지만 상완골 두의 골결손 역시 재발성 불안정성 중요한 원인 인자이다.[17,18] Hill과 Sachs는 1940년 견관절의 첫 불안정성이 발생한 환자에서 상완골 두 후외측의 압흔 골절이 발생한 것을 처음으로 보고하였다. 이 Hill-Sachs 병변의 크기와 위치는 이 병변이 재발성 불안정성에 영향을 미칠지를 결정하는 중요한 예측 인자로 알려져 이를 정확하게 측정하는 방법이 발전해 왔다. 한편 Yamamoto 등은 glenoid track이라는 개념을 도입하였는데 견관절의 양쪽 측면을 모두 고려하여 Hill-Sachs 병변과 관절와 골결손을 함께 고려하였으며 회전근 개의 footprint 내측 18.4 mm 부근에 track의 내측경계가 있는 것을 확인하였다.[19]

Hill-Sachs 병변은 병변의 앞서 기술한 것처럼 병변의 크기와 위치가 불안정성의 재발에 있어 중요한 원인 인자로 작용하는데, 병변의 크기를 구하는 방법 중 가장 간편하고 널리 쓰는 방법에는 CT 액와면상에서 관절면을 따라 원을 그린 뒤, 원호를 따라 크게 양쪽 시작점을 연결하는 너비와 원호에서 병변 바닥까지의 거리 중 가장 긴 깊이를 구하여 원의 직경과의 비율을 구하는 방법이 있다(그림 2-16).[13,20] Hill-Sachs 병변의 크기가 20% 미만일 경우 재탈구가 발생할 가능성이 낮으나, 30-40% 이상인 경우 재탈구 가능성이 높다고 알려져 있다. 또한 Burkhart와 De beer 등이 소개한 감입성(engaging) 병변은 골성 병변의 장축이 상완의 외전 및 외회전 위치에서 전방 관절와연과 서로 평행하게 위치하는 형태인데, 이 경우 재발성 불안정성의 발생 가능성이 높다고 알려져 있다.[3]

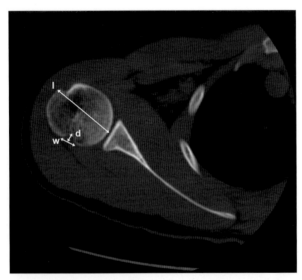

그림 2-16 상완골 두 골결손 정도
CT 액와면에서 관절면을 따라 원을 그리고 원의 직경(L)과의 병변의 너비(W)와 깊이(D)의 비율을 구하여 상완골 두의 골소실률을 계산함. 상완골 두 골소실률: W/L×100(%), D/L×100(%)

Hill-Sachs 병변의 치료 결정에 있어서는 동반된 전방 관절와연의 골결손의 정도도 함께 평가해야 한다. Hill-Sachs 병변은 전방 관절와연의 골결손과 동반되어 발생하는 경우가 대부분으로, 25% 이상의 관절와연골결손이 동반되어 있는 경우 Latarjet 술식을 우선 고려한다.

관절와연골결손이 25% 미만일 경우, 상완골 두에 발생된 크기가 큰 골결손이나 engaging Hill-Sachs 병변에 대해 시행할 수 있는 수술 방법은 1) 병변에 골이식 시행하는 법, 2) 극하건을 이용해서 병변을 채우는 Remplissage 수술법, 3) 근위 상완골 회전 절골술, 4) 견관절의 부분 또는 전치환술 등이 있다. 이 중 가장 흔히 사용되는 방법은 Hill-Sachs 병변의 결손 부위를 극하건으로 capsulotenodesis시키는 Remplissage 수술로서 결손 부위에 봉합 나사못 삽입 후 극하건에 봉합사를 통과하고 견봉하공간에서 봉합사 매듭을 만들어 극하건을 결손 부위에 고정함으로써 관절 내 병변을 관절외 병변으로 바꾼다. 또한 후방에서 극상하건을 고정해 줌으로써 상완골 두의 전방 전위를 제한하는 효과가 있다. 다른 술식에 비해 관절경을 통해 덜 침습적이며 수술 후 합병증을 최소화할 수 있다는 장점은 있으나, 수술 후 외회전 범위가 감소할 수 있다는 단점에 주의해야 한다. 때문에 일반적으로 이 술식은 Hill-Sachs 병변의 크기가 15% 미만일 경우 추가적인 안정성에 기여하는 부분은 적은데 반해 외회전 범위를 감소시키는 부작용이 있어 추천되지 않는다(그림 2-17).

④ 수술 후 관리

수술 후 견관절을 30도 정도 외전한 상태로 외회전 또는 중립 상태에서 외전 보조기를 수면시간을 포함하여 착용한다. 외전 보조기는 약 6주간 착용하는 것이 권장되며 수술 후 1-2주째에 굴곡 및 외전을 90도 정도까지 능동 보조 운동을 서서히 시작할 수 있다. 수술 후 6주째부터는 모든 방향의 능동운동을 서서히 시행한다. 일상생활로의 완전한 복귀는 수술 후 4-6개월이 지난 시점부터 고려하는데, 과격한 스포츠는 최소 6개월 이후부터 천천히 시작하는 것을 추천한다.

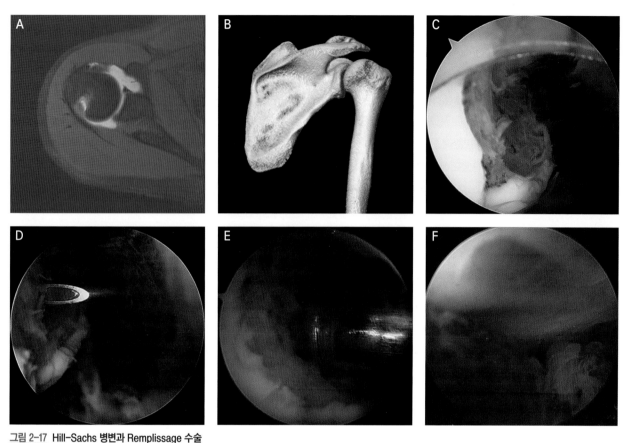

그림 2-17 Hill-Sachs 병변과 Remplissage 수술

A, B: MR 조영술 및 CT에서 큰 Hill-Sachs 병변을 확인할 수 있다. C, D, E: 관절경 소견상 Hill-Sachs 병변을 확인하고 나사못을 삽입하고 극하근을 고정하는 Remplissage 수술을 시행하였다. F: 수술 후 결손부가 극하건에 고정되어 있는 상태

2. 후방 불안정성(Posterior instability)

견관절의 후방 불안정성은 전방 불안정성에 비해 빈도가 드물지만 최근 들어 견관절의 통증 및 기능이상의 원인으로서의 그 중요성이 증가하는 추세이다. 일부의 경우 명확한 외상력 이후에 후방 불안정성이 발생하는 경우도 있으나 대부분의 경우 고에너지 손상이 선행되지 않고 후방 불안정성이 생기는 경우가 있으며 이러한 후방 불안정성은 다른 견관절 불안정성과 감별이 힘들고, 치료 방법의 결정에도 아직 논란이 있다.[21]

후방 불안정성을 일으키는 해부학적 원인은 크게 세 가지로 분류를 한다.[22] 첫 번째는 관절와의 저형성증 등으로 인해 관절와 후방경사가 과도한 경우이다. 이미 여러 연구에서 후방 불안정성이 있는 경우에 후방경사가 많이 증가해 있음이 보고되었으나, 정확히 몇 도 이상의 후방경사에서 후방 불안정성이 발생하는지 혹은 후방 불안정성 자체가 역으로 후방경사를 증가시키지는 않는지 등에 대한 결론은 도출되지 않은 상태이다.[23-25] 두 번째는 후방 관절와순에 병변이 있는 경우이다. 일반적으로 후하방 관절와순은 후하방 방향의 안정성의 약 20% 정도를 기여하고 있는 것으로 알려져 있다. 세 번째는 후하방 관절와상완인대 복합체와 관절낭의 과이완이다. 이 기전이 가장 주된 원인으로 고려되며 수술적 치료 시에도 과이완을 줄이는 것에 가장 초점을 둔다. 동반된 해부학적 병변이 있다면 함께 치료하는 것도 당연히 고려한다.

1) 병력 및 임상 증상

후방 불안정 환자의 임상 양상은 매우 광범위하고 다양하게 나타난다. 후방 불안정성의 가장 흔한 증상은 운동능력 저하를 초래하는 견관절의 후방부의 깊은 통증으로 알려져 있다.[26] 또 상당수 환자는 어깨가 뒤쪽으로 빠지는 느낌을 받거나 굴곡, 내전 및 내회전 시 빠졌다가 다시 들어가는 순간에 염발음을 호소하기도 하는데, 이러한 경우 후방 관절와순이나 연골의 손상, 또는 관절내 유리체와 관련이 있는 경우가 많다. 하지만 이러한 증상 없이 단순히 어깨가 덜컹거린다는 증상만 호소하는 경우도 빈번하기 때문에 후방 불안정성 환자를 진찰함에 있어서는 세심한 주의를 기울어야 한다. 일반적으로는 후방 불안정 환자가 전방 불안정성 환자보다는 대개 경한 증상을 보이지만 굴곡, 내전 및 내회전 상태에서 반복되는 후방 아탈구로 인해 견관절의 불편감 및 통증을 호소하며 내전 및 내회전 자세를 피하려는 특징을 갖는다.

외상력이 동반된 경우는 주로 견관절 후방 탈구 시와 유사하게 상지가 굴곡, 내전 및 내회전된 상태로 넘어지면서 견관절이 전방에서 후방으로 축성 압박을 받으며 생기는 경우가 빈번하다.[3]

2) 신체검진

전방 불안정성과 마찬가지로 시진을 통해 변형(deformity)과 근 위축(muscle atrophy)을 먼저 확인하고 환자의 어깨에 다른 수술절개창(surgical incision)이 있는지 확인하는 것으로부터 시작한다. 견관절의 능동 및 수동 가동범위를 확인하고 전반적인 신경학적 검사를 시행한다. 관절와의 후방경사가 과도한 경우에는 내회전에 비해 외회전 각도가 증가되어 있고, 전체 회전반경 arc는 정상 범주에 속하는 것이 특징이다.[27] 검사를 시행할 때에는 반드시 건측과 비교하여 검사를 시행해야 하며 관절이완 정도를 확인해야 한다. 또 검사 시 아탈구가 발생하였는데도 통증이나 불편감이 없다면 불안정성 외에 다른 원인을 확인해 보아야 한다.

후방 불안정성의 신체검진 시 후방 전위 검사(posterior drawer test)와 하방 전위(sulcus test) 검사 모두에서 과도한 전위를 보이면서 불편감을 호소하는 환자의 경우에는 다방향 불안정성을 감별해야 하며 검진 시 불안정성의 방향 및 정도가 명확하지 않으면 마취하에서 신체검사를 다시 시행하고 관절경적 검사를 추가로 시행하여 불안정성의 주 방향과 관절와순의 병변을 찾아보는 것이 필요할 수 있다.[28]

후방 불안정성에 대한 검사로는 하방 전위 검사(sulcus test), 약동 검사(jerk test) 후방 전위 검사(posterior drawer test), 그리고 후방 불안 유발 검사(posterior apprehension test), Kim's test 등이 있다.

하방 전위 검사(sulcus test)(그림 2-18)는 환자가 앉은 자세에서 상완을 중립에 위치시키고 검사자가 한 손으로 주관절 부위를 하방으로 당겨 견봉의 측부 또는 하방으로 견봉하 함몰(sulcus sign)이 관찰되는지 확인하는 것으로 sulcus sign은 견관절의 하방 불안정성을 의미한다. 이 검사는 다방향 불안정성을 감별하는 데 중요한 검사로서 앞서 기술한 것과 같이 과도한 하방 전위가 관찰될 경우 다방향 불안정성과 감별을 하여야 한다.

약동 검사(jerk test)(그림 2-19)는 환자가 앉거나 서 있는 자세에서 검사자는 환자 옆에 서서 검사자의 손으로 환자의 견갑 부위를 고정하고, 다른 한 손으로 환자의 주관절 부위를 잡고, 환자의 어깨를 90도 외전한 상태에서 상완을 관절와 쪽으로 강하게 밀어 축부하를 가하면서 서서히 수평 내전 및 내회전시킨다. 이때 견관절이 후방으로 아탈구가 일어나 염발음을 느끼거나 들을 수 있다. 이후 굴곡, 내전 및 내회전 상태에서 환자의 상지를 견갑면의 후방으로 이동시키면 다시 상완골 두가 제자리로 돌아오면서 염발음을 느낄 수 있다.

후방 불안 유발 검사(posterior apprehension test)(그림 2-20)는 상지를 전방 거상 후 내회전하고 후방으로 힘을 가하는 검사로, 검사 중 환자가 불안감을 느끼거나 통증을 호소하면서 아탈구가 일어나면 양성이라고 할 수 있다. 후방 전위 검사(posterior drawer test)(그림 2-21)는 환자의 근육이 이완된 편안한 자세에서 술자가 환자의 상완골 두에 후방으로 힘을 가하면 후방으로 전위가 발생하게 되고, 이러한 후방 전위가 얼마나 발생하는지 통증은 발생하는지의 유무를 관찰하는 방법이나.

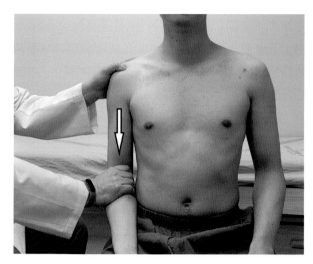

그림 2-18 Sulcus test
견봉에 대해 상완골 두가 하방으로 어느 정도 전위되는지를 검사한다.

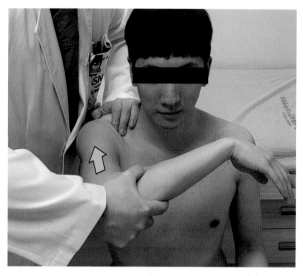

그림 2-20 Posterior apprehension test
상지를 전방 거상 후 내회전하고 후방으로 힘을 가하는 검사로 환자가 불안
감을 느끼거나 통증이 발생하면서 아탈구가 발생하면 양성이다.

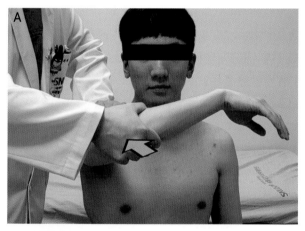

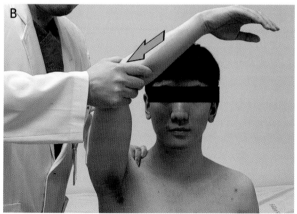

그림 2-19 Jerk test
환자의 상지를 외전 상태에서 상완을 관절와 쪽으로 강하게 밀어 축부하를
가한다. 서서히 수평 내전 및 내회전시키면 견관절이 후방으로 아탈구가 일어
나 염발음을 느끼거나 들을 수 있다.

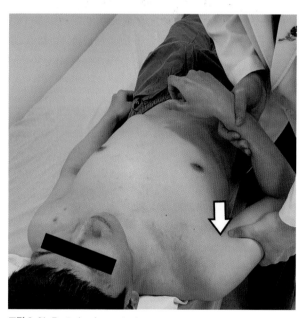

그림 2-21 Posterior drawer test
술자가 환자의 상완골 두에 후방으로 힘을 가하면 후방으로 전위가 얼마나
발생하는지, 통증이 발생하는지를 평가한다.

Kim's test(그림 2-22)는 환자가 앉은 채로 어깨를 90도 외
전하고 검사자는 한 손으로 환자의 주관절을 잡고 다른 손
으로는 환자의 상관 근위부의 외측부를 잡은 상태에서 45도
상방 사선방향으로 거상시키면서 환자의 근위 상완부에는

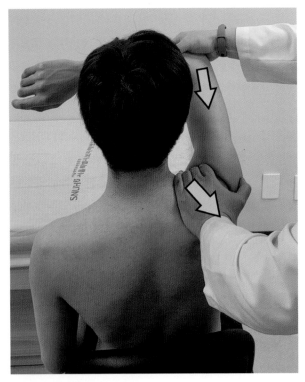

그림 2-22 Kim's test
통증이 유발되면 후방 불안정성이 있는 것으로 간주한다.

후 하방으로 힘을 가한다. 이때 통증이 유발되면 후방 불안정성이 있는 것으로 간주하며 약동 검사(jerk test)와 함께 시행할 경우 후방 불안정성에 대해 97%의 sensitivity가 있는 것으로 보고된 바 있다.

3) 영상 검사

후방 불안정성에서는 관절의 일치성(congruency)과 골소실 정도 등을 확인하기 위해서는 액와면 영상(axillary lateral view)이 가장 유용한 것으로 알려져 있다. 드물지만 후방 불안정성 환자에서 reverse Hill-Sachs 병변과 Bennett 병변이 관찰되는 것으로 알려져 있는데 Bennett 병변은 하관절와상완인대가 후하방 관절와에 부착되는 부분에 생긴 석회화 병변으로써 투구 시의 견열 손상과 관련이 있다고 알려져 있다.[29]

명확한 골손실이 보이지 않는 환자에서는 MRI 또는 관절 조영술 등의 특수 검사를 통해 후방 관절와순 파열, 역 Bankart 병변, 후방 관절낭의 이완 등을 확인할 수 있고,

관절와의 저형성 및 후방경사 정도를 확인할 수 있다.[29] 그러나 영상 검사상 어떤 소견도 없는 경우도 많아 후방 불안정성의 진단 시에는 환자의 증상과 신체검진이 매우 중요하다.

4) 치료

(1) 보존적 치료

증상이 있는 후방 불안정성을 진단하고 나면 치료는 기능을 회복시키고 통증을 줄이며 재발을 방지하는 것을 목표로 해야 한다. 견관절의 외상성 후방 불안정성과 재발성 후방 불안정성의 자연경과에 대해서는 아직 자세히 밝혀진 것이 없으며 일부에서는 외상 후 시작된 후방 불안정성에서 보존적 치료하는 경우 수술에 비해 결과가 더 안 좋다는 주장을 하고는 있으나 아직 결론에 도달하지는 못했다. 더욱이 후방 불안정성 환자의 수가 적고 이중 소수의 환자에 대해서만 수술적 치료를 시행하고 있어 결론을 도출하기가 더 힘든 상황이다.[26]

이 때문에 현재까지도 일반적으로 후방 관절낭이 느슨하여 과도 이완을 보이고 있는 경우에 증상이 심하지 않은 환자에 대해서는 수술적 치료보다는 보존적 치료를 우선적으로 시행한다.[30] 수의적으로 후방 아탈구를 일으키는 후방 불안정성의 경우는 수술적 치료의 금기이다. 후방 불안정성을 유발하는 내전 및 내회전이 필요한 동작을 피하게 하고 회전근 개와 후방 삼각근을 강화하고 견갑골 안정화하는 운동치료를 교육한다. 보강하는 운동치료를 실시한다.

(2) 수술적 치료

일반적으로 6개월 이상의 보존적 치료에도 불구하고 지속되는 재발성 후방 불안정성 또는 급성 외상성 탈구 이후 연부조직 또는 골성 병변이 명확한 후방 불안정성이 수술의 주된 적응증이다. 앞서 기술하였듯 다방향 불안정성이 동반된 경우도 많아 수술적 치료를 결정할 때에는 다방향 불안정성에 대한 철저한 평가가 필요하며, 수의적 탈구는 수술적 치료 결과가 상당히 나빠 일반적으로 수술적 치료의 금기임을 명심해야 한다.[31]

① 관혈적 수술

관혈적 수술법은 후방으로의 접근 및 적절한 수술 부위 노출이 필요한데 기술적인 숙련이 필요하다. 견봉의 후하연에서 내측으로 2-3 cm 아래쪽으로 7-8 cm 정도에서 시작하여 액와 주름을 따라 약 6-8 cm 정도의 수직 절개를 가한 다음 삼각근을 노출시킨다.

극하근을 절개하여 후방 관절낭을 노출시키고 이를 박리하는데 이때 하방으로 액와신경이 주행하므로 주의한다. 관절낭을 충분히 노출시키면 관절와순까지는 도달하지 않게 하면서 상완골 두의 적도부의 외측에서 내측으로 후방 관절낭을 횡으로 절개하고, 후방 관절와연과 평행하게 관절와순에서 약 5 mm 정도 거리를 두면서 관절낭에 T모양으로 절개를 가한다. 상부와 하부 관절낭 피판으로 나누어지면 하부 관절낭의 상내측 연을 최대한 상내방으로 이동시켜 비흡수성 봉합사를 이용하여 후상방 관절와순에 봉합하고, 상부 관절낭의 하내측 연은 상완을 내전한 상태에서 하내측으로 이동시켜 내측 관절낭과 서로 중첩되게 한 후 후하방 관절와순에 봉합한다.

② 관절경적 수술

최근에는 후방 불안정성의 수술적 치료로 관절경을 이용한 술식이 증가하는 추세이다. 그러나 후방 관절낭은 전방 관절낭에 비해서는 공간이 좁고 삽입구의 위치 선정이 어려워 수술의 난도가 높은 편이다. 일반적으로 후방 삽입구를 통한 병변을 먼저 관찰하고 나면 전상방 삽입구(anterosuperior portal)로 관절경을 옮겨 전방에서 후방 구조물을 관찰한다.

A. 역 Bankart 복원술

전상방 삽입구를 통해 역 Bankart 병변에 대한 repair가 필요한 것을 확인하고 나면 후방 관절와에 드릴링(drilling) 및 봉합 나사못 삽입 등을 위한 추가 삽입구를 추가로 확보한다. 보통 후외방 삽입구를 이용하는데 첫 후방 삽입구보다 약 2 cm 외측, 1 cm 상부에 또는 견봉 후방 모서리의 외측 2 cm에 위치시킨다. 이후의 과정은 Bankart 복원술과 거의 유사하다. 후방 관절와의 나사 삽입부는 연골을 다듬어내어 골에 치유가 일어날 수 있도록 한다. 봉합나사를 삽입하기 전에 spinal needle을 미리 삽입하여 삽입 각도를 확인해야 하며 관절낭이 아닌 골 두의 후방을 기준으로 spinal needle을 삽입하여 삽입구 위치를 정하는 것이 좋다.

B. 회전근 간격 봉합술

후방 불안정성에서 회전근 간격(rotator interval) 봉합술을 시행할지를 결정하는 것은 중요한 문제이다. 관혈적 수술에서 시행했던 초기 회전근 간격 봉합술을 오구상완인대의 내외측을 중첩하는 술기였던 반면, 관절경적 회전근 간격 봉합술은 상관절와상완인대(superior glenohumeral ligament)와 중관절와상완인대(middle glenohumeral ligament)를 상하로 중첩하는 술기이다.[32] 회전근 간격 봉합술의 역할은 아직 명확하게 밝혀지지 않았으나 다방향 불안정성이 동반된 경우에는 봉합이 도움이 될 수 있다는 정도로 의견이 수렴하고 있다. 그러나 수술 후 견관절의 강직이 발생할 수 있고 특히 외회전의 가동범위가 줄어들 수 있다는 단점이 있다.

C. 관절낭 중첩술

관절낭 중첩술은 관절낭을 겹쳐서 용적을 줄인 뒤 정상적인 관절와순에 고정하는 술식이다. 후하방 관절와순의 손상이 없는 후방 불안정성의 경우 관절낭 중첩만으로도 만족스러운 결과를 얻을 수 있는 것으로 알려져 있다. 통일된 수치는 아직 없으나 약 1 cm의 중첩만으로도 만족스러운 안정성을 얻을 수 있는 것으로 알려져 있다. 후하방 및 하방 관절낭을 상방으로 이동시키는 것이 중요하며 이때 액와신경이 손상되지 않도록 주의해야 한다. 수직 견인 시 신경손상에 대한 안정영역(safety zone)을 증가시키기 위해서는 상완을 외전 및 외회전시켜야 한다.

② 수술 후 관리

수술 후 견관절을 30도 외전한 상태로 외회전 또는 중립 상태에서 외전 보조기를 착용한다.[1,2] 수술 직후부터 수지운동과 주관절운동을 시작하게 된다. 이때, 봉합한 후방 관절낭이 수동적으로 늘어나지 않도록 내전 위치에 있지 않도록 주의해야 한다. 외전 보조기는 약 6주간 착용하는 것이 권장되며 수술 후 1-3주째에 수동운동을 시작하며 견갑면에서의 거상운동은 허용하나 견관절의 내회전운동은 삼가야 한다. 수술 후 6주째부터는 수동적인 내회전운동과 모든 방향의 능동운동을 서서히 시행한다. 일상생활로의 완전한 복귀는 수술 후 4-6개월이 지난 시점부터 고려하는데, 환자의 활동 정도와 즐겨하는 스포츠를 함께 고려하여 신중하게 결정한다.

3. 다방향성 불안정성
(Multidirectional instability, MDI)

다방향성 불안정성은 불안정성이 최소 두 방향 이상으로 나타나는 형태의 증상이 동반된 불안정성으로 정의된다.[33] 다방향 불안정성을 유발하는 기전은 대표적으로 골 및 관절와순에 의한 안정화기전, 인대에 의한 안정화기전, 근육의 조절기전, 신경근육 고유 수용기전(proprioception), 근육의 조절기전, 생화학적 이상으로 인한 기전을 들 수 있고, 여러 기전이 복합적으로 작용하는 것으로 알려져 있다. 반복된 외상에 의해서 발생할 수도 있으나 대부분 외상이 없거나 매우 경미한 외상에 의해서 발생하기 때문에 환자들은 일반적으로 외상력을 기억하지 못하며, 통증 또한 없거나 경미한 수준이다. 일반적으로 건측 어깨도 관절의 이완 현상이 함께 있고 슬관절이나 주관절 등에도 전신성 인대 이완 현상이 동반되는 경우가 많은데, 다방향성 불안정성은 전신성 과이완(generalized hyperlaxity)과 달리 증상이 있는 것이 감별점이며 전신성 과이완은 다방향성 불안정성의 유발인자로 작용할 수 있다.[34] 또한, 드물게 비외상성 다방향 불안정이 있는 상태에서 외상이 발생하여 두 가지의 특징이 같이 나타나기도 한다. 환자 자신의 의지에 따라서 견관절을 아탈구 또는 탈구시킬 수 있는 수의적 탈구의 경우도 있다.

1) 병력 및 임상 증상

다방향 불안정성은 보통 10대 또는 20대의 젊은 나이에 발병하며 환자는 비특이적인 어깨 통증 및 기능저하가 서서히 진행하는 것을 주소로 내원한다. 사소한 외상 후에 증상이 생긴 경우도 있고 특정할 수 있는 손상 기전이 없는 경우도 많다. 운동선수들의 경우에는 작은 반복적 외상에 노출된 후 비정상적인 관절막 이완 증상을 호소하는 경우도 종종 있다.

다른 불안정성과 달리 중간 운동범위에서 불안정하기 때문에 일상생활에 불편함을 느끼는 경우가 많다. 예를 들면, 무거운 가방을 든다든가 아니면 머리 높이에서 물건을 꺼내다가 '어깨가 빠진 것 같다'라는 느낌을 호소한다. 즉 중간 운동범위에서 아탈구 내지는 탈구가 일어난다.

점차 병이 진행되면서 관절이 불안하다는 느낌이 심해지며 아탈구가 발생하는 횟수도 증가하는 것으로 알려져 있으며 운동 능력의 저하와 근력의 약화도 종종 보고된다. 방사통과 마비증상은 드물게 보고되고 있다. 병력을 청취할 때 어떤 특정한 활동이나 동작이 환자에게 증상을 유발하는지 확인하는 것은 불안정성의 방향과 심각성의 정도를 유추하는 데에 매우 중요하다.

2) 신체검진

신체검진은 과이완 정도에 대한 검사와 관절의 안정도를 평가하는 검사를 모두 시행해야 한다. 과이완 정도에 대한 검사는 어느 정도 전위가 나타나는지를 보는 검사로 하방 전위 검사(sulcus test), 전방 전위 검사(anterior drawer test), 후방 전위 검사(posterior drawer test), 그리고 밀고 당기기 검사(push and pull test)가 있다.[35]

하방 전위 검사(sulcus test)는 환자가 앉은 자세에서 상완을 중립위에 놓고 검사자가 한 손으로 견갑부를, 다른 한 손으로 주관절부를 하방으로 당겨 견봉에 대해 상완골 두가 하방으로 전위되는 정도를 파악하는 검사로 전위 시 나타나는 견봉하 함몰(sulcus sign)을 관찰하는 검사이다. 정상인에서도 1 cm 내외의 하방 전위가 관찰될 수 있기 때문에 하방 전위가 2 cm 이상이며 전위 시 통증을 동반할 때 다방향 불안정성의 병적 현상으로 판단한다. 이때 상완을 외회전하면 상관절와상완인대와 회전근 간격의 관절막 긴장되어 하방 전위가 감소하는데, 상완을 외회전시켜도 전위가 감소하지 않는 경우에는 회전근 간격이 비정상적인 것으로 유추할 수 있다. 전방 및 후방 전위 검사는 검사자가 한 손으로는 견갑부를 잡고 다른 한 손으로 상완골 두를 전방과 후방으로 밀어 전위 정도를 알아보는 검사이다. 한편, 밀고 당기기 검사는 전방과 후방 전위검사를 환자가 누운 자세에서 시행하는 것이다.

다방향 불안정성에서는 견관절 외에 다른 관절의 과이완 정도도 확인해야 한다. 상체 굴곡검사, 주관절, 중수지 관절, 슬관절의 과신전 여부와 무지의 과외전으로 인해 전완

부와 맞닿는지를 확인하여 점수를 매기는 Beighton scale이 널리 쓰인다(표 2-1, 그림 2-23). 이 외에 견봉-쇄골관절이나 흉쇄관절이 빠지는지도 검사한다.

관절의 안정도를 평가하는 것은 인대가 긴장한 자세에서 더욱 힘을 가하여 이에 저항하는 현상을 관찰하는 검사로 전방 및 후방 불안 검사, 지렛점 검사(fulcrum test), 그리고 약동 검사 등이 있으며 이는 앞서 전방 불안정성 및 후방 불안정성 부분에 기술하였다.

표 2-1 **과이완(hypermobility) 검사.** 각각에 해당하면 1점이며, 1~4번까지는 좌/우측에 대해 각각 검사 시행함. 총점은 9점이며, 6점 이상일 경우 과이완

1	제5수지 중수 관절 신전 검사(제5수지 중수 관절 신전 > 90°)	0 / 1 / 2
2	무지 전완부 검사(무지가 전완부에 접촉 가능)	0 / 1 / 2
3	주관절 과신전 검사(주관절의 과신전 > 10°)	0 / 1 / 2
4	슬관절 과신전 검사(슬관절의 과신전 > 10°)	0 / 1 / 2
5	상체 굴곡 검사(슬관절 신전 상태에서 상체를 굴곡시켜 바닥과 손바닥 전체가 접촉 가능)	0 / 1

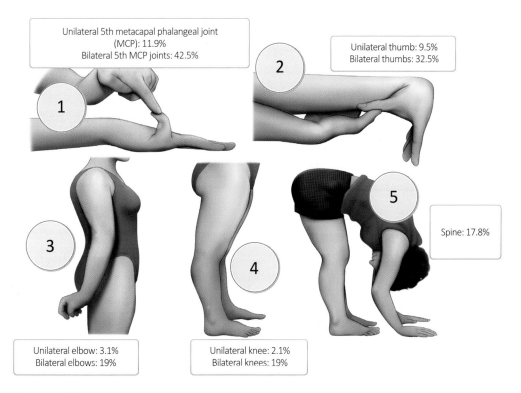

Unilateral 5th metacapal phalangeal joint (MCP): 11.9%
Bilateral 5th MCP joints: 42.5%

Unilateral thumb: 9.5%
Bilateral thumbs: 32.5%

Spine: 17.8%

Unilateral elbow: 3.1%
Bilateral elbows: 19%

Unilateral knee: 2.1%
Bilateral knees: 19%

그림 2-23 **Beighton scale 검사**
각각에 해당하면 1점이며, 1-4번까지는 좌/우측에 대해 각각 검사 시행함. 총점은 9점이며, 6점 이상일 경우 과이완에 해당하는 것으로 본다.

3) 영상 검사

다방향 불안정성의 진단은 일차적으로 임상 양상에 의거하지만 영상 검사도 어느 정도 도움을 줄 수 있다. 단순 방사선사진을 통해서는 관절와의 저형성이나 골손실 정도를 확인하고 필요시 CT를 촬영하여 이를 더 면밀히 분석해 볼 수 있다. 일반적으로는 다방향 불안정성 견관절에서는 단순 방사선 검사상 이상 소견이 잘 발견되지는 않지만 외상성 불안정성에서 나타날 수 있는 병변이 동반되었는지는 꼭 확인해야 하므로 반드시 검사를 시행하도록 한다. 환자의 손목에 약 2-5 kg의 무게추를 매달고 촬영하는 부하 영상 검사(stress view)를 통해 상완골 두의 하방 전위 정도를 확인할 수 있는데 정상인에서도 하방 전위가 관찰될 수 있으므로 항상 증상과 관련지어 진단해야 한다.

MR-arthrography는 가돌리늄 등의 조영제를 관절강내에 주입해서 관절막을 부풀린 다음 자기공명영상을 촬영하는 방식으로 기존 MRI에 비해 관절와순이나 관절막, 인대 구조물 등의 구조에 대한 해상도 등의 화질(definition)을 높여 보다 자세히 관찰할 수 있으나 다방향 불안정성에서는 관절막 이완이나 저형성된 관절와순의 소견 등의 비특이적인 소견만 보이는 경우가 많다.

4) 치료

(1) 보존적 치료

비외상성 다방향성 불안정 견관절은 약 80%에서 견갑골 주위 근육 및 회전근 개 등의 근육강화운동으로 호전된다고 한다.[8] 따라서 수술적 치료를 고려하기 앞서 우선 근력강화운동 등의 운동치료와 생활 습관의 변화를 일차적 치료 방법으로 고려한다. 견갑-흉곽(scapulothoracic)운동이상증에 대한 평가를 시행하고 이것을 교정하려는 것을 운동치료의 주 목적으로 삼아야 한다. 운동치료를 통해 환자에게 동반된 과이완을 교정할 수는 없지만 회전근 개와 삼각근의 근력을 강화하여 concavity-compression 효과를 높이고 상완골 두의 중심이 관절와의 중심에 유지되도록 하는 효과를 얻을 수 있다.[10]

보존적 치료 중 견관절을 불안정하게 하는 자세나 운동은 삼가야 하기 때문에 운동치료는 일반적으로 작은 범위의 외전운동을 너무 빠르지 않은 속도에서 하는 것이 중요하며 팔을 항상 어깨보다 낮은 위치에 있도록 주의한다. 한편 근래에 다방향성 불안정성을 진단받은 젊은 운동선수들을 대상으로 한 보존적 치료의 장기 예후 추시 연구에서 절반 이상이 불만족스러운 결과들도 보고되었다.[36] 이러한 최근 연구들은 다방향성 불안정성에서 보존적 치료의 적응증에 대한 좀 더 구체적인 논의가 필요함을 점차 부각시키고 있다.

(2) 수술적 치료

다방향 불안정성의 수술적 치료에 대한 주된 적응증은 정신과적 문제가 없고 불수의적(involuntary)이며 근력강화운동을 포함한 보존적 치료를 6개월 이상 시행하여도 증상의 호전이 없는 경우이다. 그리고 뚜렷한 외상의 경력이 있는 다방향 불안정성은 보존적 치료에 호전이 잘 안 되며, Bankart 병변 등 해부학적 병변이 동반되어 있을 가능성이 있어 수술적 치료의 적응증이 될 수 있다. 운동선수에서 불안정성으로 인해 운동으로의 복귀가 어렵고 필요한 활동 범위 내에서 증상이 지속해서 나타나는 경우에도 수술을 고려해 볼 수 있다.

수술의 절대적 금기증은 정신과적 문제가 있거나, 관절와의 저형성이나 무형성을 동반한 다방향 불안정성의 경우이다. 상대적 금기증은 상완신경총, 액와신경, 견갑상신경에 심한 마비가 동반된 경우이며, 일반적으로 수의적 다방향 불안정성은 수술적 치료의 결과가 기대 이하인 것으로 알려져 있다.

① 관혈적 수술

Neer와 Foster는 다방향 불안정성에 대해 관혈적 하 관절막 이동술(humeral-based inferior capsular shift)(그림 2-24)을 시행하였고 40건의 수술 중 39건에서 좋은 결과를 보고하였다.[37] 이 수술법은 상완을 30도 외전, 30도 전방굴곡 및 외회전한 상태로 시행하여 견관절의 가동범위 제한을 최소화하려고 하였으며, 중관절와상완인대와 하관절와상완인대 사이에 T자 모양의 절개를 가하여 관절막을 외측에서 상부로 이동시켜 이완된 하방 관절막의 용적을 줄여주는

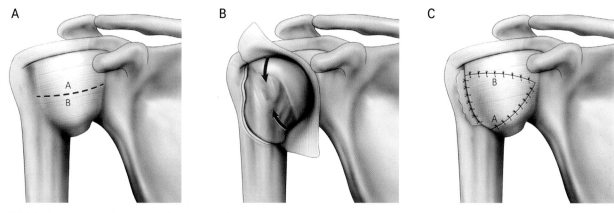

그림 2-24 humeral-based capsular shift by Neer and Foster
A: MGHL과 IGHL 사이에 가로로 절개를 가하면 상위피판(A)와 하위피판(B) 관절막이 분리된다. B: 관절막 플랩을 들어올린 다음 붉은 화살표 방향으로 전진시킨다. 이때 하위피판을 먼저 옮긴다. C: 피판을 봉합한다.

술식으로서, 다방향 불안정성의 치료법으로서 매우 각광받았다. 그러나 이후에 발표된 다른 연구에서는 다방향성 불안정성으로 하 관절막 이동술을 시행 받은 운동선수 36명 중 25명에서만(69%) 질환을 앓기 전의 스포츠 수준을 회복할 수 있었다.[38] 그렇기 때문에 다방향 불안정성에 대해 수술을 계획하고 있다면 수술 전에 환자의 활동 정도와 수술에 대한 기대치를 확인하는 것이 꼭 필요하다.

② 관절경적 수술

최근 다방향 불안정성의 수술적 치료로 관절경을 이용한 술식이 증가하고 있다. 관절경적 술식은 개방 수술에 비해 덜 침습적이고 수술 후 합병증이 적으며 관절막 이완의 감소한 정도를 눈으로 확인하기도 수월하며 견갑하근을 절개하지 않아도 되는 장점이 있다. 또한 전하방 관절막과 후하방 관절막의 과잉(redundancy)이 함께 있을 때 하나의 접근법으로 두 부분을 동시에 해결할 수도 있고 또는 동시에 평가한 후 필요에 따라 선택적으로 해결할 수 있다는 장점도 있다. 또한 후방 관절와순의 결손 등이 상대적인 관절와 후방경사를 만드는 경우 이를 관절경으로 발견하고 필요시 관절와순을 복원하거나 보강하는 술식을 함께 시행할 수 있는 장점도 있다.[39]

A. 관절막 중첩술

관절막 중첩술(그림 2-25)을 계획하였다면 마취하에서 다시 한 번 검진하여 견관절의 전이방향과 그 정도를 확인해 두어야 한다. 후방 삽입구(posterior portal)는 일반적인 방향보다 더 외측에 뚫어서 후방 관절와연과 후하방 관절막의 접근에 용이하게 한다. 관절막과 관절와순의 상태에 대한 전반적인 평가를 마친 후 관절와순으로부터 1 cm 정도 떨어진 관절막에 각이 진 봉합 갈고리(angled suture hook)로 봉합사를 통과시킨다. 상부 내측으로 10-15 mm 정도 이동시켜 관절와순과 봉합한다. 관절와순에 직접 봉합하지 않고 봉합 나사못(suture anchor)을 이용해도 되며, 관절와순이 저형성되어 있거나 무형성되어 있다면 나사못을 사용해야 한다. 관절경 시야를 확보하기 위해 봉합의 방향은 하방에서 시작하여 상부로 진행하는 것이 좋고, 불안정성의 가장 주된 방향의 불안정성을 교정해야 한다. 관혈적 수술과 마찬가지로 관절경 관절막 중첩술도 중첩의 정도(plication magnitude)에 비례해 관절의 용적을 효과적으로 줄일 수 있다.[40-42] 한 사체 연구에 따르면 관절막 중첩술을 5 mm, 10 mm 시행한 경우, 각각 16.2%, 33.7%의 관절 용적의 감소를 확인할 수 있었다.[43] 결론적으로 적절한 관절 중첩술은 다방향 불안정성을 효과적으로 호전시킬 수 있는 것으로 알려져 있다. 그러나 과도하게 시행할 경우에 견관절의 가동범위 제한을 가져올 수 있으며 특히 외회전의

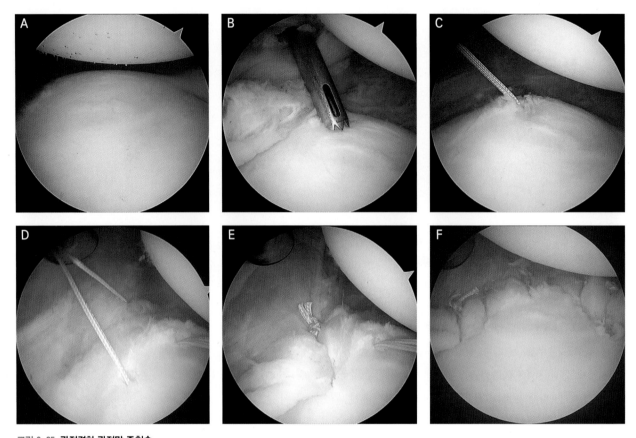

그림 2-25 관절경하 관절막 중첩술
A: 관절경에서 저형성된 관절와순 및 관절낭 이완이 관찰된다. B: 봉합 나사못을 삽입. C, D, E: 봉합사를 관절막에 통과시켜 관절막 중첩술을 시행하는 모습
F: 관절막 중첩술을 환형으로 시행하고 난 뒤의 모습

제한을 초래할 수 있어 적절한 관절막 중첩의 정도를 결정하는 것이 중요하다. 일반적으로 성공적인 관절막 중첩술은 수술 후에 상완골 두가 관절와연을 넘어가는 아탈구가 일어나지 않아야 하고 건측 견관절에 비해서는 과도한 가동범위의 제한이 생기지 않아야 한다.[44]

B. 회전근 간격 봉합술

관절경적 회전근 간격 봉합술은 상관절와상완인대 (superior glenohumeral ligament)와 중관절와상완인대(middle glenohumeral ligament)를 상하로 중첩하는 술기이다. 다방향 불안정성 수술에서 회전근 간격 봉합술을 추가로 시행할 때 견관절 안정성을 추가로 획득할 수 있는지에 대한 명확한 임상적 근거는 아직 명확하지 않다. 하지만 다방향 불안정 환자에서 관절막 중첩술과 회전근 간격 봉합술을 시행한 후 만족스러운 연구결과가 보고되었고, 생역학

적 연구에서는 관절막 중첩술을 시행하고 나서도 관절막의 느슨함이 충분히 해결되지 않았다고 판단될 경우 간격 봉합술을 추가로 시행하는 것이 도움이 될 수 있음을 뒷받침할 만한 결과들이 도출되었다.[45,46] 이 때문에 일반적으로 다방향 불안정성에서 회전근 간격의 공간이 넓다고 판단되고 상관절와상완인대의 이완이 심한 경우나 파열이 있는 경우는 회전근 간격을 줄여주는 봉합술을 추가로 시행한다. 최근 회전근 간격 봉합을 위한 여러 방법이 소개되고 있으며, 크게 관절내에서 봉합 매듭을 시행하는 경우와 관절 밖에서 매듭을 시행하는 경우로 구분할 수 있다.

다만, 수술 후 견관절의 강직이 발생할 수 있고 특히 외회전의 가동범위가 줄어들 수 있다는 단점이 있으니 이에 유념해서 시행할 수 있도록 한다.

③ 수술 후 관리

관혈적 수술을 하든, 관절경적 수술을 하든 수술 후 관리는 크게 다르지 않다. 수술 후의 관리는 환자마다 가장 심한 불안정성의 방향을 고려하여 결정한다. 외전 보조기(abduction brace)는 수술 후 4-6주간 착용하고 수술 직후부터 수지운동과 주관절운동을 시작한다. 수술 후 3주째에 신장운동(stretching exercise)과 등척성 근력강화운동(isometric strengthening exercise)을 시작할 수 있고, 외전 보조기를 제거하는 순간부터 능동운동과 내회전 수동운동도 병행하여 실시한다. 수술 후 8-12주째 저항성 근력강화운동을 시작하며 수술 후 3개월째 부족한 외회전에 대해 말기 신장운동(terminal stretching exercise)을 시행하며 개개인에 맞추어 진행된 근력강화운동을 시행한다. 근력을 모두 회복했다 판단이 되면 수술 후 6개월째에 스포츠로 복귀할 수 있다.

참고문헌

1. Arciero RA, Wheeler JH, Ryan JB, McBride JT. Arthroscopic Bankart repair versus nonoperative treatment for acute, initial anterior shoulder dislocations. Am J Sports Med. 1994;22(5):589-94.

2. Hovelius L, Augustini BG, Fredin H, Johansson O, Norlin R, Thorling J. Primary anterior dislocation of the shoulder in young patients. A ten-year prospective study. J Bone Joint Surg Am. 1996;78(11):1677-84.

3. Burkhart SS, De Beer JF. Traumatic glenohumeral bone defects and their relationship to failure of arthroscopic Bankart repairs: significance of the inverted-pear glenoid and the humeral engaging Hill-Sachs lesion. Arthroscopy. 2000;16(7):677-94.

4. Robinson CM, Shur N, Sharpe T, Ray A, Murray IR. Injuries associated with traumatic anterior glenohumeral dislocations. J Bone Joint Surg Am. 2012;94(1):18-26.

5. Grahame R, Bird HA, Child A. The revised (Brighton 1998) criteria for the diagnosis of benign joint hypermobility syndrome (BJHS). J Rheumatol. 2000;27(7):1777-9.

6. Grainger AJ, Elliott JM, Campbell RS, Tirman PF, Steinbach LS, Genant HK. Direct MR arthrography: a review of current use. Clin Radiol. 2000;55(3):163-76.

7. Grigorian M, Genant HK, Tirman PF. Magnetic resonance imaging of the glenoid labrum. Semin Roentgenol. 2000;35(3):277-85.

8. Tirman PF, Stauffer AE, Crues JV, 3rd, et al. Saline magnetic resonance arthrography in the evaluation of glenohumeral instability. Arthroscopy. 1993;9(5):550-9.

9. Bois AJ, Fening SD, Polster J, Jones MH, Miniaci A. Quantifying glenoid bone loss in anterior shoulder instability: reliability and accuracy of 2-dimensional and 3-dimensional computed tomography measurement techniques. Am J Sports Med. 2012;40(11):2569-77.

10. Burkhead WZ, Jr., Rockwood CA, Jr. Treatment of instability of the shoulder with an exercise program. J Bone Joint Surg Am. 1992;74(6):890-6.

11. Court-Brown CM, Garg A, McQueen MM. The translated two-part fracture of the proximal humerus. Epidemiology and outcome in the older patient. J Bone Joint Surg Br. 2001;83(6):799-804.

12. Brophy RH, Marx RG. The treatment of traumatic anterior instability of the shoulder: nonoperative and surgical treatment. Arthroscopy. 2009;25(3):298-304.

13. Rhee YG, Ha JH, Cho NS. Anterior shoulder stabilization in collision athletes: arthroscopic versus open Bankart repair. Am J Sports Med. 2006;34(6):979-85.

14. Piasecki DP, Verma NN, Romeo AA, Levine WN, Bach BR, Jr., Provencher MT. Glenoid bone deficiency in recurrent anterior shoulder instability: diagnosis and management. J Am Acad Orthop Surg. 2009;17(8):482-93.

15. Burkhart SS, De Beer JF, Barth JR, Cresswell T, Roberts C, Richards DP. Results of modified Latarjet reconstruction in patients with anteroinferior instability and significant bone loss. Arthroscopy. 2007;23(10):1033-41.

16. Hurley ET, Lim Fat D, Farrington SK, Mullett H. Open Versus Arthroscopic Latarjet Procedure for Anterior Shoulder Instability: A Systematic Review and Meta-analysis. Am J Sports Med. 2019;47(5):1248-53.

17. Howell SM, Galinat BJ. The glenoid-labral socket. A constrained articular surface. Clin Orthop Relat Res. 1989(243):122-5.

18. Ludewig PM, Reynolds JF. The association of scapular kinematics and glenohumeral joint pathologies. J Orthop Sports Phys Ther. 2009;39(2):90-104.

19. Yamamoto N, Itoi E, Abe H, et al. Contact between the glenoid and the humeral head in abduction, external rotation, and horizontal extension: a new concept of glenoid track. J Shoulder Elbow Surg. 2007;16(5):649-56.

20. Cho SH, Cho NS, Rhee YG. Preoperative analysis of the Hill-Sachs lesion in anterior shoulder instability: how to predict engagement of the lesion. Am J Sports Med. 2011;39(11):2389-95.

21. Rouleau DM, Hebert-Davies J, Robinson CM. Acute traumatic posterior shoulder dislocation. J Am Acad Orthop Surg. 2014;22(3):145-52.

22. DeLong JM, Jiang K, Bradley JP. Posterior Instability of the Shoulder: A Systematic Review and Meta-analysis of Clinical Outcomes. Am J Sports Med. 2015;43(7):1805-17.

23. Bradley JP, Baker CL, 3rd, Kline AJ, Armfield DR, Chhabra A. Arthroscopic capsulolabral reconstruction for posterior instability of the shoulder: a prospective study of 100 shoulders. Am J Sports Med. 2006;34(7):1061-71.

24. Gottschalk MB, Ghasem A, Todd D, Daruwalla J, Xerogeanes J, Karas S. Posterior shoulder instability: does glenoid retroversion predict

recurrence and contralateral instability? Arthroscopy. 2015;31(3):488-93.

25. Owens BD, Campbell SE, Cameron KL. Risk factors for posterior shoulder instability in young athletes. Am J Sports Med. 2013;41(11):2645-9.

26. Provencher MT, Bell SJ, Menzel KA, Mologne TS. Arthroscopic treatment of posterior shoulder instability: results in 33 patients. Am J Sports Med. 2005;33(10):1463-71.

27. Fronek J, Warren RF, Bowen M. Posterior subluxation of the glenohumeral joint. J Bone Joint Surg Am. 1989;71(2):205-16.

28. Blasier RB, Soslowsky LJ, Malicky DM, Palmer ML. Posterior glenohumeral subluxation: active and passive stabilization in a biomechanical model. J Bone Joint Surg Am. 1997;79(3):433-40.

29. Walz DM, Burge AJ, Steinbach L. Imaging of shoulder instability. Semin Musculoskelet Radiol. 2015;19(3):254-68.

30. Antoniou J, Harryman DT, 2nd. Posterior instability. Orthop Clin North Am. 2001;32(3):463-73, ix.

31. Merolla G, De Santis E, Cools AM, Porcellini G. Functional outcome and quality of life after rehabilitation for voluntary posterior shoulder dislocation: a prospective blinded cohort study. Eur J Orthop Surg Traumatol. 2015;25(2):263-72.

32. Harryman DT, 2nd, Sidles JA, Harris SL, Matsen FA, 3rd. The role of the rotator interval capsule in passive motion and stability of the shoulder. J Bone Joint Surg Am. 1992;74(1):53-66.

33. Neer CS, 2nd. Involuntary inferior and multidirectional instability of the shoulder: etiology, recognition, and treatment. Instr Course Lect. 1985;34:232-8.

34. Lippitt SB, Harris SL, Harryman DT, 2nd, Sidles J, Matsen FA, 3rd. In vivo quantification of the laxity of normal and unstable glenohumeral joints. J Shoulder Elbow Surg. 1994;3(4):215-23.

35. Beighton P, Solomon L, Soskolne CL. Articular mobility in an African population. Ann Rheum Dis. 1973;32(5):413-8.

36. Misamore GW, Sallay PI, Didelot W. A longitudinal study of patients with multidirectional instability of the shoulder with seven- to ten-year follow-up. J Shoulder Elbow Surg. 2005;14(5):466-70.

37. Neer CS, 2nd, Foster CR. Inferior capsular shift for involuntary inferior and multidirectional instability of the shoulder. A preliminary report. J Bone Joint Surg Am. 1980;62(6):897-908.

38. Pollock RG, Owens JM, Flatow EL, Bigliani LU. Operative results of the inferior capsular shift procedure for multidirectional instability of the shoulder. J Bone Joint Surg Am. 2000;82-A(7):919-28.

39. McIntyre LF, Caspari RB, Savoie FH, 3rd. The arthroscopic treatment of multidirectional shoulder instability: two-year results of a multiple suture technique. Arthroscopy. 1997;13(4):418-25.

40. Cohen SB, Wiley W, Goradia VK, Pearson S, Miller MD. Anterior capsulorrhaphy: an in vitro comparison of volume reduction--arthroscopic plication versus open capsular shift. Arthroscopy. 2005;21(6):659-64.

41. Karas SG, Creighton RA, DeMorat GJ. Glenohumeral volume reduction in arthroscopic shoulder reconstruction: a cadaveric analysis of suture plication and thermal capsulorrhaphy. Arthroscopy. 2004;20(2):179-84.

42. Sekiya JK, Willobee JA, Miller MD, Hickman AJ, Willobee A. Arthroscopic multi-pleated capsular plication compared with open inferior capsular shift for reduction of shoulder volume in a cadaveric model. Arthroscopy. 2007;23(11):1145-51.

43. Flanigan DC, Forsythe T, Orwin J, Kaplan L. Volume analysis of arthroscopic capsular shift. Arthroscopy. 2006;22(5):528-33.

44. Farber AJ, ElAttrache NS, Tibone JE, McGarry MH, Lee TQ. Biomechanical analysis comparing a traditional superior-inferior arthroscopic rotator interval closure with a novel medial-lateral technique in a cadaveric multidirectional instability model. Am J Sports Med. 2009;37(6):1178-85.

45. Gartsman GM, Roddey TS, Hammerman SM. Arthroscopic treatment of multidirectional glenohumeral instability: 2- to 5-year follow-up. Arthroscopy. 2001;17(3):236-43.

46. Mologne TS, Zhao K, Hongo M, Romeo AA, An KN, Provencher MT. The addition of rotator interval closure after arthroscopic repair of either anterior or posterior shoulder instability: effect on glenohumeral translation and range of motion. Am J Sports Med. 2008;36(6):1123-31.

책임편집 ●
이영호 박주현 박진영

PART

5

외상

견갑골, 쇄골 골절의 진단 및 치료

Diagnosis and treatment of the scapular and clavicular fracture

이영호

견갑부는 우리 몸에서 가장 넓은 운동범위를 가지면서, 일상생활 중 가장 많이 움직이는 부위에 속한다. 따라서 이 부분에 심한 손상이 발생하면 일상생활이 크게 불편해진다. 견갑부의 움직임은 골조직뿐만 아니라 연부조직에 의존하는 부분도 크기 때문에, 골조직의 손상은 물론이거니와 연부조직의 손상도 주의를 기울여 치료해야 좋은 결과를 기대할 수 있다. 견갑부가 그 기능을 제대로 수행하기 위해서는 여러 가지 관절, 근육, 힘줄, 인대 등이 모두 원활하게 작용해야 되기 때문에, 견갑부 손상을 치료하기 위해서는 견갑부의 해부학 및 생역학 등에 대해서 깊은 지식을 갖추는 것이 바람직하다.

1. 쇄골 골절(Fractures of the clavicle)

쇄골은 우리 몸에서 가장 흔히 골절되는 장관골로 알려져 있으며, 견갑부 손상의 약 44% 정도의 빈도를 갖는다.[1] 소아에서 많이 발생하며 연령이 증가할수록 발생률은 감소하는 양상을 보이나 여자 환자에서는 60대에 다시 증가하는 양상을 보였다. 한국인을 대상으로 시행된 역학연구에 따르면, 남성이 여성보다 1.8배 더 많이 발생하였으며, 골절 형태는 쇄골 간부 골절이 가장 많았다. 가장 흔한 손상기전은 낙상으로 교통사고, 스포츠 관련 손상이 뒤를 잇는다. 쇄골 골절의 발생률은 최근 15년간 점차 증가하는 추세이며, 이는 자전거 사용에 따른 남자 환자의 발생률과 낙상에 의한 손상의 발생률 증가에 따른 것으로 보인다(그림 1-1, 표 1-1).[2]

약간의 단축 및 중첩 등은 기능에 큰 지장을 주지 않기 때문에 정확한 해부학적 정복을 얻을 필요가 없는 경우가 대부분이다. 일반적으로 골절된 골편을 적절한 위치로 정렬하여 유지하고, 골절된 부위를 보호하며, 가능한 한 일상생활을 유지하면서 치료하는 것이 보편적인 방법이다. 하지만, 아직도 쇄골 골절의 치료에 대해서는 여러 가지 논란이 존재하며, 최근 보고들에 의하면 우리가 일반적으로 생각하는 것보다 많은 불유합이 존재하며, 특정 위치의 골절 등은 적절히 치료되지 않으면 심각한 문제를 야기할 수도 있기 때문에 이러한 상황에 대한 주의를 요한다.

1) 해부학

쇄골은 태생 5주에 인체 내에서 가장 먼저 골화를 시작하며, 장관골 중에서 유일하게 막내 골화(intramembranous ossification) 방식으로 형성된다. 쇄골의 흉골단 부위에는 12세에서 19세 사이에 이차골화중심이 나타나서 22세에서 25세 사이에 쇄골 간부와 결합한다.[3] 이러한 이유로 이 나이보다 어린 연령에 발생한 흉쇄관절 탈구로 보이는 손상은 실제로는 쇄골의 흉골단에 발생한 골단손상(epiphyseal injury)인 경우가 많다. 쇄골은 피부 바로 밑에 위치하며, 견갑부와 상지를 활막관절을 통하여 몸의 축에 연결하는 유일한 뼈다. 완만한 S자 모양으로, 쇄골의 내측

413

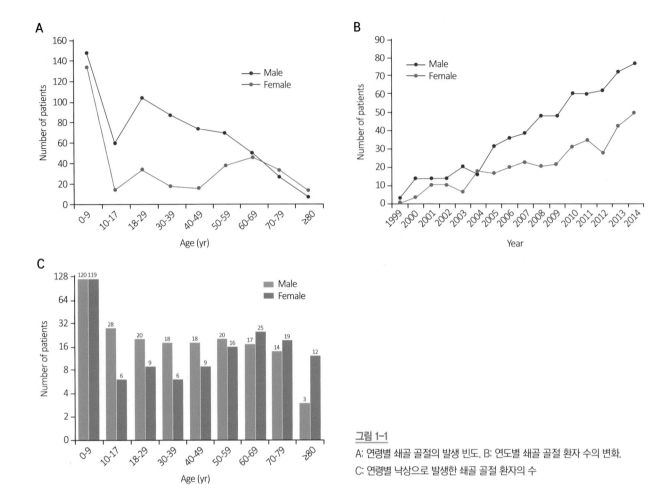

그림 1-1
A: 연령별 쇄골 골절의 발생 빈도. B: 연도별 쇄골 골절 환자 수의 변화.
C: 연령별 낙상으로 발생한 쇄골 골절 환자의 수

표 1-1 손상기전에 따른 쇄골 골절의 연령 분포

손상기전	나이(세)									합계(%)
	0-9	10-17	18-29	30-39	40-49	50-59	60-69	70-79	>80	
낙상 (fall from standing height)	239	34	29	25	27	36	42	34	15	481 (49.2)
높은 곳에서 떨어짐 (fall from great height)	4	2	9	4	4	12	9	3	1	48 (4.9)
교통사고	13	11	42	33	26	34	28	9	1	197 (20.2)
운동	14	20	45	36	23	14	10	2	1	165 (16.9)
직접 타격 손상	3	5	9	4	9	7	4	7	0	48 (4.9)
병적 골절	0	0	0	0	0	2	1	0	0	7 (0.7)
기타	1	0	0	1	0	2	1	0	0	5 (0.5)
미상	10	2	3	3	1	1	2	2	2	26 (2.7)
합계	284	74	137	106	90	108	96	61	21	977 (100)

부위는 앞쪽으로 볼록하며 외측 부위는 뒤쪽으로 오목하여, 위에서 보면 사형으로 구부러진 모습을 갖는다. 내측 1/3은 단면이 비교적 원통 모습이나 외측 1/3은 편평한 모습이다. 두 부분의 이행 부위는 쇄골의 중간 1/3 부분에 위치하며, 이 부분이 가장 약하고 근육이나 인대 등에 의해서 보강되지 않는 부위이기 때문에 자주 골절된다.[4)]

흉골과 관절을 이루는 내측 부분은 흉쇄관절(sternoclavicular joint)의 관절낭이 두꺼워진 관절낭인대(capsular ligament)가 존재하여 쇄골의 상하 전이를 막고, 쇄골간인대(interclavicular ligament)는 반대쪽 쇄골까지 연결되어 쇄골의 하방 전이를 막으며, 늑쇄골인대(costoclavicular ligament)는 제1늑골과의 연결을 통하여 쇄골의 상하 전이를 막는 역할을 한다.[5)] 외측부의 인대로는 오구쇄골인대(coracoclavicular ligament)가 대표적이며 후내측의 원추양 인대(conoid ligament)와 전외측의 승모양 인대(trapezoid ligament)로 구성되고 견관절 현수구조에 중요한 역할을 한다. 견봉쇄골인대(acromioclavicular ligament)는 후상부인대가 쇄골의 전후 안정성에 중요한 역할을 한다.[6)] 쇄골은 여러 근육들의 기시부 혹은 부착부(insertion) 역할을 하는데, 내측부는 대흉근(pectoralis major)과 흉골설골근(sternohyoid)이 시작하며, 흉쇄유돌기근(sternocleidoma stoid)의 기

시부를 제공한다. 중간부 하면은 쇄골하근(subclavius)의 부착부 역할을 하고, 외측부로는 전방 삼각근(anterior deltoid)이 시작하고 쇄골의 후상부에서는 승모근(trapezius)이 부착한다(그림 1-2).

골은 뒤쪽에서 첫 번째 늑골과 늑쇄공간(costoclavicular space)을 형성하며, 이 공간에는 쇄골하혈관 및 상완신경총 등이 있기 때문에 이들이 골절과 함께 손상을 입을 수도 있다. 또한 이러한 구조들이 불유합, 부정유합, 과도한 가골 등에 의해 과도한 압박을 받아서 증상이 유발되기도 한다.

2) 손상기전

쇄골은 직접 및 간접 손상 등 여러 기전으로 골절될 수 있으나, 팔을 짚으면서 넘어질 때 과도한 힘이 전달되어 골절되는 경우가 가장 많다는 것이 보편적인 의견이다. Allman은 쇄골의 부위에 대하여, 중간 부위는 넘어지면서 팔을 짚어서 골절되고, 외측 부분은 넘어지면서 어깨가 바닥에 부딪혀서 골절되며, 내측 부분은 대부분 외측으로부터 힘이 간접적으로 전달되어 발생한다고 하였다.[7)] 이에 반하여 Stanley 등은 어느 부위나 대부분 직접 손상으로 골절이 발생한다고 하였다.[8)] 경골과 척골처럼, 피하에 바로 위

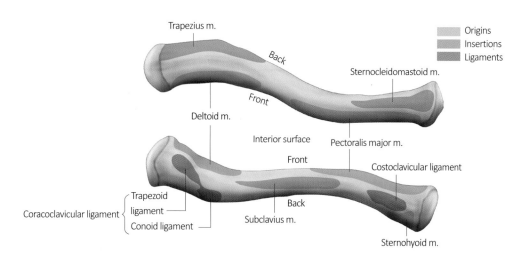

그림 1-2 쇄골에 부착하는 근육들
쇄골의 내측부는 대흉근이 시작하며, 흉쇄유돌기근(sternocleidomastoid)이 기시한다. 중간부 하면은 쇄골하근(subclavius)이 부착하고, 외측부로는 전방 삼각근이 시작하며 쇄골의 후상부에서는 승모근이 부착한다.

치한 쇄골 역시 직접 손상에 취약하고, 이는 팔의 위치나 근육의 작용과는 상관없기 때문에 쇄골의 어느 부위도 쉽게 골절될 수 있으며, 일차적 골절 기전은 압박력이라고 생각된다.[8-10]

흔하지는 않지만, 쇄골은 원발성 혹은 전이성 종양의 병소[11]일 수 있으며(그림 1-3), 목 주변과 유방 근처의 암에 의한 방사선치료의 합병증[12]으로 인하여 병적골절이 발생되기도 하며, 광범위 경부절제(radical neck dissection) 후 피로골절[13-15]도 보고되어 있다.

3) 분류

쇄골 골절은 발생 부위를 기준으로 분류하는 것을 근본으로 하여, 크게 중간 부위, 외측 부위, 내측 부위의 세 가지로 나누는 방법이 널리 사용된다. 이 중에서 중간 부위의 골절이 가장 흔해서 약 80%를 차지하고, 그 다음으로는 외측 쇄골 골절로서 약 15%를 차지하며, 내측 부위의 골절이 가장 적어서 약 5% 내외로 발생한다.[1] 하지만, 이러한 부위에 따른 분류는 전이나 분쇄, 그리고 단축 정도를 반영하지 않고, 중요한 예후 및 치료 방침에 대한 도움을 받을 수 없다. Neer는 외측의 쇄골에 발생하는 원위쇄골 골절의 분류를 다시 세 가지로 나누어 전위가 경미하고 인대 손상이 없이 골절 부위가 안정되어 있는 제1형, 내측 골편과 오구쇄골인대의 연결이 소실되어 골절 부위가 불안정한 제2형, 관절면 골절의 제3형으로 분류하였으며, 이 분류가 널리 사용된다(그림 1-4).[16] 후에 Rockwood는 Neer 분류의

제2형 골절을 원추양인대(conoid ligament)와 승모양인대(trapezoid ligament)가 원위 골편에 모두 붙어있는 제IIA형과 원추양인대가 파열된 제IIB형으로 세분하였다(그림 1-5). 또한 Parkes와 Deland는 내-외 골편과 하방 골편 사이에 각각 골절이 있으면서, 하방 골편에 붙어 있는 오구쇄골인대는 손상받지 않는 소위 삼분 골절(three-part fracture)이라는 다른 형태의 불안정 골절을 기술하였다(그림 1-4).[17] 그 후 Craig[18]와 Nordqvist와 Peterson[19] 그리고 Robinson[20] 등이 기존의 분류법 바탕 위에 쉽고 예후적 요소를 감안한 분류법을 제안하였으나, 임상적으로는 위치별 골절 분류에 Neer의 분류를 혼합하고 전이 및 분쇄 여부를 기술한다면 치료 결정 및 예후 판단에 충분할 것으로 생각된다.

4) 진단

(1) 병력

대부분의 쇄골 골절을 보이는 젊은 환자들은 환측 어깨로 넘어진 병력을 갖는다.[20] 20-50대의 환자가 많으나 70세가 넘어서 빈도는 다시 증가한다.[20] 50세까지는 남성이 더 많이 발생하며 그 이후는 비슷하게 발생한다.[19,20]

(2) 증상 및 신체 검사

쇄골은 피부 바로 밑에 위치하기 때문에 골절이 발생하면 통증을 동반한 종창과 변형, 홍반 등이 분명하여 골절의 존재가 뚜렷한 경우가 많다. 대부분의 환자는 손상기전

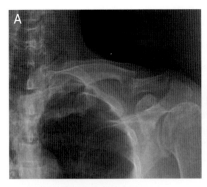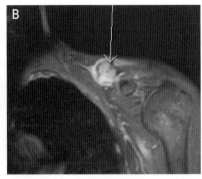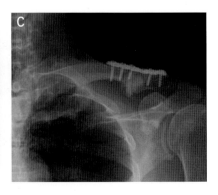

그림 1-3 전이성 종양에 의한 병적 골절
A: 폐암에 의한 전이에 의한 병적 골절. B: MRI 소견. C: 소파술 및 금속판 내고정술과 골시멘트 충전술을 시행한 상태

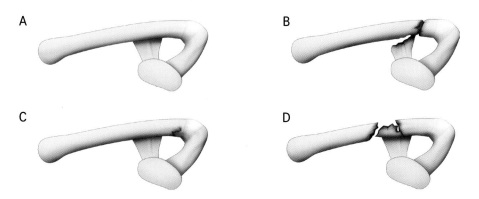

그림 1-4 **Neer의 원위쇄골 골절 분류 및 Parkes와 Deland의 삼분 골절**
A: Neer의 제1형; 전위의 정도가 경미하며 인대손상이 없는 안정성 골절. B: Neer의 제2형; 내측 골편과 오구쇄골인대의 연결이 소실되는 불안정성 골절. C: Neer의 제3형; 견봉-쇄골관절의 관절면 골절. D: Parkes와 Deland의 삼분 골절; 내-외 골편 및 하방 골편으로 이루어지며, 오구쇄골인대가 하방 골편과 부착되어 있는 불안정성 골절

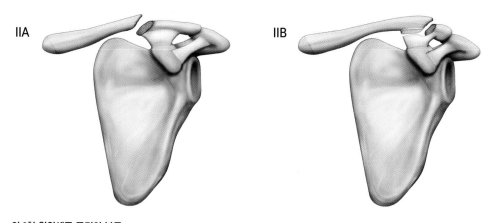

그림 1-5 **Neer의 2형 원위쇄골 골절의 분류**
Neer의 제2형 원위쇄골 골절은 원추양인대와 승모양인대가 원위 골편에 모두 붙어있는 IIA형과 원추양인대가 파열된 IIB형으로 세분한다.

을 잘 기억한다. 골절이 되면 내측 골편은 후상방으로 전위되고 외측 골편은 하내측으로 전위되어 골편으로 인해 골절된 부위의 피부가 돌출된다. 드물게 개방성 골절이 발생하기도 한다.[21-23] 쇄골의 내측 및 외측 단의 골절은 그 부위의 탈구와 유사한 양상을 보이기도 한다. 진찰 소견으로는 골절 부위에 압통이 있고, 간혹 피하 출혈이 보인다. 환자는 통증을 줄이기 위해 골절된 쪽의 팔을 몸에 붙이고 움직이지 않으려 하며, 반대편 손으로 골절된 쪽의 팔을 받치거나, 머리를 골절된 쪽으로 기울이기도 한다. 조심해서 촉진하면 골편들이 부딪히는 소리나 골절 부위에서의 비정상적인 움직임 등이 나타나기도 한다. 전위가 없는 골절이나

내측 및 외측 단의 골절은 골절에 의한 변형이 잘 드러나지 않는 경우도 있다.

뇌 손상, 견갑 흉곽 해리(scapulothoracic dissociation), 견갑골 골절, 늑골 골절 등도 동반할 수 있다. 3% 정도에서 기흉 등 호흡기에 동반 손상이 발생하여 생명의 위험이 초래되기도 하므로, 같은 쪽의 늑골이나 견갑골의 골절이 있다면 기립 흉부 사진을 찍을 필요가 있다. 전이된 골편이나 견인에 의하여 상완신경총 손상[24-26]이나 쇄골하 혈관손상[27-29]의 유무도 유의하여 살펴야 하며, 골편의 양 끝단이 1 cm 이상 벌어져 있는 경우에 주의하여야 한다.[30]

(3) 방사선 소견

쇄골 골절은 보통 임상 양상이 분명하여 진단에 어려움이 없는 것이 보통이지만, 방사선 검사는 골편의 전위 정도와 골절의 양상을 밝히는 데 도움이 된다. 중간 부위의 쇄골 골절은 전후 촬영 및 45도 상방 경사 촬영으로 충분한 경우가 많다. 중간 부위에 골절이 있을 경우에는 원위 골편은 상지의 무게 및 대흉근(pectoralis major), 광배근(latissimus dorsi) 등의 작용으로 하내측으로 전위되고, 근위 골편은 흉쇄유돌기근(sternocleidomastoid) 등에 의하여 후상방으로 전위되는 것이 일반적이다(그림 1-6). 원위쇄골 골절에 있어서는 오구쇄골인대가 근위골편과 연결되어 있는지의 여부가 골절의 안정성을 판단하는 데 중요하기 때문에, 이를 확실하게 감별하기 위해 부하 촬영(stress view)을 실시하여 양측의 오구돌기와 쇄골의 거리를 비교한다.[31] 오구쇄골인대가 내측 골편에 연결되어 있지 않은 경우에는 오구돌기와 쇄골의 간격이 건측에 비해 증가한다. 그러나 이러한 부하 촬영은 안정성 골절을 불안정성 골절로 악화시킬 수 있는 위험성이 있기 때문에, 골편끼리의 접촉이 충분하고 단순 촬영에서 안정성 골절이 분명하다고 판단되는 경우에는 삼가는 것이 안전하며, 불안정성 골절이 심각하게 의심되나 불확실한 경우에 제한적으로 사용하는 것이 합리적이다. 오구견봉관절의 관절내 골절을 평가하기 위해서는 액와 촬영(axilla view)이나 Zanca view (15도 상방 경사 촬영)가 필요할 수 있다.[32] 쇄골의 내측 부위의 골절은 늑골, 척추, 흉골 등의 음영 때문에 단순 촬영을 판독하기가 쉽지 않은 경우가 많다. 대부분 전후 촬영 및 40도 내지 45도

상방 경사 촬영(serendipity view)을 시행하지만, 단층 촬영이나 전산화 단층촬영이 필요한 경우도 있다. 소아의 쇄골 내측 단 골절은 방사선 소견상 마치 흉쇄관절 탈구와 같은 소견을 나타내므로 각별한 주의를 요한다.

5) 치료

대부분의 쇄골 골절은 보존적 치료로 골유합을 얻을 수 있으며, 분쇄 골절이나 전위가 심한 골절에서도 대부분 골유합을 얻을 수 있다(그림 1-7).[1,33] 골절 부위가 유합되면, 골편의 중첩이나 회전 등에 의한 쇄골의 단축이나 각 형성 및 회전 변형 등이 견관절 기능에 심각한 이상을 초래하는 경우는 거의 없기 때문에 대부분 정확한 해부학적 정복이나 엄격한 고정은 필요하지 않다. 쇄골 내측 1/3부위의 골절도 대부분 비수술적인 치료로 좋은 결과를 얻을 수 있는 것으로 알려져 있다. 어린 연령대에서는 대부분은 성장판 손상이고, 이러한 경우에는 안정성이 있고 재형성이 잘 이루어진다. 전이가 심한 경우는 목 기저부의 신경과 혈관의 손상 유무를 같이 확인하여야 한다. 쇄골 중간 부위의 골절에서 골유합 부위의 돌출은 흔하지만 기능에 지장을 주는 일이 드물고 시간이 경과함에 따라 점차 완화되며 외관상으로도 수술 반흔보다 눈에 덜 뜨이며, 까다롭고 예민한 환자들도 대체적으로 만족한다. 보존적 치료 방법은 여러 가지 방법이 있으나 외측 골편을 후상방 및 외측으로 당기고 내측 골편을 누르는 방향으로 골절의 정복을 도모하며 그 정복 상태를 유지하면서 골절된 쪽의 팔을 움직일 수 있는 방법을 택하는 것이 바람직하다.

일반적으로 8자 붕대법이 가장 널리 사용되며, 일부에서는 8자 석고 고정이나 단순한 팔걸이를 선호하기도 한다. 침대에 누워있어야 하는 환자들에게는 양측 견갑골 사이에 작은 베개를 대주는 방법도 있다. 8자 붕대법을 사용하는 경우에는 일상생활에 빨리 복귀할 수 있다는 장점이 있다. 과격한 움직임은 제한하면서, 통증이 허용하는 범위 내에서 팔을 사용하도록 하고, 통증이 유발되지 않는 범위 내에서 점차 견관절의 운동을 증가하여 관절강직을 미연에 예방한다.

이와 같이 대부분의 쇄골 골절은 보존적 치료로 좋은

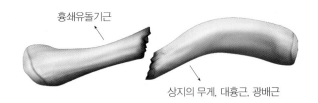

그림 1-6 쇄골 골절이 발생하였을 경우의 골편의 전위 방향
쇄골의 중간 부위에 골절이 발생하면, 내측 골편은 흉쇄유돌기근의 힘으로 후상방으로 전위되며, 외측 골편은 상지의 무게, 대흉근, 광배근 등의 힘으로 하내측으로 전위된다.

흉쇄유돌기근

상지의 무게, 대흉근, 광배근

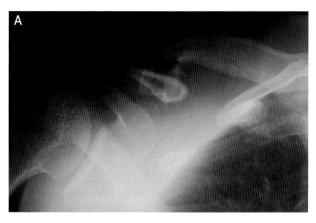
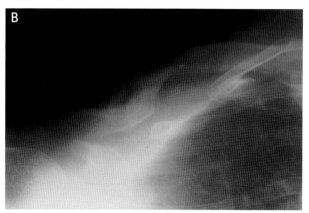

그림 1-7 **분쇄를 동반한 쇄골 골절**
A: 처음 상태. B: 비수술적 치료 방법으로 골유합이 이루어진 상태

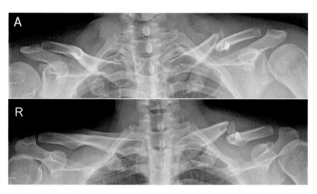
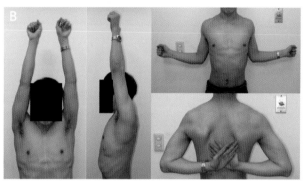

그림 1-8 **27세 남자로 스노우보드를 타다가 넘어지면서 수상한 후 발생한 좌측 어깨 통증을 주소로 내원함**
A: 위, 수상직후 촬영한 쇄골 경사 영상(clavicle oblique view)으로 전위 정도와 분쇄 정도가 심한 쇄골 간부 골절을 보여주는 방사선사진. 아래, 수상 후 6개월째 촬영한 쇄골 경사 영상으로 완전히 유합되었으며 쇄골 단축은 없었음. B: 수상 후 1년째 촬영한 어깨관절운동 사진으로 어깨관절운동이 전혀 제한이 없었음

결과를 얻을 수 있으나 최근 수술기법 및 내고정물의 발달에 따라 전위가 심한 골절의 경우 비수술적 치료보다 수술적 치료가 불유합 및 부정유합의 발생을 유의하게 감소시키는 이점이 있다는 견해도 다수 제기되고 있다.[34,35]

(1) 보존적 치료

수상 후부터 3주간 8자 붕대를 착용하도록 한다. 환자에게 8자 붕대를 착용하였을 때 피부가 심하게 당겨지지 않으면서 느슨하지 않도록 적절히 장력을 조절하여 고정한다. 8자 붕대를 착용한 상태에서 수상 직후부터 팔꿈치를 완전히 편 상태에서 어깨관절을 180도 회전하도록 상완부의 내

측 부위가 양측 귀에 닿도록 최대 범위의 능동적 어깨관절운동을 시작한다. 수상 초기 어깨관절운동 시 통증 및 마찰음으로 불편감을 호소하더라도 지속적인 능동적 어깨관절운동을 하도록 교육하며, 주기적인 외래 추시 중에도 단순 방사선 촬영과 함께 능동적 어깨관절운동 정도를 확인한다(그림 1-8). 능동적 어깨관절운동은 수상 직후부터 시행하여 마지막 외래 추시까지 잘 시행하는지 확인하며, 골유합이 확인되더라도 지속하도록 하고, 마지막 외래 방문 이후에도 꾸준히 운동하도록 교육한다(표 1-2).

보존적 치료 방법은 이러한 수술로 인한 합병증을 피할 수 있는 장점이 있으며 전신마취와 수술 자체에 대한

표 1-2 쇄골 간부 골절의 보존적 치료

기간	치료
수상 후 첫 방문	1. 8자붕대 적용
	2. 최대 범위의 능동적 어깨관절운동과 자세 교육
	3. 2주간 NSAIDs 투여
수상 후 2주	1. 수상 후 3주째 8자붕대 제거
	2. 최대 범위의 능동적 어깨관절운동과 자세 교육 및 확인
	3. 일상생활 독려
	4. 단순 방사선 촬영
수상 후 6주	1. 최대 범위의 능동적 어깨관절운동과 자세 교육 및 확인
	2. 단순 방사선 촬영
	3. 체중부하운동 및 접촉 스포츠(contact sports)를 제외한 과거의 스포츠 활동을 독려
수상 후 12주	1. 최대 범위의 능동적 어깨관절운동과 자세 교육
	2. 단순 방사선 촬영
	3. 과거의 모든 스포츠 활동을 독려
수상 후 6개월	1. 최대 범위의 능동적 어깨관절운동과 자세 교육 및 확인
	2. 단순 방사선 촬영
수상 후 12개월	1. 최대 범위의 능동적 어깨관절운동과 자세 교육
	2. 단순 방사선 촬영
	3. 방사선상 골절유합을 평가

부담감이 없다. 수술로 인한 흉터는 보존적 치료로 인한 부정유합보다 더 흉하기 때문에 보존적 치료 시 미용적으로 장점을 보인다. 보존적 치료 방법에서 가장 문제가 되는 것은 수상된 어깨관절의 경직으로 전위 정도와 분쇄 정도가 심하고 단축이 심할수록 어깨관절의 경직은 심해진다. 특히, 8자붕대 대신 팔걸이를 착용할 경우 수상 직후부터 팔꿈치와 어깨관절운동이 어려우며, 수상 부위 원위부로 부종이 발생할 수 있다. 따라서, 보존적 치료에 있어 조기 어깨운동은 중요하다. 수상 직후부터 적극적으로 능동적 어깨관절운동을 시행하더라도 수상 직후 발생한 쇄골 길이의 단축에 비해 최종 추시 시 쇄골 길이의 단축의 변화는 미미하며, 쇄골 길이 단축의 정도가 환자의 기능상 결과와는 무관하다고 보여진다. 또한, 어깨운동을 조기에 시작하는 것만큼 어깨를 거상하고 과신전한 자세 유지가 중요함으로 8자붕대를 이용한 치료 방법을 유지한다.

수술의 절대적 적응증(개방성 골절, 동반된 신경혈관손상, 동반된 견갑대 골절로 인한 부유견 등)을 제외한 쇄골 간부 골절에서 전위가 심하고 쇄골 길이의 단축이 있는 경우에도 조기 최대 범위의 능동적 어깨관절운동을 통한 보존적 치료 방법은 만족스러운 기능적 결과를 기대할 수 있다(그림 1-9).[36,37]

(2) 수술적 치료

통상 절대적인 고정을 하지 않고도, 소아는 3-4주, 성인은 대부분 6주 내지 8주에 임상적인 유합을 얻을 수 있으며, 방사선적 유합은 보통 수상 후 약 4개월 전후에 이루어진다. 쇄골 골절은 일차적으로 수술을 시행한 경우에 오히려 불유합의 빈도가 높나는 보고가 있기 때문에 일반적인

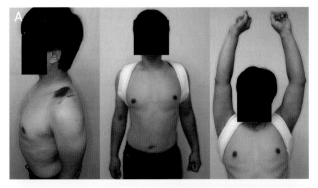
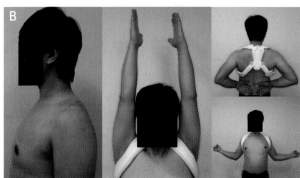
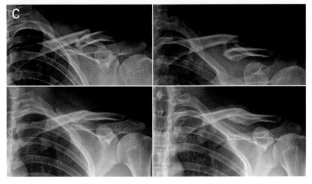

그림 1-9 30세 남자로 오토바이 사고 후 발생한 좌측 어깨 통증을 주소로 내원함
A: 수상 후 3일째. 환자는 수상 3일 이내에 8자붕대를 착용하고 조기 최대 범위의 능동적 어깨관절운동을 시작하였다. B: 수상 후 10일째. 좌측 어깨는 정상 관절운동범위를 보인다. C: 위, 수상 직후 촬영한 쇄골 방사선사진으로 전위 정도와 분쇄 정도가 심한 쇄골 간부 골절을 보여준다(좌: 전후 영상, 우: 경사 영상). 아래, 수상 6개월째 촬영한 방사선사진으로 완전히 유합되었으며 쇄골 단축은 없었음(좌: 전후 영상, 우: 경사 영상)

경우에는 수술적 치료를 삼가는 것이 보편적인 의견이다.[1,33] 수술은 (1) 이미 불유합이 발생한 경우, (2) 신경 및 혈관의 손상이 동반된 경우, (3) 원위쇄골 골절 중에서 오구쇄골인대의 파열이 동반된 불안정성 골절, (4) 개방성 골절, (5) 쇄골 골절과 견갑골 경부의 불안정성 골절이 동반한 소위 부유견(floating shoulder), (6) 연부조직이 골절편 사이에 끼어 있을 것으로 예상되는 골절편의 광범위한 분리가 지속되는 경우, (7) 보존적인 방법을 지속할 수 없는 경우 등에서 제한적으로 사용하는 것이 합리적이다(표 1-3, 그림 1-10).[38] 쇄골의 중간 부위의 골절에 사용할 수 있는 술식은 핀 또는 나사를 이용한 골수강 내 고정술이나 금속판을 이용한 고정술, 그리고 체외 고정 등이 있다. 골수강 내 강선 고정술은 단 사상 골절(short oblique fracture)이나 분쇄 골절(comminuted fracture)에서 사용할 수 있으며, 수술 절개가 작고 골막의 박리가 적어 골유합을 촉진시킬 수 있으며 강선의 제거가 쉽다는 장점이 있는 반면에, 핀이 튀어나와서 피부를 자극할 수 있고 그로 인하여 재활이 늦어질 수 있으며, 조기 운동으로 인하여 강선의 변형이 발생할 수

표 1-3 전위된 쇄골 간부 골절의 관혈적 정복 및 내고정술의 적응증들

절대 적응증
20 mm 이상의 단축
개방성 골절
피부가 손상되기 쉽거나 정복되지 않는 골절
혈관손상이 동반된 골절
신경손상이 점진적으로 진행되는 골절
전위된 병적 골절과 동반된 승모근 마비
견갑흉곽 해리

상대적 적응증
20 mm 이상 전위된 골절
신경학적 질환
파킨슨씨 병
간질
두부 손상
다발성 외상
장기간 누워서 요양할 것이 예상되는 경우
부유견(floating shoulder)
고정을 할 수 없는 경우
양측성 골절
같은 쪽 상지에 골절이 동반된 경우
미용적 목적

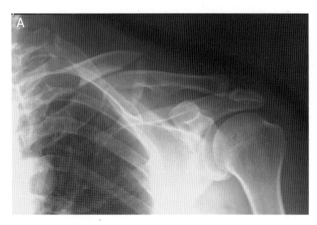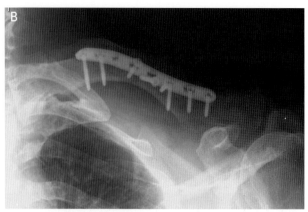

그림 1-10 쇄골 골절의 수술적 치료
A: 연부조직이 골절편 사이에 끼어서 광범위 분리가 지속되는 수술 전 상태. B: 관혈적 정복 및 금속판 내고정술을 시행한 상태

있으며, 이런 경우는 강선의 제거가 힘들 수 있다. 골절이 쇄골의 중간 부위가 아닌 경우에는 사용하기가 어렵고 심한 단축 등을 교정하기 어려우며, 강선이 내부 장기로 이동할 수 있다는 단점이 있다. 골절 부위에 횡 절개를 가하고 골막은 박리하지 않으면서 골절부로 접근한다. smooth Steinman pin을 이용하여 내측 골편과 외측 골편 순서로 통과시킨 후, 강선을 쇄골 외측부에 작은 절개를 가하고 빼낸다. threaded Steinman pin을 골절부에서 역행 방향으로 외측 골편을 통과시켜 미리 만든 작은 절개를 통하여 빼내고, 골절을 정복한 후 내측 골편 방향으로 진행시켜 고정한다. 이때 골절 부위가 신연되지 않도록 주의하여야 한다. 필요하다면 골절 부위에 골이식을 시행한다. 금속판을 이용한 내고정술은 피부 절개의 범위가 크며 금속판의 제거 후 재골절이 발생할 수 있다는 우려가 있으나, 쇄골의 형태대로 금속판을 구부릴 수 있기 때문에 중간에서 벗어난 곳의 골절에도 사용이 가능하고, 재활이 빠르며 심각한 단축을 극복할 수 있다는 장점이 있다.[39] 다양한 종류의 금속판이 사용될 수 있으나 모양을 어느 정도 조절할 수 있는 재건형 금속판(reconstruction plate)이 많이 사용되고, 최근에는 쇄골의 해부학적 형태에 맞는 금속판(anatomical plate of clavicle)이나 이중 소형금속판(double mini-fragment plate) 등을 이용하는 다양한 수술방법이 소개되고 있다(그림 1-11).[40] 금속판은 주로 쇄골 상부에 위치시키나 전후면

에 위치시키는 경우 피부 자극이 적고 나사못을 더 안전하게 삽입할 수 있는 장점이 있다.

이외에도 체외고정술이 (1) 개방성 골절, (2) 다발성 외상, (3) 통증이 있는 지연유합 또는 불유합, (4) 흉곽출구증후군이 동반된 골절 등에서 사용할 수 있다고 하지만, 널리 사용되지는 않는다(그림 1-12~14). 불안정한 원위쇄골골절은 30% 정도에서 불유합이 보고되므로 수술적 치료가 권장될 수 있다. 수술 방법은 여러 가지 방법이 보고되어 있어서, 견봉돌기로부터 견봉-쇄골관절을 가로질러서 쇄골 골절 부위를 강선으로 고정하는 술식, 쇄골을 오구돌기에 금속나사를 이용하여 고정함으로써 골절 부위를 간접적으로 고정하는 술식, Wolter plate 등의 금속판을 이용하여 쇄골과 견봉돌기를 같이 고정하는 술식, 골편을 강선으로 둘러서 결박하는 술식(tension band wiring), 봉합사를 이용하여 골편과 오구돌기를 결박하는 술식 등이 보고되어 있다(그림 1-15).

갈고리형 금속판 또한 널리 사용되고 있으며 일부 연구에서 높은 골절 유합률이 보고된 바 있다.[41] 하지만, 갈고리형 금속판은 생역학적 연구상 회전 고정력이 없다고 보고된 바 있다.[42] 따라서, 쇄골의 전방 전이 및 축형 회전에 중요한 구조물인 오구쇄골인대가 손상된 경우 이러한 금속판은 충분한 안정성을 제공하지 못한다.[43] 게다가, 견봉하 충돌, 금속판 이동, 견봉하 골용해, 회전근 개 파열 등

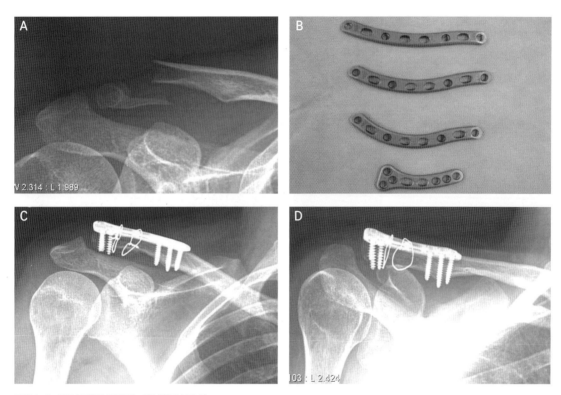

그림 1-11 **쇄골 골절에 사용하는 해부학적 금속판**
A: 원위쇄골 골절의 처음 상태. B: 여러 가지 모양의 해부학적 금속판. C, D: 해부학적 금속판을 사용한 관혈적 정복 및 내고정술을 시행한 상태

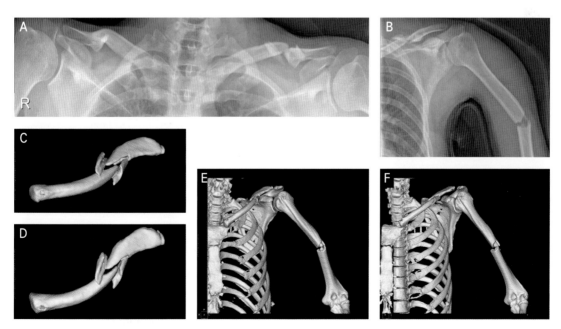

그림 1-12 **보행자 교통사고로 수상한 43세 남자 환자**
A: 양측 쇄골의 전후 단순 방사선사진으로 좌측 쇄골 간부에 전위를 동반한 분쇄형 골절이 확인된다. B: 좌측 견관절 및 상완골의 전후 단순 방사선사진으로 쇄골 간부 골절 및 동측의 상완골 간부의 전위를 동반한 골절이 확인된다. C-F: 동측의 3D 전산화 단층 영상으로 좌측 쇄골과 상완골 간부의 전위를 동반한 골절 소견이다. 동측 다발성 골절로 쇄골에 대하여 보존적 치료가 불가능하여 수술적 치료를 결정하였다.

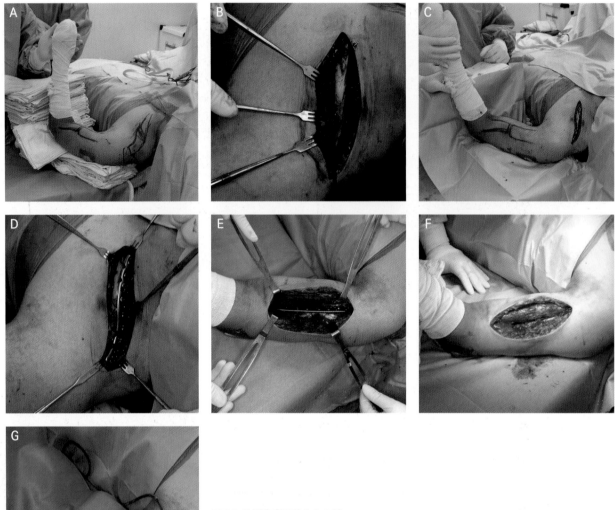

그림 1-13 같은 환자의 수술 소견
A: 환자는 앙와위 자세로 쇄골이 충분히 노출되도록 준비하였고 골절 부위를 중심으로 쇄골 위로 직선형의 절개를 하였다. B: 광경근(platysma)을 유리 후 골절 부위의 골막을 박리하여 골절부를 노출시켰다. 골절부위 내 혈종 및 연조직을 제거 후 해부학적 정복을 얻은 뒤 피질골 나사를 이용해 골절을 정복하였다. C, D: 금속판은 쇄골 상부에 위치하여 해부학적 구조에 맞게 구부려 고정하였다. E-G: 동측의 상완골은 전방 접근법을 이용하여 금속판을 이용한 해부학적 정복 및 고정을 시행하였으며 자가 장골을 이용한 골이식을 시행하였다.

다양한 합병증과 관련된 것으로 보고되고 있다.[44] 긴장대 강선 고정술(tension band wiring)은 이소성 골화증(heterotopic ossification), 견봉-쇄골관절 통증, 의인성 분쇄 골절 등을 일으킬 수 있다고 보고된 바 있다. 또한, 긴장대 강선 고정술은 금속판에 비해 불유합 발생이 높다고 보고된 바 있다.[45,46] 오구쇄골 간 고정술은 좋은 결과가 보고된 바 있으나 오구돌기의 피로골절, 오구돌기 또는 쇄골의 골융해 등의 단점이 있다.[47,48] 최근, 관절경하 오구쇄골보강술(arthroscopic coracoclavicular augmentation)이 좋은 결과를 보이며 금속물을 제거하지 않아도 된다는 장점이 있다고 보고되고 있다. 하지만, 기술적 어려움이 있고 골절부위가 내측으로 연장된 심한 분쇄가 있는 경우, 시행하기 어렵고 기구 가격이 비싸다는 단점이 있다. 소형 금속판을 이용한 고정술은 높은 유합률과 적은 합병증의 장점이

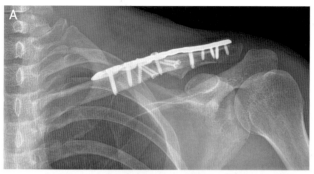
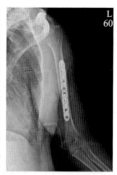
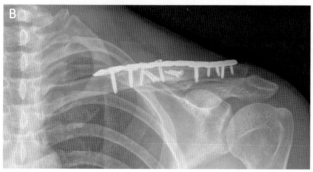
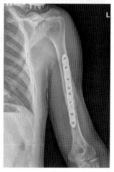

그림 1-14 같은 환자의 수술 후 방사선사진

A: 수술 직후 시행한 좌측 쇄골의 전후 방사선사진으로 골절부위의 해부학적 정복이 이루어졌고 쇄골-오구돌기, 쇄골-견봉돌기 사이의 거리는 건측과 동일하게 유지되고 있다. B: 수술 직후 시행한 좌측 상완골의 전후 방사선사진으로 상완골의 해부학적 정복이 이루어졌다. C, D: 수술 후 2년째 시행한 방사선사진으로 골절부위의 완전 유합 및 금속물 고정은 잘 유지되고 있다.

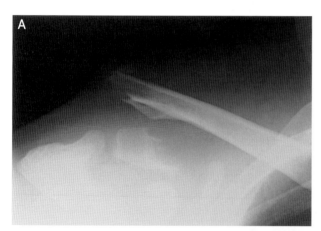
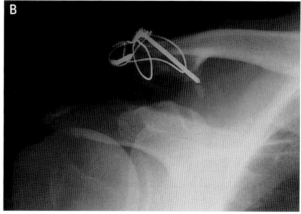
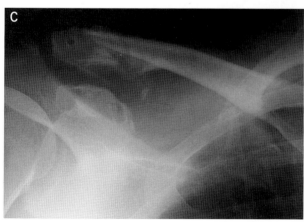

그림 1-15 불안정성 원위쇄골 골절

A: 처음 상태. B: 변형된 인장대 강선 고정을 이용한 내고정 후의 모습. C: 골 유합된 후 내고정물을 제거한 상태

있지만, 원위 골편이 심하게 분쇄된 경우 고정하기 어렵고 일부 환자에게서 금속물 제거가 필요하다는 단점이 있다.[49]

① 쇄골 골절의 금속판 및 나사못 고정술

A. 골절 부위를 중심으로 횡절개를 가하고, 금속판을 댈 수 있는 공간 정도 골막을 박리하여 젖힌다.

B. 관혈적으로 정복한 후, 쇄골의 상부에 적절한 크기의 금속판을 댄 후 쇄골의 외형에 맞추어 금속판을 구부리던지, 모양에 맞는 해부학적 금속판을 결정한다.

C. 나사못을 삽입하는 경우에는 쇄골 하부를 지나가는 쇄골하 정맥(subclavian vein)이나 흉곽내 구조물들이 손상을 받지 않도록 쇄골 하부에 보호용 수술기구를 꼭 대도록 한다(그림 1–16).

② 불안정성 쇄골 원위부 골절의 스테인만핀(steinmann pin)을 이용한 고정술

A. 전신마취하에 환자를 해변의자 자세로 준비한다.

B. 첫 피부 절개는 골절부위 직후방에서 Langer line을 따라 전방으로 연장하며 골절부위를 노출시킨다.

C. 골막의 박리는 골절부위의 상부에만 신중히 시행하며 전방 삼각근(deltoid)과 외측 승모근(trapezius)의 부착 부분도 박리한다.

D. 정확한 골절의 정복을 유지한 상태에서 K-강선(kirschner wire)을 이용해 내측 쇄골에서 골절 부위를 지나 외측 골편의 원위 피질골을 뚫어 고정한다.

E. 견봉 외측부를 따라 1.5 cm 피부 절개를 가하여 2개 이상의 2.0 mm 스테인만핀을 견봉에서 견봉-쇄골관절을 통과해 쇄골의 후방 피질골까지 고정한다(스테인만핀이 후방 피질골을 2 mm 이상 뚫지 않도록 조절한다)(그림 1–17).

F. 만약 골절 양상이 사선형이고 원위 골편이 충분히 크다면, 1개 또는 2개의 골편간 나사를 이용하여 고정한다. 심한 분쇄 골절을 동반하여 스테인만핀 고정 후에도 골편간 간격이 2 mm를 넘는 경우 동측 장골에서 자가 해면골을 채취하여 골이식을 시행한다(그림 1–18, 19).

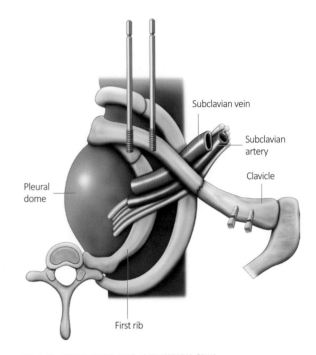

그림 1–16 쇄골의 나사못 고정 시 주의하여야 할 점
쇄골 하부를 지나가는 쇄골하 정맥이나 흉곽내 구조물들이 손상을 받지 않도록 쇄골 하부에 보호용 수술기구를 꼭 대도록 한다.

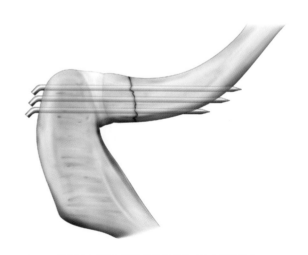

그림 1–17 견봉에서 쇄골을 향해 삽입된 여러 개의 스테인만핀

G. 스테인만핀은 90도로 구부린 다음 승모근과 삼각근 밑으로 묻고, 흡수성 봉합사를 이용해 해당 근육을 봉합한다.[49]

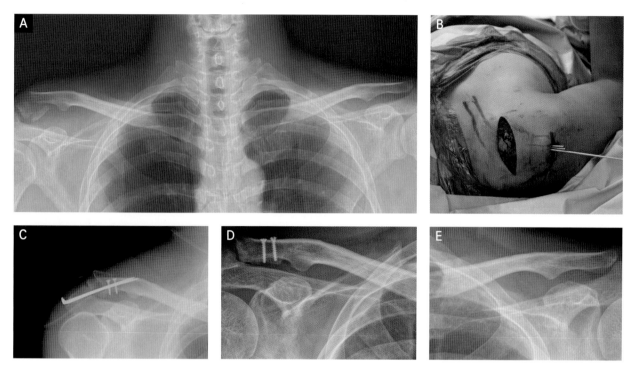

<u>그림 1-18</u> A: 55세 남자의 쇄골 전후 방사선사진으로 2개의 큰 골편과 오구쇄골거리(coracoclavicular distance)의 증가를 동반한 우측 쇄골 원위부 골절이 보인다. B: 3개의 스테인만핀과 2개의 골편간 나사를 이용하여 골절부위를 고정하였다. C: 방사선사진상 골편의 정복이 확인되었다. D: 수술 후 2년째 시행한 방사선사진으로 골절부위 유합이 확인되며 오구쇄골거리는 증가되지 않았다. 견봉–쇄골관절염의 미약한 진행은 보인다. E: 같은 시기에 시행한 건측 원위쇄골의 방사선사진

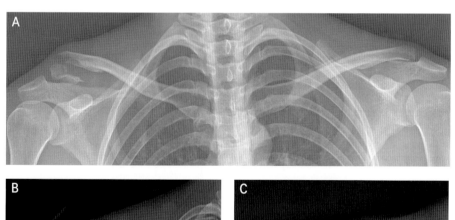

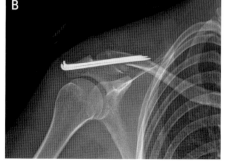

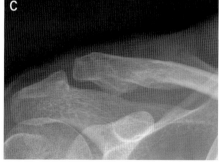

<u>그림 1-19</u> A: 26세 여자로 원위쇄골의 횡형 골절 형태를 보이는 방사선사진이다. B: 골절 부위는 3개의 스테인만핀을 이용해 정복되었다. C: 수술 후 2년째 시행한 방사선사진으로 골절부위 유합이 확인되며 오구쇄골거리는 6.5% 증가하였다.

③ 수술 후 재활

수술 직후 손과 손목관절의 운동, 주관절의 제한된 수동적 굴곡-신전운동을 시행한다. 수술 1주째 제한된 진자운동과 주관절의 능동적 굴곡-신전운동을 시행한다. 수술 3주째, 어깨관절의 최대 범위의 수동적 관절운동을 시행한다. 외전 보조기(abduction brace)는 슬링 보조기 (arm sling)로 바꾸고 외출할 때만 착용하도록 교육한다. 수술 6주째 보조기 없이 능동적인 어깨운동을 허용한다. 수술 12주째 방사선상 유합(callus formation)이 확인되면 국소마취하에 스테인만핀을 제거하고, 근육강화운동을 시작한다.[49]

6) 합병증

쇄골 골절은 특별한 문제없이 치료되는 것이 대부분이지만 드물게 합병증이 발생할 수 있다. 쇄골 골절의 합병증으로는 불유합, 부정유합, 쇄골하혈관손상, 상완신경총 손상, 늑쇄증후군, 견봉-쇄골관절 및 흉쇄관절 등의 외상성 관절염 등이 있다.

(1) 불유합

쇄골 골절의 불유합은 비교적 드물다. 대략 0.9%에서 4% 정도로 알려져 있으며, 골절이 발생한지 약 4개월 내지 6개월 이상 지나도록 임상적이나 방사선 소견에 골유합의 증거가 보이지 않는 경우에 불유합으로 진단하는 것이 보편적인 의견이다. 불유합의 발생 요인은 골절 당시의 손상 정도 및 골편의 전위 정도가 중요한 것으로 여겨지고 있으며, (1) 불충분한 고정, (2) 재골절, (3) 불안정성 원위쇄골 골절, (4) 2 cm 이상의 단축이 있는 경우, (5) 심한 전위 및 분쇄 골절, 그리고 (6) 일차적 수술을 통한 개방 정복술, (7) 고에너지 손상 등도 그 원인으로 거론되고 있다(표 1-4). 2형 원위쇄골 골절에서 빈도가 높은 것으로 보고되고 있다.[50] 불유합의 증상은 통증이 제일 흔하며, 그 이외에도 쇄골 길이의 단축 등으로 견관절 변형 및 기능의 변화가 생길 수 있으며, 상지가 아래로 처지는 경향이 보이기도 한다.[51] 또한 상완신경총이나 쇄골하혈관 등에 국소 압박 등에 의한 증상이 초래되기도 한다. 불유합이 증상을 초래하는 경우에는 관혈적 정복 및 내고정과 골이식술로 골유합

표 1-4 불유합을 유발할 수 있는 인자들

제2형 원위쇄골 골절
20 mm 이상의 단축이 있는 골절
20 mm 이상의 전위가 있는 골절
고령의 환자
외상의 강도가 큰 경우
재골절
일차적으로 개방적 정복술을 시행한 경우

을 도모한다. 내고정에는 골수강내 금속정도 사용할 수 있으나,[52] 금속판 및 금속나사 등이 보다 보편적으로 쓰인다(그림 1-20).[53] 드물게 골유합술을 시행할 수 없는 경우에는 돌출 부위의 절제술, 쇄골의 부분 또는 전 절제술, 제1늑골 절제술 등의 구제술을 시행하기도 한다.[51]

(2) 부정유합

소아에서는 부정유합이 되어도 성장하면서 그 정도가 완화되어 기능상의 문제가 남는 일은 거의 없다. 성인에서도 증상이나 기능상의 문제가 없는 경우가 대부분이지만, Eskola 등은 15 mm 이상의 단축이 남으면 증상이 잔류하는 경우가 많다고 하였다.[54] 드물게 미용상의 문제를 호소하는 경우가 있으나, 미용을 위해 돌출된 부분을 제거하는 수술은, 수술에 의한 흉터 때문에 수술 전보다 좋지 않은 결과를 초래할 가능성이 있다. 부정유합을 바로 잡기 위해서 절골술, 내고정 및 골이식술을 시행하는 수술은 불유합을 초래할 가능성이 있을 뿐 아니라, 기능이 호전되는 정도에 비하여 수술 방법이 너무 과도하기 때문에 거의 쓰이지 않는다. 드물게 상지의 기능장애가 심하거나 상완신경총이나 쇄골하 혈관 등에 지장이 있는 경우에는 수술을 고려해 볼 수 있다.[53]

(3) 신경 및 혈관손상

쇄골이 앞쪽으로 볼록하기 때문에 혈관 및 신경이 지나가는 공간에 여유가 있어서 골절된 부위에 발생한 가골이나 골편이 신경이나 혈관에 압박을 가하는 경우는 드물다. 그러나 선천적으로 쇄골하공간이 협소한 경우, 너무 심한

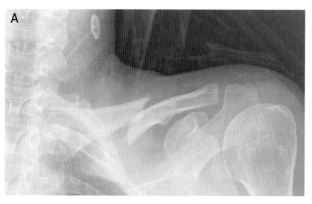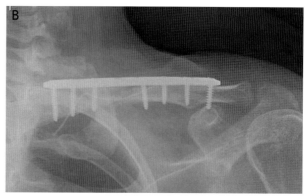

그림 1-20 **쇄골 불유합의 수술**
A: 수상 10개월 후 불유합 상태. B: 관혈적 정복 및 내고정, 골이식술로 골유합을 이룬 상태

부정유합, 심한 가골형성 등은 쇄골하혈관, 경동맥, 상완신경총 등을 압박하는 요인이 될 수 있다.

(4) 외상성 관절염

외상성 관절염은 흉쇄관절이나 견봉-쇄골관절에 발생할 수 있다. 통증과 압통 및 종창 등이 나타나며, 방사선 소견에 퇴행성 변화가 보인다. 원위단에서는 골 흡수 등이 보이는 경우도 있다. 불확실한 경우에는 단층촬영 및 전산화단층촬영 등이 도움이 되는 경우가 있으며, 해당 관절에 국소마취제를 주입하여 증상의 소실 여부를 살펴서 병소를 확인하기도 한다. 대체로 보존적 치료에 반응하지만 심각한 증상이 지속되는 경우에는 해당 관절의 절제성형술이 도움이 될 수 있다.

2. 견갑골 골절(Fracture of the scapula)

견갑골은 몸의 뒤쪽에 위치하며 제1늑골과 제8늑골 사이에 있는 편평골로서 상지와 견관절로 연결되며, 몸과는 견봉쇄골 인대, 견갑흉부기전(scapulothoracic mechanism) 등으로 연결되며, 상지를 흉부에 안정되게 연결하는 역할을 한다. 견갑골의 움직임이 상완골의 움직임과 잘 조화되어야 견관절이 원활하게 움직이고 상지를 자유롭게 사용할 수 있다. 따라서 견갑골 골절의 부정유합이나, 연부조직에 발생한 광범위한 반흔 조직, 또는 근육 및 신경의 손상

등이 원활한 움직임을 방해하면 견관절 기능에 장애가 생길 수 있다. 견갑골 골절은 대체로 중-장년에서 잘 발생하며[55-57] 모든 골절의 0.4-1%, 견관절 손상의 3%, 모든 견관절 골절의 5% 정도로 발생한다.[58] 견갑골은 가장자리 부분이 비교적 두껍고, 앞뒤로 두꺼운 근육에 둘러싸여 있으며, 자유스럽게 움직일 수 있는 범위가 넓기 때문에 과도한 힘이 주어진다고 해도 골절이 잘 발생하지 않는 유리한 면이 있어서 골절이 드물다. 골절이 발생하기 힘들다는 사실은 일단 발생한 견갑골 골절은 매우 커다란 힘에 의해 다쳤을 것이라는 점을 시사한다. 따라서 견갑골 골절이 있는 경우에는 견갑골 골절뿐 아니라 동반 손상에 대해서 주의를 기울이는 것이 바람직하다. 특히 늑골 골절, 기흉, 혈흉 및 폐 좌상 등이 동반하는 예가 흔하며, 경우에 따라서는 생명이 위험한 지경에 이르기도 하므로 이러한 동반 손상들에 세심한 주의를 기울여야 한다. 또한 상완신경총 등의 말초신경들과 혈관들의 동반 손상들도 간과하지 않도록 유의해야 한다.

견갑골의 골절은 대부분 팔걸이 등으로 상지를 보호하면서 조기에 관절운동을 시행하는 비수술인 방법으로 치료할 수 있으나, (1) 전위가 심한 견봉의 골절에서 견봉하공간이 좁아져서 견관절의 운동이 원활하지 못할 것으로 예상되는 경우, (2) 오구돌기의 골절과 견봉-쇄골관절의 분리가 동시에 발생한 경우, (3) 관절면의 1/4 이상을 침범하는 관절와 골절 등에 서는 수술적 치료를 선호하는 것이 보편

적인 의견이다(그림 1-21~23). 최근 Goss는 관절와, 오구돌기, 견봉 및 원위쇄골과 이들을 연결하는 인대들이 하나의 원을 형성하면서 견관절을 지탱해주는 통합된 구조라고 생각하였으며, 이를 상부 견관절 현수 복합체(superior shoulder suspensory complex, SSSC)라고 명명하였으며, 이 구조들 중에서 동시에 두 곳 이상이 손상받은 경우에는, 견관절의 상태가 불안정할 가능성이 높기 때문에 이 중에서 어느 하나라도 고정해 주어야 원활한 회복을 도모하기 쉽다는 설을 제시하였다(그림 1-24).[59]

1) 해부학

견갑골은 제1늑골부터 제8늑골 사이의 체간 후외측에

위치하는 편평골이다. 상지와는 견관절로 연결되며, 체간과는 견봉-쇄골인대 , 오구쇄골인대 및 견갑흉곽관절 등으로 연결되어 상지를 흉곽에 안정시키는 역할을 한다. 견갑골은 전면에서 보면 삼각형 형태이고, 상방 및 외측으로 관절와, 견봉, 오구돌기라는 돌출된 부분이 있는데, 이 세 개의 돌기는 견갑골 손상 후 치료 방침을 결정하는 데 고려해야 할 아주 중요한 구조물들이다. 오구돌기, 견봉, 오구견봉인대로 구성된 오구견봉궁(coracoacromial arch)은 회전근 개와 근위부 상완골을 덮고 있는 지붕 역할을 하고, 견갑극과 견갑골의 외측 경계는 많은 근육들이 부착되면서 골이 두꺼워져 있다. 해부학적으로 견갑골의 전면과 후면은 극히 일부를 제외하고는 전체가 근육으로 덮여 있으며,

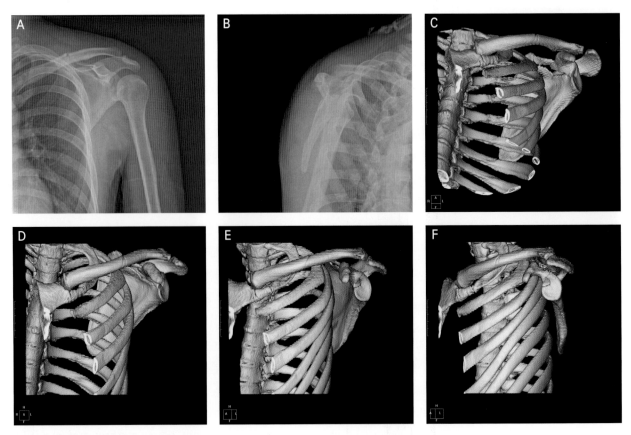

그림 1-21 오토바이 교통사고로 수상한 25세 남자 환자
A, B: 좌측 견관절의 전후 단순 방사선사진 및 견갑골의 측면 단순 방사선사진으로 좌측 쇄골 간부에 전위가 심하지 않은 골절 소견 및 견갑골 관절와 상부의 전위를 동반한 골절소견이 관찰된다. C-F: 좌측 견관절의 3D 전산화 단층촬영 영상으로 견갑골 체부 상부의 분쇄 골절이 오구돌기 및 관절와까지 이어져 있다. 관절와부위 골절은 전체 관절면의 1/3 이상을 포함하여 오구돌기가 한 덩어리로 골절되어 있다. 이는 일종의 견봉-쇄골관절, 쇄골-오구돌기관절 손상과 동등한 손상으로 볼 수 있으며 불안정성이 동반된 골절이다. 관절와의 관절내 골편은 전위가 되어 있다. 이에 수술의 절대적 적응증에 해당되어 수술적 고정을 계획하였다.

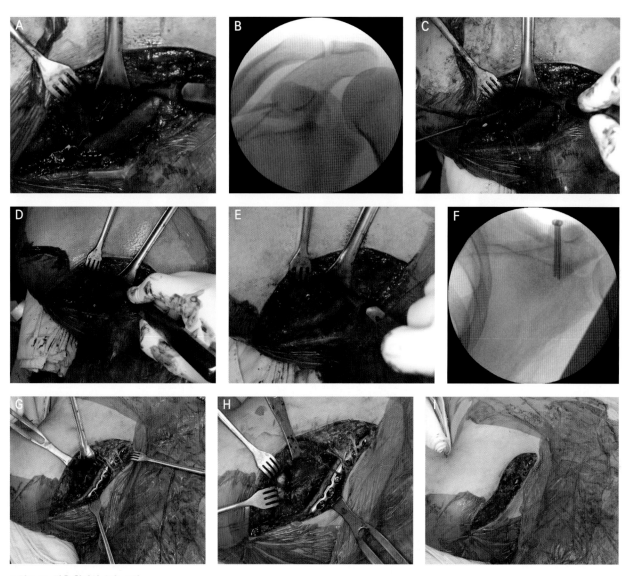

그림 1-22 같은 환자의 수술 소견

A, B: 환자는 앙와위 자세로 쇄골이 충분히 노출되도록 준비하였다. 피부 절개는 골절 부위를 중심으로 쇄골 하방으로 직선형의 절개를 하였다. 광경근(platysma)을 유리 후 오구돌기의 골절부위 확인을 위해 소흉근의 부착부위를 완전히 박리 후 오구돌기 기저부의 골막을 박리하였다. C-E: 오구돌기 기저부의 골절 부위를 확인하였고 이를 C-arm을 이용하여 골절 모양을 방사선상 사진으로 확인하였다. Reduction clamp 등 수술기구를 이용하여 오구돌기의 해부학적 정복을 이룬 뒤 이를 여러 개의 K-강선을 이용하여 일시 고정하였다. 이후 50 mm 길이의 나사(4.0 mm, partial threaded screw) 2개를 이용해 골편을 정복 및 고정하였다. F: 오구돌기 골절을 나사로 정복 및 고정 후 시행한 방사선사진. G: 쇄골 골정의 정복을 위해 내측으로 절개를 연장하였으며 광경근 유리를 하며 상쇄골신경을 확인 후 보존하였다. 쇄골 골절 부위의 골막을 박리하여 골절부를 노출시킨 후 해부학적 정복을 하여 쇄골 상부에 금속판으로 고정하였다. H, I: 유리하였던 소흉근은 해부학적 위치로 봉합하였고 출혈부위를 지혈한 뒤 광경근 및 근막을 층에 맞추어 봉합하였다.

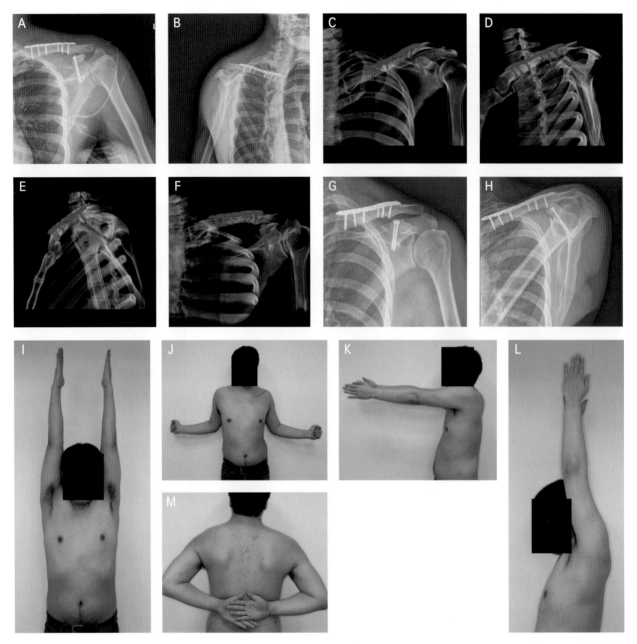

<u>그림 1-23</u> A, B: 같은 환자의 수술 직후 시행한 단순 방사선사진으로 쇄골 부위는 해부학적 정복이 되어있으며 금속판 및 나사의 위치와 길이는 적절하였다. 오구돌기에 삽입된 나사의 길이, 방향, 위치는 적절하며 골절부위도 해부학적 정복을 이루고 있음이 확인된다. C-F: 수술 후 3일째 시행한 3D 전산화 단층촬영 영상 소견으로 골절부위의 해부학적 정복 및 금속물의 위치 및 길이는 적절함을 확인하였다. G, H: 수술 후 2년째 시행한 단순 방사선사진으로 골절부위는 완전 유합되었고 금속물도 안정적으로 유지되고 있다. I-M: 최종 추시 때 외래에서 촬영한 의학 사진으로 건측과 비교하여 수술받은 측의 견관절운동범위 및 기능은 완전히 회복되었다.

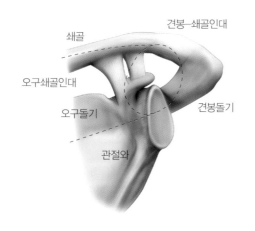
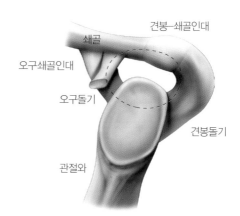

그림 1-24 Goss의 견갑 상부 유지 복합체의 개념도

이러한 주위 근육들이 견갑골을 보호하는 역할을 하므로, 대부분 고에너지 손상 후에 발생하게 되는 견갑골 체부 골절도 풍부한 혈관 공급과 견갑골을 안정화시키는 근육들의 작용에 의하여 손상 후에도 대부분 보존적인 치료가 가능하며, 골절 후 불유합은 드물게 발생한다. 대부분의 견갑골은 두께가 아주 얇기 때문에 내고정을 하기에는 적당하지 않으며, 오구돌기, 견봉, 관절와 및 견갑극 기저부, 견갑골 경부 및 외측 경계 등이 수술적 치료 시 견갑골에서 내고정이 가능한 곳이다. 견갑골은 상지와 체간을 연결하는 구조물로, 견갑골을 안정화시키는 주위 근육들은 견갑골을 흉곽에 고정하면서 동시에 견갑골 자체의 운동을 가능하게 하고, 상지운동 시에는 근위부 상완골의 균형을 유지해 주는 이동식 플랫폼(mobile platform) 역할을 한다. 이렇게 견갑골의 복잡한 구조와 다양한 역할을 하는 견갑골 주위 근육들은 견관절의 생체역학적 기능에 중요한 역할을 하게 된다. 또한, 견갑골과 상지 및 체간을 유지하는 역할을 하는 상부 견관절 현수 복합체(superior shoulder suspensory complex, SSSC)의 개념을 이해하는 것이 견갑골 손상을 파악하고 치료를 결정하는 데 중요한 지침이 된다. 견갑골은 흉곽에 느슨하게 부착되어 있기 때문에 골절 시 주위 혈관 및 신경의 손상이 많이 동반되며, 견갑골 경부 골절 때 직접 또는 간접 손상으로 상견갑신경(supra-scapular nerve) 및 액와신경손상이 발생하게 된다.

(1) 오구돌기

오구돌기는 전상방 및 외측으로 돌출되어 있으며, 소흉근(pectoralis minor), 오구완근(coracobrachialis), 상완이두건단두(short head of biceps)가 기시하게 되는데, 이 세 개의 근육들은 오구돌기에 골절 발생 시 골편을 전위시키는 힘으로 작용하게 된다. 원추양(conoid) 및 승모양(trapezoid) 인대가 오구돌기에서 기시하여 쇄골의 하부에 부착되며, 이 두 개의 인대는 원위부 쇄골의 안정성에 중요한 역할을 하기 때문에, 이 인대들의 손상 정도가 수술적 치료 여부를 결정하는 데 중요한 요소가 된다. 상견갑신경은 오구돌기 기저부의 바로 내측에 있는 상견갑절흔(suprascapular notch)을 통해서 견갑골의 상부를 주행하게 되고, 상완신경총과 액와동맥 및 정맥은 오구돌기의 기저부 바로 하방에 위치하고 있어 오구돌기 골절 시에 손상을 받기가 쉽다.

(2) 견봉

견봉은 견갑극이 외측으로 연장된 것으로 견봉의 아래로 극상근과 극하근이 지나가면서 상완골 대결절에 부착하게 된다. 견봉의 기능은 쇄골과 견봉-쇄골관절을 구성하고, 관절와상완관절의 후상방 안정성에 기여하며, 상부 견관절 현수 복합체의 중요한 구조물이다. 견봉이 골절되어 전방 또는 외측으로 구부러지게 되면 극상근에 충돌 증상이 발생하므로 수술적 치료가 요구된다. 오구견봉인대는 오구돌기에서 기시하여 견봉의 전하면에 부착되는 구조물로서 견봉-쇄골관절 손상 후에 불안정한 쇄골을 고정하기 위하여 사용(Weaver-Dunn 수술)되기도 하지만, 오구견봉궁의 형태를 유지하기 위하여 가능한 한 항상 보존되어야 한다.

(3) 관절와

관절와는 견갑골 체부의 외측 연장으로 상완골 두와 관절을 형성하게 된다. 관절와는 견갑극에 대하며 후방으로 6도 경사지게 되어 있으며, 관절와 후방으로 상견갑신경과 동맥이 극관절와 절흔(spinoglenoid notch)을 통해서 관절와 기저부를 주행하기 때문에, 견관절에 대한 후방 도달법이나 전위된 견갑골 경부 골절 시에 손상 가능성이 있다.

(4) 상부 견관절 현수 복합체

상부 견관절 현수 복합체는 골 조직과 연부조직으로 구성되며, 이 복합체의 구성 요소는 관절와, 오구돌기, 견봉, 오구쇄골인대, 견봉-쇄골인대 , 원위부 쇄골이고, 이 복합체는 위쪽에서는 중간부 쇄골, 아래쪽에서는 견갑골의 외측 경계에 의해서 지지되어 유지되고 있다. 원위부 쇄골 골절이나 견봉-쇄골관절 손상과 같은 복합체의 단독 손상은, 전체적인 안정성이 유지되고 있어 보존적인 치료로도 좋은 결과를 얻을 수 있다. 그렇지만, 복합체의 두 곳이 손상을 받으면 전체적인 안정성이 유지되지 못하고 복합체의 일부가 전위되어, 이로 인한 지연 유합, 부정유합, 불유합 등이 발생하며, 합병증으로 근력 감소 또는 근육 피로, 견관절 기능제한, 신경 및 혈관계의 장애를 유발할 수 있다. 관절면을 침범하는 골절이 있을 때는 외상 후 관절염이 발생할 수 있다. 상부 견관절 현수 복합체의 대표적인 불안정성 손상으로는 쇄골 골절과 동반된 견봉-쇄골관절 손상, 견갑골 경부 골절과 동반된 견봉-쇄골관절 손상 또는 쇄골 골절, 견봉골절과 동반된 오구돌기 골절 등이다. 복합체의 두 곳이 손상받으면 팔의 무게와 대흉근, 소흉근, 광배근 등이 전위시키는 힘으로 인해서 견갑골이 전방, 내측, 하방으로 전위되게 한다. 따라서, 수술적 치료가 요구된다.[60] 아주 드물게는 오구돌기 골절, 견봉골절, 원위쇄골 골절이나 견봉-쇄골관절 탈구 등 세 곳 이상의 복합체 손상이 보고되

기도 하며 이는 외상에 의한 단일 충격보다는 수차례에 걸친 다발성 충격에 의한 것으로 보인다. 이 역시 각각에 수술적 치료를 통해 복합체의 전체적인 안정성을 회복시켜야 한다(그림 1-25~29).[61,62]

2) 손상기전

견갑골 골절은 매우 강한 힘에 의해 발생하며, 직접적인 외력에 의해서 골절되는 경우가 가장 많다. 자동차 사고가 약 50%, 오토바이 사고가 약 11-25% 정도 차지한다고 보고되고 있다.[63,64] 경추 혹은 흉곽부에 동반 손상이 있는 경우가 80% 내지 95%이며, 경우에 따라서는 생명을 위협하는 손상이 있을 수 있다. 이러한 이유들로 간혹 견갑골 골절의 진단이 늦거나 적절한 치료가 늦어지는 경우도 있다. 견관절의 탈구에 의하여 관절와 골절이 발생할 수 있으며, 손을 짚고 넘어지는 경우 등의 축성 압박에 의하여 발생하기도 하며, 견인 등의 간접적인 힘에 의해서는 여러 부위에 견열 골절이 발생할 수 있다. 견열 골절은 경련이나 전기 충격 등에 의해서 견갑거근(levator scapulae)에 의한 견갑 상각(superior scapular angle), 견갑설골근(omohyoid)에 의한 견갑상연(superior scapular border), 융합건(conjoined tendon)에 의한 오구돌기의 말단부(tip of the coracoid process), 오구쇄골인대(coracoclavicular ligaments)에 의한 오구돌기의 상연, 삼각근에 의한 견봉돌기의 변연부, 전거근(serratus

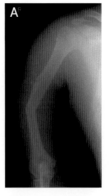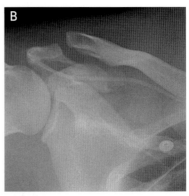

그림 1-25 27세 남자로 운전자 교통사고(in-car traffic accident) 후 다발성 외상을 동반하였다. 수상 직후 방사선사진상 우측 견갑골의 상부 골절, 견봉 및 오구돌기 골절이 확인되며 견봉-쇄골관절의 분리를 동반한 상완골 골절이 확인된다.

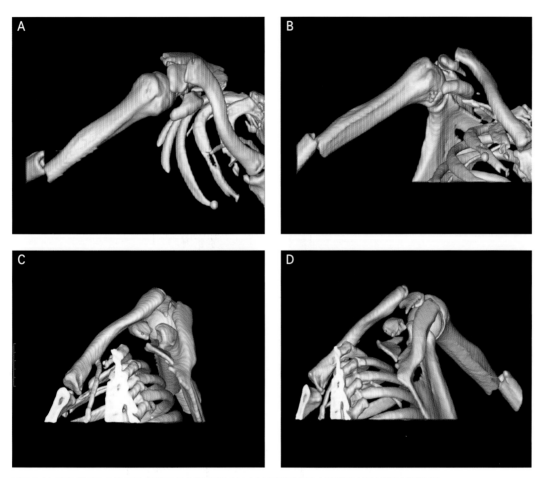

그림 1-26 같은 환자의 수상 직후 전산화 단층촬영영상으로 상부 견관절 현수 복합체의 삼중 파열이 확인된다.

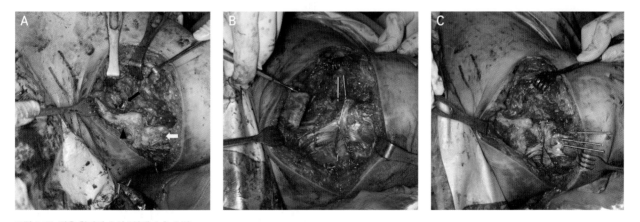

그림 1-27 **같은 환자의 수상 7일째 수술 소견**
A: 오구돌기는 해면골 나사(검은 화살표)를 이용해 고정하였다. 쇄골(화살표 머리), 견봉(하얀 화살표). B: 견봉골절은 긴장대선(tension band wiring)을 이용해 고정하였다. C: 견봉쇄골 골절은 3개의 스테인만핀을 이용하여 고정하였다.

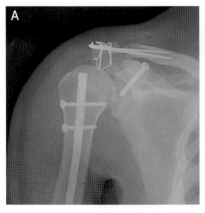
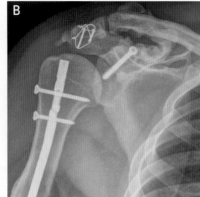
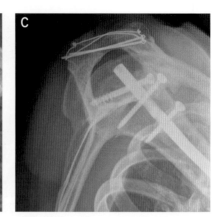

그림 1-28 **같은 환자의 수술 후 방사선사진**
A: 수술 직후. B, C: 수술 후 5년째

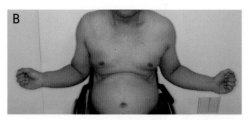
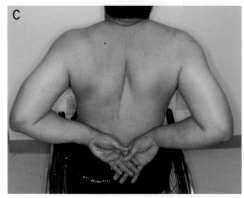

그림 1-29 수술 후 5년째 최대 범위 어깨관절 운동을 확인하였다.

anterior)에 의한 견갑 하각(inferior angle) 등에 발생할 수 있다. 드물게 피로골절이 발생하는 경우도 있다.

3) 분류

견갑골 골절의 분류는 골절된 부위를 해부학적 위치를 중심으로 분류한 다음에 이들을 다시 세분하는 방법이 널리 사용된다. 대체적으로 견갑골의 체부(scapular body), 견갑극(spine of scapula), 견갑골 경부(scapular neck), 관절와(glenoid of the scapula), 견봉(acromion), 오구돌기(cora-coid process of the scapula) 등의 골절로 나누며, 체부와 경부의 골절이 가장 많다. 대체로 견갑골 체부 및 견갑극이 전체 견갑골 골절의 약 50%에 해당하며, 견갑골 경부가 약 25%, 관절와가 약 10%, 견봉 및 오구돌기가 각각 약 7% 정도 발생한다(그림 1-30). 각 해부학적 위치에 따른 세분은 치료 단락에서 부위별 치료와 함께 기술하도록 하겠다.

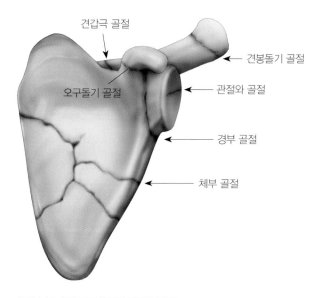

견갑극 골절

견봉돌기 골절

오구돌기 골절

관절와 골절

경부 골절

체부 골절

그림 1-30 **여러 가지 형태의 견갑골 골절**

4) 진단

(1) 증상 및 신체 검사

수상 당한 팔은 내전 상태로 가슴에 붙이고 있으면서 모든 방향으로의 움직임에 아파하며, 특히 외전 시 통증을 호소한다. 국소적 압통을 호소하며, 견갑골 경부 골절이나 견봉골절의 경우에는 어깨의 모양이 둥글게 변형된다. 국소 반상 출혈(Ecchymosis)은 현저하지 않다. 골절로 인한 통증으로도 호흡 시 불편을 느낄 수 있으나, 기흉 등이 동반되는 경우가 있으므로 기립 흉부 방사선사진을 촬영하는 등 주의를 요한다. 회전근 개 근육내 혈종 등으로 회전근 개의 수축이 원활치 않아 상지를 들지 못하는 회전근 개 파열의 증상을 호소하기도 하며, Neviaser[65] 등은 이를 "회전근 개 가성 파열(pseudorupture of the rotator cuff)"이라고 명명하기도 한다. 대개 수주 이내에 회복된다. 견갑골 골절은 35-98% 정도의 빈도로 동반 손상을 수반한다.[55,56,66] 기흉, 폐 좌상, 두개골 골절, 경추 골절 등이 흔히 동반되고, 10-15%의 사망률이 보고되고 있다.[55,58] 이러한 동반 손상 등으로 인하여 견갑골 체부 골절의 1/3 이상이 초진 시 진단되지 못하고 간과되며, 거꾸로 견갑골의 골절이 있는 경우는 경추와 흉곽부의 동반 손상 가능성을 염두에 두고 진료하여야 한다.

(2) 방사선 소견

통상의 방사선 촬영으로는 견갑골이 몸과 겹쳐서 촬영되기 때문에 견갑골의 상태를 상세히 분석하기가 어려운 경우가 많다. 따라서 견갑골 골절에 대해서는 여러 방향의 촬영이 필요한 것이 대부분이다. 흔히 견관절의 진성 전후면 및 측면 촬영(true anteroposterior and lateral views of the shoulder), 액와 촬영(axillary view) 등의 Neer[67]가 기술한 외상 촬영법(trauma series, 상완골 근위부 골절 참조) 등으로 관절와, 경부, 체부 및 견봉의 대부분을 분석할 수 있다. 또한 견봉이나 관절와 변연부에 골절이 의심되는 경우에는 액와 촬영이 도움이 되며, 오구돌기의 골절에는 상방 경사 촬영(cephalic tilt view)이나 Stryker notch 촬영(견관절 탈구 참조) 등이 도움이 되기도 한다. 견갑골은 몸에 대해서 비스듬히 위치하며 매우 얇은 뼈이기 때문에 단층촬영으로는 분석하기가 어렵고 전산화 단층촬영으로도 명확한 입체적인 상태를 파악하기가 어려운 경우가 있다. 하지만, 관절와 골절에서 관절면의 침범 정도, 견갑골 경부 골절 등에서는 전산화 단층촬영이 골절의 형태를 분석하고 수술 전 계획을 수립하는 데 필수적이며, 전산화 단층촬영을 3차원으로 재구성한 영상이 도움을 주기도 하며(그림 1-31), 상완골을 제외한 영상의 재건으로 견갑골만 재구성할 수 있다. 청소년기에서는 성장판과 골절의 감별이 중요하고, 견봉골(os acromiale)은 견봉골절과 감별이 필요하다. 견봉골은 약 60%에서 양측성으로 발생한다(그림 1-32).

5) 치료

(1) 견갑골 체부 골절(fracture of the body) 및 견갑극 골절(fracture of scapular spine)

견갑골의 체부는 흔히 직접적인 손상 때문에 골절이 발생하지만, 간혹 근육의 힘에 의한 간접적인 손상에 의해서도 골절이 발생한다. 전기치료 혹은 간질에 의해서도 발생할 수 있다.[68,69] 견갑극 또한 흔히 직접적인 손상 때문에 골절이 발생하지만, 간혹 근육의 힘에 의한 간접적인 손상에 의해서도 골절이 발생한다. 견갑골 체부의 골절은 동반 손상이 많으며, 심한 분쇄나 전위를 동반하는 경우도 있다. 흔히 진성 전후면 및 측면 방사선 촬영으로 진단할 수

437

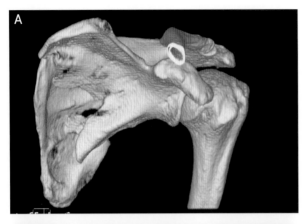

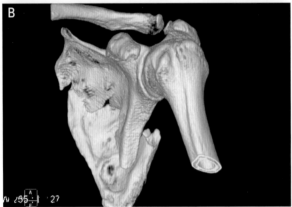

그림 1-31 견갑골 골절에서 3차원적으로 재구성한 전산화 단층촬영 영상

있으며, 동반된 골절을 확인하고자 하는 경우에는 액와 촬영이나 상방 경사 촬영이 유용하다. 대부분 전위가 있어도 정복은 필요하지 않으며 대부분 보존적 치료로 좋은 결과를 얻을 수 있다.[70] 특히 견갑골의 관절외 골절은 수술적 치료 또는 비수술적 치료에서 모두 좋은 결과를 보이는 것으로 알려져 있다.[71] 부종을 줄이기 위한 냉찜질을 시행하고 통증을 줄이기 위해서 팔걸이 등으로 안정을 취한 연후에 통증이 경감되는 정도에 맞추어 추 운동(pendulum exercise)을 위시한 수동적 운동(passive exercise)을 시행하여, 점차 운동의 범위를 늘려나간다. 주기적으로 전위가 너무 심해지지 않는지 관찰해야 하며, 대부분 6주 전후에 골유합이 이루어진다. 혈액공급이 불충분해서 골유합이 안되는 경우는 드물다. 관절운동의 회복 및 견관절을 움직이는 근육들의 기능 회복에 주안점을 두는 것이 바람직하며, 완전한 기능의 회복은 수개월이 필요한 것이 보통이며 전위가 심한 경우에는 회복이 원활하지 못할 가능성이 있으나, 전위된 채로 골유합이 되어도 견관절의 기능에 심각한 문제가 남는 경우는 많지 않다.

오히려 주변의 연부조직에 광범위한 반흔이 남게 되면

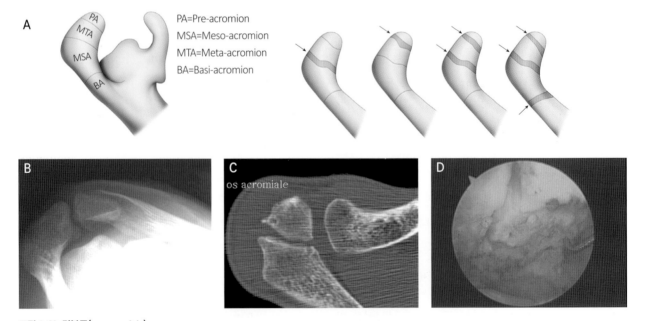

그림 1-32 견봉골(os acromiale)

A: 견봉골의 분류. B: 단순 방사선사진에서 관찰되는 견봉골. C: 선산화 난층촬영에서 관찰되는 견봉골. D: 관절경에서 관절되는 견봉골

견갑골의 움직임이 원활하지 않아서 견관절 기능의 장애가 남을 수 있다. 또한 전위된 정도와 기능이 일치하지 않는 경우가 많 기 때문에 골편의 전위를 정복하는 것보다 기능의 회복에 주의를 기울이는 것이 보편적인 치료 방침이다. 드물게 전위된 골편이 너무 돌출되거나 가골 등이 과도하게 생성되어 늑골을 압박하면 견갑골과 흉부 사이에서 마찰음이 발생하거나 통증이 유발되기도 한다. 이러한 경우에는 추후에 골편이나 가골을 제거하는 것을 고려해 볼 수 있다. 드물게 견갑극에 통증을 동반한 불유합이 발생하면 골유합술(osteosynthesis)을 시행하는 경우도 있다. 견갑골 골절을 대부분 비수술적인 방법으로 치료하는 것은 견갑골은 뼈가 얇은 부분이 많기 때문에 내고정이 어렵고, 대부분의 골절에서 비수술적인 치료로 원활한 기능 회복을 기대할 수 있기 때문이다.

(2) 견갑골 경부 골절(fracture of the neck of the scapula)

견갑골의 경부 골절은 견갑골 골절의 약 25%를 차지하며, 그중에서 약 10%, 전체 견갑골 골절의 2.5% 정도가 심각한 전위를 동반한다고 한다. 견갑골의 경부 골절은 외력이 견관절의 전방, 후방 또는 상방에 직접 작용하여 발생하거나, 팔을 짚고 넘어지면서 발생한다. 진성 전후면 촬영 및 접측면 촬영(tangential lateral view), 액와 촬영 등이 도움이 되며, 관절내 골절의 유무를 찾기 위해 간혹 전산화 단층촬영을 시행하기도 한다. 견갑골 경부 골절은 쇄골이나 견봉-쇄골관절의 손상이 동반하면 전위가 심해지는 경향이 있다. 전위가 심한 경우에는 상지의 무게와 근육의 힘에 의해서 흔히 원위 골편이 하내측으로 전위된다. 전위가 심하지 않은 견갑골 경부 골절은 견갑골 체부 골절과 마찬가지로 기능의 회복에 중점을 두고 치료한다. 일반적으로

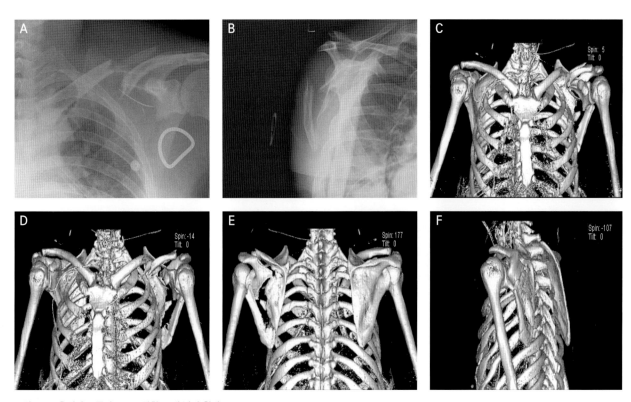

그림 1-33 운전자 교통사고로 수상한 48세 남자 환자
A: 좌측 쇄골의 전후 단순 방사선사진으로 좌측 쇄골 간부에 전위가 심한 골절이 관찰되며 동측 견갑골 체부 및 경부에 전위를 동반한 골절이 확인된다. B: 좌측 견갑골의 측면 단순 방사선사진으로 좌측 견갑골 체부의 전위를 동반한 골절 소견 및 견갑골 경부의 골절 소견이 관찰된다. C-F: 양측 견갑골의 3D 전산화 단층 촬영 영상 소견으로 좌측 쇄골 골절과 견갑골 경부 골절이 동반된 부유견(floating shoulder) 소견으로 수술적 치료가 필요한 상태이다. 이 환자에서는 불안정성을 해결하기 위해 쇄골 골절에 대하여 수술적 고정을 계획하였다.

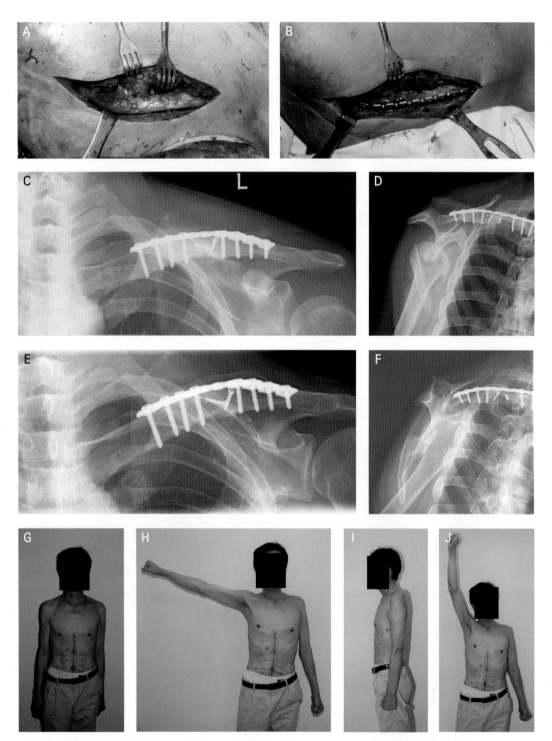

그림 1-34 같은 환자의 수술장 소견

A: 환자는 앙와위 자세로 쇄골이 충분히 노출되도록 준비하였고 골절 부위를 중심으로 쇄골 위로 직선형의 절개를 하였다. 광경근(platysma)을 유리 후 골절 부위의 골막을 박리하여 골절부를 노출시켰다. 피질골 나사를 이용해 사선형의 쇄골 골절 정복 후 고정하였다. B: 금속판은 쇄골 상부에 위치하여 해부학적 구조에 맞게 구부려 고정하였다. C, D: 수술 직후 시행한 단순 방사선사진으로 쇄골 부위는 해부학적 정복이 되어있으며 금속판 및 나사의 위치와 길이는 적절하였다. 쇄골-오구돌기, 쇄골-견봉돌기 사이의 거리는 건측과 동일하게 유지되고 있으며, 견갑골 골절은 수술적 고정을 시행하진 않았지만 전위가 심화되지 않고 잘 유지되고 있다. E, F: 수술 후 2년째 시행한 단순 방사선사진으로 골절부위는 완전 유합되었으며 견관절 주위의 불안정성 소견은 관찰되지 않는다. G-J: 최종 추시에 외래에서 촬영한 의학 사진으로 수술받은 측의 견관절운동범위 및 기능은 성상에 가깝게 회복되었다.

통증이 경감되는 수일 동안 팔걸이 등으로 안정한 후에 조기 운동을 시행한다. 조기 운동이 골유합을 저해하지는 않는다고 한다. 쇄골 골절과 불안정한 견갑골 경부 골절이 동반된 경우를 소위 부유견(floating shoulder)이라고 부르며, 이러한 경우에는 쇄골을 수술하여 내고정하면 조기 운동 및 관절운동의 회복에 도움이 된다(그림 1-33, 34).[60] 견갑골 경부의 골절이 40도 이상의 각변형이나 1 cm 이상의 전위가 있으면 관혈적 정복 및 내고정을 고려하는 것이 바람직하다. 견갑골 경부의 골절 수술에 대하여 시행하는 경우에는 극하근과 소원근 사이로 접근하는 후방 도달법이 자주 쓰인다.

(3) 견갑골 관절와 골절
(fracture of the glenoid of the scapula)

견갑골의 관절와는 견갑부의 외측에 강한 외력이 작용하는 직접 손상으로 골절되거나, 주관절을 굴곡하고 넘어져서 힘이 상완골 간부를 따라 상완골 두를 지나서 관절와에 충격이 전달되는 간접 손상으로 골절된다. 골절될 때의 상지의 위치에 따라서 견관절이 신전 및 외전 상태에서 다치면 관절와의 전방부가 골절되고, 견관절이 굴곡 및 외전 상태에서 다치면 관절와의 후방부가 다치기 쉽다. 또한 관절와의 변연부에 발생하는 견열 골절(avulsion fracture)은 주로 견관절의 탈구와 동반하며, 전방 탈구의 경우에는 전연, 후방 탈구의 경우에는 후연에 발생한다. 간혹 운동선수들에게 상완 삼두근의 장두건에 의한 견열 골절이 발생하기도 한다. 진성 전후면 촬영, 액와 촬영, West point 촬영, Stryker notch 촬영(견관절 탈구 참조) 등이 도움이 되며, 골절의 명확한 양상을 파악하기 위해서 단층촬영이나 전산화 단층촬영이 필요한 경우도 있다. Ideberg는 관절와 골절을 다시 세분하여 관절와의 변연부 골절을 I형, 그 중에서도 전방 변연부 골절을 IA형, 후방 변연부 골절을 IB형, 관절와를 횡으로 지나가는 골절은 II형, 비스듬하게 관절와를 지나서 견갑골 상연의 중간 부위 쪽으로 골절선이 연장되며, 간혹 견봉이나 쇄골의 골절 및 견봉 쇄골 분리

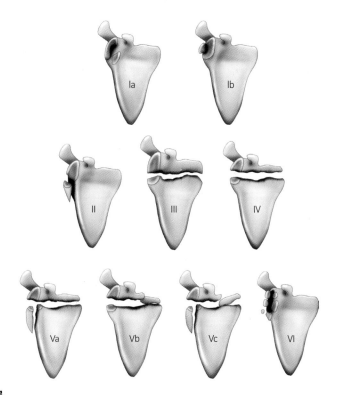

그림 1-35 Ideberg의 관절와 골절 분류
Ia; 전방 변연부 골절, Ib; 후방 변연부 골절, II; 골절이 견갑골의 외측연으로 연장되는 관절와 횡 골절, III; 관절와를 지나서 견갑골의 상연 쪽으로 연장되는 골절, IV; 견갑골 내측으로 연결되는 관절와 횡 골절, V; IV형의 골절과 II형 등의 골절이 겹친 복합형, VI; 관절와의 심한 분쇄 골절(Goss의 추가 분류)

등을 동반하는 III형, 관절와를 포함하여 견갑골을 횡으로 지나가서 견갑골의 내측연으로 연장되는 골절선을 가지는 IV형, IV형의 골절이 있으면서 관절와의 아래 부분도 골절되어 분리된 V형으로 구분하였고, Goss는 관절와에 심한 분쇄가 동반된 경우를 VI형으로 첨가하여 세분하였다(그림 1-35).[72] 견관절 탈구와 동반하여 작은 골편이 관절와의 변연부에서 견열된 경우에는 견관절 탈구에 준하여 치료한다. 골편이 작고 견관절의 탈구가 없는 경우에는 팔걸이 등을 이용하여 안정시키고 조기 관절운동을 시행한다. 상완

골 두가 관절와의 중심에 위치하고 있으며 견관절이 안정되어 있으면 대부분 비수술적 치료로 호전을 기대해 볼 수 있다. 그러나, 관절면의 1/4 이상을 포함한 골절의 경우에는 관혈적 정복 및 내고정을 선호하는 것이 일반적인 의견이며, 관절면이 5 mm 이상 어긋난 경우에는 수술을 시행하여 관절면의 해부학적 정복을 고려하는 것이 바람직하다고 한다(그림 1-36).[73,74] 커다란 골편이 전위되면서 상완골 두가 아탈구된 경우에도 수술적 치료가 선호된다. 또한 골편의 전위가 너무 심해서 불유합이 발생할 것으로 추정되

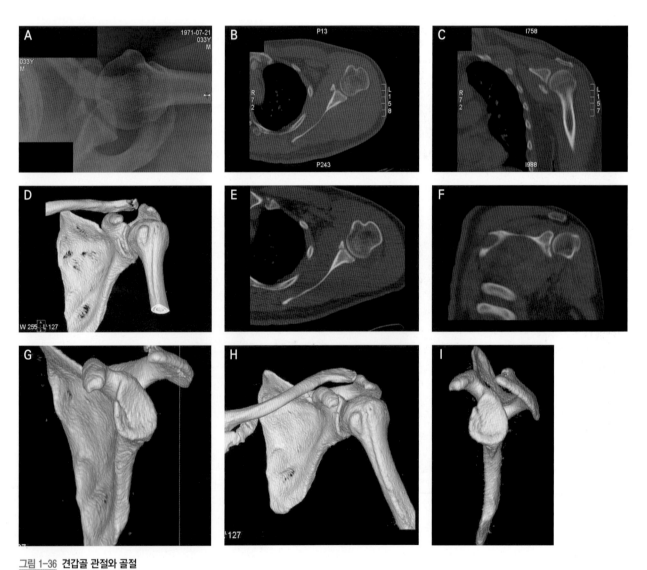

그림 1-36 견갑골 관절와 골절
A: 수술 전 액와 사진. B-D: 수술 전 전산화 단층촬영 영상. E-I: 관절면의 1/4 이상을 포함하고 관절면이 5-10 mm 이상 어긋난 골절로, 관혈적 정복 후 흡수성 강선으로 내고정한 상태

는 경우에도 수술적 치료가 바람직하다. Anavian은 견갑골 관절와의 복합골절이나 전위된 관절 내 골절에 대한 수술적 치료 이후 87%에서 더 이상 통증이 없었고 90%는 수상 이전 수준의 업무 및 활동으로 복귀가 가능했다고 보고했다.[75] 복합관절와 골절을 수술하고자 할 때에는 골절의 부위 및 범위, 술자의 선호 등을 고려하여 전방 도달법과 후방 도달법 중에서 선택한다. 앞쪽에 골절이 위치한 경우에는 전방 도달법을 사용할 수 있으며, 골절이 뒤쪽에 치우쳐 있거나 광범위한 내고정이 필요한 경우에는 Judet 혹은 modified Judet 도달법 등과 같은 후방 도달법이 유리한 점이 있다. 견갑골의 관절와에 대한 관혈적 정복 및 내고정술은 어려운 상황을 맞게 되는 경우가 있으므로 충분한 준비와 각별한 주의를 요한다. 수술을 하는 경우에는 견갑골 경부, 견갑극, 견갑골 외연, 오구돌기 등의 네 곳이 비교적 튼튼한 부분이므로 이러한 곳을 이용하여 내고정하는 것이 좋다(그림 1-37~39). 관절와 골절이 분쇄가 심해서 내고정이 불가능한 경우에는 팔걸이, 외전 보조기 및 주두골 골견인 등을 이용하여 초기 고정한 후에 약 2주 후 팔걸이

로 전환하고 조기 관절운동을 도모하여, 가능한 한 관절면이 적합하게 재구성되어 유합되도록 노력한다. 이러한 경우에는 추후 외상성 관절염 및 견관절 불안정성의 증상들이 초래될 가능성이 높다. 수술 후 발생할 수 있는 문제점들로는 관절내 나사 노출, 견관절의 강직, 이소성 골화증, 신경손상 등이 있다.[76]

(4) 견갑골 견봉 골절
(fracture of the acromion of the scapula)

견갑골의 견봉은 대부분 위쪽으로부터 직접 손상을 받아서 골절된다. 드물게 상완골 두가 위쪽으로 탈구되면서 골절을 동반하기도 한다. 이러한 경우에는 회전근 개의 손상이 동반되는 경우가 많으므로 주의를 요한다. 또한, 피로 골절이나 삼각근에 의한 견열 골절 및 과도한 견봉성형술 때문에 발생한 골절 등이 보고된 바 있다. 최근에는 역행성 견관절 인공관절치환술(reverse shoulder arthroplasty) 이후 발생하는 견봉골절이 보고 되고 있다. 이는 견관절의 생역학 변화와 상완 길이의 변화로 인한 삼각근 긴장의

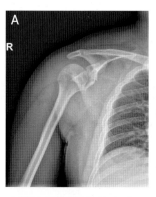
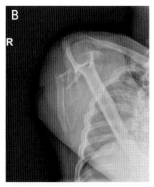
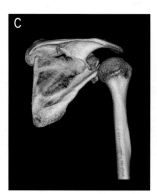
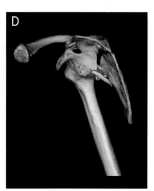
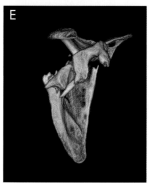
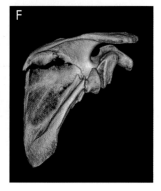

그림 1-37 자전거 주행 중 넘어지며 수상한 33세 남자 환자
A: 우측 견관절의 전후면 방사선사진으로 견갑골 관절와의 분쇄 골절로 관절면이 심하게 전위되어 있다. B: 견갑골의 측면 방사선사진으로 견갑골 체부의 전위가 심한 분쇄 골절이 관찰된다. C-F: 우측 견관절의 3D 전산화 단층촬영 영상으로 견갑골 체부의 분쇄 골절이 관절와로 연장되어 있다. 관절와 골절부의 후방 골편은 크기가 크며 후방으로 전위가 심한 양상으로 체부의 골절과 이어져 있다. 체부까지 연장된 골절의 경우, 해부학적 정복을 위해서는 체부의 정복 및 고정이 필요하다. 이에 관절와뿐만 아니라 체부의 골절에 대한 수술적 고정이 필요한 상태이다.

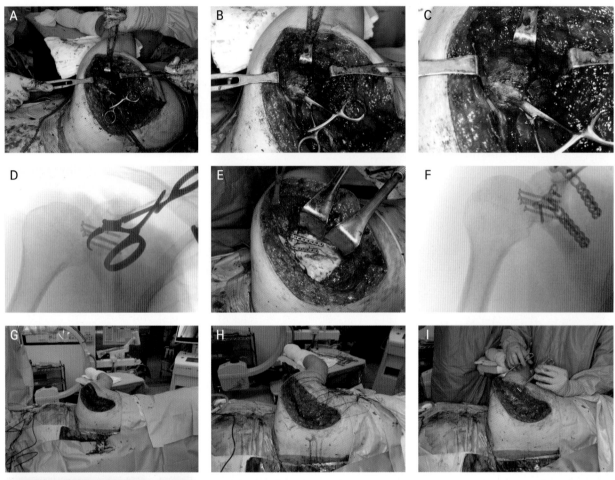

그림 1-38 같은 환자의 수술장 소견

A-C: 전신마취 하에 측와위 자세로 수술 측 상지 및 견갑골을 포함한 상체 전반을 광범위하게 소독하여 준비한다. 환측 상지는 Mayo stand 위에 자연스럽게 외전 및 전방 굴곡이 되도록 올려놓았다. 피부 절개는 후방 Judet 접근법을 연장하여 견봉, 견갑극에서 척추 변연부로 이어지는 부메랑 형태의 곡선형으로 시행하였다. 절개 부위의 피하층의 출혈은 세심하게 지혈하였다. 견갑극 하부에서 삼각근과 극하건의 부착 부위를 조심하여 박리하였고, 극하건과 소원근을 견갑골의 내측 변연부에서 박리하였다. 극관절와를 통과하여 주행하는 상견갑신경을 포함한 신경혈관 구조물을 조심스럽게 보호하며 Army-navy retractor를 이용해 골절 부위를 노출시켰다. 상견갑신경은 주위 구조물에 압박되거나 유착되지 않도록 유리시켰다. 견갑골의 경부와 관절와로 이어지는 골절부를 확인하도록 광범위한 박리를 시행하여 전체 골절부를 노출시켰다. 골절부내의 혈종 및 연조직 구조물을 제거하고 생리식염수로 씻어내어 정복을 위한 골절부 정리를 시행했다. 관절와의 전위된 골편은 Reduction clamp를 이용하여 해부학적 정복하였고 이를 유지한 채 적정 길이의 2.7 mm 피질골 나사를 이용해 후방 골편에서 전방을 향해 고정하였다. D: C-arm fluoroscopy하에 관절와의 정복과 관절면의 회복을 확인하였고, 나사의 위치가 적절함을 확인하였다. E, F: 관절와 및 견갑골 경부의 해부학적 정복을 확인 후 Army-navy retractor와 Richardson retractor를 이용해 견갑골 체부의 골절부위를 광범위하게 노출시킨 후 분쇄 골절편을 reduction clamp를 이용해 정복하였다. 정확한 정복을 위해 reduction clamp를 이용해 일시적 고정을 한 후, 정복을 유지한 상태에서 2개의 2.4 mm 잠김형 압박 금속판(T-형, Y-형)을 사용하여 고정하였고 이를 C-arm fluoroscopy로 확인하였다. G: 골절부의 해부학적 정복 및 안정성을 확인 후 대량의 생리식염수 세척하였고 출혈이 있는 부분은 지혈을 하였다. H-J: 삼각근, 극하건, 소원근의 해부학적 위치로의 봉합을 실시하였다. K-강선을 이용하여 견갑극에 구멍을 뚫은 뒤 여러 개의 1-0 Vicryl (Ethicon Inc, Somerville, NJ)를 통과시켜 박리된 근육을 본래의 해부학적 부착부로 단단히 봉합하였다. Hemovac 배액관을 수술부위 전반에 걸쳐 피하층에 위치시킨 후 피하층과 피부를 층에 맞추어 봉합하여 수술을 마무리하였다. 수술 후 외전 보조기(abduction brace)를 단단하게 착용시켰으며 수술 부위의 손가락, 손목관절운동은 수술 직후 시작하였다. 수술 후 4일째 퇴원하였다. 수술 후 조기에 주관절의 능동 굴곡/신전 운동을 시작하였다. 수술 후 7주째 외전 보조기는 제거하였고 견관절의 능동운동 및 주관절운동을 교육하였다. 수술 후 3달째 견관절의 수동운동을 시작하였고 이후 한 달 간격으로 외래 추시를 하여 정상 견관절운동범위를 회복하였다.

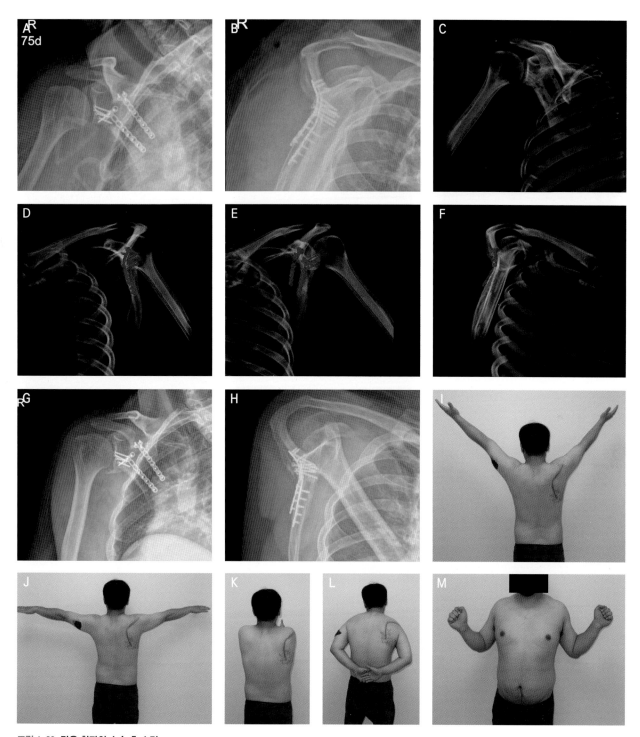

그림 1-39 같은 환자의 수술 후 소견
A: 수술 직후 촬영한 우측 견관절의 전후면 방사선사진으로 수술 전 견갑골 관절와의 분쇄골절은 해부학적 정복이 유지되고 있으며 관절면이 회복되었다. B: 수술 직후 촬영한 우측 견갑골의 측면 방사선사진으로 수술 전 견갑골 체부의 전위가 심한 분쇄골절은 해부학적 정복이 유지되고 있으며 고정되어 있는 금속판의 나사 길이는 적절하다. C-F: 수술 후 시행한 3D 전산화 단층촬영 영상으로 골절의 해부학적 정복이 잘 유지되고 있다. 금속물의 위치는 적절하며 나사의 길이도 적절하다. G, H: 수술 후 6개월째 시행된 견관절의 방사선사진으로 골절부의 골유합 소견을 확인할 수 있으며 금속물의 위치도 적절히 유지되고 있다. I-M: 수술 후 6개월째 외래에서 촬영한 의학 사진이다. 정상 측과 비교하여 수술받은 측의 견관절운동범위는 완전히 회복되었으며 익상견갑 등의 신경손상 소견은 관찰되지 않는다.

증가와 연관된 부전골절(insufficient fracture)로 설명되기도 한다.[77] 견봉골절이 방사선 촬영은 전후면과 액와 촬영이 도움이 되며, 경우에 따라서는 30도 하방 경사 촬영이나 극상근 출구 촬영이 도움이 되기도 한다. 견봉의 골절은 선천적 이상인 견봉골(os acromiale)과 혼동하지 않도록 유의하여야 한다. 견봉의 골절은 전위가 심하지 않은 것이 대부분이다. 전위가 심하지 않은 골절은 팔걸이 등으로 약 3주가량 안정을 도모하면서 점차 관절운동을 증가한다. 전위가 심해서 견봉하공간이 협소해진 경우, 증상이 심한 피로골절, 통증이나 기능장애가 심한 불유합 등에서는 수술이 필요하다. 흔히 강선 등을 이용한 인장대 강선고정법이 나 금속판 및 나사 등을 이용하여 고정한다(그림 1-40). 인장대 강선고정법은 작은 골편에서도 충분한 압박력을 줄 수 있으나 견봉에 가해지는 다방향의 힘을 버티기에 충분한 강성을 제공하지는 못하여 금속물 실패로 이어질 수 있다. 일반적으로 금속판이 더 단단한 고정을 얻을 수 있으나 골편의 충분한 압박력을 얻기 어려우며 금속물에 의한 불편감을 일으킨다는 단점이 있다.[78] 골편이 아주 작은 경우에는 골편을 제거하고 삼각근을 잘 봉합하여 치료하는 경우도 있으나, 견봉 전체를 제거하는 견봉 절제술은 삼각근을 약하게 하여 견관절의 기능을 현저하게 저해할 수 있기 때문에 시행하지 않는 것이 좋다(그림 1-41~43).[79]

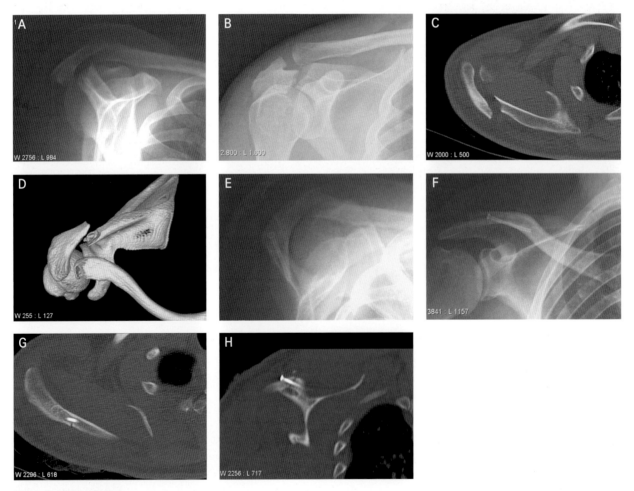

그림 1-40 견갑골 견봉골절

A, B: 수술 전 방사선사진. C, D: 수술 전 전산화 단층촬영 영상. E-H: 전위가 심하여 견봉하공간이 협소해져서 관혈적 정복 및 도관 해면나사못(cannulated cancellous screw)으로 내고정한 상태

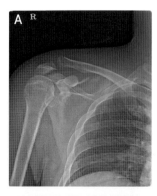
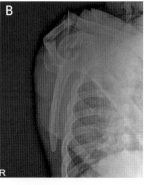
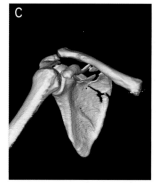
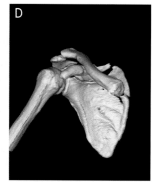

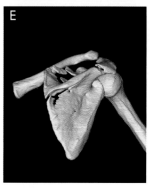
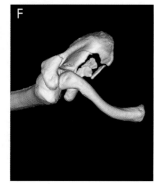

그림 1-41 운전자 교통사고로 수상한 35세 남자환자로 사고 당시 차 유리 밖으로 튕겨져나가 우측 어깨로 바닥에 떨어지며 다쳤다. A, B: 우측 견관절의 전후 단순 방사선사진 및 견갑골의 측면 단순 방사선사진으로 우측 견봉의 전위가 심한 골절로 골편이 상방 전위되어 있으며 견갑골 체부의 분쇄 골절이 오구돌기의 기저부로 연장되어 있음이 확인된다. C-F: 3D 전산화 단층촬영 영상으로 오구돌기 기저부 및 견봉의 골절부위는 심하게 전위되어 있으며 수술적인 고정이 필요한 상태이다. 비슷하게 수상한 대부분의 환자에서는 견봉-쇄골관절의 탈구가 발생하여 스테인만핀을 이용한 고정이 필요하나 이 환자의 경우 견봉-쇄골관절의 탈구 대신 견봉골절이 발생한 경우로 견봉의 수술적 고정이 필요한 상태이다.

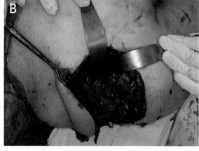
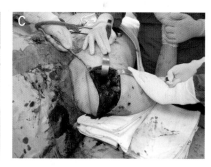

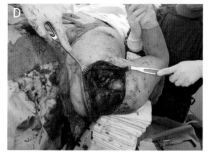
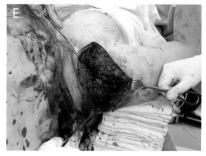

그림 1-42 **같은 환자의 수술 소견**
A: 환자는 앙와위 자세로 상지 전체와 견관절 주위 전후면이 모두 노출될 수 있도록 광범위하게 소독하여 준비하였다. 상부와 후방 부위의 시야확보를 위하여 환자는 수술 테이블의 외측으로 위치하였으며 견관절 및 상체 밑에 포를 받쳐 놓았다. 오구돌기에서 견봉골절부위를 지나 후방으로 견갑골극으로 이어지는 곡선형의 긴 피부 절개를 시행하였다. 상부와 후방으로 광경근, 삼각근, 극상근 등을 박리하였으며 상부견갑신경 및 혈관 구조물은 보존하였다. 사진은 견봉의 골절부위를 노출시킨 후 해부학적 정복을 하였으며 나사를 이용해 고정한 소견이다. B: 전방에서 오구돌기 골절 부위를 노출하기 위해 소흉근의 부착부위를 유리시켰다. 사진은 오구돌기 기저부 골절을 해부학적 정복하였으며 나사를 이용해 고정한 소견이다. C, D: 유리시켰던 소흉근의 부착부는 골절부 고정 후 본래의 해부학적 위치로 단단히 봉합하였다. E: 박리하였던 광경근, 삼각근, 극상근은 본래 해부학적 위치로 단단히 봉합하였으며 출혈 부위는 세심하게 지혈하였다.

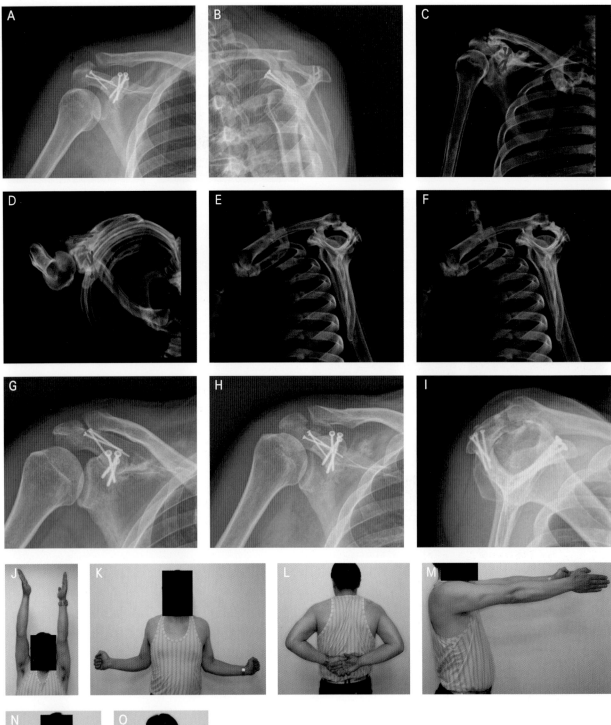

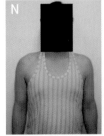 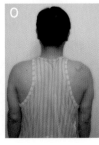

그림 1-43 A, B: 같은 환자의 수술 직후 시행한 방사선 소견으로 견봉 및 오구돌기 기저부의 골절은 해부학적 정복을 이루고 있으며 나사의 길이 및 위치는 적절하다. 견봉-쇄골관절 및 쇄골-오구돌기 사이의 거리는 건측과 비교하여 정상 범위로 유지되었다. C-F: 수술 후 3일째 시행한 3D 전산화 단층촬영 영상 소견으로 골절부위의 해부학적 정복 및 금속물의 위치 및 길이는 적절함을 확인하였다. G-I: 수술후 2년째 시행한 단순 방사선사진으로 골절부위는 완전 유합되었고 금속물도 안정적으로 유지되고 있다. J-O: 최종 추시 때 외래에서 촬영한 의학 사진으로 건측과 비교하여 수술받은 측의 견관절운동범위 및 기능은 완전히 회복되었다.

(5) 견갑골 오구돌기 골절
(fracture of the coracoid process of the scapula)

견갑골의 오구돌기에서는 상지를 굴곡하는 근육들이 시작하며, 여러 인대가 부착하여 쇄골의 안정 등에 기여를 하며 쇄골, 견갑골, 오구견봉궁(coracoacromial arch)을 유지하는 쐐기돌(key stone) 역할을 한다.[80] 오구돌기의 골절은 직접적인 외상으로 인해 기저부에 발생하거나, 견봉-쇄골관절이 탈구되면서 오구쇄골인대의 견인력에 의하여 발생한다. 오구돌기의 골절은 전후면 촬영상에는 불분명한 경우가 있다. 액와 촬영이나 상방 경사 촬영, Stryker notch 촬영 등이 도움이 되는 경우가 많다. 양쪽 손목에 무게를 매달고 전후면 부하 촬영을 하면 견봉-쇄골관절 탈구의 동반 여부를 밝히는 데 도움이 된다. 견봉-쇄골관절의 탈구가 있으면서도 오구 쇄골 간격이 건측과 동일한 경우에는 오구돌기의 골절과 견봉-쇄골관절의 탈구가 동반한 것을 의심해야 한다. 오구돌기가 단독으로 골절된 경우에는 골절이 대부분 전위가 심하지 않기 때문에 팔걸이 등으로 안정시킨 후에 점차 관절운동을 증가시키는 방법으로 원활하게 치료되는 예가 많다. 견봉-쇄골관절의 탈구와 오구돌기의 골절이 동반된 경우에는 견봉-쇄골관절의 탈구를 정복하면, 오구돌기에 부착하는 인대와 근육들이 서로 균형을 이루어서 오구돌기의 골절은 자연히 정복되기 때문에 오구돌기 자체에 대해서는 별다른 수술이 필요하지 않은 것이 보통이다. 오구돌기의 골절이 오구쇄골인대의 파열과 견봉-쇄골관절의 탈구 등과 삼중으로 동반한 경우, 즉 상부 견관절 현수 복합체의 다발 손상을 동반한 경우에는 오구돌기의 골절도 내고정하는 것이 좋다(그림 1-44~46).[80,81] Neer는 오구돌기의 골절과 상견갑신경의 마비가 동반된 것이 의심되는 경우에는 근전도 등으로 신경손상을 확인하고 조기 수술을 시행할 것을 권하였다.[79]

(6) 견갑골 탈구(dislocation of the scapula)

견갑골이 늑골 사이를 지나서 흉곽 쪽으로 탈구되는 손상으로 매우 드물게 발생한다. 전신적으로 연부조직이 과도하게 이완되는 체질이거나 골연골종으로 운동이 제한되는 경우 등의 선행 요인이 있을 때에는 경미한 손상으로도

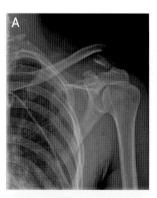
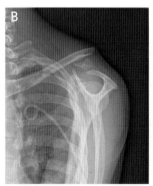
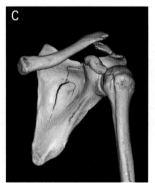
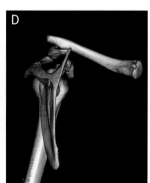
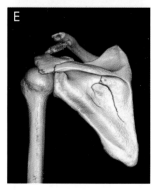
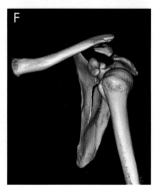

그림 1-44 **군복무 중 K9 자주포 폭발 사고로 수상한 29세 남자 환자**
A, B: 좌측 견관절의 전후 단순 방사선사진 및 견갑골의 측면 단순 방사선사진으로 쇄골 원위부의 전위가 심한 골절이 관찰되며 오구돌기 기저부의 골절도 확인된다. C-F: 3D 전산화 단층촬영 영상으로 쇄골 골절부위 내측 골편의 상방 전위가 확인되며 견갑골 체부의 분쇄골절이 오구돌기 기저부로 연장되어 있으며 견갑골극에서 견봉으로의 이행부에도 골절 소견이 확인된다. 동측의 쇄골 골절, 오구돌기 골절, 견봉골절이 동반된 불안정한 복합골절로 수술적 고정이 필요하다.

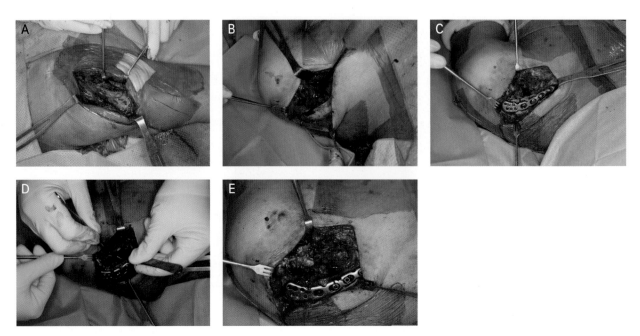

그림 1-45 같은 환자의 수술 소견

A: 환자는 복와위로 상지 및 견갑골 전체가 노출되도록 소독하여 준비하였다. 견봉 후외측부에서 견갑골극을 따라 사선으로 피부절개를 시행하였으며 상부견갑 신경 및 주위 혈관을 보호하며 극상건과 극하건을 박리 후 골절부위를 노출시켰다. 골절 내의 혈종 및 골막 등 연부조직을 정리한 후 해부학적 정복을 얻은 후 골절선에 수직 방향으로 나사를 이용하여 고정하였다. B: 후방 절개부위를 봉합한 후, 환자를 앙와위로 자세를 취하였으며 상지 및 쇄골 내측까지 노출되도록 소독하여 준비하였다. 쇄골 골절부위에서 오구돌기까지 사선으로 직선형의 피부 절개를 시행하였고 광경근을 박리하여 쇄골의 골절부위를 노출하였다. 쇄골 하부로 소형근의 오구돌기로의 부착부를 박리하여 오구돌기 골절부위를 노출시켰다. 오구돌기는 2개의 유경 나사(4.0 mm, partial threaded screw)를 이용하여 고정하였다. C: 쇄골 골절은 쇄골 간부와 쇄골 원위부 사이의 골절로 쇄골 간부 골절의 원위부 형태로 생각된다. 즉, 견봉-쇄골관절에 인접한 원위쇄골 골절이 아닌 쇄골 간부 골절의 일종으로 이에 수술적 고정은 스테인만핀이 아닌 금속판을 이용할 것으로 계획했다. 쇄골 상부에 해부학적 구조에 맞게 정복 후 나사와 상부 금속판을 이용하여 고정하였다. D, E: 유리하였던 소흉근은 해부학적 위치에 맞게 오구돌기 부착부위로 단단히 봉합하였다.

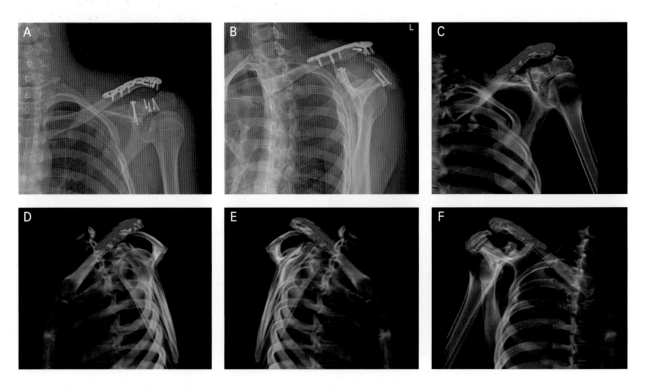

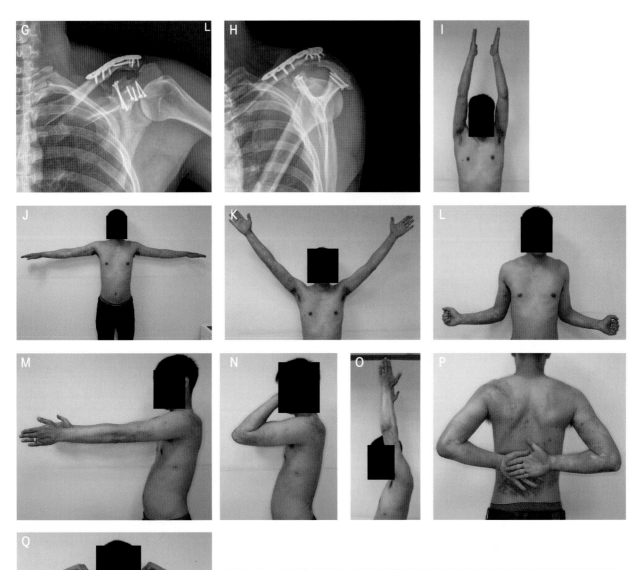

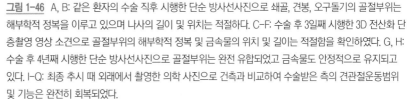

그림 1-46 A, B: 같은 환자의 수술 직후 시행한 단순 방사선사진으로 쇄골, 견봉, 오구돌기의 골절부위는 해부학적 정복을 이루고 있으며 나사의 길이 및 위치는 적절하다. C-F: 수술 후 3일째 시행한 3D 전산화 단층촬영 영상 소견으로 골절부위의 해부학적 정복 및 금속물의 위치 및 길이는 적절함을 확인하였다. G, H: 수술 후 4년째 시행한 단순 방사선사진으로 골절부위는 완전 유합되었고 금속물도 안정적으로 유지되고 있다. I-Q: 최종 추시 때 외래에서 촬영한 의학 사진으로 건측과 비교하여 수술받은 측의 견관절운동범위 및 기능은 완전히 회복되었다.

발생할 수 있으며, 이러한 선행 요인이 없는 경우에는 심하게 손상되어야 탈구된다. 간혹 초진 소견에서 발견하지 못하는 일이 있다. 방사선 촬영은 전후면, 액와 촬영 등의 외상 촬영법 등과 전사위(anterior oblique view) 촬영과 전산화 단층촬영 등이 도움이 되기도 한다. 도수정복은 전신마취하에서 조수가 팔을 과외전하고 견인하면서 술자가 견갑골의 액와연을 잡고 전방으로 돌리면서 뒤쪽으로 밀어서 정복한다. 안정된 정복이 이루어지면 팔을 몸에 고정하고 약 2주 후에 관절운동을 시행한다. 늦게 발견된 경우에는 관혈적 정복과 연부조직봉합술 등이 필요하다.

(7) 견갑–흉곽 해리(scapulo-thoracic dissociation)

견갑-흉곽 해리는 견갑골이 흉곽으로부터 외측으로 떨어져 나오는 손상으로, 매우 심한 손상을 받아서 발생한다.[82] 견갑-흉곽 해리가 있으면 흉골로부터 쇄골을 거쳐서 견봉돌기로 이어지는 연결이 손상되는 경우가 많아서, 쇄골 골절이나 흉쇄관절 손상, 또는 견봉-쇄골관절 등의 손상을 동반한다. 특히 그중에서도 쇄골 골절이 가장 흔하다. 심한 연부조직 손상을 동반하는 경우가 많다. 승모근, 견갑거근, 능형근, 소흉근, 광배근 등의 파열이 동반하였다는 보고가 있다. 또한 상완신경총 손상이나 혈관손상 등을 동반하는 경우가 많다. 몸이 정면을 향한 자세에서 흉부를 방사선 촬영하여 몸 중앙으로부터 양측 견갑골까지 거리를 비교하여 진단한다. 손상된 혈관의 복구, 신경 재건술, 견관절 고정술 및 절단 등의 보고가 있었으며, 심하게 손상된 경우에는 예후가 좋지 않다. 말초 부위의 혈액 순환 장애가 의심되는 경우에는 응급 동맥 촬영술을 시행하여 혈액 순환을 개선하도록 노력하여야 하며, 상완신경총 손상의 회복이 늦은 경우에는 약 3-4주 후에 근전도 및 신경전도 검사 등을 시행하고, 상완신경총 손상의 치료에 준하여 치료한다. 대부분 비수술적 치료로 약 6주 정도 고정하여 연부조직의 손상이 치유된 후에 점차 관절운동을 시작하고, 경과에 따라 근력강화운동을 첨가한다. 견갑-흉곽 해리와 쇄골 골절이 동반한 경우에는 쇄골 골절의 지연 유합 및 불유합을 줄이고, 견관절 부위를 보다 안정시키며, 상완신경총 및 쇄골하혈관 및 액와혈관 등을 보호하기 위해서 쇄골 골절의 내고정술을 고려해 볼 수도 있다. 이는 견봉-쇄골관절의 손상이 동반한 경우에도 적용될 수 있다. 흉쇄관절의 내고정술은 술기의 어려움과 합병증 때문에 널리 쓰이지는 않는다.

참고문헌

1. Rowe CR. An atlas of anatomy and treatment of midclavicular fractures. Clin Orthop Relat Res. 1968;58:29-42.

2. Baek JK, Lee YH, Choi HS, Lee YJ, Kim MB, Baek GH. An Epidemiological Study of Clavicle Fractures for Koreans in the Metropolitan Area. J Korean Orthop Assoc. 2016;51:455-63.

3. Jit I, Kulkarni M. Times of appearance and fusion of epiphysis at the medial end of the clavicle. Indian J Med Res. 1976;64(5):773-82.

4. Harrington MA, Jr., Keller TS, Seiler JG, 3rd, Weikert DR, Moeljanto E, Schwartz HS. Geometric properties and the predicted mechanical behavior of adult human clavicles. J Biomech. 1993;26(4-5):417-26.

5. Bearn JG. Direct observations on the function of the capsule of the sternoclavicular joint in clavicular support. J Anat. Jan 1967;101(Pt 1):159-70.

6. Salter EG, Jr., Nasca RJ, Shelley BS. Anatomical observations on the acromioclavicular joint and supporting ligaments. Am J Sports Med. 1987;15(3):199-206.

7. Allman FL, Jr. Fractures and ligamentous injuries of the clavicle and its articulation. J Bone Joint Surg Am. 1967;49(4):774-84.

8. Stanley D, Trowbridge EA, Norris SH. The mechanism of clavicular fracture. A clinical and biomechanical analysis. J Bone Joint Surg Br. 1988;70(3):461-4.

9. Fowler AW. Treatment of fractured clavicle. Lancet. 1968;1(7532):46-7.

10. Sankarankutty M, Turner BW. Fractures of the clavicle. Injury. 1975;7(2):101-6.

11. Bernard RN, Jr., Haddad RJ, Jr. Enchondroma of the proximal clavicle. An unusual cause of pathologic fracture-dislocation of the sternoclavicular joint. Clin Orthop Relat Res. 1982(167):239-41.

12. Dambrain R, Raphael B, Dhem A, Lebeau J. Radiation osteitis of the clavicle following radiotherapy and radical neck dissection of head and neck cancer. Bull Group Int Rech Sci Stomatol Odontol. 1990;33(2):65-70.

13. Cummings CW, First R. Stress fracture of the clavicle after a radical neck dissection: Case report. Plast Reconstr Surg. 1975;55(3):366-7.

14. Fini-Storchi O, Lo Russo D, Agostini V. 'Pseudotumors' of the clavicle subsequent to radical neck dissection. J Laryngol Otol. 1985;99(1):73-83.

15. Ord RA, Langdon JD. Stress fracture of the clavicle. A rare late complication of radical neck dissection. J Maxillofac Surg. 1986;14(5):281-4.

16. Neer CS, 2nd. Fractures of the distal third of the clavicle. Clin Orthop Relat Res. 1968;58:43-50.

17. Parkes JC, Deland JT. A three-part distal clavicle fracture. J Trauma. 1983;23(5):437-8.

18. Craig EV. Fractures of the clavicle. In: Rockwood CA, Matsen FA, ed. The shoulder. Philadelphia: WB Saunders, 1990. 367-412.

19. Nordqvist A, Petersson C. The incidence of fractures of the clavicle. Clin Orthop Relat Res. 1994(300):127-32.

20. Robinson CM. Fractures of the clavicle in the adult. Epidemiology and classification. J Bone Joint Surg Br. 1998;80(3):476-84.

21. Gustilo RB, Anderson JT. Prevention of infection in the treatment of one thousand and twenty-five open fractures of long bones: retrospective and prospective analyses. J Bone Joint Surg Am. 1976;58(4):453-8.

22. Simon RG, Lutz B. Open clavicle fractures: a case report. Am J Orthop (Belle Mead NJ). 1999;28(5):301-3.

23. Yokoyama K, Shindo M, Itoman M, Yamamoto M, Sasamoto N. Immediate internal fixation for open fractures of the long bones of the upper and lower extremities. J Trauma. 1994;37(2):230-6.

24. Barbier O, Malghem J, Delaere O, Vande Berg B, Rombouts JJ. Injury to the brachial plexus by a fragment of bone after fracture of the clavicle. J Bone Joint Surg Br. 1997;79(4):534-6.

25. Saito T, Matusmura T, Takeshita K. Brachial plexus palsy after clavicle fracture: 3 cases. J Shoulder Elbow Surg. 2020;29(2):e60-e65.

26. Rumball KM, Da Silva VF, Preston DN, Carruthers CC. Brachial-plexus injury after clavicular fracture: case report and literature review. Can J Surg. 1991;34(3):264-6.

27. Costa MC, Robbs JV. Nonpenetrating subclavian artery trauma. J Vasc Surg. 1988;8(1):71-5.

28. Natali J. Forensic medical implications of vascular injuries in orthopedic surgery. J Mal Vasc. 1996;21(4):206-15.

29. Tse DH, Slabaugh PB, Carlson PA. Injury to the axillary artery by a closed fracture of the clavicle. A case report. J Bone Joint Surg Am. 1980;62(8):1372-4.

30. Lange RH, Noel SH. Traumatic lateral scapular displacement: an expanded spectrum of associated neurovascular injury. J Orthop Trauma. 1993;7(4):361-6.

31. Aliberti GM, Kraeutler MJ, Trojan JD, Mulcahey MK. Horizontal Instability of the Acromioclavicular Joint: A Systematic Review. Am J

Sports Med. 2020;48(2):504-10.

32. Zanca P. Shoulder pain: involvement of the acromioclavicular joint. (Analysis of 1,000 cases). Am J Roentgenol Radium Ther Nucl Med. 1971;112(3):493-506.

33. Neer CS, 2nd. Nonunion of the clavicle. J Am Med Assoc. 1960;172:1006-11.

34. Zlowodzki M, Zelle BA, Cole PA, Jeray K, McKee MD. Treatment of acute midshaft clavicle fractures: systematic review of 2144 fractures: on behalf of the Evidence-Based Orthopaedic Trauma Working Group. J Orthop Trauma. 2005;19(7):504-7.

35. Nonoperative treatment compared with plate fixation of displaced midshaft clavicular fractures. A multicenter, randomized clinical trial. J Bone Joint Surg Am. 2007;89(1):1-10.

36. 백정국, 이영호. 쇄골 간부 골절의 조기 능동적 어깨 관절 운동을 통한 보존적 치료의 임상적 결과 분석. 서울대학교 의과대학 논문집. 2016.

37. Qin M, Zhao S, Guo W, Tang L, Li H, Wang X, et al. Open reduction and plate fixation compared with non-surgical treatment for displaced midshaft clavicle fracture: A meta-analysis of randomized clinical trials. Medicine (Baltimore). 2019;98(20):e15638.

38. Leung KS, Lam TP. Open reduction and internal fixation of ipsilateral fractures of the scapular neck and clavicle. J Bone Joint Surg Am. 1993;75(7):1015-8.

39. Jupiter JB, Leffert RD. Non-union of the clavicle. Associated complications and surgical management. J Bone Joint Surg Am. 1987;69(5):753-60.

40. Czajka CM, Kay A, Gary JL, Prasarn ML, Choo AM, Munz JW, et al. Symptomatic Implant Removal Following Dual Mini-Fragment Plating for Clavicular Shaft Fractures. J Orthop Trauma. 2017;31(4):236-40.

41. Lee YS, Lau MJ, Tseng YC, Chen WC, Kao HY, Wei JD. Comparison of the efficacy of hook plate versus tension band wire in the treatment of unstable fractures of the distal clavicle. Int Orthop. 2009;33(5):1401-5.

42. Kiefer H, Claes L, Burri C, Holzwarth J. The stabilizing effect of various implants on the torn acromioclavicular joint. A biomechanical study. Arch Orthop Trauma Surg (1978). 1986;106(1):42-6.

43. Fukuda K, Craig EV, An KN, Cofield RH, Chao EY. Biomechanical study of the ligamentous system of the acromioclavicular joint. J Bone Joint Surg Am. 1986;68(3):434-40.

44. Meda PV, Machani B, Sinopidis C, Braithwaite I, Brownson P, Frostick SP. Clavicular hook plate for lateral end fractures:-a prospective study. Injury. 2006;37(3):277-83.

45. Kao FC, Chao EK, Chen CH, Yu SW, Chen CY, Yen CY. Treatment of distal clavicle fracture using Kirschner wires and tension-band wires. J Trauma. 2001;51(3):522-5.

46. Flinkkilä T, Ristiniemi J, Hyvönen P, Hämäläinen M. Surgical treatment of unstable fractures of the distal clavicle: a comparative study of Kirschner wire and clavicular hook plate fixation. Acta Orthop Scand. 2002;73(1):50-3.

47. Moneim MS, Balduini FC. Coracoid fracture as a complication of surgical treatment by coracoclavicular tape fixation. A case report. Clin Orthop Relat Res. 1982(168):133-5.

48. López JM, Torrens C, León V, Marín M. Unusual fracture of distal third of the clavicle in a hockey player: case report and a new approach to treatment. Knee Surg Sports Traumatol Arthrosc. 1999;7(2):132-4.

49. Kwak SH, Lee YH, Kim DW, Kim MB, Choi HS, Baek GH. Treatment of Unstable Distal Clavicle Fractures With Multiple Steinmann Pins-A Modification of Neer's Method: A Series of 56 Consecutive Cases. J Orthop Trauma. 2017;31(9):472-8.

50. Fox HM, Ramsey DC, Thompson AR, Hoekstra CJ, Mirarchi AJ, Nazir OF. Neer Type-II Distal Clavicle Fractures: A Cost-Effectiveness Analysis of Fixation Techniques. J Bone Joint Surg Am. 2020;102(3):254-61.

51. Martetschläger F, Gaskill TR, Millett PJ. Management of clavicle nonunion and malunion. J Shoulder Elbow Surg. 2013;22(6):862-8.

52. Boehme D, Curtis RJ, Jr., DeHaan JT, Kay SP, Young DC, Rockwood CA, Jr. Non-union of fractures of the mid-shaft of the clavicle. Treatment with a modified Hagie intramedullary pin and autogenous bone-grafting. J Bone Joint Surg Am. 1991;73(8):1219-26.

53. Simpson NS, Jupiter JB. Clavicular Nonunion and Malunion: Evaluation and Surgical Management. J Am Acad Orthop Surg. 1996;4(1):1-8.

54. Eskola A, Vainionpää S, Myllynen P, Pätiälä H, Rokkanen P. Outcome of clavicular fracture in 89 patients. Arch Orthop Trauma Surg (1978). 1986;105(6):337-8.

55. Armstrong CP, Van der Spuy J. The fractured scapula: importance and management based on a series of 62 patients. Injury. 1984;15(5):324-9.

56. McGahan JP, Rab GT. Fracture of the acromion associated with an axillary nerve deficit: a case report and review of the literature. Clin Orthop Relat Res. 1980(147):216-8.

57. Vidović D, Benčić I, Ćuti T, Bakota B, Bekić M, Dobrić I, et al. Surgical treatment of scapular fractures: Results and complications. Injury.

2021;52 Suppl 5:S38-s43.

58. Limb D. Scapula fractures: a review. EFORT Open Rev. 2021;6(6):518-25.

59. Goss TP. Double disruptions of the superior shoulder suspensory complex. J Orthop Trauma. 1993;7(2):99-106.

60. Hess F, Zettl R, Smolen D, Knoth C. Decision-making for complex scapula and ipsilateral clavicle fractures: a review. Eur J Trauma Emerg Surg. 2019;45(2):221-30.

61. Kim SH, Chung SW, Kim SH, Shin SH, Lee YH. Triple disruption of the superior shoulder suspensory complex. Int J Shoulder Surg. 2012;6(2):67-70.

62. Kim SH, Lee YH, Shin SH, Lee YH, Baek GH. Outcome of conjoined tendon and coracoacromial ligament transfer for the treatment of chronic type V acromioclavicular joint separation. Injury. 2012;43(2):213-8.

63. Frima H, van Heijl M, Michelitsch C, van der Meijden O, Beeres FJP, Houwert RM, et al. Clavicle fractures in adults: current concepts. Eur J Trauma Emerg Surg. 2020;46(3):519-29.

64. Vannabouathong C, Chiu J, Patel R, Sreeraman S, Mohamed E, Bhandari M, et al. An evaluation of treatment options for medial, mid-shaft, and distal clavicle fractures: a systematic review and meta-analysis. JSES Int. 2020;4(2):256-71.

65. Neviaser JS. Traumatic lesions: injuries in and about the shoulder joint. Instr Course Lect. 1956;13:187-216.

66. Thompson DA, Flynn TC, Miller PW, Fischer RP. The significance of scapular fractures. J Trauma. 1985;25(10):974-7.

67. Neer CS, 2nd. Displaced proximal humeral fractures. I. Classification and evaluation. J Bone Joint Surg Am. 1970;52(6):1077-89..

68. Mathews RE, Cocke TB, D'Ambrosia RD. Scapular fractures secondary to seizures in patients with osteodystrophy. Report of two cases and review of the literature. J Bone Joint Surg Am. 1983;65(6):850-3.

69. Tarquinio T, Weinstein ME, Virgilio RW. Bilateral scapular fractures from accidental electric shock. J Trauma. 1979;19(2):132-3.

70. Zlowodzki M, Bhandari M, Zelle BA, Kregor PJ, Cole PA. Treatment of scapula fractures: systematic review of 520 fractures in 22 case series. J Orthop Trauma. 2006;20(3):230-3.

71. Bi AS, Kane LT, Butler BA, Stover MD. Outcomes following extra-articular fractures of the scapula: A systematic review. Injury. 2020;51(3):602-10.

72. Gilbert F, Eden L, Meffert R, Konietschke F, Lotz J, Bauer L, et al. Intra- and interobserver reliability of glenoid fracture classifications by Ideberg, Euler and AO. BMC Musculoskelet Disord. 27 2018;19(1):89.

73. Soslowsky LJ, Flatow EL, Bigliani LU, Mow VC. Articular geometry of the glenohumeral joint. Clin Orthop Relat Res. 1992(285):181-90.

74. Ström P. Glenoid fractures of the shoulder. EFORT Open Rev. 2020;5(10):620-3.

75. Anavian J, Gauger EM, Schroder LK, Wijdicks CA, Cole PA. Surgical and functional outcomes after operative management of complex and displaced intra-articular glenoid fractures. J Bone Joint Surg Am. 2012;94(7):645-53.

76. Seidl AJ, Joyce CD. Acute Fractures of the Glenoid. J Am Acad Orthop Surg. 2020;28(22):e978-e87.

77. Kim H, Ma SB, Lee KW, Koh KH. Which lateralization designed prosthesis of reverse total shoulder arthroplasty (glenoid-based lateralization vs humerus-based lateralization) would be better? Network Meta-analysis. J Orthop Surg (Hong Kong). 2022;30(2):10225536221122307.

78. Hess F, Zettl R, Welter J, Smolen D, Knoth C. The traumatic acromion fracture: review of the literature, clinical examples and proposal of a treatment algorithm. Arch Orthop Trauma Surg. 2019;139(5):651-8.

79. II NC. Fractures About the Shoulder. In: Rockwood CA Jr and Green DP, ed. Fractures, 2nd ed. Philadelphia: JB Lippincott; 1984. 713-25..

80. Ogawa K, Matsumura N, Yoshida A. Nonunion of the coracoid process: a systematic review. Arch Orthop Trauma Surg. 2021;141(11):1877-88.

81. van Doesburg PG, El Saddy S, Alta TD, van Noort A, van Bergen CJA. Treatment of coracoid process fractures: a systematic review. Arch Orthop Trauma Surg. 2021;141(7):1091-100.

82. Heiman EM, Jankowski JM, Yoon RS, Feldman JJ. Scapulothoracic Dissociation: A Review of an Orthopedic Emergency. Orthop Clin North Am. 2022;53(1):77-81.

근위 상완골 골절의 진단

Diagnosis of the proximal humeral fracture

박주현

상완골 근위부의 골절은 전체 골절의 약 5% 이상을 차지하고, 대부분 나이가 많고 골다공증이 있는 환자에서 발생하며, 특히 여자에서 보다 많이 발생한다.[1] 골절의 전위가 다행히 심하지 않다면 보존적 방법으로도 큰 문제 없이 치료되지만, 전위가 심한 2분 골절이나 3분 및 4분 골절의 경우 수술적 치료가 필요하게 된다. 최근 고정 기술과 삽입물의 발달로 여러 술식들이 시행되고 있으나, 골다공증을 동반한 고령의 환자들이 늘어나면서 골절의 특징에 따라 고정이 매우 어렵고 합병증도 많이 발생하기 때문에 상완골 근위부의 골절은 아직 해결되지 않은 골절 중 하나로 여겨지고 있다.[2]

1. 해부학

상완골 근위부 골절을 적절하게 치료하려면 어깨 골격의 복잡한 해부학적 구조를 이해하는 것이 중요하다. 어깨의 관절운동범위와 기능을 촉진하는 구조의 상호작용에 의해 관절과상완관절의 안정성과 기능이 제공된다. 어깨 골격으로 외부 하중이 전달되면 초기에는 관절면, 관절 부피, 대기압, 관절액의 응집 및 유착에 의해 상쇄되며, 중간 하중과 큰 하중은 삼각근과 회전근 개, 그리고 관절낭 및 골격 구조에 의해 각각 균형을 이루게 된다. 상완골 근위부에 골절이 발생하면 이러한 복잡한 상호 작용의 균형이 깨지면서 어깨의 통증, 관절운동범위 감소 및 경직, 그리고 장애를 초래할 수 있다.[3]

상완골 근위부는 상완골 두(humeral head), 대결절(greater tuberosity), 소결절(lesser tuberosity) 및 상완골 간부, 이렇게 4가지 주요 부분으로 구성된다. 근위부에 골절이 발생하면 이러한 부분들이 각각 부착되어 있는 힘줄에 의해 전위를 일으키는데, 대흉근, 견갑하근, 극상근 및 극하근에 의해 생기는 변형력에 의해 전위 방향을 예측할 수 있다(그림 2-1).[3] 상완골 근위부의 해부학적인 크기와 관계

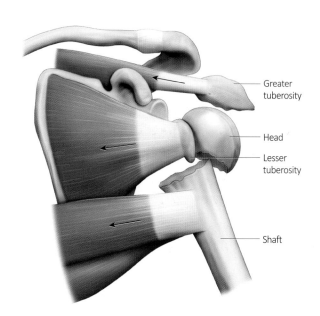

그림 2-1 **상완골 근위부의 주요 분절과 골절 시 주변 근육의 작용에 따른 골편의 전이**
견갑하근이 소결절에 부착하여 내측 전위를 일으키고, 극상근 및 극하근이 대결절에 부착하여 상방 및 후방 전위를 유발한다. 대흉근은 상완골 간부에 부착하여 내측 전위를 초래한다.

에 대해 광범위한 연구들이 이루어졌다. 상완골 두는 구형이고 직경이 37-57 mm이며,[4] 골 두 관절면의 가장 상부는 대결절보다 평균적으로 8 mm 높은 위치이다. 골 두는 상완골 간부 축에 대해 대략 130도 기울어져 있고,[5] 상완골은 평균 29.8도로 후염전각(retroversion)을 가지고 있다.[6]

이두구(bicipital groove)는 대결절과 소결절 사이에 있고 이두 장두건이 기시부(origin, superior glenoid-labral complex)에서 상완골 근위부로 지나갈 때 경로 역할을 하며,[3] 이두구의 원위부는 근위부에 대해 상대적으로 내회전되어 있다.[7] 상완골의 해부학적 경부(anatomical neck)는 골 두의 관절면과 결절부의 접합부에 위치하며, 외과적 경부(surgical neck)는 결절부보다 하부에, 간부보다 상부에 위치하는 불분명한 영역(meta-diaphyseal junction)이다. 이들은 예후를 제시할 수 있는 영역이 될 수 있는데, 예를 들어 해부학적 경부를 침범하는 골절이 발생하게 되면 골 두에 대한 혈액공급이 차단되고 향후 무혈성 골 괴사(avascular necrosis)가 발생할 수 있기 때문에, 다른 영역을 침범하는 골절과 비교하여 예후가 더 좋지 않다.[8] 상완골 간부의 후상방에 위치한 대결절은 회전근 개의 극상근, 극하근, 소원근 힘줄의 부착부(insertion) 역할을 하며, 상완골 근위부의 전방에 위치한 소결절은 견갑하근의 부착부 역할을 한다. 관절와(glenoid)는 거꾸로 된 배 모양의 얕은 깊이의 볼록한 구조이고, 상완골 두와 관절을 이루고 있으며 관절와순과 관절낭의 부착부 역할을 한다. 견봉, 오구견봉인대 및 오구돌기는 단단한 골-인대 구조인 오구견봉궁(coracoacromial arch)을 형성하여 어깨에 안정성을 부여하고, 회전근 개, 견봉하 및 삼각근하 윤활낭도 이 오구견봉궁 아래를 통과하게 된다. 전위된 상완골 근위부 골절은 이 구조의 움직임을 방해하여 충돌 증상을 유발하며, 견봉하 및 삼각근하 윤활낭이 두꺼워지고 섬유화되어 관절와상완 관절에 지장을 주는 유착 현상을 초래한다. 골절 후 조기 관절운동은 이러한 유착의 형성을 감소시킬 것으로 간주되고 있다.[9]

액와동맥(axillary artery)의 세 번째 가지(division)에서 분지되는 전상완동맥(anterior humeral circumflex artery, AHCA)과 후상완회선동맥(posterior humeral circumflex artery, PHCA)이 주로 상완골 근위부에 혈액을 공급하게 된다. 후상완회선동맥은 액와신경을 따라 이동하여 후방으로 사변형 공간(quadrilateral space)으로 들어가고, 전상완회선동맥과 문합하여 회전근 개의 후방에 혈액공급을 한다. 전상완회선동맥은 견갑하근 아래 경계 부근에서 액와동맥에서 기시하며, artery of Laing (휘돌이 동맥, arcuate artery)으로 알려진 말단 전외측 가지를 통해 상완골 두로의 혈관 유입을 제공한다.[3,10] AHCA의 상행지(ascending branch)는 이두 장두건의 외측부와 평행하게 진행하고, 이두구와 대결절의 경계면에서 상완골 두로 들어간다 (그림 2-2A). 휘돌이 동맥이 손상되면 상완골 두의 골 괴사를 초래할 수 있으나,[10] 추가적인 골외 측부 가지(extraosseous collateral branch)들이 상완골 두에 혈액을 공급해 준다.[11] 최근 해부학적 연구에 따르면 후상완회선동맥이 골 두 혈액공급의 거의 64%를 제공하는데, 이것은 전위된 근위부 골절 이후에도 무혈성 골괴사가 낮은 비율로 발생한다는 것에 대해 부분적으로 설명이 가능하다(그림 2-2B).[8,12] 상완골 근위부 골절에 따른 혈관손상의 발생은 5-6%로 비교적 드물고, 혈관손상이 발생한다면 전상완회선동맥, 후상완회선동맥, 견갑하동맥으로 삼분지되는 곳의 바로 근위부인 외과적 경부 위치의 액와동맥을 침범한다.[13] 대부분의 액와동맥 손상은 50세 이상의 환자에서 발생하며, 이는 동반질환(동맥경화증 등)들이 동맥 손상의 발생률 증가에 큰 역할을 한다.[13] 액와동맥과 상완신경총 손상 간의 연관성이 높으므로, 신체검사 시 혈관 평가와 동시에 세심한 신경학적 검사가 수행되어야 한다.[13]

상완골 근위부 골절 후 가장 흔하게 손상되는 신경은 액와신경(axillary nerve)이며, 이는 탈구를 동반한 골절 유형에서 특히 취약하다.[14] 액와신경은 상완신경총(C5 및 C6 신경근)의 후척수에서 기시하여 후상완회선동맥과 함께 사변형 공간을 통해 외과적 경부 뒤쪽으로 이동한다. 이전 연구들에 따르면, 상완골 근위부에서 액와신경까지의 평균 거리는 약 6.1 cm (4.5-6.9 cm)이며, 외과적 경부에서는 1.7 cm (0.7-4.0 cm) 정도 떨어져 있다고 하였다.[15] 두 번째로 흔히 손상되는 견갑상 신경(suprascapular nerve)은 상부 몸통(upper trunk, C5 및 C6 신경근)에서 기시하여 극상근과

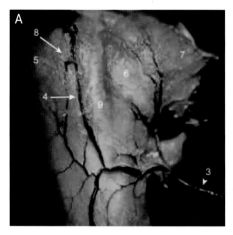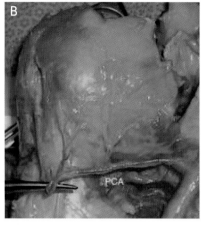

그림 2-2 상완골 두의 혈류공급
A: 골 두의 전방 모습. 3. 전상완동맥; 4. 전상완동맥의 전외측 분지(휘돌이 동맥); 5. 대결절; 6. 소결절; 7. 견갑하근; 8. 골 두로 들어가는 휘돌이 동맥의 말단 분지; 9. 이두구. B: 골 두 후방의 혈류를 공급하는 후상완동맥

극하근의 운동신경을 지배하며, 신경이 기시하는 상부 몸통 부분과 견갑상 절흔 부분에서 견인 손상에 취약하다.[14] 전완부의 전외측부의 감각을 담당하는 근피신경(musculo-cutaneous nerve)은 상완신경총의 외척수(C5-C7 신경근)에서 기시하여 오구돌기로부터 다양한 거리(3.1-8.2 cm)를 두면서 연합 건(conjoined tendon)을 통과하게 된다. 근피 손상은 드물지만, 어깨의 견인 손상 이후 발생할 수 있으며 팔꿈치관절의 능동적인 굴곡 기능에 제한이 오게 된다.

2. 손상기전

상완골 근위부 골절의 가장 흔한 손상기전은 특히 60세 이상 환자에서, 서 있는 높이에서 뻗은 손으로 넘어지는 것이다. 드물게 자동차 사고와 같은 고에너지 외상, 높은 곳에서의 추락 사고, 발작의 경우도 있으나 이는 젊은 환자에서 더 일반적이며, 이러한 수상 기전은 골절 형태 및 연부조직 손상과 관련하여 더 심각한 경향이 있다.[16] 전이성 골질환, 원발성 악성종양 또는 병적 골절의 경우에는 저에너지 외상으로도 발생할 수 있다.

3. 골절의 분류

상완골 근위부 골절은 방사선학적으로 골절의 유형을 분류하기 쉽지 않으며, 수술적 치료 결정, 환자의 나이, 수술적 접근 방법, 골절의 내고정 방식, 인공관절치환술의 결정, 수술 후 재활 방법 등 모든 과정이 쉽지 않은 결정의 연속이다. 기능적인 분류 체계란 사용하기 쉽고 재현 가능하고 관찰자 간 및 관찰자 내 신뢰도(interobserver and intraobserver reliability)가 있어야 하며, 모든 변수(환자 및 골절 상태에 따라)를 포함할 만큼 포괄적이어야 하고 이와 동시에 정확한 진단과 적절한 치료 가이드를 제시해 줄 수 있도록 구체적이어야 한다. 가장 일반적으로 사용되는 분류 체계는 Neer의 골절 분류 체계로, 1970년에 처음 소개되었다.[17] AO (Arbeitsgemein-schaft für Osteosynthesefragen) 그룹의 Jakob and Ganz 등[18]은 관절면 침범 여부, 골절의 위치, 분쇄 및 탈구의 정도, 특히 관절면으로의 혈액공급의 연속성에 초점을 두어 27개의 하위 그룹을 포함하는 분류 체계를 제안하였다. 이 분류 체계는 내측 관절막을 통해 관절면으로 들어오는 혈액공급이 일부 온전한 외반-감입형 4분 골절의 유형을 구별하는 데 도움이 되었으며,[3] Neer의 분류 체계와 비교할 때 관찰자 간 및 관찰자 내 신뢰도가 비슷하나 보다 복잡하고 장기적인 예후와의 관계가 불분명하여 Neer의 분류 체계가 보편적으로 널리 쓰인다.

Neer의 분류 체계는 4개의 분절(segment) 혹은 부분(part)으로 나누어서 상완골 간부(humeral shaft), 골 두의 관절면(articular surface), 대결절(greater tuberosity), 소결절(lesser tuberosity) 부위로 구분하고, 상완골 두로의 혈관손상과 관련된 골절 유형 식별에 중점을 둔다(그림 2-3). 골절선의 수에 상관하지 않고 이러한 분절들이 각각 1 cm 이상의 전위(displacement)가 있거나 45도 이상의 각 형성(angulation)이 있는 경우만을 전위된 골편(displaced fragment)으로 생각하며, 이 기준에 충족하지 못한다면 다수의 분절이 있다 할지라도 의미 있는 전위가 없는 것으로 간주된다.[17] 이러한 분류는 해부학적 관점뿐 아니라 생역학적 힘에 대한 분석 등을 포함하고 있으며, 전위된 골편의 형태를 중심으로 분류하여 치료에 적용하기가 쉽고, 예후와도 관련이 있으며, 상완골 두의 혈액 순환의 장애를 어느 정도 추정할 수 있다는 점 등 장점이 있다. Neer의 분류 체계에서는 추가적으로 탈구를 동반한 골절 유형(fracture-dislocation), 골 두 분할 골절 유형(head-splitting), 상완골 두의 외반-감입형 골절 유형(valgus-impacted)에 초점을 맞추었으며, 탈구를 동반한 골절에서는 골 두의 탈구 방향(전방 또는 후방)에 따라 세분화될 수 있다. 골 두 분할 골절과 외반-감입형 골절은 관절면을 침범한다는 특징이 있고, 치료 방법에 영향을 미치는 침범 비율(<20%, 25-40%, >45%)에 따라 세분화될 수 있다(그림 2-4). 따라서 적절한 방사선학적 사진이 요구되며, 회전근 개를 포함한 상완골 근위부의 정확한 해부학적 지식이 필요하다.

하지만 일부 저자들은 이러한 분류 체계가 임상에 적용하기 쉽지 않으며, 집도의들의 경험과 전문적인 지식에 따

라 다를 수 있다고 하였다.[19,20] 경우에 따라서 방사선학적 소견으로는 분류가 불확실하며, 수술 소견에 의해서 비로소 분류가 가능한 경우도 있다. 소결절 골편의 평가와 전위 정도를 파악하는 것은 쉽지 않은 경우가 많고, 대결절 골절은 5 mm 이하의 전위로도 견봉하 충돌을 초래할 수 있다. Shrader 등[21]은 분류 체계를 이해하는 것이 어려운 것이 아니라 골절의 복잡한 이미지를 파악하기가 어렵다고 주장하였으며, Bruinsma 등[22]은 견관절 및 주관절 전문의들 사이에서 3D CT 분석을 이용한 관찰자 간 신뢰도가 낮다고 보고하였다. 분류 체계의 신뢰도를 평가하는 최근 연구에서 Majed 등[23]의 Codman-Hertel 분류 체계가 가장 높은 관찰자 간 점수를 달성했으며, Neer 및 AO/OTA (정형외과 외상 협회) 분류 체계가 그 뒤를 이었다. 이러한 결과에도 불구하고 Neer 분류 체계는 상완골 근위부 골절의 치료를 위해 정형외과 의사가 가장 일반적으로 사용하는 체계로 남아 있다.

4. 임상증상

환자의 연령, 우세 수, 직업, 손상기전, 동반된 손상, 종양의 여부, 수상 전 팔의 기능 정도, 재활 프로그램 순응 여부 등 자세한 병력 청취를 통해 환자의 상태를 파악한다. 이와 동시에 의식 상실, 경추부 통증, 동측의 팔꿈치 및 손목 통증, 팔의 감각 이상에 대한 질문이 포함되어야 하며, 신체검진을 통해 붓기, 반상 출혈, 연부조직 손상 및 기형의 정도를 관찰한다. 대부분의 환자는 어깨가 내회전된 채로 팔을 복부 위에 놓은 자세로 내원하게 되고 관절 운동을 시도하면 상당한 통증이 유발되며, 어깨를 촉진 시 마찰음(crepitus)을 나타낸다.[24] 상완신경총, 액와신경, 액와동맥을 포함한 신경 및 혈관 검사를 주의 깊게 시행해야 한다. 후방 탈구가 동반된 골절에서는 어깨 후방부가 돌출되면서 전방부가 납작해진 것을 볼 수 있고, 전방 탈구의 경우에는 반대의 소견이 나타난다. 만약 상완골 두가 액와부 방향으로 탈구되었다면, 신체검사 상 특이한 점이 보이지 않더라도 혈관손상의 가능성을 염두에 두어야 한다.[24]

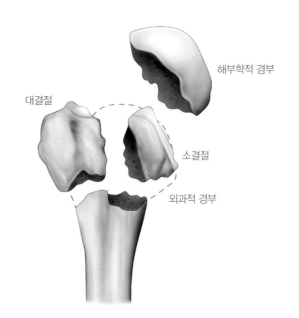

그림 2-3 상완골 근위부 골절 시 주요 골편
관절면, 대결절, 소결절, 상완골 간부로 이루어지는 개념

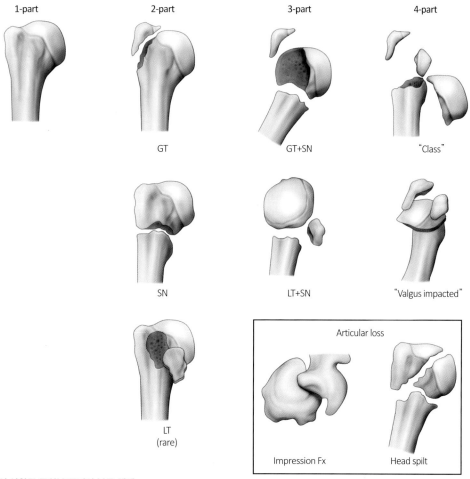

1-part
2-part
3-part
4-part

GT
GT+SN
"Class"

SN
LT+SN
"Valgus impacted"

LT
(rare)

Articular loss

Impression Fx
Head spilt

<u>그림 2-4</u> **Neer의 상완골 근위부 골절의 분류 체계**

5. 진단 및 방사선 소견

상완골 근위부 골절의 방사선 검사는 진성 전후면(true anteroposterior view) 및 측면 촬영(lateral views)과 액와 촬영(axillary view) 등으로 구성되는 외상 촬영법(trauma series)이 기본적인 촬영법이다. 견갑골이 몸에 비해서 비스듬히 위치하고 관절와가 약 35-40도 정도 앞쪽을 향하고 있기 때문에, 상완골 근위부의 상태를 제대로 분석하기 위해서는 견갑골이 위치하는 면을 기준으로 전후면 및 측면 등을 촬영해야 한다. 이들을 견관절의 진성 전후면(true anteroposterior view) 및 측면 촬영(lateral views)이라고 한다. 이 두 가지 촬영은 다친 팔을 움직이지 않고 촬영이 가능하다는 장점이 있으나, 측면 촬영은 견갑골과 상완골의

영상이 중첩되어 보이기 때문에 분석이 어려운 경우가 있다. 반면에 액와 촬영은 팔을 벌리고 촬영을 하는 단점이 있으나 상완골과 견갑골이 중첩되지 않는 상을 제공한다. Neer는 이러한 진성 전후면, 측면 및 액와 촬영법 등의 세 가지 촬영법을 합하여 외상 촬영법이라고 명명하였고(그림 2-5), 모든 상완골 근위부 골절 환자에게 시행하고 이러한 영상들을 기본으로 하여 골절의 양상을 분류하여 치료의 지침으로 삼는 것이 유용하다고 권고하였다.

진성 전후면 및 측면 촬영은 환자가 누운 자세나 앉은 자세 또는 선 자세 모두 촬영할 수가 있다. 진성 전후면 촬영은 몸을 40도가량 돌리고 카세트를 견갑골에 평행하도록 놓고 카세트에 수직이고 몸에 40도가량 비스듬한 방향으로 견관절 부위를 중심으로 찍어서 촬영한다. 측면 촬영은

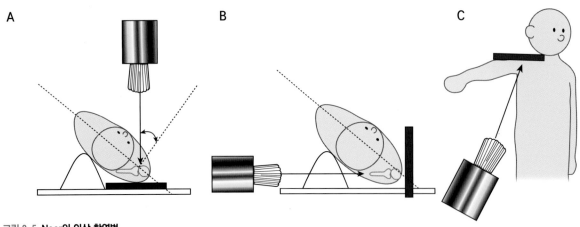

그림 2-5 Neer의 외상 촬영법
A: 진성 전후면 촬영. B: 진성 측면 촬영. C: 액와부 촬영

카세트를 어깨 옆에 견갑골과 수직으로 놓고 뒤쪽에서 카세트와 수직이며, 견갑골에 평행인 방향으로 방사선을 조사하여 촬영한다. 이 두 가지 촬영은 모두 팔걸이에 팔을 걸고 있는 상태에서 촬영할 수 있다. 액와 촬영은 누워있는 자세에서 찍는 것이 용이하며, 카세트를 어깨 위에 놓고 팔을 약 30도 정도 벌리고 방사선을 옆구리에서 겨드랑이 방향으로 조사하여 촬영한다. 이러한 액와 촬영은 상완골 근위부의 탈구를 동반한 골절을 진단하는 데 매우 유용한 방법이며, 상완골 근위부의 소결절의 골절 유무와 전위된 정도를 밝히는 데에는 필수적이며, 특히 견관절의 후방 탈구 및 견갑골 관절와 변연부 골절의 진단에서 중요한 정보를 제공하기 때문에 모든 견관절 외상의 경우에 반드시 촬영해야 한다. 두 가지의 촬영만 가능한 경우에는 외상 촬영법 중에서 진성 전후면 및 액와 촬영을 시행하는 것이 좋다. 골편의 전위가 위험하다고 생각되는 경우에는 벨포 붕대를 착용한 상태에서 비스듬하게 어깨를 뒤로 기울이면서 촬영할 수도 있다(그림 2-6).

이러한 세 가지의 기본적인 촬영으로도 명확히 분석하기 어려운 경우에는 팔을 외회전 및 내회전시킨 상태에서 촬영하는 회전 촬영(rotation views)이나 경흉면 상(transthoracic view), 단층 촬영(tomograms) 등을 이용하여 보다 상세하게 골절의 양상을 살펴볼 수가 있다. 전산화 단층촬영(CT)은 상완골 두 분열 골절, 감입 골절(impression fracture), 탈구가 동반된 골절, 관절와 변연부 골절 등에서 특히 유용하다. 자기공명영상(MRI)은 대부분 필요가 없으나, 단순 방사선사진의 소견과 임상 소견과의 차이가 크면 도움을 줄 수 있고, 전위가 거의 없는 골절, 잠복성 관절내 손상 또는 골 괴사 등을 보여줄 수 있다. 상완골 근위부 골절 시 간혹 회전근 개의 파열이 동반되는 경우가 있으므로, 그런 경우에는 이러한 자기공명영상이 진단에 도움을 줄 수 있다.

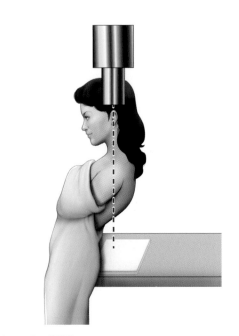

그림 2-6 벨포 촬영법

참고문헌

1. Kannus P, Palvanen M, Niemi S, et al. Rate of proximal humeral fractures in older Finnish women between 1970 and 2007. Bone. 2009;44:656-9.
2. Bahrs C, Tanja S, Gunnar B, et al. Trends in epidemiology and patho-anatomical pattern of proximal humeral fractures. Int Orthop. 2014;38:1697-704.
3. Green A. Proximal humerus fractures. In: Norris T, ed. Orthopedic Knowledge Update: Shoulder and Elbow 2. Rosemont, IL: American Academy of Orthopaedic Surgeons. 2002;209-17.
4. Boileau P, Walch G. The three-dimensional geometry of the proximal humerus: Implications for surgical technique and prosthetic design. J Bone Joint Surg Br. 1997;79:857-65.
5. Bell JE, Leung BC, Spratt KF, et al. Trends and variation in incidence, surgical treatment, and repeat surgery of proximal humeral fractures in the elderly. J Bone Joint Surg Am. 2011;93(2):121-31.
6. Pearl ML, Volk AG. Retroversion of the proximal humerus in relationship to the prosthetic replacement arthroplasty. J Shoulder Elbow Surg. 1995;4:286-89.
7. Itamura J, Dietrick T, Roidis N, et al. Analysis of the bicipital groove as a landmark for humeral head replacement. J Shoulder Elbow Surg. 2002;11:322-26.
8. Hertel R, Hempfing A, Stiehler A, et al. Predictors of humeral head ischemia after intracapsular fracture of the proximal humerus. J Shoulder Elbow Surg. 2004;13(4):427-33.
9. Matsen FA 3rd, Rockwood CA Jr, Wirth MA, et al. Glenohumeral arthritis and its management. In: Rockwood CA Jr, Matsen FA 3rd, Wirth MA, Lippitt SB, eds. The Shoulder. 3rd ed. Philadelphia: WB Saunders; 2004:879-1008.
10. Gerber C, Schneeberger A, Vinh T. The arterial vascularization of the humeral head: an anatomical study. J Bone Joint Surg Am. 1990;72:1486-94.
11. Brooks CH, Revell WJ, Heatley FW. Vascularity of the humeral head after proximal humeral fractures. An anatomical cadaver study. J Bone Joint Surg Br. 1993;75:132-6.
12. Hettrich CM, Boraiah S, Dyke JP, et al. Quantitative assessment of the vascularity of the proximal part of the humerus. J Bone Joint Surg Am. 2010;92(4):943-8.
13. Blaine TA, Bigliani LU, Levine WN. Fractures of the proximal humerus. In: Rockwood CA Jr, Matsen FA 3rd, Wirth MA, Lippitt SB, eds. The Shoulder. 3rd ed. Philadelphia: WB Saunders; 2004:355-412.
14. Visser CP, Coene LN, Brand R, et al. Nerve lesions in the proximal humerus. J Shoulder Elbow Surg. 2001;10:421-7.
15. Bono CM, Grossman MG, Hochwald N, et al. Radial and axillary nerves. Anatomic considerations for humeral fixation. Clin Orthop Relat Res. 2000;373:259-64.
16. Green A, Izzi J Jr. Isolated fractures of the greater tuberosity of the proximal humerus. J Shoulder Elbow Surg. 2003;12:641-9.
17. Neer CS 2nd. Displaced proximal humeral fractures. I. Classification and evaluation. J Bone Joint Surg Am. 1970;52:1077-89.
18. Jakob RP, Kristiansen T, Mayo K, et al. Classification and aspects of treatment of fractures of the proximal humerus. In: Bateman JE, Welsh JP, eds. Surgery of the Shoulder. St Louis: Mosby; 1984:330-43.
19. Brorson S, Bagger J, Sylvest A, et al. Improved interobserver variation after training of doctors in the Neer system. A randomised trial. J Bone Joint Surg Br. 2002;84:950-4.
20. Sjoden GO, Movin T, Aspelin P, et al. 3D-radiographic analysis does not improve the Neer and AO classifications of proximal humeral fractures. Acta Orthop Scand. 1999;70:325-8.
21. Shrader MW, Sanchez-Sotelo J, Sperling JW, et al. Understanding proximal humerus fractures: image analysis, classification, and treatment. J Shoulder Elbow Surg. 2005;14:497-505.
22. Bruinsma WE, Guitton TG, Warner JP, et al. Inter-observer reliability of classification and characterization of proximal humerus fractures. J Bone Joint Surg Am. 2013;95:1600-4.
23. Majed A, Macleod I, Bull AM, et al. Proximal humeral fracture classification systems revisited. J Shoulder Elbow Surg. 2011;20(7):1125-32.
24. Lobo MJ, Levine WN. Classification and closed treatment of proximal humerus fractures. In: Wirth MA, ed. Proximal Humerus Fractures. Chicago: American Academy of Orthopaedic Surgeons; 2005:1-13.

근위 상완골 골절의 치료: 내고정술

Treatment of the proximal humeral fracture: osteosynthesis

박주현

상완골 근위부 골절의 대부분은 전위가 거의 없거나 각형성이 심하지가 않아 수술적 치료가 요구되지 않는다.[1] 전위가 거의 없는 골절에서는 조기에 고정을 한 뒤, 점진적으로 관절운동범위를 회복시키는 것이 원칙이다. 고정 기간 동안 피부 자극을 막고 환자의 편안함을 위해 겨드랑이 패드와 함께 일반적으로 보조기를 착용하게 되며, 수지, 수부, 손목, 그리고 팔꿈치관절은 적극적인 운동이 필요하다. 보조기는 골절 양상과 환자의 상태에 따라 일반적으로 착용 후 3주에서 6주 시점에 뗄 수 있으며, 수상 후 7일에서 10일 정도 지나면 물리치료사 감독하에 수동적 혹은 능동-보조적 운동(active-assisted exercise)을 시작해 볼 수 있다. 2주 이상 관절운동이 지연된다면 향후 어깨의 관절운동범위, 통증 및 기능에 부정적인 영향을 줄 수 있다고 알려져 있다. 골절의 간격이 벌어지거나 각 형성이 진행되지 않는지 영상 촬영을 통해 주기적인 관찰이 필요하다. 관절운동범위는 3주에서 8주 사이에 회복된다고 알려져 있고, 일반적으로 6주가 지나면 빠른 근력 회복을 위해 허용 범위 내 일상생활을 시작하게 된다. 근력운동은 영상 검사상 골유합이 확인되고 관절운동범위가 건측의 75% 이상 가능할 때 시작하게 된다.

상완골 근위부 골절의 약 20%에서는 전위가 심하거나 분쇄 골절의 양상을 보이고, 이는 경피적 핀고정술, 관혈적 내고정술 혹은 인공관절치환술 등의 수술적 치료가 요구된다.[1] Choo 등[2]은 수술적 치료의 방법을 결정할 때, 환자의 상태(내과적 질환, 생체학적 연령, 활동 능력, 수술 후 재활능력 등)와 골절의 양상(전위 및 분쇄의 정도, 골질, 회전근 개 상태 등)을 종합적으로 판단해야 한다고 하였다. 환자의 활동 능력이 낮고 내과적인 위험 요인이 많다면 (특히 치매) 보존적 치료가 더 낫다고 하였다.[3] 수술 여부에 상관없이 상완부 근위부 골절 치료의 최종 목적은 통증이 없이 관절운동범위를 회복하는 것이다.

1. 골절 유형에 따른 치료 방법

1) 대결절 단독 골절

(1) 역학

대결절의 단독 골절은 상완골 근위부 골절의 작은 비율을 차지하며, Chun 등[4]에 따르면 2분 골절 중에 약 18%의 비중을 차지한다고 보고하였다. 따라서 이 골절은 간과되거나 때때로 사소한 골절로 여겨지기가 쉽다(그림 3-1).

(2) 손상기전

대결절 골편의 전위 정도는 수술 여부를 결정하는 데 결정적인 부분이고, 대부분은 Neer 분류에 따라 전위 정도를 엄격하게 적용한다. McLaughlin 등[5]은 5 mm 이상의 전위는 충돌 증상 혹은 회전근 개의 기능 이상을 유발한다고 하였고, Park 등[6]에 따르면 손을 많이 쓰는 직업이나 운동선수의 경우에 있어서는 3 mm 이상의 전위도 수술적 정복술이 필요하다고 하였다. 전위의 방향 역시 전위의 정도만

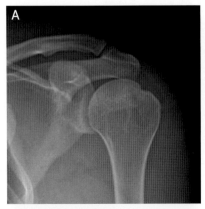
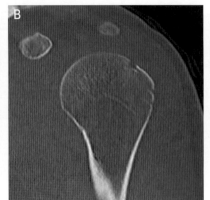
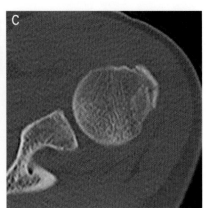
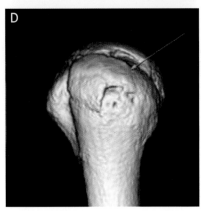

그림 3-1 상완골 대결절의 전위가 거의 없는 골절
타원에서 단순 방사선사진상 염좌로 진단 후, 전산화 단층촬영(CT)하여 대결절 골절로 진단되었다.
A: 전후면 단순 방사선사진. B: 관상면 CT 사진. C: 횡단면 CT 사진. D: 3차원 재건 CT 사진

큼이나 중요한 부분이다. 골편의 후방 전위는 향후 어깨의 외회전에 영향을 줄 수는 있고, 상방 전위는 견봉하 충돌 증상과 전방 거상 근력의 약화를 가져올 수 있다.

현재까지 병리기전이 확실히 밝혀져 있진 않으나, 대결절 손상의 다양한 수상 기전에 따라 골절의 형태도 다양하게 나타나며 감입 골절(어깨로 직접 떨어지는 수상, 어깨가 과 외전된 상태로 뻗은 손으로 짚으며 넘어지는 수상 등), 견 열 혹은 전단 골절(관절와 가장자리로 대결절에 전단력이 작용하는 전방 탈구 손상)이 대표적이다. 말초신경손상은 가장 흔한 동반 손상으로 알려져 있고 탈구가 동반된 골절 의 경우에서는 약 33%의 발생률이 보고되고 있으며,[7] 50세 이상 환자에서의 전방 탈구 동반된 골절에서는 말초신경 손상의 발생률이 약 50%까지 보고되었다. 액와신경 단독 손상은 탈구가 동반된 대결절 골절과 연관된 가장 흔한 신 경손상으로 알려져 있다.[8]

(3) 진단

기본적으로 단순 영상 사진 촬영을 한 이후에 수상 기전 에 대한 자세한 기록 및 세밀한 신체검진을 시행해야 하며, CT 혹은 MRI 같은 정밀검사가 항상 필요한 것은 아니지만 3차원 전산화 단층촬영(3D CT)을 시행한다면 대결절의 전 위 상태를 파악하는 데 도움이 될 수 있다.

(4) 치료

① 보존적 치료

전위가 되지 않거나 전위가 거의 없는 골절의 경우, 혹은 활동 능력이 낮은 고령의 환자에서는 비수술적 치료를 고 려할 수 있다. 일반적으로 1-2주가량의 짧은 기간 동안 보 조기를 착용하며, 수상 7일에서 10일 이후부터는 수동적 관절운동을 시작한다. 첫 4주간은 진자운동(pendulum exercise) 혹은 막대를 이용한 수평면으로의 운동만을 시행하게 되며, 4주 후에는 단순 영상 사진에서 전위가 없고 골유합이 확인된다면 모든 방향으로의 수동적 관절운동이 허용된다. 6주 시점에는 일상생활과 함께 적극적 관절운동을 시작하고, 골유합이 유지되면서 관절운동범위가 회복된 후에는 점진적인 근력강화운동도 시작한다. Rath 등[9]은 3 mm 미만의 전위가 거의 없는 대결절 골절 환자 69명을 대상으로 단기간의 임상 연구 결과를 보고하였다. 기능 점수(constant score)는 40점에서 95점으로 회복되었으며, 통증 및 관절운동범위 회복까지의 평균 소요 기간은 수상 후 8.1개월이었다. Hebert-Davies 등[10]은 70세 미만의 탈구가 동반된 골절 환자에서 대결절 골편의 전위 현상은 26%에서 발생하였다고 보고하였고, 골편의 전위 현상은 탈구가 동반된 경우에서 그렇지 않은 경우에 비해 5.6배 증가하였다. 따라서 탈구가 동반되었을 시에는 초기에 정복이 잘 유지된다고 하더라도 향후 골편 전위의 발생 및 수술적 치료의 가능성을 환자에게 설명해야 하고, 수상 초기에는 주의 깊은 방사선학적 추시 관찰이 필요하다고 하였다.

② 수술적 치료

5 mm 이상의 전위가 있는 대결절 골절의 경우 향후 발생할 수 있는 부정 유합과 그에 따른 통증, 어깨강직 및 회전근 개 기능장애를 예방하기 위해 수술적 치료가 권장된다. 환자는 전신마취하에 해변의자 자세로 준비할 수 있으며 수술 후 통증 조절을 위해 척추간 신경 차단을 고려할 수 있는데, 이는 수술 후 환측의 신경 및 혈관 상태를 확인한 후 회복실에서 시행한다. 팔 고정 장치를 부착하여 팔을 지지하는 데 사용될 수 있고, 패딩된 Mayo stand를 사용할 수도 있다(그림 3-2). C-arm 장치는 전후방 및 액와부 사진을 얻는 데 사용되며, 적절한 이미지를 얻기 위해 C-arm 장치를 침대 머리 방향 또는 침대 반대쪽(집도의 선호대로)에 위치시킬 수 있다.

전위된 대결절 골편의 고정 방식에는 관혈적 방법 또는 관절경을 이용한 방법이 있다. 어떠한 방법을 사용하든지 간에 수술의 원칙은 골편을 정복한 후 안전하게 고정, 그리고 회전근 개 파열과 같은 동반된 손상을 복구하여 조기

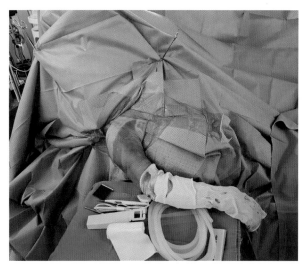

그림 3-2 패딩된 Mayo stand를 사용하여 해변의자 자세로 환자를 준비한 사진

관절운동이 가능하게 만드는 것이다. 관혈적 방법의 경우 일반적으로 상부 삼각근 분할(superior deltoid-splitting) 접근법이나 삼각 대흉(deltopectoral) 접근법을 사용한다. 일부 저자들은 대결절 골편을 상대적으로 쉽게 볼 수 있기 때문에 삼각근 분할 접근법을 추천하였는데, 이때 대결절 골편이 적절하게 이동, 정복 및 고정될 수 있도록 삼각근 분할이 적절하게 이루어지기 위해서는 수술 전 영상에서 골절의 전위 상태를 신중하게 검토해야 한다고 하였다. 필요하다면 수술 시야를 넓히기 위해 견봉성형술도 필요할 수 있다고 하였으나 거의 필요하지 않다고 하였다. 삼각 대흉 접근법의 경우 삼각근의 손상을 피할 수 있고 상완골의 근위 간부 골절이 동반되었을 때 상완골 경부까지 볼 수 있다는 장점이 있다. 그러나 이 방법은 대결절 단독 골절, 특히 골편의 후방 전위가 있을 시 주의해서 사용해야 한다.

대결절 골편 고정을 위한 여러 관혈적 방법들이 소개되어 왔고 골편의 분쇄 정도에 따라 봉합사 혹은 금속나사만을 이용하기도 하며 금속판을 활용하기도 한다. 전통적으로 분쇄가 없는 전위된 대결절 골절에서는 해면나사를 이용한 인장 밴드 고정술(tension band suture)이 사용되어 왔다. 최근 생역학적 연구들에 따르면, 인장 밴드 구조(tension band constructs)가 두 개의 평행한 해면나사만을 이용한 고정과 비교할 때 훨씬 더 높은 파손 하중(load-to-failure)

을 제공한다는 것을 보여주었다.[11] 나사만을 이용한 단독 고정 술식은 대결절 골편이 이론적으로 나사 주위에서 부서지거나 전위될 수 있기 때문에 권장되지 않으며,[12] 인장 밴드 고정술 시 단단한 고정을 위해 나사를 골절의 원위부에 위치시켜 포스트로 사용할 수 있다. 봉합사를 이용한 고정 술식(경골 봉합사 봉합, transosseous suturing)의 경우 회전근 개 힘줄-뼈 경계면에 비흡수성 봉합사(Ethibond No.5)를 위치시킨 후 원위부는 골 터널을 통해 고정하는 방식이며, 이때 단독으로 사용된 봉합사의 실패(cut-out) 위험이 있을 수 있다. 이 술식은 견봉하공간이나 삼각근 손상을 막을 수 있고 골질이 좋지 않은 경우에 회전근 개 부착부를 단단히 고정할 수 있으며, 연부조직 박리를 많이

할 필요가 없어서 상대적으로 골 괴사의 위험이 적은 장점은 있으나, 고정력의 강도가 낮은 편이다. 최근에는 Hybrid 고정 술식이라 하여 대결절 골편의 분쇄 여부와 상관없이 해면나사와 봉합나사(suture anchor)의 조합으로 골편을 고정한 후 골절 원위부에서 2차적인 인장 밴드로 고정을 강화하는 술식으로 소개되고 있다(그림 3-3). 이는 각각의 다른 방법으로 생성된 힘들에 의해 골편이 전위되는 것을 막을 수 있고, 향후 부정 유합의 발생도 방지할 수 있다.[13] 생역학적 관점에서 본다면 이러한 Hybrid 고정 술식은 어떠한 단독 고정 술식들보다 이론적으로 골절 부위에 더 나은 안정성을 제공하게 되고, 나아가 조기 재활운동도 가능하게 할 수 있다.

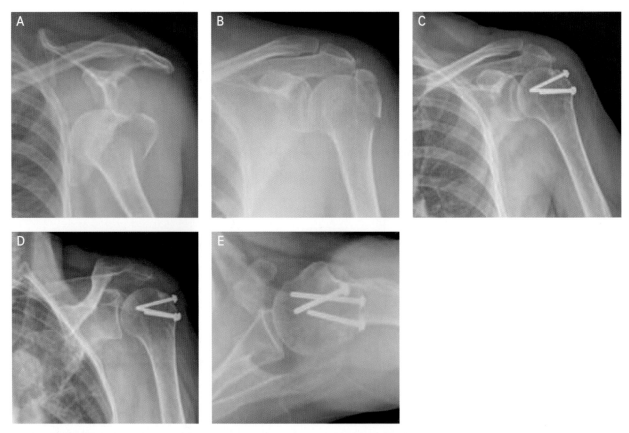

그림 3-3 탈구를 동반한 상완골 대결절 골절에 대한 해면나사와 봉합나사(suture anchor)의 조합으로(Hybrid 고정 술식) 골편을 고정한 후 2차적인 인장 밴드로 고정을 강화하는 내고정술

A: 낙상 사고에 의해 탈구가 동반된 상완골 대결절 2분 골절로 진단된 61세 여자 환자. B: 도수 정복 후. 대결절 골편은 후상방으로 전위된 상태로 수술적 치료를 요한다. C, D, E: (partial threaded) 나사와 봉합나사(방사선사진에는 보이지 않음)를 이용한 Hybrid 고정술식을 통해 견고한 내고정술 후, 8주에 골유합이 이루어진 사진

관절경을 이용한 방법은 훨씬 더 최근에 소개되었으며, 이를 통해 특히 전방 탈구가 동반된 골절의 경우와 같이 회전근 개나 관절와의 동반 손상을 동시에 치료할 수 있다는 장점이 있다(그림 3-4). 관절경을 통해 대결절 골편을 자세하게 관찰할 수 있고 Grasper와 같은 장비로 골편의 정복과 함께 핀 또는 금속나사를 이용한 고정도 가능하며, 일부 저자들은 이러한 관절경을 이용한 교량형 봉합술(suture bridge technique)의 사용을 권장하고 있다.[14,15] 다만, 이 술식은 다음의 제한들이 따른다. ① 아급성(subacute) 골절 및 전위가 심한 골절에서는 가골의 형성 및 연부조직의 구축으로 골편의 정복이 힘들 수 있다. ② 골편이 너무 크면 시야 확보가 힘들어 정복이 힘들 수 있다. ③ 관절경 사용에 대한 전문적인 교육이 이루어지지 않은 집도의에게는 이 술식이 어려울 수 있다. Yin 등[16]은 수술 전 골절의 특징을 정확히 파악하는 것이 중요하다고 강조하였는데, 이를 통해 수술적 접근 방식(관혈적 방법 혹은 관절경을 이용한 방법)과 골편의 고정 방법을 결정할 수 있기 때문이다.

③ 수술 후 재활

수술 후 재활은 수술 다음날 시작될 수 있고, 진자운동, 막대를 이용한 수평면으로의 수동적 전방 거상 혹은 외회전운동 등이 있다. 수술 후 4-6주 사이에는 허용되는 범위 내에서 모든 방향으로의 수동적 관절운동이 허용되며 단, 수술 후 6주까지는 내회전 및 내전운동을 제한하는 것이 좋다. 수술 6주 이후에는 일상생활을 포함한 모든 방향으로는 능동-보조적 관절운동이 허용되며, 회전근 개의 근력

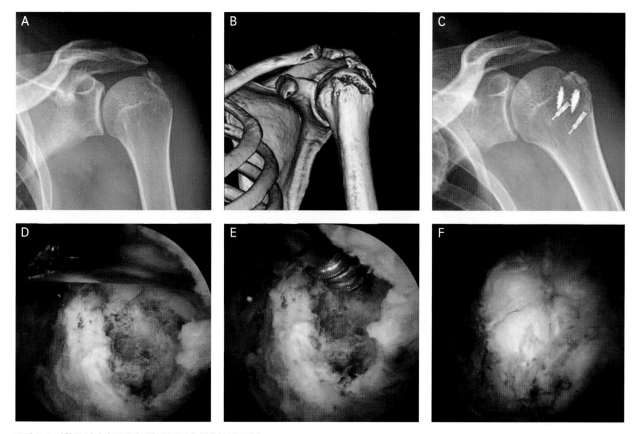

그림 3-4 상완골 대결절 골절에 대한 관절경을 이용한 내고정술
A, B: 대결절 골편은 후상방으로 전위된 상태로 수술적 치료를 요한다. C, D, E, F: 봉합나사(suture anchor)를 이용하여 교량형 봉합술(suture bridge technique)로 내고정한 사진

강화운동은 골유합의 방사선학적 소견이 관찰되는 수술 후 10-12주까지 제한한다. 모든 환자에게 수술 후 1년까지는 임상적 호전이 완전하지 않음을 사전에 알리는 것이 좋다.

2) 소결절 단독 골절

어깨 후방 탈구 혹은 외과적 경부 골절이 동반되지 않은 소결절 단독 골절은 매우 드물다. 이 경우에는 소결절에 부착된 견갑하근에 의해 골편이 내측으로 전위된다. 손상기전으로 견갑하근의 하중과 함께 갑작스러운 저항된 외전 및 외회전이 되는 경우, 혹은 상완골이 축 방향 하중을 받으면서 신전 및 외회전이 되는 경우이다. 이러한 손상은 진단이 여전히 어렵고, 종종 치료가 지연되기도 한다. 환자는 내회전력의 약화와 함께 액와부에 연부조직의 부종 및 반상 출혈이 있을 수 있으며, Napoleon sign과 modified belly-press test에서 양성을 보인다. 단순 방사선사진으로는 소결절 골절이 저명하지 않을 수 있기 때문에, 의심이 드는 경우에는 꼭 전산화 단층촬영을 시행해야 한다. 골편이 작고 전위가 거의 없다면 내회전은 제한하지 않고 약간 외회전시켜(골편을 원래 자리에 최대한 위치시키도록) 단기간 고정만 하면 되고, 조기에 수동적 혹은 능동-보조적 관절 운동도 가능하다. 불행히도 소결절 골절에서는 대결절 골절처럼 치료 방법 결정을 위한 전위 정도에 따른 가이드라인이 없다. 2009년 Robinson 등[17]은 전위가 있는 소결절 단독 골절 17명 환자들에 대해 수술적 치료 후, 낮은 비율의 합병증과 함께 어깨 기능의 임상적 호전을 보고한 바 있다. 소결절 단독 골절은 일반적으로 어깨 후방 탈구로 인해 발생하며, 골편이 크고 관절면을 침범했을 때 수술적 치료가 요구된다. 특히 상완골 두에 결손(reverse Hill-Sachs lesion)이 있거나 관혈적 정복 후(해면골이식 여부와 상관없이) 후방 불안정성이 잔존해 있다면 더더욱 고정이 필요하다. 2015년 Liu 등[18]은 후방 탈구와 동반된 소결절 골절에서 관혈적 내고정술로 치료한 29명의 환자 중 22명의 결과를 보고했다. 환자의 평균 연령은 41.7세였으며 남성이 대부분(22명 중 21명)이었다. 초기 수술 시점까지의 소요 기간이 불량한 결과와 상관관계가 있는 유일한 예후 인자였고, 이 연구에서 22명의 환사 중 9명(41%)은 초기 내원 당시 오진

이 되어 수술적 치료가 지연되었다고 보고하였다.

관혈적 정복술의 경우 삼각 대흉 접근법을 통하여 금속 나사, 봉합사, 봉합용 나사 또는 Hybrid 고정 방식을 사용하여 소결절 골편을 고정할 수 있다. 수술 시 이두구의 내측 벽과 함께 이두 장두건 손상(파열 또는 이두건 활차 손상으로 인한 내측 아탈구) 여부를 꼭 확인해야 하고, 이두건 고정술이 동시에 필요할 수 있으며 이는 수술 전에 환자와 상의해야 한다. 관절경을 이용한 정복술은 Scheibel 등[19]에 의해 소개된 바 있으며, 1차적으로 골편 고정 후 어깨 후방 아탈구 증상이 남아 있다면 회전근 간(rotator interval) 봉합을 고려해야 한다. 수술 후 외회전의 과도한 제한을 방지하기 위해 회전근 간 봉합 시에는 팔을 중립 위에 위치시키고 진행해야 한다.

3) 외과적 경부 골절

(1) 역학

외과적 경부 골절은 상완골 근위부 골절의 대부분(60-65%)을 차지하며 이 골절의 약 80%는 전위가 거의 없어 보존적 방법으로 치료가 가능하다. 수술적 치료의 적응증으로는 전위가 있는 골절, 다발성 외상, 동측 상지 손상이 동반된 경우, 혈관손상, 개방성 골절 및 수술 후 환자의 재활 프로그램 순응도가 높을 때 등이 포함된다.[20] 결절부와 관절면의 연속성이 틀어지지 않았다면 경부 골절은 약간의 부정 유합이 허용될 수 있다. Iannotti 등[20]은 각기 다른 두 환자 집단이 있다고 제안하였고, 이는 고에너지 외상을 받은 젊은 남성 환자와 저에너지 외상을 받은 노인 여성 환자이며, 이들은 동일한 골절 양상을 가진 환자라도 다르게 치료해야 한다고 하였다. 젊은 환자는 일반적으로 골질이 양호하고 수술 후 재활 프로그램에 적절히 따라올 수 있기 때문에, 금속판(locking plate)을 이용한 관혈적 내고정술 또는 골수강내 금속정(intramedullary nail)을 이용한 내고정술을 시도해 볼 수 있다. 하지만 연령이 많거나 치매가 있는 노인 환자의 경우 수술 후 재활 프로그램에 잘 따라올 수 없고, 골질이 안 좋기 때문에 경미한 외상에도 불구하고 분쇄 골절이 발생할 수 있다. 따라서 고정 방식이 제한될 수밖에 없고, 향후 불유합이 발생한 경우에는 반치환

술이나 역행성 전치환술 같은 인공견관절치환술이 고려된다.[20]

(2) 진단

외과적 경부 골절에서는 수술적 치료 여부를 결정할 때 경부의 전위 정도가 매우 중요하다. 고령 환자의 경우에는 골절 부위에 골 접촉만 있으면 어깨의 기능적 호전을 얻을 수 있고, 활동적인 환자에서는 전위 정도가 상완골 간부 직경의 50% 미만이고 각 형성이 45도 미만이라면 보존적 치료가 허용될 수 있다.[21] 내반 또는 외반 변형, 분쇄 골절 및 100% 전위된 외과적 경부 골절은 불안정한 것으로 간주되며 수술적 치료가 꼭 필요하다.

(3) 치료

외과적 경부 골절의 치료는 골절의 전위 정도 이외에 골질, 어깨의 기능 요구 정도, 그리고 환자의 정신 상태에 따라 달라진다. 비수술적 치료는 일반적으로 재활 프로그램에 적절히 따라올 수 있고, 전위가 거의 없거나 또는 50% 미만의 전위를 보이는 환자를 대상으로 한다. 하지만 이러한 비수술적 치료에 좋은 결과를 얻지 못할 수도 있는데, Chun 등[4]은 보존적으로 치료한 56명의 외과적 경부 골절 환자들에서 55%만이 만족할 만한 임상적 호전을 얻었고, 이들의 평균 전방 거상 각도는 104도였다고 보고하였다. 활동적인 환자에서 전위가 있는 골절이라면 금속판을 이용한 관혈적 내고정술을 우선적으로 시행하게 되고, 주변 연부조직의 손상이 심하고 수술 후 감염이 우려될 때에는 골수강내 금속정을 이용한 내고정술을 시도해 볼 수 있다. Hatzidakis 등[22]의 다기관 후향적 연구에 따르면, 전위된 외과적 경부 2분 골절 환자에서 고정 각(locked angular) 골수강내 금속정으로 고정하였을 때 안정적인 골절의 치유, 만족할 만한 임상적 호전, 그리고 잔류 어깨 통증이 거의 없었다. 기술적으로 까다롭긴 하나 대체 방법으로 K-강선을 이용한 다발성 핀고정술식이 있다. 하나의 생역학적 연구에서는 평행하게 고정된 하행 핀과 상행 핀에 의해 고정력이 개선되었고 파손 하중(load-to-failure)도 증가했다고 보고하였다.[23] 핀고정술식의 가장 큰 장점은 최소한의 연

부조직 절개로 가능하다는 것이고, 이론적으로 관절분절의 혈관 공급에 대한 의인성 손상의 위험을 최소화할 수 있다. 단점으로는 골유합 전에 핀고정 실패(hardware migration)가 발생할 수 있고 2차적인 핀 제거술이 필요하며, 핀 삽입 주위 감염 등이 생길 수 있다는 것이다.

최근 2015년 Rangan 등[24]은 전위된 외과적 경부 골절의 수술적 치료와 비수술적 치료 결과를 비교하는 무작위 대조 시험(randomized controlled trial)을 시행하였다. 총 231명의 환자(수술 114명 및 비수술 117명)가 연구에 포함되었고 환자의 평균 연령은 66세(24-92세)였다. 최종 2년 추적 검사에서 Oxford Shoulder Score (OSS)와 12-Item Short Form Health Survey를 사용한 환자의 임상 결과에는 유의한 차이가 없었다. 저자들은 이러한 결과를 놓고 전위된 외과적 경부 골절에 대한 수술적 치료의 증가 추세에 의문을 제기하였다. 그러나 우리들은 이런 연구 결과를 치료 방법 결정에 적용하기 이전에, 다기관 및 다중 외과의사 참여 연구에 존재하는 제한점을 먼저 인식해야 할 것이다.

(4) 3분 골절(three parts)

3분 골절에서는 외과적 경부와 대결절 또는 소결절에 절단선이 발생하며, 이 분절들의 전위 정도는 회전근 개의 작용력에 의해 좌우된다. 대결절이 소결절보다 상대적으로 자주 침범되며 부착된 극상근, 극하근 및 소원근의 견인력에 의해 보통 후상방으로 전위된다. 상완골 두는 온전한 소결절에 부착된 견갑하근의 견인력으로 내회전(즉, 후염전 방향) 방향으로 당겨지는 반면, 상완골 간부는 대흉근의 견인력으로 인해 전내측으로 전위된다. 만약 골절이 외과적 경부와 함께 소결절을 침범하였다면 견갑하근이 소결절을 내측으로 당기게 되고, 손상되지 않은 대결절과 관절면 분절은 내전 및 외회전 방향으로 당겨지고 상완골 간부는 유사하게 전내측으로 당겨진다(그림 3-5). 수술적 치료 방법으로는 K-강선을 이용한 다발성 핀고정, 금속판을 이용한 관혈적 내고정, 골수강내 금속정을 이용한 비관혈적 내고정, 인공관절치환술(반치환술 또는 역행성 전치환술) 등이 있다. 역행성 전치환술은 골유합이 다소 힘든 연령이 많고 골다공증이 심한 분쇄 골절의 경우에 고려해 볼 수 있다.

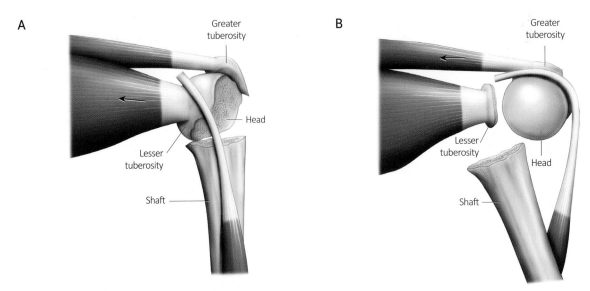

그림 3-5 **상완골 근위부 3분 골절 시 주변 근육의 작용에 따른 골편의 전위**

A: 대결절을 침범한 3분 골절. 대결절은 후상방으로 전위되고, 소결절에 부착한 견갑하근에 의해 골 두가 당겨지면서 관절면은 후방을 바라보게 된다. B: 소결절을 침범한 3분 골절. 소결절은 내측으로 전위되고, 대결절에 부착한 극상근 및 극하근에 의해 골 두가 당겨지면서 관절면은 전방을 바라보게 된다.

1970년 Neer는 도수 정복술만으로 치료했던 상완골 근위부 3분 골절 환자 39명의 초기 경험을 보고하였는데, 단 3명의 환자만이 그의 기준에 만족스러운 결과를 보였다. 불량한 결과로써 부정 유합, 불유합, 상완골 두 흡수 및 골괴사 등이 있었으며, 그는 이러한 3분 골절에 대한 비수술적 치료가 활동적인 환자에게는 부적절하다고 결론지었다.[25] 반면 Lill 등[26] 그리고 Zyto 등[27]은 3분 골절에 대한 비수술적 치료도 기능적 호전을 가져올 수 있다고 보고한 바 있다. Zyto 등[27]은 전위된 3분 및 4분 골절 40명의 노인 환자(평균 연령, 74세)를 무작위로 배정하여 보존적 치료와 인장 밴드 고정술의 치료 결과를 전향적으로 평가하였는데, 3-5년의 추적 관찰에서 수술적 치료 환자에서 방사선 검사상 상완골 두의 개선된 위치에도 불구하고 두 방식 사이에 기능적 결과의 차이가 없음을 발견하였다. 2011년 Olerud 등[28]은 전위된 3분 골절 60명의 환자(평균 연령, 74세)를 대상으로 잠김 금속판을 이용한 관혈적 내고정술과 비수술적 치료의 결과를 비교하였다. 최종 2년 추적 조사에서 관절운동범위, 기능 및 건강 관련 삶의 질(HRQoL) 점수에 대한 결과는 모두 잠김 금속판을 이용한 관혈적 내고정술 그룹에서 더 우수했으나 그룹 간의 차이를 자세히

보면 미미한 차이라는 비판적 평가도 제시하였다. 구체적으로 살펴보면 잠김 금속판을 이용한 관혈적 내고정술 그룹의 평균 전방 거상 각도는 120도(비수술 그룹, 111도)였으며, 평균 외전 각도는 114도(비수술 그룹, 106도)였다. 기능적 평가로써 Constant 점수는 수술군에서 61점(비수술, 58점), DASH 점수는 26점이었다(비수술, 35점).

반복적인 수술의 가능성이라는 잠재적 위험에도 불구하고 젊은 성인에서의 전위된 3분 골절의 대부분은 향후 상완골의 기형과 어깨의 기능적 결함을 유발하며, 이는 환자가 다치기 이전 수준의 활동으로 복귀하는 것을 방해할 수 있기 때문에 수술적인 내고정이 필요하다고 할 수 있다.

(5) 4분 골절(four parts)

상완골 근위부 4분 골절에서의 비수술적 치료는 내과적인 위험이 많고 활동 능력이 낮은 노인 환자에게만 적용되어야 한다. 비수술적 치료를 했을 때에 예후가 나쁘고 여러 합병증(골 괴사, 부정 유합, 불유합, 외상 후 관절염 등)의 발생률이 높기 때문에, 대부분의 4분 골절은 수술적 치료가 적절하다. 하지만 수술적 치료와 비수술적 치료의 장단점 및 각각의 위험성에 대해 환자에게 충분한 설명이 꼭

필요하다. 수술 방식에는 K-강선을 이용한 경피적 핀고정 및 인공관절치환술(반치환술 및 역행성 전치환술)도 포함되며, 상완골 근위부 및 간부를 모두 포함하는 분절 골절(segmental fracture) 양상에는 Hybrid 고정 방법이 필요할 수도 있다. 비관혈적 경피적 핀고정술식은 골질이 아주 양호하고 분쇄가 거의 없는 급성 손상(7-10일 미만)에서 고려해 볼 만하고, 관혈적 내고정술은 일반적으로 도수 정복이 힘든 골절, 분쇄 골절의 경우에서 시행되며 10일-4개월된 손상에도 적용 가능한 술식이다.

외반-감입형(valgus-impacted) 4분 골절은 드물지만 꼭 확인해야 하는 중요한 유형으로, 내측 피막의 혈액공급이 비교적 온전하여 다른 유형의 다분절 골절보다 예후가 좀 더 나은 편이다.[11] 이 손상은 해부학적 경부 골절로 인해 상완골 두 관절면의 외측부가 감입되고, 관절면은 관절와 방향이 아닌 견봉 방향인 위쪽을 향하게 된다. 결절부는 일반적으로 상완골 골간단에 대한 관절면의 감입으로 외반 전위되지만, 종종 상방으로 전위되지는 않는다. 향후 골 괴사의 유병률은 5-10%에 해당하며, 일반적인 4분 골절에서의 발생률(약 20-30%)보다는 훨씬 낮은 편이다.[29] Jakob 등[30]은 비관혈적 내고정술 또는 제한적인 관혈적 내고정술로 치료한 외반-감입형 골절 환자의 무려 74%에서 만족스러운 임상적 결과를 얻었다고 보고하였고, 치료 실패의 주요 원인은 무혈성 골 괴사의 경우로 5례(26%)에서 발생하였다. Resch 등[31] 역시 제한적인 관혈적 내고정술로 치료한 외반-감입형 4분 골절 22명의 환자들의 평균 36개월(최소 18개월)의 추적 연구에서 골 괴사의 사례는 없었다고 보고하였으며, 총 12명의 환자(54%), 특히 해부학적 정복이 잘 유지된 경우에서 우수한 임상적 결과를 얻었다.

(6) 탈구가 동반된 골절(fracture-dislocation)

탈구가 동반된 2분 골절은 하나 또는 두 개의 결절부에 연부조직이 부착되어 있어 혈액공급이 비교적 온전하기 때문에 관혈적 내고정술을 적용할 수 있다.[21] 관절면의 침범 여부와 상관없이 탈구가 동반된 3분 및 4분 골절도 역시 수술적 치료가 요구되나, 반복적인 내고정술은 골성 근염(myositis ossificans)의 발생을 증가시킬 수 있다.[1] 일반적으로 탈구가 동반된 4분 골절에서 관혈적 내고정술의 결과는 좋지 않으나, 육체 노동이 요구되는 젊은 환자에서는 아직까지 표준 치료법이 되고 있다. 고령의 환자(즉, 65세 이상)에서는 인공관절치환술이 적절할 수 있으며, 내과적인 위험이 많은 환자에서는 비관혈적 내고정술도 고려할 수 있다.

2. 치료 방법에 따른 Tips and Pitfalls

1) 보존적 치료

전위되지 않은 골절과 전위가 거의 없는 골절에서는 환자가 편한 자세에서 슬링 고정으로 치료하며 팔꿈치, 손목 및 손의 운동은 초기 고정 기간 동안 허용된다. 골절 상태가 안정되고 견딜 수 있는 통증이라면, 관절운동을 수상 10-14일 이내에 시작하여야 후기 후유증(어깨강직, 일상생활 제한, 전반적인 어깨 기능저하)의 발생을 막을 수 있다. 또한 골유합 시기까지 골절의 전위 여부를 파악하기 위해 연속적인 방사선사진 추적 검사가 필요하다.

2) 경피적 핀고정술

비관혈적 정복 및 경피적 핀고정술에 대한 이상적인 적응증으로는 2분 골절(특히, 외과적 경부 골절), 3분 골절, 치료에 순응적인 환자에서 골질이 양호하고 분쇄가 없는 외반-감입형 4분 골절이 이에 해당한다. 굴곡력이나 염전력에는 약하나 골절을 둘러싸고 있는 연부조직과 상완골두로의 혈액공급의 추가적인 손상 없이, 그리고 골막을 다치지 않고 수술할 수 있다는 장점이 있고 경제적으로도 수월한 방법이다. 수술 후 4-6주간 보조기 고정이 필요하며, 매주 연속적인 방사선사진 추적 검사가 필요하다. 심한 분쇄 골절의 경우나 심한 골감소증을 가진 환자는 이 술식의 절대 금기 사항이 된다. 또한 골편의 정복을 위해 무리하게 핀고정을 시도하는 것은 피해야 하며, 정복이 어려운 경우에는 관혈적 내고정술로 전환해야 한다. 탈구가 동반된 골절의 경우에서는 이 술식을 적용하기가 매우 어려우므로 권장되지 않는다.[20]

(1) 2분 골절

해변의자 자세에서 환자를 준비하고 기계식 팔 고정 장치가 도움이 될 수 있다. 핀고정 전에 골편의 정복을 위해 elevator나 bone hook 같은 장비가 필요하고, 최종적으로 고정할 때에는 일반적으로 나사형(threaded) 2.5 mm 핀이나 4.0 mm 유관 나사(cannulated screw)가 사용되며, 영상 증폭기 장비는 전후방 및 액와부 사진을 얻기 위해 table과 평행하게 배치하도록 한다. 먼저 정복의 가능성을 보기 위한 임시적인 도수 정복술이 요구된다. 외과적 경부 2분 골절에서는 일반적으로 골절 부위에 전방 각 형성이 되어있는데, 먼저 팔을 20-30도 외전시켜 종 방향으로 견인을 하게 되면 상완골 간부가 상완골 두의 측면부로 향하게 되며, 이와 동시에 어깨 전방에서 수직 방향으로 압박을 가하면 전방 각 형성을 정복하는 데 도움이 될 수 있다(그림 3-6).

상완골 간부의 외측 피질골에서 상완골 두까지 원위부에서 근위부 방향으로 핀을 어깨 전방부에 먼저 놓아본다. 전후방 사진에서 기울기(inclination)를 확인한 뒤, skin

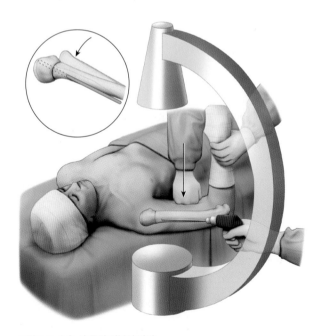

그림 3-6 수술 시 골절 정복의 방법
어깨를 외전시킨 상태에서 팔을 종 방향으로 견인하고, 상완골 간부를 전방에서 수직 방향으로 압박해준다.

marker로 핀이 들어갈 방향을 표시해 놓는다. 투시경(fluo-roscopy)으로 확인을 하면서 상완골 간부 측부에 핀 삽입 위치가 결정되면 1 cm 정도 피부 절개를 가한다. Hemostat 같은 장비를 이용해 외측 피질골까지 blunt dissection해 나가며, 상완골의 전방 및 후방 피질골을 촉지하여 상완골 간부의 위치를 파악한다. 그런 다음 미리 표시해 둔 방향대로 초기 핀을 삽입하고, 이때 상완골 간부에 미리 수평(horizontal)하게 핀을 고정해 놓으면 이를 통해 초기 핀이 피질골에서 삽입될 때 미끄러지는 것을 방지할 수 있다. 투시경으로 확인하면서 초기 핀이 상완골 두에 맞물릴 때까지 보조자는 정복 상태를 유지해야 하고, 상완골 두가 보통 30도 정도 후염전이 되어있기 때문에 꼭 투시경으로 적절한 핀 위치를 확인해야 한다. 두 번째 핀은 1.5-2 cm 정도 간격을 두고 첫 번째 핀과 평행하게 삽입하면 된다. 몇몇 생역학적 연구에서는 핀을 평행하게(parallel) 고정하는 방식이 수렴하게(converged) 고정하는 방식과 비교하여 염전력에 대한 안정성과 강성을 더 증가시킨다고 보고하였다.[23,32] 세 번째 핀은 상완골 간부 전방 피질골에서 상완골 두 방향 및 후방으로 진행시키며, 이후 고정력을 강화하기 위해 네 번째 핀을 전방에서 후방으로 고정하는 것이 필요할 수 있다(그림 3-7). 위에서도 언급하였듯이 K-강선 두 개를 상완골 두에 하나, 상완골 간부에 하나를 고정해 놓고, 차후 나사형 핀이나 유관 나사를 고정할 때까지 정복 유지를 위한 joystick으로 사용할 수도 있다. 만약 대결절 단독 골절이라면 골편 정복을 투시경으로 확인하면서 핀을 대결절에서 상완골 간부 내측을 향해 추가적으로 삽입하도록 한다.

(2) 3분 및 4분 골절

잘 숙련된 집도의라 할지라도 3분 및 4분 골절에서는 골절 양상이 복잡하기 때문에 이 술식을 적용하기가 쉽지 않다. 외반-감입형 3분 골절의 경우 상완골 두가 외반으로 기울어져 있게 되고 대결절은 상대적으로 올바른 위치에 남아있다. 먼저 상완골 두 아래쪽으로 상완골 간부를 위치시킨 뒤, 작은 피부 절개를 가하여 elevator를 상완골 두 아래에 있는 골절선으로 진입시킨다. 투시경을 보면서 elevator

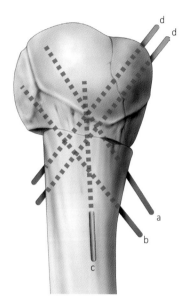

그림 3-7 경피적 핀고정술의 방법
맨 처음 핀(a)은 이두 장두건의 바로 외측, 삼각근의 부착부 근위부에서 45도 상방, 30도 후방으로 삽입한다. 두 번째 핀(b)은 가능한 한 원위부에서 상완골 두 방향으로 삽입한다. 세 번째 핀(c)은 이두 장두건 바로 내측에서 상완골 두의 후방으로 삽입한다. 네 번째 핀(d)은 대결절에서 상완골 간부의 내측을 향해 삽입한다.

로 상완골 두를 들어올려 정렬을 맞춘다. 상완골 두가 정복되면 대결절은 회전근 개의 의해 관절면 아래쪽으로 당겨지게 된다. 앞서 설명한 방식과 같이 핀고정을 진행하여 상완골 두와 간부를 고정한 뒤, 대결절과 상완골 두를 잡기 위해 독립된 상부 절개를 통해 나사형 2.5 mm 핀이나 4.0 mm 유관 나사를 대결절에서 상완골 간부 내측을 향해 삽입한다.[20] 4분 골절의 경우에 외반-감입형 골절 유형을 제외하고는 일반적으로는 관혈적 내고정술을 시행하게 된다. 드물게 경피적 핀고정술을 선택했을 때에는 위와 같이 단계적으로 시행하면 되고, 소결절은 팔을 내회전시킨 후 bone hook을 통해 올바른 위치로 정복하여 4.0 mm 유관 나사를 통해 고정한다. 만족할 만한 정복과 고정이 이루어지면 나사형 핀들을 피부 아래에서 잘라내고 마무리한다. 어깨의 붓기가 줄어들면서 가끔 핀고정 부위에서 피부가 튀어나올 수가 있는데(tenting), 몇몇 경우에는 핀을 외래에서 다듬어야 할 수도 있다.

(3) 수술 후 재활

대부분의 환자는 수술 후 24시간 관찰과 지속적인 항생제 투여를 위해 입원한다. 환자가 편안하도록 어깨 보조기 착용을 하며 손, 손목 및 팔꿈치의 적극적인 관절운동을 즉시 권장한다. 수술 후 1주째 외래에서 방사선사진을 촬영하여 골절의 정복 상태와 금속물의 안정성을 확인한 후 진자운동을 시작할 수 있다. 수술 후 3주에 수동적 전방 굴곡 및 외회전운동을 시작하고, 매주 신체검진과 방사선사진을 촬영하며 일반적으로 수술 후 4-6주에 핀을 제거한다. 이후 물리치료사의 감독하에 능동-보조적 운동을 시작하고 방사선학적 골유합은 수술 2-3개월 내에 명백하게 확인되어야 하며, 근력강화운동은 수술 후 10-12주에 시작할 수 있다.

3) 잠김 금속판을 이용한 관혈적 내고정술 (locking plate & screws)

적응증으로는 전위된(분쇄 여부에 관계없이) 2분, 3분 골절과 일부 4분 골절이 해당되며, 젊고 활동적인 성인 환자에서 발생한 탈구가 동반된 골절에서도 역시 적합한 술식이다. 이 술식은 기본적으로 수술에 대해 내과적인 위험이 적고 골질이 양호하며, 생리학적 연령이 젊고 수술 후 재활 프로그램에 잘 따라올 수 있는 환자에게 적용하게 된다.

(1) 수술적 접근 방법(surgical approach)

아래 두 방법 모두 삼각근의 기시부(origin)를 분리할 필요가 없기 때문에 그 기능이 보존되고 수술 후 **빠른 재활**도 가능하다. 만약 삼각근의 기시부가 손상될 경우에는 수술 후 어깨의 기능에 해로운 영향을 끼치며, 재활 프로그램의 진행을 방해할 수 있다.

① 삼각근 분할(deltoid splitting) 접근법

관혈적 내고정술을 시행하기 위한 두 가지의 기본적인 외과적 접근 방법 중 좀 더 외측에 절개를 가하는 방법이다. 견봉의 전외측부 바로 옆으로 Langer's line을 따라 피부 절개를 가하고, 견봉의 가장자리로부터 삼각근을 대략 원위부 5 cm 정도까지 분할하게 되는데, 이때 액와신경손상을 방지하기 위해 절개가 더 밑으로 연장되어서는 안 된다(그림 3-8). 그럼에도 불구하고 원위부의 노출이 더 필요할 때에는 액와신경을 주의해서 노출시키고 보호해야 한다. 상완골 근위부를 노출시키면서 삼각근의 기시부는 손상되지 않도록 해야 하며, 이 접근법은 대결절 골절 시 관혈적 내고정술을 할 때나 외과적 경부 2분 골절에서 골수강내 금속정 고정을 시행할 때 적용하기 용이하다. 정복술이 용이하도록 상완골을 필요에 따라서 적절히 회전, 굴곡, 신전을 시켜가며 진행하면 된다.

② 연장된 전방 삼각 대흉(extended anterior deltopectoral) 접근법

오구돌기에서 시작하여 삼각근 부착부(insertion) 쪽으로 피부 절개를 가하며, 두부 정맥(cephalic vein)은 접근 시 삼각근 외측으로 당기면서 최대한 보존하도록 노력해야 한다(그림 3-9). 원위부로 노출이 더 필요할 때에는 대흉근 부착부 상부 1-2 cm를 분리하도록 한다. 이 접근법은 상완골 근위부 골절의 모든 유형에서 적용이 가능할 만큼 관혈적 내고정술을 위한 가장 기본적이고 널리 이용되는 핵심 수단으로 알려져 있다.[1,20]

(2) 수술적 술기 방법

환자의 자세는 해변의자, 측와위 또는 앙와위 자세 모두 가능하며, 시판되는 팔걸이 장치를 사용할 수 있다. 원위부 노출이 더 필요할 시에는 삼각근의 전방 1/3 정도를 삼각근 부착부(deltoid tuberosity)에서 부분적으로 들어올려야 할 수도 있다. 전위된 대결절과 소결절 골편의 정복을 위해 힘줄-뼈 접합부에서 여러 개의 비흡수성 봉합사(Ethibond No.5)로 식별(tagging)해 놓은 뒤, 수술 초반에는 골절 정복 시 견인용으로도 이용되며 나중에 금속판의 주변 구멍을 통하여 결찰(tie)할 수도 있다.

골편들을 정복할 때 3분 및 4분 골절에서는 대결절 또는 소결절의 골편이 상완골 간부의 외측부 피질골 쪽으로 견인해야 하며, 외반-감입형 골절에서는 elevator 장비를 이용해 감입된 상완골 두를 들어올려 내측 거(medial calcar)를 재건해야 한다. 골편의 정복을 위해 나사형(threaded) 핀 또는 K-강선을 일시적으로 삽입할 수도 있으며, 핀 삽입은 원위부에서 근위부 방향(상완골 간부 전방에서 상완골 두를 지나가도록)으로 전방에서 진행한다. 최근에 많이 사용되는 상완골 잠김 금속판(locked humeral plate)은 상완골 근위부 골절의 치료에 새로운 장을 열었다고 할 수 있다. 금속판의 두께와 크기를 줄여서 견관절의 운동을 원활히

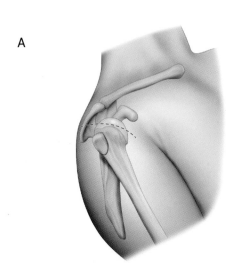
A

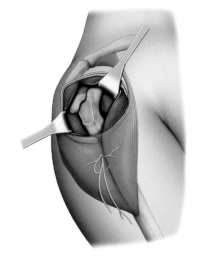
B

그림 3-8 삼각근 분할(deltoid splitting) 접근법
A: 어깨에 대한 상부 접근을 위한 피부 절개는 견봉의 전외측부에서 시작하여 약 8-9 cm 정도 비스듬히 아래로 연장되는 Langer's 선을 따라 진행한다. B: 2개의 Richardson 견인 장비를 이용해 견봉에서 약 4-5 cm 원위부까지 삼각근을 분할한다. 이 접근법은 일반적으로 대결절 골절 수술 시 적용하기 좋으며, 액와신경의 손상을 피하기 위해 분할을 4-5 cm 이상 밑으로 확장해 나가지 않도록 주의를 요한다.

A

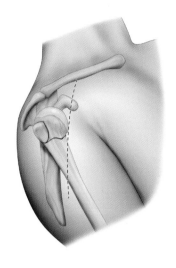

B

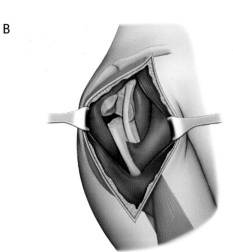

그림 3-9 **연장된 전방 삼각 대흉(extended anterior deltopectoral) 접근법**
A: 절개는 쇄골에서부터 시작되며 오구돌기를 지나 삼각근의 부착부 근처의 상완골 간부까지 확장된다. B: 노출이 더 필요할 경우 대흉근의 부착부 상부를 1 cm 정도 분리하며, 쇄골 부위의 삼각근 기시부는 손상되지 않도록 한다. 더 많은 노출이 필요한 경우 삼각근의 부착부까지 분리할 수 있으나 이러한 조작은 거의 필요하지 않다.

할 수 있으면서 충분한 강도를 제공하고, 고정된 각도로 상완골 두로의 해면나사를 방사상으로 삽입하여 골다공증이 심한 경우라고 하더라도 충분한 고정력을 얻게 하여, 최근 상완골 근위부 골절 치료의 주된 치료 방법의 하나로 간주되고 있다. 금속판을 간부 및 대결절의 전외측부(즉, 이두구의 바로 외측)에 위치시킨 뒤, 금속판의 주변 구멍에 핀고정을 하여 상완골 두와 간부를 안정감 있게 고정한다. 이때 결절부를 식별하여 미리 연결해놓은 봉합사들도 금속판 주변 구멍으로 통과시켜 놓는다(그림 3-10). 전후방 사진에서 금속판은 수술 후 충돌 증상을 방지하기 위해 대결절 상부 끝에서 최소 8 mm 아래에는 위치해야 하며, 휘돌이 동맥의 손상을 막기 위해 금속판과 이두 장두건과의 적절한 간격이 요구된다.

전후방 및 액와부 사진에서 만족할 만한 정복이 이루어졌다면, 금속판 원위부의 긴 구멍을 통해 압박 나사(compression screw)를 먼저 삽입하고 이후 삽입 가이드를 이용하여 잠김 나사(locked screw)들을 고정한다. 나사 고정 이후에는 영상 증폭기를 이용하여 정복 상태와 정렬을 확인하고, 나사들의 깊이가 충분한지, 관절면을 뚫지는 않았는지 등 최종 점검한다. 일반적으로 최종 나사 길이는 삽입

가이드를 통해 측정된 길이보다 5 mm 짧은 것을 선택하여 나사의 관절면 천공을 방지하도록 하며, 이는 특히 시간이 지남에 따라 외반으로 안착하려는 경향이 있는 외반-감입형 골절 유형에서 특히 중요하다. Tingart 등[33]은 18구의 사체 상완골 두에서 골밀도를 측정하여 잠김 나사의 최적의 위치를 연구하였고, 상완골 두의 전상방 부위에서 인발 강도(pull-out strength)가 가장 낮았으며 이 부위를 제외한 골질이 양호한 모든 부위에 나사를 고정해야 한다고 제안하였다. 잠김 나사를 모두 고정한 후, 금속판 주변 구멍으로 통과시켜 놓은 봉합사들을 결찰하여 향후 골편의 전위를 방지한다(그림 3-11). 상완골 원위부에는 최소 3개의 나사(잠김 혹은 압박 나사)들이 고정되어야 하며, 골간단 부위에 결손이 심할 경우에는 골이식을 하거나 골이식 대체물을 사용할 수 있다. 몇몇 최근의 연구에서는 골수 내 동종 비골을 이식(intramedullary fibular strut graft augmentation)하여 내반 붕괴나 금속물 실패를 방지할 수 있다고 하였다(그림 3-12). Bae 등[34]은 사체 연구에서 잠김 금속판과 골수 내 동종비골 골이식을 동시에 시행하였을 때 파손 하중(load-to-failure)과 초기 강성(initial stiffness)이 증가했음을 입증하였다. Matassi 등[35]은 17명 환자의 최근 추적 관찰에

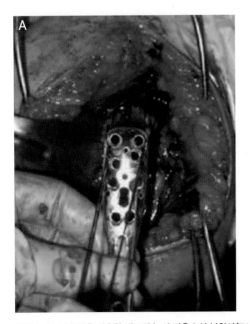
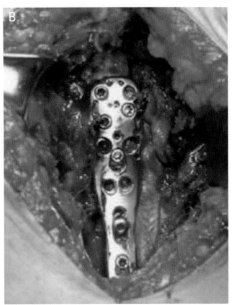

그림 3-10 금속판을 이용한 내고정술 시 비흡수성 봉합사(Ethibond No. 5)의 이용
A: 대결절 부위 힘줄-뼈 접합부에 연결된 표지용 봉합사를 금속판에 통과시킨 그림. B: 상완골 간부 전외측부에 적절하게 고정된 잠김 금속판의 모습

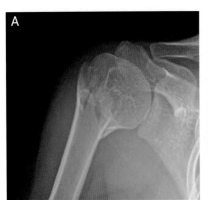
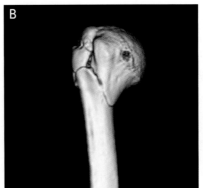
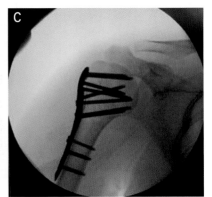
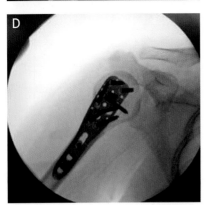

그림 3-11 상완골 외과적 경부 분쇄 골절에 대한 잠김 금속판을 이용한 내고정술
A, B: 외과적 경부가 분쇄와 함께 전위 및 각 형성이 발생하여 수술적 치료를 요한다. C, D: 잠김 금속판을 이용하여 내고정한 사진

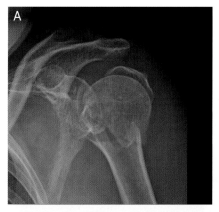
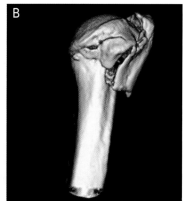
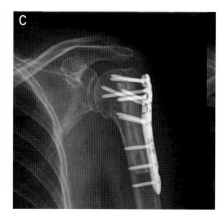
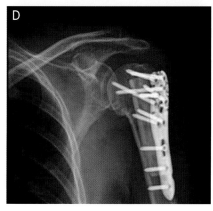

그림 3-12 **상완골 근위부 3분 골절에 대한 골수내 동종비골 골이식 후 내고정술을 시행**
A, B: −2.7의 골밀도를 보이는 86세 여자 환자. 대결절은 후상방으로 전위되고, 외과적 경부의 전위를
보여 수술적 치료를 요한다. C, D: 골수내 동종비골 골이식 후 잠김 금속판을 이용해 견고한 내고정술
을 시행, 수술 6주에 골유합이 이루어진 사진

서 주요 합병증 없이 완전한 골유합을 보인 이 술식의 우
수한 결과를 보고했다. Tan 등[36] 역시 이 술식을 사용한 9
명 환자의 초기 결과를 보고했고, 골수내 동종비골 골이식
자체가 빈 공간을 채우는 역할을 하여 상완골 두를 지지하
고 피질골의 추가적인 고정을 제공하여, 특히 골다공증을
동반한 상완골 근위부 골절에서 수술 후 내반 붕괴나 금속
물 실패를 방지할 수 있다고 주장하였다.

(3) 수술 후 재활

수술 중 고정의 안정성 정도에 따라 집도의는 수술 후 재
활 프로그램을 조정할 수 있다. 고정이 잘 되었다면 수술
후 1일에 진자운동 및 수동적 관절운동을 시작하고, 수술
후 6-8주에 골유합을 확인 후 물리치료사 감독 하에 능동
적 또는 능동-보조적 관절운동을 시행한다. 수술 후 3개월
에 근력강화운동을 시작해야 하며, 환자에게 수술 후 최대

1년 동안은 완전하게 회복이 이루어지지 않을 수 있음을
인지시켜야 한다.

4) 골수강내 금속정(intramedullary nail)을 이용한 비관혈적 내고정술

(1) 수술적 술기 방법

금속정 고정술은 경피적 핀고정과 금속판 고정의 중간
정도의 강도를 가지고 있다. 골수강내 고정술은 골절 부위
를 노출시키지 않아서 연부조직들은 보존할 수 있지만,
Rush pin이나 Ender nail은 삽입 시 회전근 개를 손상시키
기 쉽고 견봉하공간으로 돌출된다는 단점이 있다. 최근에
개발된 상완골 근위부용 금속정(proximal humerus nail)은
기존의 골수강내 고정물과 달리, 다방향으로 잠김 나사들
이 상완골 두로 삽입될 수 있어 안정성을 증가시킨다. 하지
만, 이 역시 회전근 개를 통하여 삽입하여야 하므로 수술

후 통증을 초래할 수 있다. 소결절을 침범한 3분 골절의 경우라면 금속정의 진입점(entry point)인 대결절과 관절면의 접합부위가 온전하게 유지되지만, 대결절을 침범한 3분 골절의 경우라면 금속정의 진입점이 손상되기 때문에 대결절 골편 정복에 주의를 요한다.[20]

환자를 해변의자 자세로 준비한 뒤 대결절 부위에서 3 cm가량 종 방향으로 피부 절개를 가한다. 노출된 삼각근을 근섬유 방향대로 분리하고, 투시경을 보면서 curved awl이나 guide pin을 이용하여 대결절 바로 내측부나 혹은 이두 구에서 대략 1.5 cm 후방에 금속정 진입을 위한 구멍을 만든다. 좀 더 곧은 모양으로 생겼으면서 고정된 각도로 상완골 근위부를 나사로 고정할 수 있는 가장 최근 디자인(fixed-angle locking, 3rd generation nail)이 선호되며, 회전근 개를 분할 후 상완골 두 관절면 상부에서부터 진입이 시작된다. 팔을 내전시키고 어깨를 신전시키면 견봉으로부터 적절한 간격이 생겨 awl이나 금속정의 삽입이 좀 더 용이해진다. 일반적으로 팔을 내전시킨 채로 종 방향으로 견인하면 비관혈적 정복이 가능하고, 연부조직의 끼임이나 유착,

callus의 형성 등의 이유로 비관혈적 정복이 가능하지 않다면 금속정 삽입 전에 관혈적 정복을 먼저 시도한다. 정복이 되었다면 2 mm guide-wire를 골절선을 가로지르며 골수 내로 통과시키고, 금속정을 삽입 후 근위부 및 원위부를 나사로 고정한다. 요골 신경, 상완 동맥 및 정중 신경을 포함한 신경 혈관 구조의 손상을 방지하기 위해 원위부에 나사를 고정할 때 주의를 기울여야 하며 이를 위해 1-2 cm 피부 절개가 필요하고 상완골 간부 피질골까지 투시경 조작 하에 조심스럽게 연부조직을 박리(gentle blunt dissection)하도록 한다.

(2) 수술 후 재활

팔 고정은 슬링이나 보조기를 착용하면 되고, 진자운동 및 팔꿈치관절운동은 수술 후 1일부터 바로 시작하도록 한다. 수술 후 2주 및 6주에 임상적 호전 및 방사선사진을 확인하고, 이후 골유합이 확인되면 능동-보조적 관절운동을 시작하며 수술 후 3개월부터 근력강화운동을 시작한다.

참고문헌

1. Lobo MJ, Levine WN. Classification and closed treatment of proximal humerus fractures. In: Wirth MA, ed. Proximal Humerus Fractures. Chicago: American Academy of Orthopaedic Surgeons; 2005:1-13.

2. Choo A, Sobol G, Maltenfort M, et al. Prevalence of rotator cuff tears in operative proximal humerus fractures. Orthopedics. 2014;37(11):e968-74.

3. Hodgson S. Proximal humerus fracture rehabilitation. Clin Orthop Relat Res. 2006;442:131-8.

4. Chun JM, Groh GI, Rockwood CA Jr. Two-part fractures of the proximal humerus. J Shoulder Elbow Surg. 1994;3:273-87.

5. McLaughlin HL. Dislocation of the shoulder with tuberosity fracture. Surg Clin North Am. 1963;43:1615-20.

6. Park TS, Choi IY, Kim YH, et al. A new suggestion for the treatment of minimally displaced fractures of the greater tuberosity of the proximal humerus. Bull Hosp Jt Dis. 1997;56:171-6.

7. Garg A, McQueen MM, Court-Brown CM. Nerve injury after greater tuberosity fracture dislocation. J Orthop Trauma. 2000;14(2):117-8.

8. De Laat EA, Visser CP, Coene LN, et al. The lesions in primary shoulder dislocations and humeral neck fractures. J Bone Joint Surg Br. 1994;3:273-87.

9. Rath E, Alkrinawi N, Levy O, et al. Minimally displaced fractures of the greater tuberosity: outcome of non-operative treatment. J Shoulder Elbow Surg. 2013;22(10):e8-11.

10. Hébert-Davies J, Mutch J, Rouleau GD, et al. Delayed migration of greater tuberosity fractures associated with anterior shoulder dislocation. J Orthop Trauma. 2015;29(10):e396-400.

11. Braunstein V, Wiedemann E, Plitz W, et al. Operative treatment of greater tuberosity fractures of the humerus-a biomechanical analysis. Clin Biomech. 2007;22(6):652-7.

12. Green A, Izzi J Jr. Isolated fractures of the greater tuberosity of the proximal humerus. J Shoulder Elbow Surg. 2003;12:641-9.

13. Bois AJ, Hussey MM, Dutta AK. A novel hybrid fixation technique for osteosynthesis of isolated greater tuberosity fractures of the proximal humerus. Tech Shoulder Elbow Surg. 2013;14(1):17-22.

14. Ji JH, Shafi M, Song IS, et al. Arthroscopic fixation technique for comminuted, displaced greater tuberosity fracture. Arthroscopy. 2010;26:600-9.

15. Song HS, Williams GR. Arthroscopic reduction and fixation with suture-bridge technique for displaced or comminuted greater tuberosity fractures. Arthroscopy. 2008;24(8):956-60.

16. Yin B, Moen TC, Thompson SC, et al. Operative treatment of isolated greater tuberosity fractures: retrospective review of clinical and functional outcomes. Orthopedics. 2012;35(6):e807-14.

17. Robinson CM, Teoh KH, Baker A, et al. Fractures of the lesser tuberosity of the humerus. J Bone Joint Surg Am. 2009;91(3):512-20.

18. Liu X, Zhu Y, Lu Y, et al. Locked posterior shoulder dislocation associated with isolated fractures of the lesser tuberosity: a clinical study of 22 cases with a minimum of 2-year follow-up. J Orthop Trauma. 2015;29(6):271-5.

19. Scheibel M, Martinek V, Imhoff AB. Arthroscopic reconstruction of an isolated avulsion fracture of the lesser tuberosity. Arthroscopy. 2005;21(4):487-94.

20. Iannotti JP, Ramsey ML, Williams GR, et al. Nonprosthetic management of proximal humerus fractures. J Bone Joint Surg Am. 2003;85:1578-93.

21. Blaine TA, Bigliani LU, Levine WN. Fractures of the proximal humerus. In: Rockwood CA Jr, Matsen FA 3rd, Wirth MA, Lippitt SB, eds. The Shoulder. 3rd ed. Philadelphia: WB Saunders; 2004:355-412.

22. Hatzidakis A, Shevlin MJ, Fenton DL, et al. Angular-stable locked intramedullary nailing of two-part surgical neck fractures of the proximal part of the humerus. J Bone Joint Surg Am. 2011;93(21):72-9.

23. Durigan A, Barbieri CH, Mazzer N, et al. Two-part surgical neck fractures of the humerus: mechanical analysis of the fixation with four Shanz type threaded pins in four different assemblies. J Shoulder Elbow Surg. 2005;14(1):96-102.

24. Rangan A, Handoll H, Brealey S, et al. Surgical vs nonsurgical treatment of adults with displaced fractures of the proximal humerus: the PROFHER randomized clinical trial. JAMA. 2015;313(10):1037-47.

25. Neer CS 2nd. Displaced proximal humeral fractures. I. Classification and evaluation. J Bone Joint Surg Am. 1970;52:1077-89.

26. Lill H, Brewer A, Korner J. Conservative treatment of dislocated proximal humerus fractures. Zentralbl Chir. 2001;126:205-10.

27. Zyto K, Ahrengart L, Sperber A, et al. Treatment of displaced proximal humeral fractures in elderly patients. J Bone Joint Surg Br. 1997;79:412-7.

28. Olerud P, Ahrengart L, Ponzer S, et al. Internal fixation versus nonoperative treatment of displaced 3-part proximal humeral fractures in elderly patients: a randomized controlled trial. J Shoulder Elbow Surg. 2011;20(5):747-55.

29. Robinson CM, Page RS. Severely impacted valgus proximal humeral fractures. J Bone Joint Surg Am. 2003;85:1647-55.

30. Jakob RP, Miniaci A, Anson P, et al. Four-part valgus impacted fractures of the proximal humerus. J Bone Joint Surg Br. 1991;73:295-8.

31. Resch H, Beck E, Bayley I. Reconstruction of the valgus-impacted humeral head fracture. J Shoulder Elbow Surg. 1995;4:73-80.

32. Jiang C, Zhu Y, Wang M, et al. Biomechanical comparison of different pin configurations during percutaneous pinning for the treatment of proximal humeral fractures. J Shoulder Elbow Surg. 2007;16:235-9.

33. Tingart MJ, Lehtinen J, Zurakowski D, et al. Proximal humeral fractures: regional differences in bone mineral density of the humeral head affect the fixation strength of cancellous screws. J Shoulder Elbow Surg. 2006;15:620-4.

34. Bae JH, Oh JK, Chon CS, et al. The biomechanical performance of locking plate fixation with intramedullary fibular strut graft augmentation in the treatment of unstable fracture of the proximal humerus. J Bone Joint Surg Br. 2011;93(7):937-41.

35. Matassi F, Angeloni R, Carulli C, et al. Locking plate and fibular allograft augmentation in unstable fractures of proximal humerus. Injury. 2012; 43(11):1939-42.

36. Tan E, Lee D, Wong MK. Early outcomes of proximal humerus fixation with locking plate and intramedullary fibular strut allograft. Orthopedics. 2014;37(9):e822-7.

근위 상완골 골절의 치료:
반치환술, 역행성 인공관절치환술

Treatment of the proximal humeral fracture: arthroplasty

박주현

1. 반치환술

1) 환자 선별

대부분의 4분 골절, 일부 3분 골절, 탈구가 동반된 골절, 상완골 두 분할 골절, 골감소증이 있는 노인 환자에서 관절면의 40% 이상 침범하는 만성 전방 또는 후방 탈구의 경우에는 1차적으로 인공관절치환술이 고려된다. 또한 관혈적 내고정이 힘든 20도 이상의 내반 전위가 있는 골절, 중등도 이상의 심한 골다공증이 있는 경우, 상완골 두 무혈성 괴사와 같이 젊은 환자에서 내고정 실패로 인한 합병증이 발생하였을 때에도 인공관절치환술이 고려된다.

Iannotti 등[1]은 삽입물(implant)의 적절한 높이(대결절에서 관절면 상단까지의 거리, 8 mm), 곡률 반경(22-25 mm), 상완골 후염전각(평균 29.8도) 등 반치환술 시행 시 고려해야 할 중요한 해부학적 요소들을 제시하였다. 초기 삽입물 디자인은 monoblock 형태로 골 두의 크기가 다양하지 않았으나, 2세대 및 3세대 골절형 삽입물은 모듈 방식(modularity)을 갖추었고 대결절 골편의 정복과 관련하여 환자의 해부학적 구조에 맞게 스템의 크기가 줄어들었으며, 대결절 정복과 고정이 용이하도록 스템 근위부에 봉합사를 통과시킬 수 있는 봉합 구멍을 만들었다. 일부 디자인에서는 대결절의 치유를 위해 스템 근위부 중앙에 골이식이 가능하도록 공간도 만들었다. 1차적인 반치환술이 실패했을 경우를 대비하여 4세대 삽입물에서는 역행성 전치환술로의 전환이 가능하도록 platform 양식을 만들었고, 이는 스템

의 안정적인 고정과 근위부에서의 향후 모듈 방식의 재건(역행성 전치환술로의 전환 등)이 가능하도록 하였다(그림 4-1).

여러 연구에서 상완골 근위부 골절 후 곧바로 반치환술을 시행했을 때가 일정 시간 지연된 후에 시행했을 때보다 결과가 더 우수했다고 밝혔다. 그리하여 일부 연구에서는

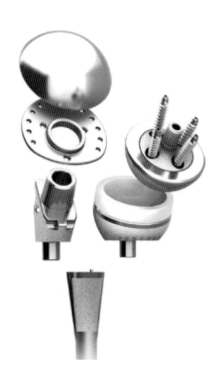

그림 4-1 상완골 근위부 골절 시 반치환술에 사용되는 삽입물
Suture collar가 있는 모듈식 플랫폼 기반 스템으로 상완골 스템은 유지하면서 역행성 전치환술로의 전환이 가능하다(Courtesy Depuy-Synthes, Warsaw, IN.).

수상 48시간 이내에 수술을 시행해야 한다고 추천하였지만, 대부분의 저자들은 수술 전 계획(신경 혈관손상 여부, 내과적인 상태, 건측 어깨를 토대로 한 수술 전 templating 등을 철저하게 세운 뒤 시행해야 한다고 하였다.[2] 골절의 형태를 파악하기 위해 전산화 단층촬영은 꼭 필요하며, 앞서 언급했듯이 많은 연구에서 반치환술이 2-4주 이상 지연되었을 때 불량한 예후를 보였다고 보고된 바 있다.[3] 따라서 수술이 너무 늦어지면 반흔 형성과 주위 조직의 수축이 발생하고, 골절의 골질이 약해지므로 환자의 전신 상태가 호전되면 즉시 수술을 시행하는 것이 좋다.

2) 수술적 술기 방법

반치환술의 목적은 상완골의 높이와 후염전각을 복원하고 대결절의 안전한 고정을 통해 상완골 근위부를 해부학적으로 재건하는 것이다. 통증 조절을 위해 전신마취(수술 중 근육 이완을 위해 기관 삽관을 권장) 후 사각근간 차단법(interscalene block)을 시행할 수 있으나, 이는 외상 환자의 경우 통상적으로 추천되지는 않는다. 환자는 해변의자자세(침대 머리 부분은 약 30-40도 올린 상태)로 준비하고 팔은 멸균된 arm holder 장비에 고정하거나, 보조자들이 있다면 자유롭게 둔 채로 준비한다. 수술 준비 시 drap은 견갑부와 가슴 부위를 포함한 상지 및 어깨 전체에 시행한다. 예방적 항생제는 피부 절개 후 30분 이내에 정맥을 통해 주입한다.

삼각 대흉 접근법을 통해 접근하게 되고 대흉근의 부착부를 잘 식별해 놓아야 하는데, 이는 차후 상완골 두 높이를 복원하는 데 지침으로 사용될 수 있으며 추가적인 노출이 필요하다면 대흉근 부착부의 상부 1 cm 정도를 분리해 준다. 쇄골 흉근 근막(clavipectoral fascia)을 절개하면 골절 주위 혈종과 함께 골편 및 회전근 개 조직을 볼 수 있다. 액와신경은 견갑하근의 전하방에서, 근피신경은 연합 건(conjoined tendon)의 후방에서 손가락을 통해 촉진이 가능하다. 액와신경의 경우 상완골을 외회전시키면 긴장을 감소시킬 수 있다. 이두구를 따라가다 보면 회전근 간 부위에서 이두 장두건을 식별할 수 있고, 이는 대결절과 소결절 간의 해부학적 정복 시 지표가 될 수 있다. 회전근 간과

오구상완인대는 결절의 정복을 위해 모두 이완시켜 주는 것이 좋고, 골절 선이 이두구를 침범하지 않았을 경우에는 대결절 혹은 소결절의 용이한 이동(mobilization)을 위해 osteotome이나 saw blade를 통해 절단면을 만들어 주어야 한다. 오구견봉인대는 향후 상완골 두가 위로 이동되는 것을 방지하기 위해 보존해 놓는 것이 좋다.

먼저 골절된 대결절 및 소결절의 골편을 확인하고 비흡수성 표지용 봉합사(tagging suture)를 힘줄-뼈 접합부를 통해 각각의 회전근 개에 삽입하는데 견갑하근에는 2-3개의 봉합사를, 극상근과 극하근에는 3-4개의 봉합사를 통과시키는 것이 좋다. Suture collar를 가진 스템을 사용할 경우에는 최종적으로 상완골 스템이 고정된 후 needle을 통해 회전근 개에 삽입해 놓은 봉합사를 통과시켜 골편의 고정

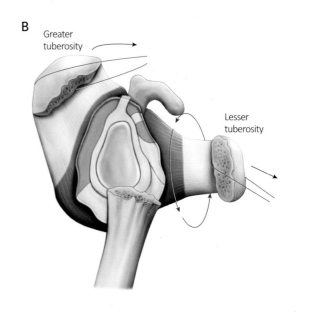

그림 4-2 비흡수성 봉합사를 이용한 결절 골편 정복
A: 비흡수성 봉합사는 결절의 뼈 부분을 통과시키는 것이 아닌, 힘줄-뼈 접합부에 통과시킨다. B: 상완골 두가 제거되고 나면, 회전근 개가 부착되어 있는 결절부는 이동이 용이해지고 이후 상완골 스템 고정 후에 봉합한다. 견갑하근 하방으로 지나가는 액와신경손상에 주의해야 한다.

이 가능하다. 결절 골편의 크기는 다양하기 때문에 정복 시 필요하다면 trimming을 해주어야 한다(그림 4-2). 결절 골편들은 retraction 되어있기 때문에 상완골 두와 간부 골편들은 상대적으로 용이하게 관찰되며, 관절면을 포함한 골 두는 제거해서 골 두 삽입물의 크기 결정을 위한 templating에 사용한다(그림 4-3). 상완골 두 내의 해면골을 포함하여 술기 중에 얻어진 모든 골편들은 모아두어야 하고, 나중에 결절부와 상완골 간부에 골결손이 있을 시 골이식

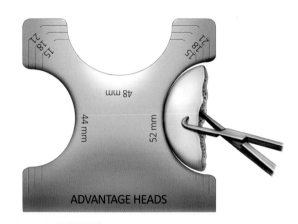

그림 4-3 골 두 삽입물의 Templating guide
골 두 삽입물의 크기를 정하기 위해 templating guide를 이용해 제거된 상완 골 두의 크기를 측정한다.

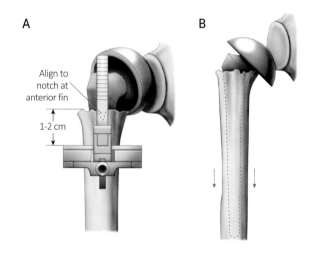

그림 4-4 수술 중 상완골 스템의 높이(height) 설정
상완골 스템의 적절한 높이와 후염전각을 정하기 위해 수술 중 fracture jig 장비를 사용한다(A). 스템을 너무 낮게 위치시키는 오류를 범할 수 있는데, 이는 수술 후 삼각근의 긴장력이 감소하게 되고 결절 골편 정복을 위한 공간이 너무 부족하게 되는 현상을 초래한다(B).

에 사용해야 한다. 관절와부위로 접근하여 동반된 병적 소견을 확인하고, 생리식염수 세척을 통해 관절와 주위 혈종, 연골 골편 및 유리 골편들을 제거한다. 관절와 골절이 동반되었다면 이에 대한 내고정술을 시행해 주어야 하고, 관절와에 심각한 퇴행성 마모나 손상이 있을 경우 관절와 삽입물 치환도 필요할 수 있다.[2,4]

대결절과 소결절을 옆으로 젖히고 팔을 신전시키면서 외회전하여 위로 밀어서 상완골 간부의 골절면을 노출한 뒤에, 골수강 내 유리 골편과 혈종을 제거하며, 스템 trial 삽입을 위해 상완골 간부의 골수강을 전원 드릴 없이 손으로 확공기(reamer)를 통해 적당한 크기까지 확공한다. 스템 trial의 외측 fin이 이두구 후방에 위치하도록 하고, 골 두 삽입물 trial의 내측부는 최소한 내측 거 높이에 위치하도록 한다. 스템 trial의 적절한 높이와 후염전각이 유지될 수 있도록 fracture jig 장비를 사용하면 좋다(그림 4-4).

관절와상완관절을 재건하기 위해 상완골 스템의 올바른 후염전각은 중요한 부분이고, 원래 정상 후염전각은 10도에서 50도까지 다양하나 대부분 guide를 통해 30도에 맞추는 것을 권장한다. 이 각도를 맞추는 데 몇 가지 방법들이 있다. 특히 4분 분쇄 골절의 경우 후염전각이 과도하게 설정되는 경우가 있으므로 주의를 요한다.

① 골 두 삽입물을 관절와 방향으로 놓은 상태에서 상완골 간부를 신체의 시상면으로부터 30도 외회전 시키는 방법
② 상완골 원위부의 상과 축(epicondylar axis)으로부터 삽입물을 이등분하는 가상의 선을 이용하는 방법
③ 스템의 전방 fin은 중립위에서 전완부 축에 맞추고, 외측 fin은 이두구 후방 8 mm에 위치하도록 맞추는 방법(그림 4-5)

상완골 스템의 올바른 높이 설정도 회전근 개와 어깨 역학의 적절한 길이-장력을 재설정하는 데 중요한 부분이다. 수술 전 templating 시 건측과 환측의 방사선사진을 모두 이용하는 것이 도움이 될 수 있고, 수술 중 연부조직(삼각근, 회전근 개, 이두 장두건)의 긴장 정도를 투시경을 통해 확인하는 것도 도움이 된다. 일반적으로 상완골 스템을 너무 낮게 위치시키는 오류를 범하게 되는데, 이는 수술 후

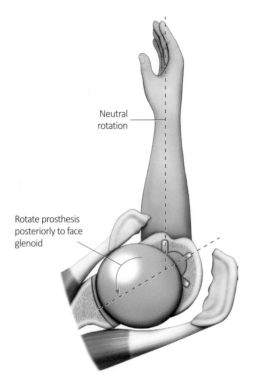

그림 4-5 수술 중 상완골 스템의 후염전각(retroversion) 설정
상완골 스템의 전방 fin은 중립위의 전완부와 평행하도록 맞추고, 외측 fin은 이두구의 약 8 mm 후방에 위치하도록 고정한다. 이 방법에 따르면 스템의 후염전각이 대략 30도로 맞춰진다.

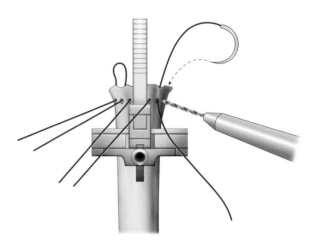

그림 4-6 결절부와 상완골 간부 간의 고정
이두구의 내측 및 외측부에 드릴 구멍을 만들어서, 직경이 큰 비흡수성 봉합사를 통과시켜 결절부와 상완골 간부 간의 고정을 단단히 한다.

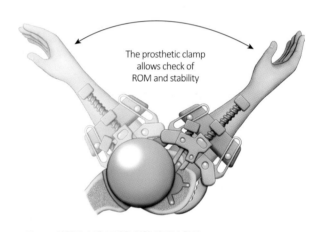

그림 4-7 상완골 스템 고정을 위한 안정성 확인
상완골 스템 trial을 삽입하고 1차 정복을 시도한 후, 결절부가 스템 trial 및 간부에 잘 부착되는지를 확인하고 스템의 높이도 적절한지 확인한다.

삼각근의 긴장력이 감소하게 되고 결절 골편 정복을 위한 공간이 너무 부족하게 되는 현상을 초래한다. 이와 반대로 상완골 스템을 너무 높게 위치시키게 되면, 결절 골편 고정 부위에 과도한 장력이 가해져서 추후 조기 실패와 결절부의 이동 현상을 초래하게 된다. 상완골 근위부의 분쇄가 심할 경우 이 같은 오류를 피하기 위해 Murachovksy 등[5]은 대흉근의 부착부가 스템의 높이를 재건하는 데 지표로 사용될 수 있다고 제안하였고, 이들의 사체 연구에 따르면 대흉근 부착부에서 상완골 두 관절면 상부까지의 평균 거리는 5.6 cm(± 0.5 cm)였다고 보고하였다. 골절선에서 1-2 cm 원위부에 드릴 구멍(상완골 간부)을 이두구의 내측 및 외측부에 만들어서 비흡수성 봉합사를 통과시켜 결절부와 간부 간의 고정을 단단히 할 수 있으며, suture collar를 가진 스템을 사용할 경우에는 4개의 드릴 구멍을 상완골 간부 전외측 및 후외측부에 만들어 사용할 수 있다(그림 4-6). 상완골 스템 trial을 넣고 1차 정복을 시도한 후, 결절부가

골 두 삽입물의 밑부분에서 무리 없이 스템 trial과 상완골 간부에 잘 부착되는지를 확인하고, 대결절 골편이 상완골 두 아래 5-10 mm에 위치하는지도 점검한다. 이때 towel clip을 사용하여 결절부를 잡고 있으면서 투시경 하 관절와 상완관절의 안정성을 평가한다(그림 4-7). 골 두 삽입물은 관절와 폭의 40-50% 이상 전방 혹은 후방으로, 그리고 관절와 높이의 25-30% 이상 하방으로 아탈구되는 현상은 없어야 한다.[2,6]

최종 상완골 스템으로는 press fit형이나 시멘트형을 사용하는데 시멘트형 스템을 사용할 시 상완골 원위부에서 시멘트의 누출을 방지하기 위해 restrictor를 넣어주며, 시멘트 주입 시 vent tube를 이용해 들어가는 압력을 흡입해 준다(그림 4-8).[2,6] 결절부의 유합을 촉진시키기 위해 과도한 시멘트는 경화 단계(curing phase)에서 제거해 준다. 상완골 스템의 시멘트 고정이 끝난 후 골 두 삽입물 trial을 끼우고 2차 정복을 시도하여 최종적인 골 두 삽입물의 크기를 결정한다.[2,6] Suture collar를 가진 스템으로 고정했을 경우에는 최종적인 골 두 삽입물을 고정하기 전에 구멍을 통해 결절부 봉합사를 결찰하는 것이 용이하다. 미리 상완골 간부에 통과시켜 놓은 봉합사는 대결절 주위로 극상건, 삽입물 내측, 견갑하건을 통과하여 원형 봉합을 시행하도록 한다. 몇몇 저자들은 결절부-결절부 고정 혹은 결절부-fin 고정만을 단독으로 시행했을 때보다 원형 봉합 술식을 동시에 시행했을 때 더 우수한 결과를 얻었다고 보고하였다.[7,8] 단, 봉합사를 결찰하기 전에 미리 모아둔 자가 해면골을 결절부와 간부, 그리고 삽입물 사이사이 공간에 채워줘야 한다(그림 4-9).

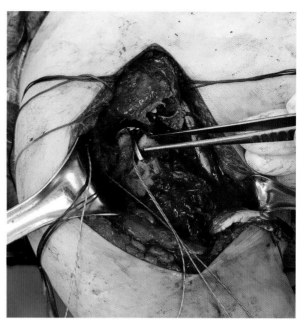

그림 4-9 **상완골 스템, 간부 및 결절부 주변으로 자가 해면골 골이식을 시행하는 사진**

수술 후 어깨의 회전 제한을 방지하기 위해 결절 골편의 과도한 정복은 피해야 한다.[7,8] 봉합사의 구성과 결찰하는 순서는 집도의의 선호도나 삽입물의 형태에 따라 달라질 수는 있다. Suture collar를 가진 스템을 사용하였다면 봉합사를 결찰할 때 결절부-간부 고정은 수직 봉합을, 결절 골편끼리의 고정은 수평 봉합을 시행한다. 회전근 간의 외측부는 No.2 비흡수성 봉합사를 이용하여 어깨를 30도 정도 외회전한 상태에서 봉합해주며, 삼각 대흉 간격은 보통 봉합하지 않는다. 일반적으로 수술 후 혈종의 발생을 막기 위해 흡입 배액관은 삽입해 두며, 만약 국소 차단술이 시행되지 않았다면 수술 후 진통을 위한 통증 펌프 사용을 권장한다. 팔은 30-45도 정도 외전시켜 환자가 편안하도록 슬링이나 보조기로 고정한다.

3) 수술 후 재활

물리치료사 감독하에 수술 후 1일부터 진자운동과 함께 stick을 이용한 수동적 관절운동(전방 굴곡 및 외회전)을 시작한다. 단, 수술 중 고정의 안정성을 기반으로 집도의에 의해 관절운동의 제한을 두게 되고, 전방 굴곡의 경우 일

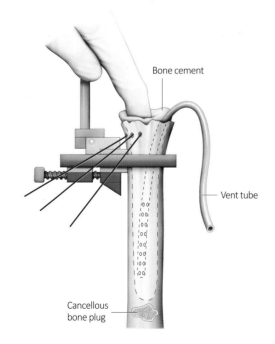

Bone cement

Vent tube

Cancellous bone plug

그림 4-8 **시멘트형 상완골 스템의 삽입**

반적으로 수술 후 한 달까지는 수평면(90도)으로 제한된다. 수동적 관절운동을 지속하면서 수술 후 6주에 방사선 사진을 통해 결절부 유합이 확인된다면 모든 방향으로의 수동적 관절운동이 허용된다. 보통 수술 후 8-10주부터는 능동-보조적 관절운동을 시작하고, 3개월에는 고무 밴드를 이용한 근력강화운동을 점진적으로 시행한다. 수동적 관절운동은 어느 시점에서든지 항상 지속되어야 하며, 최대의 관절운동범위와 기능을 얻을 때까지는 1년 정도가 걸린다는 점을 환자에게 명시하여야 한다.

2. 역행성 전치환술
(Reverse total shoulder arthroplasty)

1) 환자 선별

역행성 전치환술은 이제 노인 환자의 복잡한 3분 및 4분 골절에 대해 잘 받아들여지고 있는 수술 방식이다. 역행성 전치환술의 목표는 반치환술과 거의 동일하며, 통증을 줄이고 일상생활로의 복귀를 위해 어깨의 기능을 복원하는 것이다. 고령의 환자(특히, 70세 이상)에서 골절 유형이 복잡하고 분쇄가 심하며(특히, 결절부), 골질이 불량하여 내고정술이나 반치환술이 불가능하다고 판단될 때 이 술식을 고려할 수 있다. 또한 기존의 회전근 개 질환이 있는 경우, 염증성 관절염, 과도한 흡연, 그 밖에 결절부 치유에 부정적인 영향을 끼칠 수 있는 기타 대사질환(인슐린 의존성 당뇨, 전신적인 스테로이드 사용) 등이 있는 경우에 고려한다. 이 술식의 절대적인 금기 사항으로는 액와신경손상, 삼각근의 유의한 기능장애가 있는 경우, 상완신경총 병증 등이다. 그 밖에 상대적인 금기 사항으로는 개방성 골절, 동측에 견봉이나 견갑극의 골절이 있는 경우, baseplate를 고정할 수 없을 만큼의 관절와 골절이 동반되었을 경우 등이다. 치료되지 않는 섬망이나 만성 치매는 수술 후 부정적인 결과를 초래하게 되며, 그만큼 수술 후 재활 프로그램에 잘 따라오는 것도 중요하다. 이 술식의 장기 연구 결과는 아직까지 제한적이므로, 노인 환자에서 역행성 전치환술을 결정할 때에는 신중해야 한다.

2) 수술적 술기 방법

전신마취와 함께 국소 차단술이 함께 시행되면 좋고(집도의 재량), 결절부를 보다 용이하게 식별하고 삼각근의 손상을 방지하기 위해 좀 더 노출을 극대화하는 연장된 전방 삼각 대흉 접근법이 권장된다. 대흉근의 부착부 근위부는 시야 확보를 위해 분리가 필요하며, 액와신경손상을 주의하면서 삼각근하 공간과 견봉하공간에서의 유착을 부드럽게 이완시킨다. 액와신경과 근피신경을 손가락으로 촉지하면서 식별할 수는 있으나 이 구조의 외과적 탐색술은 권장되지 않는다. 이두 장두건을 찾으면 결절부를 식별하는 데 도움이 되며, 보통 대흉근 부착부의 위쪽 경계에서 볼 수 있다. 상완골 두를 제거하여 차후 골이식을 위한 해면골을 준비하도록 한다. 가능하다면(반치환술 부분에서 설명됨) 먼저 골절된 대결절 및 소결절의 골편들을 확인하고 비흡수성 표지용 봉합사를 힘줄-뼈 접합부를 통해 각각의 회전근 개에 삽입한다.

골절 환자에서 역행성 전치환술을 시행할 경우에 관절와의 노출은 그리 어렵지 않다. 관절와 조작을 할 때에는 주변 관절와순 조직을 제거한 뒤 baseplate 및 glenosphere 고정을 단계적으로 시행하면 된다. Baseplate의 안정된 고정을 위해 관절와 reaming 시 연골하골(subchondral bone)을 살리려는 노력이 필요하고, baseplate를 중립 또는 약간의 하방 경사(inferior tilt)를 줘서 관절와 하부 가장자리에 위치시켜야 한다. 대부분의 baseplate는 피질골 나사 혹은 잠김 나사로 고정될 수 있고, 상부 및 하부에 고정되는 나사들이 baseplate의 초기 안정성에 기여하는 가장 중요한 요소로 알려져 있다. Glenosphere의 크기에 따라 관절와상완관절의 안정성과 관절운동 시 충돌 여부가 결정되기도 한다.

관절와에서의 술기가 끝나면 팔을 신전 및 내전시켜 상완골을 노출시킨 후, 상완골 간부의 골수강을 전원 드릴 없이 손으로 확공기를 통해 chatter가 생길 때까지 확공한다. 어떤 삽입물은 근위부의 기하 구조 및 골 전도성 표면에 의해 상완골 스템의 press fit 고정이 가능하며, 4세대 platform 구조의 경우 수술 후 외회전 기능을 향상시키기 위해 중립 혹은 약간의 후염전각만 주어 고정하기도 한다.

하지만, 현재 가장 우수하다고 정해진 삽입물의 유형은 없는 실정이다. 상완골 스템의 높이나 염전각을 결정하는 기준은 온전한 내측 거, 정복된 결절부 및 스템의 version guide 등이 될 수 있다. 하지만 골간단부의 분쇄가 심하다면 스템의 높이를 결정하는 데 커다란 어려움이 따르므로, 적절한 높이 및 그에 따른 안정성을 획득하는 것은 아직까지 이 술식의 가장 어려운 요소로 남아있다. 앞서 언급했던 바와 같이 특히 골절의 분쇄가 심할 경우에는 수술 전 templating 시 건측과 환측의 방사선사진을 모두 이용하는 것이 올바른 스템의 높이를 결정하는 데 도움이 될 수 있다.

최종적으로 상완골 스템을 고정하고 insert trial을 넣고 정복한 뒤, 몇 가지 방법(집도의 선호도에 따라)을 통해 관절와상완관절의 안정성을 투시경을 보면서 평가하도록 한다.

① 종 방향으로 견인 시 중립위에서 탈구되지 않아야 한다(shuck test).
② 손가락으로 촉진 시 연합 건의 긴장도가 증가되어 있다.
③ 팔을 내전한 상태에서 외회전을 시켰을 때 glenosphere와 liner 간에 2-3 mm 이상의 간격이 생겨서는 안 된다.
④ 삽입물은 최대로 내회전 및 외회전을 시켰을 때 안정성을 유지해야 한다.

이러한 단계 중 하나에서라도 아탈구 혹은 불안정성이 발견된다면, liner의 두께를 늘리거나 충돌을 유발할 수 있는 연부조직이나 골 조직을 제거하고, glenosphere의 크기를 올리는 등의 조치를 취해야 한다.

반치환술에서와 같이 대결절 및 소결절의 치유를 위해 골결손 부위 군데군데에 상완골 두에서 채취한 해면골을 이식해준다. 결절부의 과도한 정복을 방지하고자 일반적으로 결절부-간부 고정을 위한 수직 봉합에 앞서, 결절부끼리의 고정 혹은 결절부-삽입물 고정을 위한 수평 봉합을 먼저 시행하도록 한다.[9] Bufquin 등[10]의 연구와 Gallinet 등[11]의 연구에서 대결절의 해부학적 유합으로 향상된 외회전 근력과 기능을 입증하였다(소결절 치유의 이점은 아직 알려지지 않았다)(그림 4-10). 수술 후 혈종의 발생을 막기 위해 흡입 배액관은 삽입해 두며, 노출 부위 봉합은 반치환술에서 설명한 것과 유사한 방식으로 시행한다.

3) 수술 후 재활

팔을 외전 보조기로 약 4주간 고정하게 되는데 수술 후 혈종의 발생을 막기 위해 진자운동 및 stick을 이용한 수동적 관절운동은 수술 후 2주부터 시작하며, 단 손, 손목 및 팔꿈치관절의 능동적 관절운동은 허용한다. 수술 시 결절부의 정복이 이루어졌다면 결절부의 유합이 임상적 호전을 가져오기 때문에, 결절부가 치유될 때까지는 근력강화운동은 제한한다. 삼각근 및 회전근 개의 근력강화운동은 결절부 치유가 확인된 이후 대략 10-12주에 시작한다.

3. 상완골 근위부 골절의 합병증

상완골 근위부에 전위된 골절이 발생하면 적절하게 치료하기가 여전히 어려운 경우가 많고, 때로는 초기 손상의 결과 또는 수술적 치료 자체로 부정적인 결과가 초래될 수도 있다. 발생할 수 있는 합병증으로는 무혈성 골 괴사, 외상성 관절염, 불유합, 부정 유합, 금속 내고정물의 파손, 관절 강직, 감염, 신경손상, 혈관손상, 기흉 및 혈흉 등이 있다.[4,12]

1) 관절강직(joint stiffness)

관절강직은 상완골 근위부 골절 이후 가장 흔한 합병증 중 하나이며, 발생 요인으로는 초기 손상의 심각성, 고정 기간, 관절면의 부정유합, 부적절한 재활 등이 포함된다.[12] Koval 등[13]은 전위가 거의 없는 상완골 근위부 골절 환자 104명을 대상으로 표준화된 방법으로 치료 후 기능적 결과를 평가하였는데, 평균 41개월의 추적 조사 결과 수상일로부터 2주 이내에 재활을 시작했던 환자군에서 2주 이후에 재활을 시작했던 환자군보다 유의하게 더 나은 결과(전방 굴곡, 외회전, 통증)를 보였다. Hodgson 등[14]은 3주 이상 고정을 한 환자에서 회복 기간이 연장되었다는 결과(2년 vs 1년)를 보고하면서, 2분 골절에서 조기 재활의 필요성을 강조하였다.

반치환술과 관련된 많은 연구에서도 만성 손상을 동반

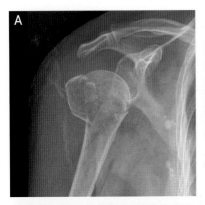
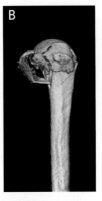

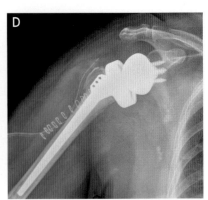
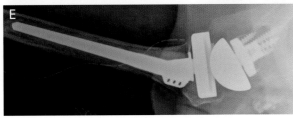

그림 4-10 상완골 근위부 4분 분쇄 골절에 대한 역행성 전치환술
A, B, C: 80세 여자 환자로 상완골 근위부가 심한 분쇄와 함께 전위 및 각 형성
이 발생하여 수술적 치료를 요한다. D, E: 결절부의 정복과 함께 역행성 전치환
술을 시행 후 사진

한 연부조직의 구축이 발생할 수 있기 때문에 조기에 수술하는 것이 더 나은 결과를 보여주고 있다. 따라서 관절강직의 예방을 위해서는 수술 여부에 상관없이 물리치료사 보조 하에 조기 재활을 수행해야 한다.

2) 골 괴사(osteonecrosis)

무혈성 괴사(avascular necrosis)의 발생률은 초기 손상의 중증도(3분, 4분 골절 및 탈구가 동반된 골절)와 수술 방법에 따라 다르다. Hagg 등[15]은 전위된 3분 골절의 비관혈적 정복술 후 3-14%의 발생률을, 4분 골절 후 13-34%의 발생률을 보고하였다. 위와 같은 골절의 중증도 외에도 과도한 연부조직 박리 또한 주요한 기여 요인으로 확인되었다. Sturzenegger 등[16]은 T-plate를 사용한 관혈적 내고정술로 치료한 17명의 환자에서 34%의 무혈성 괴사 발생률을 보고했다. 무혈성 괴사의 초기 단계는 MRI를 통해 가장 잘 감지되며, 단순 방사선사진 촬영을 통해서는 상완골 두 붕괴나 2차적인 퇴행성 변화와 같은 후기 단계를 볼 수 있다. 무혈성 괴사가 발생하면서 통증이 심하고 기능적인 손실이 왔다면 반치환술이나 전치환술 같은 인공관절치환술이 1차적인 치료 방법이며, 관절와부위까지 퇴행성 변화가 진

행되었다면 전치환술을 고려해야 한다.[12]

Moineau 등[17]의 후향적 연구에서 외상 후 무혈성 괴사의 치료를 위한 전치환술의 예후 인자와 한계점을 평가해 보았는데, 상완골 근위부의 변형 정도가 심하지 않았을 때 결과가 양호했다고 보고하였으며, 상완골의 내반 변형 또는 MRI상 회전근 개의 지방침윤 정도가 심할수록 부정적인 결과를 보였다.

3) 불유합(nonunion)

상완골 근위부 골절 후 불유합 발생은 드물고, 일반적으로 전위된 골절과 관련이 있다. 불유합은 골다공증이 있는 고령의 쇠약한 환자에서 흔히 발생하게 되며, 이러한 환자 집단에서는 불유합의 발생률이 23%로 추정된다.[18] 불유합을 일으키는 다른 요인으로는 연부조직의 끼임, 현수 석고 고정, 관혈적 내고정술 시 불충분한 고정, 알코올 남용, 그리고 당뇨와 같은 내과적 질환 등이 있다(그림 4-11).

불유합이 발생하였을 때 심각한 통증, 기형, 기능적인 소실이 동반된다면 수술적 치료를 고려해야 한다. 환자의 골질이 양호하다면 잠김 금속판을 이용한 관혈적 내고정술 및 자가 상골능 골이식을 시행하는 방식이 선호된다. 불유

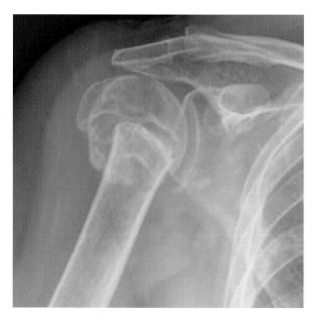

그림 4-11 **74세 여자 환자로 상완골 근위부 3분 골절 이후에 발생한 외과적 경부의 불유합 사진**

합은 외과적 경부에서 주로 발생하는데, 이 경우 분쇄 또는 골감소증으로 인해 내측 거가 손상이 되었을 때에는 금속판 고정술과 함께 골수 내 동종 비골 골이식을 시행한다면 생물학적 및 구조적 지지를 제공할 수 있다.[19] 상완골두의 재흡수(resorption) 및 공동화 현상(cavitation)이 발생하였을 경우에는 관절와상완관절의 재건을 위해 인공관절치환술이 필요할 수도 있는데, 이는 환자에게 통증의 완화를 가져올 수 있으나 관절운동범위 및 근력과 연관된 전반적인 결과를 예측하기는 힘들다. 따라서 불유합 상황에서 관절의 재건을 위한 인공관절치환술은 기술적으로 어렵고 수술 후 합병증의 위험이 있으므로, 환자와 자세히 상의 후 결정해야 한다. 2012년 Duquin 등[20]의 연구에 따르면 67

명의 상완골 근위부 불유합 환자 중에 36명(53.7%)의 환자에서 인공관절치환술(반치환술 및 전치환술)로 수술적 치료를 하였으며, 이 환자들 모두 통증이 감소하고 기능적인 호전을 가져왔으나 수술에 대한 전반적인 만족도는 절반 미만이었다. 보다 최근에는 Raiss 등[21]이 외과적 경부의 불유합 치료를 위해 시행한 역행성 전치환술의 임상적 및 방사선학적 결과와 합병증을 분석하였다. 평균 연령 68세(범위, 48-83세)인 32명의 환자를 평균 4년 동안 추적 관찰하였는데, 유의한 임상적 호전을 가져왔으나 13건(41%)의 합병증이 있었고, 이 중 9명(28%)은 재수술을 받았다. 가장 흔한 합병증으로는 수술 후 탈구 증상(11건, 34%)이었으며, 이는 상완골 근위부 불유합에 대한 역행성 전치환술 치료 후 탈구 발생률이 증가했다는 이전 연구 결과와 일치한다. 불유합에 대한 보존적 치료 방법은 비우세 수에서 증상이 거의 없는 고령의 환자에서 고려할 수 있다.[21]

4) 이소성 골화(heterotopic ossification)

이소성 골의 형성은 특히 탈구가 동반된 골절 환자의 방사선사진에서 우연히 발견되는 비교적 흔한 소견이다.[4] 1970년 Neer의 연구에 따르면 3분, 4분 골절 및 탈구가 동반된 골절로 치료받은 117명의 환자 중에 이소성 골화의 발생률은 12%였다.[22] 이소성 골의 발생을 증가시키는 요인으로는 연부조직의 손상, 반복적인 정복, 손상 후 7일 이상 경과 후 정복 등이 있다. 이소성 골화는 또한 흔히 외상성 뇌 손상 또는 척수 손상(신경성 이소성 골화)과 같은 신경학적 손상과 관련이 있을 수 있다. 이소성 골 형성으로 인해 드물게 강직이 발생한 경우에는 관절운동범위를 회복하기 위해 외과적 절제가 필요할 수 있다.[12]

참고문헌

1. Iannotti JP, Gabriel JP, Schneck SL, et al. The normal glenohumeral relationships: an anatomical study of one hundred and forty shoulders. J Bone Joint Surg Am. 1992;74:491-500.

2. Green A, Lippitt SB, Wirth MA. Humeral head replacement arthroplasty. In: Wirth MA, ed. Proximal Humerus Fractures. Rosemont, IL: American Academy of Orthopaedic Surgeons; 2005:39-48.

3. Antuña SA, Sperling JW, Cofield RH. Shoulder hemiarthroplasty of the proximal humerus: a minimum five-year follow-up. J Shoulder Elbow Surg. 2008;17:202-9.

4. Blaine TA, Bigliani LU, Levine WN. Fractures of the proximal humerus. In: Rockwood CA Jr, Matsen FA 3rd, Wirth MA, Lippitt SB, eds. The Shoulder. 3rd ed. Philadelphia: WB Saunders; 2004:355-412.

5. Murachovksy J, Ikemoto RY, Nascimento LGP, et al. Pectoralis major tendon reference (PMT): a new method for accurate restoration of humeral length with hemiarthroplasty for fracture. J Shoulder Elbow Surg. 2006;15:675-8.

6. Hartsock LA, Estes WJ, Murray CA, et al. Shoulder hemiarthroplasty for proximal humeral fractures. Orthop Clin North Am. 1998;29(3):467-75.

7. Frankle MA, Mighell MA. Techniques and principles of tuberosity fixation for proximal humeral fractures treated with hemiarthroplasty. J Shoulder Elbow Surg. 2004;13:239-47.

8. Frankle MA, Ondrovic LE, Markee BA, et al. Stability of tuberosity attachment in proximal humeral arthroplasty. J Shoulder Elbow Surg. 2002;11:413-20.

9. Jobin CM, Galdi B, Anakwenze OA, et al. Reverse shoulder arthroplasty for the management of proximal humerus fractures. J Am Acad Orthop Surg. 2015;23:190-201.

10. Bufquin T, Hersan A, Hubert L, et al. Reverse shoulder arthroplasty for the treatment of three- and four-part fractures of the proximal humerus in the elderly: a prospective review of 43 cases with a short-term follow-up. J Bone Joint Surg Br. 2007;89(4):516-20.

11. Gallinet D, Adam A, Gasse N, et al. Improvement in shoulder rotation in complex shoulder fractures treated by reverse shoulder arthroplasty. J Shoulder Elbow Surg. 2013;22(1):38-44.

12. Wirth MA. Late sequelae of proximal humerus fractures. In: Wirth MA, ed. Proximal Humerus Fractures. Chicago: American Academy of Orthopaedic Surgeons; 2005:49-55.

13. Koval KJ, Gallagher MA, Marsciano JG, et al. Functional outcome after minimally displaced fractures of the proximal part of the humerus. J Bone Joint Surg Am. 1997;79:203-7.

14. Hodgson S. Proximal humerus fracture rehabilitation. Clin Orthop Relat Res. 2006;442:131-8.

15. Hagg O, Lundberg B. Aspects of prognostic factors in comminuted and dislocated proximal humeral fractures. In: Bateman JE, Welsh RP, eds. Surgery of the Shoulder. Philadelphia: BC Decker; 1984:51-9.

16. Sturzenegger M, Fornaro E, Jakob RP. Results of surgical treatment of multifragmented fractures of the humeral head. Arch Orthop Trauma Surg. 1982;100:249-59.

17. Moineau G, McClelland WB Jr, Trojani C, et al. Prognostic factors and limitations of anatomic shoulder arthroplasty for the treatment of posttraumatic cephalic collapse or necrosis (type-1 proximal humeral fracture sequelae). J Bone Joint Surg Am. 2012;94(23):2186-94.

18. Neer CSII. Non-union of the surgical neck of the humerus. Orthop Trans. 1983;7:389.

19. Badman B, Mighell M, Drake G. Proximal humeral nonunions: surgical technique with fibular strut allograft and fixed-angle locked plating. Tech Shoulder Elbow Surg. 2006;7(2):95-101.

20. Duquin TR, Jacobson JA, Sanchez-Sotelo J, et al. Unconstrained shoulder arthroplasty for treatment of proximal humeral nonunions. J Bone Joint Surg Am. 2012;94(17):1610-7.

21. Raiss P, Edwards TB, da Silva MR, et al. Reverse shoulder arthroplasty for the treatment of nonunions of the surgical neck of the proximal part of the humerus (type-3 fracture sequelae). J Bone Joint Surg Am. 2014;96(24):2070-6.

22. Neer CS 2nd. Displaced proximal humeral fractures. II. Treatment of three-part and four-part displacement. J Bone Joint Surg Am. 1970;52:1090-103.

CHAPTER 05

상완골 간부 골절의 진단 및 치료

Diagnosis and treatment of the humeral shaft fracture

박주현

I. 상완골 간부 골절

상완골 간부 골절은 활동력이 강한 청장년층에서 흔히 발생되는 골절 중의 하나로, 전체 골절의 약 3-5%를 차지한다.[1] 상완골 간부 골절은 골절 부위에 따라 작용되는 근력에 의하여 변형이 생길 수 있으나, 보존적인 방법에 의하여 교정이 가능하며 골유합이 잘 이루어진다. 또한, 단축이나 각 변형이 어느 정도 있어도 기능장애는 거의 없으며, 외견상 크게 문제가 되지 않아 보존적 치료를 선호하는 경향이 있다. 그러나, 골절의 양상이나 동반 손상 유무, 환자의 활동성 정도 및 기대감을 감안하여 수술적 치료를 시행할 수 있다.

1. 해부학

상완골 간부는 해부학적으로 대흉근 부착부 상연부터 과상 능선(supracondylar ridge)까지를 일컬으며, 근위부의 횡단면은 원주형이고 원위부는 편평하다. 상완골에는 3개의 연과 3개의 면이 있다. 전연은 대결절(greater tuberosity) 앞쪽에서부터 시작되어 구상 와(coronoid fossa)까지, 내연은 소결절 능(crest of lesser tuberosity)에서부터 시작되어 내측 과상 능선(medial supracondylar ridge)까지, 외연은 대결절의 후면에서부터 외측 과상 능선까지 연결된다. 상완골의 전외면에는 삼각근이 부착되는 삼각근 조면(deltoid tuberosity)과 요골 신경, 심부 상완 동맥이 지나가는 요골

구(radial sulcus)가 있고, 전내면은 조면간 구(intertubercular groove)의 하벽을 이루고 있으며, 후면에는 삼두근(triceps)의 기시부와 요골 구가 있다.

상완부에는 내측 및 외측 근간 격막(intermuscular septum)이 있어 상완부를 전방 구획과 후방 구획으로 구분한다. 내측 근간 격막은 대흉근과 광배근(latissimus dorsi)의 하연에서 시작되어 오구 완근(coracobrachialis), 상완근(brachialis)을 전방 구획으로, 삼두근을 후방 구획으로 구분하면서 원위부로 주행하여 내상과에 부착한다. 척골 신경과 상 척골 측부 동맥(superior ulnar collateral artery)이 내측 근간 격막을 뚫고 주행한다. 외측 근간 격막은 삼각근 부착부에서 시작되어 원위부로 주행하면서 상완근, 상완 요근(brachioradialis), 장 요측 수근 신근(extensor carpi radialis longus)을 전방 구획으로, 삼두근을 후방 구획으로 구분한다. 요골 신경과 심부 상완 동맥의 요골 측부 동맥(radial collateral artery)이 외측 근간 격막을 뚫고 통과한다. 전방 구획에는 이두근(biceps), 오구 완근, 상완근이 포함되며, 상완 동맥과 상완 정맥, 정중 신경, 척골 신경 및 근피신경(musculocutaneous nerve)이 이두근의 내측 연을 따라 주행하고, 후방 구획에는 삼두근과 요골 신경이 포함된다.[2] 상완골 간부는 상완 동맥(brachial artery)에서 기시하는 동맥에 의해 영양을 공급받는다. 이 영양 동맥(nutrient artery)은 상완골 간부의 내측면 중간 부위에서 상완골로 들어간다. 경우에 따라서 요골 구의 기시부에 이차적인 영양 동맥이 있을 수 있다.

상완골 간부 골절의 경우 골절 부위에 따라 골편에 작용하는 근육들의 힘의 방향이 변화하기 때문에 변형의 양상이 다르게 나타난다. 즉, 골절이 대흉근 부착부보다 좀더 근위부에서 발생되면 회전근 개에 의하여 근위 골편이 외전 및 내회전한다. 그러나 골절이 삼각근 조면 근위부에서 발생되면 원위 골편은 삼각근의 작용에 의하여 외측으로 전위되며, 근위 골편은 대흉근, 광배근 및 대원근(teres major)의 작용에 의하여 내측으로 전위된다. 그리고 골절이 삼각근 조면보다 원위부에서 발생되면 근위 골편은 삼각근의 작용에 의하여 외측으로 전위되며, 원위 골편은 이두근, 삼두근 및 오구 완근의 작용에 의하여 근위부로 끌려 올라간다(그림 5-1). 따라서 상완골 간부의 골절 후 골편이 전위되면서 상방으로 전위되어 서로 중첩되는 것도 근육의 수축에 의한 것으로 설명될 수 있다. 위와 같이 근육의 상호 작용을 염두에 두고 상완골 간부의 골절을 분석하면 치료에 많은 도움이 될 수 있다.

2. 손상기전

상완골 간부 골절은 직접 및 간접 외상 모두에 의하여 발생할 수 있다. 대부분의 골절은 높은 곳에서 팔을 펴고 떨어지거나, 직접 타박을 입거나, 교통사고 등의 손상기전에 의하여 발생된다. 개방 창이 동반될 수 있으며, 특징적으로 횡 또는 사상의 골절 양상을 보인다. 그러나, 야구공이나 창 등을 던지는 동작 중에 근육이 급작스럽게 수축되는 간접 외상을 입어 골절이 발생되기도 한다.[3] 이때는 흔히 상완골 간부의 나선상 골절이 발생된다. 간접 손상에 의하여 병적 골절이 발생하기도 하는데, 주로 상완골의 근위부에 발생된다.

Klenerman[4]에 의하면 상완골에 압축력이 작용할 경우에는 근위부나 원위부에 골절이 발생하고, 굴곡력(bending force)이 작용하면 횡상(transverse) 골절이 발생하며, 염전력(torsional force)이 가해지면 나선상(spiral) 골절이 발생한다고 하였다. 굴곡력과 염전력이 동시에 작용하는 경우에는 사상(oblique) 골절과 함께 나비형 조각(butterfly fragment)이 동반된다.

3. 골절의 분류

1) 개방 창 동반 여부에 의한 분류

골절이 연부조직의 손상으로 인하여 피부 밖으로 노출되

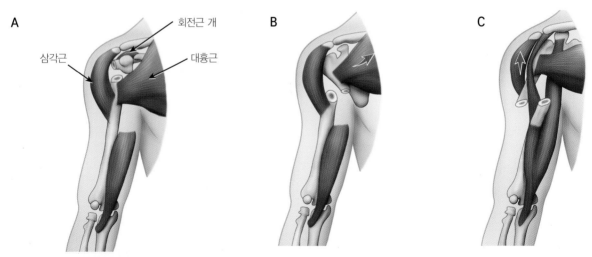

그림 5-1 상완골 간부 골절 시 주변 근육의 작용에 따른 골편의 전이
A: 대흉근 근위부의 골절 시 회전근 개에 의해 근위 골편이 외전 및 내회전된다. B: 대흉근과 삼각근 사이의 골절 시 원위 골편은 삼각근에 의해 외측으로 전이되며, 근위 골편은 대흉근, 광배근 및 대원근에 의해 내측으로 전위된다. C: 삼각근 원위부의 골절 시 근위 골편은 삼각근에 의해 외측으로 전위되며, 원위 골편은 이두근, 삼두근 및 오구 완근에 의해 근위부로 끌려 올라간다.

거나, 외부에 개방되었는지 여부에 따라 개방성 골절 및 폐쇄성 골절로 분류한다.

2) 골절의 해부학적 위치에 의한 분류

골절 후 이에 작용하는 근력을 고려하여 대흉근 부착부보다 근위부, 대흉근 부착부보다 원위부나 삼각근 조면보다는 근위부, 삼각근 조면보다 원위부로 분류할 수 있다.

3) 골절 선의 방향 및 특징에 의한 분류

종상, 횡상, 사상, 나선상, 분절 및 분쇄 골절로 분류한다.

4) 동반 손상에 의한 분류

혈관 및 신경계의 동반 손상 여부에 따라 분류한다. 정중 신경, 척골 신경, 요골 신경의 동반 손상 여부와 상완 동맥 및 정맥의 손상 여부에 따라 분류한다.

5) 선행된 골질환에 의한 분류

특히 노년층에서는 악성종양의 전이가 잘 일어나는 장소이기 때문에 유념하여 관찰하여야 한다. 이 외에도 골수염이나 기타 골질환이 있는지를 확인하여 이에 따라 분류하고, 치료에 임하여야 한다.

Ⅱ 상완골 간부 골절의 치료

상완골 간부 골절의 치료 목표는 변형을 최소화하고 골유합을 이루어 골절 이전의 기능을 회복하는 데 있다. 상완골 간부의 골절은 주위 근육에 의하여 둘러싸여 있어 보존적 치료 및 수술적 치료에 의하여 골유합이 비교적 잘 되며, 불유합의 발생률이 적다. 환자는 20도 정도의 전방 각 형성, 30도 정도의 외측 각 형성 및 2.5 cm 가량의 단축이 있더라도 기능에 큰 지장이 없다. 따라서 상완골 간부 골절은 대부분 보존적 치료에 의하여 치료의 목표가 달성되지만, 적절한 치료 방법은 골절의 형태, 골절의 전위 정도, 골절의 해부학적 위치, 동반 손상, 환자의 연령 및 기대

감을 고려하여 선택해야 한다.

1. 보존적 치료(Nonoperative treatment)

상완골 간부의 골절은 전체 골절의 약 3%를 차지하고 대부분은 비수술적 방법으로 치료할 수 있고, 어깨와 팔꿈치관절의 관절운동범위는 약간의 단축 또는 최소한의 기능적 장애를 유발할 수 있는 방사선학적 불완전함이 허용될 수 있으며, 환자 역시 재활을 통해 이를 극복할 수 있다.

1) 현수 석고(hanging cast)

이 방법은 주관절을 90도 굴곡시키고 전완부를 중립위로 하여 장 상지 석고를 감아, 골절부 이하의 무게를 이용하여 견인하여 골절 부위의 정복을 유지하는 방법으로, 환자가 항상 반 기립 상태로 있어야 하는 단점이 있다(그림 5-2). 흔히 사용되던 방법 중의 하나로 몇 가지 사항을 주의하면 좋은 결과를 얻을 수 있다. 무게에 의하여 지나치게 신연(distraction)이 될 경우 지연 유합의 가능성이 있으므로 주의하여야 한다. 따라서 현수 석고는 상완골 간부 골절 중에서 전위 및 단축이 있는 사상 또는 나선상 골절의 경우처럼 골절면이 넓을 때 사용되며, 단순 횡상 골절일 경우에는 신연의 가능성 때문에 권장되지 않는다.

현수 석고를 사용할 때는 몇 가지 사항을 유념하여 조심스럽게 석고 고정을 시행하여야 한다. 이미 기술한 바와 같

그림 5-2 현수 석고를 착용한 모습

이 주관절을 90도 굴곡시키고 전완부를 중립위로 하여 장상지 석고를 감되 석고붕대의 무게가 너무 무거워 신연이 되지 않도록 해야 하며, 골절 부위보다 적어도 2.5 cm 이상 근위부에 석고붕대의 상연이 놓이게 해야 한다. 만약 석고붕대의 상연이 골절 부위에 놓이게 되면 석고붕대가 조금만 기울여져도 그 상연이 골절 부위에 지렛점으로 작용하여 각 변형이 생기고, 골절 부위가 움직여서 골유합에 영향을 미친다. 그리고 항상 기립 또는 반 기립 상태로 있어서 석고붕대의 무게에 의한 견인력이 작용되도록 해야 하는데, 이 점이 커다란 단점 중의 하나로 지적되고 있다. 석고 고정 후 완관절 부위에 고리를 만들어 팔걸이를 견고하게 착용시켜야 하는데, 골절 부위에 후방 각 형성이 있을 때에는 멜빵의 길이를 길게 하고, 전방 각 형성이 있을 때에는 멜빵의 길이를 짧게 하여 골절을 정복한다. 외측 각

형성이 있을 때에는 팔걸이를 완관절의 배부 쪽 고리에 옮기고, 내측 각 형성이 있을 때에는 전면 쪽의 고리에 옮겨서 변형을 교정한다(그림 5-3). 따라서 현수 석고를 착용한 후에는 적어도 1주일 간격으로 방사선 촬영을 시행하여 변형을 교정하는 것이 바람직하다.

현수 석고를 착용한 후에는 즉시 수지관절운동을 시행하도록 하며, 허용되는 범위 내에서 가능하면 조기에 견관절운동을 시작해야 한다. 견관절운동은 허리를 구부려 상지를 밑으로 떨어뜨리고 반대편 손으로 석고붕대를 받친 상태에서 원회전운동 및 진자운동(pendulum excercise)을 하여 골편의 신연, 견관절의 아탈구 및 동결견(frozen shoulder)을 예방해야 한다. 등장성운동(isometric exercise)을 병행하면 근육의 수축에 의하여 골편이 서로 견인되어 신연을 예방할 수 있다.

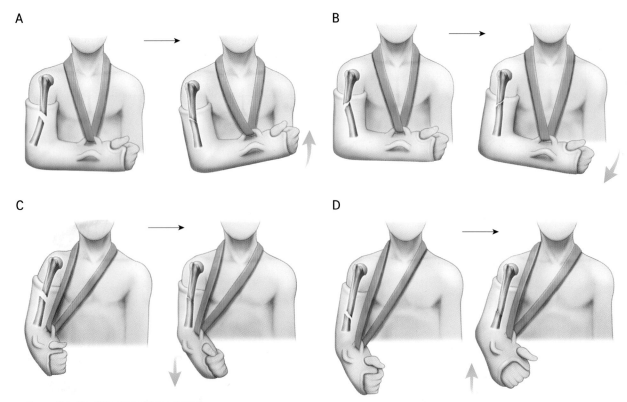

그림 5-3 현수 석고 착용 시 각 변형의 교정 방법
A, B: 전방 각 변형 시에는 멜빵의 길이를 짧게 하고, 후방 각 변형 시에는 길게 한다. C, D: 내측 각 변형이 있을 때에는 고리를 손목관절의 전면으로, 외측 각 변형이 있을 때에는 고리를 손목관절의 배부로 옮겨준다.

2) U형 석고부목
(U-shaped coaptation splint, sugar tong splint)

상완골 간부 골절의 보존적 치료 방법 중 유효한 방법 중의 하나로, 설탕 집게 부목(sugar tong splint)이라고 부르기도 한다. 이 방법은 주관절의 굴곡운동과 견관절의 운동을 어느 정도 허용하면서 골절 부위의 각 형성 변형을 교정할 수 있으며 골절 부위의 신연을 예방할 수 있는 방법으로, 약간의 단축이 있는 간부 골절에 사용될 수 있다. 이 방법은 석고붕대를 사용하여 적당한 두께와 길이의 석고 부목을 만들어, 액와부에서부터 상완부 내측과 주관절을 감싸고 돌아 상완부 외측을 지나 견관절에 이르도록 한 후, 탄력 붕대를 사용하여 고정시키고 팔걸이를 전완부에 착용시킨다(그림 5-4). 4-5일 경과 후 급성 증상이 없어지면 주관절의 굴곡운동과 견관절의 관절운동을 시작하며, 고정은 대개 6-8주간 시행한다. 단점으로는 석고로 인하여 액와부에 압통이 발생하고 골절 부위의 전위로 인해 재고정의 필요성이 있다는 것이다. 이 때문에 고정 2-3주 후에 기능성 보조기(functional bracing)로 바꾸는 것을 권장한다.

3) 견 수상 석고(shoulder spica cast)

흔히 사용되지는 않으나 불안정성 골절의 초기 치료, 불유합 및 지연 유합이 발생될 우려가 있거나, 현수 석고, 설탕 집게 부목 또는 기능성 보조기 등의 치료에 협조를 못하는 소아 등에 사용된다. 골절 부위가 어느 정도 유착되면 가능한 한 조기에 견 수상 석고를 제거하여 견관절 및 주 관절의 관절운동을 할 수 있도록 해야 한다. 견 수상 석고는 착용이 어려우며, 무겁고, 날씨가 무더울 때에는 환자가 매우 불편하므로 극히 제한된 경우에만 사용한다. 특히 노인층이나 비만한 사람 등에서 폐질환이 의심되는 경우에는 사용하지 않는다.

4) 흉 상완부 고정(thoracobrachial immobilization)

벨포 붕대법을 이용하여 견관절과 상완부를 흉부에 고정시키는 방법으로 노인층에서 사용될 수 있다(그림 5-5). 이 방법은 골절을 정복할 필요가 없는 단순 골절일 경우이거나 다른 치료 방법을 환자에게 적용할 수 없을 때, 또는

그림 5-4 U형 석고 부목을 착용한 모습

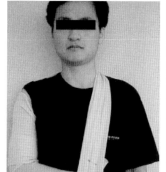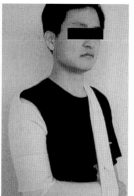

그림 5-5 흉 상완부 고정을 시행한 모습

환자가 안락감을 느끼게 하는 것이 치료의 목적일 경우에 사용된다. 보통 쐐기 모양의 패드를 액와부에 넣어 원위 골편이 약간 외전되도록 고정하며, 2-3주 후 환자의 상태가 허락되면 기능성 보조기 사용과 함께 견관절운동을 시작한다.

5) 골 견인

매우 제한된 경우에만 사용되는 방법으로 보행이 불가능하거나 심한 개방성 골절인 경우 또는 다발성 손상으로 인하여 침상에 누워 있어야 되는 경우에 적용될 수 있으며, 환자의 적극적인 협조와 의사의 면밀한 관찰이 요구된다. 이 방법은 K-강선을 주두(olecranon)에 삽입하여 견인

하는 방법으로, K-강선을 척골의 종축에 대하여 수직이 되도록 삽입한다. 이때 척골 신경의 손상을 예방하기 위하여 강선을 척골의 내측에서 외측으로 삽입하며, 주두에 강선을 삽입하는 것이 불가능할 때는 상완골 원위부에 삽입하기도 한다. 강선이 삽입되면 견관절을 90도 외전시켜 외측 견인을 하고, 상완부는 침상에 그대로 놓이게 해서 전완부를 견인하거나, 주관절은 90도 굴곡시키고 전완부를 침상 위쪽으로 매어 달고 상완골을 견인하기도 한다.

6) 기능성 보조기(functional bracing)

기능성 보조기는 기본적으로 다른 모든 보존적 치료 방법을 대체했으며, 적용의 용이성, 조정 가능성, 어깨 및 팔꿈치관절운동의 허용, 상대적으로 저렴한 비용 및 우수한 결과로 인해 비수술적 치료의 최우선적인 방법이 되었다 (그림 5-6). 1977년 Sarmiento 등[5,6]에 의해 처음 대중화된 기능성 보조기는 보조기의 유압식 효과, 근육의 능동적 수축 및 중력을 유익하게 이용하는 원리에 따라 작동하게 되며, 이러한 보조기의 사용으로 골유합률이 90%에서 100%까지 보고되기도 하였다. 상완골 간부 골절 시 보존적 치료를 결정했다면, 일반적으로 수상 7-10일 동안 부목(coaptation splint) 또는 현수 석고를 이용하여 통증을 가라앉힌 다음 조립식 기능성 보조기로 전환하게 되며, 내반 변형이나 내회전 변형을 피하기 위해 슬링의 사용은 권장되지 않는다. 진자운동은 초기에 시작해야 하며, 어깨의 능동적 외전은 피하면서 허용 범위 내에서 팔의 사용을 권장한다. 기능성 보조기는 통증이 없고 방사선학적 골유합이 확인될 때까지 착용하게 되며, 이 기간 동안 환자의 피부 손상 여부를 꼭 확인해야 한다. 병적인 비만 상태는 향후 내반 변형을 증가시킬 수 있다고 알려져 있으나, 설령 발생한다고 하더라도 기능상의 문제는 크지 않으며 비만인 환자의 팔은 보통 두껍기 때문에 육안적으로 변형은 잘 관찰되지 않는다.

Jawa 등[7]은 원위부 1/3 간부 골절 환자에 대해 기능성 보조기로 치료한 21명의 환자와 금속판을 이용한 내고정술로 치료한 19명의 환자를 비교하였다. 수술로 치료한 환자들에서 더 나은 정렬과 더 빠른 골유합을 보였으나, 의인성 신경손상, 고정 실패 및 수술 후 감염 등과 같은 합병증과의 연관성이 더 높았다. 기능성 보조기로 치료한 환자들 중 2명에서는 정렬 상태가 불안정하여 추후 금속판을 이용한 내고정술이 시행되었고, 보조기 사용과 관련된 합병증으로는 피부 손상 및 부정 유합이 있었다. 따라서 치료 방법에 대해 결정을 내리기 전에 보존적 치료와 수술적 치료 모두의 장단점 및 합병증과 관련하여 환자와 충분히 논의해야 한다. 기능성 보조기 사용에 대해 협조적이지 않거나 재정적으로 사용이 어려운 환자에서는 현수 석고를 사용하게 된다.

2. 수술적 치료(Operative treatment)

1) 적응증

상완골 간부 골절에 대한 수술적 치료의 선택은 여러 요인에 따라 달라질 수 있다. McKee[8]는 골절 자체에 의한 적응증, 관련 손상, 환자 적응증, 이렇게 세 가지 범주로 나누어 수술적 치료의 적응증을 설명하였다.

(1) 골절 자체에 의한 적응증

① 보존적 치료로 적당한 정복 상태를 유지할 수 없을 때(단축 > 3 cm, 회전 > 30도, 각 형성 > 20도), ② 분절 골절(segmental fracture), ③ 병적 골절(pathologic fracture),

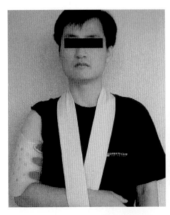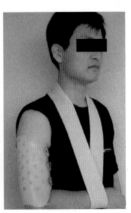

그림 5-6 기능성 보조기를 착용한 모습

④ 골절이 관절면(견관절 또는 주관절)으로 확장된 경우 (intra-articular extension)

(2) 동반손상에 의한 적응증

① 개방된 창상(open wound), ② 혈관손상(vascular injury), ③ 상완신경총 손상(brachial plexus injury), ④ 동측의 전완부 골절(ipsilateral forearm fracture), ⑤ 동측의 견관절 또는 주관절의 골절(ipsilateral shoulder or elbow fracture), ⑥ 양측의 상완부 골절(bilateral humeral fractures), ⑦ 목발 등의 사용으로 상지를 체중부하에 이용하여야 하는 하지 골절, ⑧ 화상(burn), ⑨ 고도의 총상(high-velocity gunshot injury), ⑩ 주관절 또는 견관절에 만성적인 관절 강직이 있는 경우

(3) 환자에 의한 적응증

① 다발성 골절(multiple injuries-polytrauma), ② 두부 손상 (head injury, Glasgow Coma Scale < 8), ③ 흉부 손상(chest trauma), ④ 보존적 치료를 못 견디거나, 순응도가 떨어질 때 (poor patient tolerance, compliance), ⑤ 보존적 치료의 고정이 매우 어려운 신체조건(morbid obesity, large breast)

이 중에 보존적 치료의 실패, 병적 골절, 골절의 전위가 관절면까지 침범했을 경우, 혈관손상, 그리고 상완신경총 손상의 경우에서는 거의 항상 수술이 필요하며, 전위가 거의 없는 분절 골절(segmental fracture)과 비만의 경우는 상대적인 적응증(relative indication)에 해당한다. 수술적 치료의 가장 흔한 적응증은 다발성 외상 환자에서 조기 관절운동을 위한 경우이다. 수술적 치료의 결정은 이러한 모든 요소를 고려해야 하며 특정 환자에 대해서는 조정이 필요하다.

2) 수술 방법

(1) 압박 금속판(plate & screws)을 이용한 관혈적 내고정술

상완골 간부 골절에 대한 여러 고정 방법들 중에서 이 술식은 최우선적인 방법으로 남아 있다. 횡상, 사상, 나선상 등 골절의 모양에 관계 없이 압박 금속판과 나사를 사용하여 골절부를 관혈적으로 정복한 후에 고정한다. 금속판의 고정을 위해 다양한 방법의 접근법이 사용될 수 있는데, 상완골 간부의 중간부 또는 근위부 1/3의 골절의 경우 일반적으로 전외측 접근법(brachialis-splitting)을 사용하는 것이 가장 좋으며, 상완골 원위부 1/3까지 골절이 확장된 경우에는 수정된 후방 접근법(modified posterior approach)이 가장 적합하다. 수정된 후방 접근법은 표준 후방 접근법보다 상완골 간부를 평균 10 cm 더 노출시킬 수 있으며, 드물게 측면 또는 전내측 접근법이 사용될 수도 있다.

상완골 간부 골절의 고정에 가장 일반적으로 사용되는 금속판은 넓은 4.5 mm의 제한 접촉 동적 압박판(limited-contact dynamic compression plate)이다. 원위부 골간단-골단 이행 부위에서는 이중 3.5 mm 제한 접촉 동적 압박판이 필요하거나 골간단부에 적합하도록 특별히 고안된 새로운 디자인이 필요할 수도 있다. 나선형의 골절이나 비스듬한 골절 유형에서 가장 이상적인 고정 방법은 지연 나사(lag screw)를 이용한 고정과 중화 기능(neutralization)의 금속판으로 고정하는 것이며(그림 5-7), 횡방향의 골절 유형에서는 지연 나사, K-강선 혹은 mini-fragment 금속판(Eglseder technique)(그림 5-8)을 이용하여 임시로 고정을 한 뒤, 압박용 금속판으로 고정할 수 있다. 수술 후 금속나사의 풀림(pull-out)을 방지하기 위해 일반적으로 골절선 근위부와 원위부에 각각 3개 이상의 나사로 고정하는 것이 필요하며, 금속판의 길이도 나사의 수만큼 중요하다. 골질이 양호하지 않거나 분쇄 골절의 경우 안전성을 확보하기 위해 더 길다란 삽입물과 더 많은 금속나사를 적용해야 하며, 잠김 나사(locking screw)의 사용이 도움될 수 있다(그림 5-9). 이 술식의 경우 고정력이 견고하기 때문에 보조적인 외부 석고 고정이 필요 없다. 수술 전에 방사선 소견을 통하여 정확한 골편의 위치와 전위 정도를 파악하여 금속판과 나사를 고정할 위치를 그림으로 미리 그리는 것이 골절의 이해와 수술 시 어려움을 극복하는 데 도움이 된다. 골절부의 분쇄 정도와 고정 후의 골결손 정도를 평가하여, 필요하다고 판단될 때에는 골이식술을 시행하여 골절의 지연 유합이나 불유합이 생기지 않도록 노력해야 한다. 만약 골다공증이 있는 환자에게 금속판과 나사를 사용할 경우에는 나사

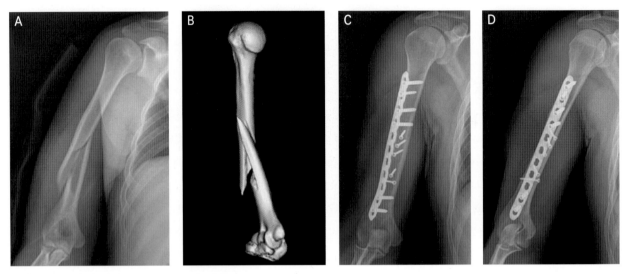

그림 5-7 상완골 간부 골절에 대한 압박 금속판을 이용한 내고정술
A, B: 상완골 간부 긴 나선형의 골절 C, D: 5개의 3.5 mm 피질골 나사를 골편간 나사 및 지연 나사로 이용하여 골절부를 먼저 고정 후, 압박 금속판과 골절 근위부에 4개, 원위부에 2개의 나사를 삽입하여 견고한 고정을 한 상태로, 골유합된 이후의 방사선사진이다.

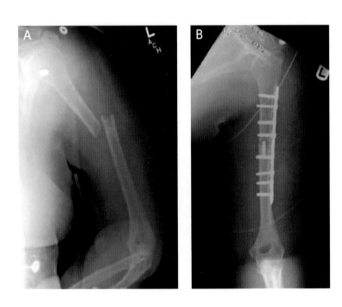

그림 5-8 A: 상완골 간부 횡방향의 골절. B: Mini-fragment 금속판(eglseder technique)을 이용해 임시 고정 후, 압박 금속판으로 견고한 내고정을 시행한 상태

가 견고하게 조여지지 못하고 풀림이 발생하여 불유합이 생길 수 있다는 점을 유의해야 하며, 이때는 임상적 및 방사선학적 골유합이 이루어질 때까지 견 수상 석고나 설탕집게 부목과 같은 고정을 병행하여 내고정물의 이완이 없도록 해야 한다. 분쇄 골절에서는 교량형 금속판(bridging plate)을 이용한 고정이 필요할 수 있는데, 이 경우에는 모든 골편의 해부학석 정복은 필요하지 않으며 연부소식의

손상을 최소화하면서 올바른 정렬과 회전, 길이를 회복하면 성공적인 골유합으로 이어질 수 있다. Livani 등[9]은 두 곳(골절 부위의 근위부와 원위부)의 작은 절개를 통해 교량형 금속판으로 고정한 15명의 결과를 보고하였고, 상완신경총 손상을 동반한 3등급의 개방성 골절의 경우였던 1명을 제외한 모든 환자들이 12주 이내에 골유합을 얻을 수 있었다. 최소 침습석 금속판 골유합술(minimally invasive

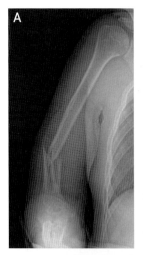
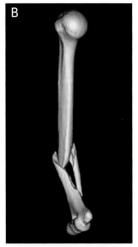
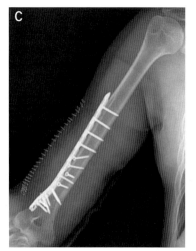
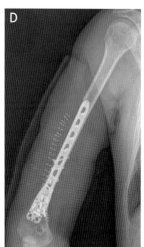

그림 5-9 상완골 간부 원위부 1/3의 분쇄 골절에 대한 잠김 금속판을 이용한 내고정술
A, B: 상완골 간부 원위부 1/3 분쇄 골절 C, D: 4개의 3.5 mm 피질골 나사를 골편간 나사 및 지연 나사로 이용하여 크기가 큰 분쇄 골편을 먼저 고정 후, 골절선 원위부의 견고한 고정을 위해 상완골 근위부 골절 시 주로 사용되는 잠김 금속판을 통해 잠김 나사를 삽입하여 내고정을 한 사진 E: 수술 당시 골절 부위로 지나가는 요골 신경이 손상되지 않도록 주의하여 금속판을 고정한 사진.

plate osteosynthesis)이 다른 부위 장골 수술에서 대중화됨에 따라 상완골 간부 골절에서의 사용도 제안되었으나, 요골 신경의 손상 위험이 우려된다. 수술 후 첫 주 이내에 어깨와 팔꿈치의 관절운동이 시작되고, 수술 시 고정이 단단히 되었다면 체중 부하 운동도 허용될 수 있다.

(2) 골수강내 금속정(intramedullary nail) 고정술

골수강내 금속정은 대부분 장관골의 간부 골절에 유용하게 사용된다. 금속정으로 고정된 경우에는 금속판이나 외고정 기구에 비하여 역학적 축에 가깝기 때문에 적은 굴곡력을 받게 되며, 피질골이 접촉된 경우에는 하중을 분담하는(load-sharing) 역할도 하게 된다. 따라서 역학적 및 생물학적으로 많은 장점을 갖고 있다.[8] 금속정은 관혈적으로 골절부를 노출시켜서 골편을 정복한 후에 사용할 수도 있고, 영상 증폭 투시법(image intensifier fluoroscope)을 이용

하여 골절 부위의 노출이 없이 비관혈적 정복 및 내고정을 시행할 수도 있다. 비관혈적 내고정술의 경우 감염의 위험성이 현저하게 줄어들고 골유합이 성공적으로 이루어질 수 있는 장점이 있으나, 때로는 골절 부위가 해부학 위치로 정복하기 어려운 경우도 있다. 또한 골절부 정복 및 금속정 삽입, 교합 나사(interlocking screw) 삽입 등 수술의 전체 과정에서 요골 신경을 손상시키거나 절단시켜 마비에 이르게 할 가능성을 항상 내포하고 있다. 특히 요골 신경을 골절부에서 노출시키지 않는 비관혈적 정복 시에는 요골 신경마비에 대한 매우 세심한 주의를 기울여야 한다.[8] 상완골에 사용되는 금속정은 크게 유연성 금속정(flexible nail)과 교합성 금속정(interlocking nail)으로 구분된다.

유연성 금속정에는 Ender 정, Hackental 정, Rush 정 등이 있다. 이는 일반적으로 강성 고정(rigid fixation)을 이룰 수 없기 때문에 골절이 단축되는 것을 방지하기 어렵고

골편의 회전을 막을 수 없으며, 여러 개를 삽입해야 한다는 단점도 있어 이로 인한 합병증이 많아 최근에는 잘 사용되지 않는다.[8] 상완골 원위부나 근위부에서 삽입할 수 있고 양측 방향에서 함께 삽입할 수도 있다. Hall과 Pankovich 등[10]에 의하면 근위부에서 금속정을 삽입한 경우 수술 후 평균 견관절의 외전 각도가 약 91도로 감소되어 주의가 필요하다.

대부분의 최근 문헌에 따르면 장관골 간부의 분절 골절이나 분쇄 골절에는 주로 교합성 금속정이 사용된다.[8] 교합성 금속정은 양쪽 끝부분의 피질골을 통하여 나사를 금속정의 구멍에 통과시켜 골을 고정하기 때문에, 단축이나 골편의 회전을 막고 불안정성 골절의 정렬을 맞출 수 있는 장점이 있다. Gross-Kempf 정, Russel-Taylor 정, Synthes 정, Acumed Polarus 정 등이 있으며 근위부 또는 원위부에서 삽입할 수 있다.[8] 주로 상완골 경부 2 cm 하방에서 주두와 3 cm 상방의 골절에서 사용된다(그림 5-10).

금속정을 삽입하는 방법에는 상완골의 근위 단에서 삽입하는 방법과 원위 단에서 삽입하는 방법이 있으며, 저자에 따라 근위 단에서 삽입하면 회전근 개의 손상으로 견관절의 기능장애가 있을 수 있으므로 원위 단에서 삽입하는 방법을 선호하는 경향도 있고, 실제로는 회전근 개의 손상이 미미하여 근위 단에서의 삽입 방법은 견관절 기능에는 상관이 없다는 의견도 있다.[8,11] 근위 단에서 삽입 시 하지의 금속정 삽입과는 달리 상완골 근위부보다 금속정을 더 깊이 삽입하여 금속정이 전혀 튀어나오지 않게 하여야 한다. 만약 튀어나온다면 금속정이 견봉을 직접 자극하여 매우 심한 견관절충돌증후군으로 인한 견관절의 기능저하를 피할 수 없게 된다. 하지의 대퇴골이나 경골의 간부 골절에

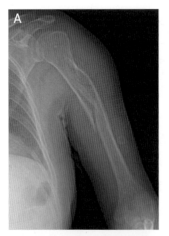
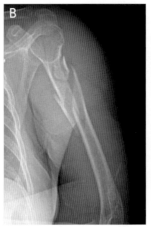

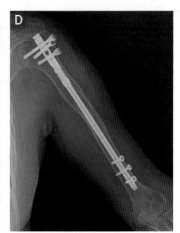
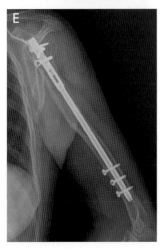

그림 5-10 상완골 간부 근위부 1/3의 심한 분쇄골절에 대한 골수강내 금속정을 이용한 내고정술
A, B, C: 교통사고에 의해 상완골 간부 근위부 1/3의 심한 분쇄골절이 관찰되며 골절선이 상완골 근위부까지 침범된 상태 D, E: 근위단에서 삽입하는 교합성 골수내 정으로 내고정 후, 골유합된 방사선사진. 견고한 고정을 위해서는 골절 근위부와 원위부에 각각 2개 이상의 교합나사(interlocking screw)로 고정하는 것이 필요하다.

시행하는 금속정 삽입술과 달리, 상완골 간부 골절 시에는 골절부 근처에 요골 신경이 존재하기에 대부분의 상완골 고정용 금속정 모델이 확공(reaming)을 하지 않는 디자인으로 되어 있다. 특히, 요골 신경을 육안으로 확인하지 못하는 비관혈적 정복 시에 확공을 하는 것은 요골 신경을 직접적으로 손상시킬 가능성이 매우 크기에 삼가야 한다. 상지의 골절은 하지의 골절과 달리 지속적으로 중력에 의한 인장력(traction force)을 받기 때문에, 골절부의 견인(distraction)으로 인한 지연 유합 또는 불유합을 방지하기 위해서 교합 나사(interlocking screw)는 골절부 근위부와 원위부에 각각 2개 이상을 고정하는 것이 좋다. 또한 대부분의 상완골용 금속정이 확공을 하지 않는 모델이고 굵기도 다양하지 않아 하지 골절에서처럼 골수강 내를 금속정으로 견고하게 잡아 고정할 수가 없어서, 골절부 근위부와 원위부에 각각 2개 이상의 교합 나사를 고정하는 것이 필요하다. 원위 단에서 금속정을 삽입할 때에는 상완골 근위부 1/3의 골수강이 넓어 안정된 고정이 되지 않으므로, 상완골 두의 망상골(trabecular bone)이 있는 곳에 고정되도록 그 길이가 충분하여야 한다. 또한 근위부 나사의 삽입 시 액와신경이 손상되지 않도록 주의하여야 한다.[12]

(3) 외고정

외고정은 하지 골절의 치료에 주로 사용되었으나 점차 그 사용 범위가 넓어져 상완골 간부 골절에도 드물게 사용될 수 있다. 적응증으로는 감염이 동반된 불유합, 심한 연부조직 손상을 동반한 개방성 골절, 화상이 동반된 골절 등이 해당된다. 편측 지지대(unilateral bar) 또는 고리 모양의 외고정 장치를 사용한다. 이 술식은 골편을 신연, 압박, 회전시킬 수 있고 골편의 정렬을 맞출 수 있으며, 상처의 치료가 편리하고 견고한 고정 및 조기 관절운동이 용이하다는 장점을 갖고 있다. 편측 지지대는 주로 half pin을 사용하며 근위 골편과 원위 골편에 각각 두 개씩의 핀을 삽입하되 양쪽 피질골을 통과하도록 한다. 핀의 삽입이 완료되면 방사선 조절 하에 외고정 기구를 부착시킨다. 고리 모양의 외고정 장치는 골절의 근위부와 원위부에 강선을 삽입하고 이를 신연시킨 후 고정한다. 시술 후 자주 발생되는

합병증으로는 핀 삽입부의 감염, 불유합, 혈관, 신경, 건, 근육 등이 핀에 찔리거나, 외고정 기구가 너무 커서 유지하기가 힘든 경우 등이 있으나, 적응증에 해당하는 경우에는 매우 효과적인 방법으로 평가되고 있다.

3. 합병증

1) 신경손상

요골 신경은 상완골 간부 중간 부위에 근접하여 후방에서 전방으로 나선상으로 회전하면서 주행하며, 원위부에서는 외측 근간 격막을 뚫고 전완부로 주행하므로 상대적으로 고착되어 있는 상태이다. 상완골 간부 골절 시 동반되는 신경손상으로 척골 신경손상이 보고된 예도 있으나,[13] 요골 신경손상이 제일 흔하며 18% 정도까지 보고되고 있다. 초진 시에는 필히 요골 신경의 손상 유무를 확인해야 하며, 골절의 치료 시 발생될지도 모르는 추가 손상 여부에 대하여도 주의를 기울여야 한다. 상완골 간부 골절 시에 동반되는 요골 신경의 손상은 신경 단열증(neurotmesis)에 의한 경우는 드물고, 대부분 좌상이나 신장에 의하여 발생되는 신경진탕(neurapraxia)이나 축색단열증(axonotmesis)이기 때문에 골절이 치유됨에 따라 요골신경의 손상도 회복되는 것이 대부분이다.[14,15] 대개 3-4개월 사이에 90%가 회복되기 때문에 수근관절과 수지에 동적 부목(dynamic splint)을 이용해 수근관절이나 수지의 강직 등을 예방하면서 3개월 정도 관찰한다. 대부분 이 기간 내에 자연 회복이 기대되나, 그 이상의 기간에도 회복이 안 되면 손상 부위를 수술적으로 확인하여 신경박리술 또는 신경봉합술 등을 시행하고, 어떠한 방법으로도 신경 자체의 재생이 불가능한 때에는 적절한 건 이식술로 수근관절 및 수지의 기능을 회복시킨다.[16] 요골신경손상이 동반된 때에는 대부분 수술적 방법보다는 보존적 치료를 시행하면서 관찰한다. 그 이유는 대부분의 손상이 좌상이나 신장에 의한 말초신경 진탕이나 축색단열증이므로 신경의 회복이 잘 될 것으로 기대되며, 절단된 신경의 조기 일차봉합과 이차봉합을 서로 비교하여 볼 때, 그 결과는 거의 비슷하다는 연구도 있기

때문이다.[17] 그러나, 보존적 치료를 시행하지 않고 수술적 탐색술을 하여야 할 경우는 상완골 간부의 개방성 골절이나 관통 손상이 요골 신경손상과 동반되어 있을 때, 상완골 간부 골절 후 현수 석고를 하거나 도수 정복을 하기 전에는 신경손상의 증상이 없었으나 골절이 정복되면서 신경이 골편 사이에 끼어 신경손상의 증상이 나타날 때 등이다. 개방성 골절의 경우에는 창상을 세척하고 괴사 조직 제거술을 시행하며 요골 신경을 시험 탐색하여 손상에 따른 수술적 치료를 시행한다. 도수 정복 후 신경손상이 나타나는 대표적인 예가 Holstein-Lewis가 보고한 증후군으로, 상완골 원위부 1/3에 나선상의 골절이 있으면서 요골 신경이 도수 정복과 함께 골편 사이에 끼어 신경손상의 증상이 나타나게 된다(그림 5-11). 이때는 신경을 시험 탐색하여 골편 사이에 끼인 요골 신경을 빼내고 골절은 내고정술을 시행

한다.[18] 도수 정복을 시행한 경우가 아니더라도, 수상 초기에는 없던 요골 신경마비가 치료의 여러 과정(부목 고정, 붕대 감기 등) 중이나 환자가 움직이는 과정 중에 발생할 수도 있는데, 이러한 경우에는 Holstein-Lewis 증후군에 준하여 수술적 치료로 요골 신경을 탐색하고, 골절에 대한 내고정술을 시행해야 한다. 상완골 원위부 1/3에 골절이 있는 경우에는 수상 직후 요골 신경마비가 없더라도, 움직이는 골절부의 자극에 의해 언제라도 요골 신경이 마비될 수 있기에, 요골 신경마비가 없는 환자라도 추후 마비의 가능성이 있음을 수상 초기에 환자에게 꼭 설명해 주어야 한다.

2) 혈관손상

혈관손상은 드물지만 상완골 간부 골절에서도 나타날 수 있으며, 매우 위급한 상태로 발견 즉시 복원을 필요로 한

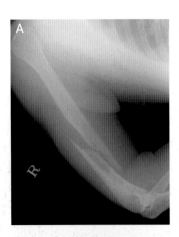
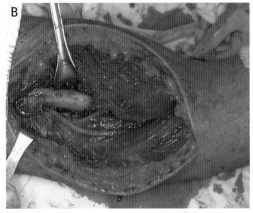

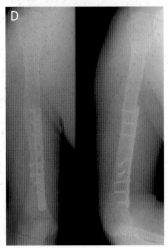

그림 5-11 상완골 간부 골절과 요골 신경마비가 동반된 환자에 대한 금속판을 이용한 내고정술
A: 상완골 간부 원위부 1/3이 나선상으로 골절되고, 요골 신경이 마비된 환자의 방사선사진. B: 상완골 원위부 1/3 골절 시에 요골 신경이 골편 사이에 끼어 손상이 발생할 수 있다(Holstein-Lewis 증후군). 수술 시야에서 나선상의 골절 선에 요골 신경이 걸려 있는 모습이 관찰된다. C: Holstein-Lewis 증후군의 모식도. D: 요골 신경의 유리술과 함께 골절을 정복한 후에 금속판을 이용하여 고정한 후, 골유합된 방사선사진

다. 혈관손상이 일어나는 모든 경우에 혈관 조영술이 필요하다는 것에 반대하는 견해도 있는데, 그 이유는 약 50%의 환자에서는 임상적으로도 혈관손상을 감지할 수 있고 혈관 조영술에 따른 수술의 지연 때문이다. 따라서 개방성 골절과 혈관손상이 동반되어 있을 때에는 혈관을 시험 탐색하여 복원하고 골절은 내고정술을 시행한다. 특히 손상 후 6시간이 가까워 오고 혈관손상이 의심되는 경우에는 바로 수술을 시행하는 것이 현명하다. 동맥의 복원 술식은 손상의 형태와 손상 부위에 따라 다른데, 손상의 크기가 짧고 깨끗한 경우에는 그대로 복원하나 총상 등에 의한 경우에는 동맥을 부분적으로 절제하고 단단 봉합을 시행하며, 봉합 시 장력이 클 때에는 정맥 이식술을 시행한다.

3) 불유합

상완골은 주위의 여러 근육으로 싸여 있고 골막이 비교적 비후되어 있기 때문에 보존적 치료에도 비교적 골유합이 잘 이루어진다. 그러나 골절 발생 후 4개월이 경과하여도 골유합이 진행되지 않는 경우에는 불유합을 의심하여야 하며, 발생 빈도는 0-15% 정도로 보고되고 있다.[19] 불유합 발생의 관련 인자로는 횡 골절, 골편의 신연, 연부조직의 삽입, 부적절한 고정 등이다. 또한, 견관절 운동장애가 있는 경우에 골절 부위에 더 많은 긴장이 가해져 불유합의 발생 가능성이 높아진다고 한다. 불유합에 대한 치료는 압박 금속판 또는 골수강내 금속정 등을 이용한 견고한 내고정술과 골이식을 병행하며, 치료의 목표는 골편의 간격을 없애면서 골절부의 안정성을 확보하고, 골의 혈액 순환을 복구하며 감염을 없애는데 있다.[20,21] 골유합의 성공률은 금속판 내고정술과 금속정 내고정술 사이에 큰 차이가 없으나, 수술 후 부작용이 금속정을 사용한 경우에 더 적었던 것으로 보고되어 금속정이 더 좋은 치료법이라는 연구도 있다(그림 5-12).[22]

4. 동반질환의 치료

1) 개방성 골절

상완골 개방성 골절의 치료는 다른 장관골의 개방성 골절의 치료 원칙과 동일하다. 수술실에서 변연절제술을 시

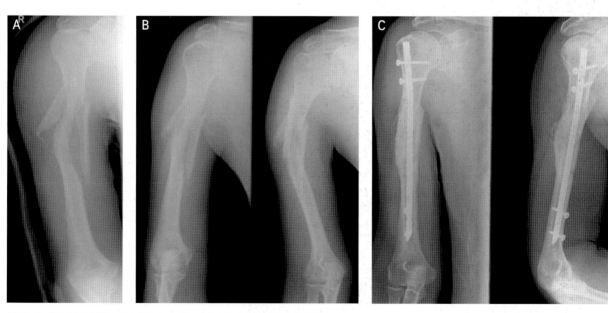

그림 5-12 **불유합된 상완골 간부의 분쇄 골절을 교합성 골수내 정 삽입과 골이식술로 치료한 예**
A: 상완골 간부의 분쇄 골절. B: 보존적 치료를 시행하였으나, 불유합이 발생된 상태. C: 불유합 치료를 위해 교합성 골수내 정 삽입과 골이식술 시행 후, 골 유합이 이루어진 상태

행하고 골절의 양상에 따라 치료법을 결정하게 된다. I형 개방성 골절은 변연절제술 후 폐쇄성 골절로 간주하여 치료할 수 있다. 연부조직 손상이 심한 경우에는 외고정 후 골절의 유합을 기다리거나 필요에 따라 염증 소실 후 내고정술을 시행할 수 있다. 고속 손상으로 연부조직의 손실이 있는 경우에는 조기에 연부조직 재건술 등을 시행하여 손실 부위를 봉합하도록 노력한다. 개방성 골절에 대해서 최근에는 확공을 하지 않고 금속정을 삽입하는 수술을 권장하기도 한다.

2) 병적 골절

상완골 간부는 전이성 종양에 의해 흔하게 침범되는 부위로, 병적 골절도 흔하게 관찰된다. 병적 골절의 치료 목적은 골유합을 이루는 것도 중요하지만, 골절의 안정성을 이루어 환자의 동통을 감소시키는 것이기 때문에, 모든 경우에서 골절이 일어날 것을 염려하여 내고정술을 시행하지는 않는다. 그러나, 동통을 줄이고 환자의 간호를 쉽게 하여 환자의 자율성을 높여주기 위해 수술을 시행할 수도 있다. 악성종양의 전이 등에 의한 병적 골절인 경우에는 주로 유연성 금속정을 사용하며, 교합성 금속정과 골 시멘트를 같이 사용하여 골절 부위의 안정성을 도모하기도 한다.

참고문헌

1. Brinker MR, O'Connor DP. The incidence of fractures and dislocation referred for orthopaedic services in a capitated population. J Bone Joint Surg Am. 2004;86:290-7.

2. Uhl RL, Larosa JM, Sibeni T, et al. Posterior approaches to the humerus: when should you worry about the radial nerve?. J Orthop Trauma. 1996;10:338-40.

3. Ogawa K, Yoshida A. Throwing fracture of the humeral shaft: an analysis of 90 patients. Am J Sports Med. 1998;26:242-6.

4. Klenerman L. Experimental fractures of the adult humerus. Med Biol Eng. 1969;7:357-64.

5. Sarmiento A, Latta LL. Functional fracture bracing. J Am Acad Orthop Surg.1999;7:66-75.

6. Sarmiento A, Horowitch A, Aboulafia A, et al. Functional bracing for comminuted extra-articular fractures of the distal third of the humerus. J Bone Joint Surg. 1990;72B:283.

7. Jawa A, McCarty P, Doornberg J, et al. Extra-articular distal-third diaphyseal fractures of the humerus: a comparison of functional bracing and plate fixation. J Bone Joint Surg. 2006;88A:2343.

8. McKee MD. Fractures of the shaft of the humerus. In: Bucholz RW, Heckman JD, Court-Brown CM eds. Rockwood and Green's fractures in adults. 6th ed. Philadelphia, Lippincott Williams & Wilkins. 2006;1118-59.

9. Livani B, Belangero WD, Castro de Medeiros R. Fractures of the distal third of the humerus with palsy of the radial nerve: management using minimally-invasive percutaneous plate osteosynthesis. J Bone Joint Surg. 2006;88B:1625.

10. Hall RF Jr, Pankovich AM. Ender nailing of acute fractures of the humerus: a study of closed fixation by intramedullary nails without reaming. J Bone Joint Surg. 1987;69A:558-67.

11. Muccioli C, Chelli M, Caudal A, et al. Rotator cuff integrity and shoulder function after intra-medullary humerus nailing. Orthop Traumatol Surg Res. 2020;106(1):17-23.

12. Albritton MJ, Barnes CJ, Basamania CJ, et al. Relationship of the axillary nerve to the proximal screws of a flexible humeral nail system: an anatomic study. J Orthop Trauma. 2003;17(6):411-4.

13. Pathak R, Kalakoti P, Prasad DV, et al. Ulnar nerve injury after a comminuted fracture of the humeral shaft from a high-velocity accident: a case report. J Med Case Rep. 2012;10:6:192.

14. Belayneh R, Lott A, Haglin J, et al. Final outcomes of radial nerve palsy associated with humeral shaft fracture and nonunion. J Orthop Traumatol. 2019;20(1):18.

15. Streufert BD, Eaford I, Sellers TR, et al. Iatrogenic Nerve Palsy Occurs With Anterior and Posterior Approaches for Humeral Shaft Fixation. J Orthop Trauma. 2020;34(3):163-8.

16. Shao YC, Harwood P, Grotz MR, et al. Radial nerve palsy associated with fractures of the shaft of the humerus: a systematic review. J Bone Joint Surg Br. 2005;87(12):1647-52.

17. Vaishya R, Kandel IS, Agarwal AK, et al. Is early exploration of secondary radial nerve injury in patients with humerus shaft fracture justified? J Clin Orthop Trauma. 2019;10(3):535-40.

18. Ekholm R, Ponzer S, Törnkvist H, et al. The Holstein-Lewis humeral shaft fracture: aspects of radial nerve injury, primary treatment, and outcome. J Orthop Trauma. 2008;22(10):693-7.

19. Ekholm R, Tidermark J, Törnkvist H, et al. Outcome after closed functional treatment of humeral shaft fractures. J Orthop Trauma. 2006;20(9):591-6.

20. Peters RM, Claessen FM, Doornberg JN, et al. Union rate after operative treatment of humeral shaft nonunion--A systematic review. Injury. 2015;46(12):2314-24.

21. Hsu TL, Chiu FY, Chen CM, et al. Treatment of nonunion of humeral shaft fracture with dynamic compression plate and cancellous bone graft. J Chin Med Assoc. 2005;68(2):73-6.

22. Li XK, Wang HQ, Wei YY, et al. Treatment of nonunions of humeral fractures with interlocking intramedullary nailing. Chin J Traumatol Eng Ed. 2008;11(6):335-40.

어깨의 스포츠 손상

Sports injury of the shoulder joint

박진영

어깨통증과 기능의 변화는 일반인뿐만 아니라 운동선수에게도 중요한 문제이다. 어깨의 급성 손상은 충돌이 격투기 운동이나 스키, 자전거 등을 타는 도중 낙상하는 사고의 경우 등에서 일어나는 반면, 테니스, 야구, 수영, 체조 등 머리 위에서 동작이 이루어지는 운동을 하는 스포츠선수들은 동작을 하는 중 어깨에 많은 부담을 주기 때문에 주로 만성통증이 나타난다.

1. 투구 동작

성공적인 투구 동작을 위해서는 안정적인 관절와상완관절의 위에서 과도한 견관절 동작이 필요하다. 만일 낙상과 같은 급성 외상이나 흔히 일어나는 반복적인 투구 동작에 의한 과사용 손상 등이 발생하는 경우 근육이나 연부조직의 부조화가 발생하여 이차적으로 관절와상완관절의 생역

학에 변화를 주어 2차적인 손상이 발생할 수 있다. 1985년 Pappas 등[1]은 15명의 메이저 리그의 투수를 대상으로 고속도 영사기를 이용하여 분석하였다. 이를 토대로 투구 동작을 콕킹(cocking), 가속, 팔로우 스루(follow-through)의 3단계로 나누었다. 이들은 공이 손에서 떠나기 직전의 평균 최고 각 속도가 6,180 도/sec인 것을 밝혀 내었다. 또한 평면을 기준으로 팔이 움직이는 각도가 225도를 전후인 것을 밝혀내었다. 이와 같은 운동은 관절와상완관절에서만 일어나는 것은 아니고 흉견갑관절과 관절와상완관절, 몸통의 신전, 굴곡, 회전운동이 복합되어 나타나는 것이다. Andrews 등[2,3]은 미국 스포츠의학연구소의 생역학 랩에서 230명의 야구 투수의 운동분석을 한 결과 투구 동작을 와인드업(Windup), 콕킹, 가속, 감속, 팔로우 스루의 5단계로 나누었다(그림 6-1).

그림 6-1 **투구 동작의 단계**

2. 견관절 손상의 병리역학

운동선수의 어깨부상의 대부분은 ① 견관절 복합체에 갑작스런 외력이 작용했을 경우(macrotrauma), ② 반복적인 오버헤드 동작이나 과사용(microtrauma)의 2가지 중 하나의 기전으로 인해 나타난다.

어깨는 탈구, 아탈구, 견봉-쇄골관절 염좌, 특히 충돌 및 접촉 스포츠와 같은 외상성 손상에 취약하지만, 대부분의 부상은 과부하, 비정상적인 오버헤드 투구의 생체역학 및 스포츠에 대한 기능장애로 인한 반복적인 과사용으로 인해 발생하며 이때 충돌 및 윤활낭염(bursitis)과 같은 만성 증상을 유발한다.[4] 또한, 어깨는 견갑상완 관절의 움직임이 많고 견갑상완의 안정성이 좋지 않게 되면 운동 시 부상을 입기 쉽게 되어 세게 던지거나 스매싱 자체는 할 수 있지만 본질적으로 어깨가 부상당할 위험이 있다.

투구 동작 시 발생되는 힘은 생리적 변화에 적용되어 나타난다. 이와 같은 생리적 변화는 90도 외전에서의 외회전 운동범위의 증가, 내회전의 감소, 상완골의 비대 등이다.[5] 계속적인 스트레스는 회전근 개와 이두박근의 염증 반응과 궁극에는 파열을 초래한다. 또한 관절와순도 이와 같은 자극에 노출되어 파열이 발생하게 된다. 관절막과 인대는 반복적 스트레스로 불안정성을 일으킨다. 드물지만 상완골 두나 관절와의 연골연화증도 발생할 수 있다.[6] 골성장이 끝나지 않은 미성숙 골에서는 골단판의 분리와 같은 현상이 발생할 수 있다.[7] 정상적인 근력 평형에 변화가 견관절에 발생하면 관절와상완관절의 견인과 아탈구와 같은 현상이 발생하게 되며 이 현상은 연부조직과 골조직에 손상을 일으키게 된다. 투구 동작시 발생하는 손상은 ① 충돌(impingement), ② 후방장력(posterior tension)과 관절와상완관절의 내회전결손(glenohumeral internal rotation deficit, GIRD), ③ 견열(avulsion), ④ 전방 이완(anterior laxity) 등으로 나눌 수 있다.

1) 충돌(impingement) 손상

충돌은 일반 진료 및 스포츠 의학에서 가장 자주 서술되는 어깨의 병리학적 상태 중 하나다. 초기 문헌에서는 충돌을 병리 또는 진단으로 설명했지만, 오늘날 충돌은 병리 자체가 아니라 증상의 범주로 간주된다. 여러 조사 결과 충돌 증상과 다양한 기저 병리 기전 사이의 연관성이 되었다. 회전근 개 병증, 견갑골 운동장애, 어깨 불안정, 이두박근 병증 및 SLAP 병변, GIRD 또는 후방 어깨강직이 어깨 충돌 증상을 유발하는 것으로 여겨졌다. 또한 흉부의 자세와 움직임은 어깨 통증의 주요 요인으로 간주된다.

충돌에는 두 가지 유형, 즉 견봉하충돌(subacromial impingement)과 내적 충돌(internal impingement)이 있다. 견봉하 또는 외적 충돌(external impingement)은 상완골 두와

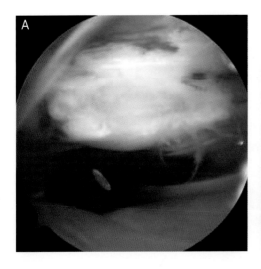 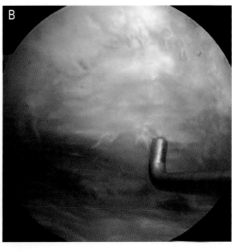

그림 6-2 견봉하충돌 현상으로 견봉 밑의 연부조직에 잠식 소견이 관찰된다.

견봉궁 사이의 공간인 견봉하공간에서 연조직(윤활낭, 회전근 개 건)이 잠식(encroachment)되는 것이다(그림 6-2). 이 잠식은 특히 운동범위의 중간에서 발생하며 능동적인 외전 동안 '동통호(painful arc)'를 보인다.

내적 충돌은 상완골 두와 관절와연(glenoid rim) 사이의 회전근 개 건의 잠식이 포함된다. 충돌의 위치에 따라 전상부 및 후상부 관절와충돌로 구분한다. 후상부 충돌은 회전근 개, 특히 상완골의 대결절과 관절와순 후상부 사이의 극상근과 극하근의 기계적 잠식을 포함한다(그림 6-3). 이는 던지기의 후기 콕킹(late cocking) 자세에서 발생한다. 후기 콕킹 자세는 최대 외회전, 수평외전을 하며, 특정 스포츠 분야에 따라 일정량의 거상을 한다. 내적 충돌은 특히 던지기의 콕킹 중 상완골 간부가 견갑면을 넘어설 때 나타난다. 정상적인 환경에서 견갑골은 후인(retraction)되는 것과 동시에 상완골의 수평외전이 일어난다. 던지기의 콕킹에서 견갑골의 몸통과 상완골 간부가 같은 면을 유지하지 못한다면, 상완골 두와 관절와순 사이에 있는 회전근 개에 내적 충돌 증상이 일어날 것이다. 이 현상을 '과잉 각형성(hyperangulation)'이라고 한다.[8]

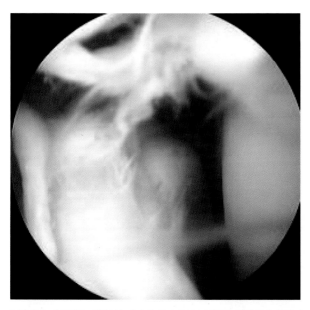

그림 6-3 오버헤드 운동선수에서의 내적 충돌 극상근과 극하근의 후상방 충돌 현상으로 던지기의 후기 콕킹에서 상완골의 과잉각 형성으로 후상방 관절와순과 극상근 후방과 극하근 전방 부위에 부분파열 소견이 관찰된다.

2) 후방 장력과 GIRD

견관절 주위의 연부조직에 가장 손상을 주는 시기는 감속기이다. 이 시기의 견관절 후방 근육은 투수 체중과 비슷한 정도의 힘으로 관절와상완관절을 견인시키는 힘에 대항하여 편심적 수축(eccentric contraction)을 하게 된다. 이 감속기에 받는 힘의 양은 가속기에 받는 힘의 양에 약 2배에 달한다.

GIRD라고 불리는 관절와상완관절의 내회전결손은 반복적인 던지기로 인해 후방 어깨 구조물에 만성적인 과부하가 가해져서 발생하는 일종의 스포츠에 특화되어 나타나는 적응의 결과라고 할 수 있다. GIRD의 발생에 관한 몇 가지 이론이 있다. 첫 번째 가설은 GIRD가 후방 관절낭의 수축 또는 단축으로 인해 발생한다는 것이다. 다른 연구자들은 GIRD가 오버헤드 던지기를 하는 초기 몇 년 동안 상완골의 골성 적응으로 시작되어 상완골의 염전에 변화를 준다고 믿는다. GIRD의 원인에 대한 세 번째 가설은 외회전근의 반복된 신장 부하로 인한 과긴장증이다. GIRD는 비정상적인 견갑상완 운동역학을 유발하여 충돌 증상을 유발할 수 있다.

3) 견열 손상

이두박근 장두건이 기시하는 전상방의 관절와순 견열은 투수에서 잘 알려져 있다.[3,9-11] 이두박근은 콕킹기의 후반에 주관절을 굴곡하기 위하여 수축한다. 이 시기 후인 감속기는 주관절의 신전에 반대하여 편심적 수축을 하게 된다.[12,13] Andrews 등[14]은 이에 대한 메커니즘을 다음과 같이 설명하고 있다. 먼저 이두박근 장두건의 건 부분이 수축을 하게 되면 관절와순 부위의 부착부위에서 팽팽하게 되면서 관절와순을 관절와에서 들어 올리는 작용을 한다. 이때 상완골이 빠르게 내회전을 하면서 이두박근의 관절내 부분이 추가적인 힘을 받게 된다. 이와 같은 힘들은 이두박근 장두건이 기시하는 전상방 관절와순의 견열을 일으키게 된다(그림 6-4).

4) 견관절의 전방 이완

오버헤드 운동선수들은 오버헤드 던지기나 스매싱 활동

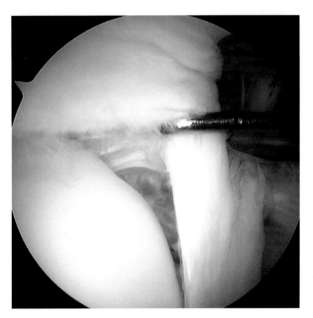

그림 6-4 야구 선수에서 발생한 전상방 견와순이 견열된 파열

'데드 암(dead arm)' 증후군이 나타날 수 있다. 만성 통증은 보통 회전근 개 건의 충돌에 의해 발생하는데, 이는 비정상적인 상완골 두의 전위가 내적 충돌이나 견봉하충돌을 발생시키기 때문이다. 이러한 기능적 충돌의 반복은 회전근 개 건병증을 유발한다. 불안 유발 검사와 재배치 검사는 고통스러울 수 있고 아탈구가 나타날 수 있다. 이 운동선수들에서 약간의 견갑골 운동장애(scapular dyskinesis), GIRD, 관절와순 병변의 임상징후(SLAP 병변)가 동반되어 나타나는 경우가 많다.

중 어깨를 극단적으로 사용하기 때문에 전방 관절막이 늘어나는 특징이 관찰되는 후천적 관절와상완 불안정성을 보인다. 이러한 유형의 후천적 불안정성을 후천적 불안정성 과사용증후군이라고 한다.

이런 종류의 '경도의(minor)' 불안정성은 던지기 중 과각형성 현상(hyperangulation phenomenon)을 유발할 수 있는데, 이는 상완골 두의 지나친 전방 전위로 인해 후상방 충돌을 일으킨다는 것이다. 임상적으로는 공을 던질 때 재발하는 어깨 통증을 나타낸다. 또한 선수가 갑자기 던지거나 스매시할 수 없다고 호소하는 팔이 죽은 듯한 느낌의

3. 운동선수에서 필요한 추가적인 신체검사(Physical examination)

상지를 주로 이용하는 운동선수는 견갑골 움직임을 잘 관찰해야 한다. 견갑골 운동장애(scapular dyskinesis)는 모든 능동적 동작에서 관찰할 수 있다. 견갑골의 특정 운동 이상에 따라 견갑골 운동장애증은 견갑골의 하각이 돌출되는 제1형, 견갑골의 내측연이 돌출되는 제2형, 견갑골의 내상각이 돌출되는 제3형으로 나뉜다(그림 6-5). 또한 견갑골 위치가 전인(protraction)되고, 라운드 숄더(round shoulder) 자세가 있는지 확인해야 한다.

충돌과 관련된 어깨 통증에 대한 견갑골과 관련된 검사는 견갑골 보조 검사(scapular assistance test, SAT)와 견갑골 후방 견인 검사(scapular retraction test, SRT)가 있다. 견갑골 움직임의 질을 검사하는 견갑골 보조 검사는 팔을 거상할 때 견갑골의 움직임을 수동적으로 교정하는 것이다.

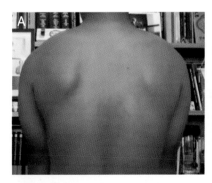 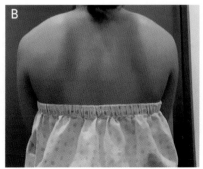 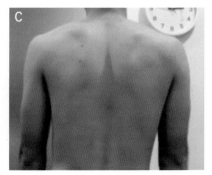

그림 6-5 A: 제1형 견갑골 운동장애증. B: 제2형 견갑골 운동장애증. C: 제3형 견갑골 운동장애증

보조가 없을 때와 비교하여 통증이 감소한다면 어깨의 증상에 견갑골이 관여하고 있다는 것이다. 견갑골의 안정성을 검사하는 견갑골 후방 견인 검사에서는 검사자가 환자의 견갑골 내연에 전완을 위치시켜 환자의 견갑골과 어깨를 후방 견인 자세로 안정시키는 동안 캔 비우기 검사(empty can test)를 수행하는 것이다. 캔 비우기 검사를 할 때 나타나는 초기 통증이 사라진다면 양성이라고 판단한다. 어깨 병리 중 이 검사들의 진단적 가치가 낮기 때문에, 이 검사들은 진단 검사가 아닌 증상 변화 검사로 간주한다.

GIRD의 평가는 관절와 상완의 내회전 운동범위를 측정하여 수행하며, 가급적 앙와위에서 어깨를 90도 외전시키고 견갑골을 테이블에 안정시킨 상태에서 측정하는 것이 좋다. GIRD를 평가하기 위해 각도계/경사계 평가뿐 아니라 '끝느낌'을 파악하는 것도 이용된다. 양측의 차이가 20도일 경우 GIRD 양성으로 간주된다. 그러나, 상완골 적응으로 팔이 더 많이 외회전될 수 있으므로 이 경우 GIRD는 외회전운동범위는 증가될 수 있다. 그러므로, 반드시 내회전뿐만 아니라 외회전도 함께 측정하여 총 운동범위를 파악해야 한다(그림 6-6). 어깨후방 관절막이 더 많이 늘어날 수 있으므로 외전 자세만 하는 것보다 추가적으로 어깨를 90도 전방 굴곡시켜 GIRD를 평가하는 것이 검사자가 후방 강직을 느끼는 데 더 유용하다.

4. 운동선수에서 견관절 손상

1959년 Bennett[15]은 전문 야구 투수에서 발생된 견관절 및 주관절의 병변을 최초로 보고하였다. 그는 견관절의 병변을 전방 그룹과 후방 그룹으로 나누었다. 전방 그룹은 극상근, 견봉하공간, 이두박근의 염증성 및 외상성 병변이며, 후방 그룹은 투구의 감속기 동안 계속적으로 자극을 받는 후하방의 관절와의 외골증(exostosis)이 포함되었다. 1969년 King 등[16]은 전문 투수의 50% 이상에서 주관절의 굴곡 구축이, 30% 이상에서 외반 변형이 있는 것을 보고하였다(그림 6-7). 또한 이들 투수에서 견관절의 외회전이

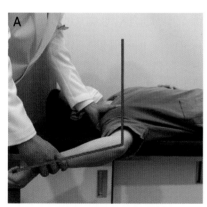
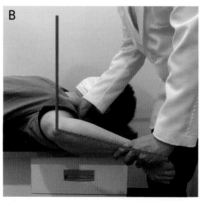
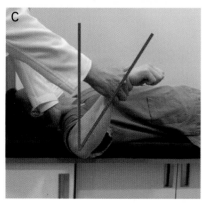
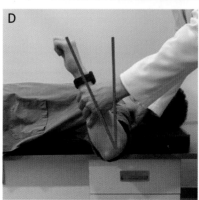

그림 6-6 관절와상완관절의 내회전 결핍을 측정하는 방법
앙와위에서 어깨를 90도 외전시키고 견갑골을 테이블에 안정시킨 상태에서 관절와상완관절의 내회전과 외회전을 측정하고 건측과 운동범위의 감소를 계산한다.

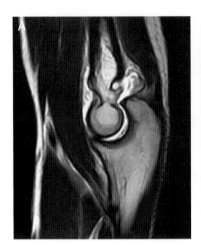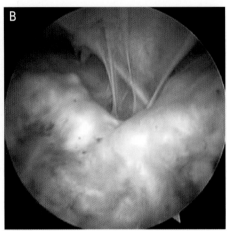

그림 6-7 A: 어릴 때부터 시작한 투구 동작으로 발생한 주관절 주두와의 외골증. B: 관절경 소견

증가되고 내회전이 건측의 팔에 비하여 감소된 것도 관찰하였다. Barnes와 Tullos[17]는 통증이 있는 야구선수 100명 중 57명에서 견관절의 통증이 있음을 보고하였고, 이 중 29명은 전방 병변, 24명은 후방 병변이 있음을 확인하였다. 24명의 후방 병변 중 8명이 방사선상 외골증이 있었다. 전방 병변에는 이두박근 건염, 극상근 건염, 대흉근 건염, 흉배근 건염, 견봉-쇄골관절 의 손상 등이 있었다. 최근 20년 간 관절경의 비약적 발전으로 인하여 투구 동작으로 발생된 견관절 통증에 대한 진단에 많은 변화가 있었다. 처음에는 이두박근 건염이나 점액낭염이 흔한 진단명이었으나,[18,19] 이 진단은 충돌증후군이라는 진단명으로 점차 대치되기 시작하였다.[20-22] 하지만 일부 보고에 따르면 충돌증후군에 대한 견봉성형술을 시행 후 통증의 경감은 좋지만 실제로 술전의 운동 능력까지 돌아가기가 쉽지 않다는 보고가 나왔다.[23,24] 한 예로 투수 18명에 견봉성형술을 시행한 후에 다시 손상 전의 운동 상태까지 돌아간 선수는 4명이었다는 보고가 있다.[24]

1) 이두박근 관련 병증(biceps-related shoulder pain)

이두박근병증은 3개의 범주로 나눌 수 있다. ① 염증/퇴행성 질환과 이두박근 장건의 부분파열, ② 상완이두근 구에서의 이두박근 건 불안정성, ③ 상부 관절와순 전후(SLAP)병변[25] 세 가지 범주의 질환은 모두 어깨 통증과 함께 나타날 수 있다. 범주 사이의 환자십단과 병적기전에 광범위한 차이가 있지만, 병리에 있어서는 상당히 겹치는 부분이 많다.

(1) SLAP 병변의 병역학

관절와순은 어깨관절막과 관절와상완인대의 주요 부착 부위다. 관절와순의 상부는 이두박근 장건의 부착부로서 역할을 한다. 관절와순의 손상은 상부 관절와순 전후 병변(SLAP lesion) 또는 비 상부 관절와순 전후 병변(non-SLAP lesion)으로 나뉘며, 안정적 또는 불안정한 병변으로 나뉜다. SLAP 병변은 이두박근 장건의 전방부터 후방까지 이어지는 관절와순의 손상이다. SLAP 병변은 파열의 정도와 이두박근 건의 불안정성에 따라 4가지 유형으로 나뉜다(그림 6-8).

제1형에서는 관절와에 관절와순이 온전하게 부착되어 있지만, 퇴행성 및 헤진 부분이 관찰된다. 제2형은 관절와순과 이두박근의 장건이 관절와연으로부터 분리된 것을 말한다. 제3형은 반월상 연골판에서 발생하는 양동이 손잡이형(bucket handle type)과 같이 상부 관절와순이 파열되어 관절 안으로 이동되지만 힘줄과 힘줄의 부착 부위는 손상되지 않는다. 제4형은 상부 관절와순의 파열이 이두박근 장두건 쪽으로 파열이 진행하여 그 일부가 상부 관절와순과 함께 관절 안으로 이동된다.

SLAP 병변은 상부 관절와순과 이두박근 장건이 관절와연에 단단하게 부착되어 있는지에 따라 안정 혹은 불안정

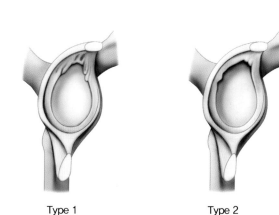
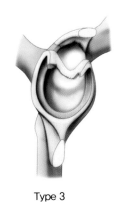
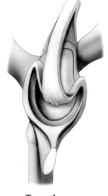

Type 1	Type 2	Type 3	Type 4

그림 6-8 Stephen Snyder가 분류한 SLAP 병변의 4가지 기본분류

하다고 분류된다. 비SLAP 병변에는 퇴행성, 관절와순 피판 파열, 수직 파열은 물론 방카르트 병변과 같은 불안정한 병변이 포함된다.

일반적으로 반복적인 오버헤드 활동은 이두박근 관련 어깨 병증의 흔한 기전이라고 추측된다.[25,26] 병리역학에는 논란의 여지가 있지만, 콕킹(cocking phase) 중 이두박근의 기저에 가해지는 염전, 압박력은 물론, 던지기의 후속 단계 중 이두박근의 높은 신장성 활동과 오버헤드 활동 중에 발생되는 견봉궁 하부에서의 이두박근 건의 충돌 현상은 상부견와순과 이두박근 장건 복합체의 자극하여 기능장애와 부전(failure)을 야기한다고 여겨진다.[26]

(2) 임상적 특징(clinical features)

견와순파열의 진단은 부상 기전에 대한 자세한 병력 문진과 임상적 평가 및 적절한 검사를 해야 진단할 수 있다. 상부관절와순에 대한 부상의 가장 흔한 기전은 이두박근 장건을 통한 관절와순의 과도한 견인력이다(예: 무거운 물체를 운반하거나 떨어뜨리고 잡는 것). 둘째로 던지는 동작으로 생기는 어깨손상은 어깨코킹 시 이두박근의 필-백(peel-back)견인, GIRD로 인한 콕킹(cocking)의 상완골 두의 비정상적인 후상방전위, 과도한 견갑골 전위 등이 복합적으로 작용해 발생한다. 선수들은 특히, 외전 시 후방 또는 후상방 관절에 국소화된 통증을 호소한다. 어깨의 통증은 오버헤드 동작과 등 뒤로 팔을 돌리는 움직일 때 악

화된다. 튕김(popping), 잠김(locking), 갈림(grinding) 등의 증상이 있을 수도 있다.

검사 시 어깨의 앞쪽 면에 압통이 있고, 이두박근 수축에 저항할 때 통증이 있을 수 있다. 현재 SLAP 병변 검사만 단독으로 할 때는 진단율이 매우 높게 보장되지는 않으며, 일반적으로 SLAP 병변을 진단할 때 검사자의 최상의 검사 조합을 만들어 해석하는 것을 권장한다(Part 1 chapter 5, 신체검진 참조).

일반 방사선 촬영에서는 보통 특이사항이 없다. 조영제를 어깨에 주입하여 MRI를 더욱 정교하게 개선한 자기공명 관절조영술은, 기존 MRI보다 관절내 어깨 구조를 더 자세하게 관찰할 수 있다(그림 6-9). 특히 자기공명 관절조영술은 관절와순의 파열뿐만 아니라 작은 유리체, 연골 파편을 찾아내고 진단하는 데 유리하다. 광범위한 해부학적 변형 때문에 어깨의 자기공명 관절조영술은 해석이 복잡하다. 따라서 해당 분야의 가장 전문가인 영상의학과 의사의 역할이 중요하다. 정적인 MRI를 보완하기 위해 동적인 검사를 함께 시행할 필요가 있다.

(3) SLAP 병변의 치료

최근의 임상 가이드라인은 대부분의 어깨 통증이 있는 오버헤드 운동선수는 비수술적 치료를 먼저 해야 한다고 제안한다. 불안정한 관절와순파열, 탈구 또는 회전근 개 파열과 같은 구조적 손상이 명시된 외상과 같은 특정 진단

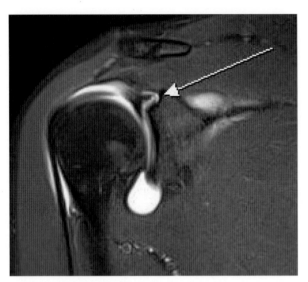

그림 6-9 자기공명 관절조영술에 관찰되는 상방 관절와순 전후 병변(SLAP 병변)

이 있을 때만 빠르고 공격적인 수술적 치료를 해야 한다.[25]

SLAP 병변의 보존적 치료의 결과에 대해 연구한 몇 개의 논문이 있다. Edward 등[27]은 보존적 치료를 받은 선수들 중 50%가 경기에 복귀했으며, 수술을 받은 선수들과 비슷한 스포츠 복귀를 보였다. Fedoriw 등[28], Park 등[29]은 연속적인 증례를 통해 SLAP 병변이 진단된 프로야구 선수들에게 있어 견갑골 운동장애증과 GIRD를 교정하는 비수술적 치료가 합리적인 성공률을 보인다고 결론 내렸다.

SLAP 병변의 관절경 수술은 운동과 관련이 없는 환자에게 좋은 결과를 보인다. 하지만, 오버헤드 운동선수의 수술 결과는 예측하기 어려우며 20-94%의 선수가 이전 수준의 경기력으로 복귀한다.[28,30] 특히, 야구의 투수 등 전문 던지기 선수들은 이전 성적 수준으로의 복귀율이 다소 낮은 것으로 보인다.[31]

이두근 관련 어깨 통증과 SLAP 병변(보존적 치료 및 수술 후)의 재활은 회전근 개 운동, 견갑골 운동 및 스트레칭의 단계적 진행으로 구성된 종합적인 가이드 라인을 따라야 한다. 다만, 이두박근의 장두에 장력이 가는 운동은 조심스럽게 시행하고 천천히 늘려야 하며, 초기에는 부상 부위를 보호해야 한다. 또한 SLAP 병변 봉합 후 재활 프로그램은 이두박근 부착부(biceps anchor)의 치유를 보호하기

위해 수술 후 처음 12주 동안은 이두박근 활동이 발생하지 않도록 조절해야 하므로 심한 강화운동을 하지 않는다.[32]

2) 병적 관절와상완 내회전 결핍
(pathological glenohumeral internal rotation deficit)

(1) GIRD의 병역학(pathomechanics of GIRD)

후방 어깨강직은 여러 스포츠 분야의 오버헤드 운동선수의 우세수에서 볼 수 있는 가장 일반적인 적응이다.[33] 임상적으로는 관절와상완관절의 수평내전 및 내회전운동의 감소로 나타나며, 관절막 긴장과 근구축으로 이어진다. 관절와상완 내회전 결핍의 병인은 던지기 동작의 감속 단계 중 어깨관절의 후방에 누적되는 하중으로 미세 손상을 일으키고 조직의 흉터를 유발한다고 보고되고 있다.

후방 어깨강직이 발생하면 어깨 충돌과 관절와순 병증을 일으키는 인자로 여겨지고 있다.[34-36] 후하방관절막의 선택적 긴장으로 인한 비정상적인 상완골 두의 상방 전위는 견봉하공간의 폭을 감소시켜 견봉하충돌의 원인이 될 수 있다.[37] 다른 연구는 후방 관절막이 긴장된 상태에서 코킹 동작을 하면 상완골 두가 후방, 상방으로 전위된다고 보고되었는데, 이로 인해 후상방 관절와연에 대한 회전근 개 건의 내적 충돌현상이 일어날 수 있다.[38-41]

엘리트 핸드볼 선수들을 대상으로 한 연구에 따르면 관절와상완 내회전 결핍으로 발생한 운동범위 감소를 스트레칭을 통해 총 회전운동범위를 5도 증가시킬 때마다 어깨 부상 확률이 23% 감소하는 것으로 나타났다.[34]

(2) GIRD의 치료

후방 어깨강직이 어깨운동 역학에 미치는 영향을 고려할 때, 견관절운동범위 감소로 부상 위험이 증가한다면 후방 어깨 유연성을 증가시키는 것이 필요하다. 야구에서는 관절운동범위 중 내회전이 18-25도 감소하고, 총 운동범위가 5도 감소하는 것으로도 어깨 부상 위험을 높아진다고 보고되고 있다.[42,43] 후방 어깨의 강직을 줄이기 위해 크로스바디 스트레칭(cross-body stretch)(그림 6-10A)과 슬리퍼 스트레칭(sleeper stretch)(그림 6-10B)이 권장된다.[42,43] GIRD가 있는 건강한 오버헤드 운동선수에서 매일 6주간의 슬리

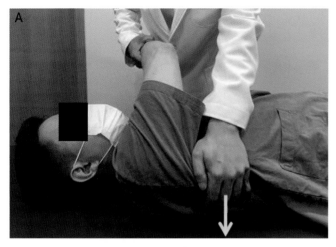
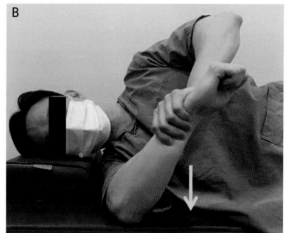

그림 6-10 A: 크로스바디 스트레칭. B: 슬리퍼 스트레칭

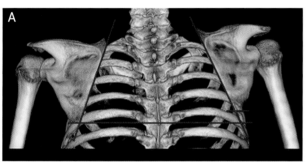

그림 6-11 **견갑골 운동장애가 있는 양궁 선수의 견갑골 3차원 CT 영상**
A: 기능회복운동 전. B: 기능회복운동 후

퍼 스트레칭 프로그램(30초 3회)을 할 경우 견봉-상완 거리를 크게 증가시킬 수 있는 것으로 나타났다.[37] 물리치료사가 수행하는 추가적인 관절운동이 집에서 혼자 하는 스트레칭 프로그램에 비해 통계학적인 이점은 없었다.[45] 슬리퍼 스트레칭과 수평 내전 스트레칭 동안의 근육 에너지 기술(긴장-이완)은 내회전 운동범위를 즉시 증가시키는 데 유용한 것으로 보고되었다.[46]

3) 견갑골 운동장애(scapular dyskinesis)

어깨통증과 관련하여 견갑골 운동장애를 검사하는 대부분의 연구는 충돌증상과 회전근 개 병증 환자들을 대상으로 한다. 일반적으로 확인된 것은 견갑골의 상방 회전 부족, 후방경사 및 외회전의 부족, 쇄골의 거상 및 퇴축(retraction) 증가로 요약되거나 또는 휴식이나 운동 중 견갑골의 비대칭으로 특정된다(비정상적인 견갑상완 리듬).

(1) 견갑골 운동장애의 병역학

견갑골 운동장애가 발생하는 운동선수가 아닌 어깨충돌 환자는 견갑근육에서 근육활동의 패턴이 변화된다. 특히 전거근의 근력저하, 상부 승모근이 과활성되고 활성화[어깨 으쓱 자세(shrug)]가 조기에 발생한다. 또 한 팔을 거상할 때 견갑대가 과도하게 거상되며, 중부와 하부 승모근이 저활성되고 활성화가 지연된다. 견갑골 운동장애의 원인 중 많은 것들이 오버헤드 운동선수들을 대상으로 확립되었지만, 견갑 근육의 근육 활동 패턴의 변화 연구는 오버헤드 운동선수들에게 충돌증상을 일으키는 데 기여하고, 오랜 기간 통증을 일으키는 요인으로 제시되어 왔다(그림 6-11).

견갑골 위치가 비정상적일 때 소흉근과 관절와상완관절의 후방 관절막이 긴장되는 경우가 많다. 소흉근이 단축되거나 어깨관절에 후방 강직이 있는 환자는 견갑골의 전방경사가 증가되고 내회전도 증가된다. 이러한 견갑골의 위치 변화는 충돌 증상이 있는 환자의 견갑골의 운동장애와 유사하며, 어깨통증을 발생시킬 위험을 증가시킨다.

적어도 6개의 생체역학 기전은 잠재적으로 견갑골의 운동장애를 만들 수 있다. 통증, 연부조직의 긴장, 근육 활성화 또는 근력 불균형, 근육 피로, 흉추의 자세 등이다. 하지만 견갑골 운동장애가 어깨 충돌 증상과 회전근 개 병증에 대한 보상작용인지, 원인으로 기여하는 것인지는 명확하지 않다. 견갑골 운동장애가 원인인지, 어깨질환에 의한 결과인지 상관 없이 임상의는 어깨 치료 전에 견갑골에 대한 평가와 재활에 관심을 두어야 한다. 견갑골 운동장애는 관절와와 상완골 사이의 관계를 변화시키고, 견봉하공간의 폭을 감소시키며, 관절와의 안정성을 저해하여 상완골두를 좋은 위치에 유지시키지 못하며, 회전근 개 근육의 길이-장력 관계를 변화시켜 관절와상완관절의 불안정성을 야기시킬 수 있다. 또한, 견갑골 운동장애는 오버헤드 던지기와 운동 활동 중에 운동 사슬을 방해할 수 있다.

오버헤드 동작 중에 견갑골은 몸통과 팔 사이의 연결고리로서, 하지와 몸통에서 나오는 에너지와 힘을 빠르게 움직이는 팔로 전달하고 증가시키는 중요한 역할을 한다. 이 역할을 하려면 견갑골이 정확한 위치에 있고, 모든 견갑골에 부착하는 근육이 적절한 시간에 활성화되어 반응력이 어깨로 전달되어야 체인의 끝에 있는 손에 에너지와 힘을 쓸 수 있다.

(2) 근육 수행능력 결핍의 기능회복 운동
(rehabilitation of muscle performance deficits)

어깨병증에서 견갑골의 역할에 대한 연구 결과에 따라 현재의 운동 프로토콜들은 견갑골 근육에 중점을 둔다. 견갑골 훈련의 초기에는 고유감각을 향상시키고, 견갑골을 정상적인 위치에 있도록 하기 위해 견갑골 근육의 의식적인 근육조절이 필요하다. 견갑골을 안정시키는 근육을 선택적으로 활성화하기 위해 '견갑골 중점운동(scapular

oriented exercise)'이 필요하다.[47] 고강도의 근력 훈련에 앞서 임상의는 정확한 근육의 타이밍을 조절하고 제어하는 데 초점을 맞추어야 한다. 견갑골 제어가 잘못된 상태에서 근력 훈련을 하게 되면 나쁜 운동역학이 강화되어 통증을 줄이거나 기능을 개선하지 못한다.

임상 검사의 결과에 따라 치료사는 제2단계 견갑골 근육훈련에서 근육 조절(견갑골 짝힘의 동반 활성화)에 더 중점을 두거나 근력운동을 선택한다. 견갑골 중점운동에 이어 견갑골 동반수축(co-contraction)을 기본 자세로 움직임 및 운동을 시행하여 어깨관절에 큰 부하를 주지 않으면서 주요 견갑골 안정화 근육을 활성화시킨다. 이 견갑골 재활 단계에서는 닫힌 사슬운동을 자주 사용한다. 닫힌 사슬운동은 관절 자체와 관절 주위 부위의 고유감각을 자극하고 회전근 개의 동반수축을 향상시킴으로써 관절와상완관절의 동적 안정성을 향상시키며 이 결과 어깨 불안정성을 감소시킬 수 있다. 또한 이 단계에서 열린 사슬운동도 시행하기 시작한다. 견관절의 외회전 근육의 운동은 견갑골의 근육강화를 적절하게 개선시킬 수 있다.

3단계 견갑골 재활의 치료 목표는 고도의 견갑골 근육 조절과 근력운동을 스포츠 개개의 종목의 특징적인 운동에 적용하고, 운동역학 사슬을 운동 프로그램에 통합하는 것이다. 이를 위해서 플라이오메트릭 운동과 신장성 운동을 시행하여 스포츠 특화된 요구를 구현하도록 한다. 견갑골의 제어는 의식을 하지 않아도 저절로 이루어져야 하며, 모든 스포츠 특유의 연습에 통합되어야 한다. 던지는 운동선수는 외회전 근육에 신장성 하중을 가하는 운동을 해야 한다.

반면에 수영하는 사람들은 플라이오메트릭에 초점을 맞추지 말고, 복와위나 앙와위 같은 스포츠 특유의 자세에서 다른 종목에 비해 더 많은 중심부 안정성을 만들기 위해 반복이 많이 요구되는 훈련을 해야 한다. 클라이밍 스포츠 선수들과 체조 선수들은 측위 및 복와위 가교운동(side and prone bridging)과 슬링운동과 같은 높은 단계의 닫힌 사슬운동을 프로그램에 추가해야 한다. 이 운동들은 지면과 같이 안정된 표면에서 하는 운동과 비교하여 관절와상완관절의 근육을 많이 활성화한다.[48]

4) 회전근 개 병변

투수에서 회전근 개 병변은 크게 세 가지로 나눌 수 있다. ① 장력 부전(tensile failure), ② 충돌증후군(impingement "compressive" disease), ③ 불안정증(instability). 야구 선수에서 반복적인 활동에 의한 손상은 급성 외상성 파열보다 흔히 발생한다. 흔한 회전근 개 손상은 장력 부전에 의한 회전근 개의 관절내측의 파열로 극상근과 극하근에서 흔히 발생한다. 장력부전은 반복적인 미세 외상과 감속기 중에 발생하는 편심성 과부하에 의해 발생된다. 이 병변은 극하근과 후방 와상완관절막에서 관찰할 수 있다. 운동선수는 투구 동작시만 통증을 호소하는 경우도 있으며 손을 어깨 위로 움직일 때만 통증을 호소하는 경우도 있다. 이 경우 회전근 개 강화운동을 중점적으로 시행하는 재활 치료를 시행할 수 있지만 2-3개월 동안 시행하여도 차도가 없는 경우는 관절경적 변연절제술을 시행해 fibroblastic healing response를 자극할 수 있다. Andrews 등[49]은 이와 같은 치료로 85%의 환자가 치료 전의 운동 상태로 회복되었다. 만일 관절내형의 회전근 개 파열이 관찰된다면 견관절의 불안정증을 확실히 감별진단하여야 한다. 왜냐하면 불안정증은 2차적인 충돌이나 압박성 회전근 개 질환을 일으킬 수 있기 때문이다. 이 경우 마취하에서 검사를 하여야 하며 관절경을 이용하여 관절와상완관절의 Hill-Sachs 병변, 전방 관절와순이나 관절막의 파열 등의 불안정성에 부합하는 소견을 확인하여야 한다.

치료는 상완골 두의 전방 이동을 감소시키기 위하여 후방 관절막을 신장시켜야 하며, 회전근 개의 근력을 강화시켜야 한다. 만일 보존적 치료가 실패하는 경우는 수술적 감압술을 고려할 수 있다. 젊은 야구 선수에서 회전근 개의 전층파열에 대한 보고는 많지 않다(그림 6-12). 파열이 있는 경우는 봉합하여 주어야 하지만 이 경우 손상 전의 상태로 돌아가기는 쉽지 않다. 22명의 야구선수에 대한 부분층 및 전층 파열에 대한 수술적 치료 후 7명만이 같은 수준의 운동으로 복귀할 수 있었다는 보고가 있다. 하지만 이와 같은 보고도 관절경적 치료의 발전으로 인하여 점차 좋아질 것으로 보인다.

5) 대흉근 파열(pectoralis major tears)

대흉근 파열은 부분(grade I-II) 혹은 완전파열(grade III)로 나타날 수 있다.[50] 완전 파열은 대흉근이 붙는 상완의 부착부에서 발생한다. 대개 벤치프레스를 하는 웨이트 트레이닝 시에 관찰된다. 전형적인 병력은 상완의 내측 부위에서 갑자기 발생하는 통증이다. 검진상 국소 압통과 부종을 관찰할 수 있다. 대흉근의 저항성 수축이 약해지며 통증이 있을 수 있다.

부분 파열은 냉찜질과 4-6주간의 근력 강화 프로그램을 통해 보존적으로 치료된다. 대흉근의 완전 파열은 근육의 수술적 복원으로 치료해야 한다.[51] 대부분 부분 파열과 완전 파열은 임상적으로 구분이 가능하고 초음파나 자기공명영상 검사를 감별진단을 위해 활용할 수 있다.

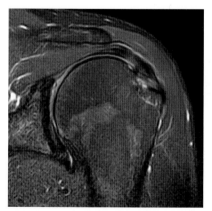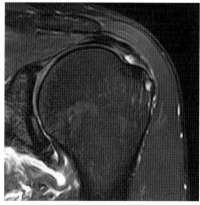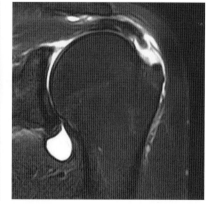

그림 6-12 프로야구 12년 차로 7년간 계속 진행한 관절내형 회전근 개 부분파열, 시합 도중 전층파열로 진행했다.

6) 견갑하근 파열(subscapularis muscle tears)

견갑하근의 파열은 외전된 팔에 갑자기 강압적인 외회전이나 신전이 더해질 때 발생할 수 있다. 대개 이와 관련된 불안정성은 없다. 주된 증상은 통증을 호소하며, 급성기가 지나면 관절운동범위는 유지되기도 하며 어떤 경우에는 오히려 증가하는 경향을 보이기도 한다. 신체검진상 환자는 어깨가 측면에서 내전된 상태에서 수동적 외회전이 증가되며, 내회전은 약해지고 등떼기검사에서 양성을 나타낸다. 초음파와 자기공명영상검사로 확진이 가능하며 즉각적으로 수술적 복원술이 시행되어야 한다.

7) 투수 외골종, Bennett 병변(thrower's exotosis)

투수의 외골증은 1941년 Bennett[15]이 처음 기술하여 Bennett 병변이라고 기술되기도 한다. 이는 전문 야구 선수에서 후하방 관절와에 골화 현상을 지칭하며 운동선수는 지속적인 후방 통증을 호소한다. Lombardo 등[52]은 증상이 심한 후하방 골화 현상이 있는 환자에서 관혈적 제거술을 시행하여 선수가 다시 같은 수준으로 복귀할 수 있었음을 보고하였다. 과거에는 이 외골증이 삼두박근의 장두 기시부의 석회화 현상으로 생각하였으나 일부 학자는 이 위치에 병변이 있지 않음을 주장하였다.[53,54] 외골증은 관절 밖에 있지만 70도 관절경을 이용하고 후하방의 관절막을 제끼면 제거할 수 있다(그림 6-13).

8) 신경혈관 병변

신경혈관 병변이 흔하지는 않지만 견관절 통증의 원인이 될 수 있으며 진단하기는 쉽지 않다. 이들 병변에는 quadrilateral space (axillary nerve와 posterior humeral circumflex artery가 지나감) 증후군, 상견갑신경 포착(suprascapular nerve entrapment), 흉곽출구증후군(thoracic outlet syndrome), 액와동맥 폐색(axillary artery occlusion) 등이 있다.

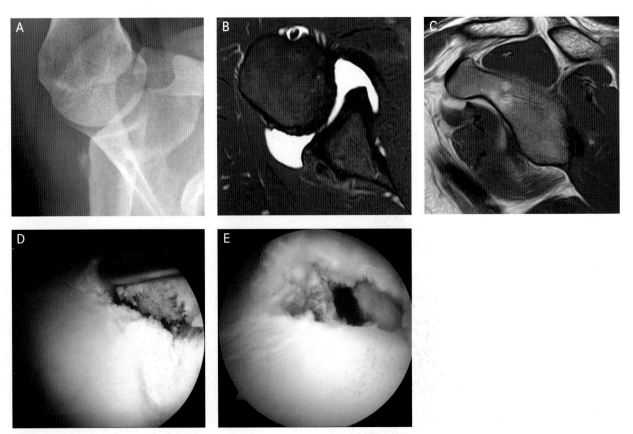

그림 6-13 A: 오랜 기간 공을 던진 투수에서 발생한 Bennett 병변. B: 축면 자기공명영상. C: 시상면 자기공명영상. D, E: 관절경적 소견

(1) Quadrilateral space 증후군

Redler 등[55]은 투수에서 발생한 quadrilateral space syndrome 1례를 보고하였다. 투수는 투구 시 견관절의 둔통을 호소하였으며 근육 약화와 어깨가 힘이 쭉 빠지는 느낌을 받았다. 신경전도검사상에서는 정상이었으나 동맥혈관조영술상 팔을 외전 및 외회전을 하였을 때 후방 회선동맥의 폐색이 관찰되었다. 투수는 투구 방법을 three quarter overhand throw로 바뀐 뒤 증상이 해소되었다.

(2) 상견갑신경 포착(suprascapular nerve entrapment)

상견갑신경은 극상근과 극하근에 대해 신경 지배를 하며 고속의 투구 시 견인되거나 신경이 지나는 장소 중 한 곳에서 압박을 받으면 손상받을 수 있다. 흔히 압박되는 장소는 상견갑인대(superior transverse scapular ligament) 아래를 지날 때이다.[56] 관찰되어 극상근과 극하근의 탈 신경화 현상은 반드시 신경의 포착과 상관이 없는 경우도 있다고 생각된다.[57] 그러므로 일단 진단이 되면 환자는 반드시 보존적 치료로 치료되어야 하며, 극상근과 극하근 및 견갑주위 근육의 강화운동에 중점을 두어야 한다. 근력이 투구에 적절한 수준이고 투구 형태가 바뀌지 않았으면 대부분 투구를 할 수 있다.

임상적인 증상으로 진단하고 근전도의 이상으로 확진한다. 증상이 없는 투수에 대한 근전도 검사에 따르면 시즌이 지나감에 따라 신경전도 속도가 늦어지는 것이 관찰되어 극상근과 극하근의 탈신경화 현상이 반드시 신경의 포착과 상관이 없는 경우도 있다고 생각된다.[57] 그러므로 일단 진단이 되면 환자는 반드시 보존적 치료로 치료되어야 하며, 극상근과 극하근 및 견갑 주위 근육의 강화운동에 중점을 두어야 한다. 근력이 투구에 적절한 수준이고 투구 형태가 바뀌지 않았으면 대부분 투구를 할 수 있다. 포착 위치에서의 수술적 신경 감압술이 종종 필요할 수 있다.

단독의 극하근 위약과 위축은 견갑상 신경이 극관절와절흔에서 포착되었을 때 발생할 수 있다. 이런 상태는 공중 서브를 하는 배구 선수와 웨이트 리프터들에서 관찰된다.[58,59] 이 병은 상부 관절와순 파열로 관절액이 빠져나가면서 생긴 낭종이 신경을 압박하는 것 때문에 발생할 수도 있다. 치료는 관절와순의 파열을 봉합해야 한다.

배구선수와 같은 견갑상 신경 포착이 발생할 위험성이 있는 운동선수들을 담당하는 코치와 운동치료사들이 정기적으로 견관절의 외회전 근력을 점검하는 것이 필요하고, 신경손상 방지를 위해서 외회전 근력 강화 프로그램을 시행해야 한다. 특히, 여러 자세(중립, 외전, 전방 굴곡)에서 외회전 근력강화훈련을 수행한다면 견갑하근이나 소원근 같은 모든 외회전 근육들을 효과적으로 훈련할 수 있다.[60]

(3) 액와정맥혈전증
(axillary vein thrombosis; effort thrombosis)

액와정맥 혈전증은 'effort 혈전증'이라고도 알려져 있는데 이것은 반복적이고 과도한 활동 또는 정맥에 직·간접적인 손상을 초래하는 둔한 외상과 자주 관련되기 때문이다. 액와정맥은 그 경로를 따라 다양한 부위에서 눌릴 수 있으나 늑쇄공간에서 가장 현저하게 눌릴 수 있다. 압박은 환자가 목을 과신전하고 동시에 팔을 과외전시킬 때, 혹은 어깨를 뒤로 민 군인 자세(military brace position) 시 발생한다.

환자는 사지와 관련된 활동 후에 피곤함과 함께 둔하고, 쑤시는 통증, 마비감 또는 죄는 느낌 그리고 상지 팔과 어깨의 무거움을 호소한다. 전체 상지가 붓고 피부가 얼룩지거나 차갑고 표재성 정맥이 두드러질 수 있다. 진단은 정맥조영술(venography)로 확진한다. 치료는 휴식과 항응고요법을 포함한다. 대부분의 환자들은 완전히 회복되며, 스포츠활동을 재개할 수 있다.[61]

9) 어깨관절 주위의 흔하지 않은 골절
(less common fractures around the shoulder)

어깨관절 주위의 피로골절(stress fractures)은 흔하지 않다. 오구돌기의 피로골절은 트랩사격 운동선수에서 주로 발생한다. 이런 피로골절 환자는 오구돌기 위로 국소압통이 있으며 동위원소 골스캔(isotopic bone scan)에서 국소영역의 흡수가 증가되어 있고, 자기공명영상 검사상 국소적인 이상 신호를 나타낸다. 또 다른 피로골절 부위로는 노젓는 사람(rower)에게서 과도한 전거근의 활성으로 나타나는 갈비뼈의 전외측의 골절이 있다.

투구동작을 하는 선수에서 종종 비전형적인 골절들이 발생하기도 한다. 상완골의 삼각근 부착부 바로 아래에 상완골의 중간삼분위와 아래삼분위의 경계에서 또는 요골구를 따라서 폐쇄성 외회전 나선골절이 발생한다. 모든 경우는 아니지만 이 골절이 있는 많은 환자들은 골절된 부위의 통증이 있었던 병력이 있어 급성피로골절로 생각할 수 있다(그림 6-14). 골절은 석고붕대나 기능적 보조기로 잘 치유된다. 또한 투구 동작을 하는 선수들에서 반복적인 투구 동작으로 인해 과도한 주관절의 굴곡 신전이 일어나게 되고, 이로 인해 주두에 굴곡 및 신전력이 가해지며 피로 골절이 발생한다(그림 6-15). 모든 경우는 아니지만 이 골절이 있는 많은 환자들은 주관절의 외반신전과부하 증후군이 동반되는 경우가 많다. 이러한 경우 관절경을 이용한 골극제거술이 도움이 될 수 있으며, 주두 피로골절에 대해서는 경과관찰도 가능하지만 무두 압박 나사를 이용한 고정술을 시행하기도 한다.

10) 견봉-쇄골관절 손상

견봉-쇄골관절의 손상은 대부분 급성 외상에 의하여 발생한다. 쇄골은 관절와상완관절의 기능을 적절히 유지하기 위해 견갑골을 안정화시키고 정확한 위치를 잡는 데 지주 역할을 한다. 견봉-쇄골관절 이 완전히 탈구되어 지주가 손상을 받으면 견갑골이 전방으로 아탈구되면서 견봉에 의해 회전근 개에 2차적인 충돌현상이 발생한다. 대부분의 제3형 탈구일 경우라도 많은 운동선수는 보존적으로 치료해도 크게 문제가 없지만 투구 동작을 하는 선수는 수술을 시행하는 것을 반드시 고려하여야 한다. 견봉-쇄골관절 의 퇴행성 변화는 투수에서 흔히 발견된다. 무거운 물건을 드는 운동선수나 공을 반복적으로 던지는 선수는 견봉-쇄골관절에 골극, 골용해 등이 나타날 수 있다. 소염진통제, 활동의 변화, 스테로이드 주사 등의 방법으로도 증상의 호전이 없으면 관절경적 절제술을 시행할 수 있다.

11) 탄발성 견갑골(snapping scapula) 증후군

견갑골은 흉곽벽 주위를 부드럽게 움직일 수 있도록 해주는 몇몇 윤활낭으로 둘러싸여 있다. 발음성 견갑골증후군 혹은 견갑흉곽 윤활낭염에서 팔을 움직일 때 발생하는 견갑골 주위의 염발음이 특징적으로 나타난다. 어떤 환자에서는 증상이 경미한 반면, 어떤 환자들에서는 간단한 일을 할 때도 심각한 통증과 어깨기능의 급격한 저하를 호소

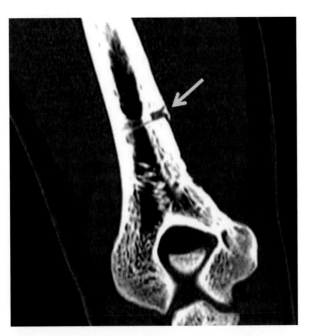

그림 6-14 야구 선수에서 발생한 상완골 간부에 발생한 피로골절

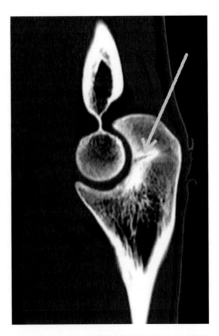

그림 6-15 18세 야구 선수에서 발생한 주관절의 주두 피로골절

하기도 한다.

발음성 견갑골은 오목한 견갑골과 볼록한 흉곽벽 사이의 조화가 상실된 경우에 발생하며, 이는 해부학적인 소인, 공간을 차지하는 근골격 병변, 섬유화된 윤활낭, 흉곽이나 견갑골 주위의 안 좋은 자세나 근육 조절에 의해서 발생할 수 있다.[62] 종종 견갑흉곽 윤활낭염은 구조적인 문제(섬유화된 윤활낭, 탄력섬유종)와 기능적인 문제(소흉근과 같은 주변을 둘러싼 근육의 긴장)가 결합되어 발생한다.

병인과 상관없이 증상이 있는 발음성 견갑골 환자에서 초기 치료는 보존적 치료를 하는 것이 추천된다. 비수술적 치료로는 비스테로이드성 소염제를 비롯한 약물요법, 스테로이드와 국소마취제를 이용한 윤활낭 주사요법, 생활습관 교정 및 물리치료 등이 있다. 수술적 치료인 윤활낭 절제술은 보존적 치료에 실패한 경우에 적응증이 된다. 그러나, 만약 해부학적 병변이 있거나 발음성 견갑골을 유발할 수 있는 기형이 영상검사에서 확인된다면 초기에 수술적 치료를 시행하는 것이 좋은 선택이 될 수 있다. 발음성 견갑골의 영상의학적 평가는 골성 변형이나 종양과 관련된 병변, 혹은 통증을 유발할 수 있는 다른 골성 문제를 감별하기 위해 중요하다. 전산화 단층촬영 검사 및 자기공명영상검사가 근육, 뼈 그리고 연부조직과 관련된 병변을 찾아내기 위해 사용될 수 있다.[63] 견갑골 하에 있는 외골종은 탄발성 견갑골 증후군을 일으키며 방사선 소견에서 발견된다. Sisto와 Jobe는 골 병변이 없고 보존적 치료에 반응하지 못한 전문 투수 4명에게 점액낭 제거술을 시행하고 현역에 다시 복귀시킨 보고가 있다.[64]

12) 청소년기 투수 손상

청소년기의 투수도 성년기의 투수와 비슷한 현상이 발생되나 성장판의 손상이 생길 수 있다는 점이 다르다.[65] Adams[66]는 근위 상완골의 골연골염을 little league shoulder라고 처음 보고하였다. 이는 견관절의 통증과 함께 방사선 소견상 근위 상완골의 골단판의 확대와 탈미네랄화 현상이 관찰된다.[65] 이와 같은 현상은 휴식을 취하면 좋아지지만 성장장애가 오는 것이 보고되었다.[67]

5. 기능회복 운동(Rehabilitation)

투수에서 발생하는 대부분의 견관절 손상은 반복적인 미세 외상의 자극에 의하여 적응되면서 발생되는 생리적인 변화다. 이와 같은 적응된 생리적인 변화는 직간접으로 견관절에 손상을 준다. 투수에서 발생한 대부분의 손상은 적절한 재활 치료로 치료가 가능하며 수술적 치료가 필요한 경우는 많지 않다. 투수는 여러 가지 근육을 강화시키기 위한 특별한 근육 강화운동을 시행해야 하는데 이것에 속한 근육은 관절와상완관절 주위 및 흉견갑관절 주위의 근육뿐만 아니라 몸통부와 전완부, 하체 운동에 대한 것들도 포함된다. 이와 같은 이유는 여러 저자가 보고한 바와 같이 공을 던질 때 필요한 에너지의 52-60%는 하체 및 몸통에서 나오기 때문이다.[3,68]

관절와상완관절 주위의 근육은 관절에 동적 안정성을 주며, 이에 관여하는 근육은 회전근 개, 삼각근, 이두박근 장두건 등이 있다.[69] 이들 근육은 상완골 두가 관절와 속에 있도록 유지시키는 역할을 한다. 정복 상태를 유지시키는 역할은 크게 3가지 방법으로 시행된다.

첫째는 force coupling mechanism이다. 이것은 두 개의 상반된 근육이 같이 작용하여 관절을 유지시키는 방법으로 견갑하근과 소원근, 극하근 및 전방삼각근과 소원근, 극하근이 있다. 이들은 같이 작용하여 상완골 두가 관절와 내에 있도록 유지시키며 골두가 아탈구되는 것을 방지한다.

다른 방법은 dynamic ligament tension이다.[70] 회전근 개의 근건단위가 관절와상완관절의 관절막과 합쳐지면서 동적 및 정적 안정 작용을 한다. 회전근 개가 능동적으로 수축을 하면 관절막에 있는 인대 구조도 같이 팽팽해지므로 상완골 두의 안정성을 주는 원리다. 마지막으로 근육들이 관절막에 있는 위치를 확인하는 고유 수용 반사를 통하여 수축하는 방법이다.

흉견갑 근육은 견갑골을 안정시키고, 흉견갑관절을 정상적으로 움직이도록 한다. 능형근(rhomboid), 승모근(trapezius) 중간 부위와 전방거근(serratus anterior), 상방 승모근과 하방 전방거근은 서로 force coupling을 이룬다.

523

견관절 주위의 근육은 크게 두 가지 종류의 근육으로 나눈다. 먼저 prime muscle은 투구 시 가속기에 작용하는 근육들이다. 광배근, 대흉근, 대원근, 삼두박근이 있다. 다른 한 종류인 stabilizing muscle은 회전근 개, 삼각근, 이두박근이다. 투수를 위한 운동 프로그램을 준비할 때는 이들 근육의 역할을 잘 고려하여 만들어야 한다.

운동사슬 내에서 몇 가지 요인이 식별되는 경우, 운동 사슬의 가장 초기 부분을 먼저 교정하는 치료가 필수적이다. 일반적으로 오버헤드 선수의 재활은 ① 급성 단계, ② 중간 단계, ③ 심화 강화 단계, ④ 경기 복귀 단계 등 4단계로 알려져 있다.[35] 급성 단계에는 통증과 염증을 줄이고 운동을 정상화하고 근육 위축을 지연시키며 역동적인 안정을 회복하는 것이 목표다. 강화운동은 회전근 개와 견갑 후인근에 초점을 맞춘다. 기능적 부하는 관절운동범위가 완전 회복된 이후에 시행한다.

중간 단계에서 강화운동은 견갑대 및 중심부의 등장성 훈련으로 진행되며, 특히 어깨의 뒤쪽 구조의 경우 집중적인 스트레칭 운동으로 유연성을 조절한다. 심화 강화 단계는 힘과 지구력 강화 등 보다 공격적인 체력 훈련으로 구성된다. 플라이오메트릭 프로그램(plyometric program), 지구력 훈련, 제어된 던지기 훈련 등을 시작한다. 경기 복귀 단계에서 선수는 지속적으로 던지기 프로그램을 늘리고 유연성 훈련을 계속하며 경기를 위한 복귀를 준비한다.

6. 어깨 부상 후 운동으로의 복귀
(Return to play following shoulder injury, RTP)

결정 기반에 따른 운동 복귀 모델(decision-based return-to-play model)[71]에 따르면 운동에 완전히 복귀하기까지 세 가지 단계가 필요하다. 첫 번째 단계로 선수의 건강 상태에 대한 평가가 이루어져야 하며 이 평가에는 증상과 투구 동작 수행에 대한 부분과 근력과 유연성과 같은 기능적인 면과 분석적인 면이 같이 포함되어야 한다. 그런 다음 운동의 형태에 따라 참여 시의 위험도를 경쟁의 정도나 어깨를 보호할 수 있는 능력을 고려하여 평가해야 한다. 마지막으로

시즌 중의 시점과 관련한 요소나 선수 주위의 환경이나 압박감 등을 고려하여야 한다. 그러나 어깨 손상 후에 운동 복귀에 대한 임상적인 기준에 대한 근거는 아직 부족하다. 특히 임상적 관점에서, 설명된 각각의 위험 요소들에 대한 컷오프 값들은 훈련으로의 복귀나 운동으로의 복귀에 대한 기준을 위해 필요하다. 추가적으로 임상의에게 현장과 훈련 시에 선수에게 적용할 수 있는 객관적이고 유효한 평가 도구가 필요하다. 그리고 마지막으로 일단 기능적 결손이 평가된 후에는 정상 기능을 회복할 수 있도록 과학적으로 설계된 훈련 프로그램이 필요하다.

다음의 운동으로의 복귀 기준은 비록 과학적으로 근거는 부족하지만 일부에서 사용되고 있다(표 6-1).[72,73]

표 6-1 오버헤드 운동선수에서 어깨 부상 후 운동으로의 복귀 기준

운동으로의 복귀 기준	구체적인 세부사항
통증이 없거나 경미한 통증	자진 보고
최대 관절가동범위	양측의 차이가 GIRD 20도 미만, 총 관절가동범위 5도 미만
정상 근력	투구 동작을 하는 선수의 경우 우세수가 10% 더 강할 때, 양측을 대칭적으로 사용하는 운동에서는 양측의 근력이 동등, 외회전/내회전 비율이 66%(등속성 근력검사), 75%(중립 위치에서 도수근력검사), 95%(90도 외전 상태에서 도수 근력 검사)
정상 견갑골 기능	휴식 상태에서 경미한 견갑골의 비대칭은 허용 최대 거상 상태에서 견갑골의 상방 회전이 60도 근처 투구 동작을 하는 선수의 경우 우세수가 10% 강하고, 대칭적인 운동에서는 양측의 근력이 동등
정상 기능적 능력	앉은 상태에서 메디신볼 던지기 Y-균형 검사 회전근 개 지구력 검사(탄력 고무줄, X-CO Trainer®)
정상 종목 특화 기술들	투구 프로그램 혹은 다른 종목 특화 프로그램을 마친 경우

7. 시즌경기 선수의 Periodization

재활 프로그램을 짤 때 고려하여야 하는 것을 시간에 따라 프로그램을 짜는 훈련의 periodization이다. 시기별 분류의 개념은 선수의 체중 저항 훈련과 기술훈련을 1년 내내 연속해서 진행하는 것을 말한다. 이 periodization 모델은 1년 동안 다양한 기간으로 분류된다. 대부분의 프로그램은 4개의 특이적이고 구별된 훈련시즌으로 나뉜다. 이 4개의 시즌은 경기 시즌, 경기 후(두 번째 과도기)기간, 준비기, 첫 과도기로 나누어져야 한다. 각각의 프로그램은 운동의 양, 노력의 강도와 기술훈련과 같은 3가지 변수들을 조절하고 보정한 것을 바탕으로 이루어진다(그림 6-16). periodization 모델을 사용하는 목적은 ① 적당한 시기에 운동선수의 능력을 최고조로 조절하기 위해서, ② 선수가 훈련을 못 받거나 시즌 초기에 덜 훈련되는 것을 방지하기 위해서, ③ 과도한 훈련(즉, 장시간에 걸친 높은 강도의 훈련)으로부터 선수를 보호하기 위함이다.

Periodization의 개념을 가지고 야구선수에게 적용한 예를 살펴보자. 야구 투수의 periodization 모델은 4가지 단계로 나눌 수 있으며 11-12개월 동안 계속되는 프로그램이다(그림 6-16). 비시즌은 3단계가 있는데 2단계는 시즌 전, 하나는 시즌 후이다. 시즌 전 첫 단계는 준비기로 여겨진다. 대부분의 프로 야구 선수에게 경기 시즌은 10월 첫 주에 끝난다. 시즌이 끝난 후 즉각적으로 포스트 시즌 훈련기(두 번째 변화기)가 있으며 이것은 대개 6-8주 정도 지속된다. 이 기간 동안의 목표는 정신적 육체적 회복, 조직회복과 야구와 관계 없는 활동으로 육체적으로 활동성 있게 지내는 것이다. 이 기간 동안은 심혈관계의 조절 및 향상을 위하여 유산소운동 능력을 강조한다. 일반적으로 운동선수가 하는 특정 스포츠와 관련된 기술훈련을 하지 않는다. 운동선수는 골프나 테니스와 같은 여가 스포츠에 참여하면서 자전거 타기, 수영, 조깅과 같은 저강도의 장기간 활동할 수 있는 운동에 참여하도록 유도한다. 이 기간의 중요성은 유산소 운동 능력, 일반적 건강과 체중 유지이다.

첫 준비기는 대개 12월이나 1월 이후에 시작해서 12-14주까지 지속된다. 이 기간 동안에 운동선수는 특정 스포츠기술을 위한 조절과 준비를 시작한다. 운동의 양은 많고 강도는 중간, 기술 훈련은 대개 적게 한다. 이 기간의 목표는 등장성 구심운동으로 시작하여 등장성 편심운동, 결국에는 plyometrics로 진행하여 운동 요구량을 증가시키는 것이다. 야구와 관련된 훈련의 시작은 적게 그러나 프로그램을 진행하면서 점진적으로 증가시킨다. 이 기간의 목적은

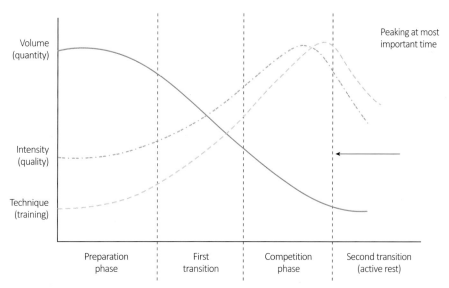

그림 6-16 **야구에서 시행할 수 있는 Matveyev 모델의 periodization in baseball**

Volume: 시행하는 운동량(amount of work performed), Intensity: 운동노력의 질(quality of effort), Technique: 활동량이나 기술(activity or skill)

선수가 봄 훈련기에 들어갈 때 적정수준의 건강을 얻도록 하는 것이다. 이 첫 준비기간을 6-7주의 2개의 단계로 나눈다.

첫 단계 동안은 전체 목의 상태와 큰 근육(이를테면 광배근, 대흉근, 견갑하근, 삼각근, 대둔근, 중둔근, 대퇴사두근, 슬와근, 이두박근, 삼두박근)들의 힘을 기르는 데 중점을 둔다. 운동선수는 rowing, pull-down, push-ups, bench press, military press, half squats 그리고 lunges 같은 운동을 한다. 또한 만약 preconditioning 프로그램이나 등력성 검사에서 선수에게서 회전근 개가 약한 것이 발견되면 회전근 개 강화운동 등을 시행시킬 수 있다. Rhythmic stabilization drill은 관절와상완관절과 흉견갑관절의 근육에 동적 안정성을 증가시키는 수동적 저항운동을 하는 것이다. 또한 이 기간 동안 운동선수들은 유연성을 유지하기 위해 신장운동을 시행하고 25-30분 동안 심혈관계 강화를 위한 운동을 한다. 몸 중심의 안정성과 균형감을 만들기 위해 balance board와 beam에서 균형기술을 강조해 운동한다. 투수는 balance beam이나 board에서 wind up자세를 유지하는 것을 연습한다. 또한 포수는 옆으로 움직이기, 한발로 비켜서기, 1루로 던지기나 중심안정성을 유지하기 위한 다른 균형기술 같은 방법으로 균형자세를 연습할 수 있다.

첫 준비기의 두 번째 단계 동안은 회전근 개의 근력을 향상시키고 편심적 plyometric 기술을 시작하여 직구 던지기와 베팅 기술을 익히는 것을 목표로 한다. 이 6-7주 동안 투수들은 던지기 동작을 위한 근력 강화 프로그램을 시행한다. 던지기에 좋은 plyometric drill과 던지기 프로그램도 시행되어야 한다. 던지기 프로그램은 120에서 150 feet까지 멀리 던지기부터 시작한 뒤 마운드에서 던지기를 한다. 이 두 번째 단계 동안 일반 운동량은 감소시키면서 강도와 특정기술 훈련은 증가시킨다.

다음 준비기는 첫 과도기로서 야구에서는 봄 훈련이다. 이 기간은 conditioning과 기술 훈련의 4-6주로 구성되며 경기시즌을 위한 준비 기간이다. 이 시기의 목적은 conditioining 수준과 선수의 기술단계를 증가시키는 것으로 스포츠에 특정 기술을 훈련하여 정신적, 육체적으로 다가오는 경기 시즌을 준비하게 된다. 이 conditioning 기간 동안 conditioning 운동의 level을 점점 감소시키는 반면 운동 수행의 질과 기술훈련의 양은 빠르게 증가시켜 양과 기술 사이에는 역의 관계가 성립되도록 한다. Plyoemetric drill은 이 기간의 초기에 사용될 수 있는데 경기기간이 다가오면서 이 훈련은 감소시켜야 한다. 봄 훈련시기에 최고의 상태로 만드는 것이 목표가 아니고 경기 시즌의 중반 이후에 최고 상태가 되어야 한다. 봄 훈련시기에 최고조에 이르면 결과적으로 시즌 동안에 그 수행 정도는 감소하게 된다. 봄 훈련 동안에 시행되는 많은 훈련들은 그 조직과 코치 선수들의 철학에 따라 팀별로 다양하게 이루어진다.

야구에서 행하는 훈련과 운동은 과거 몇 년 동안 놀랍게 달라져 왔다. 야구경기가 있는 시즌은 길고 요구량이 크다. 시즌은 4월부터 10월까지 거의 6개월 정도 지속된다. 시즌이 열리는 동안은 조직 강도를 유지하고 강화하기 위한 근육 강화 훈련을 계속해야 한다고 믿는다. 이 단계의 목표는 ① 수행력을 최고에 이르게 하고, ② 팔의 손상을 예방하기 위한 근육강화와 지구력, 가능한 한 근력을 증가시키고 유지하고, ③ 조직의 파괴를 예방하고, ④ 심폐지구력을 유지하는 데 있다. 우리가 권하는 운동은 던지기 선수의 10가지 운동 프로그램, 신경근육 조절 훈련, 스트레칭 훈련, 그리고 20-30분간의 심혈관 운동이다. 이것은 선수가 반드시 알아야 하며. 만약 conditioning 운동이 시행되지 않는다면 운동선수는 시즌 동안 손상으로 인해 수행능력의 감소와 손상의 가능성이 증가하게 된다.

8. Thrower's 10

투수의 10가지 운동 프로그램은 1년 내내 견관절 근육의 중심 운동으로 사용될 수 있도록 만들어진 운동법이다. 그 이외에 plyometrics나 편심성 운동을 추가하여 프로그램의 결과를 향상시킬 수 있다. 운동을 시행할 때 횟수와 같은 것은 1년 중에 어느 시기에 있는지 또는 환자의 상태가 어떤지에 따라 변화를 주면서 시행한다.

1. Scaption (supraspinatus)
2. ER/IR (90° abduction) with exercise tubing
3. D2 PNF extension UE with tubing
4. Shoulder horizontal abduction (prone)
5. Push-ups
6. Press-ups
7. Shoulder abduction to 90°
8. Elbow flexion and extension
9. Wrist extension and flexion
10. Forearm supination and pronation
11. Daily Stretching of the lower and upper extremity
12. Musculature
13. Abdominal sit-ups
14. Wall squat throws
15. Running and jogging for endurance

참고문헌

1. Pappas AM, Zawacki RM, Sullivan TJ. Biomechanics of baseball pitching. A preliminary report. Am J Sports Med. 1985;13(4):216-22.

2. Andrews JR, Dugas JR. Diagnosis and treatment of shoulder injuries in the throwing athlete: the role of thermal-assisted capsular shrinkage. Instr Course Lect. 2001;50:17-21.

3. Dillman CJ, Fleisig GS, Andrews JR. Biomechanics of pitching with emphasis upon shoulder kinematics. J Orthop Sports Phys Ther. 1993;18(2):402-8.

4. Seitz AL, McClure PW, Finucane S, Boardman ND, 3rd, Michener LA. Mechanisms of rotator cuff tendinopathy: intrinsic, extrinsic, or both? Clin Biomech (Bristol, Avon). 2011;26(1):1-12.

5. Jones HH, Priest JD, Hayes WC, Tichenor CC, Nagel DA. Humeral hypertrophy in response to exercise. J Bone Joint Surg Am. 1977;59(2):204-8.

6. Warren RF. Instability of shoulder in throwing sports. Instr Course Lect. 1985;34:337-48.

7. Ireland ML, Andrews JR. Shoulder and elbow injuries in the young athlete. Clin Sports Med. 1988;7(3):473-94.

8. Wilk KE, Obma P, Simpson CD, Cain EL, Dugas JR, Andrews JR. Shoulder injuries in the overhead athlete. J Orthop Sports Phys Ther. 2009;39(2):38-54.

9. Garth WP, Jr., Allman FL, Jr., Armstrong WS. Occult anterior subluxations of the shoulder in noncontact sports. Am J Sports Med. 1987;15(6):579-85.

10. Geiger DF, Hurley JA, Tovey JA, Rao JP. Results of arthroscopic versus open Bankart suture repair. Clin Orthop Relat Res. 1997(337):111-7.

11. Glasgow SG, Bruce RA, Yacobucci GN, Torg JS. Arthroscopic resection of glenoid labral tears in the athlete: a report of 29 cases. Arthroscopy. 1992;8(1):48-54.

12. Jobe FW, Moynes DR, Tibone JE, Perry J. An EMG analysis of the shoulder in pitching. A second report. Am J Sports Med. 1984;12(3):218-20.

13. Jobe FW, Tibone JE, Perry J, Moynes D. An EMG analysis of the shoulder in throwing and pitching. A preliminary report. Am J Sports Med. 1983;11(1):3-5.

14. Andrews JR, Carson WG, Jr., McLeod WD. Glenoid labrum tears related to the long head of the biceps. Am J Sports Med. 1985;13(5):337-41.

15. Bennett GE. Elbow and shoulder lesions of baseball players. Am J Surg. 1959;98:484-92.

16. King JW, Brelsford HJ, Tullos HS. Analysis of the pitching arm of the professional baseball pitcher. Clin Orthop Relat Res. 1969;67:116-23.

17. Barnes DA, Tullos HS. An analysis of 100 symptomatic baseball players. Am J Sports Med. 1978;6(2):62-7.

18. Neviaser RJ. Lesions of the biceps and tendinitis of the shoulder. Orthop Clin North Am. 1980;11(2):343-8.

19. Norwood LA, Del Pizzo W, Jobe FW, Kerlan RK. Anterior shoulder pain in baseball pitchers. Am J Sports Med. 1978;6(3):103-5.

20. Jackson DW. Chronic rotator cuff impingement in the throwing athlete. Am J Sports Med. 1976;4(6):231-40.

21. Neer CS, 2nd. Impingement lesions. Clin Orthop Relat Res. 1983(173):70-7.

22. Penny JN, Welsh RP. Shoulder impingement syndromes in athletes and their surgical management. Am J Sports Med. 1981;9(1):11-5.

23. Tibone JE, Elrod B, Jobe FW, et al. Surgical treatment of tears of the rotator cuff in athletes. J Bone Joint Surg Am. 1986;68(6):887-91.

24. Tibone JE, Jobe FW, Kerlan RK, et al. Shoulder impingement syndrome in athletes treated by an anterior acromioplasty. Clin Orthop Relat Res. 1985(198):134-40.

25. Braun S, Kokmeyer D, Millett PJ. Shoulder injuries in the throwing athlete. J Bone Joint Surg Am. 2009;91(4):966-78.

26. Kibler WB, Kuhn JE, Wilk K, et al. The disabled throwing shoulder: spectrum of pathology-10-year update. Arthroscopy. 2013;29(1):141-61.e26.

27. Edwards SL, Lee JA, Bell JE, et al. Nonoperative treatment of superior labrum anterior posterior tears: improvements in pain, function, and quality of life. Am J Sports Med. 2010;38(7):1456-61.

28. Fedoriw WW, Ramkumar P, McCulloch PC, Lintner DM. Return to play after treatment of superior labral tears in professional baseball players. Am J Sports Med. 2014;42(5):1155-60.

29. Park JY, Hong KH, Lee JH, et al. Return to Play of Elite Overhead Athletes with Superior Labral Anterior Posterior Tears only after Re-

habilitation. Clinics in Shoulder and Elbow. 2017;20(2):77-83.

30. Gorantla K, Gill C, Wright RW. The outcome of type II SLAP repair: a systematic review. Arthroscopy: The Journal of Arthroscopic & Related Surgery. 2010;26(4):537-45.

31. Park JY, Chung SW, Jeon SH, Lee JG, Oh KS. Clinical and radiological outcomes of type 2 superior labral anterior posterior repairs in elite overhead athletes. Am J Sports Med. 2013;41(6):1372-9.

32. Andrews JR, Wilk KE, Reinold MM. The Athlete's Shoulder E-Book: Elsevier Health Sciences; 2008.

33. Borsa PA, Laudner KG, Sauers EL. Mobility and stability adaptations in the shoulder of the overhead athlete. Sports medicine. 2008;38(1):17-36.

34. Clarsen B, Bahr R, Andersson SH, Munk R, Myklebust G. Reduced glenohumeral rotation, external rotation weakness and scapular dyskinesis are risk factors for shoulder injuries among elite male handball players: a prospective cohort study. British journal of sports medicine. 2014;48(17):1327-33.

35. Wilk KE, Hooks TR. Rehabilitation of the throwing athlete: where we are in 2014. Clin Sports Med. 2015;34(2):247-61.

36. Cools AM, Declercq G, Cagnie B, Cambier D, Witvrouw E. Internal impingement in the tennis player: rehabilitation guidelines. British journal of sports medicine. 2008;42(3):165-71.

37. Maenhout A, Van Eessel V, Van Dyck L, Vanraes A, Cools A. Quantifying acromiohumeral distance in overhead athletes with glenohumeral internal rotation loss and the influence of a stretching program. Am J Sports Med. 2012;40(9):2105-12.

38. Cools AM, Vanderstukken F, Vereecken F, et al. Eccentric and isometric shoulder rotator cuff strength testing using a hand-held dynamometer: reference values for overhead athletes. Knee Surgery, Sports Traumatology, Arthroscopy. 2016;24(12):3838-47.

39. Solway S, Beaton D, McConnell S, Bombardier C. The DASH outcome measure user's manual. Toronto: Institute for Work & Health. 2002.

40. Schmitt JS, Di Fabio RP. Reliable change and minimum important difference (MID) proportions facilitated group responsiveness comparisons using individual threshold criteria. Journal of clinical epidemiology. 2004;57(10):1008-18.

41. Grossman MG, Tibone JE, McGarry MH, Schneider DJ, Veneziani S, Lee TQ. A cadaveric model of the throwing shoulder: a possible etiology of superior labrum anterior-to-posterior lesions. J Bone Joint Surg Am. 2005;87(4):824-31.

42. Wilk KE, Macrina LC, Fleisig GS, et al. Correlation of glenohumeral internal rotation deficit and total rotational motion to shoulder injuries in professional baseball pitchers. Am J Sports Med. 2011;39(2):329-35.

43. Shanley E, Rauh MJ, Michener LA, Ellenbecker TS, Garrison JC, Thigpen CA. Shoulder range of motion measures as risk factors for shoulder and elbow injuries in high school softball and baseball players. Am J Sports Med. 2011;39(9):1997-2006.

44. Manske RC, Meschke M, Porter A, Smith B, Reiman M. A randomized controlled single-blinded comparison of stretching versus stretching and joint mobilization for posterior shoulder tightness measured by internal rotation motion loss. Sports Health. 2010;2(2):94-100.

45. Moore SD, Laudner KG, McLoda TA, Shaffer MA. The immediate effects of muscle energy technique on posterior shoulder tightness: a randomized controlled trial. J Orthop Sports Phys Ther. 2011;41(6):400-7.

46. Mottram SL, Woledge RC, Morrissey D. Motion analysis study of a scapular orientation exercise and subjects' ability to learn the exercise. Man Ther. 2009;14(1):13-8.

47. De Mey K, Danneels L, Cagnie B, Cools AM. Scapular muscle rehabilitation exercises in overhead athletes with impingement symptoms: effect of a 6-week training program on muscle recruitment and functional outcome. Am J Sports Med. 2012;40(8):1906-15.

48. Andrews JR, Broussard TS, Carson WG. Arthroscopy of the shoulder in the management of partial tears of the rotator cuff: a preliminary report. Arthroscopy. 1985;1(2):117-22.

49. ElMaraghy AW, Devereaux MW. A systematic review and comprehensive classification of pectoralis major tears. J Shoulder Elbow Surg. 2012;21(3):412-22.

50. Balazs GC, Brelin AM, Donohue MA, et al. Incidence Rate and Results of the Surgical Treatment of Pectoralis Major Tendon Ruptures in Active-Duty Military Personnel. Am J Sports Med. 2016;44(7):1837-43.

51. Lombardo SJ, Jobe FW, Kerlan RK, Carter VS, Shields CL, Jr. Posterior shoulder lesions in throwing athletes. Am J Sports Med. 1977;5(3):106-10.

52. Andrews JR, timmerman LA, Wilk KE: baseball. In Pettrone FA (ed): Athletic injuries of the Shoulder. New York: McGraw-Hill, Inc., 1995, pp 323

53. Park JY, Noh YM, Chung SW, et al. Bennett lesions in baseball players detected by magnetic resonance imaging: assessment of association

factors. J Shoulder Elbow Surg. 2016;25(5):730-8.

54. Redler MR, Ruland LJ, 3rd, McCue FC, 3rd. Quadrilateral space syndrome in a throwing athlete. Am J Sports Med. 1986;14(6):511-3.

55. Tullos HS, Erwin WD, Woods GW, Wukasch DC, Cooley DA, King JW. Unusual lesions of the pitching arm. Clin Orthop Relat Res. 1972;88:169-82.

56. Ringel SP, Treihaft M, Carry M, Fisher R, Jacobs P. Suprascapular neuropathy in pitchers. Am J Sports Med. 1990;18(1):80-6.

57. Ferretti A, De Carli A, Fontana M. Injury of the suprascapular nerve at the spinoglenoid notch. The natural history of infraspinatus atrophy in volleyball players. Am J Sports Med. 1998;26(6):759-63.

58. Reeser JC, Fleisig GS, Cools AM, Yount D, Magnes SA. Biomechanical insights into the aetiology of infraspinatus syndrome. Br J Sports Med. 2013;47(4):239-44.

59. Hughes PC, Green RA, Taylor NF. Isolation of infraspinatus in clinical test positions. J Sci Med Sport. 2014;17(3):256-60.

60. Klitfod L, Broholm R, Baekgaard N. Deep venous thrombosis of the upper extremity. A review. Int Angiol. 2013;32(5):447-52.

61. Warth RJ, Spiegl UJ, Millett PJ. Scapulothoracic bursitis and snapping scapula syndrome: a critical review of current evidence. Am J Sports Med. 2015;43(1):236-45.

62. Gaskill T, Millett PJ. Snapping scapula syndrome: diagnosis and management. J Am Acad Orthop Surg. 2013;21(4):214-24.

63. Sisto DJ, Jobe FW. The operative treatment of scapulothoracic bursitis in professional pitchers. Am J Sports Med. 1986;14(3):192-4.

64. Tullos HS, King JW. Lesions of the pitching arm in adolescents. Jama. 1972;220(2):264-71.

65. Adams JE. Little league shoulder: osteochondrosis of the proximal humeral epiphysis in boy baseball pitchers. Calif Med. 1966;105(1):22-5.

66. Cahill BR, Tullos HS, Fain RH. Little league shoulder: lesions of the proximal humeral epiphyseal plate. J Sports Med. 1974;2(3):150-2.

67. Atwater AE. Biomechanics of overarm throwing movements and of throwing injuries. Exerc Sport Sci Rev. 1979;7:43-85.

68. Saha AK. Dynamic stability of the glenohumeral joint. Acta Orthop Scand. 1971;42(6):491-505.

69. Matsen FA, 3rd, Harryman DT, 2nd, Sidles JA. Mechanics of glenohumeral instability. Clin Sports Med. 1991;10(4):783-8.

70. Creighton DW, Shrier I, Shultz R, Meeuwisse WH, Matheson GO. Return-to-play in sport: a decision-based model. Clin J Sport Med. 2010;20(5):379-85.

71. McCarty EC, Ritchie P, Gill HS, McFarland EG. Shoulder instability: return to play. Clin Sports Med. 2004;23(3):335-51, vii-viii.

72. Wilk KE, Yenchak AJ, Arrigo CA, Andrews JR. The Advanced Throwers Ten Exercise Program: a new exercise series for enhanced dynamic shoulder control in the overhead throwing athlete. Phys Sportsmed. 2011;39(4):90-7.

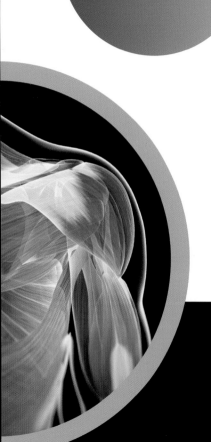

책임편집 ●
정석원 이지환 여지현 공현식 이성민 서중배 김한수 조태준 신창호

특수 상황

CHAPTER

재수술
Revision surgery

정석원·이지환

1. 회전근 개 재수술

1) 개요

1906년 Perthes가 suture anchor로 봉합술을 시행한 이래,[1] 회전근 개 봉합술은 회전근 개 파열의 표준 치료로 자리를 잡았다. 회전근 개 봉합술은 높은 만족도를 자랑한다. 관절경 하 회전근 개 봉합술을 시행 받은 환자의 90% 이상이 만족스러운 결과를 보고했으며 관혈적 회전근 개 봉합술 또한 66% 이상에서 만족을 보였다.[2,3]

회전근 개 파열의 술기 발달과 병인론적 이해 증가는 환자의 높은 만족도와 더불어 회전근 개 봉합술에 대한 희망적인 미래를 제시한다. 그러나, 삶의 질에 대한 환자의 기대치 증가와 평균 연령 증가에 따른 봉합술 수요의 증대에 따라 재수술을 요하는 증례는 늘어날 전망이다.[4]

재수술을 고려함에 있어, 술자는 회전근 개의 구조적 재파열이 재수술을 결정하는 가장 중요한 인자가 아니라는 점을 인지해야 한다.[5] 회전근 개 봉합술 없이 견봉하 감압술 및 변연절제술 등을 시행 받은 환자 역시 수술 후 통계적으로 유의한 만족을 보였다는 보고는 주목할 만하다. 한 연구는 회전근 개 봉합 후 2년 추시 관찰 중 25%에서 재파열이 일어났으나,[6] 재파열이 일어난 환자의 50% 이상은 여전히 높은 삶의 만족도를 보였다고 보고했다.[7] Kukkonen 등은 증상이 있는 만성 회전근 개 파열 환자를 나눠 각각 물리치료만 받은 군, 물리치료와 견봉성형술을 받은 군, 물리치료와 견봉성형술, 회전근 개 봉합술을 받은 군으로

무작위 배정 하에 2년 추시 관찰한 결과 constant score, VAS score 및 환자 만족도의 유의한 차이는 없었으며 시상면 회전근 개 파열 크기만 통계적으로 유의한 차이를 보였다.[8] 즉, 회전근 개 재파열은 불만족스러운 결과를 대변하지 않으며 성공적인 봉합술 또한 높은 만족도를 보장하지 않는다. 이는 회전근 개 봉합술 후 구조적 재파열이 반드시 재수술을 요구하지 않음을 의미한다.

따라서, 회전근 개 봉합술 후 재수술을 결정하는 가장 중요한 인자는 지속되는 통증 및 기능저하이며, 이는 회전근 개 봉합술이 90% 정도의 높은 만족도를 보이나 나머지 10% 이하의 환자는 언제라도 재수술을 고려해야 한다는 부담으로 다가올 수 있다. 그러나 수술 후 지속적인 통증과 기능저하를 보이는 환자는 낮은 만족도의 원인을 식별하기 힘들며, 재수술 후에도 좋은 결과를 약속하기 어렵다.[9]

결론적으로, 회전근 개 봉합술 후 재수술은 환자의 만족도를 저해하는 원인을 파악하고, 식별된 원인 인자가 수술적으로 해결이 가능할 경우에만 고려되어야 한다. 환자가 낮은 만족도를 보이는 원인이 확인되지 못했거나, 확인이 되었어도 수술로 해결이 불가능할 경우에는 재수술의 고려 대상으로 보기 어렵다.

2) 재수술 적응증 및 위험 인자

재수술의 적응이 수술 후 만족스럽지 못한 결과라는 모호한 기준 안에서 성립되어야 한다는 문제가 있음에도 불구하고, 몇몇 연구는 적절한 환자 및 술기 평가를 통해

재수술의 적응과 비적응을 선택할 수 있다고 제안한다.[5,10]

(1) 환자 중심 평가

문진은 재수술을 결정하기 전 가장 먼저 선행되어야 한다. 술자는 수술을 받은 환자에게 주관적으로 어떤 부분이 가장 불편하며 불만족스러운지, 일상생활에서 제한이 되는 행위는 무엇인지 파악한다. 수술 후 원하는 기능 회복 정도와 수술 전 유지한 기능의 수준, 수술 전후 환자 중심 설문(patient center outcome measurement)의 변화 추이, 수술 후 재활이 적절했는지 등도 같이 평가되어야 한다. 통증이 주된 불평이라면 수술 후 어깨가 평안한 기간을 거친 뒤에 다시 불편해졌는지, 수술 후 지속적으로 낮은 만족을 보였는지 확인해야 한다. 환자의 지나친 기대는 적절한 술기를 시행했음에도 불만족스러운 결과로 표출될 수 있다.[9]

2차적 이득과 높은 노동 강도는 종종 불만족스러운 결과로 이어질 수 있다. 강한 노동이 동반되는 직업(labor-intensive), 낮은 교육 수준, workers' compensation 군은 수술 후 낮은 만족도를 보일 수 있으나 재수술 대상으로 보기는 어렵다.[7]

(2) 동반 질환 평가

간과된 이두건 병변 및 관절와순 파열은 불만족스러운 결과를 초래할 수 있다. 더불어 신경총(brachial plexus) 손상을 포함한 신경손상, 흉곽출구증후군(thoracic outlet syndrome), 경추신경근증(cervical neuropathy), 섬유근육통(fibromyalgia), 견봉-쇄골관절증(AC joint arthrosis) 등에 대한 평가가 요구된다.[5]

수술 중 술기에 따른 합병증으로 발생한 신경손상, 삼각근 위축, 수술 후 부적절한 부목고정 및 재활로 인한 복합부위 통증증후군(complex regional pain syndrome, CRPS) 및 관절경직, 수술 후 감염 및 견봉골절 또한 평가되어야 한다.[5,9] 과도한 견봉성형술 등으로 인한 삼각근 손상 혹은 파열이 발생했을 경우, 이에 대한 처치를 우선적으로 고려해야 한다.[5]

(3) 재파열 위험인자

회전근 개 봉합술 후 재파열은 13.1-79%까지 다양하게 보고된다.[4] 재파열을 높이는 내적인자로는 환자의 나이, 파열의 크기, 지방침윤 정도, 파열된 건의 조직 상태, 당뇨 등 전신질환 유무, 흡연 유무 등이 있으며, 외적 인자로는 술기의 차이, 이물질 반응, 과도한 수술 후 재활 등이 있다.[10]

수술 전 회전근 개 파열의 크기는 재파열을 예측하는 가장 강력한 위험인자다. Nho 등은 파열 크기가 1 cm 커질 때 마다 재파열의 위험도가 2.2배 이상 커졌음을 보고했으며,[11] shin 등은 수술 전 파열의 크기가 구조적 재파열을 예측하는 가장 강력한 도구라고 주장했다.[12] 환자의 나이 또한 재파열 예측에 중요하다. Boileau 등은 65세 이상이 55세 미만에서보다 2배가량 재파열 비율이 높음을 보고했다.[13] 때문에 몇몇 연구는 65세 이상의 massive 회전근 개 파열로 수술 받은 환자는 회전근 개 재봉합술의 적응이 아니라고 주장한다.[5,17]

일부 연구는 술기와 재파열의 연관성을 비교하였고, 관혈적 회전근 개 봉합술보다는 일열 봉합술(sing-row repair)이, 일열 봉합술보다는 이열 봉합술(double-row repair), 그중 교량형 봉합술(suture-bridge repair)이 낮은 재파열 빈도를 보고했다.[10,14]

3) 재수술 유의 사항

재파열 후 회전근 개 재봉합술은 70%가량에서 만족할 만한 결과를 보인다.[14,15] 그러나 구조적 재파열이 발생한 환자에서도 만족도는 높을 수 있으므로, 재수술은 첫 수술 후 최소 9개월에서 12개월 경과 관찰 후 시행하는 것이 바람직하다.[7]

회전근 개 건 조직의 상태는 재봉합술의 성공을 좌우한다. 재파열된 회전근 개의 건 조직은 주로 견봉 주변에 부착(adhesion)되어 있는 경우가 많아 종종 육아 조직이나 잔여 인대와 혼돈될 수 있다. 또한, 신중을 기하더라도 잔여 회전근 개 건은 최소 수술에서보다 질이 좋지 않고 인장 응력 스트레스에 취약하다. 따라서 회전근 개 재봉합술은 적절한 박리와 올바른 봉합 순서로 진행되어야 한다.

견갑하건의 파열이 있을 경우 이를 먼저 봉합해야 한다.

우선된 견갑하건의 봉합은 후상방 회전근 개 파열의 범위를 줄이고 인장 응력을 감소시킨다.[10] 견갑하건은 견갑와 방향으로 끌려가 육안으로 확인되지 않을 수 있다. 이 경우 상부 견갑와상완인대(superior glenohumeral ligaments), 오구상완인대(coracohumeral ligament), 오구견갑와인대(coracoglenoid ligament) 조직이 뭉쳐 잔여 조직 덩어리를 형성한 콤마 사인(comma sign)을 찾고, 이를 기준으로 박리하면 파열된 견갑하건을 찾을 수 있다(그림 1-1).[17]

성공적으로 견갑하건을 봉합한 이후 회전근 개 후상방 구조물을 봉합한다. Posterior portal을 통해 삽입된 sharer 등을 견봉에 부착시킨 후, scapular spine을 느끼고 신중히 따라 내려가며 박리를 시행하면 잔여 건을 최대한 보존할 수 있다(그림 1-2).[10,14]

이전 봉합사나 뽑혀진 anchor 등은 가능한 제거하되, 이물 반응이 없거나 재봉합술에 방해가 되지 않는다면 무리한 술기를 동원해 제거할 필요는 없다. 불량한 골질, 경화된 조직 등의 문제로 과거 anchor가 삽입된 곳 외에 적절한 고정 위치를 찾을 수 없다면, 기구를 통한 anchor 제거 후 더 큰 크기의 anchor를 같은 자리에 사용할 수 있으며, anchor를 제거할 적절한 기구가 없다면 OATS (osteochon-dral autograft transfer system)용 기구를 사용해 제거할 수 있다.[10]

재봉합이 불가능할 정도로 잔여 건 조직의 상태가 나쁘다면 염증 반응을 유발할 수 있는 이물질을 제거하고 변연절제술 및 감압술만으로 술기를 마쳐야 한다. 술자는 이에 대해 수술 전 충분한 설명을 해야 하며, 재봉합이 불가능할 경우를 대비해 superior capsular reconstruction 등을 같이 준비하는 것이 현명하다.

회전근 개 재봉합술 후 재활은 통상적인 양식을 따르되, 초기 회복에 중요한 6주 이후부터 서서히 진행하는 편이 좋다.[14] 재봉합술은 최초 봉합술에 비해 감염, 수술 실패, 재파열 등의 합병증이 발생할 확률이 2배가량 높은 것으로 보고되고 있으나 충분한 자료는 없는 실정이다.[10]

4) 결론

회전근 개 봉합술 실패는 환자의 통증 및 기능 악화로 평가된다. 수술 실패로 판단될 경우, 신경병증이나 이두건 손상 혹은 와순 파열 등 간과된 문제를 색출하기 위한 평가가 이뤄져야 하며, 특히 삼각근 손상은 적절히 수복되어야 한다.

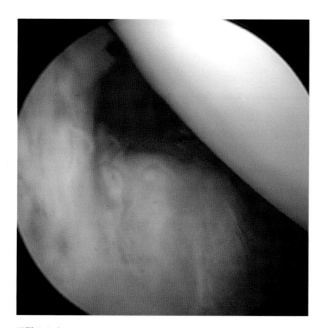

그림 1-1 Comma sign

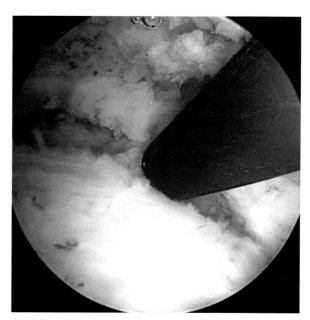

그림 1-2 Adhesive SST

구조적 재파열은 수술 실패의 원인이 아닐 수 있으므로 재봉합술은 신중히 선택되어야 하며, 재수술 시기는 수술 후 9개월에서 12개월 이후가 적절하다. 65세 이상 massive 회전근 개 파열 환자는 재봉합술 후 재파열이 발생할 가능성이 높기 때문에 주의를 요하며, 재수술 환자의 유착된 회전근 개 건은 신중히 박리되어야 한다.

재봉합은 견갑하건부터 이뤄져야 인장 응력을 낮출 수 있으며, 봉합사를 포함한 이물질은 가능한 제거하되 특수한 경우가 아니라면 무리한 술기를 동원할 가치는 없다. 술자는 부적절한 잔여 건 상태 등으로 재봉합이 불가능할 경우를 대비해 superior capsular reconstruction 등의 술기를 추가로 준비하고 환자에게 적절히 설명하는 것이 현명하다.

2. 불안정증 재수술

1) 개요

전방 불안정증의 수술 실패는 대략 13%로 알려져 있으며,[18] 후방 불안정증 수술 실패는 14-35%가량으로 보고된다.[19,20] 불안정증 수술을 받는 대부분은 젊은 나이이며, 활동성이 높고, 선택할 수 있는 재수술이 많지 않아 술자에게 부담으로 다가온다.[21]

불안정증의 재수술 선택은 활발한 토의가 이뤄지고 있는 분야이며 아직까지 명확한 합의를 이루지 못했다. 따라서 이번 장은 불안정증 수술 실패에 대한 위험 인자와 술식 선택에 대해 가능한 최신 지견을 토대로 지침을 제시하고자 한다.

2) 재발의 위험 인자

널리 알려진 수술 후 재발 인자는 관절와 및 상완골 두 골결손 정도, 관절막 및 인대의 이완 수준, 15-19세 나이, 남성, 접촉(contact or collision) 스포츠 선수, 수술받은 횟수, 적절하지 못한 수술 술기 등이다.[21,22]

(1) 환자 요인

15세부터 19세는 치명적인 window period다. 이들은 탈구 후 수술을 받지 않으면 92%에서 재탈구가 발생하며,[23] 15세 이상은 골 성장이 완료되지 않은 14세 이하보다 수술 실패가 높고,[24] 관절성숙이 진행된 20세 이상은 19세 이하보다 재발률이 낮아, 15세에서 19세의 수술 실패는 19% 정도이다. 수술 전 탈구의 빈도는 소아 환자에서는 독립 위험 인자이다. 과거 성인에서도 5회 이상의 탈구 과거력은 수술 실패의 위험 인자로 알려졌으나, 최근 연구에서는 유의한 차이를 보이지 않았다.[21]

지속적으로 언급되며 반복적으로 확인된 재수술 위험 인자는 골결손이다.[22-26] 의미있는 골결손은 관절와 장축의 20%, 단축의 25% 이상 결손, 상완골 hill sachs 병변의 off-track 병변을 의미한다.[22] 이 결손의 크기는 성인에서는 어느 정도 합의를 이루었으나 일부 연구는 관절와의 8% 손실만으로도 bankart 봉합술의 예후에 영향을 줄 수 있다고 보고했으며,[27] 청소년 및 소아에서는 합의를 이루지 못했다.[28]

간과된 골결손과 더불어, 환자의 관절막 및 인대의 높은 이완 수준은 수술 실패 위험 인자로 꾸준히 보고되며, 3회 이상의 환측 어깨 수술도 나쁜 예후로 보고된다.[29,33] 후방 불안정증의 위험 인자 역시 전방 불안정증과 비슷하며 관절와의 높은 후방 굴곡(retroversion) 등이 추가로 보고된다.[20]

(2) 수술 인자

전방 불안정증의 첫 수술은 술자의 선호에 따라 선택되는 경우가 많으며, 술식에 따라 다양한 빈도의 재수술이 보고된다. Lau 등은 관절경하 bankart 봉합술에서 16%, 관혈적 bankart 봉합술에서 13.4%, Latarget 술식에서 3.8%, free bone block 술식에서 20.8%, 관절막 재건술(capsular reconstruction)에서 31%가 재수술을 요했다고 보고했다.[18] Glazebrook 등은 관절경하 혹은 관혈적 bankart 봉합술이 전반적으로 수술 만족도가 좋았다고 기술했으며,[30] Gao 등도 비슷한 결과를 보고했다.[31] 반면, 관절경하 bankart 봉합술과 관혈적 Latarget 술식 모두 만족할 만한 효과를 보였으며 재발률은 Latarget 술식에서 더 낮았다는 보고도 있다.[32]

이러한 엇갈린 결론이 발생한 까닭은 각각의 술기에 따른 실패 원인에서 유추할 수 있다. Bankart 봉합술 실패는 간과된 골결손 및 높은 laxity 수준이 주된 이유였으며, Latarget 술식의 실패는 불유합 및 골흡수(resorption)이 높은 비중을 차지했다.[34] 즉, bankart 봉합술 실패에 높은 비중을 차지하는 간과된 골결손은 Latarget 술식에서 일어날 수 없으며, Latarget 술식의 실패는 bankart 봉합술 실패와 다른 요인에 의해 결정된다. 이러한 차이가 영향을 주어 상이한 결론이 도출되었을 가능성이 있다. 또한, 수술 후 예후가 나쁘다고 알려진 청소년 환자는 동종골이식 술식이 제한되며, 이 또한 엇갈린 결론에 기여할 수 있다.[22,25]

3) 재수술 준비

환자 요인, 술기 요인에 따라 재수술 방침이 달라진다. 환자 문진 및 신체검진은 다시 이루어져야 하며 영상 검사 또한 신중히 재평가되어야 한다.

(1) 신체검사

환자의 주관적 만족도 평가를 검토하고, 외상력을 포함한 문진을 실시한다. 어깨관절가동범위 및 근력 측정 등 기본적인 관절 평가를 시행하고, Beighton score 등, 환자의 general laxity를 환측 및 건측 관절 모두에서 확인해야 한다.

외상같은 분명한 요인이 아닌 잠행적 수술 실패는 원인을 밝히지 못할 경우 재수술 후 나쁜 결과를 초래한다. 술자는 환자의 회전근 개 손상, 전방 불안정증의 경우 골성 bankart나 ALPSA 병변, 후방 불안정증의 경우 reverse bankart 병변이나 kim 병변(reverse GLAD 병변)의 무리한 정복으로 인한 액와신경손상, Latarget 술기 중 발생한 근피신경 손상이나 완신경총의 점착(adhesion), 견갑하 근 손상, 간과된 neurovascular 손상 등 예상치 못한 문제를 신중히 검토해야 한다.[20,25,26,32,34] 특히, Apprehension 및 relocation 검사는 ABER 외의 낮은 각도 및 중간 각도에서도 시행되어야 한다. 낮은 각도 Apprehension 검사 양성은 임상적으로 의미가 있는 골결손의 간과를 시사할 수 있으며, 재수술이 요구되는 경우가 많다.[21] 후방 불안정증 환자에서는 O' Brien 검사가 양성으로 나타나는 경우도 있다.[22]

(2) 영상 검사

단순 방사선 검사에는 관절와 골결손을 평가할 수 있는 Bernageau view, Hill-sachs 병변을 평가하는 stryker notch view가 포함되어야 한다. 관절와 골결손 측정에 가장 효과적인 방법은 3차원 컴퓨터 단층 영상(CT)이며, 골 낭종에 대한 평가도 가능하다. CT를 통해 best fit circle 혹은 PICO 방식으로 관절와 골결손 정도를 객관적으로 평가해야 한다.

관절와순과 bankart 병변의 경과, 잔여 조직의 평가 등을 위해 arthro-CT가 요구되기도 한다. MRA는 골연골, 관절와순, 관절막, 인대를 평가하기에 적합하다. 또한 과거 간과된 HAGL (Humeral avulsion of the glenohumeral ligament) 병변의 평가에도 유용하다.[37]

술자는 주어진 영상을 토대로 병변을 재탐색함은 물론 재수술 계획을 설정하는 편이 바람직하다. 이전 anchor 위치와 골 낭종, 과거 수술 중 확인된 관절막 및 와순의 조직 상태, 적절한 골이식편 등을 고려해 계획을 설정하고, 특히, 불량한 조직 상태로 봉합이 불가능할 상황을 가정해 적응이 되지 않더라도 bone block procedure를 염두에 두어야 한다.[21]

4) 재수술 유의 사항 및 예후

전방 불안정증 재수술은 전통적으로 골결손의 크기에 따라 정해졌다. Bonazza 등은 환자군을 1) 부적절한 술기 (부족한 anchor, 관절와 이등분선을 초과하는 위치의 anchor, 부적절한 봉합 등)를 받았으며 관절와 골손실이 15% 이하이며 on-track Hill-sach 병변이 없는 군, 2) 적절한 술기(Suture failure나 suture cut-through 등의 발생 등)를 받았으며 관절와 골손실이 15% 이하이며 on-track Hill-sach 병변이 없는 군 3) 관절와 골손실이 15% 이상이거나 on-track Hill-sach 병변이 있는 군으로 나눠, 각각 1군은 관절경 하 혹은 관혈적 bankart 병변봉합술, 2군은 관혈적 bankart 병변봉합술과 관절막 재건술(capsular reconstruction), 3군은 Latarget과 remplissage 술식을 진행한다고 보고했다.[21]

Bankart 봉합을 시행할 경우 유착된 관절막과 와순, 인대를 조심스럽게 박리해야 하며, 2 mm 이하의 작은 anchor를 사용하고, 관절와 7시(혹은 5시) 후하방부를 고정하여 하부 견갑와상완인대(inferior Glenohumeral ligaments)의 posterior band를 적절히 긴장시키고, 이후 반시계 방향으로 추가 고정을 해야 좋은 예후를 기대할 수 있으며, 필요 시 회전근 개 공간(rotator cuff interval)을 긴장시키는 술식을 할 수 있다.[21]

과거에는 관절경하 봉합술 실패 후 선택된 Latarget 술식이 첫 수술로 시행된 Latarget 술식과 예후에 큰 차이가 없다고 알려졌으나, 최근 연구는 재수술이 첫 수술에 비해 환자의 통증과 주관적 평가가 유의하게 낮았으며 재발률은 비슷했음을 보고했다.[38]

최근 연구는 견관절 전임의 수련을 마친 전문의가 고위험군 환자(접촉 스포츠 선수, 21세 미만, 오랜 유병 기간 등)에게 첫 수술로 Latarget 술식을 시행하는 빈도가 점진적으로 증가함을 보고했다.[22] 따라서 Latarget 술식의 재수술 역시 늘어날 전망이다. Latarget 재수술은 오구돌기의 부재, 완신경총 박리 등이 부담으로 다가올 수 있으며, 소아나 청소년에서는 장골능(iliac crest) 이식이 필요한 Eden Hybinette 술식이 제한된다. 이 때문에 성인에서 Eden Hybinette 술식은 신경손상에 유의해 진행되어야 하며, 소아는 증상의 수준에 따라 적절한 재수술 시기 설정이 필요하다.[40]

재수술의 실패는 12.7-33%로 다양하게 보고된다.[21,41] 재수술 실패의 가장 큰 원인은 외상이었으며, 이는 최근 술자들이 고위험군 환자에게 Latarget 술식을 선호하는 이유이기도 하다.[39] 재활치료는 정립된 프로토콜이 없으나 수술의 범위, 관절막이나 인대의 상태에 따라 최대 8주까지 고정을 시행할 수 있으며, Latarget 재수술의 경우 외회전은 6주, 근력을 동원한 내회전은 12주를 제한하는 것이 바람직하다.[21,42]

5) 결론

널리 알려진 수술 후 재발 인자는 관절와 및 상완골 두 골결손 정도, 관절막 및 인대의 이완 수준, 15-19세 나이, 남성, 접촉(contact or collision) 스포츠 선수, 수술받은 횟수, 적절하지 못한 수술 술기 등이다. 이런 고위험군 환자에게는 상대적으로 재발률이 낮은 Latarget 술식을 첫 수술로 선택하는 것이 새로운 추세이다.

재수술 시행 전 환자 문진 및 신체검사, 영상 검사는 신중히 이뤄져야 하며, 골 수술은 적응이 되지 않더라도 불량한 조직 상태로 봉합이 불가능할 상황을 가정해 준비해야 한다.

3. 인공관절 재수술

1) 개요

견관절치환술의 발전은 견관절의 생체역학에 대한 이해와 함께 발전해왔다. 1955년 Neer 등이 근위 상완골 골절에 인공관절 반치환술(hemiarthroplasty)의 훌륭한 예후를 보고했으며, 1972년 외상성 혹은 일차 골관절염에 해부학적 인공관절 전치환술(total shoulder arthroplasty, 이하 전치환술)을 도입했다. 이후 회전근 개 파열 관절병증(cuff tear arthropathy)에서 전치환술의 불만족스러운 보고 및 회전근 개의 생체역학에 대한 이해 증가로, 회전근 개 파열 관절병증 인공관절(cuff tear arthropathy prosthesis)과 1985년 Grammont 등이 제시한 역 인공관절치환술(reverse total shoulder arthroplasty, 이하 역치환술)이 탄생해 현재에 이르기까지 발전을 해왔다.[43,44]

지난한 견관절치환술의 역사는 오히려 견관절의 병태 생리에 따른 인공관절치환술의 적절한 적응을 제시했으며, 이에 따라 젊은 환자부터 고령까지 견관절 인공관절치환술을 받는 비율은 2배 이상 급속히 증가해 고관절 및 슬관절 인공관절치환술 증가 추세를 앞질렀다.[45] 이는 고무적이나 수술 후 재수술이 요구되는 환자의 비율의 증가를 의미하기도 한다.[46]

과거 전치환술 및 역치환술의 재수술 비율은 대략 10-13%로 보고되었으나,[47,48] 최근 연구는 전치환술의 합병증은 10.7%, 재수술은 5.6%, 역치환술의 합병증은 8.9%, 재수술은 2.5%로 개선된 결과를 보고했다. 전치환술은 견갑하건 파열을 포함한 회전근 개 파열, 무균성 견갑와 치환물 이완(loosening), 감염 등이 재수술의 높은 비중을 차지했고, 역치환술은 견봉을 포함한 견갑골의 골절 및 통

증, 불안정증 등이 대표적인 재수술 적응이었다.[49)]

슬관절 및 고관절 치환물과 달리, 견관절 치환물은 none-constrain 혹은 semi-constrain 형태이며, 이에 따른 특이적인 수술 실패 요인이 있다. 요인을 명확히 파악하지 못한 인공관절 재수술은 필연적으로 파멸적인 결과를 초래한다. 따라서, 재수술 선택은 엄밀한 평가 이후 계획되어야 한다.

2) 재수술 위험 인자 및 재수술 준비

재수술은 감염, 골절, 치환물의 마모 및 이완(looseing), 수술 후 불안정증, 신경손상 등이 있으며,[50,51)] 재수술 위험 환자 요인은 남성, 종양이나 류마티스 관절염, 잔여 회전근 개 상태, 과거 견관절수술 횟수 등[52)]이 있다.

일반적으로 전치환술은 회전근 개 파열, linear 마모 및 그에 따른 불안정성, 역치환술은 삽입물 충돌(impingement)이나 부적절한 연부조직 긴장으로 인한 불안정증, 신경손상 및 골절이 높은 비중을 차지하며, 감염은 전치환술 및 역치환술 모두에서 중요하게 다뤄진다.

(1) 환자 평가

통증, 수술 후 외상 유무, 관절가동범위, 신경손상, 삽입된 인공물의 종류 등을 포함한 자세한 문진과 신체검진이 요구된다. 견갑골의 피로 골절이나 저평가된 견봉쇄골 관절증 등은 문진 및 신체검진에서 파악하지 못하면 간과되기 쉽다. 누공(fistulation) 형성이나 수술 후 통증 해소 시기가 없는 경우 감염 가능성이 있다.[51)]

(2) 영상 평가

단순 방사선 검사는 관절와 및 견갑골, 상완골 모두를 적절히 평가할 수 있어야 한다. 수술 후 발생한 불안정증의 경우, 적절한 상완 길이가 충족되었는지 양측 상완골 전장을 비교해야 하며, 재수술을 예정한다면 자가골을 채취할 장골능선(iliac crest) 역시 평가해야 한다.[50)] 최근 연구는 쇄골 원위부를 자가골이식부로 선택해 만족스러운 결과를 보고하기도 했다.[53)]

전산화 단층촬영(CT)은 유효한 잔여 골(bone stock) 확

인에 사용될 수 있으나, 수술 중 평가와 일치하지 않을 수 있으며 수술 중 평가가 예후에 더 중요하다(그림 1-3).[54)] 자기공명영상이나 초음파는 대개 유용한 정보를 제공하지 못하며,[50)] 전치환술 후 회전근 개 파열로 인한 불안정증은 단순 방사선 검사의 상완골 두 상방 전위 등으로 평가하는 것이 바람직하다.

3) 합병증에 따른 재수술 선택과 주의 사항

(1) 감염

mayo의 33년 추적 결과, 견관절치환술 후 감염은 젊은 남자 환자에서 유의하게 높았다.[55)] 이 집단은 피지샘 활동이 왕성하며, 견관절치환술 후 감염에서 50% 이상을 차지해 가장 흔히 발견되는 Cutibacterium acnes (과거 Propionibacterium acnes로 알려졌으며 최근 유전 분석을 통해 새로운 속으로 규정되었다. 이하 C. acne)가 피지샘에 서식한다는 점에서 상관이 있다.[56)] C. acne는 인공관절이 삽입된 plasma-poor 환경에서 쉽게 번식하며 gentamicin 함유

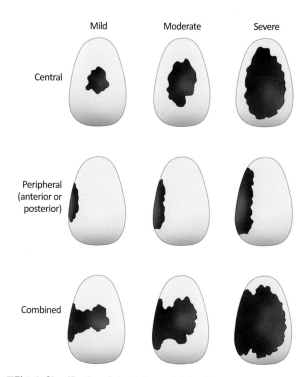

그림 1-3 Classification of glenoid bone deficiencies

골 시멘트에서도 biofilm을 형성할 수 있어 재감염의 위험도 높다.[57,58] 나아가, loosening 등 다른 요인에 의해 재수술을 진행한 환자에게 수술 중 일괄적으로 시행된 조직 배양검사의 20%가량에서 C. acne를 포함한 균이 검출되었으며,[59] 이는 감염으로 인한 재수술의 비중이 예상보다 항상 높다는 경각심을 준다.

C. ance는 비교적 독성이 약해 전통적으로 수술 후 4주 이전에 발견된 감염에서는 관절경하 세척 및 변연절제술을 시행했으나, 다기관 연구상 실패율이 50-63%로 드러났다.[60] 견관절은 다른 관절과 달리 none-constrain 및 semi-contrain 형태의 삽입물로, 삼각근 등의 근기능이 중요하다. 때문에 필연적인 근기능 약화를 초래하는 2단계 수술은 부담으로 다가온다. 최근 연구는 1단계로 삽입물 제거 및 즉각적인 재치환술이 2단계 수술과 비교하여 유의한 차이를 보이지 않음을 보고했으며, 이를 기준으로 많은 술자들이 1단계 재치환술을 선호하고 있다.[58,61]

상완골 부동으로 인한 불안정증이나 loosening 시 시행되는 재치환술에서는 상완골 골 시멘트를 모두 제거할 필요가 없으나, 감염으로 인한 재치환술에서는 골 시멘트를 모두 제거해야 한다.[51] 이는 삽입물을 제거한 상완골을 통해서는 이루어지기 어렵고, 대부분의 경우 절골술(osteoto-my)이 요구된다. 절골술은 대흉근 부착부를 기점으로 시행하며, 대흉근은 부착부의 1 cm 내측에서 시행해 추후 tendon-to-tendon 회복을 도모할 수 있게 절제되어야 한다.[51] 절골 후 골 시멘트 제거가 이루어지면 cerclage 케이블과 필요시 자가 혹은 동종골이식을 통해 상완골을 회복한다. 상완골의 불완전한 수복은 새롭게 투여될 골 시멘트가 새어나올 가능성을 주며, 이는 회복 불가능한 요골 신경손상을 야기할 수 있다.[50]

(2) 불안정증 및 탈구

불안정증 및 이로 인한 탈구 및 아탈구는 전치환술과 역치환술에서 각각 다른 요인에 의해 발생한다. 전치환술은 주로 회전근 개 파열 및 연부조직 불균형으로 인해 전방 혹은 후방 불안정증이 발생한다. 전치환술의 전방 불안정증은 견갑하건 봉합술 및 대흉근 이전술로 극복해 보려는 노력이 있었으나 효과적이지 않았으며,[62] 후방 불안정증은 후방 관절낭 중첩술(capsular plication) 등으로 연부조직 균형을 맞추려 했으나 나쁜 예후를 보였다.[63] 반면, 전치환술 후 불안정증은 역치환술로 변환하는 것이 일관된 좋은 결과를 보고했다.[64]

전치환술과 달리, 역치환술 후 불안정증은 수술 초기부터 발생하며, 재수술을 요구하는 초기 합병증의 가장 큰 비중을 차지한다.[50] 이는 역치환술 후 불안정증은 수술 중 부적절한 삽입물 선택이나 견갑와 삽입물의 잘못된 위치 선정 등이 주된 원인임을 상기시킨다. 일부 연구는 수술 후 3개월 이내 발생한 탈구는 전신마취하 도수 정복 후 44%에서만 만족스러운 결과를 보고했고, 3개월 이후 발생한 탈구 대부분은 내전 충돌(adduction impingement)이나 linear 실패로 재수술을 받아야 했다.[65,66] 많은 경우 견갑와 삽입물이나 linear 변경으로 재탈구가 방지되었으며, 대원근 이전술 등의 연부조직 술식은 효과적이지 못했다.[9] 만일, 삽입물의 특별한 문제 없이 지속되는 탈구가 있다면 근전도 검사 등을 통해 삼각근 및 액와신경의 상태를 평가해야 한다.[50,51]

상완골 삽입물의 충분치 못한 길이는 전치환술 및 역치환술 모두에서 불안정증을 야기한다. 따라서, 견갑와 삽입물의 이상이나 회전근 개 파열 등 불안정증을 유발할 분명한 인자가 있다고 하더라도 상완골 삽입물의 적절성 역시 반드시 평가되어야 한다.

(3) 견갑와 삽입물 실패

견갑와 삽입물의 마모 등에 의한 실패는 전치환술의 고질적인 문제이다. 견갑와 삽입물 모양과 구성은 마모 및 골 용해를 막기 위해 발전해 왔다.[68] 대부분의 경우 골이식이 필요하며, 역치환술로의 변환이 종종 요구된다.

역치환술은 마모 및 골 용해보다 삽입물의 부적절한 위치로 인한 재수술이 비교적 많다. 적절히 고정된 견갑와 삽입물의 모든 나사 제거, baseplate의 전방에서 후방 방향으로 제거, 적절한 삽입물의 재고정이 순서대로 이루어져야 한다. 골손실이 있는 견갑와의 견갑와 삽입물 재삽입에 있어 술자는 세 가지 선택지가 있다. 하나는 eccentric reaming

후 변형 중심선(alternative centerline)을 따라 고정하는 방법,[69] 증편된 견갑와 삽입물(augmented glenoid component) 삽입, 자가 혹은 동종골이식[51] 등이다. 심각한 견갑와 골 손실에서는 대부분의 경우 골이식이 요구되며, 해면골보다는 자가 장골능선 및 쇄골 말단의 삼중 피질골이식이 예후에 좋다.[53] 견갑와 수복이 불가능한 경우 역치환술은 반치환술로 변환을 시도해 볼 수 있으며, 모든 수술이 불가능할 경우 견관절 유합술을 진행해야 한다.[50]

4) 예후 및 재활

치환술 후 탈골을 정복술 후 경과 관찰을 하려면 최소 6주 부동이 필요하며, 재치환술 환자도 일반적으로 6주의 부동이 제안된다.[64,65] 재치환술 후 감염, 통증, 혈종 등의 합병증은 첫 수술에 비해 2배 이상 높았다.[50]

5) 결론

견관절 인공관절치환술은 none-contrain 및 semi-contrain으로 다른 관절의 인공관절치환술이 겪는 문제와 다른 특수한 상황이 많으며, 이에 따라 적절한 술기가 동원되어어야 한다.

감염은 4주 이내 발생할 경우 정맥 항생제, 관절경하 세척술 및 변연절제술로 치료해 볼 수 있으나 실패율이 높다. 감염 발생 시 골 시멘트를 포함한 모든 감염 근원을 제거해야 한다.

전치환술 후 불안정증은 연부조직 균형 문제가 많으며 이는 역치환술로 극복될 수 있다. 역치환술의 불안정증은 부적절한 위치나 삽입물 선택에 기인할 수 있으며 조기 재수술이 요구된다. 전치환술 및 역치환술의 불안정증 모두 회전근 개 봉합술 등의 연부조직 술식은 실패율이 높다.

마모나 골 용해로 인한 견갑와 삽입물의 실패는 전치환술에서 높다. 충분한 수술 전, 수술 후 준비에 따라 재수술을 진행해야 하며 견갑와의 골손실은 대부분의 경우에서 발생하기 때문에 골이식이 준비되어야 한다.

참고문헌

1. Randelli, Pietro, et al. "History of rotator cuff surgery." Knee Surgery, Sports Traumatology, Arthroscopy 23.2 (2015): 344-362.

2. Chung, Seok Won, et al. "Arthroscopic repair of massive rotator cuff tears: outcome and analysis of factors associated with healing failure or poor postoperative function." The American journal of sports medicine 41.7 (2013): 1674-1683.

3. Klepps, Steven, et al. "Prospective evaluation of the effect of rotator cuff integrity on the outcome of open rotator cuff repairs." The American journal of sports medicine 32.7 (2004): 1716-1722.

4. Brochin, Robert L., et al. "Revision rotator cuff repair: A systematic review." Journal of shoulder and elbow surgery 29.3 (2020): 624-633.

5. George, Michael S., and Michael Khazzam. "Current concepts review: revision rotator cuff repair." Journal of shoulder and elbow surgery 21.4 (2012): 431-440.

6. McElvany MD, McGoldrick E, Gee AO, Neradilek MB, Matsen FA 3rd. Rotator cuff repair: Published evidence on factors associated with repair integrity and clinical outcome. Am J Sports Med. 2015;43(2):491-500.

7. Namdari, Surena, et al. "Factors affecting outcome after structural failure of repaired rotator cuff tears." JBJS 96.2 (2014): 99-105.

8. Kukkonen, Juha, et al. "Treatment of nontraumatic rotator cuff tears: a randomized controlled trial with two years of clinical and imaging follow-up." JBJS 97.21 (2015): 1729-1737.

9. Keener JD. Revision rotator cuff repair. Clin Sports Med. 2012;31(4):713-725.

10. Denard, Patrick J., and Stephen S. Burkhart. "Arthroscopic revision rotator cuff repair." JAAOS-Journal of the American Academy of Orthopaedic Surgeons 19.11 (2011): 657-666.

11. Nho, Shane J., et al. "Prospective analysis of arthroscopic rotator cuff repair: prognostic factors affecting clinical and ultrasound outcome." Journal of shoulder and elbow surgery 18.1 (2009): 13-20.

12. Shin, Yun Kyung, et al. "Predictive factors of retear in patients with repaired rotator cuff tear on shoulder MRI." American Journal of Roentgenology 210.1 (2018): 134-141.

13. Boileau P, Brassart N, Watkinson DJ, et al. Arthroscopic Repair of Full- Thickness Tears of the Supraspinatus: Does the Tendon Really Heal? J Bone Joint Surg 2005;87:1229.

14. Bedeir, Yehia H., Andrew E. Jimenez, and Brian M. Grawe. "Recurrent tears of the rotator cuff: Effect of repair technique and management options." Orthopedic reviews 10.2 (2018).

15. Lädermann, Alexandre, Patrick J. Denard, and Stephen S. Burkhart. "Midterm outcome of arthroscopic revision repair of massive and nonmassive rotator cuff tears." Arthroscopy: The Journal of Arthroscopic & Related Surgery 27.12 (2011): 1620-1627.

16. Zappia, Marcello, et al. "Comma sign of subscapularis tear: diagnostic performance and magnetic resonance imaging appearance." Journal of Shoulder and Elbow Surgery 30.5 (2021): 1107-1116.

17. Djurasovic, Mladen, et al. "Revision rotator cuff repair: factors influencing results." JBJS 83.12 (2001): 1849-1855.

18. Lau, Brian C., et al. "Outcomes After Revision Anterior Shoulder Stabilization: A Systematic Review." Orthopaedic Journal of Sports Medicine 8.5 (2020): 2325967120922571.

19. Andrieu K, Barth J, Saffarini M, Clavert P, Godenèche A, Mansat P. Outcomes of capsulolabral reconstruction for posterior shoulder instability. Orthop Traumatol Surg Res. 2017;103(8 Suppl):S189–92.

20. Boutsiadis, Achilleas, John Swan, and Johannes Barth. "Revisions After Failed Posterior Instability." 360° Around Shoulder Instability. Springer, Berlin, Heidelberg, 2020. 277-288.

21. Bonazza, Nicholas A., and Jonathan C. Riboh. "Management of Recurrent Anterior Shoulder Instability After Surgical Stabilization in Children and Adolescents." Current reviews in musculoskeletal medicine 13.2 (2020): 164-172.

22. Itoi, Eiji, et al. "Bone loss in anterior instability." Current reviews in musculoskeletal medicine 6.1 (2013): 88-94.

23. Shanmugaraj, Ajaykumar, et al. "Surgical stabilization of pediatric anterior shoulder instability yields high recurrence rates: a systematic review." Knee Surgery, Sports Traumatology, Arthroscopy (2020): 1-10.

24. Olds M, Donaldson K, Ellis R, Kersten P. In children 18 years and under, what promotes recurrent shoulder instability after traumatic anterior shoulder dislocation? A systematic review and meta-analysis of risk factors. Br J Sports Med. 2016;50(18):1135–41.

25. Hong, Jianqiao, et al. "Risk factors for anterior shoulder instability: a matched case-control study." Journal of shoulder and elbow surgery 28.5 (2019): 869-874.

26. Su, Favian, et al. "Risk factors for failure of arthroscopic revision anterior shoulder stabilization." JBJS 100.15 (2018): 1319-1325.

27. Arciero RA, Parrino A, Bernhardson AS, Diaz-Doran V, Obopilwe E, Cote MP, et al. The effect of a combined glenoid and hill-Sachs defect on glenohumeral stability: a biomechanical cadaveric study using 3-dimensional modeling of 142 patients. Am J Sports Med. 2015;43(6):1422–9.

28. Blackman AJ, Krych AJ, Kuzma SA, Chow RM, Camp C, Dahm DL. Results of revision anterior shoulder stabilization surgery in adolescent athletes. Arthroscopy. 2014;30(11):1400–5

29. Privitera DM, Sinz NJ, Miller LR, Siegel EJ, Solberg MJ, Daniels SD, et al. Clinical outcomes following the Latarjet procedure in contact and collision athletes. J Bone Joint Surg Am. 2018;100(6):459–65.

30. Glazebrook, Haley, Blair Miller, and Ivan Wong. "Anterior shoulder instability: a systematic review of the quality and quantity of the current literature for surgical treatment." Orthopaedic journal of sports medicine 6.11 (2018): 2325967118805983.

31. Gao, Burke, et al. "Arthroscopic versus open Bankart repairs in recurrent anterior shoulder instability: A systematic review of the association between publication date and postoperative recurrent instability in systematic reviews." Arthroscopy: The Journal of Arthroscopic & Related Surgery 36.3 (2020): 862-871.

32. Min, Kyong, et al. "The cost-effectiveness of the arthroscopic Bankart versus open Latarjet in the treatment of primary shoulder instability." Journal of shoulder and elbow surgery 27.6 (2018): S2-S9.

33. Cordasco, Frank A., et al. "Arthroscopic shoulder stabilization in the young athlete: Return to sport and revision stabilization rates." Journal of shoulder and elbow surgery 29.5 (2020): 946-953.

34. Willemot, Laurent, et al. "Analysis of failures after the Bristow-Latarjet procedure for recurrent shoulder instability." International orthopaedics 43.8 (2019): 1899-1907

35. Hobby J, Griffin D, Dunbar M, Boileau P. Is arthroscopic surgery for stabilisation of chronic shoulder instability as effective as open surgery? A systematic review and meta-analysis of 62 studies including 3044 arthroscopic operations. J Bone Joint Surg [Br] 2007;89-B:1188–1196.

36. Petrera M, Patella V, Patella S, Theodoropoulos J. A meta-analysis of open versus arthroscopic Bankart repair using suture anchors. Knee Surg Sports Traumatol Arthrosc 2010;18:1742–1747

37. Gill, Thomas J., Kaitlin M. Carroll, and Laura Wiegand. "Revision Athroscopic Bankart Repair: Still a Successful Option for Recurrent Anterior Instability Following Shoulder Stabilization Surgery." Journal of Shoulder and Elbow Surgery 29.4 (2020): e144.

38. Werthel, Jean-David, et al. "Outcomes of the Latarjet procedure for the treatment of chronic anterior shoulder instability: patients with prior arthroscopic Bankart repair versus primary cases." The American journal of sports medicine 48.1 (2020): 27-32.

39. Bishop, Julie Y., et al. "Factors influencing surgeon's choice of procedure for anterior shoulder instability: a multicenter prospective cohort study." Arthroscopy: The Journal of Arthroscopic & Related Surgery 35.7 (2019): 2014-2025.

40. Longo UG, Loppini M, Rizzello G et al (2014) Latarjet, Bristow, and Eden-Hybinette procedures for anterior shoulder dislocation: systematic review and quantitative synthesis of the literature. Arthroscopy 30:1184–1211.

41. Blackman, Andrew J., et al. "Results of revision anterior shoulder stabilization surgery in adolescent athletes." Arthroscopy: The Journal of Arthroscopic & Related Surgery 30.11 (2014): 1400-1405.

42. Provencher, Matthew T., et al. "Management of the failed Latarjet procedure: outcomes of revision surgery with fresh distal tibial allograft." The American journal of sports medicine 47.12 (2019): 2795-2802.

43. Flatow, Evan L., and Alicia K. Harrison. "A history of reverse total shoulder arthroplasty." Clinical Orthopaedics and Related Research® 469.9 (2011): 2432-2439.

44. De Wilde, L. F., E. A. Audenaert, and Bart M. Berghs. "Shoulder prostheses treating cuff tear arthropathy: a comparative biomechanical study." Journal of Orthopaedic Research 22.6 (2004): 1222-1230.

45. Wagner, Eric R., et al. "The incidence of shoulder arthroplasty: rise and future projections compared with hip and knee arthroplasty." Journal of shoulder and elbow surgery 29.12 (2020): 2601-2609.

46. Otte, R. Stephen, et al. "Salvage reverse total shoulder arthroplasty for failed anatomic total shoulder arthroplasty: a cohort analysis." Journal of Shoulder and Elbow Surgery 29.7 (2020): S134-S138.

47. Gonzalez, Jean-François, et al. "Complications of unconstrained shoulder prostheses." Journal of shoulder and elbow surgery 20.4 (2011): 666-682.

48. Zumstein, Matthias A., et al. "Problems, complications, reoperations, and revisions in reverse total shoulder arthroplasty: a systematic review." Journal of shoulder and elbow surgery 20.1 (2011): 146-157.

49. Parada, Stephen A., et al. "Comparison of complication types and rates associated with anatomic and reverse total shoulder arthroplasty." Journal of Shoulder and Elbow Surgery 30.4 (2021): 811-818.

50. Favard, L. "Revision of total shoulder arthroplasty." Orthopaedics & Traumatology: Surgery & Research 99.1 (2013): S12-S21.

51. Chalmers, Peter N., et al. "Revision reverse shoulder arthroplasty." JAAOS-Journal of the American Academy of Orthopaedic Surgeons 27.12 (2019): 426-436.

52. Singh, Jasvinder A., John W. Sperling, and Robert H. Cofield. "Revision surgery following total shoulder arthroplasty: analysis of 2588 shoulders over three decades (1976 to 2008)." The Journal of bone and joint surgery. British volume 93.11 (2011): 1513-1517.

53. Taylor, J. Ryan, et al. "Distal clavicle autograft augmentation for glenoid bone loss in revision shoulder arthroplasty: results and technique." Journal of Shoulder and Elbow Surgery 29.10 (2020): e386-e393.

54. Antuna, Samuel A., et al. "Glenoid revision surgery after total shoulder arthroplasty." Journal of shoulder and elbow surgery 10.3 (2001): 217-224.

55. Singh, Jasvinder A., et al. "Periprosthetic infections after total shoulder arthroplasty: a 33-year perspective." Journal of shoulder and elbow surgery 21.11 (2012): 1534-1541.

56. Zouboulis, Christos C. "Acne and sebaceous gland function." Clinics in dermatology 22.5 (2004): 360-366.

57. Tunney, M. M., et al. "Biofilm formation by bacteria isolated from retrieved failed prosthetic hip implants in an in vitro model of hip arthroplasty antibiotic prophylaxis." Journal of Orthopaedic Research 25.1 (2007): 2-10.

58. Cooper, Maxwell E., et al. "Diagnosis and management of periprosthetic joint infection after shoulder arthroplasty." JBJS reviews 7.7 (2019): e3.

59. Padegimas, Eric M., et al. "Future surgery after revision shoulder arthroplasty: the impact of unexpected positive cultures." Journal of shoulder and elbow surgery 26.6 (2017): 975-981.

60. Romanò, Carlo Luca, et al. "What treatment for periprosthetic shoulder infection? Results from a multicentre retrospective series." International orthopaedics 36.5 (2012): 1011-1017.

61. Hsu, Jason E., et al. "Single-stage revision is effective for failed shoulder arthroplasty with positive cultures for Propionibacterium." JBJS 98.24 (2016): 2047-2051.

62. Warren, Russell F., Struan H. Coleman, and Joshua S. Dines. "Instability after arthroplasty: the shoulder." The Journal of arthroplasty 17.4 (2002): 28-31.

63. Alentorn-Geli, Eduard, et al. "Revision anatomic shoulder arthroplasty with posterior capsular plication for correction of posterior instability." Journal of Orthopaedic Surgery 26.3 (2018): 2309499018789527.

64. Patel, Deepan N., et al. "Reverse total shoulder arthroplasty for failed shoulder arthroplasty." Journal of shoulder and elbow surgery 21.11 (2012): 1478-1483.

65. Chalmers, Peter N., et al. "Early dislocation after reverse total shoulder arthroplasty." Journal of shoulder and elbow surgery 23.5 (2014): 737-744.

66. Kohan, Eitan M., et al. "Dislocation following reverse total shoulder arthroplasty." Journal of shoulder and elbow surgery 26.7 (2017): 1238-1245.

67. Kocsis, G., et al. "A new classification of glenoid bone loss to help plan the implantation of a glenoid component before revision arthroplasty of the shoulder." The bone & joint journal 98.3 (2016): 374-380.

68. Dillon, Mark T., et al. "The association between glenoid component design and revision risk in anatomic total shoulder arthroplasty." Journal of Shoulder and Elbow Surgery 29.10 (2020): 2089-2096.

69. Klein, Steven M., et al. "Effects of acquired glenoid bone defects on surgical technique and clinical outcomes in reverse shoulder arthroplasty." JBJS 92.5 (2010): 1144-1154.

석회성 건염

Calcific tendinitis

여지현

석회성 건염은 반응성(reactive) 칼슘 수산화인회석 결정 (calcium hydroxyapatite crystal)이 건내 침착(intratendinous deposition)되는 비교적 흔한 질환이다. 1900년대 초에 방사선학적으로 처음 기술되었으며, 우리 몸 어디에서나 발생할 수 있는 질환으로, 가장 흔하게는 회전근 개 힘줄(rotator cuff tendon)에 발생하는 것으로 알려져 있다. 극상건 (supraspinatus tendon)의 저혈관성(hypovascularity) 부위인 "임계 영역(critical zone)"에 가장 흔하게 침범한다. 건내 침착이 진행된 후 칼슘 침착물의 자발적인 흡수 및 힘줄의 치유가 뒤따르는 것을 특징으로 한다. 최근 연구에 따르면 세포 매개성 화생 전환(cell-mediated metaplastic transformation)에 의해 건세포(tenocyte)가 연골세포(chondrocyte)로 변하게 되고, 이로 인해 석회화를 유도하는 것으로 알려져 있다. 이러한 화생 전환된 조직은 거대 세포(giant cell)에 의해 포식되고(phagocytosis) 궁극적으로 화생(metaplasia)된 힘줄은 정상 힘줄로 회복된다. 주로 30-60대에 흔하게 발생하며 여성에서 남성보다 발생 빈도가 높다. 외상과의 연관성은 밝혀진 바 없으며, 당뇨, 갑상선 등 전신질환과 연관성이 있는 것으로 알려져 있다.

1. 역학(Epidemiology)

성인에서 석회성 건염의 유병률은 2.7%에서 10.3% 사이로 보고되었으며, 환자의 50%는 석회화로 인한 증상이 나타난다.[27] 석회성 건염은 남성보다 여성에서 더 흔하게 발

생하며, 여성이 남성에 비해 2배 더 많이 발생한다.[11]

석회성 건염은 일반적으로 30-60세의 환자에서 주로 발병하며, 환자의 10-25%에서 양측성으로 발병한다.[11,27,42] 다른 형태의 건병증(tendinopathy)과는 다른 병태생리 (pathophysiology)를 가진다. 팔이 약간 외전된 상태에서 내회전 상태를 유지하면 회전근 개 근육이 수축하여 허혈 상태(ischemic state)가 되면서 힘줄에서 주요 발병 위치가 더 취약해진다. 석회성 건염의 발병에 있어서 가장 취약한 부위는 상완골 두 대결절(greater tuberosity)의 극상건 (supraspinatus tendon) 부착부(insertion)의 바로 내측 부위로 극상건의 가장 저혈관성 영역(hypovascular area)이 되겠다.[34] 회전근 개 건병증(rotator cuff tendinopathy)에 대한 이러한 생체역학적 발생 원인은 석회성 건염이 아닌 다른 건병증의 발생 원인에 해당하는 퇴행성 힘줄 변성과는 다른 발병 기전을 가진다. 어깨관절의 석회성 건염의 발병과 고관절 석회화와의 상관관계도 보고된 바 있다.[16]

기존에 알려진 석회성 건염의 유병률은 단순 방사선학적 관찰을 기반으로 한다. 하지만 현재는 초음파나 MRI와 같은 정밀 영상 검사를 통해 보다 정확하고 상세한 해부학적 구조 분석이 가능하게 되어, 실제 석회성 건염의 유병률이 과거에 보고된 것보다 높을 수 있다고 추론된다. 현재 사용 중인 초음파 장비는 300 µm 크기의 작은 석회 침착도 감지할 수 있을 정도로 해상도가 높다. 초음파를 사용하여 18-65세 사이의 여성 인구에 대한 두 가지 최근 연구에서 석회성 건염의 유병률이 각각 24.4% 및 17.1%로 보고된 바 있다.[25,36]

어깨관절에서 석회성 건염이 가장 많이 생기는 위치는 극상건으로, 극상건에서의 발생 빈도는 51.5-90% 정도로 보고되어 있으며, 극하건(15%)과 견갑하건(5%)은 극상건에 비해 덜 침범된다고 알려져 있다. 여러 군데에서 발생하는 비율도 8-28.2% 정도로 보고되었다.[31] 대부분의 석회는 회전근 개 힘줄의 부착부에서 많이 발생하며, 혈관성이 떨어지는 임계 영역(critical zone)에서 주로 발생한다.[36]

2. 병인(Etiology)

석회성 건염 발병 기전은 아직 명확하지 않다. 병리학적 과정(pathological process)에 대해 퇴행성, 반복적 외상, 건세포(tenocyte)의 괴사, 반응성(reactive), 및 연골내 골화(enchondral ossification) 등의 여러 가지 가설이 제안되었다. 그러나 이러한 설명 중 어느 것도 병태생리를 완벽하게 설명하지 못한다. 석회성 건염의 병태생리학적 기전은 아직 명확하지 않으나, 건세포(tenocyte)가 연골세포(chondrocyte)로 화생 전환(metaplastic transformation)하여 회전근 개 힘줄 내에서 석회화를 유발하는 세포매개성 질환(cell-mediated disease)으로 생각된다.

Burkhead[6]와 Gohlke[15]는 이영양성 석회화(dystrophic calcification)로 진행되는, 괴사성 변화를 가진 힘줄 섬유(tendon fiber)의 퇴행성 변화가 발생 기전이라고 하였다. Rui는 석회화 과정이 건 줄기 세포(tendon stem cell)가 뼈세포(bone cells)로 잘못 분화된 결과일 수 있다고 제안했다. 이 이론은 hashimoto가 토끼의 힘줄에 recombinant human bone morphogenetic protein-2를 주입하였더니, 이소성 소골 형성(ectopic ossicle formation)을 유도한다는 연구를 보고하여, 이론을 뒷받침하는 근거가 되었다.

다른 저자들은 석회성 건염에서 힘줄 내 산소 농도의 감소와 연관이 있다고 하였으며, 이 낮아진 산소 분압으로 인해 섬유연골 화생(fibrocartilaginous metaplasia) 및 세포 괴사가 촉진됨으로써 칼슘 침착이 발생한다고 하였다.

Uhthoff는 석회성 건염의 발생 나이의 분포 특성 및 병변의 특성이 자가 치유성 경향을 가진다는 점을 들어 석회성 건염이 활성화 세포에 의해 능동적이며 세포 매개 과정을 거치는 반응성 석회화 과정이라고 하였다. 또한 석회성 건염의 발생 단계를 ① 석회화 전기(precalcific stage), ② 석회화기(calcific stage), ③ 석회화 후기(postcalcific stage) 3단계로 나누었다.[43]

1) 석회화 전기(precalcific stage)

석회화 전기는 석회화가 주로 발생하는 부위에 섬유연골 전환(fibrocartilaginous transformation)이 발생함으로써 건세포가 연골세포로 화생(metaplasia)되는 시기로, 이 시기에는 대개 통증은 없다.

2) 석회화기(calcific stage)

석회화기는 실제 칼슘 침착물이 존재하는 시기로, 이 시기는 형성기(formative), 휴지기(resting phase) 및 흡수기(resorptive phase)로 나눌 수 있다.

(1) 형성기(formative phase)

형성기는 칼슘 침착물이 형성되는 시기이며 크기가 점차 커진다. 칼슘 침착물은 분필 같은 모습을 보인다.

(2) 휴지기(resting phase)

휴지기가 되면 칼슘 침착을 멈추게 된다. 만성적이고, 오랜 기간 지속되며 증상은 개인마다 다를 수 있으며 수년이 갈 수도 있다.

(3) 흡수기(resorptive phase)

흡수기에는 칼슘 침착물 주변으로 신생 혈관이 형성되고 후속적으로 대식세포(macrophage), 단핵 거대세포(multinucleated giant cell)가 칼슘 침착물에 대해 포식작용(phagocytosis)을 통해 석회를 제거한다. 이 단계에서 칼슘 침착물은 치약 같은 형태를 가지며, 조직 내 압력이 높아져 있고, 단순 방사선 검사상 경계가 불명확하고 불규칙한 형태를 보인다. 이 시기에는 급성 통증이 나타나며, 통증이 가장 심한 시기이다.

3) 석회화 후기(postcalcific stage)

석회화 후기에는 석회가 흡수된 자리가 육아 조직(granulation tissue)에 의해 복원된다. 석회화기의 흡수기와 석회화 후기는 동시에 일어나는 것으로 보이며, 석회의 흡수와 육아 조직의 대체 및 리모델링은 동시에 일어난다. 이 과정은 침범된 힘줄의 치유와 함께 종결된다.

3. 분류(Classification)

석회성 건염은 칼슘 침착물(calcium deposit)의 침습 정도(degree of invasion)에 따라 ① 국소성(localized)이거나 ② 미만성(diffuse)으로 분류된다. 미만성 석회성 건염은 일반적으로 국소성 석회성 건염보다 더 통증이 심하고 더 오래 지속된다. 그 외에도 ① 특발성 석회성 건염(type I, idiopathic calcific tendinitis)은 내분비질환을 동반하지 않으며, ② 이차성 석회성 건염(type II, secondary calcific tendinitis)은 당뇨병과 같은 내분비질환을 동반한다. 이차성 석회성 건염은 보존적 치료에 반응하지 않는 경우가 많으며, 특발성 석회성 건염보다 수술적 치료가 필요한 경우가 더 많다. Bosworth[5]는 칼슘 침착물의 크기에 따라 석회성 건염을 분류하였는데, 소침착물은 0.5 cm 미만, 중침착물은 0.5-1.5 cm, 대침착물은 1.5 cm 이상으로 분류하였다.

Neer는 통증과 칼슘 침착물에 따라 4가지 유형의 석회성 건염으로 분류했다. 제1형은 칼슘 침착물로 인한 화학적 자극(chemical irritation)으로 인한 통증이 특징이다. 제2형은 칼슘 침착물에 의해 힘줄 내의 조직이 붓게 되면서 조직 내의 증가된 국소 압력으로 인한 통증이 특징이다. 제3형은 불거진 칼슘 침착물의 자극과 점액낭이 두꺼워져서 충돌증후군과 비슷한 통증을 보인다. 제4형은 동결견과 같이 관절와상완관절(glenohumeral joint)의 만성 경직(chronic stiffness)으로 인한 통증을 특징으로 한다.

4. 임상증상(Linical menifestation)

석회성 건염의 주요 임상증상은 급성 또는 만성 어깨 통증이다. 관절가동범위의 제한은 동반될 수도 있으나, 없는 경우도 있다. 급성기 대부분의 환자는 통증으로 인해 이차적으로 수동 및 능동 운동에 제한을 보이는 경우가 많다. 급성 통증의 원인은 일반적으로 흡수기(resorptive phase)와 관련이 있으며, 칼슘 침착물 흡수와 연관된 염증 반응 및 혈관 증식과 세포의 삼출로 인해 힘줄 내 압력이 증가되어 통증이 발생한다고 알려져 있다. 대개 통증의 위치는 견관절 부위에서 나타나며 흔히 삼각근의 원위 부착부 쪽으로 방사된다. 야간통으로 인해 수면에 제한을 초래하기도 한다.

석회성 건염 환자 중 2.7-20%는 무증상이고, 우연히 발견된 석회성 건염 환자에서 증상이 발생하는 환자는 35-45%로 보고되었다. 형성기(formative phase)에는 만성 간헐적 통증이 나타날 수 있으나 대개 증상을 보이지 않는 경우가 많아 우연히 발견되는 경우가 많다. 만성 통증은 대개 어깨 굴곡 시에 발생한다. 흡수기(resorptive phase)에는 갑작스러운 심한 급성 통증이 갑자기 발생하며 주로 밤에 악화된다. 아픈 쪽으로 눕는 데 어려움을 겪으며 어깨관절 움직임에 제한을 보이게 된다. 이때 환자들은 통증 완화를 위해 어깨를 내회전한 상태를 유지하려는 경향을 보인다. 갑작스러운 심한 통증으로 인해 응급실을 찾게 되는 경우도 흔하게 본다. 석회성 건염 환자에서 국소적인 열감, 발적 및 압통을 동반하는 경우도 있다. 따라서 이와 비슷한 증상을 보이는 화농성 관절염과의 감별이 필요하다.

초음파 검사상 칼슘 침착물의 분절화(fragmentation)는 통증과 상관관계가 있는 하나의 형태학적 특징(morphological characteristic)인 것으로 보고된 바 있다. 지금까지 석회화(calcification)의 특성과 증상 사이의 연관성을 밝히려는 연구들이 보고되어왔으나 그 근거는 제한적이었다. Bosworth는 석회화 직경이 1.5 cm 이상일 때 증상이 가장 많이 나타난다고 보고했으며, 이러한 발견은 최근 연구에서도 확인되었다.[25] 하지만 다른 저자들은 이와 달리 작은 석회화(직경 1 cm 미만)가 어깨 증상과 상관관계가 없다고 하였으며, 석회화의 해부학적 위치, 즉 회전근 개 힘줄 중 어느 부위에 발생하였는지가 통증과 연관이 있다고 했는데 극상건의 석회화가 통증과 유의한 관련이 있다고 했다.[36] 대결절 골용해(greater tuberosity ostelysis) 및 골화 건병증(ossifying tendinopathy)은 석회성 건염의 드문 합병증으로 알려졌다.

5. 진단

1) 단순 방사선 검사(plain radiographs)

단순 방사선 검사는 석회성 건염을 확인하고 진단하는 가장 기본적인 검사 방법이며, 어깨 통증을 호소하는 환자에 있어서 제일 먼저 시행하는 검사가 되겠다. 단순 방사선 검사상, 힘줄에 국한된 석회화 음영으로 석회성 건염을 확진하게 된다. 단순 방사선사진은 석회화 존재 여부를 확인할 수 있을 뿐만 아니라, 석회의 위치, 크기, 모양, 밀도, 경계의 특성 등을 평가할 수 있다. 또한 석회화의 시간에 따른 변화 추시가 가능하다. 석회성 건염을 진단하기 위해 단순 방사선 검사를 시행할 때에는 견관절의 중립, 내회전, 외회전 위치에서 각각 전후면(anteroposterior) 영상을 얻는 것이 일반적이며, 이 외에 추가로 액와면 영상(axillary view) 및 극상건 출구 영상(supraspinatus outlet view)도 석회성 건염의 진단에 도움을 준다. 통상적으로 극상건의 석회 참착물은 중립에서, 극하건과 소원건의 석회화는 내회전에서, 견갑하건의 석회화는 외회전 시에 잘 보인다. 또한 극상건 출구 영상은 전방 및 후방 견봉하공간의 극상건, 극하건에 위치한 석회 침착의 진단에 도움을 준다(그림 2-1). 액와면 영상은 견갑하건과 극하건의 침착물을 확인하는데 유용하며, 견갑하건에 위치한 석회는 상완골 두의 전방에 보이고, 극하건에 생긴 석회의 경우 상완골 두의 후방에서 관찰된다(그림 2-2).

단순 방사선사진에서 관찰되는 석회 침착물의 형태에 근거하여 석회성 건염에 대해 많은 분류가 시도되어 왔다. 1961년 DePalma는[11] 단순 방사선 검사에서 석회성 건염의 칼슘 침착물에 대해 두 가지 유형으로 분류했다(그림 2-3). 제1형은 경계가 불분명한 솜털 같은 형태로 주로 석회화기(calcific stage)의 흡수기(resorptive phase)에 나타나며 환자는 급성 통증을 호소한다. 이 질병 상태는 급성 석회성 건염에 해당한다. 제2형은 경계가 명확하며 균일하게 조밀한 칼슘 침착물을 가지며 이 유형의 대부분의 환자는 통증이 거의 또는 전혀 없다. 석회화기(calcific stage)의 형성기(formative phase) 또는 휴지기(resting phase)에 나타나며 아급성(subacute) 또는 만성(chronic) 석회성 건염을 나타낸다.

Gartner는 칼슘 침착물을 세 가지로 분류하였는데, 제1형은 경계가 명확하고 밀집된 구조(well circumscribed and

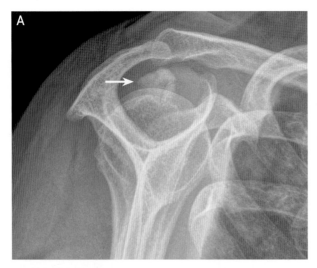
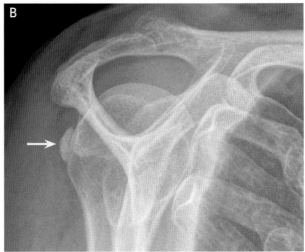

그림 2-1 극상건 출구 영상(supraspinatus outlet view)
A: 견봉하공간의 전방에서 극상건 내에 침착된 석회화 소견. B: 견봉하공간이 후방에서 극하건 내에 침착된 석회화 소견

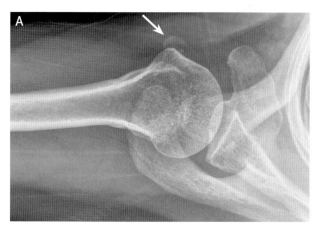
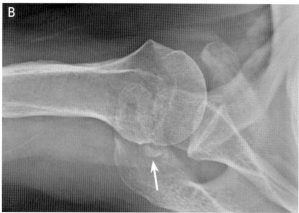

그림 2-2 액와면 영상(axillary view)
A: 견갑하건에 침착된 석회화는 상완골 두의 전방에서 관찰된다. B: 극하건에 침착된 석회화는 상완골 두의 후방에서 관찰된다.

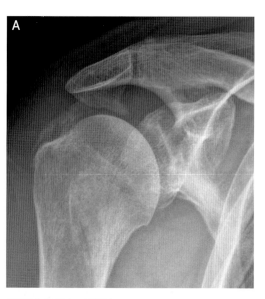
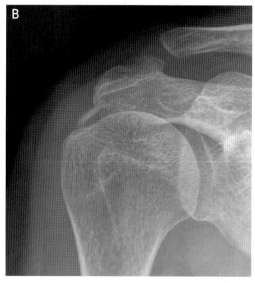

그림 2-3 DePalma의 분류
A: 1형은 경계가 불분명한 솜털 같은 형태로 주로 흡수기(resorptive phase)에 나타난다. B: 2형은 경계가 명확하며 균일하게 조밀한 칼슘 침착물을 가지며 이 유형의 대부분의 환자는 형성기(formative phase)에 해당한다.

dense), 제2형은 조밀한 구름 같은 구조 혹은 경계가 명확하고 투명한 구조(soft contour/dense or sharp/transparent), 제3형은 경계가 불분명하고 투명하고 구름 같은 구조(translucent and cloudy appearance without clear circumscription)라고 하였다.

French Arthroscopic Society classification은 석회성 건염을 방사선학적 칼슘 침착물의 형태에 따라 4가지 유형으로 분류하였다.[29] A형은 조밀(dense)하고 균일(homogeneous)하며 날카로운(sharp) 윤곽을 나타낸다. B형은 조밀(dense)하고 세분화(segmented)되며 날카로운(sharp) 윤곽을 나타낸다. C형은 이질적(heterogeneous)이고 부드러운(soft) 윤곽을 가진다. D형은 회전근 개 힘줄 부착부에 이영양성 석회화(dystrophic calcification)를 의미한다(그림 2-4). Loew는 MRI에서 관찰되는 칼슘 침착의 양상에 따라 석회성 건염을 3가지 유형으로 분류하였다. A형은 조밀하고(dense) 균일하며(uniform), 경계가 명확한(well-defined) 단일(single) 침착

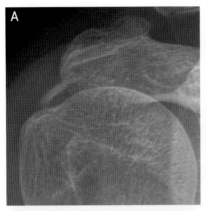

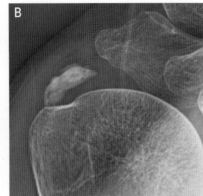

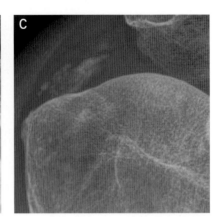

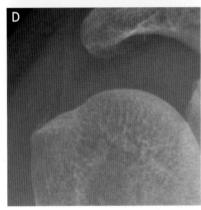

그림 2-4 French Arthroscopic Society classification

A: A형은 조밀(dense)하고 균일(homogeneous)하며 날카로운(sharp) 윤곽을 나타낸다. B: B형은 조밀(dense)하고 세분화(segmented)되며 날카로운(sharp) 윤곽을 나타낸다. C: C형은 이질적(heterogeneous)이고 부드러운(soft) 윤곽을 가진다. D: D형은 회전근 개 힘줄 부착부에 이영양성 석회화(dystrophic calcification)를 나타낸다.

물로 나타난다. B형은 균일하고(uniform), 경계가 명확한(well-defined) 두 개 이상의 침착물로 나타난다. C형은 이질적이고(heterogeneous), 광범위하게 퍼져 있으며(widely spread) 경계가 불분명한(ill-defined) 퇴적물로 나타난다.

2) 초음파(ultrasound)

초음파는 회전근 개 힘줄 내에 있는 석회화 여부를 확인하고, 위치를 특정하는 데 효과적인 진단 도구이다. 특히 크기가 작거나 흡수기에 있는 석회화를 확인할 때 유용하다. 석회성 건염을 진단할 때 초음파의 정확도는 MRI와 비슷한 정도로 보고되어 있다. 칼슘 침착물은 초음파상에서 형성기 혹은 휴지기에서는 명확한 후방 음향 그림자(posterior acoustic shdowing)과 함께 고에코 병변(hyperechoic lesion)을 보이고, 반면 흡수기에서는 고에코성(hyperechogenicity)이 감소하며 후방 음향 그림자가 흐릿하거나 없어진 소견을 보인다(그림 2-5).

초음파는 석회성 건염 환자에 있어서 회전근 개 파열이나 이두박건 장두의 병리와 같은 동반 병리를 진단하는 데

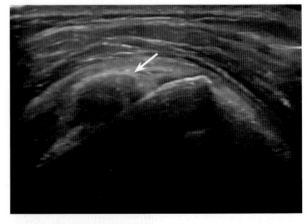

그림 2-5 석회성 건염의 초음파 영상

극상건 실질 내의 고에코 병변과 함께 후방 음향 그림자(posterior acoustic shadowing) 소견을 보인다.

도움을 주며, 동적인 평가(dynamic evaluation)가 가능하게 해주는 장점이 있다. 그뿐만 아니라 영상 진단 영역은 물론 초음파 유도하 주사치료 등에도 도움을 주어 최근 활발하게 이용되고 있다.

3) MRI

석회성 건염 자체를 진단하는 데에 있어서 MRI는 필수적인 검사 방법은 아니다. 하지만 회전근 개 파열 등 동반된 질환을 확인하는 데 효과적이다. T1 강조영상에서 저신호 강도의 칼슘 침착물을 보이며, T2 강조영상에서 석회 참착물 주위의 부종으로 인해 고신호 강도 음영을 보인다 (그림 2-6).

6. 치료(Treatment)

1) 비수술적 치료(nonoperative treatment)

(1) NSAIDs, 물리치료 및 스테로이드

석회성 건염은 대개 보존적인 치료로 좋은 결과를 얻을 수 있다. 따라서 석회성 건염에서 일차적으로 보존적 치료가 먼저 시도되고 있다. 보존적 치료는 기본적으로 휴식

(rest), NSAIDs, 물리치료, 스테로이드 주사(steroid injection)가 일차적으로 추천된다. NSAIDs는 단기간(7-14일)에 통증을 완화하는 데 효과가 있다고 보고되었다. 하지만 장기간 NSAIDs를 사용할 경우 위장, 심혈관 및 신장 부작용의 위험성을 고려해야 한다.[22] 스테로이드 주사는 통증의 단기 치료에서 좋은 결과를 보인다.[4] 물리치료는 일반적으로 이온삼투요법(iontophoresis), 마사지, 레이저 요법 또는 온열 요법과 함께 스트레칭 및 근력강화운동을 포함한다.[22] Ogon은 3개월간의 물리치료와 NSAIDs를 포함한 보존적 치료를 통해 통증 감소 효과를 평가하였다. 보존적 치료의 실패는 보존적 치료를 물리치료, NSAIDs 및 스테로이드 주사를 3개월간 시행하였음에도 불구하고 최소 6개월 이상 증상이 지속되었을 경우로 정의하였다. 이 연구에서 보존적 치료 실패율은 27%로 보고하였다. 양측성 석회성 건염, 석회화가 견봉 전방 부근에 국소적으로 발생한 경우, 견봉하공간에서 내측으로 확장된 경우 및 다량의 칼슘 침착물을 가질 경우 나쁜 예후를 보인다고 하였다. Cho는[7] 물리치료, NSAIDs 및 스테로이드 주사를 포함한 16개월의 보존적 치료 후 평균 Constant 점수 및 UCLA 점수에서 개선을 보였으며, 보존적 치료 실패율은 28%로 보고하였다. Contreras는[8] 스테로이드 주사, 경구 NSAID 및

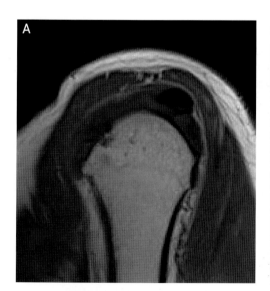
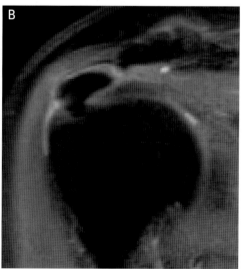

그림 2-6 석회성 건염의 MRI영상
A: T1 강조영상에서 저신호 강도 음영을 보이는 칼슘 침착물. B: T2 강조영상에서 칼슘 침착물 주위로 보이는 고신호 강도 음영

물리 요법을 포함한 보존적 치료 후 ASES 점수 및 SST 점수가 개선되었다고 하였으나, 보존적 치료의 실패율은 40%로 보고한 바 있다.

질병의 급성기에는 통증을 경감시키는 것이 주된 치료 목적이라 하겠다. NSAIDs는 가장 일반적으로 사용되는 약물이지만 어떤 약물 요법이 가장 최적의 치료인지에 초점을 맞춘 연구는 없었다. 특히 위장관계 또는 심혈관계 병력이 있는 환자의 경우 NSAIDs가 상부 위장관 합병증 및 심혈관계 합병증을 유발할 수 있으므로 사용에 있어서 부작용에 주의해야 한다.[23,41]

석회성 건염에서 어깨 통증을 감소시키기 위해 운동치료가 도움이 될 수 있는데, 관절 경직을 예방하기 위한 스트레칭 운동 및 정상 견갑골 역학을 회복시키는 근력강화운동이 포함된다. 운동치료를 통해 근육 경련이 감소되고, 경직을 방지하며 통증을 감소시킬 수 있다. 스트레칭 운동은 규칙적으로 시행해야 하며, 수동적으로 환자가 통증을 다소 느낄 때까지 점진적으로 진행해야 한다. 그리고 환자 스스로 운동치료에 참여할 수 있도록 교육해야 한다.

흡수기 또는 충돌로 인한 증상이 있을 때에는 견봉하 스테로이드 주사가 증상 완화에 효과적이다. 견봉하 스테로이드 주사는 비용이 적게 드는 장점이 있으며, 비교적 부작용이 적고 쉽게 외래에서 시행할 수 있는 치료이다. 여러 연구에서 견봉하 스테로이드 주사가 위약(placebo)과 비교하여 통증 완화, 관절운동범위 및 어깨 기능 향상에 효과적이라고 하였다.

(2) 체외 충격파 치료
(extracorporeal shock wave therapy, ESWT)

체외 충격파 치료(ESWT)는 충격파(shock wave)와 물리적인 압력(mechanical pressure)을 가하여 칼슘 침착물을 분절화시킴으로써 치료 효과를 나타내는 방법이다. 이러한 과정에서 조직 치유와 재생에 기여하는 지지 세포(supporting cell)의 증식, 이동 및 분화를 자극시키게 된다. 체외 충격파 치료는 기존의 보존적 치료가 실패할 때 수술에 대한 비침습적인 대안치료로 주목받아 왔으며, 치료 성공률이 60-80%로 보고되었다. 체외 충격파 치료를 수행함에 있어서 보다 정확한 충격파 치료의 위치 설정을 위해 초음파 유도 하에 시행하기도 한다.

체외 충격파 치료는 에너지 강도에 따라 저에너지 강도 및 고에너지 강도로 시행할 수 있는데, 저에너지 ESWT의 강도는 <0.08 mJ/mm^{2}이며, 고 에너지 강도는 >0.28 mJ/mm^{2}이다. 현재까지 보고된 합병증은 홍반(erythema), 반상출혈(ecchymosis), 피하 혈종(subdermal hematoma) 등이 있으나 흔하지 않으며 대개 저절로 회복되는 것으로 알려져 있다. 어깨 석회성 건염 환자에서 체외 충격파 치료의 효과를 연구한 전향적 무작위 시험들이 보고된 바 있다. 몇몇 연구에서 ESWT 강도가 치료 효과에 미치는 효과에 대해 확인하였다. Gerdesmeyer는[14] 134명의 환자를 대상으로 고에너지 ESWT로 10회 치료한 그룹, 저강도 ESWT로 10회 치료한 그룹을 대조군과 비교하였는데, 치료 6개월 후 저강도 및 고강도 ESWT 그룹 모두 대조군과 비교하여 Constant 점수 및 통증 모두 유의하게 개선되었다. 그뿐만 아니라 고강도 ESWT로 치료받은 환자군에서 저강도 ESWT에 비해 유의하게 더 나은 개선효과를 보였다고 하였다. 이와 유사한 연구에서 Loew는[26] 195명의 환자에서 고강도 ESWT를 2회 받은 환자군, 1회의 고강도 ESWT를 받은 환자군, 1회의 저강도 ESWT를 받은 환자군 및 대조군 이렇게 4개의 집단으로 나누어 치료 결과를 비교하였다. 치료 3개월 후 Constant 점수는 모든 집단에서 각각 25.0, 24.7, 12.2, 3.3점씩 향상되었다. 2회의 고강도 ESWT를 받은 환자군과 1회의 고강도 ESWT를 받은 집단 사이에 유의한 차이가 없었다. 하지만, 고강도 ESWT를 받은 환자군에서 저강도 ESWT를 받은 환자군보다 유의한 개선을 보였으며, 대조군과 비교해서도 유의한 호전을 보였다. Hearnden은[19] 20명의 환자에서 고강도 ESWT 치료를 하여 치료 6개월째에 대조군과 효과를 비교하였는데, 고강도 ESWT 치료를 받은 환자에서 Constant 점수가 11점 증가한 반면, 대조군에서는 호전이 없었다($p=0.03$). Hsu는[20] 46명의 환자를 대상으로 2회의 고강도 ESWT를 시행한 환자군을 대조군과 비교하였는데, 고강도 ESWT 치료 후 6개월째 Constant 점수가 유의하게 호전되었다고 보고했다.

Ioppolo는[22] 메타분석에서 위약(placebo) 치료와 비교하여 치료 6개월째에 완전 흡수율 및 부분 흡수율이 더 높았다고 보고하였다. Daecke는 체외 충격파 치료 후 4년째 장기 추시 결과를 보고하였는데, 70% 환자에서 성공적으로 치료되었다고 보고하였다.

Tornese[40]는 체외 충격파 치료를 받는 환자의 어깨 위치 즉, 중립위 및 과신전 내회전 상태에 따른 치료 효과의 차이가 있는지 연구하였는데, 3회의 고강도 ESWT 후에 Constant 점수는 어깨의 위치에 따라 유의한 차이가 없다고 보고하였다. Pan[32]은 고강도 ESWT와 경피적 전기 신경 자극술(TENS, transcutaneous electric nerve stimulation)의 치료 효과를 비교하였는데, 두 치료 모두 Constant 점수, 통증에 있어서 호전을 보였으며, 체외 충격파 치료가 TENS에 비해 우월한 치료 효과를 보였다고 하였다(p < 0.05).

이러한 연구들을 종합하여 판단하면, 체외 충격파 치료가 석회성 건염 환자의 치료에 있어서 비교적 안전하고, 비침습적인 치료로서 효과적이라고 할 수 있으며, 고강도 ESWT가 저강도 ESWT에 비해 더 우수한 치료 효과를 보인다고 할 수 있겠다. 다만 에너지 강도가 높아질수록 주변 연부조직 손상과 통증 등의 잠재적 부작용이 높아질 가능성을 고려해야겠다.

(3) 초음파 유도 하 천공 및 세척
(ultrasound-guided needling and lavage)

초음파 유도 하 천공(needling)은 회전근 개에 발생한 석회성 건염의 치료에 점점 더 많이 사용되는 최소 침습 기술이다. Farin[12]는 이 기법의 결과를 최초로 기술했으며, 73%에서 석회화 크기 감소 및 기능향상을 보고했다. 이 술기는 초음파 유도 하에 칼슘 침착물 내부에 1개 또는 2개의 바늘을 삽입하여 시행하게 된다. 단일 바늘 기법(single needle technique)으로 시행할 때에는 석회화 내부에 소량의 수액을 주입한 뒤, 주사기 손잡이를 잡아당겨 칼슘 침전물을 주사기로 흡인하는 과정을 거치게 된다. 이중 바늘 기법(two needle technique)으로 시행할 때에는 첫 번째 바늘을 통해 수액을 주입하고, 함께 삽입된 두 번째 바늘을 통해 주사기로 석회를 포함한 수액을 흡인하게 된다(그림 2-7). 일반적으로 침전물을 천공하기 전에 견봉하 윤활낭

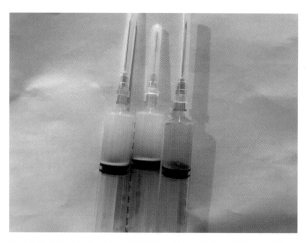

그림 2-7 초음파 유도 하 천공 및 세척 후, 주사기에 흡인된 석회 침착물

에 소량의 국소마취제를 주입한 뒤 술기를 수행하는 것이 시술 중 통증을 줄이는 데에 도움이 된다. 모든 술기를 마친 뒤에는 점액낭염(bursitis)을 예방하기 위해 견봉하 스테로이드 주사(subacromial steroid injection)를 시행하도록 한다. 대부분의 연구에서 초음파 유도 하 천공 및 세척술 후 단기 및 중기 추시에서 좋은 결과를 보고했다.[17]

Serafini[38]는 이중 바늘 기법(two needle technique)을 사용하여 시술을 시행하였고, 시술 1, 3, 12개월 후에 치료를 받지 않은 그룹에 비해 치료한 그룹에서 개선된 임상 결과를 보였다고 했다. De Witte의 무작위 대조 시험(randomized controlled trial)에서 초음파 유도 하 천공 및 세척 치료 그룹과 견봉하 스테로이드 주사치료 그룹의 임상적 결과를 비교하였는데, 1년 추적 관찰에서 두 그룹 모두 통증과 기능 점수가 개선되었다. 그러나 임상 점수의 개선 정도 및 방사선사진상 석회화 크기 감소 정도는 초음파 유도 하 천공 및 세척술이 더 좋은 결과를 보였다.[9]

Kim은 최근에 초음파 유도 하 천공 및 세척과 체외 충격파 요법을 비교한 무작위 대조 연구에서 두 그룹 모두에서 개선된 임상 결과와 칼슘 침착물 크기 감소를 보고했으나, 천공 및 세척술을 받은 환자들에서 초기 6개월째 더 나은 통증 완화를 보였다.[24]

여러 연구결과들을 종합하면, 초음파 유도 하 천공 및 세척은 석회성 건염의 치료에 있어서 비교적 쉽게 시행이 가능하고, 안전하며 효과적인 치료 방법이라 하겠다. 단일

바늘 및 이중 바늘 기법 모두 사용 가능하다. 또한 견봉하 스테로이드 주사보다 증상 완화 및 어깨 기능 회복에 더 효과적인 치료라 하겠다.

2) 수술적 치료

통상적으로 석회성 건염 환자의 치료에 있어서 우선적으로 보존적 치료를 시행해야 한다. 통증 조절을 위해 NSAID와 물리치료로 치료하게 되며, 통증을 개선하고 염증을 줄이기 위해 견봉 하 스테로이드 주사치료 또한 시행할 수 있다. 6개월 이상의 보존적 치료에도 반응하지 않는 환자에서 수술적 치료를 고려할 수 있다. 수술적 치료에는 크게 개방적(open) 술식과 관절경적(arthroscopic) 술식이 있다. Rubenthalar는 38명의 환자를 대상으로 개방적 수술과 관절경적 수술에 대해 전향적 무작위 대조 시험을 수행하여, 17개월 추적 관찰에서 동등한 임상 결과를 보고한 바 있다.[35] 관절경적 수술은 개방적 수술과 비슷한 임상적 호전을 보이면서 동시에 더 적은 합병증을 보이고 있어서, 과거에는 개방적인 방식으로 수행되었지만 최근 관절경적 수술이 표준 치료법이 되었다.

관절경적 술식은 개방적 술식에 비해 미용적으로 우수할 뿐만 아니라, 석회성 건염 외에 동반 병변을 함께 확인 및 처치할 수 있으며, 보다 빠른 재활치료가 가능한 장점이 있다. 관절경적 술식을 시행하기에 앞서, 수술 후 통증 조절을 위해 수술 전에 미리 국소마취를 시행할 수 있으며, 국소 신경 차단술 또는 전신마취하에 수술을 진행할 수 있다. 해변의자 자세(beach chair position) 혹은 측와위(lateral decubitus position)로 관절경 수술을 시행할 수 있으며, 술자의 선호에 따라 결정하게 된다. 수술 중 칼슘 침착물의 정확한 위치를 확인하기 위해 수술 전에 미리 적절한 단순 방사선사진과 MRI 검사를 시행해야 한다. 수술 중에 칼슘 침전물을 찾기 어려운 경우 투시검사(fluoroscopy)가 도움이 될 수 있다.

관절와상완관절(glenohumeral joint)은 후방 삽입구(posterior portal)를 통해 접근한다. 관절와상완관절에 대한 철저한 진단적 관절경 검사를 통해 동반된 병변들을 확인한다. 회전근 개 부착부에 파열이 있는지 여부를 확인해야

하며, 파열이 있을 경우 정도에 따라 필요시 봉합술을 함께 시행해야 한다. 회전근 개 관절면 쪽에서 칼슘 침착물이 보이는 경우에는 외부에서 척추 바늘(spinal needle)과 흡수성 봉합사를 이용하여 위치를 표시하도록 하며, 이를 통해 견봉하공간에서 석회화 위치 파악에 도움을 줄 수 있다.

관절내 검사 및 처치가 끝나면, 견봉하공간으로 접근하게 되며, 견봉하공간은 동일한 후방 삽입구를 통해 접근하게 된다. 먼저 견봉하공간 내에서 시야 확보를 위해 적절한 견봉하감압술을 시행한다. 회전근 개의 점액낭 쪽 표면을 관찰하여 힘줄 내 칼슘침착 여부 및 위치를 확인하도록 한다. 석회가 있는 부위는 힘줄이 볼록하게 팽윤(calcific bulging sign)되어 있는 경우도 있다(그림 2-8). 만일 석회가 쉽게 확인되지 않은 경우에는 탐침(probe)을 이용하여 힘줄 내 석회침착물을 촉진하여 확인한다. 칼슘침착물의 위치를 수술 전 방사선사진과 비교하여 적절한 위치를 찾았는지 재확인한다. 관절내공간에서 석회가 미리 확인된 경우 미리 삽입한 흡수성 봉합사의 위치에서 석회를 찾을 수 있다. 만일 촉진으로도 확인이 되지 않으면 척추 바늘(spinal needle)을 이용하여 천자하여 척추 바늘에 석회가 묻어 나오는지 확인함으로써 위치를 찾는 방법도 있다. 칼슘 침

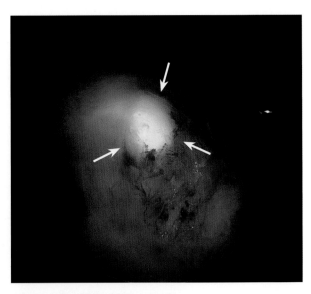

그림 2-8 석회성 건염의 관절경 수술 소견
석회가 위치한 회전근 개 표면이 팽윤된 모습

착물이 확인되어 표면을 천자(puncture)하게 되면 칼슘 침착물이 유리되고, 석회가 견봉하공간으로 떠돌아다니는 모습(snowstorm appearance)을 보이게 된다. 또한 석회의 성상이 액체 성상을 보일 경우에는 치약 같은 모습으로 흘러나오기도 한다(그림 2-9).

Sabeti는 수술 중에 초음파를 사용하게 되면, 칼슘 침착물의 검출을 용이하게 할 뿐만 아니라, 칼슘 침착물의 위치를 확인하기 위한 바늘 천자 횟수를 현저히 감소시킴으로써 수술 시간을 단축시킬 수 있으며, 수술 후 기능 점수 및 통증 완화를 증가시킨다고 보고했다. 그러나 수술 중에 초음파 사용은 현실적인 어려움이 있을 수 있으므로, 초음파 검사에 익숙하지 않거나 수술실에 초음파가 구비되어 있지 않은 경우에 석회화 위치 확인이 어려울 때에는 투시검사(fluoroscopy)를 시행할 수 있다. 칼슘 침착물의 위치가 지정되었다면 과도한 힘줄 손상에 주의하면서 힘줄에 선형 절개(linear incision)를 가한다. 그런 다음 탐침(probe) 등을 이용하여 칼슘 침착물을 제거하도록 하며, 이때 힘줄에 의인성 손상(iatrogenic injury)이 최소화되도록 주의해야 한다. 전동 절삭기(shaver)를 이용하여 칼슘 침착물을 흡인하도록 하며, 견봉하공간으로 유리된 침착물 또한 제거하도록 한다. 충분히 석회가 제거되었는지 투시검사를 통해 확인할 수 있겠다.

수술 과정에서 모든 칼슘 침착물을 절제해야 하는지 여부는 기존 연구들에서 논란이 있다. Porcellini는 63명의 환자를 대상으로 관절경적 석회화절제술을 시행한 결과, 수술 후 2년 추시 상, 초음파에서 잔류 석회화가 발견된 환자는 만족스러운 기능적 결과를 얻기는 했으나, 잔류 석회화가 없는 환자에 비해 통증 완화 정도가 유의하게 적게 나타났다.[33] 하지만 다른 연구에서는 수술 후에 잔여 석회화가 있다고 하더라도 임상적 결과나 통증 완화 정도에서 차이가 없었다고 보고했다.[10,18,37] 현재까지 연구로 판단하면, 수술 과정에서 최대한 많은 칼슘 침착물을 제거하되, 회전근 개 힘줄의 손상을 최소화하도록 하는 것이 중요하다고 하겠다.

칼슘 침착물을 제거한 뒤에는 회전근 개 힘줄의 손상 정도를 평가하도록 한다. 일반적으로 칼슘 침착물은 점액낭 쪽에 국한되며 힘줄의 관절 쪽을 침범하지 않은 경우가 많다. 점액낭 쪽 힘줄에 아주 경미한 부분 두께 손상만 있는 경우에는 보통 회전근 개 봉합술을 시행하지 않아도 무방하나, 회전근 개 파열이 전체 두께이거나 회전근 케이블(rotator cable)에 손상이 생긴 경우에는 회전근 개 봉합술을 함께 시행해야 한다.

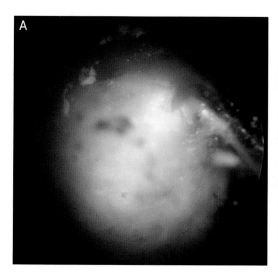
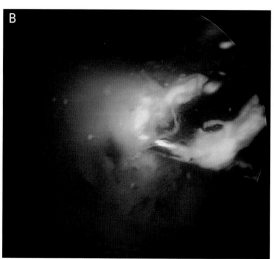

그림 2-9 **석회성 건염의 관절경 소견**
A: 칼슘 침착물을 천자(puncture)하여 칼슘 침착물이 유리되어 견봉하공간으로 떠돌아다니는 모습(snowstorm appearance). B: 치약 같은 성상의 석회화 형태

회전근 개 힘줄의 손상 정도를 확인한 후 오구견봉인대 (coracoacromial ligament)와 견봉에 대해 평가한다. 이 부위에 마모 여부 및 기계적 충돌 징후에 대해 평가해야 하며, 이를 통해 견봉하 감압술 시행 여부를 결정하도록 한다. 견봉하 감압술의 필요성에 대해서는 문헌상 논란의 여지가 있으나,[1,33,35,37,39] 일반적으로 기계적 충돌의 징후, 즉 견봉 또는 오구견봉인대 아래쪽의 마모, 견봉골극(acromial spur)이 있을 경우 견봉하 감압술을 시행해야 한다.

관절경적 석회화절제술의 결과에 대한 여러 연구들이 보고되었다. Balke는 석회성 건염에 대해 관절경적 석회화 절제술을 시행한 70명의 환자에서 6년 추시 결과를 보고하였는데, 기능 점수의 상당한 개선과 통증의 개선이 있었다고 했다.[3] 극상건과 극하건뿐만 아니라 다양한 위치에서 발생한 석회성 건염에 대해 관절경으로 치료가 가능하다.[2,13,21] Vinanti는 비전형적인 위치에서 발생한 석회화, 즉 내측 극상근, 견갑하건, 이두박근 장두에서 발생한 석회성 건염에 대해 관절경적 석회화절제술 후 우수한 단기 결과를 보고하였다.[44] 석회성 건염의 관절경적 절제술 후 합병증은 비교적 드물다고 알려져 있으나, 감염, 경직, 신경혈관손상 및 드물게 골화성 건염(ossifying tendnitis)이 발생할 수 있다.[28,30] Merolla는 석회성 건염의 관절경적 수술 후 골화 건염이 발생한 2례를 보고했으며, 둘 다 층판골(lamellar bone)의 조직학적 양상을 가진 수산화인회석 결정 (hydroxyapatite)에 대해 관절경적 절제로 성공적으로 치료하였다.[28]

참고문헌

1. Ark JW, Flock TJ, Flatow EL, Bigliani LU. Arthroscopic treatment of calcific tendinitis of the shoulder. Arthroscopy. 1992;8(2):183-8.

2. Arrigoni P, Brady PC, Burkhart SS. Calcific tendonitis of the subscapularis tendon causing subcoracoid stenosis and coracoid impingement. Arthroscopy. 2006;22(10):1139 e1-3.

3. Balke M, Bielefeld R, Schmidt C, Dedy N, Liem D. Calcifying tendinitis of the shoulder: midterm results after arthroscopic treatment. Am J Sports Med. 2012;40(3):657-61.

4. Bannuru RR, Flavin NE, Vaysbrot E, Harvey W, McAlindon T. High-energy extracorporeal shock-wave therapy for treating chronic calcific tendinitis of the shoulder: a systematic review. Ann Intern Med. 2014;160(8):542-9.

5. Bosworth DM. Diagnosis and treatment of lesions of the shoulder. R I Med J. 1953;36(9):512-5.

6. Burkhead WZ, Jr. A history of the rotator cuff before Codman. J Shoulder Elbow Surg. 2011;20(3):358-62.

7. Cho NS, Lee BG, Rhee YG. Radiologic course of the calcific deposits in calcific tendinitis of the shoulder: does the initial radiologic aspect affect the final results? J Shoulder Elbow Surg. 2010;19(2):267-72.

8. Contreras F, Brown HC, Marx RG. Predictors of success of corticosteroid injection for the management of rotator cuff disease. HSS J. 2013;9(1):2-5.

9. de Witte PB, Selten JW, Navas A, et al. Calcific tendinitis of the rotator cuff: a randomized controlled trial of ultrasound-guided needling and lavage versus subacromial corticosteroids. Am J Sports Med. 2013;41(7):1665-73.

10. Demirhan M, Atalar AC, Kilicoglu O. Primary fixation strength of rotator cuff repair techniques: a comparative study. Arthroscopy. 2003;19(6):572-6.

11. Depalma AF, Kruper JS. Long-term study of shoulder joints afflicted with and treated for calcific tendinitis. Clin Orthop. 1961;20:61-72.

12. Farin PU, Rasanen H, Jaroma H, Harju A. Rotator cuff calcifications: treatment with ultrasound-guided percutaneous needle aspiration and lavage. Skeletal Radiol. 1996;25(6):551-4.

13. Franceschi F, Longo UG, Ruzzini L, Rizzello G, Denaro V. Arthroscopic management of calcific tendinitis of the subscapularis tendon. Knee Surg Sports Traumatol Arthrosc. 2007;15(12):1482-5.

14. Gerdesmeyer L, Wagenpfeil S, Haake M, et al. Extracorporeal shock wave therapy for the treatment of chronic calcifying tendonitis of the rotator cuff: a randomized controlled trial. JAMA. 2003;290(19):2573-80.

15. Gohlke F. Early European contributions to rotator cuff repair at the turn of the 20th century. J Shoulder Elbow Surg. 2011;20(3):352-7.

16. Gosens T, Hofstee DJ. Calcifying tendinitis of the shoulder: advances in imaging and management. Curr Rheumatol Rep. 2009;11(2):129-34.

17. Greis AC, Derrington SM, McAuliffe M. Evaluation and nonsurgical management of rotator cuff calcific tendinopathy. Orthop Clin North Am. 2015;46(2):293-302.

18. Guanche CA, Quick DC, Sodergren KM, Buss DD. Arthroscopic versus open reconstruction of the shoulder in patients with isolated Bankart lesions. Am J Sports Med. 1996;24(2):144-8.

19. Hearnden A, Desai A, Karmegam A, Flannery M. Extracorporeal shock wave therapy in chronic calcific tendonitis of the shoulder--is it effective? Acta Orthop Belg. 2009;75(1):25-31.

20. Hsu CJ, Wang DY, Tseng KF, Fong YC, Hsu HC, Jim YF. Extracorporeal shock wave therapy for calcifying tendinitis of the shoulder. J Shoulder Elbow Surg. 2008;17(1):55-9.

21. Ifesanya A, Scheibel M. Arthroscopic treatment of calcifying tendonitis of subscapularis and supraspinatus tendon: a case report. Knee Surg Sports Traumatol Arthrosc. 2007;15(12):1473-7.

22. Ioppolo F, Tattoli M, Di Sante L, et al. Clinical improvement and resorption of calcifications in calcific tendinitis of the shoulder after shock wave therapy at 6 months' follow-up: a systematic review and meta-analysis. Arch Phys Med Rehabil. 2013;94(9):1699-706.

23. Kearney PM, Baigent C, Godwin J, Halls H, Emberson JR, Patrono C. Do selective cyclo-oxygenase-2 inhibitors and traditional non-steroidal anti-inflammatory drugs increase the risk of atherothrombosis? Meta-analysis of randomised trials. BMJ. 2006;332(7553):1302-8.

24. Kim YS, Lee HJ, Kim YV, Kong CG. Which method is more effective in treatment of calcific tendinitis in the shoulder? Prospective randomized comparison between ultrasound-guided needling and extracorporeal shock wave therapy. J Shoulder Elbow Surg. 2014;23(11):1640-6.

25. Le Goff B, Berthelot JM, Guillot P, Glemarec J, Maugars Y. Assessment of calcific tendinitis of rotator cuff by ultrasonography: comparison between symptomatic and asymptomatic shoulders. Joint Bone Spine. 2010;77(3):258-63.

26. Loew M, Daecke W, Kusnierczak D, Rahmanzadeh M, Ewerbeck V. Shock-wave therapy is effective for chronic calcifying tendinitis of the shoulder. J Bone Joint Surg Br. 1999;81(5):863-7.

27. McKendry RJ, Uhthoff HK, Sarkar K, Hyslop PS. Calcifying tendinitis of the shoulder: prognostic value of clinical, histologic, and radiologic features in 57 surgically treated cases. J Rheumatol. 1982;9(1):75-80.

28. Merolla G, Dave AC, Paladini P, Campi F, Porcellini G. Ossifying tendinitis of the rotator cuff after arthroscopic excision of calcium deposits: report of two cases and literature review. J Orthop Traumatol. 2015;16(1):67-73.

29. Mole D, Kempf JF, Gleyze P, Rio B, Bonnomet F, Walch G. [Results of endoscopic treatment of non-broken tendinopathies of the rotator cuff. 2. Calcifications of the rotator cuff]. Rev Chir Orthop Reparatrice Appar Mot. 1993;79(7):532-41.

30. Noud PH, Esch J. Complications of arthroscopic shoulder surgery. Sports Med Arthrosc Rev. 2013;21(2):89-96.

31. Ogon P, Suedkamp NP, Jaeger M, Izadpanah K, Koestler W, Maier D. Prognostic factors in nonoperative therapy for chronic symptomatic calcific tendinitis of the shoulder. Arthritis Rheum. 2009;60(10):2978-84.

32. Pan PJ, Chou CL, Chiou HJ, Ma HL, Lee HC, Chan RC. Extracorporeal shock wave therapy for chronic calcific tendinitis of the shoulders: a functional and sonographic study. Arch Phys Med Rehabil. 2003;84(7):988-93.

33. Porcellini G, Paladini P, Campi F, Paganelli M. Arthroscopic treatment of calcifying tendinitis of the shoulder: clinical and ultrasonographic follow-up findings at two to five years. J Shoulder Elbow Surg. 2004;13(5):503-8.

34. Rothman RH, Parke WW. The vascular anatomy of the rotator cuff. Clin Orthop Relat Res. 1965;41:176-86.

35. Rubenthaler F, Ludwig J, Wiese M, Wittenberg RH. Prospective randomized surgical treatments for calcifying tendinopathy. Clin Orthop Relat Res. 2003(410):278-84.

36. Sansone VC, Meroni R, Boria P, Pisani S, Maiorano E. Are occupational repetitive movements of the upper arm associated with rotator cuff calcific tendinopathies? Rheumatol Int. 2015;35(2):273-80.

37. Seil R, Litzenburger H, Kohn D, Rupp S. Arthroscopic treatment of chronically painful calcifying tendinitis of the supraspinatus tendon. Arthroscopy. 2006;22(5):521-7.

38. Serafini G, Sconfienza LM, Lacelli F, Silvestri E, Aliprandi A, Sardanelli F. Rotator cuff calcific tendonitis: short-term and 10-year outcomes after two-needle us-guided percutaneous treatment--nonrandomized controlled trial. Radiology. 2009;252(1):157-64.

39. Tillander BM, Norlin RO. Change of calcifications after arthroscopic subacromial decompression. J Shoulder Elbow Surg. 1998;7(3):213-7.

40. Tornese D, Mattei E, Bandi M, Zerbi A, Quaglia A, Melegati G. Arm position during extracorporeal shock wave therapy for calcifying tendinitis of the shoulder: a randomized study. Clin Rehabil. 2011;25(8):731-9.

41. Trelle S, Reichenbach S, Wandel S, et al. Cardiovascular safety of non-steroidal anti-inflammatory drugs: network meta-analysis. BMJ. 2011;342:c7086.

42. Uhthoff HK, Loehr JW. Calcific Tendinopathy of the Rotator Cuff: Pathogenesis, Diagnosis, and Management. J Am Acad Orthop Surg. 1997;5(4):183-91.

43. Uhthoff HK, Sarkar K. Calcifying tendinitis. Baillieres Clin Rheumatol. 1989;3(3):567-81.

44. Vinanti GB, Pavan D, Rossato A, Biz C. Atypical localizations of calcific deposits in the shoulder. Int J Surg Case Rep. 2015;10:206-10.

어깨경직
Shoulder stiffness

여지현

Ⅰ 어깨경직의 일반 원칙
(General principles of shoulder stiffness)

어깨관절은 근골격계에서 가장 큰 가동범위를 가지는 관절 중 하나이다. 어깨관절의 큰 가동범위는 관절와상완관절(glenohumeral joint)의 형태학적 특성뿐만 아니라, 어깨관절이 움직일 때 견갑골에 추가적인 움직임이 동반되기 때문에 가능하다. 어깨관절 운동범위의 소실, 즉 어깨경직(shoulder stiffness)은 개인이 원하는 활동을 수행하는 데에 큰 영향을 가져온다. 어깨운동범위 소실에 기여하는 요인들을 이해하는 것은 어깨경직을 올바르게 관리하는 데에 필수적이다. 이 장에서는 어깨경직을 유발할 수 있는 다양한 원인들의 일반 원칙(general principles)뿐만 아니라 어깨경직의 생체역학(biomechanics)과 병태생리학(pathophysiology)에 대한 기초과학적 정보를 제공하고, 이후 일차성 어깨경직(primary shoulder stiffness) 및 이차성 어깨경직(secondary shoulder stiffness)에 대해서 각각 서술하도록 하겠다.

1. 어깨경직(Shoulder stiffness)의 정의(Definition)와 분류(Classification)

어깨경직이란 하나 이상의 운동 평면(plane)에서 수동적 관절운동범위(passive range of motion)의 감소로 정의된다. 어깨경직은 전방 굴곡(forward flexion), 외전(abduction), 내회전(internal rotation), 외회전(external rotation) 등 여러 운동 평면에서 운동범위의 감소를 보일 수 있다. 각각의 평면에서 운동범위의 감소 정도가 다양하게 나타날 수 있으며, 때때로 한 평면에서만 운동범위가 감소하기도 한다.

어깨경직의 여러 임상 양상을 표현하는 용어들에 있어서 다소 혼동이 있을 수 있다. 동결견(frozen shoulder)이라는 용어는 모든 평면에서 어깨 운동의 감소를 의미한다. 동결견은 어깨경직을 유발하는 기저 병변을 확인할 수 없을 경우에는 일차성 동결견(primary frozen shoulder)이라고 정의하며, 반면 관절운동범위를 제한시키는 관절낭 섬유화(capsular fibrosis)가 골절, 외상, 수술, 또는 회전근 개 질환 등의 기타 병적상태로 인해 발생하면 이차성 동결견(secondary frozen shoulder)이라고 정의한다(표 3-1). 유착성 관절낭염(adhesive capsulitis)라는 용어는 통상적으로 일차성 동결견을 지칭한다. 일차성 동결견은 일반 인구집단과 비교할 때, 특정 유발요인을 가진 사람에게 특히 잘 발생하는 것으로 밝혀져 있다(표 3-2). 이러한 유발요인들 중 어느 것도 확인할 수 없는 경우 환자는 특발성 일차성 동결견(특발성 유착성 관절낭염)으로 진단된다. 표 3-2에 기술된 여러 전신적 상태와 연관된 동결견을 전신적 동결견이라고 부른다.

1) 일차성 동결견(primary frozen shoulder)

일차성 동결견은 어깨경직을 유발할 수 있는 다른 병리학적 요인이 없는 상태에서 통증과 함께 모든 평면에서 어

표 3-1 어깨경직의 분류

일차성 동결견(유착성 관절낭염)
전신성 동결견(당뇨, 갑상샘질환 등)
특발성 동결견
이차성 동결견
외상성(posttraumatic)
수술 후 발생한 동결견
기타(석회성 건염, 회전근 개 질환) 상태로 인한 동결견
어깨경직의 기타 원인
퇴행성 혹은 염증성 관절염
이소성 골화(heterotopic ossification)
강직(spasticity)
화농성 관절염(septic arthritis)과 골수염(osteomyelitis)
기타

표 3-2 동결견의 높은 발생과 관련이 있는 여러 인자들

내분비계 질환(endocrine disorder)
당뇨
갑상샘질환(갑상선 기능항진증/저하증)
부신질환(adrenal disorder)
이상지질혈증(중성지방/콜레스테롤)
심혈관계 질환(cardiovascular disease)
심장수술 병력
허혈성 심장질환
신경계 질환(neurological disorder)
뇌졸중(stroke)
파킨슨병(Parkinson disease)
뇌수술 병력
외상
약물 유발성(drug induced)
기질단백분해효소억제제(matrix metalloproteinase inhibitor)
항레트로바이러스제(antiretrovirals)
플로로퀴놀론제제(flouroquinolones)
폐렴구균백신(pneumococcal vaccine)
섬유화와 관련된 질환
듀피트렌 구축(Dupuytren contracture)
LaPeyronie disease
기타
만성 폐쇄성 폐질환
근치적 경부곽청술(radial neck dissection)
악성종양

깨관절의 능동적 및 수동적 운동의 감소로 정의된다. 주요 병리학적 소견은 관절와상완관절(glenohumeral joint)의 활액막염(synovitis)과 관절낭 섬유화(capsular fibrosis)이다. 대부분의 환자에서 질환의 상태는 동통기(painful phase)-동결기(frozen phase)-해동기(thawing phase)의 세 가지 연속된 단계에 따라 진행된다. 초기 동통기(painful phase)는 서서히 진행되는 통증 및 경직을 특징으로 한다. 일반적으로 처음에는 통증이 밤이나 활동 시에만 느껴지지만 결국에는 하루 종일 통증이 일정하게 느껴진다. 대부분의 경우 통증이 경직보다 먼저 나타나지만 일부 환자에서는 경직을 먼저 호소하기도 한다. 동통기(painful phase)의 평균 기간은 10주에서 36주 사이인 것으로 알려져 있다. 두 번째 단계인 동결기(frozen phase)에서는 통증이 약간 가라앉고 경직이 지속된다. 이 단계의 기간은 4개월에서 10개월 정도 지속된다고 하였다. 마지막 단계인 해동기(thawing phase)는 통증과 경직 모두 점진적이며 자발적으로 개선된다. 세 단계의 평균 기간은 30개월로 보고되었다(그림 3-1).

어깨경직과 통증을 주소로 내원한 환자가 일차성 동결견으로 진단되기 위해서는, 첫째, 신체검진 소견상 거상(elevation), 외회전(external rotation), 내회전(internal rotation) 중에서 하나 이상의 평면에서 수동적 관절운동범위의 소실이 있어야 하고, 둘째, 영상 검사 소견상 경직의 다른 원인, 예를 들면 관절와상완관절염(glenohumeral arthritis), 염증성 관절염(inflammatory arthritis), 회전근 개 파열(rotator cuff tear) 등이 배제되어야 한다. 수동적 관

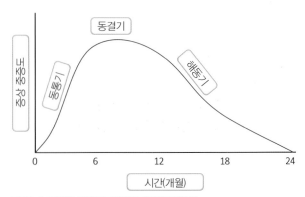

그림 3-1 일차성 특발성 동결견의 자연경과 3단계
1단계: 동통기, 2단계: 동결기, 3단계: 해동기

절운동범위가 감소되어 있으면서 통증을 호소하는 상황에서 X-ray 검사가 정상이고, 자기공명영상(MRI)에서 관절와순(labrum) 혹은 회전근 개에 이상소견을 보일 때에 일차성 동결견인지 이차성 동결견인지 구별하는 것은 진단적으로 어려울 수 있다. 회전근 개 부분파열이나 관절와순 파열의 경우 일반 인구 집단에서도 흔히 관찰되는 병변이기 때문에, 동결견의 원인일 수도 있고, 우연히 발견된 소견일 수도 있기 때문에 일차성/이차성 동결견의 구별에 있어서 주의가 필요하다. 이는 X-ray 검사상, 석회성 건염(calcific tendinitis)이 확인된 경우에도 마찬가지이다.

정형외과의 그동안의 역사상, 일차성 동결견을 정의하기 위한 여러 시도가 있었다. Codman은 근육 연축(muscle spasm)과 관절와상완관절 경직(glenohumeral stiffness)의 임상적 패턴을 설명하기 위해 동결견이라는 용어를 사용했다. 그는 이 상태가 "정의하기도 어렵고 치료하기도 어려우며, 병리학적 관점에서 설명하기도 어렵다"고 말했다. Neviaser는 유착성 관절낭염(adhesive capsulitis)이라는 용어를 "어깨관절낭을 침범하는 만성 염증 과정에 의해 관절낭이 두꺼워지고, 이차적으로 관절낭이 상완골 두에 유착되는 것"이라고 지칭하였다.[97] 1992년 American Academy of Orthopaedic Surgeons 위원회는 동결견을 "알려진 내재적 어깨질환이 없는 상태에서 발생하는 능동적 및 수동적 어깨관절운동범위 모두의 상당한 제한을 특징으로 하는 불확실한 병인(etiology)의 상태"로 정의했다. Zuckerman과 Rokito는 전 세계 어깨 전문가 190명의 합의에 따라 동결견에 대한 정의를 발표했다. 동결견은 "능동적 및 수동적 어깨 운동의 기능적 제한을 특징으로 하는 상태이며, X-ray 검사 소견상 특이점이 없으나, 골감소증이나 석회성 건염이 존재할 수 있다" 이 합의에서 이차성 동결견의 분류는 회전근 개 또는 이두박근의 이상 등으로 인한 ① 내인성(intrinsic), 어깨와 상관없는 원인으로 인해 발생하는 ② 외인성(extrinsic), 그리고 당뇨나 갑상샘질환으로 인해 발생하는 ③ 전신성(systemic)으로 크게 세 가지로 분류한 바 있다.

2) 이차성 동결견(secondary frozen shoulder)

이차성 동결견은 다른 어깨질환이 있는 상태에서 이로 인해 어깨 운동범위에 제한이 발생하는 것으로 정의된다. 이차성 동결견은 주로 회전근 개 봉합술이나 관절와순 봉합술(labral repair) 후, 혹은 외상 후에 흔히 볼 수 있다. 이차성 동결견이 발생하는 원인은 어떤 상태에서는 관절낭 섬유화(capsular fibrosis)가 운동범위 소실의 주요 원인이 되는 반면(예: 상부 관절와순 봉합 후 경직이 발생하는 경우), 어떤 상태에서는 운동범위 소실이 관절낭 섬유화가 아닌 다른 문제로 인해 발생하기도 한다(예: 근위 상완골 골절 후 운동범위 제한은 부정유합 등 관절낭외의 문제로 인해 발행하기도 한다). 이차성 동결견은 아래 기술되는 세 가지의 범주, 즉, ① 외상성 어깨경직, ② 수술 후 발생한 어깨경직 및 ③ 이차성 어깨경직을 초래하는 기타 상태로 분류된다(표 3-1).

(1) 외상성 어깨경직
(posttraumatic shoulder stiffness)

외상성 어깨경직은 골절 또는 탈구 등을 유발할 정도의 비교적 심각한 외상 후에 발생한 어깨경직을 의미한다. 대표적인 예로는 근위 상완골 골절(proximal humerus fracture)을 들 수 있다. 앞서 언급한 바와 같이, 이에 대해 진단 및 치료를 하기 위해서는 어깨경직의 원인에 있어서 관절낭 구축이 차지하는 정도가 어느 정도인지, 관절낭 구축 외의 다른 이상으로 인한 경직은 어느 정도인지를 파악하는 것이 중요하다.

(2) 수술 후 발생한 동결견
(postoperative shoulder stiffness)

모든 어깨 수술로 인해 수술 후에 경직을 초래할 수 있다. 수술 후 경직을 유발할 수 있는 가장 일반적인 수술로는 상부 관절와순 봉합술, 어깨 불안정성 수술, 회전근 개 봉합술, 골절 고정술 및 어깨 인공관절수술이 있다. 이러한 수술 후에 발생한 어깨경직이 유리술(release)에 효과를 보는 경우도 있지만, 관절운동범위를 완전히 회복하기 위해서는 관절낭 구축 외에 여러 요인들을 함께 치료해야 한다. 예를 들면 어깨 인공관절수술 후에 발생한 경직에 있어서 인공관절의 부속물의 재치환술을 해야 하는 경우가 있을 수 있고, 골절 수술 후에 부정유합이 발생하여 이로 인한 경직이 발생한 경우에는 부정유합에 대한 교정이 필요한 경우도 있다.

(3) 이차성 어깨경직을 초래하는 기타 상태들

회전근 개 질환이나 석회성 건염을 비롯한 여러 어깨질환이 이차성 어깨경직과 관련될 수 있다. 개념적으로, 관절낭 섬유증 외에 다른 부위에 구조적 손상(structural damage)으로 인해 이차적으로 어깨경직을 유발하는 여러 상태가 이 범주에 포함될 수 있겠다. 하지만 일반적으로 이러한 경우에는 관절낭 섬유증과는 다른 치료전략이 필요하다. 이러한 상태에는 퇴행성 관절염(degenerative arthritis), 염증성 관절염(inflammatory arthritis) 및 화농성 관절염(septic arthritis), 그리고 이소성 골화(heterotopic ossification 및 경직(spasticity)을 유발하는 신경근 장애와 같은 상태가 포함된다. 견갑골을 포함한 주위의 장애 또한 이차성 어깨경직으로 이어질 수 있다.

2. 정상 및 비정상 어깨 운동의 생역학 (Biomechanics of normal and abnormal shoulder motion)

앞서 언급한 상태에 이차적인 어깨경직을 주된 증상으로 호소하는 환자에 대한 평가 및 관리를 위해서는 정상적인 어깨 운동의 생역학에 대한 이해가 필요하다. 팔을 제한 없이 움직이고 위치시키려면 관절와상완관절(glenohumeral joint), 흉쇄관절(sternoclavicular joint), 견봉-쇄골관절(acromioclavicular joint), 견갑흉곽 경계면(scapulothoracic interface), 견봉하-삼각근하 경계면(subacromial-subdeltoid interface)을 포함하여 어깨 움직임과 관련된 모든 관절에서 움직임이 제대로 이뤄져야 한다.

1) 관절와상완관절(glenohumeral joint)

관절와상완관절은 넓은 운동범위를 가진다. 상대적으로

더 큰 구형(spherical)의 상완골 두(humeral head)는 작고 평평한 관절와(glenoid) 위에서 거의 제약 없이 움직인다. 또한, 관절와상완관절낭(glenohumeral joint capsule)은 매우 널찍하며, 관절운동의 끝 범위에서를 제외하면 이완된 상태로 존재한다. 관절낭의 정상적인 표면적은 상완골 두 표면적의 두 배 정도에 해당한다. 정상적이고 온전한 관절와상완관절낭의 비틀림 저항(torsional resistance)을 측정해보면, 관절낭은 최종 가동범위에 도달할 때까지 이완된 상태를 유지한다.[50] 상완골 두는 관절와 관절면 위에서 회전(rotation) 및 병진(translation) 운동을 한다. 관절와상완관절낭과 이 부위의 인대조직은 어깨 운동범위 말단에서 회전과 병진운동을 억제함으로써 어깨관절을 안정화시켜주는 역할을 한다.[93]

여러 연구에서 견관절 움직임에 따른 관절와상완관절낭과 인대의 다양한 생역학적 특성을 분석했다. 상관절와상완인대(superior glenohumeral ligament)와 오구상완인대(coracohumeral ligament)를 포함하는 회전근 간격(rotator interval) 영역은 위팔이 내전된 상태에서 어깨를 외회전시킬 때 장력이 증가한다.[38,53,136] 중관절와상완인대(middle glenohumeral ligament)와 하관절와상완인대(inferior glenohumeral ligament)의 전대(anterior band)는 각각 45도 및 90도 외전에서 최대 외회전되었을 때 팽팽해진다.[128,129] 어깨 관절의 외전이 증가함에 따라 관절낭의 아래쪽 영역이 더 팽팽해진다. 후방 관절낭(posterior capsule)은 위팔이 내전된 상태에서 어깨를 내회전시킬 때 팽팽해진다. 위팔의 거상각(elevation angle)이 증가함에 따라 점차 아래쪽 관절낭이 더 팽팽해진다.[51]

일차성 동결견은 일반적으로 여러 운동 평면에서 비슷한 정도의 운동범위 감소를 보이지만, 이차성 경직은 특정 운동 평면에서 선택적으로 운동범위의 감소를 가져오기도 한다. 관절와상완관절의 다양한 부분의 선택적 구축(selective contracture)의 결과에 대해 연구된 바 있다. 이러한 비대칭 구축이 발생하면 운동범위에 제한을 가져올 뿐만 아니라 상완골 두의 비정상적 병진(translation) 운동이 발생한다.[52] 예를 들어, 전방 불안정성 환자에서 전방 안정화 수술(anterior stabilization surgery)의 결과로 인한 전하방 관절낭(anteroinferior capsule) 및 인대의 병리학적 구축은 외회전 손실 및 상완골 두의 비정상적 후방 병진을 유발할 수 있으며, 이는 결국 관절낭봉합술 후 관절병증(capsulorrhaphy arthropathy)으로 이어질 수 있다.[55] 이와 유사하게 후방 관절낭의 병리학적 구축은 거상, 내회전 및 수평 내전을 제한한다.[51] 결과적으로 상완골 두의 비정상적 전상방 병진(anterosuperior translation)은 회전근 개에 부정적인 영향을 미칠 수 있으며, 이는 소위 관절와상완 내회전결손 (glenohumeral internal rotation deficit)에서 볼 수 있으며, 이로 인해 투수나 배드민턴 등의 운동선수들에게 상당한 통증과 장애를 유발할 수 있다.[20]

2) 견갑-흉곽경계면(scapulothoracic interface)

흉벽 위에서 견갑골의 움직임은 어깨 거상의 약 1/3 정도를 담당하는 것으로 알려져 있다.[20] 따라서 견갑-흉곽경계면의 경직이 발생하면 어깨 운동범위는 감소할 수 있다. 하지만, 특정 환자는 관절와상완운동(glenohumeral motion)이 제한될 때 견갑-흉곽운동이 보상적으로 증가하기도 한다. 가장 극적인 예는 관절와상완관절 고정술을 들 수 있는데, 이 수술을 받은 환자에서 견갑-흉곽운동이 증가되었다고 보고하였다. Nicholson은 동결견 환자에서 어깨 거상 (elevation) 시에 견갑골의 상방 회전(upward rotation)이 증가했다고 보고했으며,[98] Lin 등은 상부 승모근에서 하부 승모근에 비해 상대적으로 더 증가된 근전도 활동을 보여주었다. 따라서 어깨경직이 있는 모든 환자에서 견갑 흉곽 경계면의 움직임에 대해 주의 깊게 평가해야 한다.

3) 흉쇄관절, 쇄골 및 견봉-쇄골관절
(sternoclavicular joint, clavicle and acromioclavicular joint)

쇄골은 흉벽(chest wall)에서 견갑골의 골격 지지에 기여하는 버팀목 역할을 하기 때문에 견갑골이 움직이기 위해서는 흉벽을 기준으로 쇄골이 움직여야 한다. 견갑골 운동 중 대부분의 쇄골운동은 흉쇄관절(sternoclavicular joint)에서 발생한다. 내측 쇄골은 어깨 거상(elevation)시 뿐만 아니라, 견갑골의 전진(protraction) 및 후진(retraction)에 따

라서 함께 움직인다. 이러한 결합된 동작은 흉쇄관절에서 50도 정도의 회전을 담당한다.[118] 따라서, 흉쇄관절의 움직임을 제한하는 상황에서는 어깨경직이 발생할 수 있다. 마찬가지로, 흉벽에서 견갑골을 지지하는 쇄골 주변 관절에 문제가 발생하면 어깨경직을 유발할 수 있다. 흉쇄관절의 불안정성은 어깨 운동의 범위 감소로 이어지는 경우는 드물지만, 반대로 쇄골의 부정교합과 견봉-쇄골관절의 불안정성은 어깨 부위의 운동학(kinematics)을 변화시키고 어깨 운동범위 감소에 기여할 수 있다.[75,124,134]

4) 견봉하-삼각근하 경계면
(subacromial-subdeltoid interface)

견봉하-삼각근하 경계면은 삼각근, 견봉(acromion)과 오구돌기(coracoid process)의 깊은 쪽(deep side)과, 상완골과 회전근 개의 바깥면 사이의 움직임이 일어나는 표면(surface)으로 정의된다. 이 경계면에 유착이 생기면 어깨경직이 발생할 수 있다. 이러한 기전으로 발생하는 어깨경직은 주로 근위 상완골 골절의 내고정술(internal fixation) 후, 혹은 심한 점액낭 반흔(scar) 조직이 있는 회전근 개 파열이나 석회성 건염을 들 수 있다. 이두박건 장두(long head of biceps tendon)의 정상적인 활주(glide)도 어깨관절의 완전한 움직임에 중요하다. 이두박건이 관절낭이나 상완이두근구(bicipital groove)에 유착되는 경우도 있다.

3. 일차성 동결견의 병태생리학
(Pathophysiology of primary frozen shoulder)

일차성 동결견은 매우 흔한 질환이지만, 유착성 관절낭염(adhesive capsulitis)의 자발적 발병을 유발하는 요인과 관련된 세포 및 분자기전(cellular and molecular mechanisms)은 여전히 완벽히 규명되지 못하였다. 앞서 언급했듯이, 일차성 동결견은 일반 인구집단과 비교할 때 특정 조건을 가진 개인에게 특히 많이 발생하는 것으로 밝혀졌지만(표 3-2), 유착성 관절낭염이 발병한 많은 환자에서 이러한 조건들이 확인되지 않은 경우도 많다.

563

1) 발병 가설

초기 이론은 동결견이 삼각근하(subdeltoid) 부위에서 시작되었다고 제안했지만, Riedel과 Neviaser는 동결견이 주로 관절와상완관절낭(glenohumeral joint capsule)과 관련이 있다고 가정했다.[97] Neviaser는 정상 활액막층을 가진 관절낭의 섬유화와 혈관주위 침윤(perivascular infiltration)을 보고했으며, 동결견은 상완골 경부에 부착되는 단단한 관절와상완관절낭 때문이라고 제안하여 유착성 관절낭염이라는 용어를 도입하였다. Neer는 이후 오구상완인대(coracoacromial ligament)의 구축이 동결견의 병리(pathology)에 기여한다고 제안했다.[96] 현재는 회전근 간격(rotator interval)을 포함한 관절와상완관절의 관절낭 조직이 일차성 동결견의 주요 병리 부위(pathologic site)라고 알려져 있다. 혈관이 증가된 활액막증식증(synovial hyperplasia)은 질병 초기 기간에 나타나며, 이는 후속적으로 관절낭 섬유증으로 이어진다.[24,61]

2) 조직학적 소견 및 기질의 분석
(histologic findings and analysis of the matrix)

동결견 환자로부터 얻은 조직 샘플을 조사한 연구들을 통해, 동결견 환자의 조직학적 소견들이 보고되었다. 이러한 조직학적 결과로는 많은 섬유아세포(fibroblast)와 수축성 근섬유아세포(contractile myofibroblast)가 많이 증가된 소견 및 고밀도 콜라겐(collagen) 기질(matrix), 전방 관절낭의 섬유화 증가와 성숙 신경섬유와 재생 신경섬유의 조합 등의 조직학적 소견들을 포함한다. 일부 저자들은 III형 콜라겐에 더 강력한 면역염색이 되는 것을 확인하였고, 이는 새로운 콜라겐 침착을 시사한다고 보고했다. 이에 반해 정량적 역전사효소-중합효소 연쇄반응(quantitative reverse transcriptase-polymerase chain reaction)을 이용한 연구에서는 alfa-1 (I) messenger RNA (mRNA)는 높은 수준으로 보고되었고, alfa-2 (I) 및 alfa-1 (III) mRNA는 정상 수준으로 보고되었다.

FN1 유전자에 의해 암호화된 당단백질(glycoprotein)인 fibronection (FN)은 세포 부착(cell adhesion), 조직 발달 및 상처 치유에 관여하며, 또한 transforming growth factor

(TGF)-β를 조절하는 역할도 한다. tenasin R, tenasin C 및 tenasin X를 포함한 tenasin은 고도로 보존된 세포외기질 당단백질(extracellular matrix glycoprotein)이다. tenasin C는 TGF-β의 작용을 조절하는 데 중추적인 역할을 하며, 또한 자신이 TGF-β에 의해 조절되기도 한다. TGF-β는 섬유아세포가 세포외기질(extracellular matrix)을 합성, 리모델링 및 수축하도록 유도하여, 섬유화 반응의 핵심 매개체가 된다. Cohen의 연구에 따르면 tenasin C, FN1 및 TGF-β1 수용체(receptor) I 또한 동결견의 발병 기전에 연관될 수 있음을 시사하였다.[28]

MMP (matrix metalloproteinase)는 아연 의존성 단백질 분해효소로서, 정상적인 결체 조직(connective tissue)내에서 자연적으로 기질(matrix)을 분해한다. MMP의 합성 및 활성은 사이토카인(cytokine) 및 성장인자(growth factor)에 의해 조절될 뿐만 아니라, MMP 조직 억제제(tissue inhibitor of MMP, TIMP)에 의해서도 조절된다. MMP와 MMP의 조직 억제제 사이의 상호작용을 통해 세포외기질(extracellular matrix)의 리모델링이 조절된다. 여러 연구에서 MMP-14의 부재, MMP-2의 증가, MMP 7, 9, 12 및 13의 낮은 수준, 그리고 감소된 MMP/TIMP 비율과 같은 비정상적인 MMP와 TIMP의 비정상적인 패턴의 발현이 보고되었으며, 이러한 비정상적인 발현은 동결견의 병리기전에 있어서 세포외기질의 리모델링에 영향을 준다.

3) 세포 및 분자 기전
(cellular and molecular mechanisms)

섬유아세포와 근섬유아세포는 고전적으로 동결견의 관절낭 구축(contracture) 과정에서 주된 영향을 주는 세포로 여겨져 왔으나,[95] 이뿐만 아니라 B 림프구(lymphocyte), 비만 세포(mast cell) 및 대식세포(macrophage)를 포함하는 면역학적 구성요소 또한 동결견과 관련이 있는 것으로 보고되었다. 그러나 동결견과 관련이 있을 수 있는 면역 인자(immune factor)에 관해서 현재까지 발표된 연구들 간에 서로 상충되는 결과들을 보였다. Bunker와 Anthony는 CD45 및 CD68에 대한 면역조직화학 염색(immunohistochemistry staining)에서 동결견의 관절낭 조직내에 많은 수의 백혈구(leukocyte) 또는 대식세포(mast cell)를 검출할 수 없었다.[19] 반대로, Hand 등에 따르면 B 림프구, T 림프구, 대식세포, 비만 세포가 활액막(synovium)과 회전근 간격(rotator interval)에 존재한다고 보고한 바 있다.[48,68] 비만 세포는 섬유아세포 증식을 조절하는 것으로 알려져 있으며,[48] 따라서 동결견이 적어도 부분적으로는 면역 조절과 관련되어 있다고 추측될 수 있겠다.

여러 연구에서 동결견을 가진 환자에서 얻어진 활액막 조직 내에 TGF-β, PDGF (platelet-derived growth factor), IL (interleukin)-1α, IL-1β, TGF (tumor necrosis factor)-α, cyclooxygenase-1, 및 cyclooxygenase-2를 포함하는 염증 매개물의 발현이 증가되어 있다고 보고하였다.[88] 일부 연구에서는 β1-integrin과 같은 세포 부착 분자(cell-adhesion molecule)를 통한 기계적 스트레스 전달에 관여하는 mitogen-activated protein kinase의 수준이 증가했다고 보고하였다.[68] 일부 연구에서는 면역 반응성 신경 단백질(immune-reactive neuronal protein)과 말초신경(peripheral nerve) 관련 단백질의 동결견과의 잠재적 관련성을 보고한 바 있다.[48,68] 마지막으로, 일반적으로 동결견에서 증가된 혈관성(vascularity)이 관찰되며, VEGF (vascular endothelial growth factor) 및 CD34에 대한 면역염색이 양성(positive)으로 나타나며, 동결견의 발병 기전에서 신생혈관증식(neovascularization)이 중요한 것으로 보인다.[116]

동결견 환자로부터 얻은 관절낭 조직의 비교 프로테옴(proteome) 분석을 보면 관절낭의 여러 영역에서 단백질의 발현 정도가 다르게 나타나는 것으로 보고되었다. 조직 복구, 콜라겐 대사, 세포-세포 및 세포-기질(matrix) 부착(adhesion), 혈액 응고 및 면역 반응과 관련된 단백질은 회전근 간격(rotator interval) 영역에서 상향 조절(upregulation)되는 반면, 포식작용(phagocytosis), 글루타티온(glutathione) 대사(metabolisim), 레티노이드(retinoid) 대사 및 지질(lipid) 대사와 관련된 단백질은 하관절와상완인대(inferior glenohumeral ligament)내에서 하향 조절(downregulation)된다.[46]

4) 전신질환과의 연관성
(association with systemic disease)

일부 연구에서는 동결견의 유전적 근거를 제시한 바 있다. Wang은 이전에 동결견이 발병한 적 있는 사람의 1촌 가족에서 동결견이 발생할 위험이 4배 이상 더 높다는 것을 발견했다.[135] 또한 앞서 언급한 바와 같이, 여러 가지 상태가 동결견과 관련이 있는 것으로 알려져 있으며, 특히 당뇨병 및 듀피트렌 구축(Dupuytren contracture)이 동결견과 가장 두드러진 관련성을 보인다.

당뇨병 환자에서 동결견의 발병률을 증가시키는 정확한 병태생리는 아직 완전히 규명되지 않았다. Brownlee은 고혈당증(hyperglycemia)은 관절와상완관절낭내에서 더 빠른 당화(glycosylation) 및 콜라겐 교차결합(cross-link)을 유도한다고 하였다.[17] 이 가설은 당뇨병 환자의 동결견이 당화혈색소 수치(HbA1c)를 사용하여 측정한 당뇨병의 중증도와 비례한다는 사실과 맥락을 같이 한다. Hwang 또한 일차성 동결견 환자에서 진행성 최종 당화 산물(AGE, advanced glycation end product)의 영향을 보고하였다.[60] 환원당에 대한 케톤(ketone) 그룹과 단백질의 유리 아미노 그룹(free amino group)이 비효소적 반응을 일으켜 최종 당화 산물(AGE)이 형성됨으로써 점진적인 재배열, 탈수 및 축합(condensation)을 일으키는 것으로 생각된다. 최종 당화 산물의 형성은 정상적인 노화와 함께 점진적으로 증가한다. 당뇨병에 의한 오랜 고혈당 상태 때문에 당화(glycation)로 알려진 비효소적 과정을 통해 포도당이 혈장 단백질과 공유 부가물을 형성하여 최종 당화 산물의 축적이 가속화된다. 최종 당화 산물은 노화 물질의 분해 및 제거를 조정하는 염증성 사이토카인을 방출하는 단핵구 및 대식세포를 유인한다.

동결견과 듀피트렌 구축 사이의 연관 비율은 18%에서 52% 사이로 보고되었다. 일부 연구에서는 이 두 가지 질환에서 채취한 조직에서 관찰되는 섬유아세포의 조직학적 변화의 유사성을 보고하였고, 또 다른 일부 연구에서는 동결견과 듀피트렌 질병 모두 텔로미어(telomere) 복구의 결함뿐만 아니라 mRNA 발현의 이상으로 인해 텔로미어 길이를 감소시킨다고 제안하였다.

Ⅱ 일차성 특발성 어깨경직: 동결견
(Primary idiopathic shoulder stiffness: frozen shoulder)

어깨경직이라는 용어는 19세기 후반 프랑스의 Duplay와 미국의 Putnam에 의해 임상적으로 처음 기술되었다. 기존에는 어깨에 통증을 가져오고 이로 인해 경직을 유발한다고 하여 견갑상완 주위 관절염(scapulohumeral periarthritis)으로 불렸었다. 어깨경직의 기본 원리에 대해 앞서 언급했듯이 어깨경직의 다양한 임상 표현형을 설명하는 데 사용되는 용어들이 혼용되어 사용되고 있다. 2016년, Itoi[5]는 어깨경직의 정의, 분류 및 치료에 대한 International Society of Arthroscopy, Knee Surgery and Orthopaedic Sports Medicine upper extremity committee의 합의안을 제시했다. 이 위원회가 설정한 지침에 따라 우리는 동결견이라는 용어를 일차성 특발성 어깨경직(primary idiopathic stiff shoulder)을 설명할 때만 사용해야 하겠다. 따라서 동결견과 일차성 특발성 어깨경직은 같은 질환을 나타내는 용어이며, 외상이나 특정 어깨질환 없이 어깨경직이 발생한 상태를 지칭한다. 환자가 당뇨가 있더라도 어깨경직을 유발할 만한 다른 특정 원인이 없을 경우, 이차성 동결견이 아닌 특발성 동결견으로 간주되어야 하겠다.[5] 유착성 관절낭염(adhesive capsulitis)이라는 용어는 어깨경직에 존재하는 병리(pathology)를 완벽히 설명하지 못하며, 다른 원인과 관련된 어깨경직이나 특발성 동결견 모두 지칭하는 용어로 주로 사용된다.

1. 역학(Epidemiology)

동결견은 일반 인구의 2-5%에서 발생한다.[58] 여러 연구에 따르면 40세에서 60세 사이의 여성에게 가장 흔하게 나타나며, 1,000인 년당(per 1,000 person-years) 여성 3.38명과 남성 2.36명에서 발병한다. 최근 Kingston[77]은 동결견 환자 2,190명을 성별이 일치하는 대조군과 비교한 결과를 보고하였고, 여성 환자에서 더 많이 발생했으며, 동결견 환자의 평균 나이는 56.4세였다. 대부분의 환자는 40-70세였지만,

동결견 환자의 25%는 40세 미만 또는 70세 이상이었다.

동결견 환자의 80% 이상에서 동반된 질환이 있다고 보고되었다. Cohen과 Ejnisman은 다변량 분석에서 동결견과 통계적으로 관련된 위험 요인으로 갑상선 기능저하증, 당뇨병, 신장결석증(nephrolithiasis) 및 암(cancer)을 확인했다.[28] 동결견과 부갑상선기능저하증과의 관계에 대해서는 동결견이 특발성 부갑상선기능저하증의 임상증상으로서 나타나는 것인지, 혹은 특발성 부갑상선기능저하증과 동결견이 서로 같은 유전적 혹은 면역학적 원인으로 인해 발병하는 것인지에 대해서는 아직 밝혀지지 않았다.[54]

문헌상 동결견과 당뇨병 간에는 명확한 관련성이 있다고 하였다. Tigh와 Oakley는 동결견 환자 88명을 대상으로 한 연구에서 혈액 검사로 측정한 당뇨병(38%)과 전당뇨병(33%)의 유병률이 정상 인구와 비교하여 훨씬 높다고 보고했다. Austin[8]는 이와 유사하게 일차성 특발성 어깨경직이 있는 환자에서 당뇨병 유병률이 10배 더 높다고 보고한 바 있다. 어깨경직과 관련된 다른 가능한 임상 상황에는 파킨슨병, 듀피트렌 구축(Dupuytren contracture), 고정(immobility), 및 경부(neck) 및 심장 수술이 있다. 동결견은 양측에 나타날 수 있으며, 당뇨병 환자에서 일반 인구와 비교하여 양측성이 더 흔하다.[47] 드물게는 같은 어깨가 일차성 특발성 어깨경직으로 완치 후에 추후 다시 발병될 수 있다. 임상에서 볼 수 있는 또 다른 상황은 팔꿈치 또는 손목의 병변에 대해 수술적 치료나 보존적 치료를 받은 환자에서 동결견이 발생하는 경우도 있다. 오랜 기간 팔꿈치나 손목에 문제가 있는 환자는 어깨에 통증과 움직임의 제한이 발생할 수 있으며, 이차적으로 어깨경직이 발생하면 치료가 필요할 수 있기 때문에 어깨경직이 생기는지에 대해 주의 깊게 관찰해야 한다.

동결견 환자는 어깨에 심한 통증을 느낄 수 있으며, 이로 인해 우울증과 불안으로 이어지기도 한다. 우울감이나 불안과 같은 심리적 증상이 어깨 운동의 제한 정도보다도 통증의 정도와 더 관련이 있는 것으로 보고되었다.

어깨경직이 거의 1세기 전에 처음 기술되었음에도 불구하고, 동결견의 궁극적인 원인은 여전히 알려져 있지 않다. 앞서 설명한 것처럼 사이토카인(cytokine)이 matrix-bound transforming growth factor-β의 지속적인 자극에 의한 염증 및 섬유화 과정에 관여한다는 증거가 있다. 관절낭 조직(capsular tissue)은 세포 밀도가 높은 조직이며, 동결견 환자의 관절낭 조직 내에서 섬유아세포(fibroblast)에서 근섬유아세포(myofibroblast)로의 상당한 형질 전환(transformation)이 일어난다. 동결견에서 회전근 간격(rotator interval)의 구축(contracture)은 임상적으로 내전 상태에서 외회전(external rotation) 및 굴곡(flexion) 운동의 손실을 초래한다.[96,104] 동결견 환자에서 관절경으로 전방 관절낭을 검사하면 전방 관절낭이 중견갑상완인대(middle glenohumeral ligament, MGHL)와 견갑하건(subscapularis)에 유착되어 외회전에 제한이 생기는 경우가 많다.[61] 하견갑상완인대(inferior glenohumeral ligament, IGHL)의 전방 및 후방구(band)에 구축이 침범하게 되면 어깨 거상을 더욱 감소시키게 된다.[42] 후방 관절낭은 동결견이 점차 진행하는 동안 침범하게 되어, 내회전을 제한하는 요인이 된다.

2. 임상병력(Clinical history)

동결견의 진단과 관련된 특정된 정확한 기준은 없다. 이로 인해 용어에 혼동이 있는 경우가 많으며, 동결견의 분류 체계도 여러 개가 보고되어 있어 혼란이 존재한다. 동결견을 진단 내리기 위해서는 일반적으로 해부학적 또는 방사선학적 이상 또는 외상의 병력이 없는 잠행성(insidious) 어깨 통증이 있어야 한다. 어깨 운동범위는 정상측 어깨와 비교하여 능동적 및 수동적 운동범위가 점진적으로 감소한다. 일차성 특발성 어깨경직의 진단을 내리기 위해서는 어깨경직을 일으킬 만한 다른 요인이 없는지 배제하는 과정이 필요하다. 확진 내릴 수 있는 혈액검사 또는 방사선 검사가 없기 때문에 다른 통증 원인을 배제하기 위해 주의 깊은 병력 청취 및 신체검진이 매우 중요하다. 환자가 어느 정도의 어깨 통증과 함께 어깨 운동범위에 제한이 있을 때, 특히 수동적 운동범위에 제한이 있을 경우, 동결견을 반드시 고려해야 한다. 이환된 어깨의 갑작스러운 움직임에 따른 통증과 함께 야간 통증(night pain)이 동결견 환자의 전형적인 증상이다. 관절와상완관절염(glenohumeral arthritis) 환자에서도 진행성 통증과 함께 어깨경직이 동반될 수 있으므로 감별 진단에 고려해야 한다. 그러나 관절염 환자는 보통 동결견 환자에 비해 이환 기간이 오래되고, 증상 호소시기가 더 오래전부터 시작되는 경우가 많다. 또한 어깨관절염은 어깨 방사선사진으로 동결견과 쉽게 감별이 가능하다. 추가적인 환자 특성 및 동결견의 위험 인자가 이 상태의 진단을 확인하는 데 도움이 될 수 있다. 당뇨병을 가진 중년 여성이 심각한 어깨 통증 및 제한적 수동 운동이 있는 경우 동결견을 강력히 고려해야 한다.

3. 신체검진(Physical examination)

동결견을 검사할 때 가장 일관되고 관련성 높은 신체검진은 능동적 및 수동적 관절운동범위 모두 감소되는 소견이다. 통증이 유발되는 정도의 신체검진을 시행하기 전에, 건측 어깨와 비교하여 통증이 없는 정도의 능동적 운동범위를 먼저 확인하는 것이 중요하다. 능동적 어깨 운동범위를 확인한 후, 수동적 운동범위를 검진한다. 어깨 외회전 및 전방 거상 정도를 확인할 때는 앙와위(supine) 자세로 검진하는 것이 좋으며, 이렇게 검진하게 되면 흉벽에 대해 견갑골이 안정화되기 때문에 더 정확하게 측정이 가능하다.

동결견 환자의 경우, 환자가 병의 단계에 따라 경직의 정도가 다를 수 있지만 검사자가 정밀하게 검사를 하면 경미한 운동제한을 가진 환자라 할지라도 경직 여부에 대해 확인이 가능하다. 관절운동범위를 확인하는 동안 환자가 통증을 느끼지 않도록 해야 하며, 통증의 영향을 받지 않는 운동범위의 제한 정도를 확인하는 것이 중요하다. 일반적으로 모든 운동 평면에서 능동적 및 수동적 운동범위의 전반적인 감소가 검진상 발견되지만, 외회전 손실은 보통 가장 초기에 보이는 증상이다. 거상, 내회전 및 내전된 상태에서 외회전을 포함한 관절운동범위를 외래 추시 때마다 기록하여 임상적 호전 정도를 비교하도록 한다.

통증을 느끼지 않는 범위의 관절운동범위를 정확하게 확인했다면, 어깨와 경추에 대한 전체적인 신체검진을 시행해야 한다. 신경학적 이상, 이전 수술의 징후 또는 최근 외상의 병력 여부를 확인해야 하며, 이는 이차성 어깨경직의 감별에 중요하다. 견쇄관절(acromioclavicular joint) 및 상완이두근 구(bicipital groove)를 촉진하여 해당 부위에 증상이 있는지 확인해야 한다. 회전근 개 근력의 경우 통증이 없는 관절운동범위 내에서 보통 정상적으로 유지되어 있다.

일차성 특발성 어깨경직은 관절낭의 염증과 섬유화에 의해 발생하며, 관절낭의 경우 광범위한 신경지배를 받기 때문에 이환된 관절낭을 촉진하거나 스트레칭할 때 심한 통증이 유발된다. 2010년 Carbone[21]은 동결견을 진단하기 위해 coracoid pain test를 도입하였다. 오구돌기의 외측을 검사자의 수지(finger)로 압력을 가할 때, 견쇄관절이나 전방 견봉 부위를 누를 때와 비교하여 더 심한 통증을 느낄 경우 검사 양성(positive)이라고 한다. 이 검사는 오구돌기의 바로 옆에 있는 회전근 간격(rotator interval) 영역을 직접 촉진하여 통증을 유발하게 된다. 검사는 높은 민감도와 특이도를 보였으나 회전근 개에 문제가 있는 환자의 11%에서도 양성소견을 보였으며, 또한 비만 환자에서는 사용할 수 없었다. 회전근 간격의 촉진으로 통증을 유발하는 것은 질병의 초기에 아직 관절운동범위가 유의하게 감소되지 않은 단계에서 동결견의 진단을 고려하는 데 도움이 될 수 있겠다.

Wolf와 Cox[137]는 팔꿈치를 90도로 굽히고 팔을 내전한 상태에서 환자의 팔을 외회전시키는 외회전 검사(external rotation test)를 도입했다. 이 검사는 동결견과 관절와상완관절염(glenohumeral arthritis) 환자 모두에서 양성을 보였다. Noboa는 외회전 검사의 변형인 수동적 외회전 스트레칭 테스트(passive external rotation stretch test)를 도입했다. 이 유발 검사는 환자가 서서 팔을 내전하고 팔꿈치를 90도로 구부린 상태에서 시행하며, 이 위치에서 검사자는 한 손으로 팔꿈치를 잡고 다른 한 손으로 손목을 잡아 통증이 없는 최대 지점에 도달할 때까지 환자의 팔을 최대한 외회전시킨다. 팔이 내전된 상태에서 통증이 없는 외회전이 최대가 되는 이 지점에 도달한 상태에서 재빠르게 짧은 각도로 외회전 방향으로 스트레칭을 가하였을 때, 어깨에 상당한 통증을 유발하면 검사 양성(positive)으로 간주된다. 수동적 외회전 스트레칭 테스트(passive external rotation stretch test)는 민감도 100%, 특이도 90%를 보였고, 양성예측도는 0.62, 우도비(likelihood ratio)는 10.22였다. 견갑하건 건병증이나 관절와상완관절염에서만 위양성을 보였다. 이 검사는 관절낭 자극이 가라앉으면 음성(negative)이 되는 경향이 있어 초기 진단뿐만 아니라, 동결견 환자의 임상적 경과를 관찰하는 데 유용할 것으로 보인다.

4. 혈액검사(Laboratory studies)

어깨경직이 있는 환자는 진단이나 치료에 있어서 일반적으로 혈액검사는 필요하지 않다. 하지만 간혹 그동안 진단되지 않은 당뇨병이 우려되는 경우에는 당뇨검사를 시행할 수 있다.[90,135,141] MMP (matrix metalloproteinase), MMP 조직억제제(tissue inhibitor of MMP, TIMP), transforming growth factor-β, IL (interleukin)-6과 같은 동결견과 관련된 다른 생화학적 매개체의 경우 연구 목적으로 실험실에서 시행할 수는 있으나, 개개의 임상 상황에서는 시행하지 않는다.[67,68]

5. 영상학적 검사(Imaging studies)

1) 방사선 검사(radiographs)

단순 방사선사진(simple radiographs)은 어깨 통증과 경직이 있는 환자에서 일상적으로 시행한다. 일차성 특발성 어깨경직에서는 일반적으로 이상소견이 보이지 않는다. 그러나 외상 후 후유증, 관절와상완관절염 또는 골괴사증(osteonecrosis)을 배제하는 데 유용하다. 방사선사진에서 우연히 회전근 개에 석회 침착이 관찰될 수 있다. 석회성 건염은 우연히 발견된 병변일 수 있으므로 이로 인해 잘못된 진단을 내리지 않도록 조심해야 한다. 상완골 두의 골감소증은 동결견 환자의 절반에서 나타날 수 있으며, 단시간에 발생한 변화는 염증 반응에 기인한 것으로 알려졌다 (그림 3-2). 동결견의 임상적 진단을 받은 환자에서 단순 방사선 촬영의 적응증에 대해 논의한 최근 연구에 따르면 환자가 다른 병변을 시사하는 소견이 없는 한 단순 방사선 촬영은 시행하지 않아도 된다고 하였다.

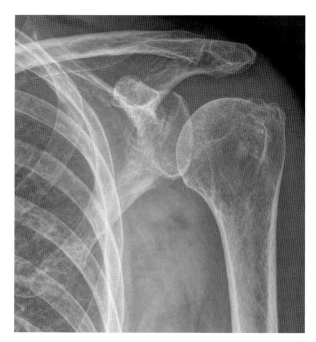

그림 3-2 **동결견 환자의 단순 방사선 소견**
상완골 두의 골감소증은 동결견 환자의 절반에서 나타날 수 있으며, 이러한 변화는 염증 반응에 기인한 것으로 알려져 있다.

2) 초음파(ultrasound)

초음파는 어깨경직의 진단에 일반 방사선 검사보다 더 효과적인 검사이다. 자기공명영상(MRI)과 비교할 때 검사 시간이 짧고 비용이 저렴하며 금속 임플란트가 삽입된 환자에서도 사용할 수 있는 장점이 있다.[125] 그러나 European Society of Musculoskeletal Radiology는 유착성 관절낭염이 의심되는 환자에 있어서 초음파 검사를 권장하지 않고 있다. 따라서 동결견 진단에 있어서 초음파 검사가 필수는 아니지만, 회전근 개 힘줄에 문제가 있을 수 있음을 암시하는 증상이 있는 환자에서는 초음파 검사가 도움이 될 수 있다. 동결견이 있는 어깨에 대한 초음파 비교 검사상, 어깨에 특별한 병변(pathology)이 없는 피험자에 비해 동결견 환자에서 오구상완인대(CHL; 1.4 vs. 3 mm) 및 하방 관절낭(inferior capsule)(1.3 vs. 4 mm) 두께의 증가를 보였다. Kim은 건측 어깨와 비교했을 때, 동결견 환자에서 하방 관절낭의 두께에 상당한 증가(4.4 vs 2.2 mm; P < 0.01)를 보였다. 초음파 검사의 다른 검사 소견으로는 회전근 간격

(rotator interval)내에 염증 부위를 나타내는 과혈관성 저에코 소견이 있겠다.[85]

3) 관절조영술(arthrography)

동결견 환자에서 관절낭 및 오구쇄골인대(coracoclavicular ligament) 비후의 관절조영학적 소견은 Kernwein에 의해 처음 기술되었다. 이후, Neviaser는 관절낭 팽창 감소(보통 10 mL 미만), 액와낭(axillary recess)의 부피 감소, 이두박건 건초(sheath)에 대한 조기 조영 확장(early contrast extension)을 기술했다. 동결견 환자에서 이러한 관절조영주사는 동결견이 없는 환자에게 시행되는 주사에 비해 매우 심한 통증을 유발한다. 현재 기존의 관절조영술(arthrography)은 거의 시행되지 않으며, 대부분 자기공명관절조영술(magnetic resonance arthrography, MRA)로 대체되었다.

4) MRI

일차성 특발성 어깨경직의 진단을 확진하기 위해서 MRI가 필수적이지는 않다. 그러나 MRI는 증상이 미미하거나, 환자가 회전근 개 질환으로 오진될 수 있는 질병의 초기 단계에서 정확한 감별 진단에 유용할 수 있다. 동결견의 특징적인 MRI 소견이 알려져 있다.[121] 정맥 조영제를 사용한 MRA 또는 MRI는 침습적이기 때문에 일반적으로 덜 사용되지만, 조영제를 사용하지 않는 MRI에 비해 더 높은 민감도와 특이도를 가진다.[121]

동결견 환자의 MRI에서 가장 일관된 소견 중 하나는 회전근 간격 관절낭(rotator interval capsule)과 오구상완인대(coracohumeral ligament)의 비후소견이다(그림 3-3). Mengiardi 등의 연구에서 회전근 간격 관절낭의 두께가 7 mm 이상이고 오구상완인대의 두께가 4 mm 이상인 경우 유착성 관절낭염을 시사한다고 하였다. 보다 최근의 연구에서는 MRA 상에서 오구상완인대가 3 mm 이상일 경우 유착낭염 진단에 가장 높은 정확도를 제공한다고 하였다. 이러한 소견은 동결견에 대해 매우 높은 특이도를 보이지만 민감도는 낮다. 질병의 초기 단계에서는 회전근 간격에 활액막염(synovitis)이 나타날 수 있다.[10]

하견갑상완인대 복합체(inferior glenohumeral ligamen-

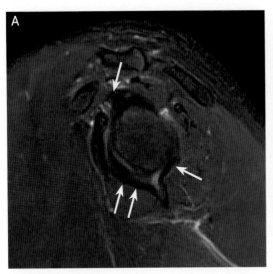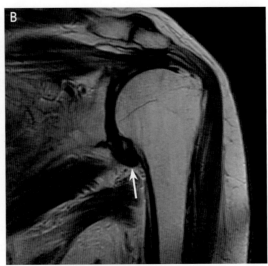

그림 3-3 A: 동결견 환자의 MRI 시상면 영상에서 회전근 간격 조직 및 전방, 전하방 그리고 후방 관절낭이 두꺼워진 소견을 관찰할 수 있다. B: 관상면 영상에서 액와낭(axillary recess)의 두께가 두꺼워진 소견을 관찰할 수 있다.

tous complex, IGHL)의 비후는 동결견에서 MRI의 또 다른 전형적인 소견이다. 액와낭(axillary recess)에서 관절낭이 비후된 정도는 거상(elevation) 시 외회전 제한과 관련이 있다.[121] 일차성 특발성 어깨경직의 진단은 MRI 영상의 관절낭 및 확액막 비후의 민감도와 특이성에 있어서 상충되는 연구 결과들이 있기 때문에 MRI 소견에만 전적으로 의존해서는 안 된다. MRI 시상면 T2 강조영상에서 가시화된 4 mm 이상의 관절낭 및 활액막 두께는 동결견의 진단에 대해 70%의 민감도와 95%의 특이도를 보인다. Jung 등이 보고한 바에 의하면 MRA로 검사할 때, 액와 관절낭의 두께가 3 mm 이상인 경우 동결견의 진단적 정확도는 89%로 나타났다.[66]

MRI T2 강조 지방 억제 영상(T2-weighted fat-suppressed sequence)에서 하견갑상완인대(IGHL) 복합체의 고신호 강도는 유착성 관절낭염의 진단에 높은 민감도(85%)와 높은 특이도(88%)를 보였다. 액와 관절낭의 고신호 강도는 통증의 강도와 상관관계가 있다. 동결견이 진행되는 동안 전체 관절와상완관절낭과 견갑상완인대에 침범될 수 있지만, MRI 검사상으로 회전근 간격 관절낭과 액와낭이 가장 흔하게 영향을 받는 부위이다.[39]

동결견을 시사하는 또 하나의 MRI 소견은 시상면 영상

에서 오구돌기(coracoid process)와 오구상완인대 사이에 정상으로 보이는 지방이 소실되며, 이는 질병의 초기에 더 흔하게 관찰된다.[143] 최근 Suh 등의 메타분석에 따르면 동결견 진단에서 가장 높은 진단 정확도를 보이는 MRI 소견은 회전근 간격과 액와 관절낭의 조영증강 및 하견갑상완인대(IGHL)의 고신호 강도였다.

6. 자연경과(Natural history)

동결견은 과거에 많은 저자들에 의해 저절로 호전되는 질병으로 여겨졌었다. Codman은 동결견이 확실하게 완전히 회복될 수 있다고 하였다. 하지만, 동결견에 이환된 환자 중 일부에서 경미한 어깨 통증과 경직이 남기도 하고, 일부에서는 시간이 지나도 통증이나 경직이 호전되지 않는 환자들도 있음을 알게 되었고, 따라서 이제 더 이상 모든 동결견이 자연 치유된다고 여기지 않는다.[11,45]

어깨경직의 일반 원리에 대해 앞서 설명한 것처럼, 동결견은 고전적으로 세 가지 진행 단계, 즉 동통기(painful phase), 동결기(frozen phase), 및 해동기(thawing phase)로 진행된다(그림 3-1).[101] 해동기에서 기능적 운동범위가 천천히 회복되고 통증이 소실된다. 증상이 완전히 없어지려면

5-25개월이 걸릴 수 있다. 다소간의 운동범위 제한이 훨씬 더 오래 지속되는 경우도 있다. 따라서 동결견을 진단받은 환자에게 경도의 어깨경직이 잔존할 수 있음을 설명해야 한다.

동통기(painful phase)는 통증성 경직 단계(painful stiffness phase)라고도 부른다. 동결견은 어깨경직이 발생하기 이전에 어깨 통증으로 시작되는 것이 일반적이다. 통증의 발생은 급성이라기보다는 점진적으로 발생하는 경향이 있으며, 운동 끝 범위에서 통증을 느끼기 시작한다. 통증의 발생에 이어, 어깨의 경직은 시간의 경과에 따라 점차 심해진다. 통증의 특징은 보통 활동과는 관련이 없고, 보통 밤에 심해지면서, 자다가 통증 때문에 깨기도 한다. 이환된 쪽으로 누우면 더 아픈 경우가 많아서, 아픈 쪽 팔을 벨 수 없다고 호소하는 경우가 많다. 통증은 한쪽에만 발생하기도 하고, 양측성으로 발생하기도 한다. 이 단계는 병리적으로 급성 활액막염과 관련이 있다고 알려져 있다. 환자들은 팔을 내전 및 내회전된 상태로 유지하려고 한다. 이러한 양상은 내전 및 내회전이 관절와상완관절낭에 가장 긴장을 적게 주는 위치이기 때문에 나타나는 현상으로 보인다. Reeve는 이 단계가 약 2-9개월 지속된다고 하였다.

동결기(frozen phase)는 어깨관절운동이 전범위에서 감소하게 되는 시기이다. 통증은 초기 동통기보다는 감소하지만, 여전히 야간 통증을 호소한다. 운동범위의 감소로 여러 가지 일상생활에 제한을 받게 된다. 시간이 가면서, 통증은 감소하고, 비록 운동범위는 제한되어 있으나 편안한 구역이 생기고, 어떤 범위 내에서는 전혀 통증을 느끼지 않는다. 일단 경직의 정도가 안정기에 접어들면, 증세가 호전이나 악화 없이 지속되게 된다. 이 단계는 3-12개월 정도 지속된다고 하지만, 더 길게 지속될 수도 있고, 치료가 잘 되지 않는 경우도 있다.

해동기(thawing phase)는 마지막 단계로 운동범위가 천천히 증가하면서, 통증이 적어지고 편안해진다. 이 단계는 4주 정도 지속된다고 기술되어 있다. 그러나 환자들이 기능적인 운동범위를 얻고, 통증의 해소를 얻게 되는 시점까지는, 수개월에서 수년 걸리는 경우도 드물지 않다.

Meulengracht와 Schwartz는 78명의 동결견 환자 중 10%

가 증상이 시작된 지 최대 3년까지 지속적인 통증을 호소했다고 보고한 바 있다. 또한 Reeves는 환자의 12%에서 상당한 정도로 어깨경직이 잔존하는 것을 확인하였다. 환자는 경미한 운동제한이 있더라도 운동제한에 대해 불평하지 않는 경향이 있지만, 잔존하는 통증이 있으면 불만족스러워 할 가능성이 높다. 10년 이상 인슐린 의존성 당뇨병을 가진 동결견 환자는 일반 환자들과 비교하여 더 나쁜 결과를 보이는 경향이 있다. Hand 등은 269명의 동결견 환자를 평균 4.4년 동안 추적 관찰한 결과 59%만이 어깨가 정상이거나 거의 정상에 가깝다고 생각하는 것으로 나타났다. 나머지는 경미한 증상이 잔존한다고 하였다. 대조적으로 Vastamäki[132]는 동결견 환자의 평균 증상 지속기간은 15개월이었고, 어깨가 정상으로 돌아간 환자는 94%라고 보고했다.

치료되지 않은 동결견의 자연경과에 대한 매우 잘 설계된 최근의 체계적 문헌고찰(systematic review)에서 Wong[138]은 문헌 고찰상 동결견이 결정된 진행 단계를 거치는 저절로 치유되는 질환이라는 개념을 지지하지 않는다고 결론내렸다. 환자가 일반적으로 통증과 기능의 조기 회복을 보인다는 일부 증거는 있지만, 중간 정도의 근거를 가진 증거들을 보건대 동결견의 개선이 시간이 지남에 따라 느려질 뿐만 아니라 장기간 지속될 수 있는 기능 제한을 초래할 수 있다고 하였다. 특히 당뇨병 환자의 경우, 치료하지 않고 방치되면 관절낭이 신장될(stretching) 때 지속적으로 경직과 통증을 보일 수 있다.

7. 동결견의 치료
(Management of frozen shoulder)

동결견에 이환되면 일상생활에 큰 제한이 오게 된다. 심각한 통증과 기능저하가 일상생활 능력에 영향을 미칠 수 있다. 환자는 일반적으로 일을 할 수 없거나 여가 활동에 참여하지 못하기도 하고, 편안하게 잠을 잘 수 없기 때문에 좌절감을 느낀다. 과거에는 동결견이 저절로 치유되는 질병으로 여겨졌으나 현재는 적절한 치료가 되지 않을 경우 증상이 잔존할 수 있다고 알려져 있다. Kim의 최근 연구는 환자의 28%가 평균 42개월의 추적 조사에서 여전히 약간의 불편함을 호소한다고 보고했다. 또한 환자의 증상이 오래갈수록 통증이 잔존할 가능성이 더 크다.

대부분의 동결견 환자는 나을 때까지 기다리고 지켜보는 방식을 받아들이기를 꺼려한다. 동결견의 치료에 있어서 매우 중요한 것은 환자가 치료를 시작하기 전에 환자가 치유과정을 이해하고 스스로 치료과정에 참여해야 한다는 것이다.

질병의 단계, 증상의 지속 기간, 이전 치료, 기능장애의 정도 또는 심각한 수면장애와 같은 많은 요인이 동결견 환자의 치료에 영향을 미칠 수 있다. 동결견이 있는 대부분의 환자는 처음 내원했을 당시의 단계(stage)와 관계없이 물리치료, 경구 약물 또는 주사의 조합을 포함한 비수술적 치료를 먼저 시작하게 된다. 수술적 치료는 보존적 치료 후에도 호전이 없을 때 고려되며, 마취하 도수 조작(manipulation under anesthesia, MUA), 관절경적 유리술(arthroscopic release) 및 드물게는 개방적 외과적 유리술을 시행하기도 한다.

1) 비수술적 치료(nonoperative management)

(1) 약물치료(medication)

비스테로이드성 항염증제(nonsteroid anti-inflammatory drugs, NSAIDs)는 일반적으로 통증이 있고 어깨경직이 있는 환자의 첫 번째 치료법이다. NSAIDs는 진통 및 소염 효과로 인해 질병의 모든 단계에서 통증 수준을 감소시킬 수 있다. 그러나 NSAIDs가 질병의 치유기간을 유의하게 감소시킨다는 강력한 증거는 없다. 일반적으로 NSAIDs는 아세트아미노펜(acetaminophen)이나 마약성 진통제와 같은 다른 진통제와 함께 사용한다. 일부 저자는 일반 진통제가 NSAIDs보다 통증을 조절하는 데 더 효과적이라고 보고하였다.

경구 스테로이드는 특히 동결기(frozen phase)에 있는 동결견의 치료에 사용되었다. 그러나 경구 투여는 관절내 주사보다 덜 효과적으로 나타났다. Buchbinder는 유착성 관절낭염 환자를 대상으로 1일 30 mg의 프레드니솔론(prednisolone)을 위약(placebo)과 비교한 단기 결과를 비교했다.

임상 결과는 3주째에 통증, 기능 및 자가 인식 점수(self-persception score)에서 경구 스테로이드가 위약에 비해 효과가 있었으나, 그 효과가 6주 이상 유지되지 않았다. 다른 저자들도 비슷한 결과를 보고하였는데, 단기적인 야간 통증 완화는 있었지만 최대 8개월째에는 운동범위나 일상적인 통증은 개선되지 않았다고 하였다. 경구용 약물은 저용량을 단기간 사용하더라도 위장, 신장, 심장 부작용, 혹은 골괴사(osteonecrosis)가 있을 수 있음을 환자에게 설명하여야 한다.[32,49]

일반적으로 selective cyclooxygenase (COX)-2 inhibitor를 물리치료와 함께 사용하는 것을 선호한다. 왜냐하면 다른 NSAIDs보다 야간통을 줄이는 데 더 효과적이기 때문이다. NSAIDs가 금기인 경우, 단기간의 경구 스테로이드를 처방할 수 있다.

(2) 운동치료(physical therapy)

운동치료는 통증과 경직이 3개월 미만 동안 지속되었거나 이전에 동결견에 대해 치료를 받은 적이 없는 모든 동결견 환자에게 통상적으로 처방된다. 운동치료의 기본은 최소 3개월 동안 모든 제한된 운동 평면에서 부드러운 능동 보조 운동 및 스트레칭 운동으로 구성된다. 환자는 스스로 또는 치료사의 감독하에 운동을 수행하도록 한다. 환자 스스로 적극적으로 치료에 참여해야 좋은 결과를 얻을 수 있다. 일반적으로 환자는 NSAIDs, 마약성 진통제 또는 다른 국소 진통제와 운동치료를 병행하도록 한다. 특히 질병의 심한 염증성 단계에서는 무리한 스트레칭을 피하는 것이 좋은데, 이는 증상을 악화시키고 염증 반응을 연장할 수 있기 때문이다.

운동치료의 종류, 치료시간 및 빈도에 관한 이상적인 프로토콜에 대한 정보는 아직 없는 실정이다. 일회성으로 길게 운동치료를 하는 것보다는 짧더라도 반복 횟수를 늘리는 것이 더 나은 효과를 보인다. 보통 1회 세션당 최소 몇 분 동안은 시행해야 하며, 하루에 6-8회 반복해주는 것이 좋다. 심한 통증은 피하되 허용되는 불편함의 한계 내에서 어깨관절의 운동범위를 조금씩 증가시키려고 노력해야 한다. 환자가 치료과정에서 낙담하지 않도록 치료시기가 늦어질 수 있고, 호전이 오래 걸린다는 점을 미리 알려주도록 한다. 또한 통증이 없는 기능적 운동범위까지 회복될 때까지는 근력강화운동은 피하도록 한다. 적극적인 운동치료는 90% 이상의 환자에서 통증과 운동범위 모두에서 상당히 개선되지만 환자가 통증이 없는 기능적 편안한 상황에 도달하기까지는 몇 개월이 걸릴 수 있다.

동결견의 치료를 위해 하루에 여러 번의 짧은 세션을 나눠서 하는 것이 좋다. 시작에 앞서 온열치료를 먼저 시행한 후 1-2분 정도 저강도 스트레스 스트레칭 운동을 수행한다. 팔을 최대 높이로 유지하도록 스트레칭하고, 이후에는 허용되는 통증 한계 내에서 외회전 스트레칭을 한다. 운동은 앉거나 혹은 누워서 수행하는 것이 좋다. 환자에게 운동을 수행할 때 VAS 10점 기준에서 5점 이상의 통증을 피하는 수준에서 운동치료를 하도록 한다. 운동치료 후 통증이 있는 경우 치료 세션이 끝날 때 얼음찜질을 해서 통증을 조절하도록 한다. 관절운동범위 회복은 일반적으로 시간이 오래 걸리는 치료 과정이기 때문에 환자의 순응도를 강화하는 것이 중요하다.

잘 실행된 대부분의 치료 프로그램은 환자 10명 중 9명에서 장기적인 성공을 거둔다고 알려져 있고, 통증, 운동범위 회복 및 삶의 질이 크게 개선된다. Dudkiewicz는 운동치료와 NSAID로 치료받은 54명의 동결견 환자에서 평균 9.2년의 추적 관찰 후 모든 운동 면에서 개선되었으며, 우수한 장기 결과를 보고했다.[34]

2019년에 Lowe는 동결견에 대한 운동치료 방식에 대한 효과를 문헌 고찰하였다. 그들은 30건의 임상시험을 검토했으나, 잠재적 비뚤림(bias) 위험이 낮은 4개의 임상시험만을 분석에 포함시켰다. 결과적으로 스트레칭과 관절가동술(joint mobilization)을 함께 시행하는 것이 스트레칭 단독치료보다 더 효과적이라고 보고하였다. 또한 관절가동술, 열치료, 스트레칭을 포함한 복합 프로그램이 스트레칭 단독치료보다 더 효과적이라고 하였다. 그러나 이러한 연구의 결과는 장기간의 추적 관찰이 없었기 때문에 주의해서 해석해야 한다.

Alsubheen[3]의 최근 체계적 문헌고찰(systematic review)에서 관절가동술과 함께 운동치료를 하는 것이 당뇨병을 가진 동결견 환자에서도 효과적이라고 보고하였다.

부적절하게 수행된 운동치료는 오히려 환자에게 해가 될 수 있으며, 병의 경과를 악화시킬 수 있다. 과도한 운동치료를 시행한 후 심각한 증상 악화를 호소하는 환자를 보는 것은 드문 일이 아니다. Rizk는 운동치료를 시행한 5개월 후, 환자의 60%만이 통증 없이 잠을 잘 수 있다는 보고하였으며, Hazleman도 비슷한 결과를 보고했는데, 환자의 50%만이 운동치료 후 임상적 향상을 보였고 1/3은 오히려 통증이 악화되었다고 하였다.

동결견 환자에서 하부 승모근 근육에 비해 상부 승모근에서 증가된 활동성을 보인다고 하였다. 이러한 상하부 승모근 근육의 불균형은 관절와상완관절(glenohumeral joint) 운동범위 감소에 대한 보상으로 견갑골의 대체(substitution) 움직임을 유발한다. Shih는 승모근에 대한 열치료와 도수 치료가 어깨 통증을 감소시키고 운동 및 근육 기능을 증가시킨다는 것을 발견했으며, 이는 승모근에 대한 재활이 동결견의 치료 프로토콜에 포함되어야 함을 시사한다.[120]

극초단파(microwave), 단파(short wave), 체외 충격파 치료(extracorporal shock-wave therapy, ESWT), 레이저 치료(laser therapy), 전자기 치료(electromagnetic therapy), 초음파, 자기장 치료(magnetic field therapy), 고압 산소 및 열치료과 같은 물리치료요법이 사용되고 있다. 동결견에 대한 전기 치료에 대한 Cochrane의 체계적 문헌고찰에 따르면 6일 동안 저강도 레이저 치료를 적용하면 동결견 환자에게 효과가 있는 것으로 나타났으며, 환자의 80%가 성공을 보고한 반면 위약 그룹은 10%의 효과를 보였다. 다른 연구에서는 위약과 비교하여 전자기장 치료의 명확한 이점을 보여주지 못했다. Chen 등은 체외 충격파 치료를 받은 환자는 관절내 스테로이드 주사와 비슷한 정도의 임상적 개선과 함께 단기간의 통증 완화를 얻었다고 보고했다.[22]

(3) 주사치료(injection therapy)

① 관절내 스테로이드 주사(intraarticular steroid injection)

관절내 스테로이드 주사는 동결견의 초기 염증 및 섬유화 단계를 중단시키는 기전을 가진다. Crisp와 Kendall은 1955년에 동결견의 급성 및 만성 단계에서 hydrocortisone 관절내 주사의 효능(efficacy)에 대해 처음으로 보고했다. 그들은 빨리 치료를 받은 환자에서 그 효과가 더 빠르게 나타났다고 보고했다.

현재까지 보고된 스테로이드 주사의 효과는 다양하게 보고되었다. 일부 저자는 관절내 주사의 이점이 거의 또는 전혀 없다고 하였고, 다른 저자는 스테로이드 주사 후 증상 개선을 보였으며, 주로 처음 7주 동안 발생했으며 대부분 운동범위의 개선보다는 주로 통증 감소가 있다고 했다. 그러나 다른 형태의 치료와 비교할 때 관절내 스테로이드 주사는 4-6개월 이상의 긴 경과에서는 유의미한 개선을 보이지 않았다. 스테로이드 주사의 효능을 설명하는 데 있어 그 효과를 정확히 분석하기 어려운 이유는 스테로이드 주사만 가지고 단독 치료하는 경우는 별로 없고, 스트레칭을 포함한 운동치료를 함께 시행하기 때문이다.

관절내 주사의 효과를 다른 치료 방법들과 비교한 연구 결과들을 보면, Tveitaet는 관절내 스테로이드 주사 단독 치료와 여기에 수압팽창술(hydrodilatation)을 함께 시행한 결과를 비교했을 때 비슷한 결과를 보고했다. 몇몇 저자들은 관절내 스테로이드 주사가 경구 스테로이드보다 더 빠른 개선을 보였다고 하였다. Williams는 관절내 반복 주사와 신경절 차단(ganglion block)의 결과를 비교했을 때 유의한 차이가 없었다고 보고했다.

영상학적 유도(radiographic guidance) 하에 어깨관절내 주사를 시행하는 것이 영상학적 도움없이 주사치료를 시행하는 것보다 나은 결과를 보인다. 사체(cadaver) 연구에서 Patel은 주사가 영상학적 유도 없이 수행될 때와 초음파 유도하에 주사치료를 시행했을 때와 비교하여 낮은 정확도를 보였다(72.5 vs 92%).[107] Raeissadat는 초음파 유도 주사(US-guided injection)로 치료한 20명의 환자와 영상학적 유도 없이 어깨에 주사한 21명의 환자의 임상 결과를 비교한 전향적 연구(prospective study)를 수행하여 초음파 유도 주사가 더 나은 임상 개선을 보였다고 하였다. Amber는 506회의 관절와상완주사(glenohumeral injection)에 대한 메타분석에서[4] 초음파 유도 주사가 방사선 위험을 피한다는 이점이 있을 뿐만 아니라 투시검사(fluoroscopy) 유도하 주사보다 더 정확하다고 보고하였다. 따라서 관절내 주사를 시행할 때 영상학적 유도를 사용하는 것이 보다 합리적이겠다. 어깨관절에 주사치료를 시행할 때, 방사선 위험이 적고 정확한 주사치료 가능하기 때문에 저자들은 초음파 유도하 주사치료를 보다 선호한다. 주사치료의 정확도를 향상시키는 데 있어서 의사의 경험의 중요성에 대해서 일부 저자들은 어깨관절경시술을 시행하는 외과의가 더 나은 정확도 결과를 갖는 것으로 보고된 바 있다.[56]

좋은 결과를 얻기 위해 스테로이드 주사치료를 할 때 꼭 관절내 주사(intraarticular injection)로 해야 하는가에 대한 의문을 제기하는 몇 가지 연구들이 있다. Sun은 질병의 동통기(painful phase) 동안 회전근 간격(rotator interval)에 스테로이드를 주사하는 것이 관절내 또는 견봉하(subacromial) 주사보다 더 나은 통증 완화, 운동범위 회복 및 환자 만족도를 가져온다고 하였다. 저용량과 고용량 스테로이드 제제를 사용했을 때 임상적 효과를 비교한 논문에서도 저용량 스테로이드와 고용량 스테로이드 간에 치료효과의 차이는 없었다.[65,142]

어깨관절 주사는 침습적인 절차로서 이로 인한 합병증이 보고되었다. 관절내 주사 후 치명적인 클로스트리디움 근괴사(clostridial myonecrosis) 및 중증 만성 패혈증(severe chronic sepsis)이 보고되었다. 또한 연골과 인접 연부조직에 대한 스테로이드의 해로운 영향이 보고되었다. 이러한 합병증을 예방하기 위해 반드시 정확한 무균 기법으로 주사하는 것이 중요하며, 주사와 주사 간의 간격은 최소 3개월을 두고 주사하는 것이 좋겠다.[65] 면역 억제 상태이거나 당뇨병 등 알려진 위험인자가 있는 경우에는 주사치료를 피하는 것이 좋겠고, 주사로 인한 합병증이 발생할 위험을 고려하여 신중하게 선택해야 한다.

2019년에는 Kitridis는 일차성 특발성 어깨경직에서 관절내 스테로이드의 효능에 대한 체계적 문헌고찰 및 네트워크

메타분석(network meta-analysis)을 보고하였다. 0-2개월 사이에서 관절내 스테로이드의 효능을 뒷받침하는 강력한 증거를 발견하였다. 회전근 간격에 스테로이드 주사치료는 단기 및 중기적으로 통증 완화와 관련하여 효과가 있었다. 이와 같은 스테로이드의 단기적 효과는 시간이 지남에 따라 사라졌다. 여러 부위 스테로이드 주사는 단기 및 중기의 결과 평가에서 위약(placebo)에 비해 임상적으로 효과가 있다고 하였다. 통상적으로 견봉하(subacromial) 스테로이드 주사는 관절내 주사와 비교할 때 통증 완화 및 운동범위 증가에 있어서 유사한 효과를 보였다

관절내 스테로이드 주사의 이상적인 적응증은 이전의 운동치료에 반응하지 않았거나 일반적으로 질병의 동통기(painful phase)에서 심한 통증으로 운동치료의 효과적인 수행을 방해하는 경우가 되겠다.

② 유발점 주사(trigger point injections)

유발점 주사는 통증이 국소화되어 있는 압통점, 즉 유발점(trigger point)에 시행하는 주사치료로, 스테로이드를 포함할 수도 있고 스테로이드 없이 주사할 수도 있으며, 통상적으로 여러 군데에 주사하는 국소치료법이다. 유발점 주사의 동결견에 대한 효과는 단기간의 통증 완화효과만 있다고 보고된 바 있다. Steinbrocker와 Argyros는 42명의 동결견 환자군에서 여러 부위(극상근, 견봉하, 이두박근, 관절낭)에 주사를 맞은 95%의 사례에서 상당한 기능적 개선을 보였다고 보고했다.

③ 기타 주사치료(other injections)

윤활액(synovial fluid) 대사에 대한 이론적 장점을 바탕으로 히알루론산(hyaluronic acid)의 관절내 주사가 연구되어 왔다. 그동안의 연구에서 약간의 효과를 보여주었으나 불행히도 연구에서 대조군과 효과를 서로 비교하지는 않았다. 히알루론산 주사를 트리암시놀론(triamcinonlone) 및 물리치료와 함께 치료에 사용되었을 때, 트리암시놀론 혹은 물리치료 단독 치료에 비해 더 나은 개선된 효과를 보였다.[115] 최근 메타 분석에서 Lee는 관절내 히알루론산을 단독 투여하는 것은 기존에 사용되는 다른 치료법보다 우수하지 않을 뿐만 아니라, 기존 치료법에 추가하여 사용하더라도 추가적인 이득이 없다고 하였다.[86] α-chymotripsin이나 hylase와 같은 단백질 분해효소나 케토롤락(ketorolac)과 같은 관절내 주사는 스테로이드와 비교하여 비슷한 효과를 나타냈으나, 이러한 연구들은 대조군이 없이 시행된 연구였기 때문에 결과에 대해 논란이 있다.

Badalamente와 Wang[9]은 동결견 환자에서 전방 관절낭을 용해(lyse)시키려는 목적으로 회전근 간격(rotator interval)에 collagenase clostridium histolyticum 주사를 임상적으로 사용하여 좋은 결과를 보고했다. 반대로 Schydlowsky는 adalimumab(antitumor necrosis factor agent)의 피하 주사 효과를 조사하기 위해 무작위 연구(randomized study)를 수행했지만 아무런 이점이 없었다고 보고했다.

(4) 수압팽창술(hydrodilatation)

수압팽창술은 어깨관절에 수액을 주입하여 압력을 가해 관절낭을 팽창시키고 늘려주는 시술 방법이다. Payr에 의해 관절낭 팽창술(capsular distention)으로 처음 기술되었지만 Andren과 Lundberg에 의해 팽창관절조영술(distention arthrography) 또는 강제교정술(brisement)로 대중화되었다. 외래에서도 간편하게 시술할 수 있어 많은 주목을 받아왔다. 압력이 관절낭을 파괴할 만큼 충분히 높을 때까지 점진적으로 더 많은 양의 수액을 관절와상완관절에 주입한다. 어느 시점에서 주사 압력이 감소하며 관절낭 파열이 발생하게 되며, 이때 파열은 일반적으로 견봉하점액낭의 이두박근 힘줄 수초(sheath)를 통해 일어난다.

Buchbinder[18]는 수압팽창술과 위약(placebo)을 비교하는 무작위 대조연구(randomized controlled study)를 발표한 바 있다. 통증과 운동범위에 있어서 상당한 단기적 개선을 보여주었지만 이 효과는 2개월 이상 유지되지 않았다. 수압팽창술은 일반적으로 스테로이드 주사와 함께 시행되므로 수압팽창술 단독 효과를 평가하기가 어려운 문제가 있다. 3건의 연구에서 수압팽창술과 관절내 스테로이드 주사를 함께 시행한 경우와 관절내 스테로이드 단독 주사간의 효능을 비교했다. 세 연구 모두 수압팽창술의 이점을 입증하지 못했다.

Khan[73]은 소수의 환자를 대상으로 수압팽창술 후 물리치료를 함께 시행한 경우와 물리치료만 단독으로 치료한 경우를 비교하였고, 결과적으로 8주째에 수압팽창술을 시행한 그룹에서 운동범위 측면에서 상당한 개선을 발견했지만 통증 완화에는 차이가 없었다. Robinson[114]은 수압팽창술을 받은 환자들 중, 전문가의 지도하에 운동치료를 수행한 그룹과 집에서 혼자서 운동치료를 시행한 두 그룹의 환자 사이에서 임상 결과의 차이를 찾지 못했다. Buchbinde은 동결견 환자에서 수압팽창술에 대한 Cochrane 체계적 문헌 고찰(systematic review)를 수행했으며 단기 추적 관찰에서 통증, 기능 및 운동범위가 개선되었음을 확인했다.

대개 이전에 운동치료에 실패한 환자 및 중등도의 운동범위 제한이 있는 환자에게 수압팽창술을 권장한다. 수압팽창술은 통증 완화에 효과적이지만 운동범위의 개선효과의 정도는 예측하기 어려우며, 수압팽창술을 받은 환자들의 최대 1/3 정도는 추가 치료가 필요하다. Piotte은 반복적인 수압팽창술을 스테로이드 주사와 함께 시행하면서 이와 함께 자가 운동치료를 병행하는 것이 어깨 기능을 향상시킨다고 보고하였다.

MRI 소견은 어깨 상태를 평가하는 데에 유용한 검사이지만, 수압팽창술을 시행한 후 이에 대한 결과를 평가하는 데에 있어서 MRI 결과와의 연관성은 없다고 하였다.[106] Quraishi[111]는 마취하 도수 조작(manipulation under anesthesia, MUA)과 함께 트리암시놀론(triamcinolone)을 주사한 치료방법과 비교하여 수압팽창술은 운동범위 회복에는 차이가 없었으나, 통증 완화에는 더 효과적이라 하였다. Gallacher[40]는 최근 50명의 환자를 대상으로 수압팽창술과 관절경적 관절낭 유리술을 비교하는 무작위 시험(randomized trial)을 수행하였고, 결과적으로 두 그룹 모두 Oxford Shoulder Score에서 상당한 개선을 보였지만 관절경적 관절낭 유리술을 받은 환자에서 운동범위 회복 정도와 통증 완화에서 더 좋은 결과를 보였다.

(5) 견갑상신경 차단(suprascapular nerve block)

Wertheim과 Rovestine은 1941년 어깨 통증을 치료하기 위해 견갑상신경 차단을 도입하였다. 견갑상신경은 운동(motor), 민감(sensitive) 및 교감(sympathetic) 신경섬유(fiber)가 있어 감각 섬유의 약 2/3 정도를 관절와상완관절낭(glenohumeral capsule)에 대해 지배하게 된다.[105] 견갑상신경차단술은 운동범위 회복 또는 기능의 유의미한 개선효과는 없이, 통증 완화에만 효과가 있다. 반복적인 견갑상 신경 차단은 반사성 교감신경이영양증(reflex sympathetic dystrophy)과 관련된 동결견에서 수동적 운동범위를 개선하는 것으로 나타났다.

Dahan[30]는 무작위 환자-대조군 연구를 수행한 결과 bupivacaine을 사용한 견갑상신경 차단이 기능 개선 없이 단기적인 통증 개선에 효과가 있다는 것을 발견했다. Ozkan는 관절내 스테로이드에 반응하지 않는 동결견을 가진 당뇨병 환자에서 개선된 결과를 보여주었다. 다른 주사 치료와 마찬가지로 정확도는 다양하게 보고되었다. 신경근 전도 도움 하에 차단술을 시행하는 것이 해부학적 기준점 유도하에 차단술을 하는 것보다 우월하다고 보고된 바 있다.[70]

(6) 방사선(radiation)

과거에 몇몇 저자들이 동결견에서 방사선 치료의 이점을 보고한 바 있으나, 현재는 치료에서 기본적으로 폐기되어 사용되지 않으며, 이소성 골화(heterotopic ossification)와 관련된 동결견인 경우에서만 극히 드물게 사용된다.

2) 수술적 치료(operative management)

3-6개월의 비수술적 치료를 시행했음에도 적절한 통증 완화나 운동범위 회복이 진행되지 않는 환자는 수술적 치료의 적응증이 된다. 많은 외과의가 동결견을 자가 치유되는 질환으로 간주하기 때문에 보다 적극적인 치료 방침을 결정하는 데에 주저하게 된다. 비수술적 치료에 반응하지 않는 환자들에 한하여 수술적 치료는 더 빠른 회복을 가져올 수 있음을 알 필요가 있다. 물론 더 침습적인 치료를 원치 않는 환자들이라면, 비수술적인 치료를 지속적으로 하더라도 여전히 운동범위가 개선하고 통증이 좋아질 수 있다는 사실을 설명해주어야 하겠다.

(1) 마취하 도수 조작
(manipulation under anesthesia, MUA)

역사적으로 MUA는 단기 및 장기 추적 관찰 모두에서 통증과 운동범위 모두 개선을 가져오는 효과적인 치료 방식으로 여겨져 왔다. 마취하 도수 조작의 가장 이상적인 적응증은 휴식상태에서 통증이 감소하는 동결기(frozen phase) 상태의 환자이다. 동결견의 동통기에는 마취하 도수 조작은 연기하는 것이 좋다. 마취하 도수 조작 후 임상적 개선은 6개월 이상 증상을 호소했던 환자에서 더 의미가 있는 것으로 나타났다. 일부 연구에서 초기 동통기 혹은 염증기에 어깨를 도수 조작했을 때 심각한 악화를 보고한 바 있다. 심한 골감소증 환자나 어깨관절염 환자에서는 이 마취하 도수 조작을 피하도록 한다. 일반적으로 관절내 스테로이드 주사를 포함한 이전의 비수술 치료 과정에 효과가 없는 동결견 환자에서 마취하 도수 조작을 시행하도록 한다.[81]

조작은 환자를 편안히 앙와위(supine)로 누운 자세에서 전신마취하에 수행한다. 합병증의 위험을 줄이기 위해 도수 조작을 시작하기 전에 완전한 근육 이완이 필요하다. 수술 후 진통을 제공하는 사각근간 차단(interscalene block)을 시행할 수도 있다. 신경 차단술을 시행하면 도수 조작 후 어깨 통증을 느끼지 않으므로 초기에 즉각적인 운동치료를 시행하게 하는 장점이 있다. 이렇게 함으로써 후속 치료 프로그램에 더 적극적으로 참여하려는 동기를 증가시킬 수 있겠다. 필요한 경우 도수 조작 후 차단술을 반복적으로 시행할 수 있고, 혹은 카테터를 사용하여 지속적으로 마취제를 주입하는 방법도 있겠다.

시술자의 한 손으로는 환측 견갑골을 잡고, 다른 손으로는 상완부의 근위를 잡은 다음, 원하는 방향으로 부드럽고 일정하게 힘을 가한다. 힘을 갑작스럽게 증가시키는 것은 정상 구조물에 상완골을 부러뜨리는 것과 같은 손상을 줄 위험이 있다. 따라서 특정 동작 시 저항이 느껴지면, 그 정도의 힘으로 일정하게 밀어주도록 한다. 또한 상완부를 견관절에 가깝게 잡으면, 지렛대 팔을 감소시켜 상완골 골절을 예방할 수 있다. 도수 조작 과정 중, 관절막이 파열되어 타닥하고 낮은 소리가 나면서, 즉시 운동범위가 좋아지는

것은 좋은 예후를 나타내는 인자로 생각된다. 일정한 힘이 가해지고도 염발음이 들리지 않고 운동범위가 늘어나지 않는다고 해서 힘을 증가시켜서는 안 된다. 이런 경우 힘을 더 증가시키면 상완골이 골절될 가능성이 있으므로, 수술적 치료를 고려하는 것이 바람직하다. 만약 얻어진 운동범위가 정상적인 반대편과 대칭이 되지 못하거나, 어깨경직이 도수 조작이나 수술 후 재발된 경우라면, 반복적인 조작이 필요할 수도 있다. 조작을 마친 후에 파열된 관절막이 조기에 치유되는 것을 막고, 국소 염증과 도수 조작과 관련된 통증을 감소시키기 위해서, 스테로이드를 관절내 주입을 선호하는 저자들도 있다.

조작 방향은 우선 팔을 몸통의 측면에 붙인 상태에서 전방으로 굴곡시키는 과정부터 시작한다. 충분한 굴곡이 가능하면, 다음으로는 팔을 가슴을 가로질러 내전을 시키는 대립 내전을 시켜, 후방 관절막을 신장시킨다. 다음으로 관절와상완관절을 외회전시켜 전방 관절막을 늘려 주는데, 환자의 팔을 몸통의 측면에 붙이고, 팔꿈치관절을 90도 굴곡시킨 상태에서 전완을 바깥 방향으로 돌려준다. 이때 팔꿈치 인대의 손상을 막기 위해, 시술자는 한 손으로는 상완 근위부를 잡아서 밖으로 돌리고, 나머지 손을 전완에 올려 놓은 상태에서 조작을 시행한다. 이어 어깨관절이 90도 외전된 상태에서 다시 어깨를 외회전시켜, 전하방 관절낭(anteroinferior joint capsule)을 신장시킨다. 다음으로 견관절이 90도 외전된 상태에서 어깨를 내회전시켜, 후방 관절낭을 신장시킨다. 상술한 순서는 반드시 정해진 것은 아니므로, 시술자의 경험에 따라 변경시킬 수 있을 것이다 (그림 3-4). 도수 조작 후에는 적절한 재활 치료를 시행하여 얻어진 운동범위를 유지하는 것이 매우 중요하다. 따라서 회복실에서부터 일정한 간격으로 운동치료를 시행해야 하는데, 연속 수동 운동을 시키는 기계(CPM)가 사용될 수도 있다.

마취하 도수 조작 전후에 관절내 스테로이드를 병행하는 것은 논란의 여지가 있다. Kessel은 도수 조작 전과 후에 경구 스테로이드의 투여가 환자의 2/3에서 개선된 결과를 보였으며 치료 종료 후에도 4개월 동안 효과가 지속되었음을 보여주었으나, 이와 대조적으로 일부 연구에서는 절차가

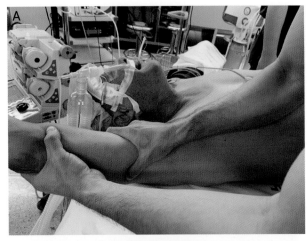
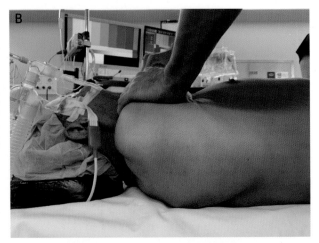
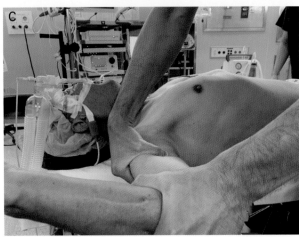
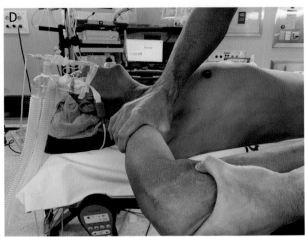

그림 3-4 마취하 도수 조작
A: 전방 굴곡. B: 몸통 교차 내전. C: 90도 외전 상태에서 외회전. D: 90도 외전 상태에서 내회전. 상기 조작은 술자의 경험에 따라 순서를 정하게 되나 일반적으로 회전 동작을 마지막에 하여 골절 등의 합병증을 최소화해야 한다.

끝날 때 스테로이드 주사를 시행해도 추가적인 이득이 없다고 하였다.

마취하 도수 조작에 반대하는 주요 주장 중 하나는 도수 조작 과정에서 어느 구조물에 파열을 일으킬지 정밀하게 조절이 되지 않기 때문에 심각한 합병증이 발생할 이론적 위험이 높다는 것이다. 그러나 Kraal은 동결견에 대한 마취하 도수 조작에 대한 1985년부터 2019년까지의 기존 문헌을 고찰하고 858명의 환자로 구성된 충분한 증거를 가진 16개의 적절한 연구를 대상으로 메타 분석(meta-analysis)을 발표하였는데, 이 대규모 환자에서 2건의 작은 전방 관절와(glenoid rim) 골절과 1건의 일시적인 아탈구(subluxation)

를 포함하여 3건의 합병증(0.4%)만이 보고되었으며, 이들 중 어느 것도 임상 결과에 큰 영향을 미치지 않았다. 이 연구에서 일차성 특발성 어깨경직을 대상으로 하였는데, 일차성 동결견에서는 마취하 도수 조작술이 매우 낮은 합병증을 유발하는 것으로 보인다. Atoun은 32명의 동결견 환자에서 마취하 도수 조작을 시행하여 우수한 임상 결과를 보고하였고, 이 과정에서 회전근 개 파열, 골절, 관절와순 파열 또는 신경마비와 같은 합병증은 발생하지 않았다고 하였다.

당뇨병을 가진 동결견 환자의 치료는 쉽지 않다. 일반적으로 관절낭이 더 두꺼워 도수 소작으로 파열을 얻기가 어려운 경향이 있으므로, 이러한 환자에서 마취하 도수 조작을 수행하는 것은 권장되지 않는다. 이러한 환자에서 시행하는 마취하 도수 조작은 의인성(iatrogenic) 손상 위험을 증가시킬 수 있다. 또한 당뇨병 환자에서 마취하 도수 조작 후 높은 재발률을 보인다.[139] 그러나 다른 저자들은 당뇨병 환자와 비당뇨병 환자 사이에 비슷한 정도의 결과를 보고한 바도 있다. 체계적 문헌고찰(systematic review)에서 Kraal[81]은 당뇨병 환자가 비당뇨병 환자에 비해 장기적으로 더 나쁜 결과를 보였다고 결론짓지 못하였다. 그러나 당뇨병 환자가 추가적인 도수 조작이 더 필요할 확률이 높다고 하였다.

동결견에 대한 마취하 도수 조작의 결과는 문헌마다 다르게 보고된다. 많은 연구에서 주사, 수압팽창술, 또는 경구 스테로이드와 같은 추가 절차가 포함되어 결과 분석이 다소 어렵다. 그러나 대부분의 연구는 마취하 도수 조작 후 환자의 운동범위가 유의하게 증가하고 통증이 감소했다고 보고하였으며, 전체 성공률은 장기간 추적 시 70%에서 95%로 보고되었다. 소수의 환자(10-15%)는 불만족하였으며, 재시술률이 15%로 보고된 바 있다.[81]

Jenkins의 연구[63]에서 274명의 환자 중 42명이 두 번째 마취하 도수 조작을 받았다고 하였다. 그러나 이 코호트에는 이차성 경직이 있는 일부 환자군이 포함되어 있었는데, 이는 진정한 의미의 특발성 동결견의 재시술률에 대한 잠재적인 편향(bias)을 나타낸다. Woods and Loganathan은 792명의 환자 중 141명의 환자에서(17.8%)에서 반복된 마취하 도수 조작을 보고했다. 그들은 첫 번째 도수 조작의 결과나 재발한 시기에 관계없이 두 번째 도수 조작에서 운동범위의 개선을 관찰했다. 제1형 당뇨병 환자는 두 번째 도수 조작이 필요할 위험이 38%인 반면 당뇨가 없는 환자군에서는 18%였다.

단기간에 성공적인 마취하 도수 조작 후 경직과 통증의 재발도 보고되었다. Pap은 마취하 도수 조작을 시행한 39명 중 치료에 실패한 4명(10%)에 대해 관절경적 관절낭 유리술을 시행하였다고 보고했다.

(2) 관절경적 관절낭 유리술 (arthroscopic capsular release)

Conti는 1979년에 투관침(trochar)과 겸자(forceps)를 이용한 전방 관절낭의 부분적 관절경적 유리술을 최초로 보고하였다. 유리술은 회전근 간격(rotator interval)에서 시행하였고, 시술 후 관절내 스테로이드 주사와 도수 조작을 함께 시행했다. 그 결과 대부분은 3주째까지 운동범위가 개선된 것으로 나타났다. 그 후 몇 년 동안 Wiley와 Older[101]에 의해 관절와상완관절(glenohumeral joint)의 완전한 시야 확보, 전방 관절낭의 절개, 그리고 수술 후 도수 조작을 통해 이 술기가 더욱 발전했다.

1994년에 Pollock은 관절경적 회전근 간격 유리술 및 견봉하 유리술 후 도수 조작을 시행한 30명의 환자 중 25명에서 만족스러운 결과를 보고하였다. 그러나 당뇨병 환자에서 당뇨병이 없는 환자보다 더 나쁜 결과를 보였다.

Warner은 1996년에 일차성 특발성 동결견에 대한 현대적인 관점의 관절경적 관절낭 유리술을 도입했다. 완전한 회전근 간격 유리술(release)과 더불어 전방 관절낭, 중견갑상완인대(middle glenohumeral ligament, MGHL)와, 전하방 견갑상완인대(anteroinferior glenohumeral ligament)의 절개를 시행하였다. 저자들은 수술 후 즉각적으로 관절운동범위가 회복되었고, 이 효과는 2년 동안 유지되었다고 보고하였다. Segmüller는 24명의 환자 그룹에서 관절경적 하방 관절낭 유리술로 치료한 24명의 환자에서 88%가 만족스러운 임상 결과를 얻었지만 최대 50%의 환자에서 내회전의 지속적인 제한이 발견되었다고 하였다. 기존에 사용되던 기술에서 내회전의 제한을 교정하기 위해 후하방 견갑상완인대(posteroinferior glenohumeral ligament)를 포함하는 보다 광범위한 관절낭 유리술로 발전했다. 그러나 Kim의 연구에 따르면, 하견갑상완인대(IGHL, inferior glenohumeral ligament)의 후방 구(band)를 넘어서는 후방 유리술(posterior release)는 효과적이지 않았다고 보고했다.

Pearsall은 광범위한 관절낭 유리술에 더하여 견갑하건의 관절내 부분의 유착 역시 유리술을 시행해야 한다고 제안했으며, 이렇게 시술한 환자 대부분에서 내회전에 대한 안좋은 영향 없이 좋은 임상 결과를 보였다. 그러나 그들 중한 명은 견갑하건 기능 부전을 다소 보였다. Ogilvie-Harris는 견갑하건 유리술을 포함한 관절경 치료 결과를 마취하 도수 조작과 비교했다. 2년 추적 관찰에서 20명의 환자 중 17명의 환자가 관절경적 유리술 후 통증 없는 정상적인 기능으로 회복되었고, 도수 조작만 받은 20명의 환자의 경우 7명의 환자에서 통증 없는 기능으로 회복되었으나, 그 차이는 통계적으로 유의하지 않았다. Diwan과 Murrell은 표준 관절경적 전하방 관절낭 유리술을 시행함에 있어서 견갑하건의 관절내 부분의 일부를 추가로 유리술을 시행한 환자와 시행하지 않은 결과를 비교한 결과 추가적인 견갑하건의 유리술을 시행하지 않은 그룹에서 더 나은 운동범위 회복을 발견했다. 두 그룹 모두에서 불안정성이나 견갑하건 기능 부전이 관찰되지 않았다. Liem은 견갑하건 유리술이 내회전의 정도와 근력에 부정적인 유향을 미치지 않는다는 것을 발견했다.[89]

일차성 특발성 어깨경직이 있는 환자에서 대부분의 외과의는 현재 관절낭을 선택적으로 유리술을 시행하며, 이 과정에서 견갑하건에는 유리술을 시행하지 않는다. 외상이나 이전의 외과적 치료로 인한 이차성 경직이 있는 환자는 선택적 관절경적 관절낭 유리술을 통해 더 많은 이점을 얻을 수 있다.

마취하 도수 조작과 비교할 때 관절경적 유리술을 지지하는 측은 임상 진단을 확진하고 질병의 정도를 평가하며 경직의 다른 잠재적 원인을 배제하는 능력을 중요하게 생각한다. 관절경 검사를 통해 모든 섬유조직을 제거하여 재발 위험을 최소화할 수 있고, 견봉하 또는 이두박건 문제를 비롯한 기타 동반되는 병리를 확인할 수 있다는 장점이 있다. 관절경적 관절낭 유리술은 개방적 유리술과 비교할 때 합병증 발생이 최소화된다. 발생 가능한 합병증에는 액와신경마비(axillary nerve palsy), 수술 후 불안정성, 및 구축(contracture)이 있다. Grant[44]는 관절경적 관절낭 유리술과 마취하 도수 조작의 치료효과를 비교했을 때 유의미한 차이를 확인할 수 없었다. 이용 가능한 연구의 증거 수준이 낮기 때문에 현재로서는 하나의 단일 치료전략을 다른 치료전략보다 추천할 수 있는 결정적인 증거가 충분하지 않은 상태이다.

대부분의 연구에 따르면 관절경적 관절낭 유리술을 받은 동결견 환자는 우수한 통증 조절을 달성하고 매우 빠르게 운동범위를 회복하며 장기간 추적 관찰에서도 결과를 계속 유지한다. 당뇨병 환자도 관절경 수술 후 지속적으로 증상이 개선되지만 그 결과는 비당뇨병 환자만큼 좋지는 않다. 당뇨병 환자는 더 적은 전방 굴곡(forward flexion), 더 적은 내회전 및 더 낮은 Constant score를 보이는 경향이 있으며 재발률이 더 높다.

Nicholson는[99] 관절경적 관절낭 유리술을 시행한 일차성 및 이차성 동결견을 포함한 다양한 원인의 어깨경직을 가진 69명의 환자의 결과를 보고했으며, 어깨경직의 원인에 따른 그룹 간에 유의한 차이를 찾지 못했다. 유사하게 Jerosch[64]는 관절낭 유리술이 일차성 및 이차성 동결견 모두에서 치료에 효과적임을 보여주었다. 그러나 다른 저자들은 관절낭 유리술이 이차성 동결견보다 일차성 동결견에서 더 효과가 좋다고 보고하였다.[36,42,57]

Boutefnouchet[14]은 여러 원인의 어깨경직에서 관절낭 유리술의 결과를 비교하는 최근의 체계적 문헌고찰(systematic review)에서 근본적인 원인에 관계없이 관절경적 유리술이 높은 성공률을 보였다고 했다. 당뇨병 환자는 잔류 통증, 운동제한 및 기능저하 측면에서 전반적으로 더 나쁜 결과를 보였다. Rizvi은 발병 10개월 내에 수술을 받은 환자에서 더 나은 결과를 보여주었고 조기 수술이 환자에게 도움이 될 수 있다고 제안했다.[113]

관절경적 유리술 후에 관절내 스테로이드 주사 사용을 지지하는 과학적 증거는 없지만 즉각적인 염증과 초기 섬유질 형성을 줄이는 역할을 할 수 있기 때문에 많은 경우에 여전히 주사를 시행한다. 수술 후 증상 완화에 대한 입증된 효과에도 불구하고 관절내 통증 펌프는 수술 후 증상을 완화하는 효과가 입증되었으나, 현재는 연골 독성 효과 때문에 사용이 중단되었다.

기술적으로 관절경적 관절낭 유리술은 회전근 간격, 상견갑상완인대(superior glenohumeral ligament, SGHL), 오구상완인대(coracohumeral ligament, CHL), 전방 관절낭, 중견갑상완인대(MGHL), 하견갑상완인대(IGHL), 그리고 간혹 하방 관절낭을 포함한 구축이 있는 모든 구조의 유리술을 포함해야 한다. 관절 안으로 관절경의 진입을 용이하게 하기 위해 수술 전에 도수 조작을 미리 시행할 수 있다. 다만, 도수 조작을 관절경적 유리술을 시행하기 전에 미리 시도할 경우, 체액 유출을 증가시키고 관절내 출혈을 증가시키며, 원치 않는 부분에서 관절막 등이 파열되는 문제가 있을 수 있으므로, 도수 조작을 먼저 시행하는 것이 좋은지, 관절경 수술 후에 시행하는 것이 좋은지에 대해서는 술자에 따라 논란이 있다.

관절경적 관절낭 유리술의 통상적인 절차는 다음과 같다. 우선 후방 삽입구를 견봉의 후외측 모서리에서 아래쪽에 약간 내측에 만든다. 관절내에 바로 관절경을 삽입하는 것은 좁아진 관절 부피 때문에 어려울 수 있다. 먼저 식염수를 주입하거나, 견인장치 또는 관절 신연을 시행하면 관절경을 삽입하는 데 필요한 최소 공간을 만드는 데 도움이 될 수 있다.

조직 절제 및 지혈을 위한 고주파 장치, 관절경용 가위 또는 전동 절삭기(shaver)를 사용하여 유리술을 시행할 수 있다. 관절내공간이 너무 좁아서, 관절내에 관절경을 삽입하는 데 큰 어려움이 있는 경우에는 먼저 견봉하공간에서 시술을 시작할 수 있다.[82] 일단 상완이두근 구(bicipital groove)를 찾은 뒤, 상완이두근 구의 내측으로 회전근 간격(rotator interval)으로 접근이 가능하며 밖에서 안쪽 방향으로 절제가 가능하다. 동결견에서 회전근 간격은 일반적으로 섬유화되어 있으며 이두박건의 장두(long head of biceps tendon)를 둘러싸고 있다. 이두박건 장두의 경우 손상이 있거나 아탈구 등의 병변이 있을 시에 단순 유착 박리부터 건 절단술, 혹은 건 고정술 등 상황에 맞게 시행할 수 있다.

관절와상완관절내에서는 철저하게 활액막 절제술(synovectomy)을 시행해야 한다. 상견갑상완인대(SGHL)와 전방 관절낭은 전상방 삽입구(anterosuperior portal)를 통해 고주파 장치(radiofrequency device)를 사용하여 견갑하건의 상연(superior border)까지 박리하도록 한다. 회전근 간격이 박리되면 상완골 두가 아래쪽으로 내려오게 되고, 시야가 넓게 확보된다. 중견갑상완인대(MGHL)는 견갑하건과 교차되어 직후방에서 지나가며, 이 부위도 박리한다. 나머지 전방 관절낭은 하견갑상완인대(IGHL)의 전방 구(anterior band)가 확인될 때까지 박리하도록 한다. 이때 액와신경(axillary nerve)이 있으므로 후방 관절낭까지 박리할 때에 액와신경이 손상되지 않도록 주의해야 한다.

후방 유리술은 삽입구를 전환하여 수행하게 되며, 관절경을 전방 삽입구에 위치시키고 고주파 장치 또는 관절경 가위, 펀치(punch) 등의 기구를 후방 삽입구를 통해 삽입한다. 관절낭 절제술은 관절와 쪽의 근육섬유가 보일 때까지 관절와에 바로 인접하여 시행한다. 유리술은 하견갑상완인대(IGHL)의 후방 구(posterior band)를 지나 아래쪽으로 연장하여 시행한다. 후방 및 전방 관절낭의 절제 부위가 서로 연결될 때까지 하방 관절낭을 조심스럽게 절제하도록 하며, 이때 액와신경이 가까이 있다는 것을 염두하여 손상되지 않도록 조심해야 한다.[110] 신경손상을 피하기 위해 가장 아래쪽 관절낭을 절제하지 않고 관절경적 관절낭 유리술을 모두 마친 뒤에 마취하 도수 조작을 추가적으로 시행하여 관절낭의 나머지 부분을 처리하는 방법을 선호하는 술자도 있다.

대부분의 동결견 환자의 치료에 있어서 견봉하 감압술(subacromial decompression)은 필요없다. 견봉하 유착은 이차성 경직에서 더 흔하게 나타나며, 견봉하 감압술 혹은 유착 박리술은 주로 외상 후(posttraumatic) 또는 수술 후 경직(postoperative stiffness)에서 필요한 술기라고 하겠다.

관절경적 관절낭 유리술을 성공적으로 받은 환자는 집중 운동치료를 즉시 시작해야 한다. 수술로 얻어진 운동범위를 유지하고 점차적으로 운동범위를 증가시키는 것이 치료의 가장 중요한 부분이다. 수동적 관절운동 기계의 도움을 받을 수도 있지만, 기계의 도움을 받는 치료만으로는 한계가 있다는 점을 고려해야 한다.

(3) 개방적 외과적 유리술(open surgical release)

Ozaki는 개방적 접근법으로 치료한 17명의 환자 중 16명에서 완전히 통증 없는 운동범위를 얻었으며, Omari와 Bunker는 25명의 환자 중 23명에서 이와 비슷한 결과를 보고한 바 있다.[102] 개방적 접근법의 합병증을 감소시키기 위해 우선 도수 조작술(manipulation)을 먼저 시행한 후 작게 절개하여 오구상완인대(CHL)에 선택적으로 직접 접근하여 유리술을 시행하는 술기가 시도된 바 있다.[35] 하지만, 어깨관절경의 발달과 일차성 특발성 어깨경직에서 나타나는 병태생리가 관절내의 병변이 주요 병리라는 사실을 고려할 때, 동결견을 치료하기 위해 개방적 수술이 권장되는 경우는 거의 없다. 그뿐만 아니라 모든 관절낭을 관찰할 수 없어 만족스러운 박리가 어렵다는 문제도 있으며, 수술 후 통증이 더 심해 수술 후 즉시 시작해야 하는 운동치료 참여에 방해가 되기도 한다. 개방적 접근법은 관절외 유착, 이소성 골화, 내고정물 제거가 필요한 이차성 경직에서 일차성 경직에 비해 더 흔히 사용될 수 있다.

Ⅲ 이차성 후천성 어깨경직
(Secondary acquired shoulder stiffness)

어깨는 관절와상완관절(glenohumeral joint), 견갑-흉곽관절(scapulothoracic joint), 견쇄관절(acromioclavicular joint)을 포함하여 3개의 독특하고 복잡한 관절로 구성된다. 정상 생리학적 조건에서는 상기 기술된 3가지 관절에서 정적 및 동적 안정화 구조물 사이에 평형을 이루어 상지(upper extremity)가 무한한 수의 운동 평면에 놓일 수 있게 된다. 어깨의 정상적인 생역학에 문제가 발생하면 어깨경직이 발생할 수 있다. 어깨경직은 일반적으로 동결견이라고 하는 특발성(idiopathic) 어깨경직과 후천적(acquired) 어깨경직으로 분류할 수 있다. 후천성 어깨경직은 외상 후

(posttraumatic) 경직, 수술 후(postoperative) 경직 및 기타 원인으로 인한 경직으로 세분화될 수 있다(그림 3-5).

1. 외상 후 어깨경직
(Posttraumatic shoulder stiffness)

외상 후 어깨경직은 1859년 프랑스 외과의사 Joseph-François Malgaigne에 의해 처음 기술되었으며, 그는 비전위성(nondisplaced) 관절낭외(extracapsular) 근위 상완골 골절(proximal humerus fracture)이 발생한 일련의 환자군에서 운동범위의 제한을 관찰했다. 그 이후로 외상 후 어깨경직은 후천성 어깨경직의 하나의 분류로 포함되었다.

중증 외상 및 반복적인 경미한 외상에 따른 어깨경직은 비교적 흔한 현상이다. 외상 후 어깨경직은 외상 후에 발생한 통증을 동반한 어깨경직을 설명하는 데 사용되는 용어로, 외상 후 비교적 흔하게 발생한다. 특발성 동결견과 유사하게, 외상 후 어깨경직은 반대측과 비교할 때 특히 외회전운동이 감소된 수동적 운동범위 제한을 보인다. 어느 정도의 운동범위 감소가 정확한 외상 후 어깨경직인가를 결정하는 데에는 아직 논란이 있다. 외상 후 어깨경직이라는 진단을 내리는 데 있어서 특히 어려운 점은 외상과 어깨경직 간의 인과 관계를 결정하는 데 있다. 이는 어깨관절에 외상성 손상을 입어 수술적 치료를 받은 환자의 경우 더욱 어렵다. 외상이 운동제한의 원인인지 또는 수술로 인해 경직을 유발되었는지를 판별하는 것은 특히 어렵다. 또한

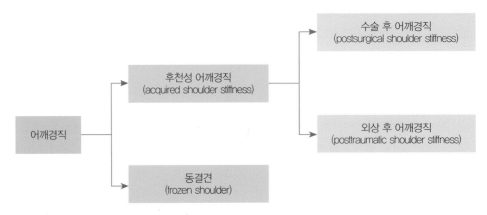

그림 3-5 **어깨경직의 분류(classification of shoulder stiffness)**

외상과 외상 후 어깨경직과 관련된 이차적 통증 증가 사이에는 보통 4-8주의 잠복기를 보인다. 흥미롭게도 연구에 따르면 운동제한의 정도가 부상의 심각성과 항상 일치하지는 않는다. 외상 후 운동범위를 회복한 환자와 비교하여 외상 후 어깨경직이 발생한 환자는 의료 비용이 증가하는 경향이 있다.

1) 병태생리(pathophysiology)

현재, 외상 후 어깨경직이 발생하는 정확한 병태생리는 잘 알려져 있지 않다. 또한 분자 생물학적(molecular biololo-gic) 및 조직학적(histologic) 수준에서 특발성 동결견의 발병 기전에 대해는 많이 알려져 있지만, 외상 후 어깨경직의 발생의 병태생리가 특발성 동결견의 발병 기전과 다른지에 대해서는 확실하게 밝혀지지 않았다.

임상적 관점에서 외상 후 어깨경직의 원인을 관절낭내(intracapsular), 그리고 관절낭외(extracapsular) 범주로 구분한다. 관절낭내 유형은 관절내 골절이나 연부조직 손상에 따른 견갑-상완관절증에 의한 초기 염증성 관절낭염, 관절내 구조에 대한 반복적인 미세외상으로 인한 만성 관절낭염(chronic capsulitis), 장기간의 고정(immobilization)으로 인한 관절낭의 비후(thickening), 초기 외상 후 골관절염(osteoarthritis)으로 인한 이차성(secondary) 만성 관절낭염 등이 있다. 반드시 전체 관절낭이 영향을 받는 것은 아니다. 관절낭의 국소 부분은 우선적으로 만성 염증에 의해 영향을 받을 수 있다. 특발성 동결견과 비슷하게 전방 및 전하방 관절낭이 외상 후 어깨경직에서 가장 흔히 영향을 받는다. 그러나 내부 충돌(internal impingement)과 같은 상황에서는 후방 관절낭이 우선적으로 영향을 받으며, 이때 나머지 관절낭에서는 변화가 거의 없거나 전혀 나타나지 않는다. 대조적으로, 관절낭외 외상 후 어깨경직은 관절외 골절로 인한 부정유합, 관절외 반흔조직 및 유착(예: 견봉하공간에서의 반흔 및 유착), 이소성 골화 및 외상 후 이소성 골화 등으로 인해 발생한다. 넓은 의미에서 외상성 뇌손상(traumatic brain injury)에 따른 어깨의 강직성 마비(spastic paresis)는 외상 후 어깨경직의 관절외 원인(extraar-ticular cause)으로 분류될 수 있다.

관절내 뼈 또는 연부조직 손상으로 인한 관절낭 병변의 발병 기전은 아직 완전히 규명되지 않았다. 급성 혈관절증의 생성 및 염증 연쇄반응(cascasde)의 시작은 transforming growth factor-β, TNF-α, PDGF, hepatocyte growth factor, IL-1 및 IL-6의 과발현(overexpression)으로 시작된다. 이러한 증식성 및 과혈관성 환경은 MMP 및 MMP inhibitor의 불균형 및 substance P의 국소적 증가와 함께 관절낭내에서 보이는 전형적인 조직학적 변화를 초래한다. 이러한 관절낭의 조직학적 변화에는 콜라겐 섬유 밀도 증가, 염증세포 수 증가, 신생혈관증식 및 신경발생(neurogenesis), 섬유아세포(fibroblast)에서 근섬유아세포(myofibroblast)로의 변화, 그리고 연골형성(chondrogenesis)이 포함된다. 현재 외상 후 어깨경직에서 관찰된 조직학적 변화를 수술 후 어깨경직 또는 특발성 어깨경직과 직접 비교한 연구는 없다.

2) 역학과 위험인자(epidemiology and risk factors)

특발성 동결견의 발병률은 비교적 잘 알려져 있지만, 외상 후 어깨경직의 발병률은 잘 알려져 있지 않다. 특발성 또는 후천성 어깨경직으로 진단된 497명의 환자 중 80명(16%)이 외상 후 어깨경직 환자인 것으로 밝혀졌다.[6] Bouaicha는 어깨 부상이 있는 22,000명의 환자를 대상으로 한 다른 연구에서 5%에서 외상 후 어깨경직이 발생했다고 보고한 바 있다. 외상 후 어깨경직이 장기간의 고정으로 인해 발생할 수 있다는 생각을 뒷받침하는 결과를 보고한 연구가 있는데, 이 연구에서 상지 골절 환자 64명 중 10명의 쇄골 골절, 5명의 손목 및 수근골 골절, 1명의 팔꿈치 골절-탈구 후에 외상 후 어깨경직이 발생했다고 보고하였으며 이는 장기간의 고정으로 인해 외상 후에 경직이 발생할 수 있다는 근거가 되었다.[83]

부상의 심각도가 외상 후 어깨경직 발병이 발생할 확률과 반드시 상관관계가 있는 것은 아니다. 따라서 어깨 부상 후에 환자가 어깨경직이 발생할지를 예측하기는 어렵다. 그러나 임상 경험에 따르면 여성, 40세에서 60세 사이의 연령 또는 당뇨병이나 갑상선 기능저하증과 같은 내분비 장애와 같이 동결견에 대한 동일한 위험 요소가 외상 후 어깨경직이 발병하는 환자에서도 높은 비율로 나타난다. 그리고 이차성 어깨경직은 외상 후 뇌손상 후에도 자주 나타나며, 앞서 설명한 바와 같이 강직 마비(spastic paresis)를 유발할 수 있다.[87]

3) 임상양상(clinical presentation)

모든 형태의 일차성 및 이차성 어깨경직의 공통된 특징은 수동적 운동범위의 제한이다. 모든 방향에서 제한을 볼 수 있지만 수동적 외회전 감소가 가장 흔한 임상 소견이다. 환자는 일반적으로 제한된 운동범위로 인해 일상생활 활동에 통증과 불편함이 증가하게 되는데, 발생시기는 초기 외상성 손상 후 몇 주에서 몇 달 사이에 발생한다. 뻣뻣함이나 통증은 장기간 고정 후에 나타날 수 있다. 환자에 따라 어깨에서 삐걱거리는 소리가 나거나 또는 어깨 겉모양에 변화가 나타날 수 있다. 외상 후 어깨경직과 관련된 통증은 둔하거나(dull) 날카로울(sharp) 수 있으며, 대부분의 경우 통증의 위치는 특히 관절낭내 손상의 경우 전방 어깨 부위에서 느껴진다. 제한된 관절와상완 움직임(glenohumeral motion)의 결과로, 견갑 흉곽 운동이상증(scapulothoracic dyskinesia)이 보상적으로 나타날 수 있으며, 이는 이와 관련된 근육에 대한 활동성 증가로 인해 광범위하게 견갑골 주변 통증을 유발한다. 일부 환자는 종종 특정 신경근 또는 말초신경 지배 영역과 명확한 연관성이 없는 미만성 원위 신경병증성 통증 및 감각 이상(diffuse distal neuropathic pain and paresthesias)을 보인다. 이 환자들은 흉곽 출구증후군(thoracic outlet syndrome)과 유사한 임상 양상을 보일 수 있으므로 감별진단에 고려해야 한다. 전기생리학적(electophysiologic) 검사와 혈관(vascular) 검사는 이차성 동결견에서 확진에 도움이 되지 않는다.

일차성 동결견과 유사하게 동통기, 동결기, 해동기로 이어지는 3단계의 순서가 외상 후 어깨경직에서도 관찰되는 경우가 있지만, 원발성 동결견과 달리 외상 후 어깨경직은 질병의 일반적인 지속 기간 또는 회복 특성을 따르지 않는다. 외상 후 어깨경직은 악화와 완화를 반복하는 기간이 길어질 수는 있지만, 대부분의 환자는 부상 후 1년 이내에 증상이 사라진다.

4) 치료(treatment)

외상 후 어깨경직 중, 관절낭내 원인에 대한 치료전략은 원발성 동결견의 치료전략과 유사하며, 운동치료, 또는 스테로이드 주사를 포함한 보존적 치료를 우선적으로 시행하게 된다. 수압팽창술(hydrodilatation), 마취하 도수 조작(MUA) 또는 관절경적 관절낭 유리술(arthroscopic capsular release)과 같은 보다 침습적인 치료는 대개 필요 없으나, Elhassan[36]는 보존적 조치로 개선되지 않는 환자에서 관절경적 관절낭 유리술을 시행했을 때 효과적이었다고 하였다.

외상 후 어깨경직 중 관절낭외 원인의 경우, 운동범위 제한의 원인을 확인하는 것이 치료전략의 기본이다. 골절 후 부정유합 또는 이소성 골화(heterotopic ossification)와 같은 관절낭 외 외상 후 어깨경직의 많은 원인은 단순 방사선사진으로도 확인이 가능하다. 그러나 관절 외 반흔(scar)이나 유착(adhesion)의 경우 정확한 진단을 위해 보다 정밀한 영상 검사가 필요할 수 있다. 일단 병의 원인이 확인되고 보존적 요법에 실패한 경우, 수술적 치료를 시행할 수 있다. 원인에 따라 교정절골술(corrective osteotomy)이나, 유착 박리술 등을 시행할 수 있다.

2. 수술 후 어깨경직
(Postoperative shoulder stiffness)

수술 후 어깨경직은 비교적 흔한 병적상태이다. 임상적으로 특발성 경직이나 외상 후 경직과 마찬가지로 수술 후 어깨경직은 관절와상완관절염(glenohumeral arthritis)이 동시에 없으면서, 능동 및 수동 관절와상완관절 운동범위의 제한을 특징으로 한다. 수술 후 어깨경직의 임상 양상은 어떤 수술을 받았는지에 관계없이 비슷하게 나타나지만, 예후와 향후 치료 방침이 달라질 수 있기 때문에 어떤 수술 후 경직이 발생한 것인지를 고려하는 것이 치료에 있어서 중요하다. 수술 후 어깨경직은 회전근 개 봉합술 후 12개월째에 환자의 3-10%에서 나타나며, 회전근 개 수술 후 발생하는 주요 합병증 중 하나이다.

1) 회전근 개 봉합술 후 어깨강직
(shoulder stiffness after rotator cuff repair)

(1) 병인(etiology)

회전근 개 봉합술 후 수술 후 반흔화(scarring)와 어깨경직의 정도는 수술 전 어깨경직 정도, 수술 방법(개방적 또는 관절경적 회전근 개 봉합술), 수술 후 재활치료 정도에 따라 달라진다. 관절낭의 염증성 변화로 인해 관절낭이 두꺼워지고 운동범위가 제한되는 일차성 어깨경직과 달리, 회전근 개 봉합술 후에 발생한 어깨경직은 회전근 개 봉합술 수술 과정에서 염증조직을 제거하고 봉합하는 과정에서 발생하는 관절내 및 관절외 반흔 및 유착 형성에 기인하게 된다. 관절외 견봉하/삼각근하 점액낭(subacromial/subdeltoid bursa)은 회전근 개로 덮힌 상완골과 견갑골 사이에서 상완견갑 운동 경계면(humeroscapular motion interface)을 형성하게 된다. 이 두 점액낭의 상완견갑 운동 경계면은 최대 4 cm의 생리학적 이동을 허용한다. 수술 후에 두 점액낭의 유착 정도에 따라 운동범위 제한이 발생하게 된다. 견봉하 및 삼각근하 점액낭 외에 오구돌기하 점액낭(subcoracoid bursa)의 염증 및 결합 건(conjoined tendon)의 단축(shortening)은 회전근 개 봉합술 후 수술 후 어깨경직에 기여할 수 있는 다른 관절외 요인에 해당한다. 오구돌기(coracoid process), 결합 건, 견갑하건(subscapularis tendon) 사이의 반흔은 주로 외회전의 제한을 초래한다.

관절내에서 관절낭의 앞부분과 뒷부분 모두 반흔과 구축(contracture)에 의해 영향을 받을 수 있다. 회전근 간격(rotator interval) 영역의 전방 반흔은 관절와상완관절이 내전된 상태에서 주로 외회전을 제한하는 반면, 후방 반흔은 주로 내회전을 제한한다.

(2) 발생률(incidence)

회전근 개 봉합술 후 발생한 견관절 경직의 발생률에 대한 정확한 정보는 문헌마다 정의가 서로 다르고, 추적 기간이 달라 정확한 발생률을 알기 어렵다. 발생률과 관련된 가장 큰 연구에서 회전근 개 봉합술 후 어깨경직이 평균 4개월의 추적 관찰 후 17%의 발생률을 보였다고 보고한 바 있다. 그러나 Chung은 시간이 지남에 따라 수술 후 어깨경직이 개선되는 경향이 있다고 하였다. 수술 후 3개월에 환자의 19%가 어깨경직이 있었으나, 12개월 추적 관찰에서 7%에서만 경직이 남아있었다고 하였다.[26] 이와 유사하게 Denard은 체계적 문헌고찰(systematic review)에서 회전근 개 봉합술 후 일시적인 어깨경직을 보이며, 수술 후 1년 추시에서 10%가 경직이 남아있었다고 보고했으나 환자의 3%만이 영구적인 경직이 남았다고 했다.[31] Denard는 비수술적 치료에 반응하는 경우를 일시적인 어깨경직이라고 정의하였고, 저항성(resistant) 경직은 비수술적 치료에 반응하지 않으며 관절경적 관절낭 유리술이 필요한 어깨경직이라고 정의하였다. 저항성 어깨경직의 발생률은 수술 후 6주간 팔걸이로 어깨를 고정한 환자들에서 0-5%로 보고되었고, 조기 재활을 시행한 환자에서는 0.2-4.2%로 보고되었다.[16,59,126]

(3) 위험인자(risk factors)

Huberty는 관절경적 회전근 개 봉합술 후 어깨경직이 발생하는 위험인자를 알아보기 위해 489건의 관절경적 회전근 개 봉합술을 조사했다. 석회성 건염, 이전의 특발성 유착성 관절낭염, 관절면 측 극상건 부분파열, 수술 중 관절와순 봉합술을 함께 시행한 경우, 재해 보상 환자 및 수술 당시 나이가 50세 미만인 경우가 관절경적 회전근 개 봉합술 후 경직을 발생시키는 독립적인 위험 인자라고 보고했다. 흥미롭게도 파열 크기가 큰 회전근 개 파열에 대해 봉합술을 시행한 경우는 오히려 수술 후 어깨경직이 발생한 가능성이 적었다고 하였다.[59] 그러나 이러한 결과에 대해 Chung은 반박하는 결과를 보고했고, 288명의 환자 코호트에서 고령의 환자와 더 큰 회전근 개 파열 크기 모두 회전근 개 봉합술 후 발생하는 어깨경직의 발병 위험 인자라고 하였다.[26] 관절경적 회전근 개 봉합술 전에 6개월 이상 어깨경직을 호소하던 환자의 경우 또한 회전근 개 봉합술 후 어깨경직의 위험인자로 나타났다. 개방적 회전근 개 봉합술은 관절경적 회전근 개 봉합술에 비해 수술 후 어깨경직, 관절낭외 유착의 발생률이 증가시키는 것으로 보고되었다.[37,111]

(4) 예방(prevention)

수술 후 어깨경직의 발생 위험 요인에 대한 평가를 미리 함으로써, 수술 전에 환자별 위험도에 따라 개별 재활 계획을 결정하는 데 도움이 될 수 있겠다. Koet은 경직 위험도가 높은 환자에서 조기 재활을 시행함으로써 수술 후 어깨경직이 발생할 확률을 감소시킬 수 있다고 하였다.[80] 이로 인해 어깨 유착을 방지하기 위해 조기 스트레칭 운동과 함께 조기 가동화(early mobilization)를 통상적으로 시행하게 하였다. 관절경적 어깨 수술의 도입으로 수술 후 반흔조직의 생성을 감소시킴으로써 수술 후 어깨경직 발생을 감소시켰다. 그 결과, 회전근 개 봉합술 후 가동화 프로토콜(mobilization protocol)의 시행을 수술자로 하여금 더 수동적으로 시행하게 하고 움직임을 시작하는 시기를 더 늦추도록 하였다. 많은 연구에 따르면 수술한 팔을 4-8주간 고정하면 초기 과정에서 어깨경직이 증가하지만 장기적으로는 조기 가동화를 시행한 환자들과 비교했을 때, 운동범위에 차이가 없었다. 여러 level I 및 II 연구에서 회전근 개 봉합술 후 6주 동안 팔을 고정해도 장기 추시에서 어깨 운동범위에 부정적인 영향을 미치지 않는다고 하였고, 게다가 조기 가동화(early mobilization)를 시킨 환자들에 비해 재파열률(retear rate)이 현저히 낮다고 하였다.[72,84] Koh는 전향적 무작위 연구(prospective randomized study)에서 4주 고정을 받은 환자와 8주 고정을 받은 환자의 수술 후 1년째 재파열률에는 차이가 없었으나, 어깨경직의 발생률은 4주 고정군보다 8주 고정군에서 유의하게 더 높았다고 하였다.[79] 특히 수술 전에 어깨경직이 있었던 경우에, 관절경하 회전근 개 봉합술을 시행할 때 광범위한 회전근 간격 유리술 또는 관절낭 유리술를 함께 시행함으로써 수술 후 경직 발생을 줄일 수 있다고 하였다. 그러나 회전근 간격 유리술 및 관절낭 유리술을 함께 시행하더라도 유리술을 시행하지 않은 그룹과 비교하여 수술 후 1년째 어깨경직의 발생률에는 차이가 없었다.[76,78]

관절경적 회전근 개 봉합술 후에 단기 추시 기간 동안 어깨경직이 발생할 수 있다는 사실을 수술 전 평가 시 환자에게 미리 알리는 것이 중요하다. 관절경적 회전근 개 봉합술을 받은 1,533명의 환자를 포함하는 단일 센터 연구에서 환자의 35%가 수술 6주 후 어깨가 내전된 상태에서 외회전이 20도 미만으로 정의한 일시적인 어깨경직이 발생했다고 보고했다. 또한 외회전이 20도 미만으로 감소된 환자군과 20도 이상의 외회전을 가진 환자군을 비교했을 때, 외회전이 감소된 환자군에서 더 낮은 재파열률(7% vs 15%)을 보였다.[78] 다른 연구에서도 이와 비슷하게 수술 3개월 후 외회전과 관절와상완관절의 운동범위가 적은 환자에서 관절와상완관절 경직이 없는 환자에 비해 재파열률이 더 낮았다고 보고했다.[127]

(5) 치료(treatment)

수술 후 어깨경직은 특발성 어깨경직이나 외상 후 어깨경직보다 보존적 치료의 효과가 떨어진다.[122] 그럼에도 불구하고 회전근 개 봉합술 후 경직을 경험하는 대부분의 환자는 흔히 수술 후 1년 이내에 어깨 운동범위를 회복하게 되며, 앞서 언급한 바와 같이 수술 후 경직을 보인 환자에서 재파열률이 오히려 더 낮게 보고되었다. 회전근 개 봉합술 후 어깨경직이 발생한 환자에서 향후 증상이 호전된다는 사실을 환자에게 알려주어야 하겠다. 이렇게 함으로써 환자에게 효과적인 장기간의 적극적인 운동치료에 필요한 동기를 제공할 수 있게 된다. 보존적 치료에 실패한 만성 어깨경직에서는 수술적 치료가 도움이 될 수 있다. 마취하 도수 조작(MUA)은 보존적 치료에도 불구하고 관절운동범위의 개선을 얻지 못한 환자를 위한 치료법이 되겠다.[50,81,91] 그러나 총 271명의 환자를 대상으로 한 3개의 레벨 I 연구에서는 보존적 요법으로 치료한 대조군과 비교하여 마취하 도수 조작의 우월성을 확인할 수 없었다.[62,78,111] 마취하 도수 조작은 제한된 효과를 보일 뿐만 아니라, 15% 정도에서는 재수술이 필요한 경우가 있으며, 또한 약 1% 정도에서 근위 상완골 골절, 관절와 골절(glenoid rim fracture), 상완신경총 손상(brachial plexus injury) 또는 어깨 탈구와 같은 합병증이 있을 수 있다.[50,63,103]

Huberty는 수술 후 어깨경직이 있는 환자의 5%가 관절경적 관절낭 유리술을 시행했다고 보고한 바 있다.[59] 수술 후 지속적인 어깨경직이 발생한 경우 수술적 치료를 결정하기 전에 충분한 기간 동안 보존적 치료를 우선적으로 시행해야 한다. 상완 견갑 운동 경계면(humeroscapular motion interface)에 대한 유착 박리와 함께 관절경적 관절낭 유리술은 어깨 기능과 환자 만족도를 크게 향상시킬 수 있다. 관절경적 관절낭 유리술을 시행한 후 43개월 추시에서 subjective shoulder value (수술 전 32% vs. 수술 후 69%)와 Constant and Murley score (수술 전 36점 vs. 수술 후 81점)에서 유의한 향상을 보였다. 5명의 환자(10%)에서 재발된 경직으로 인해 추가적인 관절낭 유리술이 필요했으며 5명의 환자 중 3명은 상당한 호전을 보였다.[36]

2) 어깨 불안정성 수술 후 어깨강직
(postoperative shoulder stiffness following surgical repair for shoulder instability)

전하방 어깨 불안정성(anteroinferior shoulder instability)의 외과적 치료 후에 종종 관절와상완관절(glenohumeral joint)의 외회전 감소가 발생한다. 어깨 불안정성에 대한 다양한 수술적 치료 방법이 있지만 어느 정도는 모두 수술과정에서 전방 관절낭 또는 견갑상완인대(glenohumeral ligament)를 중첩시키고 보강하며 더 팽팽하게 조이게 된다.[29] 따라서 수술 후에는 통상적으로 관절와상완관절의 외회전에 부분적 손실을 가져오게 된다. 외회전운동범위의 손실은 전방 견관절 안정화 수술(anterior shoulder stabilization) 이후 가장 흔히 보고되는 수술 후 합병증 중 하나이다.[112,122] Rahme는 개방적 방카르트 봉합술(open Bankart repair)을 받은 환자에서 수술하지 않은 반대쪽에 비해 25%의 외회전 손실 발생했다고 보고했다.[112] 관절경적 안정화 수술(arthroscopic stabilization surgery)은 개방적 수술이나 재수술과 비교하여 외회전운동범위 손실이 적은 것으로 보인다.[23,43,94] 수술 후 외회전 손실이 발행하는 정도를 예측하기는 어렵다. 이는 전방 관절낭 및 인대 구조의 기계적 보강(reinforcement) 외에도 수술 후에 발생하는 생리학적 반흔화(scarring) 및 구축(contracture) 발생의 정도가 개개인마다 다를 수 있기 때문이다. Shibano는 컴퓨터 시뮬레이션에서 외회전 손실의 정도는 전하방 관절낭의 중첩을 얼마나 많이 하는지에 달려 있다고 보고하였다. 그들은 전하방 견갑상완인대(anteroinferior glenohumeral ligament)를 3

mm, 6 mm 및 9 mm로 중첩시켰을 때, 각각 10도, 22도 및 36도의 외회전 손실을 가져온다고 하였다. 중첩된 두께 외에도 전하방 견갑상완인대를 위로 많이 당겨서 봉합할 경우, 최대 외회전 범위가 더욱 감소되었다.[119]

개방적 안정화 수술(open stabilization surgery) 과정에서 견갑하건을 떼어낸 뒤 수술하게 되면 수술 후 경직이 더 많이 발생하게 된다.[25] 따라서 완전히 견갑하건을 떼어낸(detachment) 뒤 수술을 시행하는 것보다 견갑하건을 나누어(split) 사이로 들어가서 전방 관절와(anterior glenoid)를 노출시키는 것 좋다. 그러나 재수술인 경우, 심한 연부조직 반흔이 있을 때에는 견갑하건을 완전히 떼어낸 뒤 수술을 시행하기도 한다. 분리된 견갑하건은 수술 후 반드시 부착부에 다시 잘 부착되어야 하는데, 이 과정이 수술 후 경직에 기여하기도 한다.

전방 관절와상완관절낭(anterior glenohumeral joint capsule)과 회전근 간격(rotator interval)은 외회전 시 장력이 생기고 내회전 시 수축한다. 관절경적 방카르트 봉합술을 시행할 때에 팔을 내회전시킨 상태에서 전방 관절낭 봉합하면 팔을 중립 위치(neutral position)에 유지한 상태에서 봉합할 때보다 수술 후에 외회전 손실이 더 많이 발생한다.

안정화 수술(stabilization surgery) 후 장기간의 어깨 고정은 어깨경직의 위험 인자이다.[7] 그럼에도 불구하고 개방적 수술이나 관절경적 안정화 수술 후 일차적 치료 목적은 어깨관절에 안정성을 얻게 하는 것이다. 관절와상완관절의 가동성과 근력을 얻는 것은 부차적인 목표이다. 따라서 수술한 어깨를 충분한 시간 동안 고정해야 한다. 충분한 시기의 고정 후에는 진자운동을 시행하게 되고, 가벼운 일상생활에 복귀하며 환자의 경직 정도에 따라 스트레칭을 포함한 적절한 운동치료를 시작하도록 한다. 수술 후 3개월이 지나면 근력운동을 함께 병행한다.

안정화 수술의 종류에 상관없이 수술 후에 4개월까지는 대개 외회전의 개선을 기대할 수 있으며, 재활 치료 과정에서 이러한 점을 환자에게 알려주는 것이 중요하다. 안정화 수술 후 9개월이 되었음에도 어깨를 내전 시 외회전이 20도 미만인 경우 이는 수술 후 어깨경직의 진단기준을 충족하며 이때에는 관절경적 유리술 및 도수 조작의 적응증에 해당하겠다. 이는 지속적인 외회전 결손이 초기 견갑-상완 관절염(glenohumeral arthritis) 발병의 중요한 위험 요소이 기 때문에 중요하다.[2]

3) 회전근 개 봉합술 및 어깨 안정화 수술 후 발생한 어깨경직에 대한 관절경적 관절낭 유리술 (arthroscopic capsular release for shoulder stiffness after rotator cuff repair/shoulder stabilization surgery)

수술 후 경직에 대해 보존적 치료가 실패할 경우 관절경 적 관절낭 유리술의 적응증이 된다. 회전근 개 봉합술 후 에 발생한 어깨경직과 어깨 안정화 수술 후 발생한 어깨경 직에 대한 관절경적 관절낭 유리술의 수술 기법은 기본적 으로 동일하다.

보존적 치료에 실패한 어깨경직 환자의 경우 관절경적 관절낭 유리술을 시행하게 된다. 수술을 시행할 때에 회전 근 간격(rotator interval), 상견갑상완인대(SGHL), 오구상완 인대(CHL), 전방 관절낭(anterior capsule), 중견갑상완인대 (MGLH), 하견갑상완인대(IGHL)의 전방 및 하방 구(ante- rior and posterior band), 하부 관절낭(inferior capsule), 그리 고 후방 관절낭(posterior capsule)에 대해 체계적으로 유리 술을 시행해야 한다.

관절경적 유리술은 개방적 수술에 비해 여러 장점이 있 다. 관절경 수술의 특별한 이점은 개방적 수술과 비교하여 더 나은 시야 확보에 있다. 병적인 관절낭 부위를 직접 관 절경 영상으로 볼 수 있으며, 직접 보면서 충분히 절제술이 가능하다. 어깨에 영향을 미치는 동반된 병적인 문제들을 개방적 술기와 비교하여 추가적인 손상 없이 확인이 가능 하고 이에 따라 적절한 치료가 가능하다. 특히, 이두박근 장두의 병적 상태는 관절낭 유리술 또는 수술 후 운동치료 에 거의 영향을 미치지 않으면서 건 절단술(tenotomy)이나 건 고정술(tenodesis) 등을 동시에 시행할 수 있다. 그뿐만 아니라, 수반되는 활액막염(synovitis)에 대해서 관절경을 통해 관절 전체에 걸쳐 처치할 수 있다. 견봉하공간 내의 병변에 대한 평가가 가능하며, 견봉하 감압술(subacromial decompression) 역시 쉽게 수행될 수 있다. 마지막으로 적

극적인 물리치료가 수술받은 당일부터 시작이 가능하다는 장점도 있다.

4) 수술기법(technique)

수술 절차를 시작하기 전에 전방 굴곡, 외전, 외회전(내 전 및 90도 외전 상태에서 각각) 및 내회전에 대한 수동 운 동범위에 대한 자세한 평가를 기록한다. 수술 후 운동치료 를 위해 사각근간(interscalene) 신경차단을 먼저 시행한 후 전신마취하에 수술을 시행하기도 한다. 표준 후방 삽입구 (portal)는 후외측 견봉의 가장자리에서 약 1 cm 내측, 견 봉에서 2 cm 아래에 삽입한다.

표준 전상방(anterosuperior) 삽입구를 삽입할 때는 절개 를 국소화하기 위해 18게이지 척추바늘(spinal needle)을 사 용하여 오구돌기 바로 옆에 찔러 넣어 위치를 잡는다. 표준 5.5 mm 삽입관(cannula)을 미리 찔러 넣어서 위치를 확인 한 척추바늘 위치에 삽입하도록 한다. 회전근 간격 조직과 전방 관절낭이 비대해져 있을 수 있으므로 필요할 경우 금 속 투관침(trochar)을 사용하여 삽입관(cannula)을 삽입할 수도 있다. 시술 중에 활막액염에 대해 처치하고, 이두박근 장두에 대해 평가한다. 심각한 건병증(tendinopathy), 부분 파열, 건 활액막염 또는 아탈구의 징후가 있거나 상완이두 근 구(bicipital groove)에서 이두박건의 이동 제한이 확인되 는 경우, 이두박건에 대해 건 절단술(tenotomy) 또는 건 고 정술(tenodesis) 등의 시술을 시행한다. 이후, 체계적인 관 절낭 유리술을 시행한다.

통상적으로 관절경적 관절낭 유리술을 시행할 때에는 관절와상완관절내(intraarticular)에서부터 관절낭 유리술 을 시작한다. 상견갑상완인대(SGHL) 위에서 시작하여 고 주파 장치(radiofrequency device)를 사용하여 유리술을 시 행하도록 한다. 일반적으로 구축된 회전근 간격이 박리되 면 상완골 두가 하방 및 측방으로 병진(translation)되어 관 절경의 시야가 넓어지게 된다. 견갑하건(subscapularis ten- don)후방에서 교차되어 진행하는 중견갑상완인대(MGHL) 를 박리한다. 전방 관절낭에 대해서 하견갑상완인대(IGHL) 의 전방 구(anterior band)를 지나 하방으로 절제한다. 이

위치에서 액와신경(axillary nerve)이 가까이 있으므로 후방 관절 낭으로 연장할 때까지 신경손상에 주의해야 한다.

내회전이 제한된 환자의 경우, 후방 관절낭 유리술을 이어서 시행한다. 후방 삽입구에 5.5 mm 삽입관(cannula)을 삽입하고, 전방 삽입구에 관절경을 위치시킨다. 고주파장치를 후방 삽입관에 넣고 조작하도록 하며, 이때 삽입관을 관절낭에 깊이 삽입하지 않고 약간만 걸쳐 놓으면 도구를 사용하기가 용이하다. 이 영역에서 관절낭은 후방 회전근 개(posterior rotator cuff) 근육 부위에 덮여 있으며, 적절한 절제가 이뤄지면 근육이 관절경으로 확인된다. 이를 통해 완전한 후방 관절낭이 박리된 것을 확인할 수 있다. 하견갑상완인대의 후방 구(posterior band) 쪽으로 아래쪽으로 연장하여 박리한다. 액와신경(axillary capsule)이 관절낭에 매우 가깝다는 점을 염두에 두고 고주파수 장치를 사용하여 조심스럽게 유리술을 수행한다. 하방 관절낭에 대한 박리는 후방 및 전방 관절낭절제술이 연결될 때까지 조심스럽게 진행한다.

관절낭 유리술이 모두 완료되었다면, 이제 관절경을 견봉하공간에 삽입하고 견봉하 감압을 시행한다. 특발성 동결견의 경우 견봉하공간에 두꺼운 유착이 있는 경우는 드물다. 외상 후나 수술 후에는 두껍고(thick) 조밀한(dense) 견봉하 유착(subacromial adhesion)이 있는 경우가 많으며, 고주파 장치를 사용하여 견봉으로부터 유착을 세심하게 제거한다. 이 과정에서 회전근 개 힘줄에 손상이 생기지 않도록 조심해야 한다. 필요한 경우 견봉성형술(acromioplasty)을 시행할 수 있다. 모든 술식이 종료되었다면 견봉하공간과 관절와상완관절에 세심한 지혈을 하도록 한다. 지혈을 마친 뒤에, 이 시점에서 환자의 어깨관절에 대한 운동범위를 확인하도록 한다. 여전히 운동범위 제한이 지속되고 있다면, 관절낭외 반흔조직 여부를 확인하도록 하며, 그 외에 힘줄의 움직임을 증가시키기 위해 Z-성형연장술(Z-plasty lengthening)을 위한 개방적 유리술이 필요할 수도 있다. 수술 후, 당일부터 치료사와 함께 수동적 관절범위 회복을 위한 운동을 즉시 시작하도록 한다.

5) 견관절 전치환술 후 발생한 어깨경직
(shoulder stiffness after total shoulder arthroplasty)

해부학적 견관절 전치환술(anatomic total shoulder arthroplasty) 후 가장 흔한 합병증은 회전근 개 부전(rotator cuff failure), 감염, 관절와구성요소의 이완(loosening of glenoid component), 인공관절 주위 골절(periprosthetic fracture)이다.[13] 견관절 전치환술 후 어깨경직은 비교적 적은 합병증이다. Gonzalez는 견관절 전치환술을 받은 환자의 0.9%만이 어깨경직을 겪고 있다고 보고했다.[43]

견관절 전치환술 후 가동성(mobility)에 영향을 미치는 가장 중요한 인자는 수술 전 관절와상완관절 가동성이다. 따라서 견관절 전치환술 후 어깨경직을 평가할 때 수술 전과 수술 후 가동성을 비교하는 것이 중요하다. 어깨의 단순 방사선사진은 기계적으로 어깨 가동성을 제한할 수 있는 골극(osteophyte) 여부를 확인하고 인공관절 구성 요소(component)의 이완(loosening)을 평가하는 데 도움을 준다. 전산화 단층촬영(computed tomography, CT) 또한 통증과 운동제한의 원인이 될 수 있는 삽입물 이완(implant loosening) 또는 회전근 개 부전(rotator cuff failure)을 식별하는 데 도움이 될 수 있다.

수술 후에 어깨관절범위가 제대로 회복이 되었다가 시간을 두고 어깨경직이 발생한 경우라면, 인공관절의 감염증을 고려해야 하며, 만일 감염이 있다면 이에 대한 치료를 해야 한다.[133] 관절흡인(joint aspiration)뿐만 아니라 ESR, CRP, 백혈구를 포함한 일상적인 실험실 검사를 시행해야 하고, 음성으로 나왔다 하더라도 Cutibacterium acnes와 같이 느리게 성장하는 세균에 의한 이차적인 인공관절 감염을 배제하지 못한다.[33,94]

인공삽입물 주위 감염이 없다고 판단되면 어깨경직에 대해 일차적으로 주로 운동치료를 먼저 시행하도록 한다. 관절 내 스테로이드 주사를 시행하여 염증과 통증을 완화할 수 있으며, 이를 통해 환자가 운동치료를 더 잘 수행하는데 도움이 될 수 있다. 어깨 인공관절치환술 후 어깨경직이 있는 환자에서 도수 조작술을 시행하는 것은 인공관절 삽입물 주위 골절(periprosthetic fracture)의 위험이 높기 때문에 시행하지 않는 것이 좋겠다.

3. 기타 상태에 의한 후천성 어깨경직
(Other reasons for acquired shoulder stiffness)

1) 석회성 건염과 견봉하 충돌
(calcific tendinitis and subacromial impingement)

어깨의 석회성 건염은 비교적 흔한 어깨 통증의 원인이며, 40세에서 60세 사이의 여성에서 더 흔하게 발병한다. 많은 연구에서 특발성 유착성 관절낭염은 석회성 건염과 같이 주변 구조의 염증을 유발하는 내인성 또는 외인성 원인에 의해 발생한다고 하였다. Noel은 칼슘이 액체 상태일 때 급성기 심한 통증을 보인다고 했다.[100] 그러나 칼슘 침착물이 건조하고 단단한 경우에는 만성 단계로, 통증보다는 운동범위 제한을 주된 증상으로 보이는 이차성 어깨경직의 상태를 보인다고 했다.[100] 석회성 건염과 견봉하 충돌은 모두 어깨를 상대적으로 덜 사용하게 되면서 가동성이 떨어져 이차성 어깨경직을 유발할 수 있다. 따라서 석회성 건염과 견봉하 충돌이 있는 환자에서 어깨경직을 피하기 위해 적절한 조기 통증 관리가 중요하다. 비스테로이드성 항염증제(NSAIDs), 운동치료, 견봉하 스테로이드 주사, 체외 충격파 요법, 천공(needling) 또는 천자(puncture) 및 세척술(lavage)을 비롯한 여러 보존적 치료 방법이 효과적인 것으로 알려져 있다.[12,41]

2) 외상성 뇌손상과 뇌졸중 후 어깨경직
(shoulder stiffness after traumatic brain injury and cerebrovascular accident)

외상성 뇌손상(traumatic brain injury)과 뇌졸중(cerebrovascular accident) 후 어깨 통증 및 어깨경직의 유병률은 각각 약 62% 및 69%이다.[87] 어깨 통증과 어깨경직은 초기 뇌손상과 관련되거나 장기간의 침상 안정, 초기 누락 상병 또는 부적절한 재활 등으로 인해 발생할 수 있다. 따라서 신경손상, 골절/탈구 또는 진행 중인 외상성 뇌손상 여부를 확인하는 것이 매우 중요하다. 외상성 뇌손상과 뇌졸중 모두 어깨관절 주변의 근긴장도를 변화시키고 어깨관절을 약화시키는 것을 특징으로 하는 상부 운동신경장애를 유발한다. 이로 인해 어깨관절의 역학이 변하여 심각한 구축을

유발함으로써 통증과 경직을 유발하게 된다.[92] Turner-Stokes와 Jackson은 뇌졸중 후에 발생하는 두 가지 유형의 어깨 통증을 설명했는데, 초기에는 관절 주위가 이완되는 기간(flaccid phase)이 약 6개월 지속된다. 이 단계에서 환자는 팔의 무게에 작용하는 중력에 의해 이차적으로 어깨에 아탈구(subluxation)가 발생할 수 있다.[130] 이러한 이완기 이후에는 비자발적 근육 과활동성(involuntary muscle overactivity)을 특징으로 하는 강직기(spastic phase)가 이어진다. 장기간의 강직(spasticity)으로 인해 구축(contracture) 및 유착성 관절낭염(adhesive capsulitis)과 관련된 만성 어깨 통증이 발생할 수 있다. 어깨관절이 이완되어 있는 시기에 어깨경직에 대한 수술은 외상성 뇌손상이나 뇌졸중 발생 최소 6개월 이후로 연기되어야 한다.[92]

어깨경직은 뇌졸중보다 외상성 뇌손상 후에 더 뚜렷하다. 만성 어깨경직에서는 이차성 섬유화가 발생하여 고정 구축(fixed contracture)을 유발할 수 있다. 일반적으로 환자는 외상성 뇌손상이나 뇌졸중이 발생한지 6개월이 지나면 신경학적으로 안정적이며 대부분의 운동 회복이 일어나게 된다. 부목고정(splinting)과 물리치료사와 함께하는 스트레칭 운동은 구축을 피하기 위해 매우 중요하다. Keenan과 Mehta는 생리학적 회복 기간 동안 가능한 한 빨리 어깨경직을 치료하는 것이 중요하다고 말했다. 여기에는 관절 아탈구, 구축 및 이소성 골화를 예방하기 위해 경구 약물치료, 부목고정, 신경 차단 등이 포함된다.[71]

3) 경추 신경근병증과 연관된 어깨경직
(shoulder stiffness associated with cervical radiculopathy)

퇴행성 디스크 질환은 후천성 어깨경직 및 관절와상완 관절염(glenohumeral arthritis)과 연관이 있다. 어깨 근육은 주로 경추신경근(cervical nerve root), 특히 C5-C6 신경근으로부터 신경지배를 받는다. C5-C6 및 C6-C7 추간판 탈출증(herniated intervertebral disc) 환자에서 유착성 관절낭염의 발생률은 약 1-10%로 보고되었다.[69] 흥미롭게도 연구에 따르면 환자가 경추 추간판 탈출증에 대해 수술을 받은 후 어깨에 유착성 관절낭염의 발생률이 수술 후 22%로 증가했다고 보고했다. Kang은 경추 수술을 받은 환자에서

유착성 관절낭염과 회전근 개 건염(rotator cuff tendinopa-thy)의 위험이 증가한다는 사실을 발견했다.[69] 경추 신경근병증(cervical radiculopathy)과 어깨 통증을 경험한 적 있는 환자가 스트레칭과 운동치료에 경추 견인치료를 추가할 경우 어깨 통증완화에 더욱 도움이 된다는 연구결과가 있다.[27]

4) 어깨경직과 심장질환
(shoulder stiffness and cardiac disease)

심장질환 혹은 수술과 유착성 관절낭염 사이의 연관성은 잘 확립되어 있다.[15,131] Tuten는 심장 수술을 받은 남성 환자에서 유착성 관절낭염의 발생률은 3.3%라고 보고했다.[131] Boyle-Walker는 유착 관절낭염으로 진단된 환자에서 유착성 관절낭염이 없는 집단에 비해 당뇨병과 심장질환을 가진 환자가 더 많다고 보고하였다.[15] 대부분의 연구에서 심혈관 질환 및 당뇨병 환자에서 유착성 관절낭염의 예후가 더 나쁜 것으로 나타났다. 따라서 이러한 환자들은 조기 진단과 함께 조기 재활을 시작하는 것이 좋다.

5) 어깨 수술이 아닌 다른 수술 후 어깨경직
(shoulder stiffness after nonshoulder surgery)

어깨관절의 경직은 어깨 수술이 아닌 다른 부위의 수술과도 관련이 있다. 경부 곽청술(neck dissection), 액와 림프절 생검(axillary lymph node biopsy), 심장 도관 삽입술(cardic catheterization), 개흉술(thoracotomy) 또는 개심술(open heart surgery)이 포함된 절차는 모두 유착성 관절낭염 발생률을 증가시킨다.[15,108,109,131] 심장 도관 삽입술, 액와 림프절 생검 및 개흉술은 시술과 관련된 통증으로 인해 어깨 운동범위가 제한될 수 있다. 경부 곽청술을 시행한 환자의 대부분은 수술 후 초기에는 부신경(accessory nerve) 기능장애로 인한 증상을 보였으나, 6개월까지 대부분의 어깨 관련 증상은 부신경 기능장애가 아닌 유착성 관절낭염에 기인하였다.[108] 유방암 수술과 유방 재건 모두 유착성 관절낭염 발병 위험이 증가한다.[140]

6) 감염으로 인한 어깨경직
(shoulder stiffness secondary to infection)

어깨의 화농성 관절염의 발병률은 나이가 들수록 증가한다. 그러나 젊은 환자에서 어깨 감염에서 가장 흔한 병원체인 C.acnes의 집락화(colonization)의 위험성이 더 높다.[74,117,123] 어깨 감염의 발병률은 또한 이전에 어깨 수술을 받았던 경우에 더 높다. 어깨 감염에서 원인 미생물을 동정하는 것은 어려운 경우가 많은데, 가장 흔한 어깨 감염의 원인인 C. acnes의 경우 서서히 균주가 자라나기 때문에 균을 검출하는데 시간이 오래 걸리기 때문이다. 그러나 음성 배양된 환자의 경우 양성 배양된 환자와 비교하여 수술적 치료가 필요할 가능성이 더 낮다고 보고되었다.[1] 환자가 어깨 통증과 어깨경직이 진행하는 양상일 때, 이러한 증상을 일으킬 만한 다른 명확한 설명이 안될 때는 저등급 감염(low grade infection)을 꼭 고려해야 한다. 이전에 언급했듯이 어깨 통증과 경직의 다른 원인을 배제하는 데에 일반 방사선 검사 및 정밀 영상 검사가 도움이 된다.

참고문헌

1. Abdou MA, Jo A, Choi IS, et al. Shoulder Joint Infections with Negative Culture Results: Clinical Characteristics and Treatment Outcomes. Biomed Res Int. 2019;2019:3756939.

2. Allain J, Goutallier D, Glorion C. Long-term results of the Latarjet procedure for the treatment of anterior instability of the shoulder. J Bone Joint Surg Am. 1998;80(6):841-52.

3. Alsubheen SA, Nazari G, Bobos P, MacDermid JC, Overend TJ, Faber K. Effectiveness of Nonsurgical Interventions for Managing Adhesive Capsulitis in Patients With Diabetes: A Systematic Review. Arch Phys Med Rehabil. 2019;100(2):350-65.

4. Amber KT, Landy DC, Amber I, Knopf D, Guerra J. Comparing the accuracy of ultrasound versus fluoroscopy in glenohumeral injections: a systematic review and meta-analysis. J Clin Ultrasound. 2014;42(7):411-6.

5. Ando A, Hamada J, Hagiwara Y, Sekiguchi T, Koide M, Itoi E. Short-term Clinical Results of Manipulation Under Ultrasound-Guided Brachial Plexus Block in Patients with Idiopathic Frozen Shoulder and Diabetic Secondary Frozen Shoulder. Open Orthop J. 2018;12:99-104.

6. Ando A, Sugaya H, Hagiwara Y, et al. Identification of prognostic factors for the nonoperative treatment of stiff shoulder. Int Orthop. 2013;37(5):859-64.

7. Ando A, Sugaya H, Takahashi N, Kawai N, Hagiwara Y, Itoi E. Arthroscopic management of selective loss of external rotation after surgical stabilization of traumatic anterior glenohumeral instability: arthroscopic restoration of anterior transverse sliding procedure. Arthroscopy. 2012;28(6):749-53.

8. Austin DC, Gans I, Park MJ, Carey JL, Kelly JDt. The association of metabolic syndrome markers with adhesive capsulitis. J Shoulder Elbow Surg. 2014;23(7):1043-51.

9. Badalamente MA, Wang ED. CORR((R)) ORS Richard A. Brand Award: Clinical Trials of a New Treatment Method for Adhesive Capsulitis. Clin Orthop Relat Res. 2016;474(11):2327-36.

10. Beltran LS, Beltran J. Biceps and rotator interval: imaging update. Semin Musculoskelet Radiol. 2014;18(4):425-35.

11. Binder AI, Bulgen DY, Hazleman BL, Roberts S. Frozen shoulder: a long-term prospective study. Ann Rheum Dis. 1984;43(3):361-4.

12. Blair B, Rokito AS, Cuomo F, Jarolem K, Zuckerman JD. Efficacy of injections of corticosteroids for subacromial impingement syndrome. J Bone Joint Surg Am. 1996;78(11):1685-9.

13. Bonnevialle N, Melis B, Neyton L, et al. Aseptic glenoid loosening or failure in total shoulder arthroplasty: revision with glenoid reimplantation. J Shoulder Elbow Surg. 2013;22(6):745-51.

14. Boutefnouchet T, Jordan R, Bhabra G, Modi C, Saithna A. Comparison of outcomes following arthroscopic capsular release for idiopathic, diabetic and secondary shoulder adhesive capsulitis: A Systematic Review. Orthop Traumatol Surg Res. 2019;105(5):839-46.

15. Boyle-Walker KL, Gabard DL, Bietsch E, Masek-VanArsdale DM, Robinson BL. A profile of patients with adhesive capsulitis. J Hand Ther. 1997;10(3):222-8.

16. Brislin KJ, Field LD, Savoie FH, 3rd. Complications after arthroscopic rotator cuff repair. Arthroscopy. 2007;23(2):124-8.

17. Brownlee M, Cerami A, Vlassara H. Advanced glycosylation end products in tissue and the biochemical basis of diabetic complications. N Engl J Med. 1988;318(20):1315-21.

18. Buchbinder R, Green S, Forbes A, Hall S, Lawler G. Arthrographic joint distension with saline and steroid improves function and reduces pain in patients with painful stiff shoulder: results of a randomised, double blind, placebo controlled trial. Ann Rheum Dis. 2004;63(3):302-9.

19. Bunker TD, Anthony PP. The pathology of frozen shoulder. A Dupuytren-like disease. J Bone Joint Surg Br. 1995;77(5):677-83.

20. Burkhart SS, Morgan CD, Kibler WB. The disabled throwing shoulder: spectrum of pathology Part I: pathoanatomy and biomechanics. Arthroscopy. 2003;19(4):404-20.

21. Carbone S, Gumina S, Vestri AR, Postacchini R. Coracoid pain test: a new clinical sign of shoulder adhesive capsulitis. Int Orthop. 2010;34(3):385-8.

22. Chen CY, Hu CC, Weng PW, et al. Extracorporeal shockwave therapy improves short-term functional outcomes of shoulder adhesive capsulitis. J Shoulder Elbow Surg. 2014;23(12):1843-51.

23. Chen RE, Papuga MO, Nicandri GT, Miller RJ, Voloshin I. Preoperative Patient-Reported Outcomes Measurement Information System (PROMIS) scores predict postoperative outcome in total shoulder arthroplasty patients. J Shoulder Elbow Surg. 2019;28(3):547-54.

24. Cho CH, Song KS, Kim BS, Kim DH, Lho YM. Biological Aspect of Pathophysiology for Frozen Shoulder. Biomed Res Int. 2018;2018:7274517.

25. Cho NS, Yi JW, Lee BG, Rhee YG. Revision open Bankart surgery after arthroscopic repair for traumatic anterior shoulder instability. Am J Sports Med. 2009;37(11):2158-64.

26. Chung SW, Huong CB, Kim SH, Oh JH. Shoulder stiffness after rotator cuff repair: risk factors and influence on outcome. Arthroscopy. 2013;29(2):290-300.

27. Cinquegrana OD. Chronic cervical radiculitis and its relationship to "chronic bursitis". Am J Phys Med. 1968;47(1):23-30.

28. Cohen C, Leal MF, Belangero PS, et al. The roles of Tenascin C and Fibronectin 1 in adhesive capsulitis: a pilot gene expression study. Clinics (Sao Paulo). 2016;71(6):325-31.

29. Cole BJ, Romeo AA. Arthroscopic shoulder stabilization with suture anchors: technique, technology, and pitfalls. Clin Orthop Relat Res. 2001(390):17-30.

30. Dahan TH, Fortin L, Pelletier M, Petit M, Vadeboncoeur R, Suissa S. Double blind randomized clinical trial examining the efficacy of bupivacaine suprascapular nerve blocks in frozen shoulder. J Rheumatol. 2000;27(6):1464-9.

31. Denard PJ, Ladermann A, Burkhart SS. Prevention and management of stiffness after arthroscopic rotator cuff repair: systematic review and implications for rotator cuff healing. Arthroscopy. 2011;27(6):842-8.

32. Dilisio MF. Osteonecrosis following short-term, low-dose oral corticosteroids: a population-based study of 24 million patients. Orthopedics. 2014;37(7):e631-6.

33. Dilisio MF, Miller LR, Warner JJ, Higgins LD. Arthroscopic tissue culture for the evaluation of periprosthetic shoulder infection. J Bone Joint Surg Am. 2014;96(23):1952-8.

34. Dudkiewicz I, Oran A, Salai M, Palti R, Pritsch M. Idiopathic adhesive capsulitis: long-term results of conservative treatment. Isr Med Assoc J. 2004;6(9):524-6.

35. Eid A. Miniopen coracohumeral ligament release and manipulation for idiopathic frozen shoulder. Int J Shoulder Surg. 2012;6(3):90-6.

36. Elhassan B, Ozbaydar M, Massimini D, Higgins L, Warner JJ. Arthroscopic capsular release for refractory shoulder stiffness: a critical analysis of effectiveness in specific etiologies. J Shoulder Elbow Surg. 2010;19(4):580-7.

37. Ellman H, Hanker G, Bayer M. Repair of the rotator cuff. End-result study of factors influencing reconstruction. J Bone Joint Surg Am. 1986;68(8):1136-44.

38. Ferrari DA. Capsular ligaments of the shoulder. Anatomical and functional study of the anterior superior capsule. Am J Sports Med. 1990;18(1):20-4.

39. Fields BKK, Skalski MR, Patel DB, et al. Adhesive capsulitis: review of imaging findings, pathophysiology, clinical presentation, and treatment options. Skeletal Radiol. 2019;48(8):1171-84.

40. Gallacher S, Beazley JC, Evans J, et al. A randomized controlled trial of arthroscopic capsular release versus hydrodilatation in the treatment of primary frozen shoulder. J Shoulder Elbow Surg. 2018;27(8):1401-6.

41. Gatt DL, Charalambous CP. Ultrasound-guided barbotage for calcific tendonitis of the shoulder: a systematic review including 908 patients. Arthroscopy. 2014;30(9):1166-72.

42. Gerber C, Espinosa N, Perren TG. Arthroscopic treatment of shoulder stiffness. Clin Orthop Relat Res. 2001(390):119-28.

43. Gonzalez JF, Alami GB, Baque F, Walch G, Boileau P. Complications of unconstrained shoulder prostheses. J Shoulder Elbow Surg. 2011;20(4):666-82.

44. Grant JA, Schroeder N, Miller BS, Carpenter JE. Comparison of manipulation and arthroscopic capsular release for adhesive capsulitis: a systematic review. J Shoulder Elbow Surg. 2013;22(8):1135-45.

45. Grey RG. The natural history of "idiopathic" frozen shoulder. J Bone Joint Surg Am. 1978;60(4):564.

46. Hagiwara Y, Mori M, Kanazawa K, et al. Comparative proteome analysis of the capsule from patients with frozen shoulder. J Shoulder Elbow Surg. 2018;27(10):1770-8.

47. Hand C, Clipsham K, Rees JL, Carr AJ. Long-term outcome of frozen shoulder. J Shoulder Elbow Surg. 2008;17(2):231-6.

48. Hand GC, Athanasou NA, Matthews T, Carr AJ. The pathology of frozen shoulder. J Bone Joint Surg Br. 2007;89(7):928-32.

49. Harirforoosh S, Asghar W, Jamali F. Adverse effects of nonsteroidal antiinflammatory drugs: an update of gastrointestinal, cardiovascular and renal complications. J Pharm Pharm Sci. 2013;16(5):821-47.

50. Harryman DT, 2nd, Matsen FA, 3rd, Sidles JA. Arthroscopic management of refractory shoulder stiffness. Arthroscopy. 1997;13(2):133-47.

51. Harryman DT, 2nd, Sidles JA, Clark JM, McQuade KJ, Gibb TD, Matsen FA, 3rd. Translation of the humeral head on the glenoid with passive glenohumeral motion. J Bone Joint Surg Am. 1990;72(9):1334-43.

52. Harryman DT, 2nd, Sidles JA, Harris SL, Matsen FA, 3rd. Laxity of the normal glenohumeral joint: A quantitative in vivo assessment. J Shoulder Elbow Surg. 1992;1(2):66-76.

53. Harryman DT, 2nd, Sidles JA, Harris SL, Matsen FA, 3rd. The role of the rotator interval capsule in passive motion and stability of the shoulder. J Bone Joint Surg Am. 1992;74(1):53-66.

54. Harzy T, Benbouazza K, Amine B, Rahmouni R, Guedira N, Hajjaj-Hassouni N. Idiopathic hypoparathyroidism and adhesive capsulitis of the shoulder in two first-degree relatives. Joint Bone Spine. 2004;71(3):234-6.

55. Hawkins RJ, Angelo RL. Glenohumeral osteoarthrosis. A late complication of the Putti-Platt repair. J Bone Joint Surg Am. 1990;72(8):1193-7.

56. Hegedus EJ, Zavala J, Kissenberth M, et al. Positive outcomes with intra-articular glenohumeral injections are independent of accuracy. J Shoulder Elbow Surg. 2010;19(6):795-801.

57. Holloway GB, Schenk T, Williams GR, Ramsey ML, Iannotti JP. Arthroscopic capsular release for the treatment of refractory postoperative or post-fracture shoulder stiffness. J Bone Joint Surg Am. 2001;83(11):1682-7.

58. Hsu JE, Anakwenze OA, Warrender WJ, Abboud JA. Current review of adhesive capsulitis. J Shoulder Elbow Surg. 2011;20(3):502-14.

59. Huberty DP, Schoolfield JD, Brady PC, Vadala AP, Arrigoni P, Burkhart SS. Incidence and treatment of postoperative stiffness following arthroscopic rotator cuff repair. Arthroscopy. 2009;25(8):880-90.

60. Hwang KR, Murrell GA, Millar NL, Bonar F, Lam P, Walton JR. Advanced glycation end products in idiopathic frozen shoulders. J Shoulder Elbow Surg. 2016;25(6):981-8.

61. Itoi E, Arce G, Bain GI, et al. Shoulder Stiffness: Current Concepts and Concerns. Arthroscopy. 2016;32(7):1402-14.

62. Jacobs LG, Smith MG, Khan SA, Smith K, Joshi M. Manipulation or intra-articular steroids in the management of adhesive capsulitis of the shoulder? A prospective randomized trial. J Shoulder Elbow Surg. 2009;18(3):348-53.

63. Jenkins EF, Thomas WJ, Corcoran JP, et al. The outcome of manipulation under general anesthesia for the management of frozen shoulder in patients with diabetes mellitus. J Shoulder Elbow Surg. 2012;21(11):1492-8.

64. Jerosch J, Nasef NM, Peters O, Mansour AM. Mid-term results following arthroscopic capsular release in patients with primary and secondary adhesive shoulder capsulitis. Knee Surg Sports Traumatol Arthrosc. 2013;21(5):1195-202.

65. Johnson TS, Mesfin A, Farmer KW, et al. Accuracy of intra-articular glenohumeral injections: the anterosuperior technique with arthroscopic documentation. Arthroscopy. 2011;27(6):745-9.

66. Jung JY, Jee WH, Chun HJ, Kim YS, Chung YG, Kim JM. Adhesive capsulitis of the shoulder: evaluation with MR arthrography. Eur Radiol. 2006;16(4):791-6.

67. Kabbabe B, Ramkumar S, Richardson M. Cytogenetic analysis of the pathology of frozen shoulder. Int J Shoulder Surg. 2010;4(3):75-8.

68. Kanbe K, Inoue K, Inoue Y, Chen Q. Inducement of mitogen-activated protein kinases in frozen shoulders. J Orthop Sci. 2009;14(1):56-61.

69. Kang JH, Lin HC, Tsai MC, Chung SD. Increased Risk for Adhesive Capsulitis of the Shoulder following Cervical Disc Surgery. Sci Rep. 2016;6:26898.

70. Karatas GK, Meray J. Suprascapular nerve block for pain relief in adhesive capsulitis: comparison of 2 different techniques. Arch Phys Med Rehabil. 2002;83(5):593-7.

71. Keenan MA, Mehta S. Neuro-orthopedic management of shoulder deformity and dysfunction in brain-injured patients: a novel approach. J Head Trauma Rehabil. 2004;19(2):143-54.

72. Keener JD, Galatz LM, Stobbs-Cucchi G, Patton R, Yamaguchi K. Rehabilitation following arthroscopic rotator cuff repair: a prospective randomized trial of immobilization compared with early motion. J Bone Joint Surg Am. 2014;96(1):11-9.

73. Khan AA, Mowla A, Shakoor MA, Rahman MR. Arthrographic distension of the shoulder joint in the management of frozen shoulder. Mymensingh Med J. 2005;14(1):67-70.

74. Khan U, Torrance E, Townsend R, Davies S, Mackenzie T, Funk L. Low-grade infections in nonarthroplasty shoulder surgery. J Shoulder Elbow Surg. 2017;26(9):1553-61.

75. Kim D, Lee D, Jang Y, Yeom J, Banks SA. Effects of short malunion of the clavicle on in vivo scapular kinematics. J Shoulder Elbow Surg. 2017;26(9):e286-e92.

76. Kim JH, Ha DH, Kim SM, Kim KW, Han SY, Kim YS. Does arthroscopic preemptive extensive rotator interval release reduce postoperative stiffness after arthroscopic rotator cuff repair?: a prospective randomized clinical trial. J Shoulder Elbow Surg. 2019;28(9):1639-46.

77. Kingston K, Curry EJ, Galvin JW, Li X. Shoulder adhesive capsulitis: epidemiology and predictors of surgery. J Shoulder Elbow Surg.

2018;27(8):1437-43.

78. Kivimaki J, Pohjolainen T, Malmivaara A, et al. Manipulation under anesthesia with home exercises versus home exercises alone in the treatment of frozen shoulder: a randomized, controlled trial with 125 patients. J Shoulder Elbow Surg. 2007;16(6):722-6.

79. Koh KH, Lim TK, Shon MS, Park YE, Lee SW, Yoo JC. Effect of immobilization without passive exercise after rotator cuff repair: randomized clinical trial comparing four and eight weeks of immobilization. J Bone Joint Surg Am. 2014;96(6):e44.

80. Koo SS, Parsley BK, Burkhart SS, Schoolfield JD. Reduction of postoperative stiffness after arthroscopic rotator cuff repair: results of a customized physical therapy regimen based on risk factors for stiffness. Arthroscopy. 2011;27(2):155-60.

81. Kraal T, Beimers L, The B, Sierevelt I, van den Bekerom M, Eygendaal D. Manipulation under anaesthesia for frozen shoulders: outdated technique or well-established quick fix? EFORT Open Rev. 2019;4(3):98-109.

82. Lafosse L, Boyle S, Kordasiewicz B, Aranberri-Gutierrez M, Fritsch B, Meller R. Arthroscopic arthrolysis for recalcitrant frozen shoulder: a lateral approach. Arthroscopy. 2012;28(7):916-23.

83. Lancaster ST, Grove TN, Woods DA. Management of post-traumatic stiffness of the shoulder following upper limb trauma with manipulation under anaesthetic. Shoulder Elbow. 2017;9(4):258-65.

84. Lee BG, Cho NS, Rhee YG. Effect of two rehabilitation protocols on range of motion and healing rates after arthroscopic rotator cuff repair: aggressive versus limited early passive exercises. Arthroscopy. 2012;28(1):34-42.

85. Lee JC, Sykes C, Saifuddin A, Connell D. Adhesive capsulitis: sonographic changes in the rotator cuff interval with arthroscopic correlation. Skeletal Radiol. 2005;34(9):522-7.

86. Lee LC, Lieu FK, Lee HL, Tung TH. Effectiveness of hyaluronic acid administration in treating adhesive capsulitis of the shoulder: a systematic review of randomized controlled trials. Biomed Res Int. 2015;2015:314120.

87. Leung J, Moseley A, Fereday S, Jones T, Fairbairn T, Wyndham S. The prevalence and characteristics of shoulder pain after traumatic brain injury. Clin Rehabil. 2007;21(2):171-81.

88. Lho YM, Ha E, Cho CH, et al. Inflammatory cytokines are overexpressed in the subacromial bursa of frozen shoulder. J Shoulder Elbow Surg. 2013;22(5):666-72.

89. Liem D, Meier F, Thorwesten L, Marquardt B, Steinbeck J, Poetzl W. The influence of arthroscopic subscapularis tendon and capsule release on internal rotation strength in treatment of frozen shoulder. Am J Sports Med. 2008;36(5):921-6.

90. Lo SF, Chu SW, Muo CH, et al. Diabetes mellitus and accompanying hyperlipidemia are independent risk factors for adhesive capsulitis: a nationwide population-based cohort study (version 2). Rheumatol Int. 2014;34(1):67-74.

91. Lundberg BJ. The frozen shoulder. Clinical and radiographical observations. The effect of manipulation under general anesthesia. Structure and glycosaminoglycan content of the joint capsule. Local bone metabolism. Acta Orthop Scand Suppl. 1969;119:1-59.

92. Manara JR, Taylor J, Nixon M. Management of shoulder pain after a cerebrovascular accident or traumatic brain injury. J Shoulder Elbow Surg. 2015;24(5):823-9.

93. Massimini DF, Boyer PJ, Papannagari R, Gill TJ, Warner JP, Li G. In-vivo glenohumeral translation and ligament elongation during abduction and abduction with internal and external rotation. J Orthop Surg Res. 2012;7:29.

94. Matsen FA, 3rd, Whitson A, Neradilek MB, Pottinger PS, Bertelsen A, Hsu JE. Factors predictive of Cutibacterium periprosthetic shoulder infections: a retrospective study of 342 prosthetic revisions. J Shoulder Elbow Surg. 2020;29(6):1177-87.

95. Mullett H, Byrne D, Colville J. Adhesive capsulitis: human fibroblast response to shoulder joint aspirate from patients with stage II disease. J Shoulder Elbow Surg. 2007;16(3):290-4.

96. Neer CS, 2nd, Satterlee CC, Dalsey RM, Flatow EL. The anatomy and potential effects of contracture of the coracohumeral ligament. Clin Orthop Relat Res. 1992(280):182-5.

97. Neviaser JS. Adhesive capsulitis and the stiff and painful shoulder. Orthop Clin North Am. 1980;11(2):327-31.

98. Nicholson GG. The effects of passive joint mobilization on pain and hypomobility associated with adhesive capsulitis of the shoulder. J Orthop Sports Phys Ther. 1985;6(4):238-46.

99. Nicholson GP. Arthroscopic capsular release for stiff shoulders: effect of etiology on outcomes. Arthroscopy. 2003;19(1):40-9.

100. Noel E. Treatment of calcific tendinitis and adhesive capsulitis of the shoulder. Rev Rhum Engl Ed. 1997;64(11):619-28.

101. Ogilvie-Harris DJ, Biggs DJ, Fitsialos DP, MacKay M. The resistant frozen shoulder. Manipulation versus arthroscopic release. Clin Orthop Relat Res. 1995(319):238-48.

102. Omari A, Bunker TD. Open surgical release for frozen shoulder: surgical findings and results of the release. J Shoulder Elbow Surg.

2001;10(4):353-7.

103. Othman A, Taylor G. Manipulation under anaesthesia for frozen shoulder. Int Orthop. 2002;26(5):268-70.

104. Ozaki J, Nakagawa Y, Sakurai G, Tamai S. Recalcitrant chronic adhesive capsulitis of the shoulder. Role of contracture of the coracohumeral ligament and rotator interval in pathogenesis and treatment. J Bone Joint Surg Am. 1989;71(10):1511-5.

105. Ozkan K, Ozcekic AN, Sarar S, Cift H, Ozkan FU, Unay K. Suprascapular nerve block for the treatment of frozen shoulder. Saudi J Anaesth. 2012;6(1):52-5.

106. Park YH, Park YS, Chang HJ, Kim Y. Correlations between MRI findings and outcome of capsular distension in adhesive capsulitis of the shoulder. J Phys Ther Sci. 2016;28(10):2798-802.

107. Patel DN, Nayyar S, Hasan S, Khatib O, Sidash S, Jazrawi LM. Comparison of ultrasound-guided versus blind glenohumeral injections: a cadaveric study. J Shoulder Elbow Surg. 2012;21(12):1664-8.

108. Patten C, Hillel AD. The 11th nerve syndrome. Accessory nerve palsy or adhesive capsulitis? Arch Otolaryngol Head Neck Surg. 1993;119(2):215-20.

109. Pineda C, Arana B, Martinez-Lavin M, Dabague J. Frozen shoulder triggered by cardiac catheterization via the brachial artery. Am J Med. 1994;96(1):90-1.

110. Price MR, Tillett ED, Acland RD, Nettleton GS. Determining the relationship of the axillary nerve to the shoulder joint capsule from an arthroscopic perspective. J Bone Joint Surg Am. 2004;86(10):2135-42.

111. Quraishi NA, Johnston P, Bayer J, Crowe M, Chakrabarti AJ. Thawing the frozen shoulder. A randomised trial comparing manipulation under anaesthesia with hydrodilatation. J Bone Joint Surg Br. 2007;89(9):1197-200.

112. Rahme H, Vikerfors O, Ludvigsson L, Elven M, Michaelsson K. Loss of external rotation after open Bankart repair: an important prognostic factor for patient satisfaction. Knee Surg Sports Traumatol Arthrosc. 2010;18(3):404-8.

113. Rizvi SM, Harisha AJ, Lam PH, Murrell GAC. Factors Affecting the Outcomes of Arthroscopic Capsular Release for Idiopathic Adhesive Capsulitis. Orthop J Sports Med. 2019;7(9):2325967119867621.

114. Robinson PM, Norris J, Roberts CP. Randomized controlled trial of supervised physiotherapy versus a home exercise program after hydrodilatation for the management of primary frozen shoulder. J Shoulder Elbow Surg. 2017;26(5):757-65.

115. Rovetta G, Monteforte P. Intraarticular injection of sodium hyaluronate plus steroid versus steroid in adhesive capsulitis of the shoulder. Int J Tissue React. 1998;20(4):125-30.

116. Ryu JD, Kirpalani PA, Kim JM, Nam KH, Han CW, Han SH. Expression of vascular endothelial growth factor and angiogenesis in the diabetic frozen shoulder. J Shoulder Elbow Surg. 2006;15(6):679-85.

117. Settecerri JJ, Pitner MA, Rock MG, Hanssen AD, Cofield RH. Infection after rotator cuff repair. J Shoulder Elbow Surg. 1999;8(1):1-5.

118. Sewell MD, Al-Hadithy N, Le Leu A, Lambert SM. Instability of the sternoclavicular joint: current concepts in classification, treatment and outcomes. Bone Joint J. 2013;95-B(6):721-31.

119. Shibano K, Koishi H, Futai K, Yoshikawa H, Sugamoto K. Effect of Bankart repair on the loss of range of motion and the instability of the shoulder joint for recurrent anterior shoulder dislocation. J Shoulder Elbow Surg. 2014;23(6):888-94.

120. Shih YF, Liao PW, Lee CS. The immediate effect of muscle release intervention on muscle activity and shoulder kinematics in patients with frozen shoulder: a cross-sectional, exploratory study. BMC Musculoskelet Disord. 2017;18(1):499.

121. Sofka CM, Ciavarra GA, Hannafin JA, Cordasco FA, Potter HG. Magnetic resonance imaging of adhesive capsulitis: correlation with clinical staging. HSS J. 2008;4(2):164-9.

122. Sperber A, Hamberg P, Karlsson J, Sward L, Wredmark T. Comparison of an arthroscopic and an open procedure for posttraumatic instability of the shoulder: a prospective, randomized multicenter study. J Shoulder Elbow Surg. 2001;10(2):105-8.

123. Sperling JW, Cofield RH, Torchia ME, Hanssen AD. Infection after shoulder instability surgery. Clin Orthop Relat Res. 2003(414):61-4.

124. Su WR, Chen WL, Chen RH, Hong CK, Jou IM, Lin CL. Evaluation of three-dimensional scapular kinematics and shoulder function in patients with short malunion of clavicle fractures. J Orthop Sci. 2016;21(6):739-44.

125. Tandon A, Dewan S, Bhatt S, Jain AK, Kumari R. Sonography in diagnosis of adhesive capsulitis of the shoulder: a case-control study. J Ultrasound. 2017;20(3):227-36.

126. Tauro JC. Stiffness and rotator cuff tears: incidence, arthroscopic findings, and treatment results. Arthroscopy. 2006;22(6):581-6.

127. Teratani T. Correlation between retear after arthroscopic rotator cuff repair and stiffness of the shoulder. J Orthop. 2019;16(5):426-9.

128. Terry GC, Hammon D, France P, Norwood LA. The stabilizing function of passive shoulder restraints. Am J Sports Med. 1991;19(1):26-34.

129. Turkel SJ, Panio MW, Marshall JL, Girgis FG. Stabilizing mechanisms preventing anterior dislocation of the glenohumeral joint. J Bone Joint Surg Am. 1981;63(8):1208-17.

130. Turner-Stokes L, Jackson D. Shoulder pain after stroke: a review of the evidence base to inform the development of an integrated care pathway. Clin Rehabil. 2002;16(3):276-98.

131. Tuten HR, Young DC, Douoguih WA, Lenhardt KM, Wilkerson JP, Adelaar RS. Adhesive capsulitis of the shoulder in male cardiac surgery patients. Orthopedics. 2000;23(7):693-6.

132. Vastamaki H, Kettunen J, Vastamaki M. The natural history of idiopathic frozen shoulder: a 2- to 27-year followup study. Clin Orthop Relat Res. 2012;470(4):1133-43.

133. Voorhies RM. Cervical spondylosis: recognition, differential diagnosis, and management. Ochsner J. 2001;3(2):78-84.

134. Walley KC, Haghpanah B, Hingsammer A, et al. Influence of disruption of the acromioclavicular and coracoclavicular ligaments on glenohumeral motion: a kinematic evaluation. BMC Musculoskelet Disord. 2016;17(1):480.

135. Wang K, Ho V, Hunter-Smith DJ, Beh PS, Smith KM, Weber AB. Risk factors in idiopathic adhesive capsulitis: a case control study. J Shoulder Elbow Surg. 2013;22(7):e24-9.

136. Warner JJ, Deng XH, Warren RF, Torzilli PA. Static capsuloligamentous restraints to superior-inferior translation of the glenohumeral joint. Am J Sports Med. 1992;20(6):675-85.

137. Wolf EM, Cox WK. The external rotation test in the diagnosis of adhesive capsulitis. Orthopedics. 2010;33(5).

138. Wong CK, Levine WN, Deo K, et al. Natural history of frozen shoulder: fact or fiction? A systematic review. Physiotherapy. 2017;103(1):40-7.

139. Woods DA, Loganathan K. Recurrence of frozen shoulder after manipulation under anaesthetic (MUA): the results of repeating the MUA. Bone Joint J. 2017;99-B(6):812-7.

140. Yang S, Park DH, Ahn SH, et al. Prevalence and risk factors of adhesive capsulitis of the shoulder after breast cancer treatment. Support Care Cancer. 2017;25(4):1317-22.

141. Yian EH, Contreras R, Sodl JF. Effects of glycemic control on prevalence of diabetic frozen shoulder. J Bone Joint Surg Am. 2012;94(10):919-23.

142. Yoon SH, Lee HY, Lee HJ, Kwack KS. Optimal dose of intra-articular corticosteroids for adhesive capsulitis: a randomized, triple-blind, placebo-controlled trial. Am J Sports Med. 2013;41(5):1133-9.

143. Zhao W, Zheng X, Liu Y, et al. An MRI study of symptomatic adhesive capsulitis. PLoS One. 2012;7(10):e47277.

CHAPTER 04

신경혈관계 질환 및 견갑상신경 병변

Neurovascular disease and suprascapular neuropathy

공현식 · 이성민

I 신경혈관계 질환

공현식

1. 상완신경총 손상

1) 해부학

상완신경총은 C5-T1 척추 신경의 신경근(nerve root)이 분지와 합지를 계속하면서 만들어지며 여기에서 상지로 가는 개별 신경이 나온다. 척수에서 나온 다섯 개의 신경근

(root)이 합해져서 3개의 주간 또는 줄기(trunk)를 형성하고, 세 개의 주간은 각각 둘로 나뉘어 분할(division) 또는 가지를 형성한다. 3개의 전방 분할과 3개의 후방 분할은 다시 합쳐져서 삭(cord) 또는 코드를 형성하고, 여기서 최종 말초신경인 분지(branch)가 나오게 된다(그림 4-1, 2).

C5/C6/C7 신경근에서 나온 장흉신경(long thoracic nerve)은 전방거근(serratus anterior)을, C5에서 나온 후방 견갑신경(dorsal scapular nerve)은 견갑거근(levator scapula)과 대소능형근(rhomboid)을 지배하고, C3/C4/C5에서

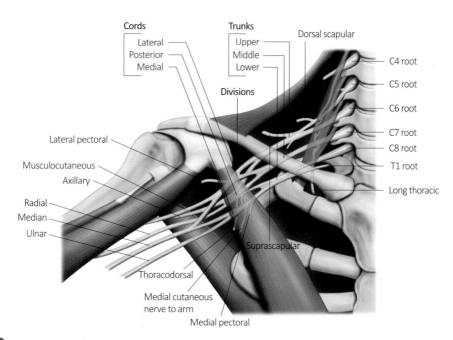

그림 4-1 **상완신경총**

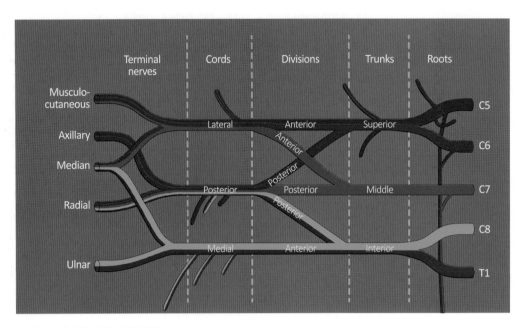

그림 4-2 상완신경총 신경에 대한 신경근 기여 모식도

나온 신경이 합쳐져서 횡격막신경(phrenic nerve)이 된다.

C5와 C6 신경근이 만나는 상부 주간(upper trunk)은 어브 지점(Erb's point)이라고 부르는데, 그 전면에서 견갑상신경(suprascapular nerve)과 쇄골하근(subclavius)으로 가는 신경이 나온다. 어브 지점은 여러 신경이 만나는 자리로서 손상이 잘 일어나는 곳이다. 견갑상신경은 극상근(supraspinatus)과 극하근(infraspinatus)을 지배한다. 외측 코드에서는 외측흉신경(lateral pectoral nerve)이 나와 대흉근을 지배하며, 외측 코드는 근피신경(musculocutaneous nerve)과 정중신경의 외측 두(lateral head)로 나뉘면서 끝난다. 내측 코드에서는 내측흉신경(medial pectoral nerve)이 나와 소흉근과 대흉근을 지배한 다음, 내측상완피부신경(medial brachial cuteneous nerve)과 내측전완피부신경(medial antebrachial cutaneous nerve)을 내고, 정중신경의 내측 두(medial head)와 척골신경(ulnar nerve)으로 나뉘면서 끝난다. 후방 코드에서는 견갑하근과 대원근(teres major)으로 가는 상견갑하신경(upper subscapular nerve), 광배근으로 가는 흉배신경(thoracodorsal nerve), 견갑하근으로 가는 또 하나의 분지인 하견갑하신경(lower subscapular nerve),

그리고 상완골 경부를 밑으로 돌아 삼각근(deltoid)과 소원근(teres minor)을 지배하는 액와신경(axillary nerve)을 차례로 낸 다음, 요골신경(radial nerve)이 되면서 끝난다.

2) 손상의 원인

상완신경총의 손상 원인은 교통사고, 산업 재해 사고 및 분만 사고 등이 있다. 상지가 몸통으로부터 잡아당겨지는 견인, 목의 기저부 전측방에 직접 타박, 견갑부의 골절 탈구에 의한 압축이나 절단, 칼 등 예리한 물체에 의한 절단, 총알의 관통, 방사선 조사 등이 있다. 현재 분만 마비는 크게 줄어든 반면 교통사고나 산재 사고 등과 같은 외력에 의한 손상의 빈도가 높으며, 가장 흔한 단일 원인은 오토바이 사고이다. 오토바이 사고로 추락 시 어깨와 머리 사이로 떨어지면 목과 어깨 사이가 심하게 벌어지면서 상완신경총이 과도하게 늘어나는 손상을 입으며, 심하면 신경근이 척수에서부터 견열되어 나오기도 한다.[1] 최근 항암 요법의 하나로 방사선 치료가 자주 이용되고 있는데, 유방암 등에 대한 방사선 조사 후 15-75%에서 상완신경총 마비가 발생한다고 보고되고 있다. 주위 조직의 섬유화에 따른 신경총 압박, 신경내막의 비후, 수막(myelin)의 소실, 혈관손상에

의한 혈행 장애 등이 복합적으로 작용하는 것으로 알려져 있다.[2]

3) 분류

분류는 손상된 부위, 마비가 완전한지 또는 불완전한지 등 손상 정도, 손상의 원인이나 기전, 그리고 개방성 여부 등에 의해 여러 가지로 나눌 수 있다.[3]

손상된 신경근을 기준으로 분류하면, 상부상지형(upper arm type, Erb-Duchenne type), 하부상지형(lower arm type, Klumpke type) 및 전체상지형(whole arm type)의 세 가지 마비로 분류할 수 있다(그림 4-2). 상부상지형은 C5와 C6 신경근이 손상되거나, 이들이 만나서 이루어진 주간인 Erb 지점의 손상을 의미하며, 몸통에 비해 손을 아래로 잡아 내릴 때 발생될 가능성이 높다. 하부상지형은 C8과 T1 신경근이 손상되거나 이들이 만나서 된 주간인 Klumpke 지점의 손상을 의미하며, 팔을 90도 이상 외전하고 머리쪽으로 신연할 때 발생한다. 전체상지형은 상완신경총의 모든 신경근이 손상된 경우로서, 팔을 90도 외전한 상태에서 잡아당길 때 발생되나 견인이 매우 심하면 어떤 때도 발생될 수 있다. 이외에도 경추에서 추간공에 있는 감각신경절(sensory ganglion)을 중심으로 하여 신경절전형(preganglionic type)과 신경절후형(postganglionic type)으로 구분하기도 한다. 신경절전형에서 병소는 척수관 내부에 있는 것이며, 신경절후형은 병소가 척추 바깥에 있는 것이다. 손상된 정도에 따라서는 상완신경총의 특정 구획의 모든 신경이 마비된 완전마비(complete paralysis)와 그 구획의 일부 신경섬유가 남아 있는 것으로 생각되는 불완전마비(incomplete paralysis)로 나눌 수도 있다. 손상 기전에 따라서는 견인 손상, 압축 손상, 전단 손상, 관통 손상, 방사선 손상 등으로 세분할 수 있고, 손상 부위의 개방 여부에 따라서는 폐쇄성 손상(closed injury)과 개방성 손상(open injury)으로 나눌 수 있다.[4]

4) 진단

상완신경총 손상은 상당히 큰 힘에 의한 매우 심각한 손상인 경우가 많아서, 급성인 경우는 우선 신경손상보다 급한 손상이 있는지를 찾아보아야 한다. 뇌나 흉부 또는 복부에 생명에 위협이 되는 병소가 있는지 찾아보고, 다음으로 목과 어깨 부위의 출혈이 있는지, 쇄골이나 상완골 또는 경추에 골절이 있는지, 그리고 어깨관절의 탈구가 있는지를 찾아보아야 하며, 혈관에 박동이 있는지를 검사하여야 한다. 다음 단계로 상완신경총에 대한 진단을 시작하게 되며, 적절한 신체검사, 영상 및 전기적 검사를 시행한다.

(1) 임상적 진단

먼저 통증의 유무와 정도에 대해 관심을 가져야 한다. 일반적으로 손상이 심하거나 견열된 신경근이 많을수록 통증이 심하고 조기부터 나타난다.[5] 따라서 초기의 심한 통증은 불량한 예후를 암시할 수 있다. 이어 시진으로 상지의 대체적인 모양, 근육 위축, 견관절 하방 아탈구나 익상견갑(winging scapula) 등을 관찰한다. 다음 상지 관절의 어떠한 능동적 운동제한이 있는지를 보아야 하고, 마비된 근육의 이름과 근력의 정도를 자세히 기록한다. 마지막으로 감각 및 교감신경 장애를 찾아보아야 한다. 전거근으로 가는 신경이 마비되면 견갑골이 하방 외측으로 전위되면서 그 내측 연이 흉곽에서 떨어지는 날개 모양의 익상견갑이 발생할 수 있다. 경한 익상견갑은 부신경마비에도 발생되나, 이 경우 견갑골의 내측 연은 흉곽에 붙어 있는 것이 다른 점이다. 상부상지형의 경우 삼각근과 회전근 개가 심하게 위축되면서 견관절의 하방 아탈구가 발생하며, 주관절을 굴곡시킬 수 없고 전완부의 외회전이 장애를 받는다. 그리하여 전형적인 경우 어깨는 떨어뜨린 상태에서 내회전되어 있고, 팔꿈치는 신전되어 있으면서 전완부가 내회전되어 웨이터 팁 손(waiter's tip hand) 변형이 나타나게 된다. 하부상지형에서는 손목과 수지의 굴곡 장애가 생겨 손목이 신전된 위치에 있게 되며, 내재근의 극심한 위축 현상을 보이게 된다(그림 4-2). 경추측만(cervical scoliosis)은 볼록한 쪽의 전방 지와 후방 지가 몇 개의 분절에 걸쳐 모두 손상되었음을 시사하는 소견으로 신경근의 견열을 의미하며 예후가 나쁠 것을 기대하게 한다.

손상된 상완신경총의 부위에 따라 특정 부위에 감각 마비가 발생한다. C4의 손상 시 어깨의 상부에 감각이 감소하며, C5에서는 상완부의 외측, C6에서는 전완부와 손의 외측, C7에서는 장지, C8에서는 손의 내측, T1에서는 전완부의 내측, 그리고 T2의 손상에서는 상완부 내측에 감각이 감소하게 된다.

교감신경이 마비되는 호너 증후군(Horner's syndrome)의 경우 마비가 있는 쪽의 위쪽 눈꺼풀이 쳐지는 안검하수 (blepharoptosis), 눈동자가 작아지는 축동(miosis), 안구가 후방으로 후퇴되는 안구함몰(enophthalmus) 등의 증세를 보이며, 동측 얼굴에 발한 소실도 관찰될 수 있다. 호너증후군은 T1-2를 통하여 척수에서 나오는 교감신경의 눈으로 가는 섬유가 견열되었음을 시사하는 소견으로 불량한 예후를 예상하게 한다.[6]

티넬 징후(Tinel's sign)는 재생 축색이 있는 부위에서 나타나는데, 손가락으로 누르거나 두들겨 보면 저린 감각이 발생하는 것이다. 이 징후는 대개 손상 후 2-3주 이내에 발생하기 시작한다. 손상으로부터 3-6개월 이상 경과되어도 이 징후가 나타나지 않는 경우는 신경근이 견열되거나, 심한 손상으로 재생 능력이 소실된 것을 의미한다. 이 징후가 있는 경우는 최소한 한 개의 신경근은 척수로부터 완전히 견열되지 않았음을 의미한다고 볼 수 있다.[7] 어떤 지점에서 처음 티넬 징후가 나타나기 시작했다면 그 지점에 손상이 있는 것을 의미하고, 티넬 징후가 원위부로 이동해 간다면 이는 신경이 재생되고 있음을 의미하지만, 특이성이 매우 낮기 때문에 임상적으로 큰 의의를 부여하기는 어렵다.

또한 상지 각 관절의 능동적 및 수동적 운동범위를 측정하고 주기적으로 추시 검사하여, 마비로 인한 구축이나 강직이 생기지 않도록 해야 한다:

(2) 영상 검사

단순 방사선사진은 경추 전후면과 측면, 환측 견관절의 전후면과 액와위 측면, 흉곽 전후면 사진을 기본적으로 촬영하여, 경추의 골절, 쇄골이나 제1-2늑골의 골절, 견갑골 골절이나 견관절 탈구 및 상완근위부 골절, 횡격막 거상 여부를 관찰하여야 한다. 경추에 측만이 있거나 척추 횡돌기, 제1늑골, 쇄골 간부 등의 골절이 동반되어 있는 경우에는 신경근 견열을 의심하게 되며, 쇄골의 원위부나 견관절

탈구 또는 근위 상완골 골절이 있는 경우에는 상완신경총의 분할부나 코드 부위의 손상을 생각할 수 있다. 쇄골 골절이 부정 유합되어 있거나 과대한 가골을 형성한 경우에는 상완신경총의 압박성 마비를 생각할 수도 있다. 횡격막 신경(phrenic nerve)이 손상되면 횡격막의 마비가 발생하게 되는데, 이 경우는 신경근의 견열 가능성이 높다.[8]

경추 척수조영술(cervical myelography)은 신경근 견열을 의심하게 하는 외상성수막류(traumatic meningocele)를 확인하는 데 좋은 검사 방법이다. 수막류는 가성수막류 (pseudomeningocele)라고 부르는데, 신경근이 척수에서 견열되어 신경경막(dura mater)을 찢으면서 떨어져 나간 흔적이다. 척수조영술은 너무 일찍 시행하면 응고된 혈액에 의해 입구가 막혀 수막류가 조영되지 않는 일도 있고, 경막에 작은 파열이 있는 경우 조영제가 새어나와 주위 신경근의 상태를 가리는 가성 양성 상태가 발생할 수도 있다.[9] 따라서 혈병이 녹거나 창상이 완전히 치유된 다음에 시행되는 것이 바람직하여, 수상 후 4주 정도 경과한 다음 시행하는 것이 보통이다(그림 4-3).

신경근 상태를 판독함에 있어 MRI의 정확도는 척수조영술과 비슷한 수준이다. MRI 영상으로는 추간공 밖의 신경근, 쇄골 후방에 있는 병소, 신경 이외의 연부조직 손상을 볼 수 있다. 그러나 추간공 밖의 상완신경총은 주위 연부조직과 확실하게는 감별되지 않는 것이 일반적이다.[10] 특히 근육 마비로 인해 좌우 견관절이 비대칭이기 때문에 양측을 비교하는 데 어려움이 있다.

혈관조영술은 침습적인 방법이기 때문에 쇄골하 또는 액와 혈관의 손상이 의심스러운 경우 시행된다. 자상이나 총상 등 개방성 외상이 있거나 견관절 주위의 골절이나 탈구가 동반되어 있는 환자에서 혈류 장애가 관찰되는 경우, 과거에 혈관 수술을 받은 병력이 있는 경우, 그리고 외상성 동맥류에 의한 마비가 의심되는 경우 등이다.

(3) 전기생리학적 검사(electrophysiological test)

전기적 검사는 손상된 근육의 종류와 회복 여부와 감각 마비의 상태를 알아보기 위한 필수검사이다. 손상된 말초 신경은 비록 완전하지 않으나 변성이 상당히 진행되는 약

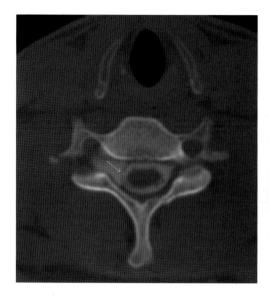
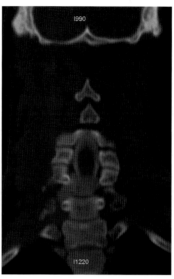

그림 4-3 **척수조영술**
신경근이 견열되어 가성수막류가 형성되어
있다.

1-2주까지는 각종 자극을 전달하는 기능이 불완전하게 유지되고 있다. 그리고 신경이 완전히 손상되고 2-3주가 지나면 근육에는 아주 미세하고 자발적이며 비교적 규칙적인 탈신경세동(denervation fibrillation)이 나타나기 시작한다. 그리하여 전기적 검사는 변성이 진행되어 신경이 더 이상 전달 기능을 하지 못하게 되면서 신경세동이 나타나는 시점인 약 3주 정도를 기다린 다음에 시행하는 것이 정확하다. 이후 3-6개월에 추시 검사를 시행하여 회복 여부를 알아보는 것이 바람직하다. 물론 검사를 시행하지 않더라도 회복의 정도를 알 수는 있으나, 전기적인 회복은 임상적 회복보다 1-2개월 일찍 나타나기 때문에 규칙적인 전기적 검사는 치료를 계획하는 데 유리할 수 있다.[9] 이러한 검사로 상완신경총의 손상 부위가 신경절전에 있는지 또는 신경절후에 있는지, 상지의 전체 마비인지 부분 마비인지 구분이 가능하고, 회복의 여부와 정도도 판정이 가능하다.[11]

5) 치료

(1) 치료의 원칙

상완신경총 치료의 우선 순위는 주관절의 굴곡, 어깨의 외전, 손의 내측 감각이며, 이후 손목의 신전과 수지 굴곡 회복을 고려할 수 있다. 주관절 굴곡을 위해서는 근피신경이 재생되어야 하며, 어깨 외전을 위해서는 견갑상신경과

액와신경을 재생하여야 한다. 그리고 수부 내측의 감각을 위해서는 내측 코드를, 손목의 신전과 수지의 굴곡을 위하여는 외측 및 후방 코드의 재생이 필요하다.

치료는 크게 비수술적 치료와 수술적 치료로 대변할 수 있다. 비수술적 치료는 단순한 관찰에서부터 2-3개월간 보조기 착용과 규칙적인 물리치료 등을 시행하는 것이다. 수술적 치료는 크게 신경기능의 재생술(regeneration procedure)과 신경손상으로 상실한 기능을 신경 이외의 다른 방법으로 다시 찾아보는 재건술(reconstruction procedure)로 대변될 수 있다. 재생술의 종류에는 신경봉합술, 신경박리술, 신경이식술, 신경이전술 등이 있다. 재건술은 신경 재생의 가능성이 거의 없는 경우에 시행되며 대체로 손상으로부터 2-3년이 경과한 경우에 해당된다. 그 종류로는 근육이전술(muscle transfer)이나 감각이전술(sensory transfer) 등이 있다.

(2) 비수술적 치료

비수술적 치료의 대상으로는 일시적인 압축, 넘어지거나 운동 중 접촉에 의해 발생한 마비 등 손상의 정도가 심하지 않아 회복의 가능성이 높은 경우이다. 임상 또는 전기적 검사에서 손상 부위에 불완전 마비가 있는 경우에도 회복 가능성이 높아서 보존적 치료의 대상이 된다. 환자의

나이가 많거나, C8이나 T1 신경근에 국한된 손상인 경우 방사선 조사에 의한 마비의 경우는 수술로서 좋은 결과를 얻기 힘들기 때문에 수술을 권하지 않을 수도 있다.

비수술적 치료는 신경재생술이나 재건술을 계획하는 경우에도 적절하고 세심하게 시행해야 한다. 그 이유는 관절 강직이나 변형, 마비, 위축 등을 얼마나 막느냐는 것이 치료 결과에 상당한 영향을 미칠 수 있기 때문이다. 수상 직후부터 이환된 상지의 각 관절을 능동적 및 수동적으로 움직여 주어 부종을 막고 근육 위축, 관절의 강직과 변형을 방지하며, 필요한 경우 부목이나 보조구를 사용하는 등 적극적으로 치료해야 한다.[12]

(3) 수술적 치료

① 수술적 치료의 대상

개방성 손상이나 다른 수술 중에 발생한 의인성 손상, 주위 쇄골하혈관이나 액와혈관의 손상이 동반되어 이를 치료하는 경우에는 즉시 수술적 치료를 시행하는 것이 바람직하다.[13] 이 경우는 대부분 신경봉합술이며, 손상 단 사이 거리가 큰 경우에는 신경이식술이 필요하게 된다. 이외에도 골절에 의해 상완신경총이 잘린 것으로 추정되는 경우, 신경총이 잘라지거나 심하게 압축된 것으로 생각되는 경우는 가능하면 즉시 수술적 치료를 시행하여야 한다. 기타 쇄골이나 상완골에 골절이 있거나 견관절의 탈구가 동반되어 있는데, 만약 골절의 손상에 대한 수술적 치료를 하기로 결정했다면 동시에 상완신경총에 대한 탐색 수술을 시행하는 것도 생각할 수 있다.

② 수술 시기

상완신경총은 불완전 손상의 경우 자연 회복이 되는 경우도 적지 않으므로, 신경손상의 정도에 의문이 있는 경우는 6개월 정도 기다려 보고, 이때 전기적 또는 임상적으로 자연 회복의 증거가 없다면 수술을 시행하여 신경봉합이나 신경박리 또는 신경이식술을 시행하는 것이 바람직하다. 그러나 신경은 이어주더라도 기능 회복에는 1-2년 이상이 소요되고 2년 이상 지연되면 마비된 근육이 이차적으로

변성되어 신경재생술의 효과를 볼 수 없으므로 수술 시기를 더 미룰 수는 없다. 따라서 신경의 직접 봉합이나 신경이식술이 가능할 것으로 보이는 경우는 3-6개월 이내에 조기 수술을 시행하는 것이 바람직하다. 자연 회복의 증거로는 티넬 징후가 원위부로 이동하는 것, 근육의 수축이 느껴지는 경우, 그리고 근전도에서 회복의 증거들이 나타나는 경우 등이다. 신경절전 손상에서는 병소가 척수관 속에 있으며 신경근이 척수에서 뽑힌 것으로 생각되므로 자연 회복의 가능성이 적어 조기 수술을 고려해야 한다.[13] 이 경우 원위신경을 이어줄 손상된 근위부가 없으므로, 직접 봉합이나 신경이식술은 불가능하게 되므로 신경이전술로 해당 근육을 살리려는 시도를 해야 한다.

③ 수술적 치료 방법

A. 재생술(regeneration procedure)

• 신경의 직접봉합술(direct nerve suture)

신경총이 날카롭게 절단된 경우 손상으로부터 2-3주 이내에 수술한다면 신경의 직접 봉합이 가능하다. 상처가 오염되어 있거나 개방성 손상으로부터 24시간 이상이 경과된 경우는 우선 상처에 대한 치료를 시행하고 신경에 대하여는 이차 봉합술을 시행하는 것이 바람직하다.

• 신경박리술(neurolysis)

신경이 유착되거나 눌린 경우 신경외막(epineurium)을 인접 조직으로부터 분리시키는 것을 외부신경박리(external neurolysis)라 부르고 신경외막을 세로로 열어 주는 과정을 내부신경박리(internal neurolysis)라고 부른다. 내부신경박리는 오히려 신경손상을 초래할 수 있기 때문에 그 시행에 대해 찬반이 엇갈리고 있다. 신경총의 박리 시 15 cm 이상 주위 조직으로부터 완전히 박리해 내면 신경의 혈액공급에 지장을 초래하여 마비가 심해질 가능성이 크다. 따라서 박리해야 할 부분이 긴 경우는 신경 둘레의 일부는 주위 조직에 부착된 채로 남겨두려고 노력하여야 한다.

• 신경이식술(nerve graft)

신경의 근위부와 원위부를 찾아 공급 신경을 사이에 넣

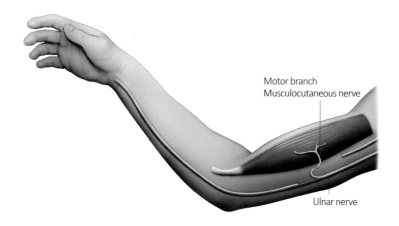

Motor branch
Musculocutaneous nerve

Ulnar nerve

그림 4-4 **신경이전술**
상부상지형 마비의 경우 척골신경의 분지를 근피신경으로
이전하여 상완이두근의 재생을 도모할 수 있다.

어 이어주는 방법이다. 공급 신경으로는 비복신경(sural nerve)이 주로 이용되나, 부족할 경우 양측을 모두 사용하거나 내측전완피부신경, 표재요골신경, 경추신경총의 감각 분지 등을 이용할 수 있다. C8 및 T1 신경근이 손상되거나 하부 주간이 완전히 손상되어 척골신경의 회복이 기대되지 않는 경우는 척골신경 전체를 공급 신경으로 이용할 수도 있다. 신경에 혈관을 부착시키지 않는 경우 척골신경은 너무 굵기 때문에 중앙부가 괴사에 빠지게 되므로, 척골신경에 상부척골측부혈관(superior ulnar collateral vessel)을 붙여 혈관부착 신경이식술(vascularized nerve graft)을 시행할 수 있다.[14]

• 신경이전술(nerve transfer)
신경화(neurotization)라고도 부르며, 견열 손상과 같이 손상된 신경의 근위부가 못쓰게 된 경우 기능이 다른 정상 신경을 근위부로 사용하여 원위부에 이어줌으로써, 손상된 신경의 기능을 되찾게 하는 방법이다. 공여 신경으로는 횡격막신경, 척추부신경, 설하신경, 장흉신경, 늑간신경 등이 있고, 반대쪽 C7 신경근을 이전할 수도 있다. 상부상지형 마비의 경우는 상완신경총 내의 공여 신경으로 척골신경의 분지를 근피신경에 이전해 상완이두근을 회복하거나(Oberlin transfer)(그림 4-4), 요골신경의 분지를 액와신경에 이전해 삼각근을 회복할 수 있다.[15]
견관절을 외전시키려면 액와신경과 상견갑신경의 재생이

필요하며, 주관절을 굴곡시키려면 근피신경의 재생이 필요하다. 정중신경의 감각을 위하여는 그 외측 두(lateral head) 또는 정중신경 자체의 신경화가 필요하다.

B. 재건술(reconstruction procedure)
손상으로부터 2-3년 이상 경과하여 근육에 변성이 심각하게 발생된 경우, 그리고 신경봉합을 시행하고 그 결과를 보기 위하여 2년 이상이 경과된 경우에는 신경 재생으로 근육의 기능 회복을 시도하기는 힘들다. 이러한 재생이 불가능한 마비에 대하여는 마비된 관절에 관절고정술을 시행하여 상지의 기능을 단순화시키거나, 근육이전술(muscle transfer)을 시행하여 마비된 근육의 움직임을 시도해 볼 수 있으며, 박근(gracilis) 등을 혈관과 신경을 부착한 상태에서 이식하여 신경화할 수 있다.

2. 주요 말초신경의 손상

1) 부신경(accessory nerve)

제11번 뇌신경인 부신경은 척추부신경(spinal accessory nerve)이라고도 부르며, 경정맥공(jugular foramen)을 나온 다음 하악골각(angle of mandible) 후방에서 흉쇄유돌기근(sternocleidomastoid)의 심부로 들어가고, 이 근육 후방의 근위 1/3 부위에서 목의 후방삼각(posterior triangle)으로 들어가서 피하에 위치하게 되며, 이후 후하방으로 진행하여 승모근(trapezius)으로 들어간다. 이 신경은 흉쇄유돌기근과 승모근을 지배한다. 부신경의 손상은 목의 후방 삼각 부위에서 림프선이나 종양을 절제할 때 손상되는 일이 흔하다.[16] 부신경이 손상을 받으면 승모근이 마비되는데, 승모근은 견갑골을 내측 상방으로 잡아당겨, 견관절을 전방 굴곡하거나 외전할 때 견갑골을 안정화시키는 역할을 한다. 마비 시 어깨는 아래로 떨어지고, 견갑골은 외측과 하방으로 전위되어 가벼운 익상견갑(winging scapula)이 발생하며 목의 외형도 비대칭 양상을 보인다. 견갑골 고정 효과도 감소되어 견관절의 90도 이상 외전과 굴곡이 어렵게 된다.

완전 절단의 가능성이 크면 시험적 수술을 시행하여 신경 상태를 판정하는 것이 바람직하다. 수술 시 손상이 발견되면 직접 봉합 또는 신경이식술 등 신경재생술을 시행하게 된다. 부신경은 순수한 운동신경이어서 신경재생술의 예후가 비교적 좋은 편이다.[17] 재건술은 견갑골의 하방 외측 전위를 방지하는 방법으로 수동적 재건은 대퇴근막과 테프론 줄 등을 사용하여 견갑골과 늑골 또는 척추 사이를 강하게 묶어 주는 방법이며, 능동적 재건으로는 근육이전술로 견갑골을 고정하는 방법이 있다.

2) 장흉신경(long thoracic nerve)

장흉신경은 C5-7 신경근에서 시작하여 전거근(serratus anterior)을 지배하며, 전거근은 견갑골의 내측 변을 전방으로 잡아 당겨, 견갑골의 내측 변이 흉곽에 붙어 있게 하는 역할을 한다.

장흉신경이 마비되면 견갑골의 내측 모서리가 흉벽에서 떨어져 나와서 후방으로 돌출하게 되는 전형적인 익상견갑(winging scapula) 변형이 나타난다. 이러한 익상견갑은 견관절의 굴곡이나 외전운동 시 심해지는데, 특히 앞으로 나란히 한 상태에서 팔을 더 앞으로 미는 경우에 익상견갑은 매우 심해진다. 그러나 누워서 동작을 하라고 명령하면 견갑골이 수동적으로 안정되기 때문에 원활하게 할 수 있다.[18] 승모근 마비 시의 익상견갑과 감별이 필요한데, 이때는 견갑골이 하방 그리고 외측으로 밀려나가는 것이 특징

이고 견갑골 내측 변이 흉곽에서 떨어지지는 않으며, 견관절을 외전할 때 심해지고 전방 거상 시는 두드러지지 않는 차이를 보인다.

신경 기능의 회복이 불가능한 것으로 판단되는 경우는 근육이전술을 시도하여 능동적 재건을 꾀할 수 있으며,[19] 견갑골의 하방 각을 흉벽에 고정시키는 수동적 수술도 생각할 수 있다.[20]

3) 견갑상신경(suprascapular nerve)

이 신경은 상완신경총의 상부 주간에서 나와 오구돌기의 바로 내측에 있는 견갑상절흔(suprascapular notch)을 통과한 다음 극상근과 극하근을 지배하는데, 견갑상절흔을 지날 때 견갑상인대(suprascapular ligament)가 골화되거나 비정상적인 밴드가 존재할 때, 더욱 흔하게는 관절 주위 낭종이 극관절와절흔(spinoglenoid notch)에 위치하여 압박성 신경마비가 올 수 있다(그림 4-5).

증상이 있는 환자는 견관절 부위의 모호한 동통이나 어깨 후방쪽 통증을 호소한다.[21] 시진상 견갑골 후방에서 극상 및 극하근의 위축이 관찰되며 특히 극하근에서 현저하다. 견관절의 외전이 약화되는데, 특히 처음 60도 외전에서 현저하다. 견갑상신경의 경로를 따라 눌러 보면 손상 부위

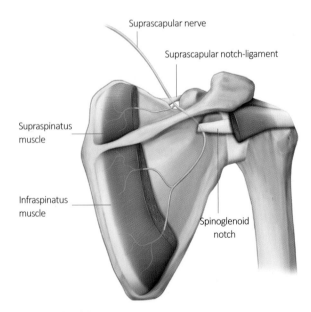

그림 4-5 견갑상신경

를 암시하는 티넬 징후가 나타나는 지점이 발견될 수도 있다. MRI는 견갑상신경마비의 진단에 도움이 되는데 이 신경의 주행 경로를 살펴볼 수 있고, 특히 관절 주위 낭종의 존재를 확인할 수 있다.

치료는 견갑상절흔에서 압박된 경우는 견갑상인대를 제거하고 절흔 주위의 골을 제거하여 이를 넓혀주고, 관절 주위 낭종의 경우는 경피적 또는 관절경을 이용한 감압술을 시행한다.[22]

4) 액와신경(axillary nerve)

액와신경은 상완신경총의 후방 코드에서 시작되며 액와혈관의 후방을 따라 진행하여 사각공간으로 후방상완회선혈관(posterior humeral circumflex vessel)과 함께 들어간다. 이 지점에서 소원근으로 가는 분지와 상완 근위부 후방에 분포되는 감각분지를 낸 다음 삼각근의 내면 전방으로 진행하면서 이 근육을 지배한다. 삼각근 내에서는 견봉에서 약 4 cm 하방을 지난다(그림 4-6).

액와신경은 상완골 두의 전방 탈구나 상완골 경부골절 시, 후방 코드에서 기시하는 부위나 사각공간에서 손상을 받는 경우가 많다. 드물게 목발을 잘못 사용한 목발마비(crutch palsy)로 나타날 수도 있고, 어깨 부위에 주사를 맞은 경우, 목이나 견관절이 견인된 경우, 그리고 자상에 의

해서도 손상이 발생할 수 있다. 손상되면 삼각근과 소원근이 마비되어 견관절의 외전이 약해지고, 삼각근이 위축되어 어깨는 둥근 모습을 상실하고 견봉이 돌출된다. 오래 경과하면 대개 하방 아탈구 현상이 발현된다.

비개방성 손상의 경우 자연적인 회복이 가능하지만, 칼이나 골절단과 같이 예리한 물체에 의해 직접 끊어진 것으로 생각되는 경우에는 즉시 봉합술을 시행하는 것이 바람직하다. 영구적 마비 시는 승모근 종지부를 상완골의 근위부로 이전하면 약 90도 정도의 외전을 얻을 수 있다.

액와신경이 특별한 외상 없이 사각공간에서 압축되어 마비가 발생하는 경우가 있는데, 이를 사각공간증후군(quadrangular space syndrome)이라고 한다. 사각공간은 팔을 외전·외회전하거나 굴곡을 많이 하면 대원근과 소원근 그리고 견갑하근과 삼두근이 긴장되어 좁아지며 이때 액와신경이 상완골 경부에 의해 압축될 수 있다. 가장 흔히 발견되는 원인은 사각공간 내 섬유성 밴드에 의한 것이다. 환자는 어깨에 모호한 통증을 호소하며 팔을 외전·외회전하면 심해진다. 후방에서 사각공간을 눌러보면 통증이 유발되는 경우도 있다. 그러나 삼각근이 마비되거나 감각 마비가 관찰되는 경우는 드물다. 근전도는 정상인 경우가 많다. 혈관조영술에서 후방상완회선동맥이 팔을 외전·외회전한 상태에서 막힌다면 진단이 가능하다. 대부분 비수술적 치료로

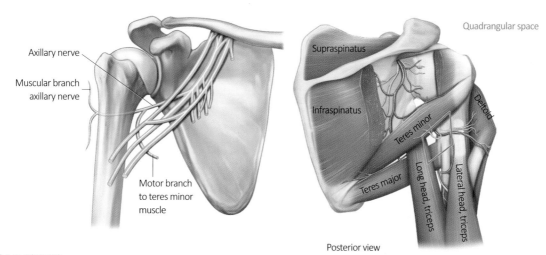

그림 4-6 액와신경

심한 외전·외회전을 피하고, 소염진통제를 투여하거나 스테로이드 국소 주입을 하면 호전된다.[23] 증세가 호전되지 않는 환자로 근전도나 혈관조영술에서 양성으로 나타나면 수술적 치료의 대상이 된다.

5) 근피신경(musculocutaneous nerve)

이 신경은 상완신경총의 외측 코드에서 분지되며, 오구돌기에서 약 6 cm 하방에서 오구상완근을 뚫고 상완이두근과 상완근 사이로 들어가 이 근육들을 지배하고, 주관절 외측에서 외측전완피부신경(lateral cutaneous nerve of forearm)이 된다.

근피신경의 손상은 자상에 의한 것이 가장 흔하고, 간혹 견관절 탈구나 상완골 골절 시 마비될 수 있다. 손상되면 주관절 굴곡력이 약화되며, 촉진 시에는 상완근이나 오구상완근은 잘 촉지되지 않기 때문에 상완이두근 위축을 만져볼 수 있다.

치료는 끊어진 경우 신경의 직접봉합술이나 신경이식술을 시행해야 한다. 신경 복원이 불가능하다고 판단되는 경우는 늑간신경 또는 척골신경 분지를 이용한 신경이전술을 시도할 수 있고, 근육이 위축되었을 경우는 Steindler 굴곡근성형술(flexorplasty)이나 박근(gracilis)의 이식술을 시도할 수 있다.

3. 흉곽출구증후군
(Thoracic outlet syndrome, TOS)

1) 해부학 및 병인

흉곽출구는 약 10-15 cm에 이르는 부위로 크게 3개의 공간으로 분리할 수 있는데 사각근간삼각(interscalene triangle), 늑쇄공간(costoclavicular space), 그리고 소흉근후방공간(retropectoralis minor space)이다. 사각근간삼각은 전방에 전사각근(scalenus anterior), 후방에 중앙사각근(scalenus medius), 그리고 하방에 제1늑골로 경계 지어지는 부분이다. 상완신경총의 신경근과 쇄골하동맥은 전사각근과 중앙사각근의 사이를 지나게 되며, 쇄골하정맥은 전사각근의

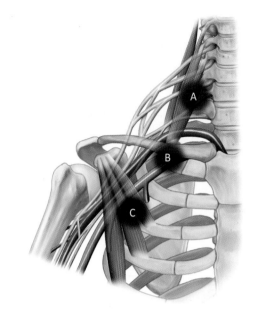

그림 4-7 흉곽출구의 압박 부위
A: 사각근간삼각, B: 늑쇄공간, C: 소흉근후방공간

앞쪽을 지나간다(그림 4-7). 늑쇄공간은 늑골과 쇄골 및 견갑골로 이루어진 삼각형 모양의 골성 구조물이며 사각근간삼각과는 약 90도의 각도를 이룬다. 그 경계는 내측에 제1늑골의 상변, 전방에 쇄골의 하변, 그리고 후방에 견갑골의 상변으로 되어 있으며, 상완신경총과 쇄골하혈관이 통과한다. T1 신경근은 제1흉추 밑에 있는 추간공을 나와 외측 상방으로 진행하여 혈관과 함께 위로 볼록한 아치를 형성하면서 팔로 들어가고, C8 신경근은 T1보다 약간 상방에서 거의 직선으로, 그리고 외측으로 진행하여 제1늑골 상변에서 T1과 만나 하부 주간을 형성하여 밑으로 구부러지면서 진행한다.[24] 따라서 쇄골하혈관과 C8, T1 신경근이 흉곽출구의 시작부를 지나면서 많이 꺾이므로 주로 증세를 유발하는 구조가 되는 것이다. 소흉근후방공간은 전방에 소흉근, 위쪽에 오구돌기, 그리고 후방에 견갑골 경부로 경계 지어지는 부분이다. 이 공간에서 상완신경총은 코드를 형성하면서 액와혈관을 둘러싸게 된다. 팔을 오랫동안 과잉 신전하면 액와혈관과 상완신경총의 코드 부위가 오구돌기에 걸려 눌리게 되며, 소흉근은 이러한 압박을 가중시켜 증세를 일으킬 수 있다.

TOS와 관련된 여러 가지 병적 해부가 있을 수 있는데, 경늑골(cervical rib), 소사각근(scalenus minimus), 사각근의 발육이나 종지부의 이상, 그리고 쇄골하건의 이상, 사각근 내의 결체조직 증식 등이 보고되어 있다.[27] TOS를 일으키는 원인은 확실하지 않은 경우가 대부분이다. 팔을 180도 외전한다든지, 어깨를 후하방으로 당긴다든지, 잘못된 자세, 외상, 운동 등으로 인한 근육의 부종이나 섬유화 등이 모두 TOS를 일으킬 수 있다. 대부분의 환자들은 어느 정도의 외상이 증상의 시작과 연관이 있다고 기억한다. 또 어깨가 넓은 경우, 긴 목을 가진 경우, 목 주위 근육이 과도하게 발달한 경우 등도 원인으로 제기되고 있으며, 늑골 또는 견갑골 골절이 부정유합되어 늑쇄공간이 좁아진 경우도 신경혈관 구조의 압박 원인이 될 수 있다.

2) 분류

TOS는 신경이나 혈관을 누른 구조물에 따라 경늑골증후군(cervical rib syndrome), 전사각근 증후군(scalenus anticus syndrome), 늑쇄 증후군(costoclavicular syndrome), 및 과외전 증후군(hyperabduction syndrome)으로 나눌 수 있다. 경늑골이 있는 경우 쇄골하혈관과 C8-T1은 목으로 보다 높게 끌려 올라간 다음 예각을 이루면서 아래로 꺾이게 된다. 따라서 이들이 경늑골에 의해 만성적인 압축력을 받을 수 있다.[25] 전사각근 증후군은 신경과 쇄골하동맥이 전방과 중앙사각근 사이에 눌리는 것이고, 늑쇄 증후군은 늑쇄공간에서 신경과 쇄골하혈관이 눌리는 것이다. 위 세 증후군은 주로 하부 신경근 증상이 나타난다. 과외전 증후군은 어깨를 과다하게 외전시킬 때 상완신경총 코드 부위와 액와혈관이 오구돌기에 눌리면서 발생하는 것이다. 이 경우는 외측 코드에서 나오는 근피신경과 정중신경의 외측두가 눌리는 증세가 나타나기 쉽다.

3) 진단

(1) 임상증상

가장 흔한 증세는 통증과 이상 감각으로 90% 이상이 신경인성(neurogenic) TOS이다.[26] 통증은 만성적이고 발생 시점이 정확하지 않으며 목과 어깨 및 팔에서 느껴진다. 상지

에서 느끼는 이상 감각은 소지와 환지 쪽으로 나타나는 일이 흔하나 정중신경의 분포나 상지 전체에서 느끼는 경우도 드물지 않다. 이상 감각은 외전 동작에서 심해지는 양상을 보인다. 위약이 약 반수에서 나타나고, 내재근의 기능 부전으로 인한 손의 서투름이 보이기도 한다. 이러한 증세들은 초기에는 팔을 장시간 늘어뜨리거나 목을 일정 위치에 오래 둔 경우에 나타나고, 위치를 바꾸어 주면 증세가 호전 또는 소실된다. 드물게 동맥이 압축당하는 증세로 허혈성 파행이나 레이노 현상이 발생할 수 있고, 심한 경우는 통증과 창백, 맥박 소실, 온도 저하, 손가락 끝의 괴사가 나타날 수 있다. 정맥이 막힌 경우는 상지에 청색증 및 부종이 발생될 수 있다.

(2) 신체검사

상체를 충분히 노출시킨 상태에서 환자를 관찰한다. 흉추 상부나 목의 측만증, 고개를 한쪽으로 돌린 사경(torticollis), 어깨가 하방 또는 전방으로 늘어져 있는 상태, 어깨 근육의 비대 등은 TOS와 관계가 있을 수 있다. 정맥이 확장되어 있거나 측부 순환이 발달해 있으면 정맥성 TOS가 있을 수 있다. 환측 상지의 감각과 근력에 이상이 있는지, 특히 하부 상완신경총 영역의 이상을 살펴보고, 전사각근, 쇄골 상부 또는 하부의 여러 부위를 눌러 압통을 유발하는 티넬 징후를 확인한다.

환자에게 특정한 자세를 취하게 하여 통증이나 이상 감각을 유발시키거나 맥박의 감소 또는 소실을 유도하는 유발 검사로는 애드슨 검사(Adson's test), 늑쇄 검사(costoclavicular test), 과외전 검사(hyperabduction test), 루스 검사(Roos' test) 등이 있다(그림 4-8).

(3) 진단적 검사

단순 방사선에서 경늑골이나 진구성 골절과 탈구 및 골관절의 종양을 발견할 가능성이 있다. 전기적 검사는 마비된 신경 부위와 정도를 판정함과 동시에 다른 질환에 의한 마비와의 감별에 필요하다. 하지만 전기적 검사의 경우 양성 소견이 나온다면 진단에 도움이 되지만 음성 소견이 나온다고 해서 TOS을 배제할 수는 없다.[27] 광혈량측정법

A

deep inhalation

B

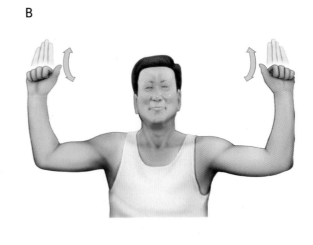

그림 4-8 흉곽출구 증후군의 신체검사
애드슨 검사(A)는 팔을 견관절에서 30도 외전 및 완전 신전하고, 목을 신전시키고 이환된 쪽을 보면서 깊게 숨을 들이쉬게 하면 요골 동맥의 맥박이 약해지거나 소실되는 것을 촉진한다. 루스 검사(B)는 견관절을 90도 외전, 외회전하고 주관절을 90도 굴곡시킨 상태(항복 자세)에서 3분간 천천히 주먹을 쥐었다 펴기를 반복시키면 통증, 감각이상, 위약감 등이 생기는지 관찰한다.

(photoplethysmography), 맥박체적기록법(pulse volume recording), 색이중초음파(color duplex sonography)와 같은 비침습적 혈류 검사를 시행하여 혈관의 협착이나 폐쇄 여부를 알아볼 수 있고, 비정상 소견이 발견되거나 허혈 증세가 분명히 있는 경우는 동맥조영술을 시행하여 막힌 부위와 정도를 정확하게 판정한다. 울혈이나 측부 순환이 관찰되는 환자는 정맥조영술을 시행한다. MRI에 의해 신경이나 혈관의 상태를 알아보는 것은 아직 표준화되어 있지 않으나, 종양이 의심될 경우는 도움이 될 수 있다.

4) 치료

(1) 비수술적 치료

대부분의 TOS는 객관적인 병리가 없는 상태이므로 수술 이전에 비수술적 치료를 시행해 볼 만하다.[28] 치료는 우선 통증을 경감시키는 진통제나 근육 이완제를 투여하면서, 동시에 환자의 나쁜 체위를 교정할 수 있는 운동요법을 일차적으로 시도한다. 나쁜 자세는 목과 흉추 상부의 측만증, 경추의 전만이나 후만, 사경, 목을 앞으로 내민 상태, 어깨의 하방 낙하나 과잉 신전 등이다. 목의 움직임과 조화된 자세를 회복시키기 위해서는 전후 좌우로 목 운동을

시켜 사각근의 신장과 이완을 시켜줄 필요가 있다. 심호흡으로 늑골의 움직임을 원활히 하면, 횡격막과 늑간 근육 및 늑골에 붙어있는 다른 근육들의 상태를 호전시킬 수도 있다. 어깨의 회전운동은 소흉근을 포함한 어깨의 근육을 이완시킬 수 있다. 추가 약물 치료로 carbamazepine, amitriptyline, gabapentin과 같은 신경계 약물을 투여해 볼 수도 있고, 온찜질, 초음파, TENS를 시행하거나 전사각근에 국소마취제를 투여해 근육의 이완을 유도해 볼 수 있다.

(2) 수술적 치료

분명한 근육의 마비나 감각 마비가 신체검사나 전기적 검사에서 확인된 경우, 그리고 심각한 혈관의 병리가 확인된 경우는 일차적으로 수술이 필요하고, 보존적 치료에도 불구하고 심한 통증과 저림이 지속되는 경우는 수술이 필요하다.

신경의 경우 압박을 초래하는 구조물을 제거하여야 하며, 혈관의 경우는 협착을 야기하는 구조물 제거만으로 가능할 수도 있으나, 혈관이 폐쇄된 경우는 폐쇄된 부위를 절제하고 정맥 이식술이나 인조 혈관 삽입술이 필요하다. 수술 방법은 쇄골의 상부에 피부 절개를 가하는 쇄골상부

접근법(supraclavicular approach)을 사용하여 전사각근을 절제하여 병리를 해결하는 방법이나 액와부를 통과하는 액와경유접근법(transaxillary approach)을 사용하여 제1늑골을 절제(1st rib resection)하면서 병리를 해결하는 방법이 있다.[28]

4. Parsonage-Turner 증후군

Parsonage와 Turner가 신경통성근위축증(neuralgic amyotrophy)이라고 보고하였던 질환으로 상완신경염(brachial neuritis)이라고도 불리며, 견관절 부위에 통증과 근육 마비를 초래하는 질환이다. 별다른 증세 없이 어깨에 갑작스런 통증이 나타나고, 심한 통증이 상완부의 외측과 목으로 방사할 수 있다. 통증은 몇 시간에서 1-2주 정도 계속되다가 소실되는데, 이때부터 어깨 근육의 마비가 나타나기 시작한다. 약 반수에서는 감염이나 외상, 주사와 같은 원인이 선행한다. 장흉신경 이환에 의한 전방거근의 마비가 거의 전례에서 나타나며, 기타 견갑상신경, 액와신경 및 C5, 6 신경근이 이환될 수 있고, 상지의 다른 신경들, 즉 전골간신경(anterior interosseous nerve)이나 후골간신경(posterior interosseous nerve)이 같이 이환되는 경우도 있다.[29]

근육이 완전히 마비되지 않거나 마비 후 몇 주일 이내에 회복이 관찰되면 6개월 이내에 완전히 회복되는 것이 보통이다. 완전 마비의 경우는 완전한 회복이 어려우며 회복은 2년까지 계속된다. 치료는 보존적인 치료를 주로 시행하여, 회복을 기다리는 동안 관절 강직을 예방하기 위해 하루 몇 회씩 전 운동범위를 움직여 주는 물리치료가 필요하다. 6-9개월이 지나도 호전이 없는 경우는 수술적 치료(신경감압술, 신경박리술, 신경이식술 등)를 고려할 수 있으며, 특히 신경에 대한 영상 검사에서 모래시계협착(hour-glass constriction)이 있는 경우는 수술이 효과적이다.[30]

이 질환은 재건이 필요하지 않을 정도로 회복되는 경우가 대부분이지만, 때로는 상당한 마비가 남아 건 이전술 등의 수술적 재건이 필요할 수 있다.

Ⅱ 견갑상신경 병변

이성민

견갑상신경의 병변은 비교적 드물게 발생하나, 발생하는 경우 통증의 제한과 기능의 상실을 유발한다. 견관절 부위의 골절 등으로 상완신경총 자체가 손상을 입거나 견갑상신경 자체의 말단에 손상이 가해져서 발생하기도 한다. 또한, 광범위 회전근 개 파열이 있는 경우, 파열된 근육이 내측으로 퇴축되면서 이 근육을 지배하는 견갑상신경에 과한 긴장이 가해져서 증상이 나타나기도 하며, 견갑상절흔(suprascapular notch)이나 극관절와절흔(spinoglenoid notch)에 결절종(ganglion cyst)이 생겨서 견갑상신경을 지속적으로 압박하는 경우에도 발생한다. 큰 충격 없이 무거운 물건을 들거나 옮겼을 때, 혹은 병력 없이 자연적으로 병변이 생기기도 한다.[31]

1. 견갑상신경 해부학

견갑상신경은 상완총신경의 C5-6에서 시작된다. C4를 포함하는 경우도 간혹 있다. 신경은 목의 후방에서 주행하면서 suprascapular notch를 통과한다. 이 notch의 천장은 견갑상인대(superior transverse scapular ligament)가 위치하는데, 이 인대의 아래에서 신경이 눌리기도 한다. Suprascapular notch를 통과한 이후에, 견갑골의 외측으로 주행하면서 spinoglenoid notch를 지난다. 이는 관절와의 후방 약 2 cm에 위치하면서 견갑골극(scapular spine)의 외측 끝을 따라 돌면서 극하와(infraspinatus fossa)로 주행하게 된다(그림 4-9).[31] 견갑상신경은 견관절의 감각과 운동을 모두 제공한다. 극상근과 극하근의 운동에 관여하며, 이 두 근육은 회전근 개를 이루면서 동시에 견관절의 안정성에 기여한다. 감각으로는 견관절의 후방 캡슐(posterior capsule), 견봉-쇄골관절(acromioclavicular joint), 그리고 견봉하 활액낭(subacromial bursa)에 관여하고 있다.[31] 특히, 회전근 개 봉합술 이후에 견갑상신경을 마취하면 수술 후 통증의 감소에 크게 기여한다고 알려져 있다.[32]

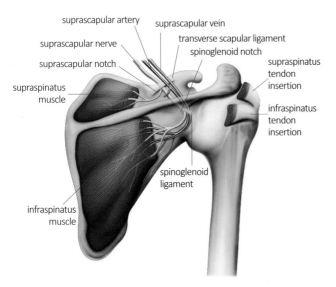

<u>그림 4-9</u> 견갑상신경은 suprascapular notch에서 superior transverse scapular ligament 아래를 통과하면서 견갑골의 외측을 향해 주행하다가, spinoglenoid notch를 지나 다시 내측으로 방향을 바꾸어 극하근에 들어가게 된다.

2. 병태생리

견갑상신경은 2개의 notch를 통과하면서 주행을 하는데, 이 두 notch의 좁은 공간에서 신경이 지나가기에 가장 취약한 부분이기도 하다. 따라서, 반복적인 동작으로 인하여 병변이 발생할 수가 있다. 2017년에 발표된 체계적 문헌 고찰에서는 9개의 연구를 분석하였으며, 팔을 외전, 외회전하는 공 던지는 자세에서 병변이 발생할 수 있다고 하였다. 배구 선수의 12.5-34%, 야구 투수의 4.4%, 그리고 테니스 선수의 52%가 견갑상신경의 병변뿐만이 아니라 그로 인한 극하근의 위축 소견이 관찰된다고 하였다.[33] 배구 선수들을 대상으로 한 생역학 연구에서는 반복적인 외전과 내전의 동작이 견갑상신경에 지속적인 손상을 유발한다고 발표하였다.[34]

지속적인 자극뿐만이 아니라 광범위 회전근 개 파열이 있는 경우, 퇴축된 근육이 견갑상신경을 같이 내측으로 당기어 신경에 과한 긴장이 가해지기도 한다.[35] 또한, 신경이 주행하는 suprascapular notch와 spinoglenoid notch에 생긴 결절종이 신경을 눌러서 증상이 나타나기도 한다(그림

4-10).[36] 이러한 결절종은 상부관절와순의 파열이 동반되어 있는 경우가 많다.

또한, 견관절 탈구, 견갑골 골절, 쇄골 골절 등 강한 충격이 동반되면서 신경에 손상을 일으킬 수도 있으며,[37] 아주 드물지만, 회전근 개 봉합술을 하는 과정에서 의도치 않게 손상을 입히기도 한다.[38] 그 외 환자 개개인의 해부학적 다양성으로 suprascapular notch의 foramen이 좁게 형성이 되어 있는 경우 신경이 눌리기도 한다.[31]

3. 신체검진

견갑상신경에 병변이 있는 경우, 환자들은 견관절의 후방, 혹 외측에 통증을 호소하는 경우가 있다.[39] 처음부터 근력의 약화가 나타나는 것은 아니지만, suprascapular notch에 병변이 있는 경우, 간혹 외전, 외회전 자세를 유지하는데 힘이 빠졌다고 표현을 하기도 한다. 만약, spinoglenoid notch에 병변이 있는 경우에는 외회전의 힘이 떨어졌다고는 하나, 소원근과 후방 삼각근의 보상 작용으로 기능의 저하가 감춰지는 경우도 있다.[31] Suprascapular notch 부근 혹은 그 위로부터의 병변이 있다면, 극상근과 극하근의 위축으로 인하여 뼈가 돌출되어 보이기도 한다(그림 4-11). 반면, spinoglenoid notch 부근에 병변이 있으면, 극하근에만 위축이 발생한다. 앞서 언급을 하였지만, 회전근 개 파열이나 관절와순 파열이 동반되어 있는 경우도 있으므로, 이에 관련된 신체검진도 같이 시행해 보는 것이 좋다.

4. 영상의학적 검사 및 기타 검사

기본적인 견관절 관련 X-ray를 촬영하면 광범위 회전근 개 파열로 인한 증상은 아닌지 감별할 수 있으며, 추가로 Stryker notch view를 촬영하면 suprascapular notch 자체 foramen이 과도하게 좁지는 않은지에 관해서 확인해 볼 수 있다.

자기공명영상(magnetic resonance imaging)을 촬영하면 보다 상세하게 병변을 관찰할 수 있다. 이를 통해 회전근 개 파열뿐만 아니라, 관절와순의 파열과 그와 동반된 결절

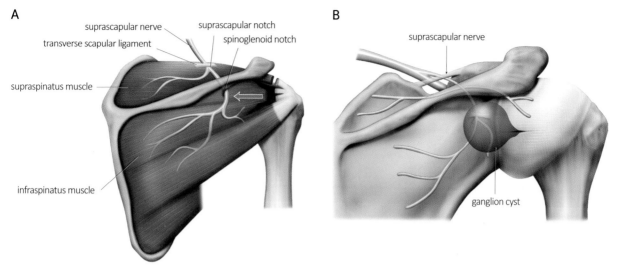

A

suprascapular nerve
suprascapular notch
transverse scapular ligament
spinoglenoid notch
supraspinatus muscle
infraspinatus muscle

B

suprascapular nerve
ganglion cyst

그림 4-10 A: 광범위 회전근 개 파열이 있는 경우, 극상근과 극하근이 내측으로 퇴축하면서 견갑상신경을 같이 당기게 되며, 이는 신경에 과도한 긴장을 유발하게 된다. B: 결절종이 suprascapular notch나 spinoglenoid notch에 발생하는 경우 신경을 눌러서 증상이 나타나기도 한다.

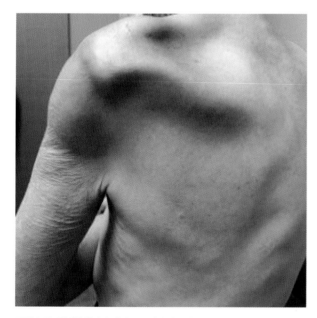

그림 4-11 견갑상신경의 병변으로 인하여 극상근과 극하근의 위축이 심해 뼈가 돌출되어 보이는 환자이다.

종을 확인해 볼 수 있다. Sagittal MRI의 영상으로는 극상근과 극하근의 위축으로 인한 지방변성 정도, 탈신경 정도를 확인함과 동시에 결절종이 있을 경우 그 크기에 대해서 측정할 수 있다(그림 4-12).

환자에 대한 문진과 이학적 검사를 하고, 영상의학적 검사까지 진행하여 견갑상신경의 병변이 의심이 되는 경우 근전도 검사(electromyography, EMG)와 신경전도속도 (nerve conduction velocity)를 검사하여 실제로 신경에 문제가 있는지를 확인할 수 있다.

5. 치료

치료 방법은 병변의 원인에 기반하여 선택해야 한다. 예를 들어, 증상이 발생한지 얼마 안 되었거나, 골절 등 충격으로 발생한 경우에는 진통소염제를 투약하면서 경과를 관찰할 수 있다. 광범위 회전근 개 파열로 인한 경우 회전근 개 봉합술을 시행하면서, 동시에 견갑상신경 위에 위치해 있는 superior transverse scapular ligament를 절개해 주기도 한다. 만약, 결절종으로 신경이 지속적으로 압박을 받아 증상이 생긴 경우에는 초음파하 흡입술을 하거나, 관절경적 감압술을 시행하기도 한다. 다만, 흡입술을 시행하는 경우에는 다시 생길 가능성이 있음을 환자에게 주지시켜야 한다. 또한, 어떠한 경우든 신경이 눌리는 것이 명확한 경우에는 비가역적으로 신경 회복이 불가능해지기 전에 수술을 시행하는 것을 권유한다.

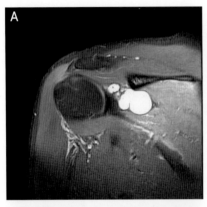
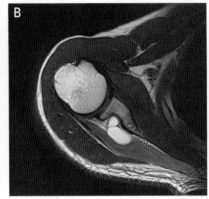
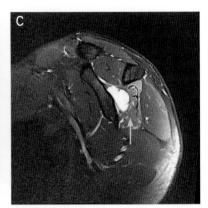
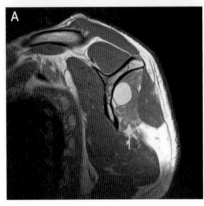

<u>그림 4-12</u> 자기공명영상을 촬영하면 결정종의 크기와 위치를 정확히 측정할 수 있으며, 견갑상신경의 병변으로 인한 극하근의 탈신경(denervation) 소견(화살표)을 관찰할 수 있다.

광범위 회전근 개 파열로 견갑상신경에도 병변이 생긴 경우, 회전근 개 봉합술을 시행하면서 superior transverse scapular ligament를 절개해주어 신경에 가해지는 과도한 긴장을 풀어주고 압박하는 구조물을 열어준다. 관절경은 견봉하공간에 삽입하며, 시야에 방해가 되는 견봉하 활액낭을 제거해 준다. 오구돌기(coracoid process)의 기시부를 찾고, 오구쇄골인대(coracoclavicular ligament)를 찾으면 그 내측에 superior transverse scapular ligament를 찾을 수 있다. Neviaser portal을 만들어서 working portal로 사용하면서 인대를 절개해준다.

결절종으로 견갑상신경에 압박을 지속적으로 받은 경우, 두 가지 방법으로 신경의 압박을 줄일 수 있다. 상부관절와순에 파열이 동반되어 있는 경우에는 파열 부위를 통하여 결절종을 노출시켜 감압을 시켜주며, 다시 발생하지 않도록 상부관절와순 봉합술을 시행한다. 간혹, 상부관절와순에 파열이 관찰되지 않은 경우도 있는데, 이 경우에는 견

봉하공간에서 견갑골극을 찾아 probe로 결절종을 노출시키고 감압시켜준다(그림 4-13).

6. 임상적 결과

Tsikouris 등은 56명의 견갑상신경의 병변이 있는 엘리트 운동선수들에게 관절경 세척술만 시행한 경우와 관절경적 견갑상신경 감압술을 시행한 경우의 임상 결과를 비교 분석하였다.[40] 평균 추시 기간은 38개월이었다. 그 결과, 신경 감압술을 시행한 환자들의 수술 후 기능적 검사 수치가 관절경 세척술만 한 경우에 비하여 높았으며, 관절경 세척술만 시행한 경우 84%에서 본래의 운동 실력으로 돌아온 반면, 신경 감압술을 시행한 경우 97% 환자에서 본래의 운동 실력으로 돌아왔다.[40] Savoie 등은 광범위 회전근 개 재파열로 봉합술을 시행하는 경우, superior transverse scapular ligament를 절개한 경우와 절개하지 않은 경우의 임상적

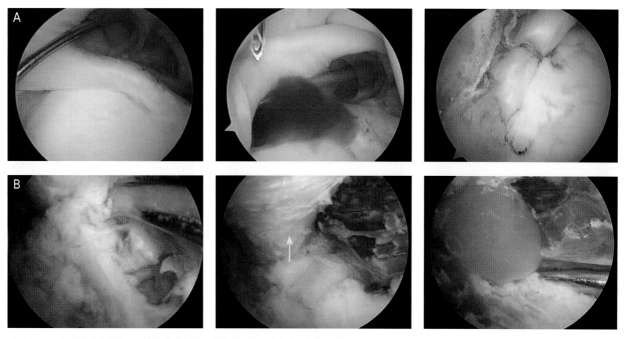

그림 4-13 A: 상부관절와순의 파열이 동반되어 있어 파열 부위를 통하여 감압술을 시행한 뒤 봉합술을 시행한다. B: 상부관질와순의 파열이 동반이 되어 있지 않는 경우에는 견갑골극(화살표)을 찾아 극상근과 극하근 사이를 열어주어 감압을 한다.

결과를 비교 분석하였다. 그 결과, 절개해 준 환자들이 통증의 감소, 전방 거상 범위 증가 및 근력의 강화가 시행하지 않은 경우에 비하여 좋았다고 보고하였다.[41] Spinoglenoid notch에 결절종이 있는 경우, Pillai 등은 상부관절와순 봉합술을 하면서 결절종의 감압술을 동시에 시행한 경우에 상부관절와순 봉합술만 한 경우에 비하여 결과가 보다 좋다고 하였다.[42] 반면, Schroeder 등은 19개의 연구에 대하여 체계적 문헌 고찰을 한 결과, 상부관절와순 봉합술만 한 경우와 봉합술과 결절종 감압술을 동시에 한 경우, 임상 결과에 차이가 없다고 발표하였다.[43]

7. 요약

견갑상신경의 손상은 비교적 드물기는 하지만, 다양한 원인으로 발생할 수 있다. 따라서, 먼저 정확한 원인을 파악한 후, 그에 맞는 치료를 선택해야 한다. 보존적 치료를 시행할 수도 있으나, 신경의 손상이 많이 진행되면 비가역적인 임상적 결과를 초래할 수도 있으므로, 환자의 문진, 신체검진, 영상의학적 검사 및 근전도 검사 등을 시행하여 신경의 손상이 명확한 경우에는 수술적 치료를 시행하고 있다. 수술적 치료 시 최근에는 관절경적 신경 감압술을 시행하며, 많은 연구에서 좋은 결과들을 보고하고 있다.

참고문헌

1. Midha R. Epidemiology of Brachial Plexus Injuries in a Multitrauma Population. Neurosurgery. 1997;40(6):1182-8.

2. Qayyum A, MacVicar AD, Padhani AR, Revell P, Husband JE. Symptomatic Brachial Plexopathy Following Treatment for Breast Cancer: Utility of MR Imaging with Surface-coil Techniques. Radiology. 2000;214(3):837-42.

3. Limthongthang R, Bachoura A, Songcharoen P, Osterman AL. Adult Brachial Plexus Injury: Evaluation and Management. Orthop Clin North Am. 2013;44(4):591-603.

4. Kim DH, Murovic JA, Tiel RL, Kline DG. Mechanisms of Injury in Operative Brachial Plexus Lesions. Neurosurg Focus. 2004;15:16(5):E2.

5. Teixeira MJ, da Pax MGS, Bina MT, Santos SN, Raicher I, Galhardoni R, Fernandes DT, Yen LT, Baptista AF, Andrade DC. Neuropathic Pain after Brachial Plexus Avulsion – Central and Peripheral Mechanisms. BMC Neurol. 2015;4;15:73.

6. Al-Qattan MM, Clarke HM, Curtis CG. The Prognostic Value of Concurrent Horner's Syndrome in Total Obstetric Brachial Plexus Injury. J Hand Surg Br. 2000;25(2):166-7.

7. Dellon AL, Muse VL, Scott ND, et al. A positive Tinel sign as predictor of pain relief or sensory recovery after decompression of chronic tibial nerve compression in patients with diabetic neuropathy. J Reconstr Microsurg 2012; 28(04): 235-240.

8. Bertelli JA, Ghizoni MF. Use of Clinical Signs and Computed Tomography Myelography Findings in Detecting and Excluding Nerve Root Avulsion in Complete Brachial Plexus Palsy. J Neurosurg. 2006;105(6):835-42.

9. O'Shea K, Feinberg JH, Wolfe SW, et al. Imaging and electrodiagnostic work-up of acute adult brachial plexus injuries. J Hand Surg Eur Vol. 2011; 36(9): 747-759.

10. Ochi M, Ikuta Y, Watanabe M, Kimori K, Itoh K. The Diagnostic Value of MRI in Traumatic Brachial Plexus Injury. J Hand Surg Br. 1994;19(1):55-9.

11. Ferrante MA, Wilbourn AJ. The Electrodiagnostic Examination with Peripheral Nerve injuries. In: Mackinnon SE, ed. Nerve Surgery. 1st ed.; 2015;p-p. Thieme.

12. Scott KR, Ahmed A, Scott L, Kothari MJ. Rehabilitation of Brachial Plexus and Peripheral Nerve Disorders. Handb Clin Neurol. 2013;110(3):499-514.

13. Kline DG. Timing for Brachial Plexus Injury: A Personal Experience. Neurosurg Clin N Am. 2009;20(1):24-6.

14. Hasegawa T, Nakamura S, Manabe T, Mikawa Y. Vascularized Nerve Grafts for the Treatment of Large Nerve Gap after Severe Trauma to an Upper Extremity. Arch Orthop Trauma Surg. 2004;124(3):209-13.

15. Wells ME, Gonzalez GA, Childs BR, Williams MR, Nesti LJ, Dunn JC, et al. Radial to Axillary Nerve Transfer Outcomes in Shoulder Abduction: A Systematic Review. Plast Reconstr Surg Glob Open. 2020; 8(9): e3096.

16. Donner TR, Kline DG, et al. Extracranial spinal accessory nerve injury. Neurosurgery. 1993; 32(6): 907-911.

17. Moradzadeh A, Borschel GH, Luciano JP, et al. The impact of motor and sensory nerve architecture on nerve regeneration. Exp Neurol. 2008; 212(2): 370-376.

18. Didesch JT, Tang P. Anatomy, Etiology, and Management of Scapular Winging. J Hand Surg Am. 2019;44(4):321-30.

19. Chalmers PN, Saltzman BM, Feldheim TF, Mascarenhas R, Mellano C, Cole BJ, Romeo AA, Nicholson GP. A Comprehensive Analysis of Pectoralis Major Transfer for Long Thoracic Nerve Palsy. J Shoulder Elbow Surg. 2015;24(7):1028-35.

20. Krishnan SG, Hawkins RF, Michelotti JD, Litchfield R, Willis RB, Kim YK. Scapulothoracic Arthrodesis: Indications, Technique, and Results. Clin Orthop Relat Res. 2005;435:126-33.

21. Cummins, Craig A., Terry M. Messer, and Gordon W. Nuber. Current concepts review-suprascapular nerve entrapment. JBJS 2000; 82(3): 415-424.

22. Boykin, Robert E., et al. Suprascapular neuropathy. JBJS 2010; 92(13): 2348-2364.

23. Hangge P, Breen I, Albadawi H, Knuttinen M, Naidu S, Oklu R. Quadrilateral space syndrome: diagnosis and clinical management. J Clin Med. 2018;7(4):86.

24. Johnson, E.O., Vekris, M., Demesticha, T. et al. Neuroanatomy of the brachial plexus: normal and variant anatomy of its formation. Surg Radiol Anat. 2010; 32: 291–297.

25. Tubbs, R. Shane, et al. Histopathological basis for neurogenic thoracic outlet syndrome. J Neurosurg Spine. 2008; 8(4): 347-351.

26. Orlando MS, Likes KC, Mirza S, Cao Y, Cohen A, Lum YW, Reifsnyder T, Freischlag JA. A Decade of Excellent Outcomes after Surgi-

cal Intervention in 538 Patients with Thoracic Outlet Syndrome. J Am Coil Surg. 2015;220(5):934-9.

27. Kuhn John E., Lebus George F. V, Bible Jesse E, et al. Thoracic Outlet Syndrome. J Am Acad Orthop Surg. 2015; 23(4): 222-32.

28. Atasoy E. A Hand Surgeon's Further Experience with Thoracic Outlet Compression Syndrome. J Hand Surg Am. 2010;35(9):1528-38.

29. Parsonage MJ, Turner JWA. Neuralgic Amyotrophy; The Shoulder-girdle Syndrome. Lancet. 1948;1(6513):973-8.

30. Gstoettner C, Mayer JA, Rassam S, Hruby LA, Salminger S, Sturma A, Aman M, Harhaus L, Platzgummer H, Aszmann OC. Neuralgic amyotrophy: a paradigm shift in diagnosis and treatment. J Neurol Neurosurg Psychiatry. 2020; 91(8): 879-888.

31. Strauss EJ, Kingery MT, Klein D, Manjunath AK. The Evaluation and Management of Suprascapular Neuropathy. The Journal of the American Academy of Orthopaedic Surgeons. 2020;28(15):617-27.

32. Chang KV, Wu WT, Hung CY, et al. Comparative Effectiveness of Suprascapular Nerve Block in the Relief of Acute Post-Operative Shoulder Pain: A Systematic Review and Meta-analysis. Pain Physician. 2016;19(7):445-56.

33. Challoumas D, Dimitrakakis G. Insights into the epidemiology, aetiology and associations of infraspinatus atrophy in overhead athletes: a systematic review. Sports Biomech. 2017;16(3):325-41.

34. Lajtai G, Wieser K, Ofner M, Raimann G, Aitzetmüller G, Jost B. Electromyography and nerve conduction velocity for the evaluation of the infraspinatus muscle and the suprascapular nerve in professional beach volleyball players. Am J Sports Med. 2012;40(10):2303-8.

35. Albritton MJ, Graham RD, Richards RS, 2nd, Basamania CJ. An anatomic study of the effects on the suprascapular nerve due to retraction of the supraspinatus muscle after a rotator cuff tear. Journal of shoulder and elbow surgery. 2003;12(5):497-500.

36. Tung GA, Entzian D, Stern JB, Green A. MR imaging and MR arthrography of paraglenoid labral cysts. AJR American journal of roentgenology. 2000;174(6):1707-15.

37. Fabre T, Piton C, Leclouerec G, Gervais-Delion F, Durandeau A. Entrapment of the suprascapular nerve. The Journal of bone and joint surgery British volume. 1999;81(3):414-9.

38. Zanotti RM, Carpenter JE, Blasier RB, Greenfield ML, Adler RS, Bromberg MB. The low incidence of suprascapular nerve injury after primary repair of massive rotator cuff tears. Journal of shoulder and elbow surgery. 1997;6(3):258-64.

39. Collin P, Treseder T, Lädermann A, et al. Neuropathy of the suprascapular nerve and massive rotator cuff tears: a prospective electromyographic study. Journal of shoulder and elbow surgery. 2014;23(1):28-34.

40. Tsikouris GD, Bolia IK, Vlaserou P, Odantzis N, Angelis K, Psychogios V. Shoulder Arthroscopy With Versus Without Suprascapular Nerve Release: Clinical Outcomes and Return to Sport Rate in Elite Overhead Athletes. Arthroscopy : the journal of arthroscopic & related surgery : official publication of the Arthroscopy Association of North America and the International Arthroscopy Association. 2018;34(9):2552-7.

41. Savoie FH, 3rd, Zunkiewicz M, Field LD, Replogle WH, O'Brien MJ. A comparison of functional outcomes in patients undergoing revision arthroscopic repair of massive rotator cuff tears with and without arthroscopic suprascapular nerve release. Open access journal of sports medicine. 2016;7:129-34.

42. Pillai G, Baynes JR, Gladstone J, Flatow EL. Greater strength increase with cyst decompression and SLAP repair than SLAP repair alone. Clinical orthopaedics and related research. 2011;469(4):1056-60.

43. Schroeder AJ, Bedeir YH, Schumaier AP, Desai VS, Grawe BM. Arthroscopic Management of SLAP Lesions With Concomitant Spinoglenoid Notch Ganglion Cysts: A Systematic Review Comparing Repair Alone to Repair With Decompression. Arthroscopy : the journal of arthroscopic & related surgery : official publication of the Arthroscopy Association of North America and the International Arthroscopy Association. 2018;34(7):2247-53.

05

감염
Infection

서중배

견관절은 슬관절과 고관절에 이어 세 번째로 화농성 관절염(pyogenic arthritis)이 많이 발생하는 관절이다. 견관절 복합체를 구성하는 관절와상완관절, 견봉-쇄골관절, 흉쇄관절 등 어느 곳에서도 발생하나, 관절와상완관절에서의 화농성 관절염이 가장 빈도가 높아, 일반적으로 견관절의 화농성 관절염이라 함은 관절와상완관절의 화농성 관절염을 이른다. 관절와상완관절(이하 견관절)은 구조적인 특성상 상완골의 골간단부 일부가 관절낭내에 위치하고 있어 비교적 쉽게 상완골 골수염으로 이행되며, 반대로 상완골 골간단부의 골수염이 견관절의 화농성 관절염으로 이행되기도 한다. 또한 회전근 개의 결손이 있는 경우 견봉하점액낭염이 동시에 발생하는 경우도 많다.

화농성 관절염은 일단 발병하면 빠른 속도로 관절이 파괴되므로 진단 및 치료가 신속하게 이루어져야 한다. 항생제의 발달로 과거에 비해 전반적인 이환율, 사망률, 합병증이 감소하였으나, 반대로 항생제의 남용은 내성 세균에 의한 발생률은 증가시키고 있다. 또한 노인 인구의 급격한 증가하고, 만성 질환 등에 의해 면역력이 저하된 인구가 늘어나서, 감염의 위험에 노출되는 경우가 많아지고, 화농성 관절염 발생 시 치료에 반응도가 낮으며, 합병증이나 후유증의 발생도 늘어나는 것이 문제로 남아있다.[1]

1. 발병 기전

1) 원인균

거의 모든 연령층에서 가장 흔히 발견되는 원인균은 황색 포도상구균(Staphylococcus aureus)이다. 다만 연령에 따라 다른 양상을 띠는 경향이 있는데, 2세 이하의 소아에서는 B형 인플루엔자균이 다소 높은 빈도로 발견되며, 청소년의 경우 임균(Neisseria gonorrhea)의 빈도가 다소 높게 나타난다고 알려져 있으나 빈도는 감소 추세이다. 대장균이나 녹농균과 같은 그람 음성균은 당뇨, 암, 혈액질환과 같이 면역력이 감소한 환자에서 높게 발견된다. 외상으로 인한 외부 오염으로 화농성 관절염이 발생하였다면 여러 종류의 세균이 동시에 동정될 수도 있다. 약 20%가량의 환자에서는 임상상으로 볼 때 화농성 관절염이 분명해 보이지만 원인균이 동정되지 않는 경우도 있다.

2) 발생기전 및 병리

감염 경로는 혈행성인 경우가 가장 많다.[2] 견주관절 주위의 수술 또는 외상에 의한 직접 전파되는 경우도 있으며, 상완골의 골수염이 파급되어 견관절의 화농성 관절염을 유발하기도 한다. 최근에는 견관절의 여러 질환의 치료 목적으로 각종 주사요법을 많이 사용하는데, 이에 따라 주사요법 이후 화농성 관절염, 견봉하점액낭염이 속발하는 경우가 증가하고 있고, 주사요법 이후 발생한 화농성 관절염

은 예후가 좋지 않다는 보고도 있다.[3]

혈행성 감염의 경우 관절내의 활막에 가장 먼저 침투하며, 염증이 발생하면 활액막 부종에 의한 압력으로 인해 관절내 세균 침투가 발생한다. 관절액으로 세균이 유입되면 활액막을 통한 각종 염증세포의 유입이 수반되며, 염증세포로부터 유출되는 각종 사이토카인 및 염증세포에 의해 48시간 내에 연골의 파괴가 시작된다. 따라서 치료가 신속히 시작되지 않으면 관절연골의 파괴에 이어 관절의 아탈구 혹은 탈구, 골수염 등이 발생할 수 있다.

2. 진단

1) 임상증상

환자가 호소하는 증상 및 진찰 소견으로는 견관절 부위의 통증, 압통, 관절종창, 국소 열감, 발적(erythema), 관절 운동 장애 등이 있다. 관절가동 시 통증이 심해지며, 내전 및 내회전 자세를 취하는 경향이 있다. 다른 관절에 비해 깊숙한 곳에 위치하고 있어, 국소 열감, 발적 등은 발견하기 어려운 경우가 많아 석회화 건염이나 동결견 등의 다른 질환과 오인하게 되는 수도 있어 주의가 필요하다. 이와 함께 전신 발열, 오한 등과 같은 패혈증의 증상을 동반할 수 있다. 또한 당뇨병, 간질환, 암, 만성 신장질환, 류마티스 관절염 등과 같이 면역력이 감소될 수 있는 기저질환이 있는지 여부를 함께 조사하여야 하는데, 이들은 비전형적인 (atypical) 임상 경과를 지닌 경우가 많아 진단이 늦어지는 경우가 있어, 세심한 주의 및 의심이 요구된다. 이들 질환을 지닌 환자들은 임상 증세 외에도 혈액 검사 및 영상 검사 상의 소견도 비전형적인 경우가 있어 역시 주의를 요한다.

영아에서 화농성 관절염이 발생한 경우 가성마비(pseudoparalysis)와 같은 국소 증상이 관찰되지만, 주로 패혈증의 증상이 더 두드러지게 나타나며, 전형적인 화농성 관절염의 증상은 두드러지지 않는다. 이에 비해 소아에서는 비교적 전형적인 증상을 보인다.

흉쇄관절(sternoclavicular joint)에서도 화농성 관절염이 발생할 수 있으며, 50세 이하의 젊은 연령층에서 외상의 경력이 없이 한쪽 관절만 종창이 있으면서 위와 같은 증상, 증세가 있다면 의심해야 한다. 견봉-쇄골관절(acromioclavicular joint)에는 거의 발생하지 않지만 이 부위의 수술적 처치 후에 간간이 발생하기도 한다.

일단 화농성 관절염이 의심된다면 혈액검사를 통하여 백혈구 수의 증가 여부, 적혈구침강속도, C-반응 단백의 증가를 확인한다. 말초 혈액에서 백혈구 수는 증가하는 것이 보통이지만 약 1/3에서는 정상이다.[2] 적혈구 침강 속도는 거의 항상 증가하나, 세균 감염이 아닌 다른 염증성 질환에서도 증가하므로 감별이 필요하다. C-반응 단백은 적혈구침강속도보다 먼저 증가하고, 치료의 반응에 따라 감소하여, 치료가 적절히 이루어지는지 평가하는 기준으로 삼고 있다. 고열을 동반한 전신 패혈증의 증상이 있으면 혈액 배양을 시행한다.

2) 영상 검사

단순 방사선사진에서는 관절 간격의 증가와 견관절 주위 연부조직 비후가 보일 수 있는데, 관절 간격의 증가는 관절액 증가 또는 활액막의 증식에 따른 비후에 의한 현상이며, 심할 경우 아탈구가 관찰되기도 한다. 단순 방사선사진에서는 주위 골의 파괴와 같은 화농성 관절염의 명백한 소견이 발병 후 약 7-10일가량 경과하여 상당히 진행되고 나서야 보이게 되므로, 신속한 치료가 요구되는 화농성 관절염에서 단순 방사선사진만으로 진단하기에는 위험이 따른다. 따라서 조기 진단 및 신속한 치료의 시작을 위해 골 주사(bone scan)와 MRI 등의 특수한 검사가 필요하다.

골 주사는 생리적인 영상 검사법으로 단순 방사선사진에 나타나기 전에 감염 여부를 보여준다. 민감도가 매우 높아 골 주사 검사가 음성일 경우 화농성 감염증을 배제할 수 있으나, 특이도가 낮다는 단점이 있다(그림 5-1).

MRI는 발병 후 24시간 이내에 연부조직의 변화, 관절액 증가 등의 소견을 확인하는데 높은 민감도를 지니고 있다. 즉, 관절액 증가가 적은 경우에도 유용하며, 주변 골조직의 골수 부종, 골 파괴 등의 소견을 비교적 구체적으로 확인할 수 있다. MRI의 T2 강조영상에서 급성 화농성 관절염의 활액막 염증 및 비후를 잘 보여주므로 조기 진단에 매우

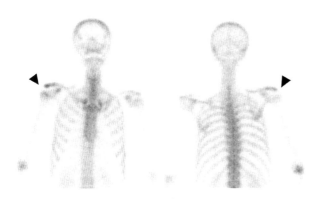

그림 5-1 화농성 관절염 환자의 골 주사(bone scan) 영상
우측 견관절 주위 골의 Uptake가 증가되어 있다.

유용하다. 또한 MRI는 골수염이 급성인지 만성인지 구분하는 데 유용하며, 급성인 경우 주로 미만성 고신호 강도를 보이는 반면 만성 골수염의 특징적 병리 소견인 부골(sequestrum)은 저신호 강도로 보인다. 조영 증강 MRI(gadolinium-enhanced MRI)는 보다 더 구체적인 정보를 제공하는데, 예를 들어 농양(abscess)과 비후된 활액막을 명확하게 구분할 수 있다는 장점이 있다(그림 5-2). 그러나 일반적으로 MRI는 높은 민감도에 반해 감염이 아닌 기타 염증성 질환을 감별하기 어려워 특이도가 비교적 낮다는

단점이 있다.

이 밖에 CT 및 초음파 검사도 진단에 일부 도움을 줄 수 있다. CT는 견관절 병변의 입체적인 파악을 가능하게 하고, 작은 골 파괴도 발견하고, 그 양상을 파악하는 데 유용하며, 연부조직의 부종 등 주위 연부조직의 개략적인 변화를 볼 수 있다. 초음파 검사는 비침습적이며 관절액 증가를 어렵지 않게 확인할 수 있고, 관절액의 증가가 있으면 검사와 동시에 초음파 유도하에 검체를 채취할 수 있다는 장점도 있다.

3) 관절천자

화농성 관절염의 진단을 위해 가장 중요한 열쇠라고 할 수 있는 것은 관절천자(joint aspiration)로 채취한 관절액의 배양 및 세포학적, 화학적 분석이다. 견관절은 다른 관절보다 깊은 곳에 위치하므로 초음파나 투시 검사의 유도로 천자를 시행하면 보다 용이한 관절액 채취가 가능하다. 화농성 관절염의 관절액은 육안으로 볼 때 정상보다 탁하고, 노랑 또는 갈색이며, 점성이 감소된 성질을 보인다. 육안상 농(pus)이 확실하다면 의심할 여지없이 진단할 수 있다. 세포 검사로 백혈구가 50,000/mm^{3}가 넘고, 호중구의 비율이

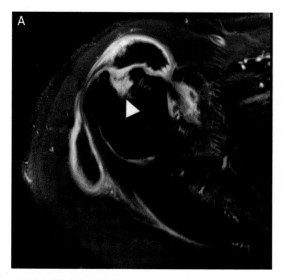
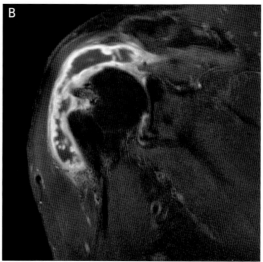

그림 5-2 화농성 관절염 환자의 조영 증강 MRI 영상
Axial image에서 견봉하점액낭의 농(pus) 형성에 의한 부종과 주변부의 조영 증강(rim enhancement)이 보이며, 상완골 두 일부의 골 파괴(arrow head)가 보인다(A). Coronal image에서는 회전근 개가 파열되어 없으므로 관절와상완관절에도 화농성 관절염이 파급되었을 것임을 시사한다(B).

75-90% 이상이면 원인균 동정에 관계없이 화농성 관절염을 강하게 의심하여 치료를 시작한다. 면역 기능이 저하된 환자는 백혈구 수가 이보다 적게 나오는 경우가 있으므로 주의를 요한다. 포도당 수치는 혈당 수치보다 50% 이상 감소한다. 배양에서 음성으로 나오는 경우도 있으며, 임상적으로 화농성 관절염이 의심되는 경우의 약 18-48% 정도라고 한다.

3. 치료

화농성 관절염은 일반적으로 급속히 진행하여 관절의 파괴를 일으키는 응급질환이다. 치료의 가장 중요한 원칙은 적절한 배농과 항생제의 투여이다. 즉 병력 및 진찰 소견상 화농성 관절염이 의심되고 관절천자로 확인되면 그

람 염색과 함께 즉시 항생제의 투여 및 배농이 이루어져야 한다.

1) 항생제의 투여

원인균이 확인되기 전에는 환자의 연령, 위험 인자 등을 고려하여 경험적인 항생제를 정맥 투여를 한다. 그람 염색 양성 구균에는 1세대 cephalosporin을 사용한다. 그람 음성 구균이나 메치실린 저항성 포도상 구균(MRSA)의 가능성이 높은 경우 3세대 cephalosporin 또는 vancomycin을 선택할 수 있다. 면역 억제 치료나 병원성 감염일 경우 녹농균이 원인균일 가능성이 있으므로 aminoglycoside를 추가한다. 표 5-1은 미국의사협회가 제안한 경험적 항생제 목록이다.

항생제 치료 기간은 원인균의 종류, 환자의 상태, 치료에

표 5-1 화농성 관절염에서의 경험적 항생제 사용

	항생제	
연령 및 배양 결과	권장 항생제	대체가능한 항생제
< 2개월		
배양 검사 음성	Oxacillin and aminoglycoside	Cefazolin and aminoglycoside
그람 양성 구균	Oxacillin or nafcillin	Cephalothin or cephapirin
그람 음성 간균	Aminoglycoside	Cefotaxime
2개월-5세		
배양 검사 음성	Nafcillin and chloramphenicol	Cefuroxime
그람 양성 구균	Nafcillin or oxacillin	Cefazolin, cephalothin, vancomycin, clindamycin
그람 음성 간균	Aminoglycoside	Cefotaxime
그람 음성 구형간균	Cefotaxime or ampicillin and chloramphenicol	Chloramphenicol alone; trimethoprim- sulfa-methoxazole
5세-40세		
배양 검사 음성	Nafcillin or oxacillin	Cefazolin or vancomycin
그람 양성 구균	Nafcillin or oxacillin	Cefazolin, cephalothin, vancomycin, clindamycin
그람 음성 간균	Aminoglycoside	Cefotaxime
그람 음성 구균	Treat for Neisseria gonorrhoeae	
40세 이상		
배양 검사 음성	Nafcillin ± aminoglycoside	Cefazolin ± aminoglycoside
그람 양성 구균	Nafcillin or oxacillin	Cefazolin, cephalothin, vancomycin, clindamycin
그람 음성 간균	Ticarcillin ± aminoglycoside	Cefotaxime ± aminoglycoside

대한 반응 등을 고려하여 결정한다. 항생제의 정맥 투여는 백혈구 수와 적혈구 침강 속도가 정상화되고, 체온의 정상화, 통증의 감소 등 임상증상이 분명히 호전될 때까지 필요하며, 최소 3일에서 14일가량 하게 된다. 이후에는 경구 항생제로 교체 투여를 하는데, 항생제의 총 사용 기간은 보통 3-4주 이상 필요하며, 원인균이 황색 포도상 구균, 그람 음성 간균, 혐기균일 경우 이보다 더 장기간 투여가 필요할 수 있으며, 골수염이 동반되어 있는 경우에도 6주 이상 필요하게 되는 경우가 많다. 경구 투여와 정맥 투여의 차이는 감수성 있는 항생제를 선택하고, 적절한 농도의 항생제가 국소 부위에 도달하기만 한다면 둘 사이의 효과 차이는 별로 없으며, 환자의 협조 여부, 의사의 경험 등을 바탕으로 선택하도록 하고 있다.[4]

2) 관절의 배농

즉각적인 관절의 배농은 화농성 관절염 치료의 근간이라고 할 수 있다. 배농의 역할은 감압 및 염증의 직접적인 제거를 통한 관절 기능의 회복이다. 관절의 배농은 관절절개술(arthrotomy), 관절경적 배농술(arthroscopic drainage)과 같은 수술적 배농이 주된 방법이며, 경우에 따라 차선책으로 반복적인 관절천자(arthrocentesis)를 선택할 수 있다.

(1) 수술적 배농

전통적으로는 관절절개술(arthrotomy)이 사용되어 왔으며, 점차 관절경을 이용한 배농을 많이 사용하는 추세이다. 관절절개술은 삼각흉근 접근법(deltopectoral approach)을 통해 회전근 간격(rotator interval)을 절개하여 접근하는 방법이 주로 사용되며, 이외에 삼각근 분리 접근법(deltoid splitting approach) 등으로도 가능하다. 충분한 배농, 세척, 그리고 감염된 활액막의 변연절제술 후 배농관을 설치한다. 관절경을 이용한 배농술은 일반적인 관절경 수술의 장점과 더불어 견관절을 보다 자세히 관찰할 수 있고, 따라서 관절절개술로 확인하기 어려운 곳까지 접근이 가능하여 변연절제술에 유용하다. 상당수의 환자가 회전근 개 파열이 존재하여 견봉하공간에도 감염이 파급되어 있는데, 관절경을 통한 배농술은 견봉하공간의 병변을 확인하는 데

관절절개술보다 유리하여 회전근 개 파열이 동반된 화농성 관절염의 치료에 유용하다고 할 수 있다. 비교적 초기의 화농성 관절염에 대하여 관절경을 이용한 배농, 세척, 변연절제술은 안전하고 효과적인 방법이라고 할 수 있다.[5] 단, 감염이 진행되어 연골하골까지 침범한 경우에는 관절경을 이용한 배농술 및 활액막 절제술만으로는 재발의 가능성이 높다. 화농성 관절염의 관절경적 소견은 초기에는 관절액이 탁해지고, 활액막의 발적이 보이는데, 진행함에 따라 섬유성 침착(fibrinoid deposition), 활액막의 증식(그림 5-3), 연골의 침식 등이 이어지게 된다.[6]

항생제 혼합 골시멘트(antibiotics mixed bone cement)는 항생제의 전신적 합병증을 최소화함과 동시에 항생제의 국소 농도를 높은 수준으로 장시간 유지할 수 있다는 장점이 있어 사용되고 있는데, 분명한 적응증이 제시되어 있지는 않으며, 6-12주에 제거할 것을 권장하고 있다.

(2) 반복적인 관절천자

반복적인 관절천자 및 세척술은 관절절개술과 유사한 결과를 보이며 입원 기간을 단축시킬 수 있고 상처 관리에 유리하다는 보고가 있었다. 그러나 오래된 보고가 대부분이며 일반적으로 수술적 배농이 반복적 관절천자보다 우수한 것으로 알려져 있고, 반복적 관절천자의 결과가 좋다는 객관적인 증거는 없는 상태이다.[7] 다만 비교적 초기에 발견된 심하지 않은 감염이나, 환자의 의학적 상태가 수술을 할 수 없는 상태인 경우 불가피하게 차선책으로 선택될 수 있다. 무균 처치가 반드시 필요하며, 구경이 큰 바늘을 이용하여야 한다.

4. 예후

일반적으로 화농성 관절염의 예후는 좋지 않다. 진단 및 치료 시작 시기, 원인균, 기저질환의 유무 등이 예후에 영향을 끼치는데, 가장 중요한 변수는 조기 진단 및 신속한 치료의 시작 여부이다. 견관절의 화농성 관절염 중 일부 환자들은 전형적인 화농성 관절염의 증상을 보이지 않고, 혈액 검사 및 관절액 검사 등의 검사실 결과도 분명하지 않은

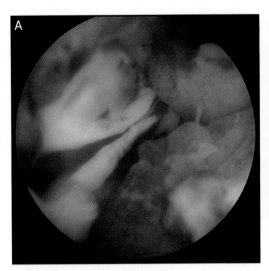 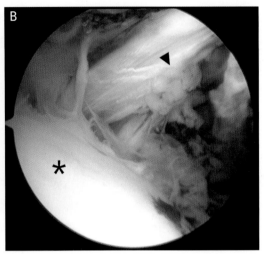

그림 5-3 화농성 관절염 환자의 관절경 사진
견봉하점액낭에 심한 발적을 동반한 활액막의 증식 및 비후가 보인다(A). 그림 B에서는 회전근 간격(rotator interval)에 염증이 보이며, 상완이두건 일부에도 염증
이 파급된 모습(arrow head)을 보인다. 이 환자는 다행히 상완골 두의 관절면은 침범하지 않았다(*).

경우가 있어서 단순한 건염, 견봉하점액낭염 등으로 진단 받을 때가 많다고 하며, 이에 따라 화농성 관절염의 진단이 지연될 때가 적지 않다고 한다.[2] 증상 발생 후 4주 이후에 치료를 시작한 경우에 결과가 좋지 않았다는 보고도 있고,[8] 증상이 1주 이상 지속된 경우 불량한 결과를 보였다는 경우 등 다양한 보고가 있지만,[2] 진단 및 치료가 늦어질수록 예후가 불량하다는 것은 분명한 것으로 보인다.

원인균의 종류에 따라서도 치료에 반응하는 정도의 차이가 있으며, 고령의 환자일수록 류마티스 관절염, 회전근 개의 파열, 전신질환 등의 기저질환이 있는 경우 결과가 좋지 않다.

치료 후 잔존할 수 있는 후유증으로는 단순한 관절 강직부터 관절연골의 파괴에 따른 감염 후 골관절염(post-infectious osteoarthritis), 만성 골수염 등이 발생할 수 있다.

5. 결핵성 관절염(Tuberculous arthritis)

인류의 역사만큼이나 오래된 질병으로 여겨지는 결핵은 Mycobacterium이 원인균으로, 전체 결핵 중 골관절 결핵은 아주 적은 일부에 불과하고, 화농성 관절염에 비해서도 빈도가 매우 낮지만 우리나라의 결핵 유병률이 아직 높은

것을 감안하면 결코 간과해서는 안 될 중요한 질환이라 할 수 있다. 폐외 결핵(extra-pulmonary tuberculosis)은 전체 결핵의 약 10-20%를 차지하고 이 중 1-11%가 골관절 결핵이 차지한다. 폐결핵은 진단 및 치료법의 발달로 발생 빈도가 현저히 줄었으나, 반면 폐외 결핵은 상대적으로 빈도가 증가하고 있다고 한다. 골관절 결핵은 척추, 고관절, 슬관절, 족관절 순으로 호발하며 견관절에는 드물게 발생한다. 상대적으로 급성 발병을 하는 화농성 관절염에 비해 서서히 진행하는 특징이 있어 진단이 매우 늦어질 수 있다는 점이 가장 문제이다.[9] 관절내의 활액막으로부터 시작할 수도 있으며, 인접한 골의 골수염으로부터 파급되기도 한다. 일단 관절을 침범하면 관절파괴가 비교적 빠르게 진행할 수 있으며, 다른 세균에 의한 이차 감염도 발생할 수 있고, 이 경우 전신 증상을 동반한 빠른 관절파괴가 일어날 수 있다. 치료 과정 중 섬유성 강직과 여러 가지 모양의 관절 변형이 속발되므로 후유증을 최소화하는 방향으로 치료를 집중해야 한다.

견관절의 결핵성 관절염은 전형적인 임상증상이 없어 애매모호한 경우가 많고, 진행 속도가 다양하여 의심하지 않으면 진단을 놓칠 우려가 있고, 따라서 치료가 늦어질 수 있어 주의를 요한다. 폐결핵이 공존하는 경우가 많고,

임상증상이 동결견(frozen shoulder)과도 유사하여 감별이 필요하다. 결핵성 삼출물이 있는 경우도 있고, 없는 경우도 있다. 삼각근의 퇴축, 액와부의 농양 또는 배농공, 미만성 열감, 견관절 강직, 액와부 림프절의 비후 등이 있을 수 있다.

혈액 검사상 정구정색소성 빈혈(Normocytic normochromic anemia) 및 범혈구 감소증(pancytopenia), 혈소판 감소증(thrombocytopenia)이 나타날 수 있다. 주로 백혈구 수치는 정상 소견을 보이고, 적혈구 침강 속도나 C-반응단백은 정상 혹은 증가 소견을 보이나 화농성 관절염의 경우에 비하면 적게 증가한다.

단순 방사선 소견상 연부조직의 부종, 관절면의 침식 및 미란, 골감소증, 석회화 등의 소견을 보일 수 있으며, 골 주사(bone scan) 검사는 민감도는 높으나 골관절 결핵에 대한 특이도는 낮은 단점이 있다. 전산화 단층촬영(computed tomography)을 통해 석회화 및 골연골 파괴 정도를 확인할 수 있으며, 자기공명영상(MRI)상 T2 영상에서 신호 증가 소견을 보이는 관절 삼출 및 활액막의 비후 소견을 보일 수 있으나 화농성 관절염과 명확히 구별하기는 힘들다. 따라서 정확한 진단을 위해서는 활액막의 조직검사 및 세균 배양 검사가 필요하다.

치료로는 초기에는 항결핵제 투여로 치료할 수 있지만 진행된 관절염이나 골수염이 있는 경우에는 항결핵제 투여와 함께 철저한 수술적 변연절제술이 필요하다. 화학 요법으로는 항결핵제인 isoniazid, rifamycin, ethambutol, pyrazinamide, streptomycin의 병합 요법이 필요하며, 환자의 나이, 병력, 전신상태 등을 고려하여 결정한다. 6-12개월간 장기적인 약물 필요하다.[10]

6. 견관절치환술 후 감염

견관절수술 후 발생하는 화농성 관절염은 견관절 외과 의사들이 가장 두려워하는 합병증 중에 하나다. 흔하지는 않으나 일단 발생하면 심각한 결과로 이어지는 경우가 많아 감염을 예방하기 위한 노력이 절실하다. 액와부는 세균 증식이 용이한 피지선과 모낭이 많고,[11] 정상 피부상재균(normal skin flora)도 다양하여 다른 부위의 수술에서 보다 특별한 주의가 요구된다. 특히 견관절치환술 후 감염증이 발생하게 되면 치환물의 제거가 이루어지지 않으면 감염증의 치료가 매우 어려워 이러한 주의가 더욱 강조되고 있다.

일차 비구속형 견관절치환술 후 심부 감염의 발생률은 0-4%,[12,13] 역행성 견관절치환술(reverse shoulder arthroplasty) 후 발생률은 3.3-4.0%까지로 보고하고 있으나,[14,15] 무균성 이완(aseptic loosening) 소견이 있던 증례의 다수에서 Cutibacterium (Propionibacterium) 등 서서히 자라는 균에 감염되어 있던 것으로 확인되는 사례가 있어 실제 발생률은 이보다 더 높을 것으로 추정된다.[16,17]

견관절치환술 후 감염은 젊은 사람이나 면역 체계가 정상적인 사람에게는 드물게 발생하고, 당뇨, 류마티스 관절염, 전신홍반루푸스, 면역 억제 화학요법, 전신 스테로이드 요법, 다른 부위의 감염, 수술 전 견관절내 주사 또는 이전의 견관절수술 등이 감염의 위험을 높인다. 이외에도 치과 치료, 요로 감염, 폐렴 및 비뇨기 도관 유치에 따른 이차적인 화농성 견관절염의 발생과 연관이 있다.

1) 원인균

최근 몇 년 간 인공 견관절치환술의 후유증으로 발생할 수 있는 두 가지 유형의 감염이 있다는 것이 알려졌다. "고전적(classic)" 유형은 황색포도상구균(Staphylococcus aureus), 연쇄상구균(Streptococci), 장구균(Enterococci)과 같은 균에 의해 발생하는 것으로, 고관절 및 슬관절치환술 후 발생하는 화농성 관절염과 유사하다. 이외에 "잠행성(stealth)" 유형의 감염이 확인되고 있다. Cutibacterium acnes는 견관절치환술 후 흔하게 동정되고 진단하기 매우 어려운 균으로 피부에 서식하는 그람 양성의 혐기성 간균이며, 황색 포도상 구균 등의 다른 균과는 다른 습성과 행태를 보인다.[16-18] 이들은 정상 피부상재균이기 때문에 전형적인 염증반응을 유발하지 않는다. 백혈구 수, C-반응성 단백, 혈침 속도 등의 전형적인 염증 지표는 종종 정상 수치를 보이며, 균배양 검사에서조차도 일관되게 동정되지 않고, 균이 느리게 증식하는 특성으로 인해 최소 2주 이상 배양을 해야 동정할 수 있다. C. acnes 감염을 진단하는

임상적으로 유의한 지표가 현재까지는 정립되지 않아 진단은 대부분 임상적 진단으로 이루어진다.[19]

2) 임상증상 및 검사 소견

통증, 발열, 열감, 압통, 발적, 배농공(draining sinus), 백혈구 수의 증가, C-반응 단백의 증가, 적혈구 침강 속도의 증가 등 일반적인 감염증의 증상 외에 방사선사진상 진행하는 골소실 또는 인공 치환물의 이완이 보일 수 있다.[20] 원인균 중 Cutibacterium에 의한 감염증은 비전형적인 임상 증상을 보이므로 주의를 요한다. Cutibacterium 종은 생물막(biofilm)에 자리 잡는 특성이 있어 관절액 배양검사는 종종 위음성이 나타날 수 있다.[21] 관절경을 통한 조직 생검은 관절액 흡인보다는 배양 검사 시 양성률이 높을 수 있으나, 음성 배양이 감염 가능성을 완전히 배제할 수 없다는 점을 유념하여야 한다.

3) 치료

인공 치환물 주위 감염은 정도가 심하지 않고 초기에 발견된 경우를 제외하면 항생제 치료만으로는 효과를 기대하기 어려운 경우가 많다. 항생제만으로 치료한 경우 실패율은 60-75%에 달한다.[12] 따라서 환자의 의학적 상태상 수술을 할 수 없는 경우 외에는 보다 적극적인 방법이 필요한 경우가 많다.

인공 치환물 주위 감염이 비교적 초기에 발견되었을 경우 치환물을 제거하지 않고 세척술 및 변연절제술, 항생제로 치료 효과를 기대할 수 있다. 변연절제술 시 건강하지 않은 조직은 철저히 제거하여야 한다. 하지만 진단 당시에 이미 만성적인 경우가 대부분이므로 이러한 치료 방식의 결과는 종종 만족스럽지 않다.

치환물을 제거한 후 절제관절성형술(resection arthroplasty)이나 관절 고정술(arthrodesis)을 하는 것도 옵션 중에 하나이다. 그러나 최근에는 치환물을 제거하고 감염증이 충분히 치료된 후 재치환술(revision arthroplasty)을 하여 견관절의 기능을 회복시키고 통증을 경감시키는, 보다 적극적인 치료 방법을 많이 사용하게 되었다.

이는 단계별 수술(staged operation)을 통한 감염증의 치료 및 재치환술을 말하는데, 우선 치환물의 제거, 골과 연부조직에 대한 광범위하고 철저한 변연절제술, 그리고 항생제 혼합 시멘트 충전물(antibiotics mixed cement spacer)의 설치를 한다. 이후 항생제 투여로 감염증이 충분히 치료된 후 재치환술을 하는데, 재치환술 전에는 항생제를 중단한 상태에서 C-반응 단백 및 적혈구 침강 속도 수치가 정상 범위로 회복되고 일정 기간 유지되어 있어야 한다.[22]

감염된 치환물을 제거할 때, 치환물 주위의 해리(loosening)가 있는 경우는 쉽게 제거되기도 하지만, 치환물이 단단히 부착된 부위가 있거나 골시멘트를 사용했던 경우 제거가 용이하지 않아 특별한 기구 및 장비가 필요하므로 수술 전 철저한 준비가 요구된다. 치환물 제거 후 상완골, 관절와의 철저한 변연절제술이 필수적인데, 이때 골과 치환물 사이의 감염된 막을 제거하는 것이 중요하며, 이 막은 세균 동정을 위한 표본(specimen)에 포함되어야 한다.

치환물 제거와 광범위한 변연절제술은 상완골과 관절와에 골결손과 상당히 큰 빈 공간(dead space)을 남기게 되는데, 항생제 혼합 시멘트 충전물은 이러한 공간을 채우고, 연부조직의 장력을 유지시켜주어 장차 재치환술을 용이하게 만들고, 견관절의 가동성을 유지할 수 있는 가성막(pseudomembrane)의 형성에 도움을 주며, 국소에서 장시간 항생제를 유리시켜 감염증의 치료를 효과적으로 만들어 주는 효과 등 여러 가지 장점이 있다.[22,23] 시멘트 충전물은 염주 형태로 설치하는 것이 항생제의 농도를 보다 높게 유지할 수 있다고 하며, 상완골과 유사한 모양으로 만들어 설치할 수도 있고, 경우에 따라 재치환술을 하지 않고 상완골 모양의 시멘트를 장기간 또는 영구적으로 유지할 수도 있다.[24]

참고문헌

1. Abdel MP, Perry KI, Morrey ME, Steinmann SP, Sperling JW, Cass JR. Arthroscopic management of native shoulder septic arthritis. J Shoulder Elbow Surg. 2013;22(3):418-21.

2. Leslie BM, Harris JM, 3rd, Driscoll D. Septic arthritis of the shoulder in adults. J Bone Joint Surg Am. 1989;71(10):1516-22.

3. Rhee YG, Cho NS, Kim BH, Ha JH. Injection-induced pyogenic arthritis of the shoulder joint. J Shoulder Elbow Surg. 2008;17(1):63-7.

4. Lazzarini L, Mader JT, Calhoun JH. Osteomyelitis in long bones. J Bone Joint Surg Am. 2004;86(10):2305-18.

5. Jeon IH, Choi CH, Seo JS, Seo KJ, Ko SH, Park JY. Arthroscopic management of septic arthritis of the shoulder joint. J Bone Joint Surg Am. 2006;88(8):1802-6.

6. Stutz G, Kuster MS, Kleinstuck F, Gachter A. Arthroscopic management of septic arthritis: stages of infection and results. Knee Surg Sports Traumatol Arthrosc. 2000;8(5):270-4.

7. Esterhai JL. Sepsis of the shoulder girdle. In: Iannotti JP, Williams GR, editors. Disorders of the shoulder: Shoulder reconstruction. Philadelphia: Lippincott Williams & Wilkins; 2014. p. 731-47.

8. Ward WG, Goldner RD. Shoulder pyarthrosis: a concomitant process. Orthopedics. 1994;17(7):591-5.

9. Richter R, Hahn H, Nubling W, Kohler G. Shoulder girdle and shoulder joint tuberculosis. Z Rheumatol. 1985;44(2):87-92.

10. Longo UG, Marinozzi A, Cazzato L, Rabitti C, Maffulli N, Denaro V. Tuberculosis of the shoulder. J Shoulder Elbow Surg. 2011;20(4):e19–e21.

11. Patel A, Calfee RP, Plante M, Fischer SA, Green A. Propionibacterium acnes colonization of the human shoulder. J Shoulder Elbow Surg. 2009;18(6):897-902.

12. Coste JS, Reig S, Trojani C, Berg M, Walch G, Boileau P. The management of infection in arthroplasty of the shoulder. J Bone Joint Surg Br. 2004;86(1):65-9.

13. Padegimas EM, Maltenfort M, Ramsey ML, Wiliams GR, Parvizi J, Namdari S. Periprosthetic shoulder infection in the United States: incidence and economic burden. J Shoulder Elbow Surg. 2015;24(5):741-6.

14. Frankle M, Siegal S, Pupello D, Saleem A, Mighell M, Vasey M. The Reverse Shoulder Prosthesis for glenohumeral arthritis associated with severe rotator cuff deficiency. A minimum two-year follow-up study of sixty patients. J Bone Joint Surg Am. 2005;87(8):1697-705.

15. Wall B, Nove-Josserand L, O'Connor DP, Edwards TB, Walch G. Reverse total shoulder arthroplasty: a review of results according to etiology. J Bone Joint Surg Am. 2007;89(7):1476-85.

16. Pottinger P, Buttler-Wu S, Neradilek MB, et al. Prognostic factors for bacterial cultures positive for Propionibacterium acnes and other organisms in a large series of revision shoulder arthroplasties performed for stiffness, pain, or loosening. J Bone Joint Surg Am. 2012;94(22):2075-83.

17. Matsen FA 3rd, Russ SM, Bertelsen A, Butler-Wu S, Pottinger PS. Propionibacterium can be isolated from deep cultures obtained at primary arthroplasty despite intravenous antimicrobial prophylaxis. J Shoulder Elbow Surg. 2015;24(6):844-7.

18. Lee MJ, Pottinger PS, Butler-Wu S, Bumgarner RE, Russ SM, Matsen FA 3rd. Propionibacterium persists in the skin despite standard surgical preparation. J Bone Joint Surg Am. 2014;96(17): 1447-50.

19. McGoldrick E, McElvany MD, Butler-Wu S, Pottinger PS, Matsen FA 3rd. Substantial cultures of Propionibacterium can be found in apparently aseptic shoulders revised three years or more after the index arthroplasty. J Shoulder Elbow Surg. 2015;24(1):31-5.

20. Toploski MS, Chin PYK, Sperling JW, Cofield RH. Revision shoulder arthroplasty with positive intraoperative cultures: The value of preoperative studies and intraoperative histology. J Shoulder Elbow Surg. 2006;15(4):402-6.

21. Dilisio MF, Miller LR, Warner JJ, Higgins LD. Arthroscopic tissue culture for the evaluation of periprosthetic shoulder infection. J Bone Joint Surg Am. 2014;96(23):1952-8.

22. Themistocleous G, Zalavras C, Stine I, Zachos V, Itamura J. Prolonged implantation of an antibiotic cement spacer for management of shoulder sepsis in compromised patients. J Shoulder Elbow Surg. 2007;16(6):701-5.

23. Seitz WH Jr., Damacen H. Staged exchange arthroplasty for shoulder sepsis. J Arthroplasty. 2002;17(4) Suppl 1:36-40.

24. Proubasta IR, Itarte JP, Lamas CG, Escriba IU. Permanent articulated antibiotic-impregnated cement spacer in septic shoulder arthroplasty: a case report. J Orthop Trauma. 2005;19(9):666-8.

김한수

1. 총론

상완골과 견관절 부위는 각종 양, 악성종양이 호발하는 부위의 하나로 이 장에서는 호발하는 종양의 종류와 정확한 진단의 방법 그리고 수술을 포함한 적절한 치료 방법에 대해 논하고자 한다.

1) 유병률

근골격계에 발생하는 악성종양은 매우 드물어서 전체 암의 약 0.5-0.7%에 해당한다. 그러나, 소아에서는 성인과 비교하여 발병률이 높아 전체 소아암의 6.5%를 차지한다. 대부분의 연부조직 육종은 남녀 혹은 인종에 따른 발병률에 차이를 보이지 않으나, 대표적인 원발성 악성 골종양인 골육종과 유잉육종은 남자에서 약간 호발하는 경향을 보인다. 우리나라에서는 매년 약 300례의 원발성 악성 골종양과 1,600례의 악성연부조직종양이 발생한다. 성인의 근골격계 종양 중 가장 흔한 것은 전이성 악성 골종양이다. 흔한 원발 부위는 폐암, 유방암, 간암, 신장암, 전립선암 등이다. 원발성 악성 골종양 중에서 발생률이 가장 높은 것은 골육종이며, 양성종양으로는 골연골종이 가장 호발한다.

골종양은 환자의 연령이 진단에 매우 도움을 준다. 골육종과 유잉육종은 청소년기에 가장 호발하고, 성인에서는 골육종과 연골육종이 전이성 골종양과 다발성 골수종을 제외하고는 가장 많다. 연령별로는 10세 이전에 골에 파괴성 병변이 있으면 랑게르한스 조직구증을 의심하여야 하고, 10-20세 사이에서 발생하는 원발성 골종양에는 골육종, 유잉육종, 고립성 골낭종, 골연골종, 내연골종 등이 있으며, 20-30세에는 거대세포종, 30-40세에는 연골육종, 악성 골 림프종, 50세 이후에는 전이암, 골수종 등을 의심할 수 있다.

전체 근골격계 육종 중 약 15%가 견관절부에 발생하는데, 이는 슬관절부와 골반-고관절부에 이어 세 번째로 호발하는 부위이다. 대부분의 견관절부 종양은 상완골 근위부(70%)에 발생하고 견갑골(20%), 쇄골(10%) 등에서의 발생은 비교적 드물다.

2) 임상적 특징

대부분의 근골격계 종양의 초기 증후는 모호하고 단순 방사선 검사는 골 무기질량에 30-50%의 변화가 있어야 병변이 나타나기 시작한다. 정확한 진단이 내려지기까지 보통 3-6개월 정도의 시간이 경과한다. 그럼에도 불구하고 70-80%의 환자는 세심한 병력 청취와 이학적 검사, 단순 방사선 검사만으로도 정확한 진단을 내릴 수가 있다. 따라서 초기에 진단하기 위해서는 근골격계 종양의 몇 가지 특징적인 초기 증후에 대해 숙지하고 주의를 기울여야 한다.

골격계 종양은 통증을 동반하는 경우가 많다. 종양에 의한 통증과 견관절부에서 일반적으로 흔한 통증 즉, 회전근개 파열, 유착성 관절막염, 퇴행성 관절염, 염증성 질환, 외상, 화농성 관절염 등과의 감별이 중요하다. 골격계 종양에 의해 유발되는 통증의 특징은 야간통과 관절운동과 별개로 나타나는 통증 즉 휴식 시에도 발생하는 통증이다. 이러한 통증을 갖는 환자는 단순 방사선사진을 매우 유심히 관찰하여야 하고 조금이라도 비정상적인 소견이 관찰되면 정밀 검사를 고려하여야 한다.

몇몇 염증성 질환과 퇴행성 관절염의 경우에도 야간통을 동반할 수 있는데 이러한 경우에 처음의 단순 방사선사진에 이상 소견이 없다 하더라도 적절한 치료에도 통증이 지속되는 경우에는 일정한 기간을 두고 재촬영이 필요하다. 진단이 지연되는 환자에서 종종 초기에 이러한 질환으로 오진되는 경우가 있다.

병력에서 악성종양의 가족력이 있거나 40대 이후의 환자가 암으로 치료받은 과거력이 있는 경우에는 전이성 종양의 가능성을 염두에 두어야 한다. 체중 감소나 전신 쇠약감 등은 전이성 종양의 단서가 될 수도 있다. 이러한 환자에서는 견관절부 방사선에서 이상이 없는 경우, 경추부 전이성 종양으로 인한 방사통이 견관절부의 통증으로 오해될 수 있다는 점도 염두에 두어야 한다.

악성 골종양의 경우에는 연부조직 종괴가 만져질 수도 있다. 견관절부는 근육에 의해 덮여 있기 때문에 잘 만져지지 않는 경우가 많으나 종괴가 만져지거나 이 부위에 압통이 있으면 악성 골종양을 의심해야 한다. 연부조직 육종은 대부분의 환자에서 종괴를 주소로 한다. 그런데 골종양과는 다르게 연부조직 종양은 악성이라 하더라도 통증을 동반하는 경우가 드물다. 악성 연부조직 종양이 갖는 특징은 무통증의 심부 종괴, 단단한 경도, 근막하 위치, 5 cm 이상의 크기 등이다. 물론 예외도 있을 수 있지만, 이런 특징을 갖는 모든 연부조직 종양은 악성의 가능성을 염두에 두어야 한다. 지방종을 예로 들자면, 대부분 통증이 없고 5 cm 이상인 경우도 많으며 근막하에 위치할 수도 있으나 그 경도가 부드럽다. 경도를 표현하는 것은 모호할 수 있으나, 일반적으로 정상 지방조직처럼 말랑말랑하다.

3) 방사선학적 특징

단순 방사선 검사는 골종양의 감별 진단에 매우 능률적이며 손쉬우면서도 가장 중요한 검사법이다. 단순 방사선 소견은 종양의 위치, 경계, 음영 그리고 골막반응 등을 기술하여야 한다. 종양의 위치가 골단인지, 골간단인지, 골간부인지가 진단에 중요한 단서를 제공한다. 골육종은 성장기 환자의 골간단에서 호발한다. 골단은 연골모세포종, 거대 세포종이 호발하는 부위이다. 골간부 종양은 섬유성 이형성증, 유잉육종, 악성 골 림프종, 내연골종, 연골 육종 등의 가능성이 있다. 또한 종양이 동심성(concentric)으로 위치하는지 편심성(eccentric)으로 위치하는지도 중요한데 가령 비화골성 섬유종은 주로 편심성으로 위치하고, 유골 골종은 피질골 안에 주로 위치한다.

단순 방사선 검사에서 보이는 종양의 경계는 종양의 성장 속도를 반영한다. 성장 속도가 느린 종양은 분명한 경계를 갖거나 경화된 경계를 갖는다. 이는 종양 주위의 정상 골 조직이 종양의 성장에 반응하여 경계를 형성하는 현상에 의한 것이다. 반면 경계가 불분명하고 병변이 침윤성이고 피질골의 파괴를 보이면, 악성종양을 생각할 수 있다.

골 음영의 변화에 따라 파골성, 조골성, 혼합성으로 구별한다. 대부분의 골종양은 파골성 변화를 보이나 전이성 암 중에서 전립선암에서 기인한 경우는 조골성 변화를 흔히 보이며 유방암, 위암에서도 조골성 변화를 보일 수 있다. 섬유성 이형성증은 간유리(ground glass) 비슷한 음영을 보이는 경우가 많다.

4) 임상병리 검사

일반적으로 육종 환자의 임상병리 검사는 몇몇 예외적인 경우를 제외하고는 진단에 특이적인 것이 없다. 골육종에서는 알칼리인산효소(alkaline phosphatase)가 종종 상승한다. Prostate-specific antigen (PSA)과 소변검사는 전립선암의 골전이 진단에 도움을 준다. 다발성 골수종이 의심되는 환자에서는 혈청과 소변의 electrophoresis를 시행하여야 한다. 또한 고칼슘혈증이 동반될 수 있으므로 이런 환자에서 수술을 시행할 경우 혈중 칼슘치를 측정해야 한다.

5) 병기(staging)

(1) 원발성 악성 골종양의 병기

근골격계 악성종양의 병기는 1980년에 Enneking에 의해 처음 제안되었다. 이 분류법은 환자의 예후를 예측하고

표 6-1 에네킹의 골연부 육종에 대한 외과적 병기

병기	조직학적 등급	종양의 국소 범위	원격 전이
IA	저등급	구획내(Intracompartmental)	무
IB	저등급	구획외(Extratracompartmental)	무
IIA	고등급	구획내(Intracompartmental)	무
IIB	고등급	구획외(Extratracompartmental)	무
III	Any	Any	유

표 6-2 AJCC의 악성 골종양에 대한 병기

Stage	Grade	Size	Metastasis
IA	Low	≤8 cm	None
IB	Low	>8 cm	None
IIA	High	≤8 cm	None
IIB	High	>8 cm	None
III	Any	Any	Skip metastasis
IVA	Any	Any	Pulmonary metastasis
IVB	Any	Any	Nonpulmonary metastasis

표 6-3 AJCC의 악성 연부보직 종양에 대한 병기

Stage	Grade	Histologic Grade	Regional Lymph node	Metastasis
IA	T1	≤8 cm	N0	M0
IB	T2, T3, T4	>8 cm	N0	M0
II	T1	≤8 cm	N0	M0
IIIA	T2	>8 cm	N0	M0
IIIB	T3, T4	Any	N0	M0
	Any T	Any	N1	M0
IV	Any T	Any	Any N	M1

T1: Tumor ≤5 cm **T2**: 5 cm < Tumor ≤10 cm **T3**: 10 cm< Tumor ≤15 cm **T4**: 15 cm < Tumor **G1**: histologically low grade **G2**, **G3**: high grade **N0**: Lymph node (-) **N1**: Lymph node (+) **M0**: distant metastasis (-) **M1**: distant metastasis (+)

수술방법과 보조 항암치료의 여부를 결정하는 데 도움을 줄 목적으로 종양의 조직학적 등급, 구획 밖 침범 여부, 원격전이 여부를 기준으로 만들어졌고 미국근골격계종양학회(Musculoskeletal Tumor Society)와 American Joint Committee on Cancer (AJCC)에 의해 평가되고 받아들여져 현재까지도 널리 사용되고 있다. 저등급은 stage I, 고등급은 stage II로 분류되고 전이가 있으면 stage III로 기술하도록 되어 있다. Stage I과 II는 구획 밖 침범 여부에 따라 다시 각각 stage IA, 1B와 stage IIA, IIB로 나누어져 있다(표 6-1). 1997년의 AJCC 종양병기 5판에서의 병기는 이 분류와 크게 다르지 않다. 다른 점은 전이가 있으면 stage IV로 기술하도록 되어 있고 stage 3은 정의되어 있지 않다. 이는 다른 암에서 stage 4와 동일하게 하기 위함이었다. AJCC 5판의 stage 4는 다시 임파선 전이는 stage 4A, 원격전이는 stage 4B로 세분하였다. 2002년의 AJCC 종양병기 6판에서는 몇 가지 큰 변화가 있었는데, 종양의 구획 내외 존재 여부 대신에 종양의 크기(8 cm)를 기준으로 A, B로 구분하였고, skip metastasis를 stage III로 정의하였다. 마지막으로 stage IV는 폐 전이를 IVA, 다른 장기로의 전이를 IVB로 하였다(표 6-2).

(2) 악성 연부조직 종양의 병기

악성 연부조직 육종의 MSTS 병기 체제는 악성 골종양의 병기 체제와 똑같이 적용된다. AJCC 병기는 2016년 8판이 발표되었으며 중요한 변경 내용은 표 6-3과 같이 종양의 크기를 5 cm 별로 세분하여 평가한 점이다.

2. 종양의 분류

1) 양성 골종양

(1) 유골 골종(osteoid osteoma)

전체 유골 골종의 약 10-15%가 상완골이나 견갑골에 발생한다. 주로 상완골 근위부나 견갑골와에 호발하는 경향이 있다. 유골 골종은 야간통이 특징적이고 아스피린에 잘 반응한다. 방사선학적으로는 주위에 광범위한 반응성 골 경화가 관찰되고 중심에는 직경 5 mm-1 cm의 원형의 투명한 핵(nidus)이 있다. 방사선 동위원소를 이용한 골 주사에서는 동위원소 섭취의 증가를 보이고 CT 검사에서는 중심핵이 잘 관찰되어 확진에 도움을 준다. 병리학적 소견은 혈관이 풍부한 기질, 적색의 유골 및 골 소주가 교차하는 모양을 보이며 주위를 싸고 있는 골과 구별이 잘 된다. 수술 전 계획에서 병소의 정확한 위치를 찾는 것이 수술 중 병소의 확인을 위해 매우 중요한데 그렇지 않은 경우 국소 재발의 원인이 된다. 소파술로 핵을 제거하거나 덜 침습적인 방법으로 고주파전극도자절제술(radiofrequency ablation)을 이용하여 핵을 제거한다.

(2) 골연골종(ostechondroma)

고립성(solitary) 골연골종은 견관절부에 발생하는 양성 종양 중 가장 흔하다. 전체 골연골종 중 약 1/4이 상완골 근위부에 발생한다. 다발성 골연골종은 유전학적으로 상 염색체 우성 유전을 한다. 방사선 소견은 골간단부 피질골에 주위 관절에서 멀어지는 방향으로 돌출되면서 원발골의 골수강과 피질골에 각각 연결되어 있다. 유경성(pedun-culated)일 수도 있고 상완골에서는 무경성(sessile)인 경우도 많다. 성인에서 통증을 동반하거나 연부조직 종괴를 형성하고 골파괴를 보이면 악성화를 의심하여야 한다. CT 검사에서 연골모(cartilage cap)의 두께가 1 cm 이상인 경우에도 악성화의 가능성이 있다. 다발성 골연골종증 환자의 3-5%에서 악성화를 보인다고 보고되고 있으나 고립성에서는 약 1%의 악성화를 보인다.

대부분 성장 중의 소아에서 발견되고 성장이 끝날 때와 거의 동시에 종양의 성장이 끝난다. 수술적 치료 시에는 병변의 기저부에서 시작하여 종양을 절제하여야 한다. 종양을 덮고 있는 연골모를 완전히 제거해야 재발을 막을 수 있다. 특히 무경성 골연골종에서는 연골모를 남기지 않도록 주의하여야 한다. 수술과 관련하여 가장 흔한 합병증은 주위 성장판의 손상과 신경혈관 다발의 손상이다. 이를 피하기 위해서는 충분한 절개로 종양 주위 박리를 완벽하게 하는 것이 바람직하다(그림 6-1).

(3) 내연골종(enchondroma)

고립성 내연골종은 손의 짧은 장관골에서 가장 흔히 발생하는 양성 연골 병변이지만 10-15%에서는 상완골 근위

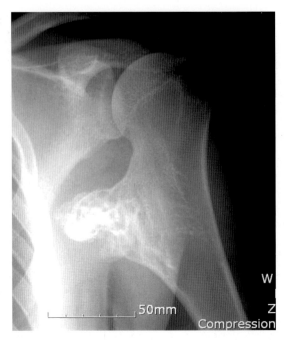

그림 6-1 상완골 내측의 골연골종

부에서 발생한다. 대체로 증상이 없고 우연히 발견되는 경우가 대부분으로 특별한 치료가 필요 없다. 관절 주위에서 발생하는 경우에는 종양에 의한 통증과 관절 문제로 인한 통증과 감별이 어렵다. 통증이 있는 경우에는 저등급 연골육종의 가능성이 있다. 방사선 소견은 상완골 근위 골간단부에 중심성으로 위치하며 비교적 경계가 명확하고 내부에 석회화를 동반한다(그림 6-2).

(4) 연골모세포종(chondroblastoma)

연골모세포종 혹은 코드만 종양(Codman's tumor)은 상완골 근위부 골단에 발생(전체 연골모세포종의 25%)하는 연골 종양으로 주위의 반응성 경계로 둘러싸이고 석회화를 동반한다. 주로 골단판이 열려있는 성장기에 발생한다. 병리학적 소견은 연골모세포와 큰 핵을 가진 원형 혹은 다면 세포가 많이 관찰된다. 레이스 모양의 석회화(chicken wire calcification)가 동반된다. 치료는 수술적으로 철저히 소파술을 시행하는 것이 권장된다. 소파술 후에는 상완골두 연골아래 큰 골결손이 발생하므로 골이식으로 연골하골의 붕괴를 예방하여야 한다(그림 6-3).

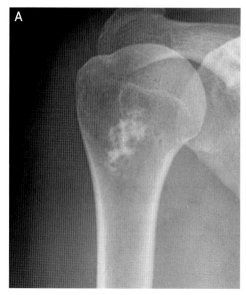
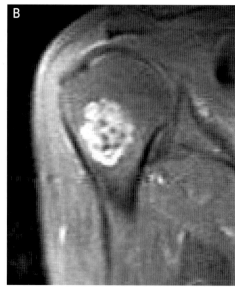

그림 6-2 A: 근위 상완골의 내연 골종. B: MRI 소견

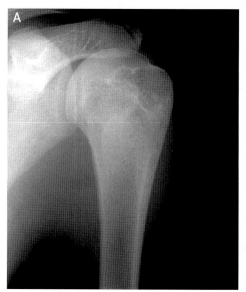
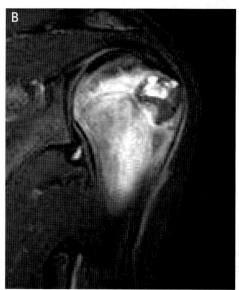

그림 6-3 A: 연골모세포종 B: MRI 소견

(5) 단순 골낭종(simple bone cyst)

4-12세 사이에 호발하며 남자에서 여자보다 2배 이상 많이 발생한다. 주위의 골단판에 근접해 있으면 활동성 낭종(active cyst)이라 하고 환자가 성장하면서 골단판에서 낭포가 멀어져 인접하여 있지 않으면 휴지기 낭종(latent cyst)이라 한다. 50%에서 상완골 근위부에 발생한다. 내부에는 볏짚 색(strawcolored)의 액체가 들어 있다. 방사선 소견은 얇은 피질골에 의해 둘러싸인 중심성 병변으로 관찰된다. 병

적 골절이 자주 유발되며 골절된 경우 피질골의 조각이 병변 안으로 떨어져 병변 아래 부분에 위치하는 소견(fallen leaf sign)이 관찰되기도 하고 진단에 매우 도움이 된다.

골절이 발생하면 골절 치유와 동시에 낭종부위가 치유되는 경우도 종종 있으므로 보존적 치료를 우선 시도한다. 골절 유합이 다 이루어진 이후에도 재골절 위험이 상당히 있을 정도로 낭종이 다시 커지면 수술적 치료를 고려한다. 치료는 낭종 내부를 씻어내고 동종골이나 골이식 대체제

등으로 채운다. 액체가 배출될 수 있도록 낭종 외벽에 다발성 천공술을 시행하는 것이 좋다. 다수의 환자가 두 번 이상의 시술이 필요할 수 있으며, 특히 10세 이하의 어린 나이이거나 골단판에 가까울수록 재발하는 경향이 있으며 성장이 끝날 시기에 가까울수록 낭종의 재발 경향은 약화된다(그림 6-4).

(6) 동맥류성 골낭종(aneurysmal bone cyst)

동맥류성 골낭종은 견관절부에 드물지 않게 발생한다. 단순 골낭종, 거대 세포종, 연골모세포종, 또는 섬유성 이형성증 등의 이차적인 변화로도 나타날 수 있기 때문에 원발성 동맥류성 골낭종의 정확한 발병률은 알려져 있지 않다. 방사선 소견은 골간단부에 감소된 음영으로 나타나며 피질골을 팽창시키어 피질골이 얇은 달걀 껍질 같은 모양으로 보인다. 그 안에 골 소주(trabeculation)가 관찰된다. 자기공명영상 검사에서 fluid-fluid level을 보일 수 있다. 치료는 소파술 후 골이식술 또는 시멘트 충전술을 시행한다. 20-30%에서 재발할 수 있다. 간혹 골용해가 심하고 공격적으로 보이는 경우도 있어 모세혈관 확장성 골육종과 감별을 요하는 경우가 있다. 이러한 경우에는 수술 전 조직검사를 시행하는 것이 바람직하다.

(7) 비골화성 섬유종(nonossifying fibroma)

양성 섬유성 병변으로 방사선 소견은 주로 편심성으로 위치하고 경계가 잘 지어지는 음영 감소로 나타난다. 대부분 성장이 끝나기 전까지 자연 치유되어 특별한 치료가 필요 없다. 3 cm 이상 큰 경우에는 병적 골절의 위험이 크므로 주의하여 관찰한다. 방사선 소견이 특징적이지 않을 경우 조직 검사가 필요하고, 증상이 있거나 병변이 큰 경우에는 병적 골절을 예방하기 위해 수술이 필요할 수도 있다.

(8) 섬유성 이형성증(fibrous dysplasia)

섬유성 이형성증은 뼈의 선천적 이형성증으로 병적 골절, 미세골절, 종양으로 인한 뼈의 약화 등에 의해 증상이 나타나서 발견되는 경우가 많다. 골간부와 골간단부 어디에나 발생할 수 있다. 간유리 음영(ground-glass density)이 특징적 방사선 소견이다. 병리학적으로 조밀한 섬유조직 내에 기질로부터 생긴 직골이 보이는 것이 특징이다. 직골의 형성 모양이 한자와 비슷하다고 하여 Chinese letter appearance라고도 한다. 증상이 있거나 병적 골절이 동반된 경우에는 수술적 치료가 필요하다.

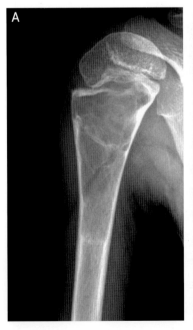
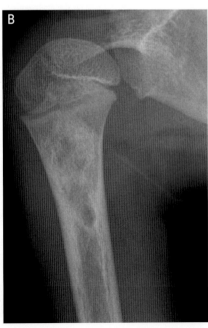

그림 6-4 A: 단순 골낭종. B: 세척 후 자가골수주입술로 치료한 사진

(9) 거대 세포종(giant cell tumor)

거대 세포종은 주로 20대에 발병하며 대퇴골 원위부나 경골 근위부(60-70%)에 발생하나 5-10%는 상완골 근위부에 발생한다. 골단에서 시작하여 골간단까지도 침범할 수도 있다. 방사선 음영 감소 소견을 보이고 경계는 비교적 명확하다. 연골하골의 파괴가 동반될 수 있다. 치료는 소파술을 시행하고 재발을 줄이기 위해 국소 보조 치료가 권장된다. 주로 사용되는 방법으로는 골 시멘트 충진, 액화 질소 처리, 무수 알코올 처리 등이 있다. 재발률이 10-30%로 보고되고 있다. 병리소견은 양성이라 할지라도 폐로 전이할 수 있기 때문에 주의를 요한다.

2) 양성 연부조직 종양

(1) 지방종(lipoma)

지방종은 근육내에 발생할 수도 있고 어깨주위 정상 지방조직 내에 발생할 수도 있다. 삼각근 내에 크고 부드러운 종괴의 형태로 많이 발견된다. MRI나 CT에서 균일한 지방 음영으로 관찰된다. 근막 아래 위치하는 경우는 5 cm 이상으로 발견되는 경우가 많다. 이학적 검사상 딱딱하게 만져지거나 부분적으로 경도가 다르게 느껴지면 MRI를 촬영하는 것이 바람직하다(그림 6-5).

(2) 혈관종(hemangioma)

혈관종은 소아나 젊은 성인에서 근육내에 많이 발생한다. 활동에 의해 혈류량이 많아지면 종괴가 커지고 통증을 유발할 수도 있다. 방사선 소견상 정맥석(Phlebolith)에 의해 석회화 음영이 나타나기도 한다. 완전 절제하지 않으면 재발할 수 있다. 수술적 절제 외에 혈관내 경화 약제를 투입하기도 한다.

(3) 섬유종증(aggressive fibromatosis)

섬유종증은 국소적으로 매우 침습적인 종양이다. 주위 골 조직의 침범이나 신경혈관다발의 침범도 있을 수 있다. 주로 소아, 청소년기, 젊은 성인에서 발견된다. 이학적 검사상 딱딱하게 만져진다. 상·하지 어디에나 발생할 수 있으며 이학적 검사에서 비교적 딱딱하게 만져진다. 세포핵

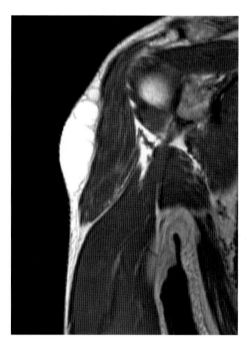

그림 6-5 양성 지방종의 MRI 소견

내의 베타 카테닌(β-catenin) 염색이 진단에 도움이 된다. 조직학적으로 악성종양이 아니지만 충분히 광범위한 절제 연으로 수술하여도 웬만한 연부조직육종보다 재발을 잘 한다. 따라서 무조건적인 수술 치료는 오히려 근육 손실로 기능저하만 초래할 수도 있고, 재발 시 오히려 주변 조직으로 종양이 더 확산되기도 한다. 따라서 감시대기요법 (watchful waiting)으로 추시하다가 종양의 진행 여부, 혈관 신경 압박과 같은 증상 등을 고려하여 치료 방법과 시기를 결정한다. 수술, 항암약물치료, 방사선 치료 등이 선택적으로 이용된다. 전이나 악성화 가능성은 거의 없으며 장기적으로는 최대한 기능 보존을 위주로 치료하는 것이 중요하다.

(4) 탄성 섬유종(elastofibroma)

탄성 섬유종은 신체의 다른 부위에는 생기지 않으며 견갑골의 아래 부분에 특징적으로 발생하는 종양이다. 대부분 견갑골 하방과 흉곽 사이의 연부조직에서 무통성의 단단한 종괴로 주로 노년층에 발견된다. 보고가 많지 않아 임상적으로 매우 드문 종양이라고 여겨졌으나, 견갑골에

가려져 있어서 발견이 잘 되지 않기 때문으로 보이며, 노인 인구의 약 2%에서 증상을 보이지 않는 종양이 있었다는 보고가 있다. 주로 견갑골 아래 6-8번 늑골과 견갑하근, 능형근, 광배근, 전거근을 경계로 하는 타원형 모양의 연부조직 종괴로 나타난다. 경부, 삼각근, 대퇴부 등에서 발견되었다는 보고가 있다. 주로 편측성으로 발견되나 10-66%에서 양측성으로 발생하였다는 보고가 있다. 이학적 검사상 견관절운동 시 종양이 견갑골 아래로 숨었다 나왔다 할 수 있고 이때 탄발음을 보이거나 통증을 호소할 수도 있다 (그림 6-6). 치료는 변연부 절제술로 종양을 제거하는 것이며 종양이 늑골과 전거근(serratus anterior) 사이에 위치하므로 견갑골의 외측에서 접근하는 경우 장흉신경이나 흉배신경손상에 주의하여야 한다.

3) 악성 골종양

(1) 골육종(osteosarcoma)

골육종은 가장 흔한 악성 원발성 골종양이다. 상완골 근위부는 대퇴골 원위부, 경골 근위부에 이어 골육종이 호발하는 부위로 약 10-15%가 이곳에서 발생한다. 1-2%는 견갑골이나 쇄골에서 발생한다. 10대에 호발하고 대부분은 25세 이전에 발생한다. 40대 이후에도 발생할 수 있으나 6세 이하나 60세 이후에서는 매우 드물다. 대부분이 장관골의 골간단부에 발생하고 10% 미만에서 골간에 발생한다. 드물게 비연속성 골수강내 성장으로 같은 뼈의 다른

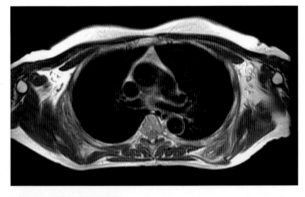

그림 6-6 양측성 탄성섬유종
견갑골과 흉벽 사이에 위치한 종양이 양측에서 관찰된다.

부위나 인접 부위 관절을 건너 발견되기도 한다(skip metastasis). 가장 흔한 증상은 동통이며 종창, 압통, 인접 부위 관절운동의 제한, 병적 골절 등이 나타날 수 있다. 원발성과 속발성으로 분류하며 원발성이 압도적으로 많다.

골육종은 중심성 골육종(central osteosarcoma)과 표재성 골육종(surface osteosarcoma)으로 구분할 있다. 전형적인 골육종은 중심성이며, 모세혈관 확장성 골육종, 소세포 골육종, 중심성 저등급 골육종 등이 이에 속한다. 표재성 골육종에는 방골성 골육종(parosteal osteosarcoma)과 골막성 골육종(periosteal osteosarcoma) 등이 있다. 이러한 원발성 골육종(primary osteosarcoma) 이외에 원래 있던 다른 종양에서 이차적으로 발생한 속발성 골육종(secondary osteosarcoma)이 있다.

단순 방사선 소견은 대부분 골간단부의 중심에 위치하는 심한 골 파괴를 보이고, 병소와 정상 골과의 경계는 불분명하다. 병소 내에는 정도 차이는 있으나 불규칙한 골화농도(ossific density)를 볼 수 있다. 때로는 골용해성 소견만 있거나 조골성 소견만 보일 수도 있다. 골막 반응으로는, 병변 주위 골막의 반응성 신생골에 의해 나타나는 코드만 삼각(Codman's triangle)과 연부조직으로 파급된 종양에 의한 골화 농도인 햇살 모양(sunburst appearance) 소견 등이 있다. 종양의 골 및 연부조직 침범 범위 평가에는 MRI가 도움이 된다. 특히 주요 신경혈관과 종양과의 관계를 잘 보여주므로 사지 구제술을 시행하는 환자에서는 필수적인 검사이다. 또한 인접 관절내로의 침범에 대한 직간접적인 소견을 제공한다. 골 주사(bone scan) 검사는 skip metastasis나 골전이 혹은 다발성 골육종 등의 진단에 도움을 주며, 최근에는 골 주사 검사 대신 PET 검사를 하기도 한다.

치료는 수술적 치료와 항암 화학 요법을 병행하는 것이 원칙이다. 수술은 광범위 절제연 이상을 얻도록 노력하여야 한다. 절단하지 않고도 광범위 이상의 절제연으로 종양을 제거할 수 있다면, 결손 부위를 재건하는 사지 구제술을 시행한다. 항암 화학요법의 발전과 더불어 80% 이상에서 사지 구제술이 시행된다.

항암 화학요법은 통상적으로 수술 전과 수술 후 모두 시행한다. 진단 후 즉시 술전 화학요법을 시행하는데 이는

미세전이를 막고, 종양의 크기를 줄여 사지 구제술을 용이하게 한다. 또한 수술 후 적출한 종양의 조직 검사를 통해 술전 화학요법에 대한 반응도를 평가하여 술후 화학요법의 약제나 용량을 조절할 수 있다는 장점이 있다. 방사선 요법은 원칙적으로 골육종의 치료에는 쓰이지 않는다(그림 6-7).

(2) 연골육종(chondrosarcoma)

연골육종은 골육종 다음으로 흔하며 전체 원발성 악성 골종양의 약 20%에 해당한다. 골연골종, 내연골종, 연골종증(Ollier's disease), 다발성 골연골종증 등의 이차성 변화로도 나타날 수 있지만 90% 이상은 원발성으로 발생한다. 50세 이상에서 호발한다. 상완골 근위부는 골반골, 대퇴골 근위부에 이어 세 번째로 많이 발생하는 부위이다. 비교적 서서히 자라고 늦게 전이하는 악성 연골종양이다. 조직학적 소견에 따라 전형적 연골육종, 미분화성 연골육종, 간엽성 연골육종, 투명세포 연골육종 등으로 나눌 수 있다. 전형적 연골육종은 조직학적 등급이 예후에 가장 큰 영향을 미치는데 저등급의 5년 생존율은 80-90%에 달하고 고등급은 50% 정도이다. 미분화성 연골육종과 간엽성 연골육종은 예후가 불량하다. 특히 미분화성 연골육종은 적극적인 치료에도 불구하고 2년 이내에 90%의 환자가 사망한다.

단순 방사선사진은 진단에 매우 중요하다. 주로 장관골의 골간단이나 골간에 발생하는데 종양 내에 많은 석회화 침착을 보인다. 피질골의 팽대와 골막반응을 보일 수 있다. 시간이 경과하면 종양의 주위는 불분명해지고 피질골이 파괴되어 연부조직까지 파급되기도 한다. MRI는 병소의 범위와 연부조직 침범을 확인하는 데에 유용하다. 방사선 요법이나 화학요법에는 잘 반응하지 않으며, 광범위 절제술이 최선의 치료법이다. 최근 연구에 의하면 저등급 연골육종은 소파술만으로도 광범위 절제술과 비슷한 치료결과를 보였다는 보고가 있다(그림 6-8).

(3) 유잉육종(Ewing's sarcoma)

청소년기에 골육종 다음으로 호발하는 원발성 악성 골종양이다. 골수 내에서 기원하는 원시적인 작은 원형 세포

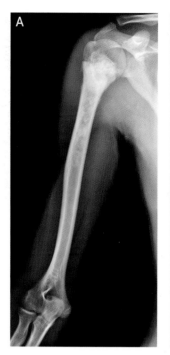
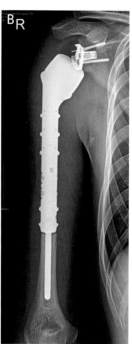

그림 6-7 A: 상완골에 발생한 골육종. B: 광범위 절제술 후 종양대치물을 이용하여 견관절 재건술을 시행하였다.

로 구성되어 있다. 75%의 환자가 10-25세에 분포한다. 골간부에 주로 발생한다. 동통과 종창이 가장 현저한 증상이며 시간이 지나면서 진행한다. 압통과 국소 온열감이 나타날 수도 있다. 단순 방사선 소견은 반상 또는 충식상(mottled or moth eaten)의 골파괴 양상이 나타나고 약 50%에서 양파 껍질(onion skin) 모양의 골막 반응을 보인다. 치료는 전신적인 화학요법과 국소요법으로 수술과 방사선치료가 이용된다. 화학요법과 방사선요법에 잘 반응하나 수술을 시행하지 않고 방사선 치료만 하는 경우는 치료 결과가 양호하지 못하다.

(4) 전이성 골종양(metastatic bone tumor)

전이성 골종양은 악성 골종양 중 가장 흔하다. 원발성 골종양에 비해 약 15-25배 호발하며 50대에 가장 많다. 전이성 골종양의 원발 부위는 폐암과 유방암이 가장 많고, 간암, 갑상선암, 신장암, 전립선암 등에서 흔하다. 따라서 이러한 암의 병력이 있는 환자에서 골관절 부위에 통증을 호소하면 전이의 가능성을 항상 염두에 두어야 한다. 주관

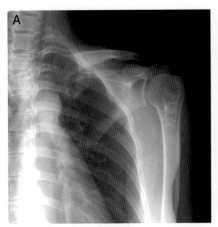
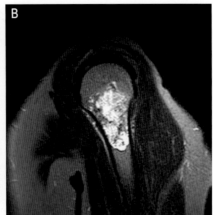
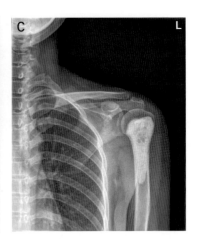

그림 6-8 저등급 연골육종(low grade chondrosarcoma)
A: 방사선 소견. B: MRI 소견. C: 광범위 소파술 후 시멘트를 충전하였다.

절 및 슬관절 아래로의 전이(말단전이: acrometastasis)는 드물며 이 경우 원발병소로는 폐암의 가능성이 크다.

치료의 목적은 통증의 완화, 병적골절의 예방 및 치료, 기능의 회복이다. 경우에 따라서는 생명 연장을 위해서도 시행할 수 있다. 최근 단일병소 골전이에서 적극적인 국소 치료가 생명연장에 도움을 준다는 보고가 있다. 특히 신장 암의 단일 병소 골전이에서는 적극적인 근치적 수술을 시 행할 경우 5년 생존율을 30%까지 보고하기도 하였다. 그러 나 이러한 근치적 수술은 수술 자체에 의한 위험성이 있고 술후 기능도 소파술 등에 비해 낮을 수 있으므로 적절한 적응증의 선택에 유의하여야 할 것이다.

간암, 신장암, 다발성 골수종, 갑상선암 등에서 기원한 전이성 골종양은 풍부한 종양 혈관으로 인해 수술 시 많은 출혈을 동반할 수 있다. 특히 견관절과 같이 수술 시 지혈 대를 사용하기 곤란한 경우에는 술전 색전술을 통해 대량 출혈을 예방할 수 있다(그림 6-9).

4) 악성 연부조직 종양(soft tissue sarcoma)

모든 연부조직육종의 약 1/3이 상지에 발생한다. 대부분 통증 같은 증상이 없기 때문에 양성종양으로 오인되는 경 우가 많아서 정확한 영상 검사 및 생검을 생략하고 부적절 한 절제연으로 잘못 수술하는 경우 많다. 기본적인 초음파 검사에서 명백한 지방종이나 혈관종이 아니라면 MRI 검 사를 하여 종양의 정확한 특성을 파악한 후 생검을 할지, 바로 절제술을 할지 판단하는 것이 바람직하다.

소아에서는 횡문근육종이 가장 호발하는 연부조직육종 이며, 성인에서는 미분화 다형성 육종(undifferentiated pleomorphic sarcoma)과 비교적 다른 육종에 비하여 호발

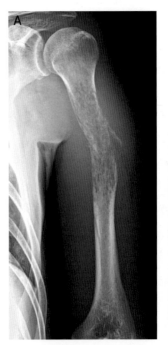
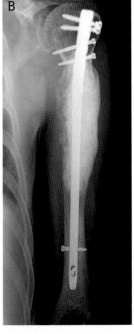

그림 6-9 A: 간암의 상완골 전이로 인한 병적 골절. B: 병소 제거 후 시멘트 로 충전하고 내고정술하였다.

하는 편이다. 지방육종은 비교적 젊은 성인에서 많이 발생하는 흔한 육종이지만, 주로 하지(대퇴부)와 후복막에 발생한다. 활액막 육종은 주로 관절 주위 연부조직에서 발생하고 실제로 관절내에서 발생하는 경우는 5% 미만이다. 내부에 석회화가 동반될 수 있어 단순 방사선사진에서 관찰되기도 한다. 섬유육종, 횡문근육종, 평활근육종, 투명세포육종(clear cell sarcoma), 상피성육종(epithelioid sarcoma) 등도 발생할 수 있다.

연부조직 육종은 주위 임파선 전이가 매우 드문 것으로 알려져 있지만, 활액막 육종, 상피양 육종, 횡문근 육종 등은 10-20%에서 주위 임파선 전이를 할 수 있는 것으로 보고되고 있다. 연부조직 육종에서 종양의 조직학적 등급과 해부학적 위치가 환자의 예후와 치료를 결정하는 데에 중요한 요소이다

3. 수술적 치료

1) 생검

모든 악성종양의 치료는 조직학적 진단을 기초로 한다. 생검은 근골격계 종양에서 악성이 조금이라도 의심이 되는 경우에 시행하는 것이 바람직하다. 병원마다 차이는 있지만, 육종의 조직학적 검사는 절개 생검이 가장 진단적으로 유용하다. 그러나, 절개 생검은 검사 후 혈종에 의한 종양의 오염의 가능성이 있기 때문에 술자는 술기를 숙지하고 철저히 지키는 것이 중요하다. 정상 조직의 오염을 최소화하여 계획된 수술에 차질이 생기지 않도록 하여야 한다. 특히 액와 동정맥, 상완신경총 같이 주요 신경혈관다발에 오염이 생길 경우 사지 구제술이 불가능할 수 있기 때문에 더욱 주의를 요한다. 이러한 이유로 침생검을 선호하는 경우도 있다. 침생검의 경우 얻을 수 있는 조직의 양이 적고 부적절한 곳에서 조직을 얻을 경우 정확한 진단을 내리지 못하는 경우가 있어 경험이 많은 시술자에 의해 시행되는 것이 바람직하다.

생검은 궁극적인 수술을 할 사람에 의해 시행되는 것이 바람직하다. Mankin 등에 의하면 조직 검사를 다른 병원

특히 육종 치료의 경험이 많지 않은 병원에서 시행하고 전원된 환자에서 생검과 관련된 합병증 즉, 진단이 잘못되거나, 상처치유의 지연, 치료계획 변경, 종양학적 치료결과 저하 등이 그렇지 않은 경우보다 3-5배 많았다. 또한 4.5%에서는 불필요한 절단술을 받았다. 이러한 결과는 정확한 생검 방법과 술기의 준수가 얼마나 중요한지를 보여준다.

일반적으로 사지에서 생검 시 피부 절개 방향은 종축 절개가 바람직하다. 그러나 쇄골 혹은 견갑골의 생검 시에는 횡축 혹은 사선 방향의 피부 절개를 사용한다. 피부 절개의 위치는 궁극적인 수술에서의 피부 절개의 연장선 상에 위치시킨다. 연부조직 박리는 근육간 혹은 구획간 박리는 피하고 근육내 혹은 구획내 박리를 시행하는 것이 권장된다. 이는 혈종이 근막 사이를 통해 퍼져서 오염되는 것을 막기 위함이다. 특히 상완골 근위부 생검에서는 삼각근과 대흉근 사이로 박리해서는 절대 안 된다. 이는 혈종이 대흉근 아래로 퍼져 종양이 흉곽까지 오염될 수 있기 때문이다.

보통 삼각근 전방부 근육내 박리를 시행한다. 삼각근 전방부에서 생검을 시행하는 이유는 첫째, 궁극적인 수술 시 통상적 상완골 근위부 수술에 많이 이용되는 삼각근-대흉근간 박리를 이용할 수 있고 둘째, 삼각근을 지배하는 액와신경의 손상을 최소화하기 위함이다. 봉합하기 전에 동결 절편 검사를 시행하는 것이 바람직하다. 동결 절편 검사를 통해 정확한 진단을 할 수는 없지만 적절한 조직이 얻어졌는지를 확인하는 것이 좋다. 동결절편 검사를 믿고 생검 시 궁극적인 수술을 병행하는 것은 바람직하지 않다. 악성 골종양이 의심되는 환자에서 종양이 뼈 밖으로 나와 있는 경우에는 이 부위에서 조직 검사를 시행하는 것으로 충분하다. 뼈 속의 조직을 얻기 위해 뼈에 구멍을 내어 뼈를 약화시킬 필요는 없다. 생검 후 피부 봉합 전에 지혈을 철저히 해야 한다. 피부 봉합 시에는 subcuticular suture가 바람직하다.

2) 수술 절제연

육종 치료에서는 항암 약물 치료나 방사선 치료 등이 보조적으로 사용되기도 하지만, 여전히 수술이 중요한 치료의 단계이다. 육종에 대한 수술은 크게 절제와 재건의 두

부분으로 나누어진다. 그런데 이들은 상반되는 경향이 있다. 즉 재건술을 용이하게 하기 위해서나 혹은 수술 후 기능을 좋게 하기 위해서 절제의 범위가 줄어들면 환자의 종양학적 결과가 나빠질 수 있기 때문이다. 또한 필요 이상으로 절제를 광범위하게 하면 재건이 힘들거나 기능적 결과가 나빠진다. 그러나, 이 두 측면이 모두 중요하지만 재건술보다는 종양의 안전하고 완벽한 절제가 우선시되어야 한다. 술 후 기능을 생각하여 의심스러운 부위를 절제하지 않고 남겨두는 일이 있어서는 안 된다. 병원에 따라서는 절제와 재건을 다른 외과의사가 시행함으로써 이러한 위험을 최소화하는 경우도 있다.

Enneking은 1980년 수술 절제연을 정상 조직과의 관계에 따라 병소내 절제, 변연부 절제, 광범위 절제, 근치적 절제의 4가지로 나누었고 현재까지 보편적으로 널리 이용되고 있는 분류법이다. 병소내 절제는 종양의 실질 내에서 절제하는 것으로, 양성종양에서 시행되는 소파술이 그 예이다. 이 방법은 종양의 내부에서 종양을 절제하기 때문에 소량의 종양을 남길 수도 있다. 골종양의 경우 그렇지 않게 하기 위해서는 창을 충분히 크게 내어 육안적으로 종양이 남지 않도록 하여야 한다. 변연부 절제는 종양 주위의 반응층에서 절제하는 방법이다. 반응층이란 종양의 성장에 의해 주위 조직의 압박과 염증으로 생긴 층이다. 이 방법은 비록 종양 가성막(pseudocapsule) 밖으로의 절제이긴 하지만, 현미경적으로 세포를 남겨둘 가능성이 있기 때문에 재발의 가능성이 있다. 특히 악성종양의 경우 이러한 방법으로 시술해서는 안 된다. 광범위 절제는 어느 방향이나 종양의 반응층 밖의 정상 조직을 포함하여 절제하는 방법이다. 종양의 거의 모든 부분에서 이 방법으로 절제하였다 하더라도 어느 한 부분에서 종양을 통과하여 절제하였다면 병소내 절제로 평가하게 된다. 근치적 절제는 종양이 발생한 구획 전체를 절제하는 방법이다. 가령, 상완골 근위부에 골육종이 있다고 가정하면, 근치적 절제연을 갖기 위해서는 상완골 전체를 절제해야 한다.

Enneking이 제시한 이 분류법의 약점은 광범위 절제연에서 포함되는 정상 조직의 범위가 기술되어 있지 않아 모호한 점이 있고 근치적 절제는 치료 범위가 너무 과한 경향이

있다는 점이다. Kawaguchi 등은 광범위 절제연을 불충분 광범위(inadequate wide)와 충분 광범위(adequate wide) 절제연으로 나누었고 근치적 절제연 대신 완치적 광범위(curative wide) 절제연으로 분류하였다. 이 분류법에서는 정상 조직이 2 cm 이하로 포함된 경우를 불충분 광범위라 하였고 2-5 cm 포함된 경우를 충분 광범위 절제연이라 하였다. 5 cm 이상 포함된 경우는 완치적 광범위라 하였다. 또한 포함된 정상 조직의 범위를 물리적 거리로만 계산한 것이 아니라 해부학적 장벽 개념을 도입하였다.

3) 절단술과 사지 구제술

20세기 중반까지만 해도 견관절부 악성종양의 수술은 견갑-흉곽간 절단(forequarter amputation)이 표준 치료법이었다. 1980년대 이후에는 CT와 MRI 영상을 토대로 종양과 주요 신경혈관다발과의 관계를 명확히 알 수 있게 되고 수술 기술의 발달로 사지 구제술이 더욱 많이 시행되고 있다. 견관절 이단술(shoulder disarticulation)은 견관절부 악성종양에서 잘 시행되지 않는다. 사지 보존술에 비해 수술 절제연을 더 안전하게 얻을 수 있지도 않고 견갑-흉곽간 절단에 비해 기능적으로도 나을 것이 없기 때문이다. 이런 이유로 견관절부 악성종양으로 절단을 시행할 때는 견갑-흉곽간 절단술이 선호된다.

사지 구제술의 기능적, 미용적 우수성 때문에 환자뿐만 아니라 의사 또한 약간의 종양학적 위험성을 무릅쓰고라도 팔을 보존하고자 하는 경향이 있다. 하지만, 사지 구제술과 절단술 간의 적응증의 차이를 숙지하고 준수하는 것이 중요하겠다. 견관절부 종양의 수술 시 액와신경, 근피신경 그리고 요골신경의 손상이 흔히 발생한다. 일반적으로 요골신경의 손상은 액와신경이나 근피신경의 손상보다 심각한 기능의 장애를 유발할 수 있다. 그러나, 이 세 신경 중 하나 혹은 모두가 종양과 함께 절제된다 하더라도 이것이 절단의 이유가 될 수는 없다. 그러나 정중신경이나 척골신경이 절제되어야 하는 경우 특히 종양이 커서 견관절 부분의 많은 부분이 절제되어야 하는 경우에는 절단을 고려해야 한다. 이러한 경우의 사지 구제술은 절제연을 충분히 얻기가 어려울 뿐 아니라 기능상으로도 불만족스럽기 때문

이다. 상지의 주요 기능을 잃으면서 절제연도 만족스럽지 못한 사지 구제술은 시행해서는 안 될 것이다. 그러나 정중신경과 척골신경이 절제된다 하더라도 다른 연부조직의 손실이 적고 골격의 재건이 만족스러울 것으로 예상된다면 사지 구제술을 시행하여야 한다.

절단의 절대적인 적응증은 종양이 신경혈관다발에 퍼져 있거나, 흉곽으로 퍼져있는 경우 등이다. 또한 전위된 병적 골절이 동반된 경우나 이전의 조직검사가 잘못 시행되어 주위 조직의 오염이 심한 경우에도 절단술을 심각히 고려하여야 한다.

4) 수술 전 평가

수술 전 이학적 검사, 단순 방사선사진, MRI 등은 견관절부 악성종양의 평가에 중요한 검사이다. 다른 악성종양에서와 마찬가지로 흉부 방사선 검사와 골 주사 검사 등의 전이 검사 또한 수술 전에 충분히 이루어져야 한다. 이학적 검사는 종양이 견관절 관절내 침범이 있는지 혹은 흉벽과 유착이 있는지를 평가하는 데에 매우 중요하다. 관절내 침범이 있는 경우에는 대부분 견관절운동범위의 제한이 있고 관절운동 시에 통증이 있다. 흉벽과 유착이 있으면 종양이 움직이지 않는다. 종양이 흉벽으로부터 자유로이 움직이면 흉벽과 비교적 안전하게 박리할 수 있는 공간이 존재한다. 종양 말단부의 신경학적 검사도 시행하여야 한다. 특히, 액와신경과 근피신경은 종양에 침범되는 경우가 다른 신경에 비해 흔하다.

MRI는 종양의 위치와 범위를 정확하게 보여 준다. 특히 종양과 신경, 혈관과의 관계를 알 수 있어 수술 계획에 큰 도움을 준다. MRI는 관상면, 시상면, 횡단면 모두에서 종양의 모든 범위가 나오도록 촬영하여야 한다. 종양 주위로 혈관이 많을 것으로 예상되거나 수술 시 출혈이 많은 것으로 알려져 있는 전이성 종양에서는 수술 전 색전술이 출혈을 줄이는 데에 도움이 된다.

5) 악성종양의 수술적 절제

견관절부는 악성종양 수술의 역사에서 가장 먼저 사지 구제술이 기술된 부위이다. 1908년부터 1913년 사이에 러시아의 Tikhoff와 Baumann은 견관절부 악성종양에 대해 견갑골, 상완골 두, 쇄골 외측 1/3과 그 주위 연부조직을 절제하는 수술을 시행하였다. 이 수술은 1926년 Linberg에 의해 서양 세계에 알려지면서 Tikhoff-Linberg 수술이라 불리게 되었고, 1980년대 초반까지 견관절부 연부조직 육종과 저등급의 악성 골종양 수술에서 이용되었다. 1980년대 이후에는 골육종이나 유잉육종 같이 고등급의 악성 골종양에서도 이 방법이 이용되었다. 1980년대까지 보고된 논문들에서 이 술기의 변형된 방법도 모두 Tikhoff-Linberg 술식 혹은 modified Tikhoff-Linberg 술식으로 불려졌다. 그러나, 1991년에 Malawer에 의해 절제되는 뼈의 양과 구획의 개념, 견관절의 절제 여부, 외전근의 절제 여부 등에 따라 새로운 수술 분류법이 보고되었다. 이 분류법은 견관절부 절제를 6가지로 나누었다(그림 6-10).

Type 1: Intra-articular proximal humeral resection

Type 2: Partial scapular resection

Type 3: Intra-articular total scapulectomy

Type 4: Extra-articular total scapulectomy and humeral head resection

Type 5: Extra-articular humeral and glenoid resection

Type 6: Extra-articular humeral and total scapulectomy

각각의 수술 형식은 견관절 외전근의 보존 여부에 따라 A와 B로 세분화되어 있다. type B는 외전근의 부분 혹은 완전절제를 의미한다. 외전근(회전근 개 혹은 삼각근) 중 어느 하나라도 절제에 포함되면 비슷한 기능적 손실을 야기한다. 악성종양이 뼈 밖으로 나와 있으면 거의 모든 경우에서 외전근의 절제가 필요하기 때문에 일반적으로 type A 절제는 구획내 절제(intracompartmental resection)이고 type B 절제는 구획외 절제(extracompartmental resection)이다.

Type 1: Intra-articular proximal humeral resection

Type 1 절제는 종양의 관절내 침범이 없을 때 사용되는 상완골 근위부의 절제이다. 뼈 밖으로 소량의 연부조직 침

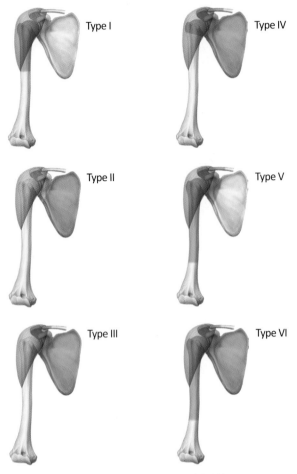

Type I
Type IV
Type II
Type V
Type III
Type VI

그림 6-10 Malawer 등이 제안한 견갑부 종양절제방법 분류

대흉근을 종양과 거리를 유지하며 상완골에서 떼어낸다. 대체로 biceps short head와 coracobrachialis는 보존할 수 있다. 이 근육들의 내측 하방을 지나는 주요 신경혈관다발을 확인하고 보호한다. Coracobrachialis 실질을 통과하는 근피신경의 손상에 주의한다. Biceps long head는 피부절개 아래부위에서 절단한다. 원위부 절골술을 시행한다. 원위부 절골술을 빨리 시행하는 것이 절제될 뼈를 다루기가 쉬어 연부조직 절제가 용이하다. 절골부 원위 골수에서 검체를 채취하여 골 절제연이 안전한지를 확인한다. Subscapularis를 상완골에서 떼어내고 관절을 열어 종양의 관절내 침범 여부를 살핀다. 남은 회전근 개를 상완골 두에서 박리하여 견관절을 탈구시킨다. 액와신경을 보존할 수 있는 경우라면 신경이 관절막 바로 아래에 존재하기 때문에 손상에 유의하도록 한다. Latissimus dorsi와 teres major 등 상완골 뒤쪽에 붙는 근육들을 박리한다. 이때에는 요골신경을 주의해야 한다. 검체를 수술부위에서 떼어 내고 나면 남은 부위에서 절제연 검사를 위한 검체를 조금씩 채취하여 동결절편 검사를 통해 확인한다.

Type 2: Partial scapular resection
Resection of the inferior body of the scapula

이 절제방법은 견갑골극(scapular spine) 아래 부위에 종양이 있을 때 시행할 수 있다. 절제 후에 재건술이 필요하지 않으며 기능적으로도 우수하다. 연부조직 박리를 시행하여 견갑골 하각을 확인하고 latissimus dorsi의 상연을 견갑골로부터 박리한다. 손가락을 견갑골 아래로 집어 넣어 절개선 밖으로 당기면서 내측과 외측에 붙어 있는 대능형근과 대원근, 소원근을 절제한다. 승모근은 견갑골 내측연으로부터 위쪽으로 필요한 만큼만 박리한다. 극하근은 보존 여부에 따라 절제를 결정한다. 견갑골극 아래에서 절골술을 시행하여 종양을 떼어 낸다. 골격 재건술은 필요하지 않지만 남은 근육들을 이용하여 사강(dead space)을 최소화하도록 한다.

Resection of the glenoid

종양이 견갑골와에 있으나 관절강 내로 퍼져 있지 않을

범이 있는 저등급의 육종이나 뼈 속에만 국한된 고등급의 육종에서는 Type 1A 절제를 시행하여 외전근을 보존할 수 있다. 모든 형식의 수술은 측와위에서 시행하는 것이 용이하지만, type 1 절제는 앙와위에서도 시행할 수 있다. 팔, 어깨, 위로는 목 부위, 앞으로는 흉곽 앞쪽 반, 뒤로는 흉곽 뒤쪽 반 그리고 아래로는 장골 능 부위까지 노출하도록 한다. 피부절개는 견봉 혹은 견봉-쇄골관절부에서 시작하여 삼각-대흉근간구를 지나 상완부 앞쪽까지 시행한다. 종양이 뼈 밖으로 침범하여 있는 경우에는 삼각근과 맞닿아 있기 때문에 대체로 type 1B 절제를 시행하는 것이 바람직하다. 삼각-대흉근간구를 찾아 박리를 시행하고 뒤쪽으로는 절제할 만큼의 삼각근을 세로로 박리한다. 견봉과 쇄골로부터 절제할 삼각근 부분의 기시부를 분리한다. 다음은 때 시행하는 절제방법이다. 환자는 견관절부 앞쪽이 잘 보이도록 위치시킨다. 피부절개는 견봉 혹은 견봉-쇄골관절부에서 시작하여 삼각-대흉근 간구를 지나도록 한다. 삼각근의 앞쪽 부위를 쇄골 기시부에서 떼어 내어 신경혈관다발을 대흉근 위쪽에서 확인한다. 시야 확보를 위해 대흉근을 조금 절제할 수도 있다. Coracoid process가 절제에 포함되어야 한다면 여기에 붙는 근육 모두를 절제한다. 그렇지 않다면 시야 확보를 위해 biceps short head와 coracobrachialis만 떼어낸다. 근피신경과 액와신경을 손상시키지 않도록 주의한다. 회전근 개를 앞뒤로 상완골 두에서 절제하여 견관절을 노출한다. 견갑골와를 노출시키고 절골술을 시행한다. Biceps long head와 triceps long head를 견갑골와에서 떼어내어 종양을 절제해 낸다.

Type 3: Intra-articular total scapulectomy

이 술식은 종양이 견갑골의 대부분을 침범하고 있어 종양을 절제하고 남은 부위가 기능적이지 못할 때 시행한다. 피부절개는 견갑골 하각에서 시작하여 견갑골 몸체와 견봉-쇄골관절을 지나 coracoid process까지 시행한다. 승모근을 견갑골극에서 떼어내고 내측으로 견인하여 견갑골의 내측연을 확인한다. 삼각근을 견갑골극과 견봉에서 떼어내어 triceps long head와 대원근 및 소원근을 확인한다. 견갑골 하각에서 광배근의 상연을 박리하고 손가락을 견갑골 아래로 집어 넣어 흉곽과 견갑골 사이의 공간을 확보한다. 견갑골을 절개선 밖으로 당기면서 내측과 외측에 붙어 있는 대능형근과 대원근, 소원근을 절제하여 견갑골 몸체가 흉곽에서 떨어지도록 한다. 회전근 개를 뒤쪽에서부터 절제하여 견관절을 노출시키고 biceps long head를 절제한다. 견봉-쇄골관절을 분리한다. 견갑골에 마지막으로 붙어 있는 serratus anterior을 절제하여 종양을 제거한다.

Type 4 to 6: Extra-articular resection for tumors of the scapula or proximal humerus

Type 4, 5, 6 술식은 모두 관절외(extra-articular) 절제로 유사하다. 환자를 측와위로 놓고 팔, 어깨부위, 앞으로는 흉곽 앞쪽 반, 뒤로는 흉곽 뒤쪽 반 그리고 아래로는 장골

능 부위까지 노출하도록 한다. 피부절개는 견갑골 하각에서 시작하여 견갑골 몸체, 견봉-쇄골관절과 삼각-대흉근간구를 지나 상완골 절제가 필요한 곳까지 진행한다. 대흉근을 상완골에서 분리하고 오구돌기에 붙는 근육을 절제한다. 액와부에서 신경혈관다발을 찾아 내측으로 견인하고 상완이두박근의 장두와 단두 사이를 박리한다. 뒤쪽으로는 광배근의 외하방에서 요골신경을 확인한다. 아래쪽으로 상완근을 절제하여 상완골 원위부를 노출하고 계획된 절골술을 시행한다. 광배근의 하연을 확인하고 근막 절개를 하여 광배근과 대원근 뒤쪽으로 손가락을 넣어 박리하고 상완골로부터 분리한다. Type 4와 6 절제와 같이 견갑골 전체를 제거할 경우에는 Type 3 절제와 같이 주위 근육을 견갑골로부터 분리하고 견갑골와만 제거할 경우에는 상완골을 외회전하여 견갑하근을 노출시키고 중간에서 자른다. 이때 관절낭이 열리지 않도록 주의한다. 뒤쪽 박리는 Type 3 절제에서 기술한 바와 같다.

6) 재건술

종양의 광범위 제거 후에 남게 된 뼈 및 연부조직의 결손을 재건하는 방법에는 결손부위를 무엇으로 대치하느냐에 따라서 자가골이식술, 동종골이식술, 종양대치물을 이용한 재건술, 또는 이들 중 몇 가지를 복합해서 사용하는 방법이 있다. 수술 후 견관절의 운동성은 재건방법과는 사실 무관하며 삼각근과 액와신경, 그리고 회전근 개가 어느 정도 작용을 하느냐에 따라 달라진다. 일반적으로 상완골 근위부의 병기 IIB의 악성종양을 광범위하게 제거하게 되면, 삼각근이 상당히 제거되므로 어떤 재건 방법을 쓰더라도 슬관절이나 고관절과 같이 거의 정상에 가까운 관절운동 범위를 얻기는 어렵다. 따라서 젊은 환자에서는 견관절 유합술을 하는 것이 기능적으로 더 나을 수도 있다. 이때는 자가 생비골이식술을 이용하거나 동종골을 이용하여 유합술을 할 수 있다(그림 6-11). 그밖에 골격 절제 후 골격재건술을 시행하지 않을 수도 있다. 이때는 상완골의 남은 부위를 쇄골이나 늑골에 매달아서 신경혈관다발이 늘어나지 않도록 하는 것이 중요하다. 근육조직이 상당 부분 남아 있으면 삼각근을 승모근이나 상완이두근 장두에 연결하고

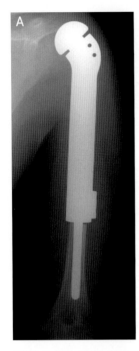 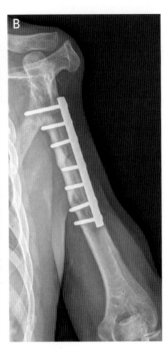

오구상완근은 쇄골에 연결한다. 근육조직이 많이 남아 있지 않으면, 비흡수사를 이용하여 남은 상완골을 쇄골에 고정한다. 수술 후 연부조직이 치유되기까지 4-6주간 고정하고 이 기간 동안 주관절과 손의 움직임은 허용한다.

그림 6-11 근위 상완골골 종양 절제 후 재건 방법
A: 종양대치물. B: 생비골이식을 이용한 견관절유합술

참고문헌

1. Enneking WF et al. A system for the surgical staging of musculoskeletal sarcoma. Clinical Orthop Relat Res 1980;153:106-120.
2. Greene FL, Page DL, Fleming ID, Fritz A, Balch CM, Haller DG, Morrow M. AJCC Cancer Staging Manual (6th Edition) 2001. Springer-Verlag p185-200.
3. Kawaguchi N, Matumoto S, Manabe J. New method of evaluating the surgical margin and safety margin for musculoskeletal sarcoma, analysed on the basis of 457 surgical cases. J Cancer Res Clin Oncol. 1995;121(9-10):555-63.
4. Malawer MM. Tumors of Shoulder girdle: technique of resection and description of a surgical classification. Orthop Clinics North Am 1991;22:7-35.
5. Leerapun T, Hugate RR, Inwards CY, Scully SP, Sim FH. Surgical management of conventional grade I chondrosarcoma of long bones. Clin Orthop Relat Res. 2007 Oct;463:166-72.
6. Lin PP, Mirza AN, Lewis VO, Cannon CP, Tu SM, Tannir NM, Yasko AW. Patient survival after surgery for osseous metastasis from renal cell carcinoma. J Bone Joint Surg Am. 2007 Aug;89(8):1794-801.

CHAPTER 07

소아의 질환 및 외상
Disease and trauma in the pediatric shoulder

조태준 · 신창호

Ⅰ 소아의 질환

1. Sprengel 변형/선천성 상위 견갑골
(Congenital undescended scapula)

선천적으로 견갑골이 정상적인 위치보다 상방에 위치하며 견관절운동범위가 제한되는 기형이다. 신체검사만으로도 진단이 가능하다(그림 7-1). 치료하지 않은 경우 자연 경과는 견관절 외전 운동범위가 점차 감소하며 견관절 통증이 발생하는 것으로 보고되었다.[1]

1) 원인 및 병리해부 소견

견갑골은 배아 발생 과정 중 중앙 경추부 수준에서 발생하여 상지와 함께 상부 흉추부 수준으로 하방 이동하는데, 발생 과정의 문제로 인하여 이러한 이동이 정지되면 Sprengel 변형이 된다(그림 7-2). 따라서, 선천성 상위 견갑골이라는 용어보다는 "하방 이동이 실패한 견갑골(undescended scapula)"이라는 표현이 더 적절하다. 이환된 견갑골은 대개 정상측보다 횡축은 더 길고 종축은 더 짧으며, 3D-CT를 통해서 관찰한 결과 건측보다 면적이 더 넓고, 극상와(supraspinous fossa)는 전방으로 굴곡되어 있는 경우가 흔하다.[2]

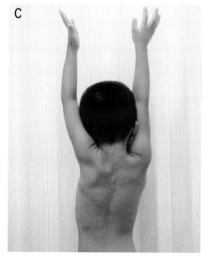

그림 7-1 A, B: 3세 남아 좌측 Sprengel 변형. 좌측 견갑골 하각이 우측에 비해서 높이 있으며, 능동적 외전이 90도로 제한되어 있다. C: Woodward 수술 1년 후 추시에서 견관절 외전이 호전된 것을 볼 수 있다.

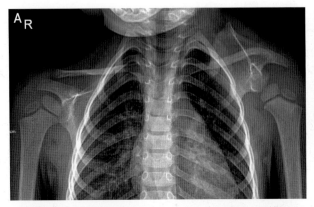

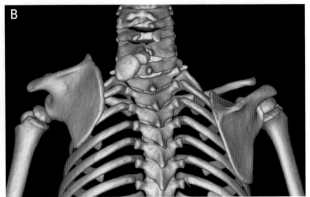

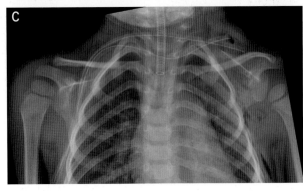

그림 7-2 A: 3세 남아 좌측 Sprengel 변형. 좌측 견갑골이 상방 전위 및 시계 방향으로 회전되어 있는 것을 볼 수 있다. B: 3D-CT에서 견갑척추골 (omovertebral bone)을 관찰할 수 있다. C: Woodward 수술 직후 좌측 견갑골의 하방 전위 및 회전변형 교정된 상태이다.

견갑골과 척추 사이의 비정상적인 연결 조직(omovertebral connection)(그림 7-2B)은 견갑골의 척추측(vertebral border)에서 제4-제7경추 중 일부의 극상돌기, 횡돌기 혹은 추궁으로 연결된다. 전부 또는 부분적으로 골, 연골 또는 섬유조직으로 이루어져 있다. 견갑골의 상방 전위와 회전 변형이 복합되어 있는데 환자마다 각 변형 성분의 정도가 다르다.[2] 견갑골 상방 전위가 우세한 경우에는 견관절 자체가 상방에 위치하게 된다. 반면, 견갑골의 회전 변형이 우세하면 견갑골 척추연의 상각(superior angle)이 목 기저부에서 돌출되지만 상완골 두의 높이는 크게 차이 나지 않는다.

승모근(trapezius), 대흉근(pectoralis major), 능형근(rhomboids), 전거근(serratus anterior), 광배근(latissimus dorsi) 등의 견갑골 주위의 근육들은 저형성되거나 비정상적인 구조와 주행 방향을 보일 수 있다. 선천성 경추 결합(Klippel-Feil syndrome), 선천성 척추측만증(congenital sco-

liosis), 척추 이분증(spina bifida), 늑골 기형(rib abnormalities) 등이 흔히 동반되며, 그 외에 심장과 비뇨기계 이상이 동반되기도 한다.[3,4]

2) 임상적 소견

어깨 높이가 다른 미용적인 문제와 견관절의 외전 및 전방 굴곡이 제한되는 기능적 문제가 복합되어 있다(그림 7-1A, B). 견갑와-상완 운동(glenohumeral motion)은 정상이지만, 견갑골 자체가 회전되어 있는 만큼 견관절 외전 범위가 감소할 뿐 아니라 견갑골과 흉곽 사이의 섬유성 유착이나 견갑척추 연결(omovertebral connection) 조직에 의해서 견갑-흉곽 운동(scapulothoracic motion)이 크게 제한되어 있어서 견관절의 외전 및 전방 굴곡이 제한된다.

Cavendish는 변형의 정도를 네 단계로 구분하였다. 매우 경한 Grade 1은 견관절의 위치가 거의 정상적이며, 옷을 입었을 경우 외관상 문제가 없는 경우로 수술의 적응이 되지 않는다. 경한 Grade 2는 견관절의 높이 차이가 2 cm 이내이며 옷을 벗었을 경우 경부에 견갑골의 상내연의 돌출이 보이는 경우이다. 중증도인 Grade 3는 견관절이 정상보다 2-5 cm 정도 상방 전위되어 있고, 고도인 Grade 4는 견관절이 정상보다 5 cm 이상 상방 전위되어 있는 경우이다.[5]

Rigault 등은 Grade 1은 견갑골의 내측상각이 제2-4흉추 횡돌기 사이에 있을 때, Grade 2는 제5경추-제2흉추 사이에 있을 때, 그리고 Grade 3는 제5경추보다 높을 때로 분류하였다.[6]

3) 치료

치료의 목적은 미용을 개선과 견관절운동범위를 증진시키는 것이다. 충분한 유리술을 통해서 외전 운동범위는 상당 부분 호전시킬 수 있으나, 견갑골의 하방 전위에는 한계가 있어서 미용적 개선은 만족스럽지 못할 수도 있다.

수술적 치료는 환자의 체구를 고려하여 보통 3세 이후에 하는 것이 적절하며 학동기 이전에는 시행하는 것이 바람직하다. 8세 이후에 수술을 시행하는 경우에는 상완신경총 손상의 가능성이 높다. 선천성 척추측만증이 동반되어 이에 대한 후방유합술이 필요한 경우 견갑골 정위술(scapular relocation)과 함께 시행할 수 있다. 지금까지 보고된 견갑골 정위술 중 Woodward 술식이 가장 널리 사용되고 있다.

(1) Woodward 견갑골 정위술(scapular relocation)[3,7]

복와위에서 척추 정중 피부절개를 가한 후, 삼각근(trapezius)과 능형근(rhomboideus)을 척추측 부착부에서 박리한다. 견갑척추 연결(omovertebral connection)을 박리하여 절제하고, 견갑거근(levator scapulae) 및 인접한 섬유대를 절제하거나 Z-연장술을 시행한다. 견갑골 상극부(superior pole)를 골막외에서 박리하여 절제한다. 견갑골을 하방 전위 및 회전시킨 후 삼각근과 능형근을 원래 부착부보다 하방에 봉합하여 교정 위치를 유지한다(그림 7-2C). Sprengel 변형에서 견갑골 주변 근육들이 전반적으로 기형 또는 저형성되어 있는 경우가 대부분이어서 하방 전위한 견갑골을 견고하게 유지할 수 있는 연부조직이 불충분한 경우가 많다.

(2) Green 견갑골 정위술(scapular relocation)[8,9]

견갑골의 상연(superior border)과 척측연(vertebral border)을 따라서 피부절개하고 견갑골 주위 근육들을 견갑골 부착부에서 골막외 박리(extraperiosteal dissection)한다. 견갑골을 하방 전위 시킨 후 근육들을 원래 견갑골 부착부보다 상방에 봉합한다. 견갑골에 철사(wire)를 거치하고 수술 후 하방으로 골 견인한다. Woodward 술식에 비해서 수술 반흔이 더 크고 흉하게 남고, 하방 전위한 견갑골을 유지하는 내부 조직이 마땅하지 않아 골 견인을 해야 하며, 교정 정도가 미흡할 수 있다.

(3) 견갑골 성형술

일부 저자들은 견갑술 정위술 대신 견갑골 상극 절제술, 견갑골 수직 절골술[10] 등을 소개하였다.

(4) 그 외 추가하는 술식

① 쇄골절골술: 나이가 많거나 변형이 심하면 견갑골 정위술로 인하여 상완신경총과 쇄골하혈관이 신연·압박을 받을 위험이 보고되었다. 이를 방지하고 견갑골 하방 전위를 용이하게 하기 위해서 쇄골을 절골하거나 분쇄한다(morsellization).

② 견갑골과 흉곽 사이에 섬유 유착이 있는 경우가 흔하며 충분한 박리가 필요하다.

③ 전거근(serratus anterior)의 견갑골 부착부를 박리해서 견갑골 하방 전위 후 원래 위치보다 상방에 봉합한다. 전거근 섬유는 정상에서는 횡적으로 주행하지만, Sprengel 변형에서는 상하 방향 주행인 경우가 흔히 발견되는데, 이것이 견갑골을 상방으로 포착하는 주요 요인 중 하나로 생각되며 이러한 병적 근육 배열에 대한 적절한 유리술이 필수적이다.

④ 견갑척추 연결의 견갑골 측에서 연골조직을 충분히 절제하지 않으면 성장하면서 견갑골의 척추측 부분이 척추의 극돌기에 충돌하는 현상이 발생할 수도 있다.

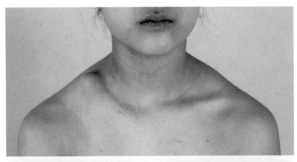
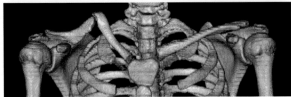

그림 7-3 12세 여아
출생 시부터 우측 쇄골 부위 돌출이 만져졌다. 일상생활과 운동 중에 통증이나 관절운동제한이 없다.

4) 수술 후 처치

견갑골 상방에서 혈종이 형성되지 않도록 H-vac 등 효과적인 배액이 필요하다. 견갑골 주위 근육 발달이 불량한 경우 하방 전위된 견갑골을 견고하게 포착할 만한 연부조직이 불충분할 수 있다. 이러한 경우 수술 후 일시적으로 상완부를 하방으로 피부견인하거나 견갑골에 철사(wire)를 걸어서 골 견인을 고려한다. 연부조직 치유가 되는 4주간 Velpeau 붕대로 상지를 고정한 후, 점진적으로 능동적 및 수동적 견관절운동을 시행한다.

2. 선천성 쇄골 가관절증
(Congenital pseudarthrosis of the clavicle)

신경섬유종증, 경비골 또는 요척골 선천성 가관절증과는 연관이 없는 별개의 질병이며 상대적으로 유합이 잘 되는 양성 경과를 보인다. 분만 골절, 신경섬유종(neurofibromatosis), 쇄골 두개 이골증(cleidocranial dysostosis) 등과 감별을 요하는 매우 드문 질환이다.

대부분 우측에 발생하며 드물게 좌측에 발생한 경우에는 우 심증(dextrocardia)과 동반되는데, 이는 우측 쇄골하동맥이 더 상방에 위치하면서 그 맥박 및 압력에 의해서 태생기에 쇄골 발달을 억제하여 가관절증이 발생한다는 가설을 뒷받침한다. 약 10%에서 양측성으로 발생하며 경늑골(cervical rib)이 있는 경우에도 발생할 수 있다.[11] 가관절 부위의 쇄골 양단은 초자양 연골모(hyaline cartilaginous cap)로 덮여 있고 그 사이를 섬유성 또는 섬유연골성 조직이 채우고 있다.[12]

대부분의 환자가 쇄골부 종창으로 발견하여 미용상 문제를 호소하며(그림 7-3), 일부에서만 통증을 호소하는데 대부분 사춘기 이후에 운동하면서 느끼게 된다. 극히 일부에서 일상 중에 통증을 호소한다.[13] 흉곽출구증후군(thoracic outlet syndrome)이 지연되어 나타나는 경우도 있다.[14]

방사선 검사상 쇄골의 중간부의 외측에 골결손이 관찰되고 가관절부의 양단은 비대되어 있으며 가골 형성이나 가관절부의 양단의 위축은 보이지 않는다. 임상적 소견을 고려하면 병변이 아동기에 발견되었더라도 견고한 고정이 가능한 연령까지 기다렸다가 수술하는 것이 바람직하다.[13] 가관절부의 절제, 가관절 양단의 소파술, 견고한 내고정술 및 자가 해면골이식술 등으로 유합을 용이하게 얻을 수 있으며 수술 중 신경혈관의 합병증을 조심하여야 한다.[15]

Ⅱ 소아의 외상: 골절 및 스포츠 손상 포함

미성숙 골격계의 손상, 치료 및 예후는 성인 골격계의 그것과 여러 면에서 차이가 나는데 견관절부도 예외는 아니다. 연령에 따른 골격계의 조직학적 특성으로 인한 생역학적 물성의 차이, 골절 치유 속도에 따라 달라지는 치료 방침, 성장 잠재력으로 인한 예후의 차이 등이 이러한 차이를 초래한다. 소아라고 해도 그 나이에 따라서 이러한 차이는 많이 달라진다. 신생아와 학동기 아동은 전혀 다른 골절 양상을 보일 수 있으며 그에 따라 치료 방침과 예후도 달라진다. 청소년기에 접어들면 성장판이 열려 있더라도 골절 양상이나 치유 과정이 점차 성인에 가까운 양상을 보이며 따라서 치료 방침도 점차 성인에 준하는 경우가 많아진다.

1. 쇄골 골절(Fractures of the clavicle)

쇄골은 전장에 걸쳐서 피부 아래에서 촉지되며, 상지를 체간과 연결하는 역할을 하는데, 아마도 그런 이유로 가장 골절이 빈번한 골 중 하나이다. 분만 골절의 거의 90%에 달하며,[16] 전체 소아 골절의 5-15%로 보고되고 있다.[17] 부위에 따른 빈도는 간부 골절이 가장 흔한데, 특히 녹색줄기 골절(greenstick fracture)이 많다. 양측 골단에서의 골절은 각각 10% 이하의 빈도를 보이며, 대부분 골단판에서 골절되기 때문에 인대손상으로 인한 관절 탈구는 드물다.

1) 쇄골의 발생과 성장
(development and growth of the clavicle)

쇄골은 인체에서 가장 먼저 골화가 시작되는 골이다. 태생기(embryonal period) 5-6주경 내측 및 외측의 골화중심에서 막내 골화(intramembranous ossification)에 의해 골간부가 형성되며, 태생기 7-8주에는 전체적인 윤곽이 형성된다.[18] 대신 내측 및 외측 단에는 연골조직이 형성되고 그 안에 이차골화중심이 생성되면서 연골내 골화(endochondral ossification)에 의해서 길이 성장이 일어난다. 특히 내측 골단판에서의 길이 성장이 외측보다 더 활발하다.[18] 양측 골단판에서의 길이 성장은 다른 장관골보다 더 오래 지속되어, 외측 골단판은 18-19세에 닫히고, 내측 골단판은 23-25세가 되어야 닫히는 인체에서 가장 늦게 닫히는 골단판이다. 따라서, 젊은 성인에서조차 외측 골단판 분리(epiphysiolysis)가 발생할 수 있으며, 종종 견봉-쇄골관절 탈구(acromioclavicular dislocation)로 오인되는 경우가 있다. 내측 골단은 흉골(sternum)과 비교적 불안정한 관절을 형성하는데 이를 유지하는 인대들은 골단에 주로 부착되어 있다. 따라서 내측 골단에서도 골단판 분리가 발생하기 쉬운 구조이며, 종종 흉골쇄골관절 탈구(sternoclavicular dislocation)로 오인되는 경우가 있다. 다른 모든 골과 마찬가지로 쇄골의 골막(periosteum)은 나이가 어릴수록 두꺼우며, 인대들은 이 골막에 부착되어 있다. 따라서 인대 파열 대신 인대는 골막에 부착되어 남아있고 골막이 벗겨지면서 쇄골만 전위되는 손상이 발생하기 쉽다.

2) 영상 검사

전후면 단순 방사선 검사와, 아래에서 위쪽으로 빔을 경사지게 하여 촬영하는 사면 단순 방사선 검사(cephalic tilt view)가 쇄골 골절 진단에 가장 표준적인 방사선 검사이다. 신생아에서는 초음파 검사가 잠복 골절이나 흉쇄관절 탈구 등의 진단에 도움이 된다.[19] 아동기 이후에 쇄골 외측부 골절을 보다 잘 평가하기 위해서는 성인의 견봉쇄골인대 손상 진단에 사용되는 긴장 부하 촬영(stress view)이 도움이 될 수도 있다. 또, 쇄골 내측부 골절에 대해서는 성인에서와 같이 "serendipity" 촬영이 도움이 되며, 컴퓨터 단층 촬영으로 가장 정확한 평가가 가능하다.

3) 쇄골의 분만 골절(obstetrical clavicular fractures)

쇄골은 분만 골절이 가장 흔하게 발생하는 골로서, 보고에 따라서는 전체 분만의 1-13%까지 쇄골 골절을 동반한다고 하며, 대부분 골간부에 발생한다. 신생아의 크기가 클수록, 분만 시 기구나 특수 조작이 필요한 경우에 쇄골 분만 골절의 발병률이 증가하나, 정상 크기의 신생아가 정상적으로 분만되는 경우에도 상당 부분에서 쇄골 분만 골절이 발생하므로 이는 질식 분만(vaginal delivery)에서는 일정 부분 피할 수 없는 합병증으로 생각된다.

신생아에서 쇄골의 분만 골절은 진단하기 어려운 경우가 많다. 우선 골막이 잘 유지되어 있는 비전위 또는 미세 전위 골절에서는 임상적 증상이 거의 없어서 모르고 있다가 가골(callus)이 형성되면서 촉지되어 뒤늦게 발견될 수도 있다. 그러나, 이러한 경우에는 가골만 재형성되고 나면 아무런 후유증이 없기 때문에 진단이 늦은 것이 아무런 문제가 되지 않는 경우가 대부분이다. 불안정 골절이 된 경우에는 환자가 통증으로 인해 이환된 쪽 팔을 안 움직이려는 경향을 보이는 가성마비(pseudoparalysis)가 나타날 수 있다. 이환된 쪽 팔을 잘 안 움직이는 것은 Moro 반사를 시켜 보면 뚜렷하게 볼 수 있다. 그러나, 신생아가 한쪽 팔을 잘 움직이지 않는 소견이 발견될 때에는 우선 근위 상완골 골수염이나, 견관절 화농성 관절염의 가능성을 고려하여야 한다. 이러한 가능성이 배제된 이후에 쇄골을 비롯한 분만 골절을 고려하는 것이 순서이다. 간혹 화농성 관절염이 쇄골

분만 골절과 동반될 수도 있기 때문에 단순 방사선 검사상 쇄골 골절이 있다고 해서 그것으로 팔을 잘 안 움직이는 현상이 모두 설명되는 것은 아니다. 반드시 임상적 소견, 혈액검사 소견과 종합하여 판단할 필요가 있다. 그 외에 팔을 잘 움직이지 않는 것에 대해 상완신경총 손상과의 감별이 필요할 수도 있다. 골절이 치유되는 출생 1-3주경 환자가 팔을 잘 움직이는지 확인하여 가성마비와 진성 마비를 다시 한번 감별해봐야 한다. 또, 흉쇄유돌근(sternocleido-mastoid muscle)의 긴장으로 인하여 골절부가 견인되는 것을 막기 위해서 고개를 골절측으로 돌리는 행태를 보일 수도 있는데, 이 경우에는 선천성 근성 사경(congenital muscular torticollis)과의 감별진단이 필요하다. 방사선 소견상 쇄골 분만 골절이 보이고 통증이 심하지 않은 경우 선천성 쇄골 가관절증(congenital pseudarthrosis of the clavicle)과 감별이 필요하다.

쇄골 분만 골절은 비수술적 방법으로 치료한다. 임상적으로 환아가 불편해하지 않으면 해당 상지를 불필요하게 수동적으로 움직이지 말고, 특별한 고정을 하지 않고 지내도 된다. 팔을 조금만 움직여도 아파하는 예외적인 경우에도 신생아 옷과 옷핀을 이용하여 이환된 팔을 몸통에 살짝 고정시켜 swathe 같이 해주는 것으로 고정이 충분하며, 보호자를 안심시키는 것이 더 중요한 과제다. 1-2주 안에 임상적 유합을 얻게 된다. 방사선 검사상, 그리고 신체검사상

골절부에 융기된 가골이 발견되는데 빠른 시일 내에 재형성되기 때문에 이에 대해서도 경과 관찰만 하면 된다. 쇄골의 분만 골절은 그 자체보다는 다른 상태와의 감별과 보호자를 안심시키는 것이 더 중요한 골절이다(그림 7-4).

4) 쇄골 간부 골절(midshaft clavicle fractures)

아동기 이후의 쇄골 간부 골절은 임상적으로 진단이 어렵지 않다. 쇄골부의 동통이 있으며 이환된 쪽 팔을 움직이지 않으려는 태도를 보인다. 아동기의 쇄골 간부 골절은 대부분의 경우 비수술적 방법으로 우수한 치료 결과를 기대할 수 있다. "8"자 붕대는 아동기에서도 가장 보편적으로 사용되는 방법이다. 전위가 심한 경우에는 양쪽 어깨를 뒤로 젖히는 조작으로 도수 정복을 하고 "8"자 붕대를 채우기도 하지만, 학동기 이전의 아동에서는 부정유합이 되어도 재형성에 의해 교정이 잘 되기 때문에 그대로 "8"자 붕대를 착용시켜도 된다. "8"자 붕대를 너무 세게 조이면 상지 혈액순환 장애, 피부 손상 등이 발생할 수 있으므로 주의 깊은 관찰이 요구된다. 전위가 심하지 않고 골막이 유지되어 안정된 골절에서는 단순한 팔걸이만으로도 치료 효과를 얻을 수 있다. 따라서 나이가 어린 아동에서는 단순 팔걸이도 쇄골 간부 골절 치료에 좋은 방법이 될 수 있다.[20] 수술이 필요한 경우는 개방성 골절이거나, 피부 괴사가 초래될 만큼 골절편에 의해 피부가 많이 눌리거나(skin tenting),

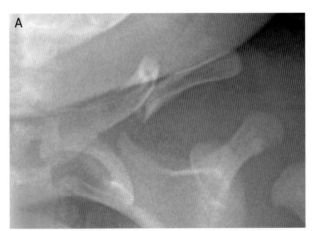
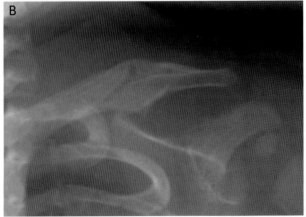

그림 7-4 신생아에서 발견된 좌측 쇄골 분만 골절(A). 특별한 치료를 하지 않았고 3주 후 골유합이 관찰된다(B).

신경혈관손상이 동반된 경우이다. 부유 견관절(floating shoulder)인 경우 상대적 수술 적응증이 될 수 있다. 성인의 경우 전위된 정도를 측정하여 20 mm 이상의 단축이 있을 경우 비수술적 치료를 했을 때 결과가 좋지 않아, 수술의 적응증이 되기도 하지만, 소아청소년의 경우 비수술적으로 치료해도 기능제한이 발생하지 않는다.[21,22] 또, 쇄골은 골단판이 가장 늦게 유합되는 골로 재형성이 될 수 있는 기간이 길기 때문에, 나이든 성인에 비하여 수술의 적응증이 매우 제한적이다. 수술은 전통적으로 금속판을 이용한 고정을 많이 하였으나, 유연성 골수내 금속정(flexible intramedullary nail)을 이용하여 고정할 경우 흉터가 적게 남기 때문에 최근 선호되는 경향이 있다.

5) 쇄골 원위부 골절(distal clavicle fractures)

쇄골 원위부 골절은 대부분 견관절부에 직접적인 타격이 있거나, 어깨로 떨어져 발생한다. 신체검진에서 견봉-쇄골 관절 후방을 만져보아, 후방으로 전위된 근위 골편이 승모근(trapezius muscle)에 감입되어 있지는 않은지 확인해야 한다. 전후방 및 사면 단순 방사선 검사 외에 액와부 측방 촬영(axillary lateral view)으로 근위 골편의 후방 전위를 확인하여야 하며, 진단이 애매한 경우나 일부 수술이 필요한 환자에서는 CT 검사가 필요할 수 있다.[23]

쇄골 원위부 골절에서 가장 흔하게 사용되는 분류법은 Neer에 의해 소개되고, Craig에 의해 수정된 방법으로, 골절선과 인대 및 성장판의 위치 관계에 따라 골절을 5가지 형태로 분류한다(그림 7-5). 대부분의 소아청소년 쇄골 원위부

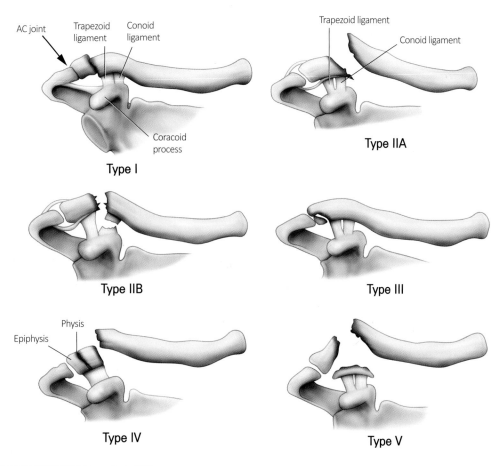

그림 7-5 쇄골 원위부 골절에 대한 Neer-Craig 분류

골절은 골막이 찢어지며 골막 소매(periosteal sleeve)에서 골이 벗겨져서 전위되고, 오구쇄골인대(coracoclavicular ligament)는 온전한 하방 골막에 붙어있는 채로 남아있는 형태로 발생한다. 제1형은 골절이 오구쇄골인대보다 원위부에 있으나, 견봉-쇄골관절은 침범하지 않은 형태로, 주변 연부조직이 유지되어 전위가 심하지 않다. 제2A형은 골절선이 오구쇄골인대보다 내측부에 있고, 제2B형은 골절선이 오구쇄골인대 사이에 존재하고, 원추인대(conoid ligament) 손상이 동반된 것이다. 제2A형에서는 근위 골편이 오구쇄골인대가 부여하던 안정성을 잃고, 골막 소매 밖의 상방으로 전위를 하게 된다. 반면, 원위 골편은 견봉쇄골 관절막과 인대, 오구쇄골인대 등에 부착되어 있어 안정되게 유지된다. 제2B형에서도 원추인대가 파열된다고 하더라도, 능형인대(trapezoid ligament)는 원위부 골편에 부착이 유지되어 있어, 제2A형과 비슷한 형태로 전위가 일어난다. 제3형은 골절이 오구쇄골인대보다 원위부에 발생하며, 견봉-쇄골관절로 연장된 것으로, 인대 파열이 없어 전위가 미미하다. 제4형은 제2A형과 유사한 골절로 소아청소년에서 골절이 골단판보다 내측에 발생하는 것이다. 외측 골단과 골단판은 손상받지 않고 견봉-쇄골관절에 부착되어 있지만, 오구쇄골인대가 골단판에 부착되기 때문에, 골단판과 골간단부 골편 사이에 심한 전위가 발생하며, 골막 소매가 파열될 경우 전위가 더욱 심하다. 제5형은 골절선이 오구쇄골인대에 부착된 하방의 피질 골편(cortical fragment)이 생기고, 또 다른 골절선이 원위부 쇄골을 쇄골의 남은 부분과 분리하는 형태이다. 그러므로 근위 및 원위 골편 모두 오구쇄골인대와 부착되어 있지 않아, 근위 골편의 원위 말단이 심하게 전위될 가능성이 있다.

대부분의 소아청소년 쇄골 원위부 골절은 전위가 상당히 심하지 않은 한 비수술적으로 치료하며, 제1형과 제3형 골절은 거의 항상 비수술적으로 치료한다. 개방성 골절이나 신경혈관손상이 동반된 경우에는 수술적 치료가 필요하다. 전위로 인해 피부 괴사가 우려되는 경우도 수술이 필요하지만, 견봉-쇄골관절 부위를 덮고 있는 연부조직은 상대적으로 두껍기 때문에, 쇄골 원위부 골절의 경우 쇄골 간부 골절보다 피부 괴사가 발생할 위험성이 더 적다(그림 7-6).

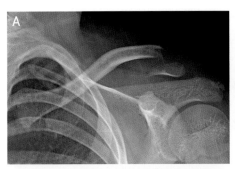
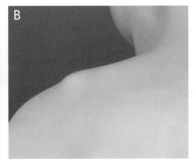
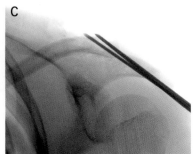
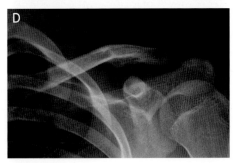

그림 7-6 13세 4개월 남아에서 발생한 좌측 제2형 쇄골 원위부 골절(A). 근위부 골편이 피부를 누르고 있다(B). 관혈적 정복술 및 핀고정술 2년 후 양호한 결과를 보이고 있다(C, D).

6) 견봉-쇄골관절 탈구(acromioclavicular dislocations)

아동기에도 견봉-쇄골관절 탈구가 발생할 수 있지만 대단히 드물다. 단순 방사선 검사상 이와 유사하게 보이는 손상들의 대부분은 가탈구(pseudodislocation)라고도 불리는 원위 쇄골 골단 분리로, 골막이 파열되고 벗겨져 근위부는 전위되고 오구쇄골인대는 골막에 그대로 부착되어 있는 경우이다. 그러나 원위 연골 골단에서 이차골화중심이 형성되는 것은 18세 이후이므로 그 이전에는 골단 분리가 되어도 단순 방사선 검사로는 확인할 수 없다. 청소년기, 특히 경쟁적인 스포츠를 하는 경우에는 진성 견봉-쇄골관절 탈구가 발생할 수 있다.

소아 환자에서도 근위 쇄골편의 전위 정도에 따라서 Dameron-Rockwood 분류를 적용한다(그림 7-7).[24] 제4형은 근위 골절편의 원위단이 후방 전위되어 승모근에 감입된 경우이며, 제5형은 상부 골막이 완전히 파열되어 근위 골절편의 심한 상부 전위를 초래하여 피하에서 근위 골절편이 촉지되는 경우이다. 제6형은 근위 골절편의 원위단이 하방 전위하여 오구돌기 하방에 위치하는 경우이다. 아동

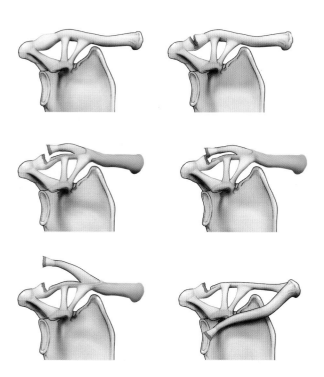

그림 7-7 견봉-쇄골관절 탈구에 대한 Dameron-Rockwood 분류

기에서 특징적인 가탈구 현상을 고려하면 제3형에서는 비수술적 치료만으로도 남아있는 골막에서 신생골이 형성되고, 골막이 벗겨져서 전위된 부분은 재형성되면서 흡수되는 것을 기대할 수 있다. 이들은 단순 팔걸이나 8자붕대로 고정하였다가 조기에 재활 치료를 하여 좋은 결과를 얻을 수 있다. 제4, 5, 6형에 대한 치료에는 논란이 있다. 충분한 재형성 능력을 가지고 있는 나이에서는 비수술적 치료를 시행하여도 나중에 견관절의 기능적 결함이 남는 경우가 거의 없다는 주장이 있는 반면,[25] 잔존 변형을 예방하기 위하여 수술적 정복이 필요하다는 주장도 있다.[26,27] 환자의 나이가 어릴수록 비수술적 치료가 더 선호되며 사춘기 이후에는 수술적 정복이 필요한 경우가 더 많다고 생각된다. 또, 비록 나중에 재형성이 되더라도 전위가 심하여 인근 근육, 피부 등을 압박하면 그 자체로 불편함이 있기 때문에 심한 전위가 있는 경우에는 수술적 정복이 바람직할 것으로 생각된다.

7) 흉골쇄골관절 골절-탈구
(sternoclavicular fracture-dislocations)

쇄골 내측 골단판은 22-25세가 되어야 유합이 되며, 흉쇄관절의 인대는 골단에 부착되어 있어서 외부 충격에 의해 골단판에서 쉽게 분리가 일어난다. 따라서, 아동 및 청소년기의 흉쇄관절 탈구라고 생각되는 손상의 상당수가 Salter-Harris 제1 또는 2형 골단판 골절이다. 원위 골절편의 내측단은 전방 전위되는 경우가 더 흔하나, 후방 전위되는 경우 식도, 대혈관 등이 손상되어 치명적일 수 있다. 후방 전위된 경우 과거에는 대부분 쇄골 내측 골단판 분리라고 여겨졌으나, 최근에는 골단판 골절과 진성 탈구의 발생빈도가 비슷하다고 생각되고 있다.[24] 내측 골단판이 쇄골 종적 성장(longitudinal growth)의 약 80%에 기여하지만, 골단판 골절로부터 재형성되는 정도(remodeling potential)는 불분명하고, 골절이 아니라 탈구인 경우에는 재형성 과정이 일어나지 않는다.

비외상성으로 전방 탈구된 경우는 비수술적으로 치료한다. 쇄골 내측부의 비전위 골절은 진단되지 못하고 간과되는 경우가 많은데 대개 가골로 인한 종괴로 발견된다.

나이가 어린 환아에서는 전방 전위된 골절을 꼭 정복하지 않고, 비수술적으로 유합을 얻고 재형성을 기대하는 것이 안전한 방법일 수 있다. 초등학교 고학년 이상에서는 견관절을 90도 외전하고 상지를 측방으로 견인하면서 원위 골절편을 살짝 후방으로 밀어 넣는 방법으로 도수 정복하고 "8"자형 붕대로 고정한다. 전방 전위된 골절을 수술적 정복 및 내고정해야 하는 경우에는 종격동 구조물에 손상이 가지 않도록 각별한 주의가 요망된다. 후방 전위된 골절에서는 종격동 구조물에 손상이 있는지 여부를 다각도로 검토한다.[28] 조심스럽게 도수 정복을 시도해 볼 수 있는데, 앙와위에서 척추 중심선에 받침대를 깔고 어깨를 내전한 위치에서 상완골 두를 후방으로 밀어서 쇄골 내측이 전방으로 나오도록 한다. 필요한 경우 쇄골 내측단을 towel clip으로 잡아서 끌어올린다. 조작 중에는 흉부외과 팀이 대기하고 있어야 한다. 후방 전위된 골절-탈구를 도수 정복한 경우 안정적으로 정복이 유지된다는 보고도 있으나, 반복적인 불안전성을 보인다는 보고가 많아 최근에는 후방 전위의 경우 대부분 수술적으로 치료한다. 수술적 정복이 필요한 경우에도 흉부외과 팀이 대기하는 것이 바람직하다. 수술 시 전위를 정복한 후에는 내외측 골편에 드릴로 구멍을 뚫어 두꺼운 비흡수성 봉합사를 8자 형태로 묶어 고정한다(그림 7-8).

2. 견갑골 골절(Fractures of the scapula)

견갑골은 해부학적으로 근육에 둘러싸여 있고 흉벽에 납작하게 밀착되어 있기 때문에 골절은 상대적으로 드물어 전체 소아 골절의 1% 미만으로 발생한다. 이러한 해부학적 위치에 있음에도 불구하고 골절이 발생했을 때에는 대단히 심한 외력에 의한 경우가 많고 다발성 손상이 흔하다. 따라서 견갑골 골절이 발견되면 골절 그 자체에 대한 평가에 앞서, 보다 치명적인 동반 손상 여부를 면밀히 검토하여야 한다. 그 외에 아동 학대의 가능성도 염두에 두어야 한다.

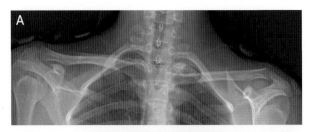
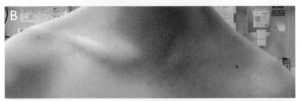
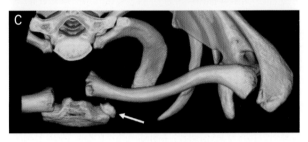

그림 7-8 16세 8개월 남아에서 발생한 좌측 흉쇄관절 골절-탈구
단순 방사선 검사상 우측에 비해 좌측 쇄골 내측이 더 작아 보인다(A). 시진 시 좌측은 우측에 비해 쇄골이 눈에 띄지 않는다(B). 3차원 CT 검사상 좌측 쇄골 Salter-Harris 제2형 골절이 확인되어, 진성 탈구가 아닌 것을 알 수 있다(C). 내측단의 골간단 골편(화살표)이 확인된다.

1) 견갑골의 발생과 성장
(development and growth of the scapula)

견갑골의 발생은 태생기 2개월경에 시작된다. 체부는 대부분 막내 골화에 의해서 형성되는데, 경부 근처 사각형의 골화중심에서부터 시작하여 점차 척추 쪽으로 진행한다. 출생 시에는 대부분 골화되어 있지만 관절와(glenoid cavity), 오구돌기(coracoid process), 견봉(acromion), 그리고 척추연(vertebral border)은 연골 조직으로 되어있다. 출생 후 오구돌기에서 두 개, 견봉에서 두 개, 척추연에서 한 개, 하각(inferior angle)에서 한 개, 모두 여섯 개의 이차골화중심이 발생하여 연골내 골화를 통해서 견갑골의 성장에 기여한다. 이들 중 오구돌기를 형성하는 이차골화중심은 생후 1세경에 형성되어 15세경에 체부와 유합되기 때문에 골절과의 감별을 요한다. 나머지 이차골화중심들은 15세 이후

청소년기에 골화되어 20세 이후에 체부와 유합된다. 그 외에도 관절와 상부 1/3, 오구돌기 끝부분 등에 별개의 골화중심이 형성될 수도 있다(그림 7-9).[29]

2) 진단

견관절부의 동통, 압통, 부종, 점상출혈 등의 증상이 있으나 단순 방사선 검사에서 견갑골의 형태가 뚜렷하게 보이지 않는 경우가 많아서 이에 대한 특별한 주의를 기울이지 않으면 간과하게 될 가능성이 높다. 단순 방사선 검사는 상완골이 아닌 견갑골을 기준으로 전후면과 측면 촬영하는 것이 더 좋은 영상을 얻을 수 있다. Stryker 절흔 촬영법은 오구돌기를 더 잘 볼 수 있고, 액와 측면 촬영법은 관절와 골절을 잘 보여준다. 그러나 견갑골의 구조와 위치로 인하여 단순 방사선 검사로 충분한 평가를 하는 데에는 한계가 있어, 3차원 CT를 시행하는 것이 필요한 경우가 많다. 견봉, 오구돌기 등의 이차골화중심을 골절과 감별하여야 한다. 특히 os acromiale는 견봉의 전하방 골화중심이 견봉과 유합되지 않은 것으로, 2.7% 정도에서 발견된다.

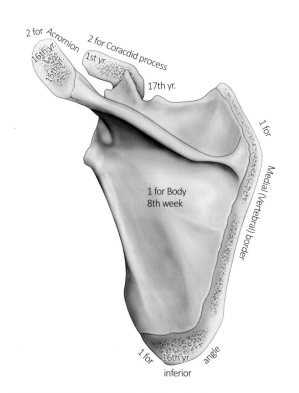

그림 7-9 연골내 골화가 진행되는 견갑골 주변부의 이차골화중심 발현 시기

견갑골 골절의 약 75%에서 동반 손상이 발견되는데 액와신경손상, 상완신경총 손상, 혈흉, 기흉, 심 좌상, 척추 골절, 늑골 골절, 쇄골 골절, 상완골 골절 등의 동반 여부를 검사하여야 한다.

소아 견갑골 골절에 대한 분류 체계는 보고된 바 없어 성인의 분류 방법을 따른다. 견봉골절편이 하방 전위되면 성인에서는 충돌증후군을 초래할 위험이 있다고 알려져 있으나 소아에서도 그러한지에 대해서는 논란이 있다.

3) 치료

소아 견갑골 골절의 치료에 대해서는 증례보고 이외에는 충분한 자료가 축적되어 있지 않기 때문에 성인에서의 치료를 원용하여야 한다. 예컨대, 견갑골 손상과 함께 superior shoulder suspensory complex의 다른 부분에 손상이 동반되면 수술적 치료가 바람직할 것으로 생각된다. 그러나 견갑골 체부, 경부, 그리고 관절와 골절에서 보존적 요법을 시행할 만한 변형의 허용 범위를 얼마나 잡아야 할지에 대한 연구는 없는 실정이다. 나이가 어릴수록 재형성 능력이 크기 때문에 성인에 비해서 허용 범위가 넓겠지만, 개개의 환자에 대해서 의사가 판단하여야 할 문제로 남아있다.

3. 상완골 근위부 골절
(Fractures of the proximal humerus)

소아청소년의 상완골 근위부 골절은 비교적 드문 골절로 전체 소아청소년 골절의 5% 미만을 차지하고 있다. 대개 골단판 분리나 골간단 골절로 나타나며, 분만 골절 형태로도 나타날 수 있다. 상완골 근위부 골단판의 성장 잠재력이 대단히 크기 때문에 골절 후 재형성이 잘 되어, 골절부 각변형(angulation)의 허용 범위가 아주 크다. 불유합이나 기능적 장애를 초래하는 경우는 드물다.

1) 상완골의 발생과 성장
(development and growth of the humerus)

상완골은 다른 장관골과 마찬가지로 연골원기(cartilage anlage)로부터 연골내 골화에 의해서 발생한다. 태생기 8주경 상완골 간부에 일차골화중심이 형성되고, 근위 및 원위 양측으로 연골내 골화가 되어서 출생 시에는 거의 전장이 골 조직으로 치환되고 양 단만 연골로 남아있게 된다. 생후 1년 이내에 골 두 부위에서 이차골화중심이 형성되며, 1-3 세경에 대결절(greater tuberosity), 4-5세경에 소결절(lesser tuberosity)에 이차골화중심이 형성된다. 5-7세에 두 개의 조면에 형성된 이차골화중심이 유합되고, 이들은 다시 7-13세경에 골 두의 골화중심과 유합되어 하나의 커다란 골단을 형성하게 된다.

근위 골단판은 생후 2세까지는 상완골 전체 길이 성장의 75%를 담당하지만 2-11세 사이에는 근위 골단판에서의 길이 성장이 대단히 왕성하여 상완골 길이 성장의 90%까지 이르게 된다.[24] 따라서 어린 나이에 근위 성장판이 조기 유합되면 심각한 사지길이부동(limb length discrepancy)을 초래할 수 있다. 근위 골단판의 성장은 여자에서는 14세경 멈추고 17세까지 방사선 검사상 폐쇄되며, 남자에서는 16세경 성장이 멈추고 18세까지 폐쇄된다. 출생 시 골간단의 근위측 경계는 편평한 모양을 하고 있지만 생후 1년경에 이차골화중심이 형성되면서 골 두와 조면의 골화중심들의 성장 방향에 의해서, 근위 골단판은 방추형 모양을 띄게 되고 이는 성인이 될 때까지 지속된다.[29]

근위 골단판의 상당 부분은 견관절 관절막 외부에 위치하기 때문에, 골단판 부위는 손상에 취약하다. 골단판 골절은 대부분 Salter-Harris 제1형 또는 2형인데, 골절이 골단판의 비후대(hypertrophic zone)나 잠정 석회화대(provisional calcification zone)에서 일어나고, 정지대(resting zone)와 증식대(proliferative zone)는 보존된다. 따라서 재형성 능력이 매우 크고, 골단판 정지의 발생 가능성은 상대적으로 낮다. 특징적으로 5-12세 사이에서는 골간단 골절의 비중이 높은데, 이는 이 시기에 근위 골단판의 길이 성장이 워낙 왕성해서, 골간단이 미처 성숙되지 않기 때문인 것으로 추정된다.[30]

2) 상완골 근위부의 분만 골절
(obstetrical fractures of the proximal humerus)

분만 중 견관절이 과신전 또는 과회전되어 발생하는 것

으로 생각되며, 흔하지 않은 골절이다. 난산, 과체중아, breech presentation 등이 위험인자이나 정상 분만에서도 발생한다. 임상적으로는 팔을 움직이면 아파하고 잘 안 움직이려고 하는 가성마비(pseudoparalysis)를 보인다. 감별하여야 할 경우로는 쇄골 골절, 상완신경총 손상, 세균성 견관절염 등이 있으며, 드물지만 견관절 탈구도 발생할 수 있다. 단순 방사선 검사는 상완골 두가 골화되어 있지 않기 때문에 크게 도움이 되지 않고, 초음파 검사가 유효한 정보를 제공한다. 가볍게 상완부를 견인하여 정복한다. 재형성 능력이 크므로 정확한 정복이 필요하지 않으며, 초음파 검사로 정복의 정도를 평가할 수 있다. 고정은 아기 옷 소매를 몸통 부분의 옷에 옷핀으로 고정하는 것만으로도 충분하다. 2-3주 정도면 충분히 골유합을 얻을 수 있다.

3) 진단과 분류

유아기 이후 소아에서는 전후면과 액와 측면상이 표준 촬영 방법이다. 그러나 급성 골절기에는 동통으로 인하여 소아에서 액와 측면상을 촬영하기 어려운 경우가 많으며 이럴 때에는 경흉곽(transthoracic) 측면상이나 견갑골 측면상을 촬영하는 것이 실질적으로 도움이 된다. 단순 방사선 검사로 충분한 정보를 얻을 수 없었을 때에는 CT가 도움이 될 수 있으며, 골절이 의심되지만 골절선이 불분명하거나, 골단판에서의 전위가 불확실할 때에는 MRI가 도움이 된다. 골주사 검사를 하면 방사성 동위원소의 흡수가 골절 부위에서 예민하게 증가하나, 상완골 근위 골단판에 워낙 강하게 흡수되기 때문에 골절 여부를 판단하기 어려울 수 있다.

소아청소년 근위 상완골 골절은 골절선이 지나가는 부위에 따라서 골단판, 골간단, 소결절, 대결절 골절 등으로 분류한다. 골단판을 포함하는 골절은 Salter-Harris 분류(Salter-Harris classification)에 따른다. Salter-Harris 제1형 골절은 골단이 한 덩어리로 골단판에서 골간단으로부터 분리되는 골절로 5세 이하에서 흔히 발생한다. 제2형 골절은 골간단 골편 일부분이 근위 골편에 부착되어 있는 형태로 11세 이후 청소년기에는 대부분 이러한 골절 양상을 보인다. 제3형 골절은 골단 중 일부분이 골절되어 분리되는 형태로 근위 상완골에서는 대단히 드문데, 간혹 견관절 탈구와 동반하여 발생하기도 한다. 골간단 골절은 주로 5세에서 12세 사이에 발생한다.

Neer와 Horwitz는 소아 근위 상완골 골절을 전위의 정도에 따라서 4단계로 나누었다. 제1단계는 전위가 5 mm 이내인 경우, 제2단계는 상완골 간부 폭의 1/3까지 전위된 경우, 제3단계는 2/3까지 전위된 경우이며, 그리고 제4단계는 2/3 이상 전위된 경우이다.[31]

4) 치료

근위 상완골 골단판은 전체 상완골 길이 성장의 80% 이상을 담당하는 활발한 조직이어서 근위 상완골 골절이 어느 정도 부정 유합되어도 재형성으로 변형이 자연 교정될 가능성이 대단히 높다. 게다가 견관절은 운동범위가 매우 넓기 때문에, 11세 이하의 소아에서는 골절의 전위 정도에 관계없이 장기 추시에서 기능적으로 큰 문제가 없는 경우가 대부분이다(그림 7-10).[32] 재형성 능력이 감소하는 11세

이상의 소아청소년에서 전위된 근위 상완골 골절은 어느 정도의 정복을 필요로 한다. 견관절을 외전-전방 굴곡한 위치에서 팔을 견인하여서 대부분 만족할 만한 정복을 얻을 수 있다. 드물게 골막, 견관절 관절막, 상완이두근건 등이 골절 정복을 방해하는 경우가 있다.[33] Sherk와 Probst는 11세 이상의 소아-청소년에서 받아들일 수 있는 변형으로 50% 이내의 전위, 20도 이하의 각변형을 제시하였는데(그림 7-11),[34] 40도까지의 각변형은 허용 가능하다는 주장도 있다(표 7-1).[24] 정복 후에는 sling-and-swathe 등으로

표 7-1 연령에 따른 근위 상완골 골절의 허용 가능한 각변형 및 전위 정도[24]

연령	각변형	전위
<5세	70도	100%
5-11세	40-70도	50-100%
>12세	<40도	<50%

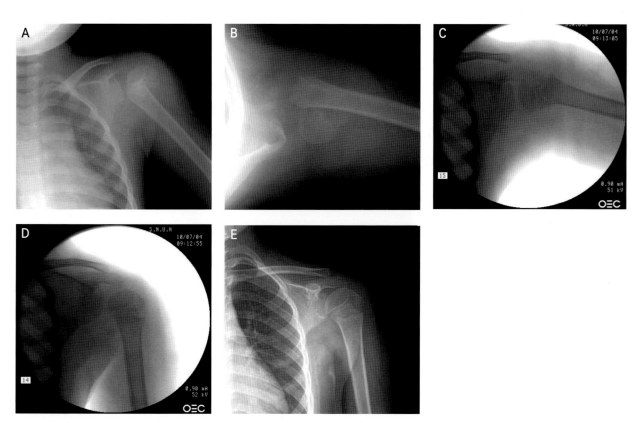

그림 7-10 3세 여아에서 발생한 좌측 근위 상완골 Salter-Harris 제2형 골단판 골절(A, B). 전신마취하에 도수 정복하였다(C, D). 3년 추시에서 완전한 재형성을 보이며 성장 장애도 없었다(E).

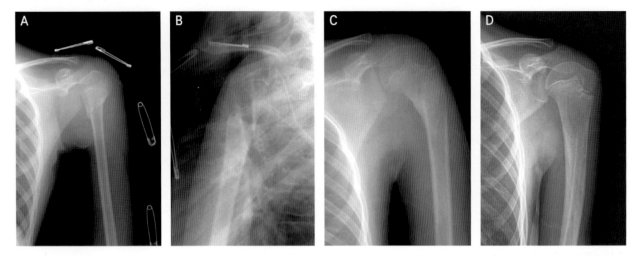

그림 7-11 13세 남아에서 발생한 좌측 근위 상완골 골간단 골절(A, B). 도수 정복 후 sling & swathe로 고정하여 약간의 각변형이 남은 상태로 유합되었다(C). 12개월 추시에서 뚜렷한 각변형의 재형성이 관찰된다(D).

고정한다. 허용 범위 안으로 골절이 정복되지 않거나, 정복하여도 골절이 매우 불안정한 경우에는 전신마취하에 정복을 하고 경피적 핀 고정을 시행한다(그림 7-12). 성장판 골절이 아닌 골간단부 골절의 경우 내고정물로 역행성 유연성 골수내 금속정을 이용하여, 골절의 정복과 고정을 도모하기도 한다(그림 7-13).

소결절의 전위 골절은 견갑하근에 의한 견열 골절인 경우가 많기 때문에 수술적 정복 후 내고정하는 것이 필요하다. 대결절의 골절은 대개 견관절 골절-탈구의 형태로 발생하는 바, 탈구에 대한 정복을 시행하고 골절편의 정복이 만족스럽지 않은 경우에 수술적 정복 및 내고정을 시행한다.

5) 합병증

소아 근위 상완골 골절은 특히 다발성 골절이 있을 때에는 진단이 간과되는 경우가 있을 수 있으므로 신체검사 등을 통해서 의심이 되면 면밀한 검사를 시행하여야 한다. 또, 상완신경총 손상과 동반될 수도 있으므로 이에 대한 검사가 필요하다.

근위 상완골 골단판 골절의 경우 드물지만 골단판 내측 부분 폐쇄가 발생하여, 근위 상완골의 내반 변형이 합병할 수 있다. 단순 방사선 검사상 내반 상완골(humerus varus)

이 관찰되어도 기능적 결함이 없으면 두고 본다. 변형이 심해서 외전과 전방 굴곡 제한으로 인한 뚜렷한 기능적 장애가 초래되면 근위 상완골 교정 절골술로 이를 개선할 수 있다. 근위 골단판의 완전 폐쇄는 대단히 드물지만 사지길이부동(limb length discrepancy)을 초래한다. 하지와 달리 상지에서는 상당한 길이부동이 있어도 미용적으로나 기능적으로 큰 문제가 되지 않는다. 일반적으로 5-6 cm 이상의 길이부동이 있거나, 예상되어야 수술적 치료를 고려한다. 건측의 골단판 유합술을 통해서도 사지길이부동을 치료할 수도 있으나 상완골에서는 신연골형성술(distraction osteogenesis)로 사지연장이 잘 되기 때문에 사지연장술이 더 선호된다.[35]

4. 상완골 간부 골절 (Fractures of the humeral shaft)

상완골 간부 골절은 전체 소아청소년 상완골 골절의 20% 미만을 차지하고, 모든 소아청소년 골격계 손상의 5% 미만을 차지한다. 골절은 주로 사춘기에 발생하며, 분만 골절의 형태로 영아기에 발생할 수도 있다. 3세 미만의 환아에서는 아동 학대의 가능성도 염두에 두어야 한다.

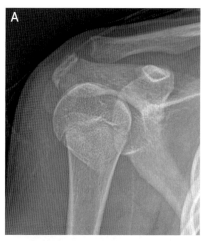
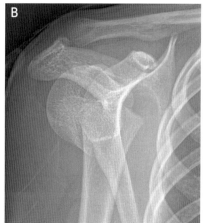
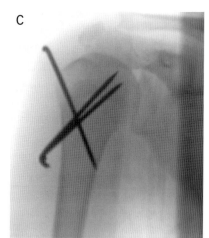
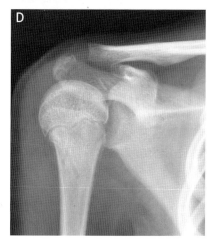

그림 7-12 13세 여아에서 발생한 우측 근위 상완골 Salter-Harris 제2형 골절(A, B). 전신마취하에 도수 정복 및 경피적 핀고정술을 하였다(C). 골유합이 잘 진행되었고, 골단판 정지를 예방하기 위해 수술 후 4주째에 핀을 제거하였다(D).

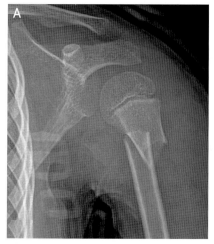
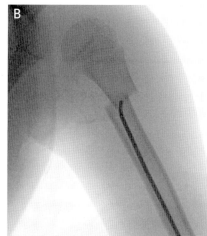

그림 7-13 8세 남아에서 발생한 좌측 근위 상완골 골간단 골절(A). 유연성 골수내 금속정을 이용하여 골절을 비관혈적으로 정복하고 고정하였다(B). 수술 4개월째 골유합이 진행중이다(C).

1) 진단

골절 부위의 통증, 부종, 반상 출혈 등으로 의심하며, 분만 골절인 경우 가성마비(pseudoparalysis)를 보일 수 있다. 단순 방사선 검사상 진단이 어렵지 않으나, 상완골 간부는 소아청소년에서 병적 골절이 흔하게 생기는 부위이기 때문에, 병적 골절은 아닌지 면밀히 살펴야 한다. 고에너지 손상을 받은 경우 부유 주관절(floating elbow)이 발생할 수 있기 때문에, 동측 전완부나 완관절에 통증 및 부종이 있는지를 확인하고, 그럴 경우 방사선 검사를 하여야 한다.

2) 치료

대부분의 상완골 간부 골절은 비수술적으로 치료한다. 경도 및 중등도까지의 변형은 견관절, 주관절의 운동과 전완부의 회전운동으로 보상이 가능하여 기능제한이 거의 없다. 또, 소아청소년의 상완골 간부는 변형의 재형성이 잘 일어난다. 따라서, 내반 20-30도, 전방 각변형 20도, 내회전 15도, 총검 접촉(bayonet apposition)이 있는 단축 1-2 cm 까지를 허용 가능한 변형의 범위로 보는데,[30,36] 이런 가이드라인을 참조하여 환자 개개인에 적합한 치료를 하는 것이 바람직하다. 일반적인 수술의 적응증은 개방성 골절, 부유 주관절 손상, 비수술적 방법으로 적합한 정복을 얻지 못하였을 경우, 다발성 손상, 그리고 이차성(secondary) 요골 신경마비 등이다. 수술은 관혈적 정복술 및 금속판을 이용한 내고정술을 할 수도 있고, 유연성 골수내 금속정을 이용하여 비관혈적 정복술을 할 수도 있다. 성인에서 사용되는 강성 확공성 골수내 금속정은 골단판 손상의 위험이 있고, 골수내공간이 상대적으로 작으며, 견관절 충돌증후군을 일으킬 수 있어 소아청소년에서는 거의 사용되지 않는다.

3) 합병증

소아청소년에서도 성인과 같이 요골 신경마비가 발생할 수 있는데, 골절 발생과 함께 요골 신경손상이 발생하여 첫 검진 시에 이미 마비가 명확한 경우를 일차성(primary) 요골 신경마비라고 하고, 골절 발생 당시에는 요골신경 기능이 괜찮았으나 골절 정복이나 조작 후 발생한 마비를 이차성 요골 신경마비라고 한다. 요골 신경마비 발생 시 치료

방침은 성인과 동일하다. 소아에서는 골막이 두껍기 때문에 신경이 외상성으로 단열(transection)되거나 골절 부위에 감입(incarceration)되는 일은 상대적으로 적을 것으로 추정된다.

소아청소년에서는 성인과 달리 상완골 골간부 골절에서 불유합이 발생하는 일은 거의 발생하지 않는다. 다른 장관골 골절에서와 같이 상완골 간부 골절 후에도 과성장이 발생할 수 있는데, 대부분 그 정도가 미미하여 1 cm 안쪽이다.[37]

5. 소아의 스포츠 손상(Pediatric sports injuries)

소아청소년의 스포츠 손상을 이해하기 위해서는 그들을 둘러싸고 있는 환경에 대해 먼저 이해할 필요가 있다. 스포츠를 전공하는 소아청소년은 코치와 부모로부터 많은 압박감을 받게 된다. 스포츠를 하는 것이 특히 학교 진학 및 입시와 연관이 되어있는 경우가 많고, 이 경우 의사의 지시보다 코치의 지시가 더 우선시되기 쉽다. 스포츠 특수화(sports specialization)란 다른 스포츠는 배제하고 1년 내내 지속적으로 하나의 스포츠만을 강도 높게 하는 것을 의미하는데, 최근에는 어린 나이부터 스포츠 특수화를 하게 되는 경우가 많고, 엘리트 스포츠를 지향하는 경우에는 더욱 그렇다. 스포츠를 함에 따라 발생하는 과사용 손상(overuse injury)의 위험은 훈련량, 경쟁 수준, 골성숙도(skeletal maturity)에 따라 달라지는데, 스포츠 특수화는 과사용 손상의 독립적인 위험인자이다.[38] 하지만, 스포츠 특수화를 하여야 운동선수로서 성공할 가능성이 높아지기 때문에, 언제 특수화를 하는 것이 최적인지에 대해서는 논란의 여지가 있다. 현재는 대부분의 스포츠에 있어서 어린 나이에는 다양한 운동에 참여하고, 사춘기 이후(15-16세)로 특수화를 미루는 것이 장기적인 건강과 미래의 운동선수로서의 성공에 더 도움이 된다고 여겨지고 있다.[39,40]

소아청소년은 골단판이라는 손상에 취약한 구조를 갖고 있고, 견관절을 지지하는 주변 구조들이 더 이완되어 있기 때문에 견관절 손상에 취약할 수 있다. 견관절 불안정성과 전신인대이완(generalized ligamentous laxity)이 있는 소아정

소년 환자에서는 Ehlers-Danlos 증후군 같은 결체조직 질환이 있는 것은 아닌지 고려해 봐야 한다.

1) 근위 상완골 골단 분리증
(proximal humeral epiphysiolysis; Little league shoulder)

(1) 발생병리

Little league shoulder는 아직 골성숙이 이루어지지 않은 운동선수에서 공을 던지는 것과 같은 스트레스가 반복되어 발생하는 근위 상완골 골단 분리증(proximal humeral epiphysiolysis)을 의미한다. 야구의 투수에서 가장 흔히 관찰되나, 테니스나 배구 같이 손을 위로 올리는 동작이 많은 다른 종목의 어린 스포츠 선수에서도 관찰될 수 있다(그림 7-14). 반복적인 미세 견인력과 회전력이 아직 골화되지 않은 근위 상완골 골단판에 작용하여 발생한다고 생각되고 있다.

(2) 임상양상

11-16세경 주로 발생하고, 13-14세 사이에 가장 호발한다. 환자는 투구함에 따라 점차 심해지는 상완부 통증을 호소하고, 병이 악화되면 일상생활과 휴식 시에도 통증을 느낄 수 있다. 투구 시 속도와 힘이 감소할 수도 있다. 1주일 동안 공을 던지는 횟수와 경기의 수, 던지는 구종, 투구 사이 휴식 기간의 정도 등에 대하여 병력 청취를 하여야 한다. 신체검진상 근위 상완골 골단판을 따라 압통을 느낄 수 있으며, 견관절 운동범위 마지막 부근에서 통증을 느낄 수도 있다.

(3) 영상소견

Little league shoulder는 임상적 소견으로 진단하는 질환이지만, 단순 방사선 소견상 골단판의 확대, 불규칙화, 경화 소견이 관찰될 수 있다(그림 7-14). 견관절을 외회전하고 전후면 방사선사진을 촬영하면 근위 상완골 골단판 외측 부위에 석회화가 관찰되기도 한다.[41] MRI는 단순 방사선 소견이 정상이고, 신체검진상 모호한 경우 잠재적 성장판 손상을 확인하는 데 도움이 될 수도 있다.

(4) 치료

통증을 유발하는 활동을 줄이고, 약 3개월간 투구 동작을 하지 않도록 한다.[42] 통증이 심하면 팔걸이 혹은 sling and swathe를 착용시킨다. 방사선학적으로 골단판 간격

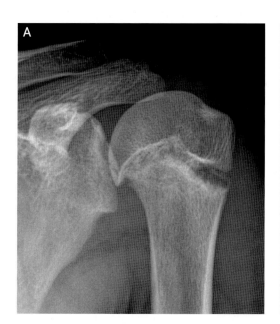
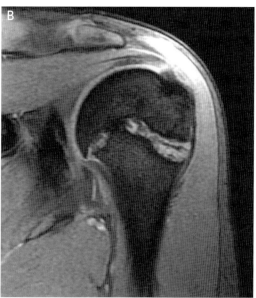

그림 7-14 기계체조를 전공하는 13세 여아에서 발생한 좌측 little league shoulder
단순 방사선 검사상 골단판 간격이 확대되어 보이고, 골단판 부위가 불규칙하다(A). MRI 검사상 내측 골단판 일부가 조기 유합 소견을 보인다(B).

감소, 신생골 형성 등이 일어나는데 약 6개월 정도가 소요된다. 환자가 야구의 투수인 경우 바로 투수로 복귀하지 않고, 먼저 타자나 1루수, 혹은 2루수로 복귀하는 것을 고려해 볼 수 있는데, 3루수는 1루까지 긴 거리를 송구해야 하기 때문에 3루수로 복귀하는 것은 바람직하지 못하다. 가능하다면 여러 포지션을 번갈아 가며 맡는 것이 과사용 손상을 예방하는데 도움이 된다. Little league shoulder 예방을 위한 투구 가이드라인은 표 7-2와 같다.[43]

표 7-2 연령에 따른 하루 최대 투구 수 및 필수 휴식 기간[43]

투구 수		필수 휴식		
연령	하루 최대 투구 수	14세 이하	15-18세	필수 휴식 기간
17-18	105	66+	76+	4일
13-16	95	51-65	61-75	3일
11-12	85	36-50	46-60	2일
9-10	75	21-35	31-45	1일
7-8	50	1-20	1-30	없음

참고문헌

1. Vuillermin C, Wang KK, Williams KA, Hresko MT, Waters PM. Sprengel's deformity: an analysis of surgically and nonsurgically treated patients. J Shoulder Elbow Surg. 2021;30(1):e1-e9.

2. Cho TJ, Choi IH, Chung CY, Hwang JK. The Sprengel deformity. Morphometric analysis using 3D-CT and its clinical relevance. J Bone Joint Surg Br. 2000;82(5):711-8.

3. Carson WG, Lovell WW, Whitesides TE, Jr. Congenital elevation of the scapula. Surgical correction by the Woodward procedure. J Bone Joint Surg Am. 1981;63(8):1199-207.

4. Oner A, Asansu MA, Akman YE. Sprengel Deformity: Comprehensive Evaluation of Concomitant Spinal and Extraspinal Anomalies in 90 Patients. Spine (Phila Pa 1976). 2020;45(18):E1150-E7.

5. Cavendish ME. Congenital elevation of the scapula. J Bone Joint Surg Br. 1972;54(3):395-408.

6. Rigault P, Pouliquen JC, Guyonvarch G, Zujovic J. [Congenital elevation of the scapula in children. Anatomo-pathological and therapeutic study apropos of 27 cases]. Rev Chir Orthop Reparatrice Appar Mot. 1976;62(1):5-26.

7. Woodward JW. Congenital elevation of the scapular. Correction by release and transplantation of muscle origin. A preliminary report. J Bone Joint Surg Am. 1961;43:219-28.

8. Green WT. The surgical correction of congenital elevation of the scapula [Sprengel's deformity]. J Bone Joint Surg Am. 1957;39:1439.

9. Naik P, Chauhan H. Functional improvement in patients with Sprengel's deformity following Modified Green's procedure and simplified clavicle osteotomy-a study of forty cases. Int Orthop. 2020;44(12):2653-63.

10. Wilkinson JA, Campbell D. Scapular osteotomy for Sprengel's shoulder. J Bone Joint Surg Br. 1980;62B:486-90.

11. Lloyd-Roberts GC, Apley AG, Owen R. Reflections upon the aetiology of congenital pseudarthrosis of the clavicle. With a note on cranio-cleido dysostosis. J Bone Joint Surg Br. 1975;57(1):24-9.

12. Hirata S, Miya H, Mizuno K. Congenital pseudarthrosis of the clavicle. Histologic examination for the etiology of the disease. Clin Orthop Relat Res. 1995(315):242-5.

13. Kim AE, Vuillermin CB, Bae DS, Samora JB, Waters PM, Bauer AS. Congenital pseudarthrosis of the clavicle: surgical decision making and outcomes. J Shoulder Elbow Surg. 2020;29(2):302-7.

14. Gibson DA, Carroll N. Congenital pseudarthrosis of the clavicle. J Bone Joint Surg Br. 1970;52(4):629-43.

15. Toledo LC, MacEwen GD. Severe complication of surgical treatment of congenital pseudarthrosis of the clavicle. Clin Orthop Relat Res. 1979;(139):64-7.

16. Cohen AW, Otto SR. Obstetric clavicular fractures. A three-year analysis. J Reprod Med. 1980;25(3):119-22.

17. Nordqvist A, Petersson C. The incidence of fractures of the clavicle. Clin Orthop Relat Res. 1994(300):127-32.

18. Ogata S, Uhthoff HK. The early development and ossification of the human clavicle--an embryologic study. Acta Orthop Scand. 1990;61(4):330-4.

19. Pollock RC, Bankes MJ, Emery RJ. Diagnosis of retrosternal dislocation of the clavicle with ultrasound. Injury. 1996;27(9):670-1.

20. Andersen K, Jensen PO, Lauritzen J. Treatment of clavicular fractures. Figure-of-eight bandage versus a simple sling. Acta Orthop Scand. 1987;58(1):71-4.

21. Bae DS, Shah AS, Kalish LA, Kwon JY, Waters PM. Shoulder motion, strength, and functional outcomes in children with established malunion of the clavicle. J Pediatr Orthop. 2013;33(5):544-50.

22. Schulz J, Moor M, Roocroft J, Bastrom TP, Pennock AT. Functional and radiographic outcomes of nonoperative treatment of displaced adolescent clavicle fractures. J Bone Joint Surg Am. 2013;95(13):1159-65.

23. Cho C-H, Oh JH, Jung G-H, et al. The Interrater and Intrarater Agreement of a Modified Neer Classification System and Associated Treatment Choice for Lateral Clavicle Fractures. Am J Sports Med 2015;43(10):2431-6.

24. Waters PM, Skaggs DL, Flynn JM. Rockwood and Wilkins fractures in children. 9th ed. Philadelphia, PA: Lippincott Williams & Wilkins; 2019.

25. Black GB, McPherson JA, Reed MH. Traumatic pseudodislocation of the acromioclavicular joint in children: a fifteen year review. Am J Sports Med 1991;19(6):644-6.

26. Havránek P. Injuries of distal clavicular physis in children. J Pediatr Orthop. 1989;9(2):213-5.

27. Ogden J. Distal clavicular physeal injury. Clin Orthop Relat Res. 1984(188):68-73.

28. Beecroft M, Sherman SC. Posterior Displacement of a Proximal Epiphyseal Clavicle Fracture. J Emerg Med. 2007;33(3):245-8.

29. Clemente CD. Anatomy of the human body. Gray's Anatomy. 1985;1163.

30. Dameron TB, Jr., Reibel DB. Fractures Involving the Proximal Humeral Epiphyseal Plate. J Bone Joint Surg Am. 1969;51(2):289-97.

31. Neer CS, 2nd, Horwitz BS. Fractures of the proximal humeral epiphysial plate. Clin Orthop Relat Res. 1965;41:24-31.

32. Larsen CF, Kiaer T, Lindequist S. Fractures of the proximal humerus in children. Nine-year follow-up of 64 unoperated on cases. Acta Orthop Scand. 1990;61(3):255-7.

33. Dobbs MB, Luhmann SL, Gordon JE, Strecker WB, Schoenecker PL. Severely Displaced Proximal Humeral Epiphyseal Fractures. J Pediatr Orthop. 2003;23(2):208-15.

34. Sherk HH, Probst C. Fractures of the proximal humeral epiphysis. Orthop Clin North Am. 1975;6(2):401-13.

35. Lee FY, Schoeb JS, Yu J, Christiansen BD, Dick HM. Operative lengthening of the humerus: indications, benefits, and complications. J Pediatr Orthop. 2005;25(5):613-6.

36. Rang M. Fracture of the lateral condyle. Children's Fractures. Philadelphia, PA: Lippincott Williams & Wilkins; 1983.

37. Sattel W. Effect of dia- and percondylar humeral fractures on the growth of the carpal bones in children. Handchir Mikrochir Plast Chir. 1982;14(2):103-5.

38. Jayanthi NA, LaBella CR, Fischer D, Pasulka J, Dugas LR. Sports-specialized intensive training and the risk of injury in young athletes: a clinical case-control study. Am J Sports Med. 2015;43(4):794-801.

39. Brenner JS. Sports Specialization and Intensive Training in Young Athletes. Pediatrics. 2016;138(3).

40. Jayanthi N, Pinkham C, Dugas L, Patrick B, Labella C. Sports specialization in young athletes: evidence-based recommendations. Sports Health. 2013;5(3):251-7.

41. Carson WG, Jr., Gasser SI. Little Leaguer's shoulder. A report of 23 cases. Am J Sports Med. 1998;26(4):575-80.

42. Zaremski JL, Krabak BJ. Shoulder injuries in the skeletally immature baseball pitcher and recommendations for the prevention of injury. PM R. 2012;4(7):509-16.

43. Feeley BT, Schisel J, Agel J. Pitch Counts in Youth Baseball and Softball: A Historical Review. Clin J Sport Med. 2018;28(4):401-5.

PART 7

책임편집 ●
오주한 임재영

기능회복 치료

비수술적 치료
Non-surgical treatment

오주한

1. 서론

어깨의 통증은 일차 진료에서 호소하는 근골격계 통증 중 3번째로 흔한 원인으로 최대 26% 정도의 유병률이 보고된 바 있다.[1,2] 약 3분의 2 정도의 성인은 일생 동안 한 번 이상의 어깨 통증을 겪는다고 보고된 바 있고, 40-65세 사이의 중년에서 가장 흔하게 발생한다고 알려져 있다.[3,4] 이 중 절반 정도만 발병 6개월 이내에 호전된다고 한다.[4] 어깨의 통증을 유발하는 질환에는 여러 가지가 있으나 충돌증후군을 비롯한 회전근 개와 연관된 질환, 유착성 관절낭염, 석회성 건염 등이 흔하게 발생한다. 이러한 질환의 대부분은 수술보다는 비수술적인 보존적 치료를 우선으로 함에도 불구하고 정형외과 의사들에게 있어 비수술적 치료의 중요성은 상대적으로 덜 강조되어 왔다.

어깨는 상완골과 견갑골, 쇄골 등을 비롯한 골성 구조물과 회전근 개의 근육 및 힘줄, 삼각근, 승모근, 오구견봉인대, 견봉 및 삼각근 하 점액낭(subacromial and subdeltoid bursa), 관절낭 등 여러 연부조직에 의해 구성된 관절이다. 이는 모두 어깨 통증을 유발하는 원인이 될 수 있으며 경우에 따라서는 경추부의 신경에서 기원하는 통증이 어깨 통증의 형태로 유발되는 경우도 있다.

일반적으로 보존적 치료는 비스테로이드성 항염증제(Non-steroidal anti-inflammatory drugs, NSAIDs)를 비롯한 약물치료와 재활운동을 비롯한 운동치료, 물리치료를 기본으로 하며, 최근에는 부신피질호르몬을 비롯한 주사 치료, 체외충격파(Extra-corporeal shock-wave therapy, ESWT), 레이저치료(laser therapy) 등 여러 가지 방법들이 시도되고 있다.

2. 약물치료

약물치료는 어깨 통증의 비수술적 치료 중 가장 기본이 되는 치료이다. 어깨 통증을 호소하는 환자에서 적절한 통증경감이 이뤄지지 않는다면 일상생활의 제한이나 수면 상태의 불량 등으로 인한 삶의 질이 저하될 뿐 아니라 운동치료 등의 순응도가 떨어져서 기대한 만큼의 치료 효과를 볼 수 없는 경우가 많다.

1) 비스테로이드성 항염증제

NSAIDs는 근골격계 통증에서 가장 많이 처방되는 약제이다. 아라키돈산(arachidonic acid)은 인체에서 트롬복산(thromboxane), 프로스타글란딘(prostaglandin), 프로스타사이클린(prostacyclin)으로 변환되며, 이 과정에서 cyclo-oxygenase (COX)를 필요로 한다.[5] NSAID는 COX를 억제하는 역할을 하여 이러한 변환 과정을 조절하는 역할을 한다. COX는 COX-1과 COX-2의 두 종류의 동종 효소로 나뉜다. COX-1은 체내에서 항시 발현되어 있으며 위장관계 점막의 내벽, 신장 기능 및 혈소판 응집을 유지하는 역할을 한다. COX-2는 COX-1과는 달리 체내에서 항시 발현되지 않으며, 염증 반응에 의해서 발현이 유도된다. 따라서,

근골격계 통증에서 이상적인 NSAIDs는 COX-1의 기능에 영향을 미치지 않고, COX-2만 선택적으로 억제하는 약제가 될 것으로 생각할 수 있다.[6]

NSAIDs는 그 기능에 따라서 COX-1, COX-2를 구분하지 않고 모두 억제하는 비선택성 NSAIDs (non-selective NSAIDs), COX-2만 선택적으로 억제하는 COX-2 선택성 억제제(selective COX-2 inhibitor)로 분류할 수 있다. 비선택성 NSAIDs는 다시 주 화학성분에 따라 아세틸살리실산 (acetylsalicylic acid; aspirin), 비아세틸살리실산(non-acety-lated salicylic acid; diflunisal, salsalate), 프로피온산(propi-onic acid; naproxen, ibuprofen), 아세트산(acetic acid; diclofenac, indomethacin), 에놀릭산(enolic acid; meloxi-cam, piroxicam), 안트라닐산(anthranilic acid; meclofe-namate, mefenamic acid), 나프틸알라닌(naphthylalanine; nabumetone) 등으로 구분할 수 있다.

NSAIDs는 대부분 경구 제제 형태로 복용을 시행하나 정주 형태의 주사제도 있으며, 근골격계 통증이 있는 환자에서는 크림이나 젤, 패치 형태로 피부에 적용하는 경우도 있다. 항염증 효과가 있어 1차 치료 약제로 가장 많이 사용되는 약제이나, COX-1과 관련된 위장관계 합병증이 발생할 수 있으므로 투여 전에는 위장관계 합병증에 대해 미리 설명하고, 필요하다면 이를 줄일 수 있는 프로톤 펌프 억제제(proton pump inhibitor) 등의 약제를 병용 투여하는 것이 좋다. COX-2 선택성 억제제는 기전상 위장관계 합병증을 유발하지 않을 것으로 기대되었으나, 최근의 메타분석에 의하면 비선택성 NSAIDs에 비하면 낮지만 상부 위장관계 합병증의 발생률은 위약에 비해서 높다고 보고된 바 있다.[7]

COX-2 선택성 억제제를 비롯한 모든 NSAIDs는 신장 기능이 정상인 환자에서 투여할 때에는 큰 문제가 되지 않는다고 알려져 있으나, 신기능에 문제가 있는 환자에서는 급성 신부전을 비롯한 여러 문제를 유발할 수 있으므로 주의해야 한다.[8] NSAIDs는 신장과 달리 간 독성은 낮은 것으로 알려져 있으나, diclofenac의 경우 NSAIDs 중 가장 간 독성이 높다고 보고된 바 있어 간 기능저하자에 있어서는 사용에 주의를 기울여야 한다.[9] 비선택성 NSAIDs는 항혈소판 효과(antiplatelet effect)를 지니고 있으며 위장관계 궤

양력이 있거나 혈소판의 기능이 저하된 환자가 아닌 이상 별다른 문제를 일으키지 않는다고 알려져 있다. 그러나, 수술 전후 시기에 있어서는 출혈량을 증가시킬 수 있으므로 수술을 앞둔 환자에 있어서는 사용에 있어서 주의를 요한다.[10] 또한 COX-2 선택성 억제제는 심독성이 있는 것으로 보고되어 있으며, 이로 인해 rofecoxib는 시장에서 퇴출되기도 하였다.[7] 따라서, 심부전 등이 동반된 환자에 있어서는 COX-2 선택성 억제제의 투여에 신중할 필요가 있다.

2) 아세트아미노펜(acetaminophen, AAP)

AAP는 진통 및 해열 작용을 가진 약제이다. 아직까지 AAP의 명확한 약리 작용 기전은 밝혀지지 않았으나, NSAIDs와 같이 COX 기전을 억제하는 것으로 알려져 있다.[11] NSAIDs와 다른 점은 AAP는 중추신경계의 COX 기전만 억제를 하고 말초 조직(peripheral tissue)에서는 작동을 하지 않는다는 점이며, COX-1, COX-2 효소에 직접적으로 부착하여 억제를 하기보다는 다른 종류의 기전을 통해서 COX의 활성도를 줄인다는 점이다. 따라서, 말초 조직에서의 항염증 효과는 없다는 것이 특징이다.

말초 조직에서 COX-1의 작용에 영향을 주지 않으므로, NSAIDs에서 흔히 발생하는 위장관계 부작용이 적다는 것이 장점으로 관련 부작용을 호소하는 환자에서 사용할 수 있다는 장점이 있으나, 간 독성을 가지고 있기 때문에 일일 최대 용량 이상 복용하지 않도록 주의를 기울여야 한다.[12]

3) 부신피질호르몬(스테로이드, corticosteroid)

부신피질호르몬은 부신의 피질에서 분비되는 호르몬으로 당류부신피질호르몬(glucocorticoid) 및 광물부신피질호르몬(mineralocorticoid)으로 나뉜다. 당류부신피질호르몬은 항염증 효과를 지니며, 면역 억제 및 혈관 수축(vaso-constriction)에 관여하는 반면, 광물부신피질호르몬은 전해질의 균형에 영향을 준다. 통상적으로 임상에서 부신피질호르몬은 당류부신피질호르몬을 의미하며, 이는 염증성 백혈구(inflammatory leukocytes)의 전사를 방해하고, 전염증성 사이토카인(proinflammatory cytokine)을 비롯한 염증 반응에 관련된 여러 효소들의 감소를 유도하여 항염증

효과를 유발한다.[13-16]

부신피질호르몬은 경구 및 정주, 피부 도포 등 관련 질환에 따라 여러 가지 방식으로 투여될 수 있으나, 어깨에서는 주로 경구 및 관절내 주사(intra-articular injection), 견봉하 주사(subacromial injection) 등의 방식을 주로 사용한다. 부신피질호르몬은 염증의 감소에 매우 뛰어난 효과를 보이나, 장기간 사용할 경우 부신피질호르몬의 조절 경로인 시상하부-뇌하수체-부신 축에 영향을 끼쳐 부신피질부전(adrenal insufficiency)를 유발할 뿐 아니라, 골다공증, 무혈성 괴사 등을 불러올 수 있다.[13] 또한, 약제 유발성 당뇨를 유발하는 가장 흔한 물질이며, 항고혈당제(antihyperglycemic drugs)의 작용을 저해하여 투여 이후 수일간은 혈당 조절에 일시적인 저해를 유발할 수 있다는 점을 고려해야 한다.[13]

4) 아편유사제(아편양제제, opioid)

아편유사제는 아편양제제 혹은 마약성 진통제로도 불리는 약이다. 이는 인체의 아편유사제 수용체(opioid receptor)에 부착하는 모든 종류의 약제를 총칭하는 단어로, 아편유사제 수용체는 μ (mu), κ (kappa), δ (delta)의 세 종류의 수용체가 있으며, 진통(analgesia), 진정(sedation), 이상행복감(euphoria), 변비(constipation), 호흡 곤란(respiratory distress) 등의 아편유사제의 작용 및 부작용의 대부분은 μ 수용체에서 일어나며, κ 수용체에서도 진통, 진정, 호흡 곤란 등의 작용을 유도한다. δ 수용체의 기전에 대해서는 그 작용 기전이 명확히 알려진 바 없다.[17]

아편 유사제는 연접전 신경원(presynaptic neuron)과 연접후 신경원(postsynaptic neuron)에 모두 작용한다. 연접전 신경원에서는 전압개폐 칼슘통로(voltage-gated calcium channel)을 막아서 글루탐산염(glutamate)과 물질 P(substance P)와 같은 통증의 신호 전달물질의 분비를 억제하여 통증을 감소시키고, 감마아미노부티르산(gamma-amino butyric acid, GABA)의 분비를 억제하여 도파민의 작용을 활성화시켜 이상행복감을 유발한다. 연접후 신경원에서는 포타슘 통로를 열어서 세포의 신호전달을 억제한다. 대다수의 아편유사제는 μ 수용체의 강력한 작용제

(full agonist)이며, nalbuphine, buprenorphine 등은 부분적으로 작용(partial agonist)한다.

아편유사제는 강력한 진통효과를 가지고 있지만, 오심, 구토, 변비, 소변 저류(urinary retention), 수면 장해 등을 유발할 수 있고, 내성이 있어 반복적으로 투여할 시 같은 정도의 진통 효과를 얻기 위해서 점차 더 많은 양을 투여해야 하는 부작용이 있어 의존성이 생기기 쉬우므로 주의해서 사용해야 한다.[18,19] 또한 드물긴 하지만 장기간 투여 시 역설적으로 통각과민증(hyperalgesia)을 유발할 수 있다.[20]

트라마돌(tramadol)은 약한 μ 수용체 작용제로 다른 아편유사제와 마찬가지로 μ 수용체에 작용할 뿐 아니라, 세로토닌(serotonin) 및 노르에피네프린(norepinephrine)의 재흡수를 방해한다. 트라마돌은 단독제제로도 사용되지만 아세트아미노펜(acetaminophen)과의 복합제제 형태로도 많이 사용된다. 트라마돌의 진통 효과는 1시간 이내에 발현되기 시작해서 2시간 이내로 가장 높은 수준까지 도달하며, 오심 및 구토 등의 부작용으로 인해서 남용 가능성은 낮을 것으로 추정된다.[21] 전술한 바와 같이 세로토닌의 재흡수를 방해하는 효과가 있으므로, 선택적 세로토닌 재흡수 억제제(selective serotonin reuptake inhibitor, SSRI)나 삼환계 항우울제(tricyclic antidepressant, TCA) 등과 같이 사용해서는 안 된다.[22] 또한 호흡 곤란이 악화될 수 있으므로, 술이나 벤조디아제핀(benzodiazepine) 등과 같은 중추신경 억제제와 같이 복용해서는 안 된다.

5) 근이완제(골격근이완제, 근육이완제, muscle relaxant)

근이완제는 근육의 경련을 해결하기 위해서 사용되는 약제들을 총칭하는 단어로 크게 말초작용근이완제(peripherally acting muscle relaxant)와 중추작용근이완제(centrally acting muscle relaxant)로 나눌 수 있다. 말초작용근이완제는 아세틸콜린(acetylcholine)과 화학적으로 구조가 유사하여 근육에 있는 신경전달물질 수용체에 아세틸콜린이 결합하는 것을 차단하여 근육의 이완작용을 유도하는 약제로, 일부 약제를 제외하면 마취 시 진정 효과를 얻기 위해 사용되는 만큼 정형외과적 영역에서는 거의 사용할 일이 없다고 볼 수 있다.

중추작용근이완제는 중추신경계의 상위운동신경원 (upper motor neuron)에 작용하여 진정(sedative) 및 항강직 (anstispasticity agent), 항연축(antispasmodic agent) 효과를 보이는 일군의 약제를 의미한다. 각 약제에 따라서 작용 기전이 다르고, 일부 약제는 명확한 작용 기전이 알려지지 않았다.[23] 중추신경계에 작용하는 만큼 이와 관련된 합병증으로 오심, 어지럼증이나 졸음 등이 발생할 수 있다.[24] 근이완제는 현재 임상에서 많이 사용되고 있고, 근육의 강직, 연축 등을 줄일 수 있다는 점에서 동결견에서 사용하는 것이 도움이 된다는 보고가 있다.[25] 그러나 NSAIDs를 대체할 수 있을 정도의 효능을 가지고 있다고는 보기 힘들다는 의견이 많으며, 만성 어깨의 통증에 있어서는 연구된 바가 많지 않다. 따라서, 단독 제제로 사용하기보다는 NSAIDs 등의 약제와 병용하여 사용하는 것이 그 효과를 높일 수 있을 것으로 생각된다.[26]

6) 항우울제(antidepressant)

호전되지 않는 만성 통증은 그 자체만으로 불쾌한 느낌을 줄 뿐 아니라 병적인 우울증을 유도할 수 있다.[27] 이러한 우울증은 그 자체만으로 정신적인 영향을 미칠 뿐 아니라, 환자가 받아들이는 어깨의 병식에도 영향을 미칠 수 있다. 이는 어깨에서도 마찬가지로, 불안 및 우울 증상이 있는 환자에서 회전근 개 봉합술 후 6개월까지의 초기 통증이 정상 환자보다 더 높고, 관절 가동범위의 회복도 더 늦는 것으로 보고된 바 있다.[28]

어깨에서 골관절염과 관련된 만성 통증에 있어서 세로토닌-노르에피네프린 재흡수 억제제(serotonin-norepinephrine reuptake inhibitor, SNRI)인 duloxetine의 사용은 통증을 경감시키고, 특히 우울증이 있는 환자에서 더욱 효과적인 것으로 보고된 바 있다.[29-31] Duloxetine은 척수 후각 (dorsal horn)의 하향성 척수 경로(descending spinal pathway)에 있는 세로토닌성 및 노르에피네프린성 신경원(serotonergic and noradrenergic neuron)의 작용을 활성화시켜 뇌로 전달되는 통증의 신호를 차단하는 것으로 생각된다.[32] 어깨 통증에 있어 SNRI의 사용은 연구된 바가 많지 않아 1차 약제로 사용하기보다는, NSAIDs 등의 부작용이 심한

환자에서나 우울증이 동반된 환자에서 사용을 고려하는 것이 적합할 것으로 생각된다. 우울 및 불안 증상의 평가를 위해서 가장 정확한 방법은 정신건강의학과와의 협진을 시행하는 것이나, 정신건강의학과에 대한 일반 대중의 거부감을 고려할 때 병원 불안-우울 척도(hospital anxiety and depression scale, HADS) 등의 설문지를 이용한 비교적 간단한 검사 방법을 사용도 고려해 볼 수 있을 것이다.[28]

7) 항경련제(anticonvulsant)

근골격계 질환에 사용되는 항경련제로는 가바펜틴(gabapentin) 및 프레가발린(pregabalin)이 있다. Gabapentin과 pregabalin은 모두 화학적으로는 감마아미노 부티르산 (gamma-aminobutyric acid, GABA)과 유사한 형태를 보인다. 그러나 GABA 수용체에 부착하는 것이 아니라 혈뇌장벽(blood-brain barrier)을 통과하여 뇌의 전압개폐 칼슘 통로의 α-2-δ 소단위(subunit)에 주로 부착하여 흥분성 신경전달물질(excitatory neurotransmitter)의 분비를 막는다.[33,34] Pregabalin이 gabapentin에 비해서 더 흡수가 잘되고, 투여 용량에 따라 선형적으로 흡수가 증가하는 양상을 보여 약동학적으로 더 적합한 것으로 추정된다.[35,36]

항경련제는 뇌전증(epilepsy)의 치료뿐 아니라 운동이상, 신경병증, 섬유근육통 등 다양하게 사용되고 있다. 최근의 메타분석에 의하면 어깨관절경 수술의 선행 진통제 (preemptive analgesics)로 사용 시, 수술 후 통증 조절에 있어 pregabalin이 도움이 되고,[37] gabapentin의 경우 통증은 유의하게 감소하지 않으나 수술 후 오심 및 구토가 줄어든다.[38] 또한 COX-2 억제제와 병용 투여 시 상승 효과(synergistic effect)가 발생한다는 보고가 있다.[39,40]

3. 운동치료

어깨의 통증이 지속될 경우 관절 가동범위에 제한이 오는 경우가 많다. 약물치료를 통해 통증이 조절되면서 관절 가동범위가 회복이 되는 경우가 없지는 않으나, 대다수의 만성 통증은 약물치료 단독으로 관절 가동범위의 회복을 얻기는 쉽지 않다. 이에 약물치료와 병행하여 운동치료를

통해 관절 가동범위를 회복하는 방법은 어깨 통증 환자에서의 1차 치료법으로 이전부터 이용되어 왔다. 운동치료는 단독으로 시행하거나, 물리치료나 주사치료 등과 병행하였을 시 어깨 통증의 호전에 도움이 될 수 있음이 보고된 바 있다.[41,42]

어깨의 운동치료는 크게 관절 가동범위를 회복하기 위한 스트레칭과 근력의 유지 및 강화를 위한 근력운동으로 나눌 수 있다. 관절 가동범위가 제한된 상태에서 제한된 범위를 넘어서는 행동을 하게 되면 통증이 발생하여 일상생활에 지장이 있어 이를 먼저 해결해주는 것이 필요하다. 관절 가동범위의 측정은 능동 운동을 기준으로 하되, 능동 운동에서 제한이 되었을 경우 회전근 개 파열 등으로 인한 근력 저하나 신경손상에 기인한 것인지, 유착성 관절

낭염 등에 의해서 관절 가동 자체가 제한된 것인지를 파악하기 위해서 수동 운동범위(passive range of motion)를 다시 확인한다.

수동 운동범위가 제한된 경우 강직된 관절을 이완시키고 관절 가동범위를 늘리기 위한 스트레칭 운동을 시행한다.[43] 스트레칭 운동은 전방 거상, 외회전, 내회전, 내전 등 여러 방향의 운동을 포함시켜야 한다(그림 1-1). 만약 관절 강직의 정도가 심하여 맨손으로 스트레칭을 하기 힘들 경우, 가벼운 막대기 등을 이용하여 시행할 수 있다(그림 1-2). 이환된 팔은 최대한 힘을 빼서 이완시키고, 관절운동의 제한된 범위에 도달할 때까지 반대쪽 손이나 보조자의 도움을 받아서 밀어준다. 관절운동의 제한된 범위에 도달하여 통증이 느껴질 경우 자세를 10초간 유지한 후 원래 자세로

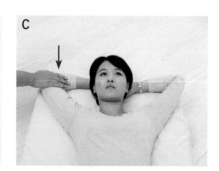
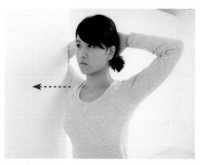

그림 1-1 어깨관절 가동범위의 제한이 있을 때 시행하는 스트레칭 운동

A: 전방 거상 운동. 베개 없이 누운 상태에서 통증이 있는 쪽의 팔꿈치를 반대쪽 손을 이용하여 잡고 천천히 밀어 올린다. 이환된 팔은 팔꿈치를 편 상태로 최대한 힘을 빼도록 한다. B: 내전 운동. 베개 없이 누운 상태에서 이환된 팔을 90도 전방 거상을 시키고 팔꿈치를 편 상태로 반대쪽 팔로 이환된 팔의 팔꿈치를 지지한 상태에서 내전시킨다. C: 외회전운동. 베개 없이 누운 상태에서 양측 손을 깍지를 낀 후, 목 뒤로 넘겨서 받친다. 보조자가 이환된 팔의 팔꿈치를 천천히 눌러서 외회전을 시킨다. 보호자가 없는 경우, 머리 뒤로 깍지를 낀 상태에서 아픈 쪽 팔의 팔꿈치 부분을 벽에 대어 고정하고 몸통을 앞쪽으로 서서히 밀어서 외회전을 시킨다. D: 내회전운동. 이환된 팔이 아래로 가도록 옆으로 눕고 베개를 벤다. 이환된 팔을 90도 전방 굴곡시키고 팔꿈치를 90도 굴곡시킨 다음 반대쪽 손으로 이환된 팔의 손목을 잡고 아래로 천천히 눌러서 내회전을 시킨다. E: 내회전운동. 이환된 팔을 엉덩이 쪽에 위치시키고 정상 쪽 팔은 수건의 한쪽 끝을 잡은 채 위쪽으로 팔을 들어 등 뒤로 수건을 내려서 잡고, 수건을 등 위쪽 방향으로 당겨서 이환된 팔이 서서히 등 가운데 척추를 따라서 위쪽으로 올라가도록 내회전을 시킨다.

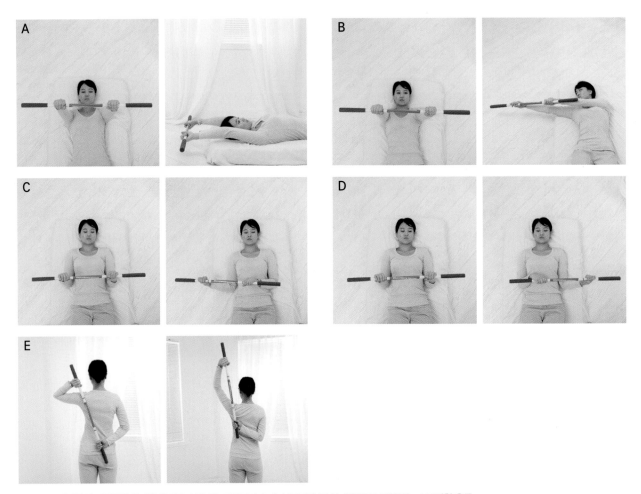

그림 1-2 어깨관절 가동범위의 제한이 매우 심할 때, 그리고 수술 후 보조기를 푼 후 처음으로 시행하는 스트레칭 운동

A: 전방 거상 운동. 베개 없이 누운 상태에서 가벼운 막대기를 어깨 너비로 벌린 상태로 잡는다. 양팔의 팔꿈치를 편 상태로 이환된 팔은 최대한 힘을 빼고, 반대쪽 팔을 이용하여 천천히 위로 올린다. B: 외전 운동. 베게 없이 누운 상태에서 가벼운 막대기를 어깨 너비로 벌린 상태로 잡는다. 양팔의 팔꿈치를 편 상태로 전방으로 90도 굴곡시키고, 이환된 팔은 최대한 힘을 뺀 상태에서 반대쪽 팔을 이용하여 천천히 옆으로 돌린다. C: 외회전운동. 베개 없이 누운 상태에서 가벼운 막대기를 어깨 너비로 벌린 상태로 잡는다. 양팔의 팔꿈치를 90도로 구부리고 팔꿈치는 체간에 붙인다. 팔꿈치가 떨어지지 않도록 주의한 상태에서 이환된 팔은 최대한 힘을 빼고 반대쪽 팔을 이용하여 천천히 바깥쪽으로 돌린다. D: 내회전운동 1. 베개 없이 누운 상태에서 가벼운 막대기를 어깨 너비로 벌린 상태로 잡는다. 양팔의 팔꿈치를 90도로 구부리고 팔꿈치는 체간에 붙인다. 팔꿈치가 떨어지지 않도록 주의한 상태에서 이환된 팔은 최대한 힘을 빼고 반대쪽 팔을 이용하여 천천히 안쪽으로 돌린다. E: 내회전운동 2. 서있는 상태에서 이환된 팔은 엉덩이 쪽으로 반대쪽 팔은 어깨 위로 넘겨서 뒤로 돌린다. 가벼운 막대기를 양손으로 잡고 이환된 팔은 최대한 힘을 뺀 상태로 두고 반대쪽 손으로 잡고 있는 막대기를 천천히 위로 당긴다.

돌아간다. 각 운동마다 최소 10회 이상 반복하는 것을 1세트로 하고, 하루에 3세트 이상을 시행한다. 스트레칭을 한 이후 시간이 경과되면 다시 관절에 강직이 진행되므로, 한 번에 몰아서 하는 것보다는 하루에 3회 이상씩 충분한 간격을 두고 시행하는 것이 적절하다.[44]

스트레칭으로 관절 가동범위의 회복을 충분히 얻고 통증이 조절되면 이환된 팔의 근력 및 지구력을 증가시키기

위한 근력운동을 시행한다. 스트레칭과 마찬가지로 여러 방향의 운동을 포함시켜서 각 운동마다 최소 10회 이상 반복하는 것을 1세트로 하고, 하루에 3세트 이상을 시행한다 (그림 1-3). 다만 근력운동은 과도하게 통증을 유발할 정도로 시행할 경우 염증 반응이 심해지면서 통증이 심해지고 다시 관절 가동범위가 감소할 수 있으므로 스트레칭과는 달리 통증이 느껴지지 않는 범위 내에서 천천히 근력을 증

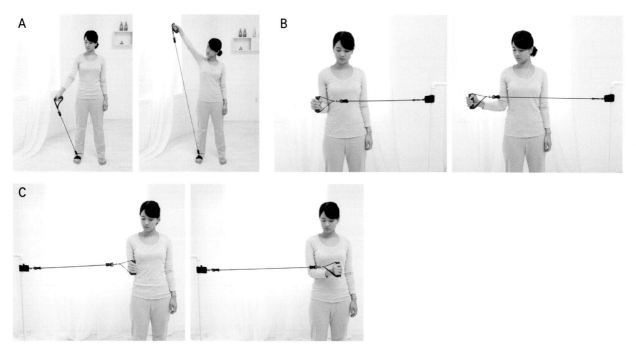

그림 1-3 **어깨관절의 근력운동**

A: 외전 운동. 이환된 쪽의 손으로 고무줄의 끝을 잡고 반대쪽 끝은 같은 쪽의 발로 밟는다. 팔은 45도 외전시킨 상태에서 팔꿈치를 펴고 천천히 위로 들어 올려서 눈높이까지 올린다. B: 외회전운동. 이환된 쪽의 손으로 고무줄의 끝을 잡고 반대쪽 끝은 문고리 등에 묶는다. 팔꿈치는 90도 구부린 상태에서 체간에 붙이고, 팔꿈치가 체간에서 떨어지지 않도록 주의하며 천천히 바깥으로 돌린다. C: 내회전운동. 이환된 쪽의 손으로 고무줄의 끝을 잡고 반대쪽 끝은 문고리 등에 묶는다. 팔꿈치는 90도 구부린 상태에서 체간에 붙이고, 팔꿈치가 체간에서 떨어지지 않도록 주의하며 천천히 안으로 돌린다. Concentric (단축성 수축 근력) 및 eccentric contraction (신장성 수축 근력)이 모두 강화되도록, 당기고 풀 때 모두 천천히 진행하도록 한다.

가시키는 것을 목표로 하며, 최소한 관절 가동범위가 85% 이상 회복된 경우에 근력운동으로 진행되도록 한다. 여러 종류의 운동 기구를 사용할 수 있으나 저항력이 있는 고무 밴드(restrictive rubber band)를 이용하는 경우가 많다. 각 고무 밴드마다 각기 장력이 다르므로 초기에는 장력이 낮은 고무 밴드를 이용하고 근력이 증가함에 따라 장력이 높은 고무 밴드로 교체하는 것이 좋다. Concentric (단축성 수축 근력) 및 eccentric contraction (신장성 수축 근력)이 모두 강화되도록, 당기고 풀 때 모두 천천히 진행하도록 교육하는 것이 필요하다.

도수 치료(manual therapy)는 시술자의 손을 이용하여 치료 목적으로 일정한 속도, 크기, 방향, 각도를 가진 힘을 환자의 신체에 가함으로써 치료하는 술기이다.[45] 단순한 마사지부터 관절 가동술까지 광범위한 술기들이 포함되며, 최근 국내에서도 어깨의 통증을 치료하기 위한 목적으로

도 많이 사용되고 있다. 도수 치료는 환부의 통증을 감소시키며, 단독으로 시행될 때보다는 운동치료와 동반하여 시행할 경우 효과가 더 좋다는 보고가 있다.[42,46] 그러나, 운동치료 단독 대비 도수 치료 및 운동치료 동반 시행 시 발견되는 통증 감소 효과의 증대는 매우 단기간의 추시에서만 유의하게 나타나서 도수 치료가 유의한 효과를 보였는지에 대해서는 해석의 주의를 요한다.[42] 또한, 현재까지 도수 치료에 대한 연구들은 근거 수준이 낮은 경우가 많고,[47,48] 드물긴 하지만 골절 등의 합병증을 유발할 수 있어 해부학 및 생리학에 기초를 둔 의학적 접근이 반드시 필요하다.[45] 따라서, 어깨의 운동치료는 치료자에 의한 시행보다는 환자 자신이 스스로 하는 것임을 주지하게 하는 것이 중요하며, 치료자와의 적절한 관계 설정을 통하여 치료자는 교육 및 feedback을 적절한 시기별로 주며 환자는 집에서 습관적으로 열심히 운동하는 것이 필요하다.

4. 물리치료

물리치료는 약물치료, 운동치료와 함께 어깨 통증의 주된 1차 치료로서 가장 많이 사용되는 방법에 속한다. 통증 조절을 위한 물리치료는 크게 온열, 한냉, 전기치료가 사용된다.

1) 온열치료(thermotherapy)

온열치료는 신체에 열을 가하여 조직의 온도를 올리는 역할을 한다.[49] 조직 온도의 상승은 혈관 확장을 유발하고 이는 곧 혈류 흐름의 증가로 이어져서 손상된 조직으로 전달되는 산소와 영양분의 전달을 증가시키고, 또한 조직의 대사 과정을 활성화시켜 치유를 촉진하는 역할을 한다.[49-51] 또한 온열치료에 의한 열의 전달은 결합조직(connective tissue)의 점탄성(viscoelastic properties)을 변화시켜 이를 이완시키는 역할을 하는데 이는 관절 가동범위를 증가시키는 데에 도움이 될 수 있다.[52,53]

온열치료는 그 열이 전달되는 깊이에 따라 표층열 치료와 심부열 치료로 나눌 수 있다. 표층열 치료에 속하는 것으로는 뜨거운 수건이나 핫팩, 온 회전욕(hot whirlpool), 사우나 등 일상생활에서 흔히 접할 수 있는 것부터 파라핀이나 적외선 램프 등 여러 가지 방법이 있으며, 피부와 피부로부터 1 cm 이내의 조직에 열을 가하는 데 사용된다.[49,54] 이는 통증 호전, 근긴장 완화 등의 효과를 보인다. 이에 비해 초음파(ultrasound), 단파(shortwave diathermy), 극초단파(microwave diathermy), 원적외선(far-infrared) 치료는 심부열 치료로서 열을 좀 더 깊이 전달할 수 있어 근육, 인대, 관절낭의 온도를 올려 관절과 관절주변조직의 유연성을 증가시킬 수 있다.[55] 견관절의 경우 스트레칭을 하기 전에 심부열을 가하는 것이 효과적이다.[56]

온열치료의 합병증은 심각하지 않고 대부분 치료받은 부위의 피부가 발갛게 달아오르는 정도이나, 화상이나 피부 궤양 염증의 악화를 유발할 수 있으며, 피부의 감각이 저하된 당뇨 환자나 류마티스성 관절염 환자에서는 주의해서 사용해야 한다.[49,54,57] 온열치료로 인한 합병증 발생 가능성이 높은 환자에서는 열이 직접적으로 닿지 않도록 보호를 해주는 것이 좋다.

2) 한냉치료(cryotherapy)

한냉치료에 속하는 것으로는 일반적인 얼음을 넣은 주머니부터, 냉수포, 냉각젤 팩, 냉각 스프레이, 냉 회전욕(cold whirlpool) 등이 있으며, 냉 회전욕과 냉각 스프레이를 제외하고는 대부분 전도에 의해 열 에너지를 전달한다. 한냉 효과는 사용시간이 증가함에 따라 피하 조직 깊숙이 침투하는 경향이 있다.

한냉치료는 피부와 근육의 온도를 낮추고 교감신경반사에 의한 혈관 수축 효과(sympathetic vasoconstrictive reflex)를 유도하여 냉각된 조직의 혈류를 줄이는 역할을 한다.[49] 혈류가 감소함에 따라 부종을 감소시키고 염증매개물질의 전달 속도를 늦춤으로써 이환된 부위의 염증을 억제하는 효과가 있다.[58,59] 또한 통증을 유발하는 신경 전달 물질의 속도를 저하시킴으로써 조직내 통각수용기(nociceptor)의 역치를 올려서, 한냉치료가 적용되는 부위에 국소적인 진통 효과를 유발한다.[49,60] 또한 근육의 경련을 줄일 수 있는 효과도 있는데, 이는 근육의 온도가 낮아지면서 척수 반사 고리를 방해하는 것에 기인한다.[61] 스트레칭이나 근력운동 후에 한냉치료를 하는 것이 효과적일 수 있다.

한냉치료의 작용 기전상 급성 타박이나 염증이 있을 때 사용되는 경우가 많다. 급성 타박이나 염증이 있을 때 언제까지 한냉치료를 하고 언제부터 온열치료를 해야 하는가에 대해서는 명확한 기준은 없으나 통상적으로 이학적 혹은 실험실 검사상 염증 반응을 기준으로 하는 경우가 많고, 단순하게는 이환된 관절의 온열감을 기준으로 하는 것도 실제적으로 사용하기 좋은 방법이다.

한냉치료의 합병증으로 동상이 발생할 수 있으며, 표재 신경(superficial nerve)의 마비가 일시적으로 발생할 수 있다.[62-64] 고혈압이 있거나 당뇨 등으로 인한 감각 저하, Raynaud 병(Raynaud's disease)을 비롯한 혈관의 문제가 있는 환자에서는 주의해서 사용해야 한다.

3) 전기치료(electrotherapy)

통증에 사용되는 전기치료는 크게 경피신경전기자극 (Transcutaneous Electrical Nerve Stimulation, TENS)과 간섭파 치료(Interferential Current Therapy, ICT)를 들 수 있다. TENS는 피부에 부착된 전극을 통해 전류를 피부 아래에 있는 신경에 전달하여 자극하는 장치이다. 시술자에 의해서 전류의 강도(amplitude, mA), 주파수(frequency, Hz) 및 파폭(pulse width, μs) 등을 조절할 수 있으며, 그 조절 형태에 따라 여러 가지 방법으로 자극을 줄 수 있다.

TENS는 여러 작용 기전에 의해서 통증을 조절하는 것으로 추정된다.[65] 일반적인 TENS (conventional TENS)는 통증과 연관된 피부분절(dermatome)의 신경섬유 중 역치가 낮고 통증을 전달하지 않는 Aβ 신경섬유를 선택적으로 자극하는 것을 목표로 한다(그림 1-4). Aβ 신경섬유에 의한 비통증성 자극이 척수에 있는 중간 뉴런(interneuron)에 전달되면, 통증을 뇌로 전달하는 Aδ 및 C 신경섬유의 신경 전달이 감소하여 통증이 감소(non-painful paresthesia)하게 되는데, 이 과정이 Aβ 신경섬유에 의하여 통증과 관계된 Aδ 및 C 신경섬유의 전달을 막는 신경학적 관문(neurological gate)과 같은 역할을 한다고 하여 관문조절설(gate control theory)이라고 한다. 만약 자극이 과도하여 상대적으로 역치가 높은 Aδ 신경섬유가 자극되면 통증이 유발될 수 있다. 이외에도 아편유사제(opioid), 세로토닌(serotonin), 아세틸콜린(acetylcholine), 감마아미노부티르산 (Gamma-aminobutyric acid, GABA) 등의 신경화학물질 (neurochemical)에 의해 매개되는 작용에 관여하여 통증을 억제한다.

고강도 TENS (intense TENS)는 Aδ 신경섬유를 자극하여 중뇌(midbrain)의 수관주변회색질(periaqueductral grey) 및 입 쪽 내측전면 수질(rostral ventromedial medulla)을 활성화시켜 하행성 통증 촉진 경로(descending pain facilitatory pathway)를 억제한다. 이는 피부보다는 근육의 신경섬유를 자극했을 때 효과가 더 크다고 알려져 있다. 또한 고강도 TENS는 말초신경에 역행성 신호를 전달(antidromic nerve impulse)하여 말초 조직에서 발생한 구심자극(afferent impulse)의 전달을 방해하여 통증을 억제한다.

간섭파 치료는 4,000 Hz의 중주파 전류(medium-frequency current)를 교대로 전달할 때 발생하는 간섭 현상에 의한 0-250 Hz의 저주파 전류를 인체에 전달하는 것을 목적으로 한다. 저주파 전류는 상대적으로 자극 시간이 길어서 피부의 저항을 극복하는데 효과적이지 못하고, 감각신경을 지나치게 자극하여 전기 통증을 유발하는 등의 단점이 있어 중주파를 이용한 간섭 현상을 이용하는 것이다.[66] 간섭파 치료는 혈류의 흐름을 촉진시키고, TENS와 마찬가지로 관문조절설에 의한 통증 억제 효과를 지닌다.

전기치료는 신경 및 근골격계의 급성과 만성 통증 모두에 효과가 있다고 보고되어 있어 근육의 염좌, 과긴장, 골절, 대상포진, 수술 후 통증, 마비성 장폐색증, 조기 분만통, 말초신경계 손상, 절단지의 환상통, 관절염, 신경종 등이 적응증에 속하며, 어깨의 통증에 있어서도 효과적이라는 보고가 있다.[67] 다만 어깨 통증의 치료에 있어 근거 수준이 높은 연구는 많지 않아서 전기치료의 적용에는 이에 대한 고려가 필요하다. 심각한 부작용은 보고된 바 없으나 시술 시 통증이 발생할 수 있고, 전극 부착부의 피부 자극 등이 발생할 수 있다.[68] 인공 심박동기(pacemaker)를 한 경우 전기치료에 의한 전류는 인공 심박동기의 작용에 간섭을 일으킬 수 있으므로 시행하지 않는 것이 적절하며, 감각이 떨어지는 부위, 임신 중 자궁이나 태아 등에서도 적용하지 않는 것이 안전하다.

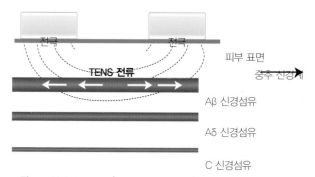

그림 1-4 일반적인 TENS(conventional TENS)의 작용 기전
피부 표면에 부착된 전극에 의해 TENS의 전류가 Aβ 구심성 섬유를 자극하면 중추신경계 및 말초신경계로 신호가 전달된다.

4) 체외충격파치료

(extracorporeal shock wave therapy, ESWT)

음파(sound wave) 혹은 압력파(pressure wave)는 여러 형태의 물질을 통해 전파될 수 있는 능력을 가진 진동하는 기계적 파동(oscillating mechanical wave)을 의미한다. 충격파(shock wave)는 아주 짧은 시간에 발생하여 10 μs 이하의 단기간만 지속되는 비선형적인 형태의 압력파로,[69] 물과 같은 매질을 통해 전달이 된다. 체외충격파치료는 인체가 물과 비슷한 음향 임피던스(acoustic impedance)를 지닌 성질을 이용하여, 체외에서 체내로 음향 파동(acoustic pulse)의 형태로 된 충격파를 전달하여 치료를 하는 방법이다. 체외충격파는 다른 여러 형태의 충격파와 유사하게 최고압력이 높고(high peak pressure) 최고 압력까지 도달하는 시간이 매우 짧으며 이러한 음향 파동이 매우 짧은 기간만 지속되는 효과를 가지고 있다.

체외충격파는 파동의 형태에 따라서 좁은 부위에 강한 압력을 전달하는 초점형(focused type)과 비교적 넓은 부위에 넓게 압력을 전달하는 방사형(radial type)으로 구분하며, 각 기구에 따라 여러 가지 방식으로 충격파를 생성한다. 초점형 충격파를 만드는 방법에는 여러 가지가 있으나, 일반적으로 체외에 위치한 전극에 가해진 전류를 음향 파동의 형태의 기계적 에너지로 변환하여 반사판을 이용해 체내의 특정 부위에 집중시키는 특징을 지닌다(그림 1-5A).[69] 초점형 충격파의 생성 방법에 따라 전기 수력형(electrohydraulic), 전자기형(electromagnetic), 압전기형(piezoelectric) 등으로 나눌 수 있다.[70,71]

방사형은 전류의 힘을 이용하는 초점형 충격파와는 달리 발사체(projectile)에서 압축된 공기를 가속화하여 피부와 맞닿는 부위의 applicator를 통해서 압력파를 체내로 전달한다(그림 1-5B). 이는 초점형과 달리 체내에서 넓게 퍼져나가는 형태를 보이며, 압력 파형(pressure pulse)이 상승하는 시간이 길고 압력 출력(pressure output)이 낮기 때문에

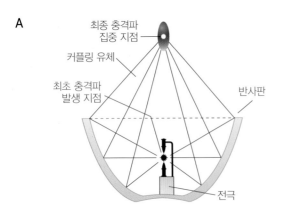

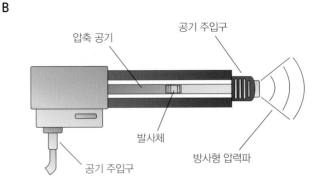

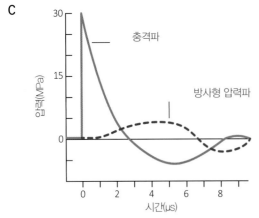

그림 1-5 체외충격파 기기의 충격파 생성 기전
A: 초점형 체외충격파는 전극에 가해지는 전류를 음향 파동 형태로 전환하여 체내의 특정 부위에 집중하여 전달한다. B: 방사형 체외충격파는 공기압을 이용하여 압력파를 피부를 통해 체내로 전달한다. C: 충격파와 방사형 압력파의 파형 비교. 충격파는 매우 단기간 높은 압력으로 지속되는 반면, 방사형 압력파는 낮은 압력으로 상대적으로 긴 시간 동안 유지된다.

엄밀한 의미에서 충격파를 생성하지는 못하지만 반복적으로 충격을 주는 것에 의해 발생하는 방사형의 파동을 체내로 전달한다(그림 1-5C).

체외충격파는 본래 비뇨기과 영역에서 요로 결석 등을 치료하기 위한 쇄석술로써 주로 사용이 되었다. 정형외과 영역에서는 석회성 건염에서 체내에 존재하는 석회를 제거하기 위하여 도입된 이후 점차 그 사용 범위를 넓혀가고 있으며, 최근에는 어깨의 건병증(tendinopathy) 등에서도 널리 이용되고 있다. 특히 정형외과적 영역에서는 석회성 건염에서 석회 침착물의 제거와 같이 특정 지점에 에너지를 집중해서 전달해야 하는 경우 등이 아니라면, 방사형 체외충격파가 비교적 넓은 근육 부위에 자극을 분산시켜서 전달할 수 있다는 점 때문에 널리 사용되고 있다.

초점형 체외충격파는 결석을 분해하는 쇄석술의 원리로 석회성 건염에서의 석회 침착물의 제거를 설명할 수 있으나, 방사형 체외충격파가 근골격계에 치료 효과를 보이는 기전은 아직까지 명확하게는 설명하기 힘들다. 다만 반복적으로 음향 파동이 체내 조직에 전달되어 간질조직을 자극하고, 이러한 반복적 자극은 혈류를 증가시키고, 혈관내피성장인자(vascular endothelial growth factor, VEGF)의 활성도를 높여 혈관 신생(angiogenesis)을 유발하여 조직의 회복을 촉진시키는 것으로 알려져 있다.[72-74] 또한 진통 효과를 보이기도 하는데 이에 대한 이론적 근거는 확립된 바는 없으나 통증 수용체의 억제(suppression of nociceptor), 신경섬유에 대한 과도한 자극으로 인한 관문 조절 효과에 따른 통증 역치의 증가(hyperstimulation block the gate-control mechanism) 및 염증성 cytokine 분비의 감소 등이 그 이유로 제시된 바 있다.[75-77]

어깨질환에서 체외충격파를 시행하는 가장 대표적인 질환으로 석회성 건염을 들 수 있을 것이다. 석회성 건염의 치료를 위해서는 초점형 체외충격파가 방사형 체외충격파에 비해서 효과가 좋다고 알려져 있으며,[70] 0.28 mJ/mm^2 이상의 고용량 체외충격파가 그 이하의 저용량 체외충격파에 비해서 임상적 결과가 더 좋은 것으로 보고된 바 있다.[70,78,79]

최근에는 동결견이나 회전근 개 병증 등에서도 방사형 체외충격파가 많이 사용되고 있으며, 동결견에서 체외충격파를 시행하였을 때, 단기 추시상 관절 가동범위가 회복된다는 보고가 있었다. 또한 당뇨가 동반된 환자에서 관절강내 스테로이드의 저용량 투여에 비해 더 우수한 결과가 관찰된다고 보고된 바 있다.[80,81] 그러나 현재까지 높은 수준의 근거를 갖는 연구는 부족한 실정이며, 각 연구마다 충격파의 크기, 주파수, 치료 기간 등에 대한 표준화가 이뤄져 있지 않다는 단점이 있다.[82,83]

체외충격파치료는 심각한 합병증이 드물기는 하지만 시술 도중 통증을 심하게 느끼는 경우가 많고, 초점형 체외충격파 시술 이후 아킬레스건의 손상이 발생하였다는 보고가 있어,[84] 체외충격파로 인한 회전근 개의 손상 가능성을 완전히 배제할 수 없다. 최근 저자들의 임상 연구에서도 체외충격파와 후방 회전근 개 파열과의 연관성을 확인하였으므로, 과도한 사용을 피하고 석회성 건염 등의 초점형 체외충격파가 더 좋은 임상적 결과를 보인 경우가 아니라면 방사형 체외충격파를 사용하는 것이 보다 안전할 것으로 생각되며, 건병증이나 부분 파열이 있는 건에 직접 사용하는 것보다는 근육 부위에 사용하는 것이 더 안전할 것으로 생각된다. 또한, 체내로 충격파가 전달되는 만큼 치료 범위 안에 태아가 있거나 악성종양이 포함되는 경우에는 모든 종류의 체외충격파 시술이 금지되어야 한다. 고용량 초점형 체외충격파의 경우에는 치료 범위 안에 폐, 뇌 및 척수 등 충격에 민감한 조직이 포함되거나, 성장이 완료되지 않은 소아에서 골단판(epiphyseal plate)이 포함되는 경우, 혈액응고병증이 심각한 경우(severe coagulopathy)에는 사용이 금기시되어야 한다.[85]

5) 레이저치료(laser therapy)

레이저는 방사선의 유도 방출에 의한 광 증폭(Light Amplification by Stimulated Emission of Radiation, LASER)의 약어로 피부에 조사한 레이저는 대다수는 조직 내로 흡수가 되며, 일부는 반사되거나 산란하게 되고, 나머지 일부는 투과가 되면서 심부 조직에 도달한다. 이는 의료의 여러 영역에서 사용되고 있으며, 정형외과적 영역 또한 예외는 아니다.

레이저치료의 생화학적 기전은 명확히 발견되지 않았으나, 조직, 세포 및 분자 수준에서 다양한 효과를 미치는 것으로 관찰되고 있다. 레이저가 체외에서 피부를 투과하여 심부의 연부조직까지 도달하면 세포 내의 미토콘드리아에 영향을 미쳐 아데노신삼인산(adenosine triphosphate, ATP)의 생성을 증가시키고, 활성산소종(reactive oxygen species, ROS)을 조절하여 redox factor-1 (Ref-1) dependent activator protein-1 (AP-1), nuclear factor kappa B (NF-κB), p53, hypoxia-inducible factor-1 (HIF-1) 등의 전사 인자에 영향을 미치게 된다. 이러한 과정은 면역계에도 발생하여 비만세포(mast cell)를 통한 백혈구의 작용을 조절하며, 사이토카인 등의 조절을 통해 항염증 효과를 유도한다.[86] 또한 섬유모세포(fibroblast)를 비롯한 줄기세포의 활성화를 유도하여,[87] 줄기세포의 이동 및 분화를 촉진하여 손상된 조직의 회복을 촉진시키는 기전을 가지고 있다.[86] 이외에도 말초신경의 신호 전달(axonal flow)을 막아 진통효과를 기대할 수 있음이 보고된 바 있다.[88]

레이저치료는 동결견, 회전근 개 건병증 등에서 통증 완화 및 기능적 회복에 단기 추시상 도움이 될 수 있음이 보고된 바 있으며, 체외충격파에 비해서 치료 중 통증이 적고 심각한 합병증이 보고된 바가 없는 것은 장점이다. 그러나 근거 수준이 높은 연구가 부족하며, 레이저 조사량이나 횟수, 치료 기간 등에 대한 표준화된 지침이 없다는 것이 단점으로 임상 적용에 있어서는 이러한 점을 고려해야 한다.[82,83,89-92]

5. 주사치료

1) 서론

어깨의 통증을 조절하기 위한 주사치료는 이를 시행하는 해부학적 부위에 따라 분류할 수 있다. 관절와상완관절(glenohumeral joint) 내부로 직접 주사바늘을 집어넣어 치료를 하는 관절강 내 주사(intra-articular injection, 그림 1-6A), 견봉하공간의 견봉 및 삼각근하 점액낭(subacromial, sub-deltoid bursa)에 시행하는 견봉하주사(그림 1-6B) 외에도, 이

두건장두의 점액낭을 따라 주사하거나 견쇄관절의 관절강 내(그림 1-6C)에 국한시켜 주사를 시행할 수 있다. 주사치료는 일반적인 약물치료에 비해서 통증이 발생하는 해부학적 조직에 특이적으로 작용하므로 치료 효과가 빠르게 나타나며, 전신적인 효과 발현을 차단하여 관련된 합병증의 발생 가능성을 낮출 수 있다는 장점이 있다. 또한, 석회성 건염에 있어서 침착된 석회를 제거하는 용도로 사용이 가능하며, 감염 등이 의심될 때에는 검체를 채취하는 용도로 사용할 수 있어 정형외과적 영역에 있어 주사치료의 중요성은 의심의 여지가 없다. 어깨에 시행하는 주사치료는 숙달될 경우 초음파 등의 영상 유도를 거치지 않고 시행할 수 있으나, 그 정확도가 영상 유도하에 시행하는 것보다 유의하게 낮다고 보고된 적이 있는 만큼 영상 유도하에 주사를 시행하는 것이 적절할 것으로 생각된다.[93]

영상 유도하 주사는 주사 바늘의 위치를 실시간으로 파악할 수 있어 그 정확도가 올라가게 되는데, 최근에는 기존의 방사선 투시 영상(fluoroscopy)보다는 초음파 유도하에 주사를 시행하는 경우가 많다. 방사선 투시 영상(그림 1-6D)은 골성 구조물은 뚜렷하게 볼 수 있으나 연부조직은 골성 구조물 및 조영제를 통한 증강 영상을 보고 간접적으로 추정할 수밖에 없으며, 방사선의 노출을 피할 수 없다는 단점이 있는 반면, 초음파(그림 1-6A~C)는 골성 구조물의 해상력은 방사선 투시 영상에 비해서 떨어지지만 연부조직을 실시간으로 볼 수 있어 여러 연부조직으로 구성된 어깨관절의 주사에 더 유용하며, 방사선의 노출에서 자유롭다는 장점이 있기 때문이다.

초음파 유도하에 주사를 놓는 방법은 크게 평면 내 기법(in-plane technique)과 평면 외 기법(out-of-plane technique)이 있다. 평면 내 기법은 바늘의 전장이 보이도록 초음파의 탐침(probe)을 주사 바늘과 평행하게 놓는 술기이다(그림 1-6A, B). 이는 바늘의 진행 방향 및 깊이를 보기 쉽고 안전하게 시행할 수 있다는 장점이 있어 가장 흔히 사용되는 방법이나, 바늘이 통과하는 거리가 길어져서 관통되는 주위 조직이 늘어난다는 단점이 있다. 평면 외 기법은 탐침과 바늘을 직각으로 놓고 바늘이 하나의 작은 점으로 보는 방법(그림 1-6C)으로 목표에 정확하게 가장 짧은 거리로 도달할

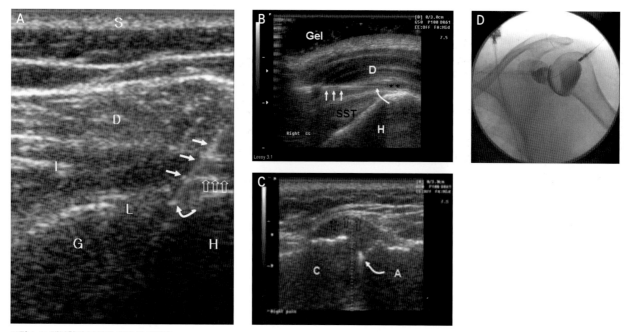

그림 1-6 해부학적 부위에 따른 주사치료
A: 관절와상완관절(glenohumeral joint) 안에 주사바늘이 위치한 초음파 영상. B: 견봉하공간의 견봉 및 삼각근하 점액낭(subacromial, subdeltoid bursa) 안에 주사바늘이 위치한 초음파 영상. C: 이두건장두의 점액낭에 주사바늘이 위치한 초음파 영상(평면 외 기법). D: 관절와상완관절 안에 주사바늘이 위치한 방사선 투시 영상(fluoroscopy)

수 있다는 장점이 있으나, 바늘의 끝부분을 보기 힘들고 주행 경로의 파악이 쉽지 않다는 단점이 있다. 일반적으로 어깨에서는 평면 내 기법으로 충분한 경우가 많다.

주사치료는 그 주사바늘이 삽입될 부위로 철저한 소독 과정을 거쳐서 의인성 감염을 만들지 않도록 주의해야 하며, 초음파 등을 이용하여 주사할 때에는 탐침 등도 멸균된 비닐로 감싸는 것이 안전하다. 주사치료는 검체 채취 목적이 아니라면 화농성 관절염이 의심되는 환자에서는 시행해서는 안 된다. 또한, 주사 바늘이 들어갈 부위 및 그 주변 피부에 연조직염(cellulitis)의 소견이 관찰되는 경우 피부에 국한된 균주를 관절내로 옮기는 행위가 될 수 있으므로 피하는 것이 좋다. 특히, 국내에서는 침이나 뜸, 부항 등의 한의학적 치료 혹은 민간요법 등에 의해서 피부에 상처가 있는 경우가 많은데 이러한 경우에는 상처가 회복되기 전까지는 시행을 하지 않는 것이 적절하다.

2) 약제

(1) 부신피질호르몬(스테로이드)

스테로이드는 어깨에서 시행하는 주사치료 중 가장 많이 사용되는 약제로 활액막의 혈류를 감소시키고, 활액의 성분을 변화시키며, 백혈구 및 사이토카인 생성에 관여되는 유전자의 억제를 통한 강력한 항염증 효과를 가지고 있다.[94,95] 이는 통증을 유발하는 조직의 염증을 줄이고 통증을 감소시켜, 전체적인 재활과정에서 적절히 사용할 경우 매우 효과적으로 사용할 수 있다. 이는 동결견, 석회성 건염, SLAP 병변 등 어깨의 여러 영역에서 사용되고 있으며, 대부분 단기 추시상에서는 통증 조절 및 기능 회복에 있어서 도움이 된다고 알려져 있다.[83,96,97] 병리 소견이 관찰되는 부위에 투여하는 것이 일반적이나, 동결견 등에서는 관절 내의 활액막 및 견봉하공간의 점액낭 모두에 염증이 동반된 경우가 흔하여 주사 부위에 따른 치료 효과의 우월성이 뚜렷하지 않은 경우가 많다.[98]

주사에 사용되는 스테로이드 제제는 여러 가지가 있으나, 트리암시놀론(triamcinolone acenotide), 메틸프레드니솔론(methylprednisolone acetate) 같은 입자성 스테로이드(particulate steroid)와 덱사메타손(dexamethasone), 하이드로콜티손(hydrocortisone) 같은 비입자성 스테로이드(non-particulate steroid)로 나눌 수 있다. 입자성 스테로이드는 그 종류에 따라서 다양한 크기의 미세결정(microcrystal)으로 구성되어 있고 이에 따라 수용성(aqueous solubility)이 달라진다. 관절강 내에 입자성 스테로이드를 주사하면 미세결정이 주사한 부위에 남아 치료 효과를 더 길게 유지하는 것으로 알려져 있으며, 임상에서 많이 사용되는 트리암시놀론의 경우 21일 정도 잔류하는 것으로 보고되고 있다.[95] 이러한 효과는 스테로이드의 수용성이 높을수록 그 반감기가 짧아져서 지속 기간이 감소하므로, 어깨에서 주사치료를 목적으로 할 경우 입자성 스테로이드를 사용하는 것이 비입자성 스테로이드에 비해서 더 적절한 효과를 나타낼 것으로 예상할 수 있다.

스테로이드를 주사할 때에는 대부분 단독으로 투여하기보다는 국소마취제를 섞어서 사용하는 경우가 많다. 국소마취제는 스테로이드의 용매로 작용하여 그 부피를 늘려서 관절강 내로 적절하게 퍼질 수 있도록 하고, 관절 강직의 경우 관절 용적을 넓히는 팽창 효과도 있으며, 즉각적인 마취 효과로 인해 주사 직후 통증을 완화하는 역할을 한다. 리도카인(lidocaine), 부피바카인(bupivacaine), 로피바카인(ropivacaine) 등을 주로 사용하며, 부피바카인과 로피바카인이 리도카인에 비해서 그 효과가 더 오래 지속되고, 특히 로피바카인은 심장이나 뇌에 있을 수 있는 전신적 부작용의 빈도도 적은 것으로 보고된다. 이러한 국소마취제는 연골독성(chondrotoxicity)을 보이는 것으로 보고된 바 있으나, 무작위 임상시험과 같은 높은 근거 수준을 지닌 연구는 없다.[99] 하지만, 관절내 주사의 경우는 이런 것을 고려하여 장기적이고 반복적으로 국소마취제를 병용하는 것은 피해야 할 것이다. 견봉하공간에서 국소마취제가 근육이나 건에 손상을 줄 수는 있다고 보고되고 있으나 가역적이며 문제가 되는 경우는 극히 드문 것으로 알려져 있다.

스테로이드는 강력한 항염증 효과로 증상 개선에 도움을 주지만, 질병의 자연 경과를 개선시키는 과학적 근거는 적다. 그에 비하여 여러 가지 합병증이 발생할 가능성이 있으므로 무작정 투여하는 것은 바람직하지 않다. 화농성 관절염은 그 발생 빈도가 1:3,000-1:100,000으로 매우 드물게 발생하는 것으로 알려져 있으나,[94,95] 발생할 경우 그 임상 경과가 매우 나쁜 경우가 많으므로 예방에 주의를 기울여야 한다. 반드시 주사 부위를 철저하게 멸균하고, 사용되는 기구 또한 감염되지 않도록 주의해야 한다. 또한, 스테로이드 자체가 면역억제능력을 가지고 있을 뿐 아니라, 관절강 내로 주사를 하는 침습적 술기 자체도 감염의 혈행성 전파에 취약하게 만들 수 있으므로 어깨 및 그 주변 관절에 국한된 감염뿐 아니라 전신적인 감염이 있을 때는 사용하지 않는 것이 좋다.

이외에도 정확한 기전은 알려져 있지 않으나, 1% 미만에서 힘줄의 파열을 유발하는 것으로 보고되어 있어,[95] 회전근 개의 파열 등이 동반되어 있거나 봉합술을 시행한지 3개월 이내인 경우에는 투여를 하지 않는 것이 적절할 것으로 생각된다. 또한, 국소적으로 주사치료를 함으로써 전신적인 효과가 발생하는 것을 줄일 수 있으나 안면 홍조 및 불규칙한 월경 등 전신적인 부작용(systemic side effect)이 나타나는 경우가 있어 투여 전 이에 대한 설명이 필요하다. 특히, 당뇨가 있는 환자들의 경우 스테로이드 투여 후에 일시적으로 고혈당이 유발되는 경우가 많고 최대 3주 정도까지 지속될 수 있으므로 이에 대한 충분한 설명이 필요하다.[100] 이러한 전신적인 부작용을 줄이기 위해서는 주사가 혈관 등으로 침범하지 않고 관절강 내에 적절하게 위치되어 있는지 확인이 필요하며, 스테로이드의 반감기에 맞춰서 충분히 투여 간격을 유지하는 것이 적절하다.

(2) 히알루론산(hyaluronic acid, HA)

히알루론산은 관절내 활액(intra-articular synovial fluid)의 구성 성분 중 하나로 관절이 움직일 때 발생하는 마찰력을 줄여주는 윤활액으로써 작용한다. 이는 연골을 보호하는 작용을 하며, HA 자체가 cytokine에 의해 유도되는 염증 반응을 억제하는 항염증 효과를 지니고 있다.[101,102] 따라서, 관절염에서 활액의 점성을 보완(viscosupplementation)하는 효과뿐 아니라 항염증 효과를 기대하며 이와 관련된 여러 질환에서도 사용이 시도되고 있다. 최근 연골형성(chondrogenecity)을 촉진시킨다는 연구 결과도 발표되어,[77] 회전근 개 수술 시 건-골 유합(tendon-to-bone healing)을 증대시키는 세포 치료제로서, 각종 세포와 cytokine의 전달자(carrier)로서 관심을 받고 있다.

회전근 개 파열에서 사용하였을 때 심각한 부작용 없이 통증의 호전 및 기능 개선에 도움이 될 수 있다는 보고가 있었다.[103] 동결견 환자에서 사용하였을 때에는 스테로이드를 관절강 내 주사로 투여한 것과 비교해도 그 효과가 떨어지지 않으며, 스테로이드와 같이 투여하였을 경우에도 우수한 결과를 보인다고 보고된 바 있다.[104-106] 그러나 최근의 무작위 배정 임상시험 및 이의 체계적 문헌 고찰 등에 의하면 기존의 관절강 내 스테로이드 투여 및 운동치료에 비해서 우월한 결과를 보이지 않는다는 상반된 결과를 보여,[107,108] 히알루론산은 스테로이드를 완전히 대체하기보다는 조절이 잘 되지 않는 당뇨 환자 등 통증 조절을 위한 스테로이드의 투여가 어려울 때 대안으로 고려해 볼 수 있을 것이다.

(3) 혈소판풍부혈장(platelet-rich plasma, PRP)

혈소판풍부혈장(Platelet-rich plasma, PRP)은 환자에서 혈액을 채취한 후 원심분리를 이용하여 혈소판을 분리해 제조하는 것으로 다양한 성장인자(growth factor)들이 고농도로 농축되어 손상된 조직의 회복을 촉진하는 것으로 알려져 있다.[71] 동결견에서 PRP를 투여할 경우 시기에 따라 다른 염증 반응을 보이는 것으로 보고된 바 있으며, PRP 투여 초기 단계에서는 PRP 내의 성장인자들에 의해서 염증성 cytokine의 작용이 활발해지고 metalloproteinase에 의해서 염증이 유발되나(pro-inflammatory action), 시간이 경과함에 따라서 이러한 염증성 cytokine의 활동이 감소하고 hepatocyte growth factor 등에 의해서 항염증 효과(anti-inflammatory action)가 나타난다고 알려진 바 있다.[83,109] 또한, 동물 실험에서 후방 활액막의 조직학적 변성을 감소시키는 것으로 보고된 바 있어, 단순한 항염증 효과뿐 아니라 손상된 연부조직을 회복시킬 수 있는 가능성이 엿보인다.[110]

이러한 기전에 따라 회전근 개 파열에서 사용이 시도된 바 있으나, 그 효과에 대해서는 논란의 여지가 있다. 젤 형태로 만들어서 파열된 회전근 개의 골-건 이행부(tendon-bone interface)에 넣고 봉합을 시행하였을 때에 재파열 없이 유지되는 비율이 대조군에 비해서 높은 연구들이 있었으나,[111] 임상적 결과에 대한 보고는 각 연구마다 편차가 크고, 메타분석상으로는 뚜렷한 임상적 결과의 호전을 기대하기 힘들다는 보고가 있다.[112-114] 이러한 임상적 결과의 편차에 대해서는 여러 가지 이유가 있겠으나 PRP의 준비 및 제조 과정에 따라 방출되는 사이토카인의 양이 달라지며, 현재까지는 표준화된 제조법이 없기 때문에 PRP별로 그 생화학적 성상이 다를 수밖에 없다는 것이 영향을 미칠 것으로 추정된다.[115-119] 최근의 체계적 고찰 문헌에서는 회전근 개의 부분 파열 시 PRP를 이용한 주사치료가 통증의 호전 및 기능 개선에 유의한 효과를 보인다는 보고가 있으나,[120] 표준화된 제법이나 투여법이 정해져 있지 않다는 점을 고려해야 한다.

최근에는 회전근 개 파열뿐 아니라 동결견에서의 PRP의 효과를 평가하는 여러 연구들이 보고되고 있다. 단기 추시상에서는 통상적인 관절강 내 스테로이드 주사보다 더 효과적이라는 보고가 있었으며, PRP 투여군에서 통상적인 물리치료군보다 통증 조절을 위해 사용한 진통제의 양이 줄었다는 보고도 관찰된 바 있다.[121-123] 다만 현재까지는 이와 관련된 연구의 수가 많지 않고 장기 추시 결과가 보고된 바 없으며, PRP의 제조 및 투여에 있어서 표준적인 방침이 마련되어 있지 않다는 점을 고려해야 할 것이다.

(4) 증식치료(prolotherapy)

증식치료는 인대 혹은 건의 부분 손상이 불완전하게 치유되어 발생한 만성 통증을 치유하고자 시행하는 방법으로, 인대 및 건의 골 부착부(enthesis)에 소량의 자극성 물질을 투여하여 염증 반응을 일으키고 이를 통한 세포의 재생을 유도하는 치료를 의미한다.[71] 증식치료를 위해서 여러 가지 물질들이 사용될 수 있으나, 일반적으로는 사용 용이성이나 비용상의 문제 등을 고려하여 고장성 포도당(hypertonic dextrose)을 사용하는 경우가 가장 많다.[124]

최소 10% 이상의 고장성 포도당을 사용해야 급성 염증의 유발이 가능하나, 25% 이상의 농도는 극심한 통증을 유발하거나 주변 정상 조직의 손상을 유발시킬 수 있으므로 피하는 것이 좋다.[125]

증식치료는 만성 통증이 있는 환자에서 급성 염증을 유발하는 다소 역설적인 치료이나, 증식치료에 의해 유발되는 급성 염증 반응에 동원되는 염증 매개체(inflammatory mediator)에 의해 성장인자들의 분비가 촉진되고 이에 따라 인대 및 건 부착부의 재생을 유도하는 것을 목표로 한다. 이 과정에서 가장 중요하게 다뤄지는 세포가 섬유모세포(fibroblast)로 염증의 치료 및 교원질의 생성을 통한 인대 및 건의 재생을 유도한다고 알려져 있다.[124,126] 일반적으로 영상 유도하에 인대 및 건의 부착부에 바늘을 넣고 자극을 유도하는 물질을 주사한다. 증식치료는 그 자체로 염증을 유발하는 치료인 만큼 시술 시 통증이 동반될 수밖에 없으며 이를 감소시키기 위해서 리도카인 등의 국소마취제를 혼합하여 투여하는 경우가 많다. 증식치료는 회전근 개 건 병증에서 단기 추시뿐 아니라 장기 추시상으로도 효과가 있을 수 있다는 보고가 있으나,[127,128] 현재까지 투여하는 약제의 종류 및 농도, 반복 투여 횟수 등에 있어서 표준화가 되어있지 않고, 대부분 시술 시 통증을 심하게 유발한다는 점을 고려해야 한다.

(5) 줄기세포 치료(stem cell therapy)

줄기세포를 이용한 치료는 재생 의학의 대표적 분야로 성장해왔으며, 최근 근골격계 질환의 비수술적 재생 치료에서는 성체 줄기세포(adult stem cell)를 이용한 치료가 주목을 받고 있다.[71] 이는 배아 줄기세포(embryonic stem cell)의 채취 과정에서 필연적으로 발생할 수밖에 없는 윤리적 문제를 피할 수 있고, 발암 가능성(oncogenic potential) 및 면역 거부로 인한 세포의 파괴 가능성 등의 안전성 측면에서도 기존의 줄기세포에 비해서 더 뛰어나기 때문이다.[129] 특히 정형외과적 영역에서는 골수, 지방, 윤활막 및 골막 등에서 추출 가능한 중간엽 기질 세포(mesenchymal stem cell)를 활용하는 경우가 많은데, 이는 비교적 쉽게 얻을 수 있고, 연골, 골, 건과 관련된 세포로 분화가 잘 되기 때문

이다.

중간엽 기질 세포는 손상된 조직의 세포로 분화하여 그 부분을 직접 대체하며, 또한 IGF-1, IGF-2, b-FGF, VEGF 등 다양한 성장인자를 분비하여 세포와 혈관의 증식을 유도할 뿐 아니라, 항염작용을 나타내는 것으로 알려져 있다.[129] 또한 상대적으로 면역 반응을 적게 일으키고, 이식 후 면역을 억제하는 기능이 있어 면역 거부 반응이 적기 때문에 타인에게도 이식이 가능하다는 보고가 있다.[130] 동물 실험 단계에서 중간엽 기질 세포의 주입은 봉합한 회전근 개의 회복을 촉진하는 것으로 보고되었으며,[131,132] 인체에서도 유사한 효과를 보일 것으로 기대되나 이에 대해서는 지속적인 연구가 필요하다.

(6) 기타 약제

① Atelocollagen

Atelocollagen은 단백질분해효소(proteolytic enzyme)를 이용하여 교원질 말단의 telopeptide를 제거하여 면역원성(immunogenicity)을 낮춘 약제이다. 정확한 치유 기전은 알 수 없으나, 건의 주성분 중 하나인 교원질을 보충하고 세포외 기질에서의 재형성 과정을 돕는 거푸집(scaffold)과 같은 역할을 한다고 알려져 있다.[133,134] 최근의 임상시험에서 건 내에 부분 파열이 발생한 경우 주사하였을 때 회복을 촉진할 수 있다는 보고가 있으나,[135] 별다른 차이가 없다는 상반된 보고 또한 지속되고 있다.[136,137]

② 콜라겐분해효소(collagenase)

콜라겐분해효소는 본래 수부의 DuPuytren 구축에서 세포외 기질에 분포되어 있는 콜라겐을 분해하기 위해 사용된 방법이다.[138] 동결견 환자의 연부조직에 대한 조직학적 검사상 섬유아세포가 제1형 및 3형 콜라겐(collagen type I and type III)과 혼합되어 있는 형태로 관찰된 것에 기인하여,[139,140] 섬유화된 조직의 콜라겐을 분해하여 관절 강직을 해결하기 위한 목적으로 동결견에서의 사용이 시도되었다. Level II 연구의 체계적 문헌 고찰에서 견봉하공간으로의 콜라겐분해효소 주입은 기존의 운동치료에 비해서 효과적

으로 보인다고 보고된 바 있다.[141] 그러나, 분석한 연구의 수가 매우 적었으며, 최근의 무작위 배정 임상시험에서는 콜라겐분해효소의 효과가 관찰되지 않는다는 상반된 결과를 보고하며 주입 부위의 부종 및 주입 후 통증이 대부분의 환자에서 나타난다는 점을 들어 사용하지 않을 것을 권고한 바 있다.[142]

③ 폴리디옥시라이보누클레오타이드 (polydeoxyribonucleotide, PDRN)

PDRN은 연어의 정소에서 추출한 DNA를 고온에서 정제 및 가공한 약제로 임상에서는 DNA 주사로 많이 사용되고 있다. 이는 면역원성 부작용이 없고, 아데노신 A2A 수용체(adenosine A2A receptor)에 결합하여 조직의 재생을 유도하는 것으로 알려져 있다.[143] PDRN은 최근 동물실험에서 회전근 개 봉합 후 회복을 촉진할 수 있는 것으로 보고되었으며,[144] 건 및 인대의 손상에 의한 통증을 감소시킬 수 있는 것으로 추정된다.[145] 그러나 회전근 개의 건염에서 임상적 사용의 효과 여부에 대해서는 상반된 결과가 보고되고 있으며,[145,146] 스테로이드에 비해서는 통증 조절 효과가 떨어진다는 보고가 있다.[147] 또한 어깨질환에서 PDRN의 효과를 판단하기에는 높은 수준의 대규모 연구가 부족하여 1차 주사치료 약제로 사용하기보다는 스테로이드의 합병증 발생 가능성이 높을 것으로 추정되는 환자들에게 사용을 고려하는 것이 적합할 것으로 생각된다.

3) 관련 술기

(1) 수압팽창술(hydrodilatation, hydrodistension)

수압팽창술은 동결견에서 관절낭의 구축에 의한 용적의 감소와 이에 따른 관절 강직의 해결을 위해 시도되는 방법이다. 사용되는 제제 및 투여량은 표준화되어 있지 않으나, 생리식염수, 국소마취제, 스테로이드 및 조영제 등을 혼합한 용액을 약 30 ml 정도 사용하는 경우가 많다. 영상 유도하에 관절와상완관절강 내로 주사바늘을 거치시키고 혼합제제를 밀어 넣었을 때 발생하는 압력으로 관절강 용적의 증가를 유도한다.[148] 주입 과정에서 발생하는 관절낭의 파열이 중요한지 아니면 관절낭의 팽창 자체가 중요한지에 대해서는 명확한 증거가 없다.[149] 동결견에서 수압팽창술의 효과에 대해서는 아직 논란의 여지가 있다.[150,151]

(2) 석회흡인술(barbotage)

석회흡인술은 석회성 건염에서 침착된 석회를 직접적으로 제거하여 석회성 건염의 근본적이고 빠른 임상적 회복을 기대하며 시행된다.[152] 일반적으로 시술 과정 중 통증이 동반되는 경우가 많으므로 국소마취제를 이용하여 견봉하 점액낭 및 주변 연부조직의 마취를 시행하고, 바늘을 석회 침착부나 그 주위에 거치하고 생리식염수를 주입한 이후 석회를 흡입하는 과정을 거친다.[153,154] 석회화 건염은 흡수기에 통증이 심해지는 경우가 많아서 대부분의 경우 주사를 1회만 찔러서 흡입하는 경우가 많으나, 석회 침착물이 단단할 경우 흡입이 되지 않을 수 있다. 이에 석회가 있는 부위를 여러 번 찔러서(multiple needling) 석회 침착물을 잘게 부수면 흡입이 좀 더 쉬워지고 완전히 제거하지 못하더라도 잘게 부숴지기 때문에 흡수가 빨라진다는 주장이 있으나, 반복해서 찌르는 과정에서 회전근 개의 손상을 유발할 수 있기 때문에 주의가 필요하다.[153,155,156] 석회흡인술을 시행하는데 있어 고려하여야 하는 것은 석회의 제거가 꼭 필요한 상황인지를 판단하여야 하며, 병의 진행과정상

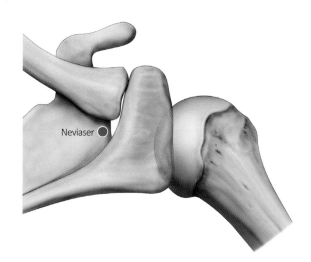

그림 1-7 견갑상신경 차단술에 사용되는 Neviaser 삽입구의 위치
오구돌기 기저부의 외측 경계를 따라 가상의 경계선을 쇄골의 후방 경계와 견갑극의 전방 경계 사이의 공간까지 긋고 세 경계선 사이의 공간을 Neviaser 삽입구로 이용한다.

석회에 의한 문제인지, 관절 구축에 의한 문제인지 등을 면밀히 살핀 후 불필요한 시술들이 진행되지 않도록 하는 것이 중요할 것이다.

6. 신경차단술

앞서 설명한 바 있는 주사치료는 염증을 개선하여 통증을 호전시키거나, 손상된 조직의 회복을 도모하는 것이 목적인 반면 신경차단술은 통증을 유발하는 신경에 직접적으로 작용하여 통증을 억제하는 것을 목적으로 한다. 신경차단술은 상완신경총 차단술(brachial plexus block, BPB)처럼 수술에 이용되기도 하나, 견갑상신경 차단술(suprascapular nerve block, SSNB)과 같이 외래 기반에서 신경차단술을 시행하여 통증을 줄여 일상생활의 질을 높이고 재활치료를 병행하는 경우가 많다.

1) 견갑상신경 차단술

견갑상신경은 상완신경총의 상부 간부(upper trunk of brachial plexus)의 위쪽에서 기시하여, 경부의 후방 삼각(posterior triangle)의 아래쪽을 지나, 쇄골의 직상부에서 쇄골과 평행하게 외측으로 진행한다. 이후 오구돌기의 바로 내측에 있는 견갑상 절흔(supraclavicular notch)을 통과하여 후방으로 간 다음 극상근을 지배한다. 그리고 연속하여 견갑골의 경부 후방 위쪽을 지나 극하근을 지배한다. 이는 견쇄관절(acromioclavicular joint) 및 관절와상완관절(glenohumeral joint)의 감각을 지배하고 있다. 이는 어깨관절 및 그 주변의 약 70% 정도에 해당되는 영역으로[157] 어깨 통증의 원인이 되는 경우가 많다.

견갑상신경 차단술은 수술 후 통증 조절을 위해서도 사용되지만,[158] 외래 기반에서 통증을 줄이기 위해 시도되는 경우가 많다. 견갑상신경 차단술은 초음파 등의 장비 없이도 시행이 가능한데,[159,160] 우선 환자가 의자에 앉은 상태에서 팔을 몸에 붙인 상태로 내리고 견갑극(scapular spine), 견봉(acromion), 쇄골(clavicle) 및 오구돌기(coracoid process)를 촉지한다. 견갑극 전방 경계와 쇄골의 후방 경계간 간격에서 오구돌기보다 외측의 지점으로 접근하며 정형외과 의사들에게는 Neviaser portal로 익숙한 부위이다(그림 1-7). 피부와 수직으로 바늘을 삽입하고 직하방(craniocaudal direction)으로 피부와 승모근, 극상근을 뚫고 3-4 cm 정도 진행하면 견갑상신경의 주행 경로에 도달한다. 바늘이 신경을 자극했을 경우 감각이상(paresthesia)이 발생할 수 있다. 약제를 주입하기 전에 주사기를 약간 당겨서 혈액이 나오지 않는지 확인하고 천천히 약제를 주입하며, 너무 깊이 찌를 경우 기흉을 유발할 수 있기 때문에 주의해야 한다.

최근에는 초음파 유도하에 비교적 더 안전하고 정확하게 견갑상신경 차단술을 시행하는 경우가 많다. 초음파를 통해 상견갑절흔(suprascapular notch)을 찾고 그 내부로 주행하는 견갑상신경을 찾아 견갑상신경 차단술을 시행하여 견갑상신경 차단술의 정확도를 높일 수 있다.[161] 견갑상신경 차단술은 위약군이나 물리치료 단독 시행군에 비해서 통증경감 효과가 뛰어난 것으로 보고된 바 있으나, 관절강 내 스테로이드 투여에 비해서 효과가 더 뛰어나지는 않았다.[161] 견갑상신경 차단술은 스테로이드와 국소마취제를 병용하여 투여하는 경우가 많으나, 국소마취제 단독으로도 효과를 보인 바 있어, 스테로이드 투여에 따른 합병증의 위험성이 높거나, 관절강 내 스테로이드 투여로 큰 효과를 보지 못하였을 경우 고려할 수 있다.

참고문헌

1. Linaker CH, Walker-Bone K. Shoulder disorders and occupation. Best Practice & Research Clinical Rheumatology. 2015;29(3):405-23.

2. Hawk C, Minkalis AL, Khorsan R, et al. Systematic Review of Nondrug, Nonsurgical Treatment of Shoulder Conditions. J Manipulative Physiol Ther. 2017;40(5):293-319.

3. Bussières AE, Peterson C, Taylor JAM. Diagnostic Imaging Guideline for Musculoskeletal Complaints in Adults—An Evidence-Based Approach—Part 2: Upper Extremity Disorders. Journal of Manipulative and Physiological Therapeutics. 2008;31(1):2-32.

4. Struyf F, Geraets J, Noten S, Meeus M, Nijs J. A Multivariable Prediction Model for the Chronification of Non-traumatic Shoulder Pain: A Systematic Review. Pain Physician. 2016;19(2):1-10.

5. Vane JR. Inhibition of prostaglandin synthesis as a mechanism of action for aspirin-like drugs. Nat New Biol. 1971;231(25):232-5.

6. Chaiamnuay S, Allison JJ, Curtis JR. Risks versus benefits of cyclooxygenase-2-selective nonsteroidal antiinflammatory drugs. Am J Health Syst Pharm. 2006;63(19):1837-51.

7. Curtis E, Fuggle N, Shaw S, et al. Safety of Cyclooxygenase-2 Inhibitors in Osteoarthritis: Outcomes of a Systematic Review and Meta-Analysis. Drugs & Aging. 2019;36(S1):25-44.

8. Whelton A. Nephrotoxicity of nonsteroidal anti-inflammatory drugs: physiologic foundations and clinical implications. Am J Med. 1999;106(5b):13s-24s.

9. Sriuttha P, Sirichanchuen B, Permsuwan U. Hepatotoxicity of Nonsteroidal Anti-Inflammatory Drugs: A Systematic Review of Randomized Controlled Trials. International Journal of Hepatology. 2018;2018:1-13.

10. Schafer AI. Effects of nonsteroidal anti-inflammatory therapy on platelets. Am J Med. 1999;106(5b):25s-36s.

11. Ghanem CI, Pérez MJ, Manautou JE, Mottino AD. Acetaminophen from liver to brain: New insights into drug pharmacological action and toxicity. Pharmacol Res. 2016;109:119-31.

12. Rumack BH. Acetaminophen hepatotoxicity: the first 35 years. J Toxicol Clin Toxicol. 2002;40(1):3-20.

13. Liu D, Ahmet A, Ward L, et al. A practical guide to the monitoring and management of the complications of systemic corticosteroid therapy. Allergy, Asthma & Clinical Immunology. 2013;9(1):30.

14. Coutinho AE, Chapman KE. The anti-inflammatory and immunosuppressive effects of glucocorticoids, recent developments and mechanistic insights. Mol Cell Endocrinol. 2011;335(1):2-13.

15. Ericson-Neilsen W, Kaye AD. Steroids: pharmacology, complications, and practice delivery issues. Ochsner J. 2014;14(2):203-7.

16. Streeten DH. Corticosteroid therapy. I. Pharmacological properties and principles of corticosteroid use. Jama. 1975;232(9):944-7.

17. Raffa RB. On subclasses of opioid analgesics. Curr Med Res Opin. 2014;30(12):2579-84.

18. Camilleri M, Lembo A, Katzka DA. Opioids in Gastroenterology: Treating Adverse Effects and Creating Therapeutic Benefits. Clin Gastroenterol Hepatol. 2017;15(9):1338-49.

19. Volkow ND, Jones EB, Einstein EB, Wargo EM. Prevention and Treatment of Opioid Misuse and Addiction: A Review. JAMA Psychiatry. 2019;76(2):208-16.

20. Higgins C, Smith BH, Matthews K. Evidence of opioid-induced hyperalgesia in clinical populations after chronic opioid exposure: a systematic review and meta-analysis. British Journal of Anaesthesia. 2019;122(6):e114-e26.

21. Lewis KS, Han NH. Tramadol: a new centrally acting analgesic. Am J Health Syst Pharm. 1997;54(6):643-52.

22. Dayer P, Desmeules J, Collart L. [Pharmacology of tramadol]. Drugs. 1997;53 Suppl 2:18-24.

23. Beebe FA, Barkin RL, Barkin S. A clinical and pharmacologic review of skeletal muscle relaxants for musculoskeletal conditions. Am J Ther. 2005;12(2):151-71.

24. Sartini S, Guerra L. Open experience with a new myorelaxant agent for low back pain. Advances in Therapy. 2008;25(10):1010-8.

25. Siegel LB, Cohen NJ, Gall EP. Adhesive capsulitis: a sticky issue. Am Fam Physician. 1999;59(7):1843-52.

26. Patel HD, Uppin RB, Naidu AR, Rao YR, Khandarkar S, Garg A. Efficacy and Safety of Combination of NSAIDs and Muscle Relaxants in the Management of Acute Low Back Pain. Pain Ther. 2019;8(1):121-32.

27. Zis P, Daskalaki A, Bountouni I, Sykioti P, Varrassi G, Paladini A. Depression and chronic pain in the elderly: links and management challenges. Clinical Interventions in Aging. 2017;Volume 12:709-20.

28. Park JH, Rhee SM, Kim HS, Oh JH. Effects of Anxiety and Depression Measured via the Hospital Anxiety and Depression Scale on Early Pain and Range of Motion After Rotator Cuff Repair. Am J Sports Med. 2021;49(2):314-20.

29. Al-Mohrej OA, Prada C, Leroux T, Shanthanna H, Khan M. Pharmacological Treatment in the Management of Glenohumeral Osteoarthritis. Drugs & Aging. 2022.

30. Fava M, Mallinckrodt CH, Detke MJ, Watkin JG, Wohlreich MM. The effect of duloxetine on painful physical symptoms in depressed patients: do improvements in these symptoms result in higher remission rates? J Clin Psychiatry. 2004;65(4):521-30.

31. Ball S, Desaiah D, Zhang Q, Thase M, Perahia D. Efficacy and safety of duloxetine 60 mg once daily in major depressive disorder: a review with expert commentary. Drugs in Context. 2013:1-16.

32. Kiso T, Moriyama A, Furutani M, Matsuda R, Funatsu Y. Effects of pregabalin and duloxetine on neurotransmitters in the dorsal horn of the spinal cord in a rat model of fibromyalgia. Eur J Pharmacol. 2018;827:117-24.

33. Taylor CP, Angelotti T, Fauman E. Pharmacology and mechanism of action of pregabalin: the calcium channel alpha2-delta (alpha2-delta) subunit as a target for antiepileptic drug discovery. Epilepsy Res. 2007;73(2):137-50.

34. Rose MA, Kam PCA. Gabapentin: pharmacology and its use in pain management. Anaesthesia. 2002;57(5):451-62.

35. Guay DR. Pregabalin in neuropathic pain: a more "pharmaceutically elegant" gabapentin? Am J Geriatr Pharmacother. 2005;3(4):274-87.

36. Bockbrader HN, Wesche D, Miller R, Chapel S, Janiczek N, Burger P. A comparison of the pharmacokinetics and pharmacodynamics of pregabalin and gabapentin. Clin Pharmacokinet. 2010;49(10):661-9.

37. Liu C, Cheng L, Du B, et al. The analgesic efficacy of pregabalin for shoulder arthroscopy: A meta-analysis of randomized controlled trials. Medicine. 2021;100(38).

38. Ul Huda A, Jordan RW, Daggett M, Saithna A. Pre-medication with Gabapentin is associated with significant reductions in nausea and vomiting after shoulder arthroscopy: A meta-analysis. Orthop Traumatol Surg Res. 2019;105(8):1487-93.

39. Kien NT, Geiger P, Van Chuong H, et al. Preemptive analgesia after lumbar spine surgery by pregabalin and celecoxib: a prospective study. Drug Des Devel Ther. 2019;13:2145-52.

40. Lubis AMT, Rawung RBV, Tantri AR. Preemptive Analgesia in Total Knee Arthroplasty: Comparing the Effects of Single Dose Combining Celecoxib with Pregabalin and Repetition Dose Combining Celecoxib with Pregabalin: Double-Blind Controlled Clinical Trial. Pain Res Treat. 2018;2018:3807217.

41. Challoumas D, Biddle M, McLean M, Millar NL. Comparison of Treatments for Frozen Shoulder. JAMA Network Open. 2020;3(12):e2029581.

42. Steuri R, Sattelmayer M, Elsig S, et al. Effectiveness of conservative interventions including exercise, manual therapy and medical management in adults with shoulder impingement: a systematic review and meta-analysis of RCTs. British journal of sports medicine. 2017;51(18):1340-7.

43. Oh JH, Yoon JY. Various Regimens for the Functional Recovery after Arthroscopic Shoulder Surgery. Journal of the Korean Orthopaedic Association. 2020;55(2).

44. Cho CH, Bae KC, Kim DH. Treatment Strategy for Frozen Shoulder. Clin Orthop Surg. 2019;11(3):249-57.

45. Moon SH, Lee S, Bae DK. History and Concept of Manual Therapy. Journal of the Korean Orthopaedic Association. 2020;55(1):29.

46. Desjardins-Charbonneau A, Roy J-S, Dionne CE, Frémont P, Macdermid JC, Desmeules F. The Efficacy of Manual Therapy for Rotator Cuff Tendinopathy: A Systematic Review and Meta-analysis. Journal of Orthopaedic & Sports Physical Therapy. 2015;45(5):330-50.

47. Page MJ, Green S, McBain B, et al. Manual therapy and exercise for rotator cuff disease. Cochrane Database Syst Rev. 2016;2016(6):Cd012224.

48. Page MJ, Green S, Kramer S, et al. Manual therapy and exercise for adhesive capsulitis (frozen shoulder). Cochrane Database Syst Rev. 2014(8):Cd011275.

49. Nadler SF, Weingand K, Kruse RJ. The physiologic basis and clinical applications of cryotherapy and thermotherapy for the pain practitioner. Pain Physician. 2004;7(3):395-9.

50. Petrofsky JS, Lawson D, Suh HJ, et al. The influence of local versus global heat on the healing of chronic wounds in patients with diabetes. Diabetes Technol Ther. 2007;9(6):535-44.

51. Rabkin JM, Hunt TK. Local heat increases blood flow and oxygen tension in wounds. Arch Surg. 1987;122(2):221-5.

52. Bleakley CM, Costello JT. Do thermal agents affect range of movement and mechanical properties in soft tissues? A systematic review. Arch Phys Med Rehabil. 2013;94(1):149-63.

53. Hardy M, Woodall W. Therapeutic effects of heat, cold, and stretch on connective tissue. J Hand Ther. 1998;11(2):148-56.

54. French SD, Cameron M, Walker BF, Reggars JW, Esterman AJ. Superficial heat or cold for low back pain. Cochrane Database Syst Rev.

2006(1):Cd004750.

55. Yoon JY, Park JH, Lee KJ, Kim HS, Rhee S-M, Oh JH. The effect of postoperatively applied far-infrared radiation on pain and tendon-to-bone healing after arthroscopic rotator cuff repair: a clinical prospective randomized comparative study. The Korean Journal of Pain. 2020;33(4):344-51.

56. Leung M, Cheing G. Effects of deep and superficial heating in the management of frozen shoulder. Journal of Rehabilitation Medicine. 2008;40(2):145-50.

57. Garra G, Singer AJ, Leno R, et al. Heat or Cold Packs for Neck and Back Strain: A Randomized Controlled Trial of Efficacy. Academic Emergency Medicine. 2010;17(5):484-9.

58. Deal DN, Tipton J, Rosencrance E, Curl WW, Smith TL. Ice Reduces Edema: A Study of Microvascular Permeability in Rats. JBJS. 2002;84(9).

59. Schaser KD, Vollmar B, Menger MD, et al. In vivo analysis of microcirculation following closed soft-tissue injury. J Orthop Res. 1999;17(5):678-85.

60. Algafly AA, George KP, Herrington L. The effect of cryotherapy on nerve conduction velocity, pain threshold and pain tolerance * Commentary. British journal of sports medicine. 2007;41(6):365-9.

61. Lee SU, Bang M, Han T. Effect of cold air therapy in relieving spasticity: applied to spinalized rabbits. Spinal Cord. 2002;40(4):167-73.

62. Sallis R, Chassay CM. Recognizing and treating common cold-induced injury in outdoor sports. Med Sci Sports Exerc. 1999;31(10):1367-73.

63. Moeller JL, Monroe J, McKeag DB. Cryotherapy-induced common peroneal nerve palsy. Clinical journal of sport medicine : official journal of the Canadian Academy of Sport Medicine. 1997;7(3):212-6.

64. Bassett FH, 3rd, Kirkpatrick JS, Engelhardt DL, Malone TR. Cryotherapy-induced nerve injury. Am J Sports Med. 1992;20(5):516-8.

65. Johnson M. Transcutaneous Electrical Nerve Stimulation: Mechanisms, Clinical Application and Evidence. Rev Pain. 2007;1(1):7-11.

66. Fuentes JP, Armijo Olivo S, Magee DJ, Gross DP. Effectiveness of interferential current therapy in the management of musculoskeletal pain: a systematic review and meta-analysis. Phys Ther. 2010;90(9):1219-38.

67. Gunay Ucurum S, Kaya DO, Kayali Y, Askin A, Tekindal MA. Comparison of different electrotherapy methods and exercise therapy in shoulder impingement syndrome: A prospective randomized controlled trial. Acta Orthop Traumatol Turc. 2018;52(4):249-55.

68. Dailey DL, Vance CGT, Rakel BA, et al. Transcutaneous Electrical Nerve Stimulation Reduces Movement-Evoked Pain and Fatigue: A Randomized, Controlled Trial. Arthritis & Rheumatology. 2020;72(5):824-36.

69. Ogden JA, Tóth-Kischkat A, Schultheiss R. Principles of shock wave therapy. Clin Orthop Relat Res. 2001(387):8-17.

70. Moya D, Ramon S, Schaden W, Wang CJ, Guiloff L, Cheng JH. The Role of Extracorporeal Shockwave Treatment in Musculoskeletal Disorders. J Bone Joint Surg Am. 2018;100(3):251-63.

71. Oh JH, Rhee S-M. Non-Operative Management of Musculoskeletal Diseases and Regenerative Medicine. Journal of the Korean Orthopaedic Association. 2018;53(5).

72. Hammer DS, Rupp S, Ensslin S, Kohn D, Seil R. Extracorporal shock wave therapy in patients with tennis elbow and painful heel. Archives of orthopaedic and trauma surgery. 2000;120(5-6):304-7.

73. Seidl M, Steinbach P, Wörle K, Hofstädter F. Induction of stress fibres and intercellular gaps in human vascular endothelium by shockwaves. Ultrasonics. 1994;32(5):397-400.

74. Yan X, Zeng B, Chai Y, Luo C, Li X. Improvement of blood flow, expression of nitric oxide, and vascular endothelial growth factor by low-energy shockwave therapy in random-pattern skin flap model. Ann Plast Surg. 2008;61(6):646-53.

75. Loew M, Daecke W, Kusnierczak D, Rahmanzadeh M, Ewerbeck V. Shock-wave therapy is effective for chronic calcifying tendinitis of the shoulder. The Journal of Bone and Joint Surgery British volume. 1999;81-B(5):863-7.

76. Vahdatpour B, Taheri P, Zade AZ, Moradian S. Efficacy of extracorporeal shockwave therapy in frozen shoulder. Int J Prev Med. 2014;5(7):875-81.

77. Wess OJ. A neural model for chronic pain and pain relief by extracorporeal shock wave treatment. Urological Research. 2008;36(6):327-34.

78. Notarnicola A, Moretti B. The biological effects of extracorporeal shock wave therapy (eswt) on tendon tissue. Muscles, ligaments and tendons journal. 2012;2(1):33-7.

79. Gerdesmeyer L, Wagenpfeil S, Haake M, et al. Extracorporeal Shock Wave Therapy for the Treatment of Chronic Calcifying Tendonitis of the Rotator Cuff. JAMA. 2003;290(19):2573.

80. Chen CY, Hu CC, Weng PW, et al. Extracorporeal shockwave therapy improves short-term functional outcomes of shoulder adhesive capsulitis. J Shoulder Elbow Surg. 2014;23(12):1843-51.

81. El Naggar T, Maaty AIE, Mohamed AE. Effectiveness of radial extracorporeal shock-wave therapy versus ultrasound-guided low-dose intra-articular steroid injection in improving shoulder pain, function, and range of motion in diabetic patients with shoulder adhesive capsulitis. J Shoulder Elbow Surg. 2020;29(7):1300-9.

82. Page MJ, Green S, Kramer S, Johnston RV, McBain B, Buchbinder R. Electrotherapy modalities for adhesive capsulitis (frozen shoulder). Cochrane Database Syst Rev. 2014(10):Cd011324.

83. Zhang J, Zhong S, Tan T, et al. Comparative Efficacy and Patient-Specific Moderating Factors of Nonsurgical Treatment Strategies for Frozen Shoulder: An Updated Systematic Review and Network Meta-analysis. Am J Sports Med. 2021;49(6):1669-79.

84. Reilly JM, Bluman E, Tenforde AS. Effect of Shockwave Treatment for Management of Upper and Lower Extremity Musculoskeletal Conditions: A Narrative Review. PM R. 2018;10(12):1385-403.

85. Raveendran K. Shock Wave Therapy in Orthopedics. Springer International Publishing; 2020. 573-85.

86. Chung H, Dai T, Sharma SK, Huang YY, Carroll JD, Hamblin MR. The nuts and bolts of low-level laser (light) therapy. Ann Biomed Eng. 2012;40(2):516-33.

87. Frozanfar A, Ramezani M, Rahpeyma A, Khajehahmadi S, Arbab HR. The Effects of Low Level Laser Therapy on the Expression of Collagen Type I Gene and Proliferation of Human Gingival Fibroblasts (Hgf3-Pi 53): in vitro Study. Iranian journal of basic medical sciences. 2013;16(10):1071-4.

88. Chow RT, David MA, Armati PJ. 830 nm laser irradiation induces varicosity formation, reduces mitochondrial membrane potential and blocks fast axonal flow in small and medium diameter rat dorsal root ganglion neurons: implications for the analgesic effects of 830 nm laser. J Peripher Nerv Syst. 2007;12(1):28-39.

89. Atan T, Bahar-Ozdemir Y. Efficacy of high-intensity laser therapy in patients with adhesive capsulitis: a sham-controlled randomized controlled trial. Lasers Med Sci. 2021;36(1):207-17.

90. Kim SH, Kim YH, Lee H-R, Choi YE. Short-term effects of high-intensity laser therapy on frozen shoulder: A prospective randomized control study. Manual Therapy. 2015;20(6):751-7.

91. Desmeules F, Boudreault J, Roy JS, Dionne C, Frémont P, MacDermid JC. The efficacy of therapeutic ultrasound for rotator cuff tendinopathy: A systematic review and meta-analysis. Phys Ther Sport. 2015;16(3):276-84.

92. Haslerud S, Magnussen LH, Joensen J, Lopes-Martins RA, Bjordal JM. The efficacy of low-level laser therapy for shoulder tendinopathy: a systematic review and meta-analysis of randomized controlled trials. Physiother Res Int. 2015;20(2):108-25.

93. Daley EL, Bajaj S, Bisson LJ, Cole BJ. Improving injection accuracy of the elbow, knee, and shoulder: does injection site and imaging make a difference? A systematic review. Am J Sports Med. 2011;39(3):656-62.

94. Shah A, Mak D, Davies AM, James SL, Botchu R. Musculoskeletal Corticosteroid Administration: Current Concepts. Canadian Association of Radiologists Journal. 2019;70(1):29-36.

95. Stephens MB, Beutler AI, O'Connor FG. Musculoskeletal injections: a review of the evidence. Am Fam Physician. 2008;78(8):971-6.

96. Sun Y, Zhang P, Liu S, et al. Intra-articular Steroid Injection for Frozen Shoulder: A Systematic Review and Meta-analysis of Randomized Controlled Trials With Trial Sequential Analysis. Am J Sports Med. 2017;45(9):2171-9.

97. Sun Y, Chen J, Li H, Jiang J, Chen S. Steroid Injection and Nonsteroidal Anti-inflammatory Agents for Shoulder Pain: A PRISMA Systematic Review and Meta-Analysis of Randomized Controlled Trials. Medicine (Baltimore). 2015;94(50):e2216.

98. Oh JH, Oh CH, Choi JA, Kim SH, Kim JH, Yoon JP. Comparison of glenohumeral and subacromial steroid injection in primary frozen shoulder: a prospective, randomized short-term comparison study. J Shoulder Elbow Surg. 2011;20(7):1034-40.

99. Gulihar A, Robati S, Twaij H, Salih A, Taylor GJS. Articular cartilage and local anaesthetic: A systematic review of the current literature. Journal of Orthopaedics. 2015;12:S200-S10.

100. Gray RG, Tenenbaum J, Gottlieb NL. Local corticosteroid injection treatment in rheumatic disorders. Semin Arthritis Rheum. 1981;10(4):231-54.

101. Waddell DD, Kolomytkin OV, Dunn S, Marino AA. Hyaluronan suppresses IL-1beta-induced metalloproteinase activity from synovial tissue. Clin Orthop Relat Res. 2007;465:241-8.

102. Iwata H. Pharmacologic and clinical aspects of intraarticular injection of hyaluronate. Clin Orthop Relat Res. 1993(289):285-91.

103. Osti L. Clinical evidence in the treatment of rotator cuff tears with hyaluronic acid. Muscles, Ligaments and Tendons Journal. 2015.

104. Russo A, Arrighi A, Vignale L, Molfetta L. Conservative integrated treatment of adhesive capsulitis of the shoulder. Joints. 2014;2(1):15-9.

105. Harris JD, Griesser MJ, Copelan A, Jones GL. Treatment of adhesive capsulitis with intra-articular hyaluronate: A systematic review. Int J Shoulder Surg. 2011;5(2):31-7.

106. Park KD, Nam HS, Lee JK, Kim YJ, Park Y. Treatment effects of ultrasound-guided capsular distension with hyaluronic acid in adhesive capsulitis of the shoulder. Arch Phys Med Rehabil. 2013;94(2):264-70.

107. Lee L-C, Lieu F-K, Lee H-L, Tung T-H. Effectiveness of hyaluronic acid administration in treating adhesive capsulitis of the shoulder: a systematic review of randomized controlled trials. BioMed research international. 2015;2015:314120-.

108. Hsieh LF, Lin YJ, Hsu WC, et al. Comparison of the corticosteroid injection and hyaluronate in the treatment of chronic subacromial bursitis: A randomized controlled trial. Clin Rehabil. 2021;35(9):1305-16.

109. Spreafico A, Chellini F, Frediani B, et al. Biochemical investigation of the effects of human platelet releasates on human articular chondrocytes. J Cell Biochem. 2009;108(5):1153-65.

110. Feusi O, Karol A, Fleischmann T, et al. Platelet-rich plasma as a potential prophylactic measure against frozen shoulder in an in vivo shoulder contracture model. Archives of orthopaedic and trauma surgery. 2020.

111. Liu B, Jeong HJ, Yeo JH, Oh JH. Efficacy of Intraoperative Platelet-Rich Plasma Augmentation and Postoperative Platelet-Rich Plasma Booster Injection for Rotator Cuff Healing: A Randomized Controlled Clinical Trial. Orthop J Sports Med. 2021;9(6):23259671211006100.

112. Cai YZ, Zhang C, Lin XJ. Efficacy of platelet-rich plasma in arthroscopic repair of full-thickness rotator cuff tears: a meta-analysis. J Shoulder Elbow Surg. 2015;24(12):1852-9.

113. Fu CJ, Sun JB, Bi ZG, Wang XM, Yang CL. Evaluation of platelet-rich plasma and fibrin matrix to assist in healing and repair of rotator cuff injuries: a systematic review and meta-analysis. Clin Rehabil. 2017;31(2):158-72.

114. Saltzman BM, Jain A, Campbell KA, et al. Does the Use of Platelet-Rich Plasma at the Time of Surgery Improve Clinical Outcomes in Arthroscopic Rotator Cuff Repair When Compared With Control Cohorts? A Systematic Review of Meta-analyses. Arthroscopy : the journal of arthroscopic & related surgery : official publication of the Arthroscopy Association of North America and the International Arthroscopy Association. 2016;32(5):906-18.

115. Jo CH, Roh YH, Kim JE, Shin S, Yoon KS. Optimizing platelet-rich plasma gel formation by varying time and gravitational forces during centrifugation. J Oral Implantol. 2013;39(5):525-32.

116. Kushida S, Kakudo N, Morimoto N, et al. Platelet and growth factor concentrations in activated platelet-rich plasma: a comparison of seven commercial separation systems. J Artif Organs. 2014;17(2):186-92.

117. Mazzucco L, Balbo V, Cattana E, Guaschino R, Borzini P. Not every PRP-gel is born equal. Evaluation of growth factor availability for tissues through four PRP-gel preparations: Fibrinet, RegenPRP-Kit, Plateltex and one manual procedure. Vox Sang. 2009;97(2):110-8.

118. Oh JH, Kim W, Park KU, Roh YH. Comparison of the Cellular Composition and Cytokine-Release Kinetics of Various Platelet-Rich Plasma Preparations. Am J Sports Med. 2015;43(12):3062-70.

119. Roh YH, Kim W, Park KU, Oh JH. Cytokine-release kinetics of platelet-rich plasma according to various activation protocols. Bone Joint Res. 2016;5(2):37-45.

120. Giovannetti De Sanctis E, Franceschetti E, De Dona F, Palumbo A, Paciotti M, Franceschi F. The Efficacy of Injections for Partial Rotator Cuff Tears: A Systematic Review. Journal of Clinical Medicine. 2020;10(1):51.

121. Barman A, Mukherjee S, Sahoo J, et al. Single Intra-articular Platelet-Rich Plasma Versus Corticosteroid Injections in the Treatment of Adhesive Capsulitis of the Shoulder: A Cohort Study. Am J Phys Med Rehabil. 2019;98(7):549-57.

122. Thu AC, Kwak SG, Shein WN, Htun M, Htwe TTH, Chang MC. Comparison of ultrasound-guided platelet-rich plasma injection and conventional physical therapy for management of adhesive capsulitis: a randomized trial. J Int Med Res. 2020;48(12):300060520976032.

123. Ünlü B, Çalış FA, Karapolat H, Üzdü A, Tanıgör G, Kirazlı Y. Efficacy of platelet-rich plasma injections in patients with adhesive capsulitis of the shoulder. Int Orthop. 2021;45(1):181-90.

124. Reeves KD, Sit RW, Rabago DP. Dextrose Prolotherapy: A Narrative Review of Basic Science, Clinical Research, and Best Treatment Recommendations. Phys Med Rehabil Clin N Am. 2016;27(4):783-823.

125. Moon SH, Lee S, Bae DK. Prolotherapy. Journal of the Korean Orthopaedic Association. 2018;53(5):393.

126. Banks AR. A Rationale for Prolotherapy. J Orthop Med. 1991;13(3):54-9.

127. Catapano M, Zhang K, Mittal N, Sangha H, Onishi K, de Sa D. Effectiveness of Dextrose Prolotherapy for Rotator Cuff Tendinopathy: A

Systematic Review. PM R. 2020;12(3):288-300.

128. Lin MT, Chiang CF, Wu CH, Huang YT, Tu YK, Wang TG. Comparative Effectiveness of Injection Therapies in Rotator Cuff Tendinopathy: A Systematic Review, Pairwise and Network Meta-analysis of Randomized Controlled Trials. Arch Phys Med Rehabil. 2019;100(2):336-49.e15.

129. Schmitt A, van Griensven M, Imhoff AB, Buchmann S. Application of stem cells in orthopedics. Stem Cells Int. 2012;2012:394962.

130. Porada CD, Almeida-Porada G. Mesenchymal stem cells as therapeutics and vehicles for gene and drug delivery. Adv Drug Deliv Rev. 2010;62(12):1156-66.

131. Kim SH, Chung SW, Oh JH. Expression of insulin-like growth factor type 1 receptor and myosin heavy chain in rabbit's rotator cuff muscle after injection of adipose-derived stem cell. Knee surgery, sports traumatology, arthroscopy : official journal of the ESSKA. 2014;22(11):2867-73.

132. Oh JH, Chung SW, Kim SH, Chung JY, Kim JY. 2013 Neer Award: Effect of the adipose-derived stem cell for the improvement of fatty degeneration and rotator cuff healing in rabbit model. J Shoulder Elbow Surg. 2014;23(4):445-55.

133. Meimandi-Parizi A, Oryan A, Moshiri A. Role of tissue engineered collagen based tridimensional implant on the healing response of the experimentally induced large Achilles tendon defect model in rabbits: a long term study with high clinical relevance. Journal of Biomedical Science. 2013;20(1):28.

134. Suh DS, Lee JK, Yoo JC, et al. Atelocollagen Enhances the Healing of Rotator Cuff Tendon in Rabbit Model. Am J Sports Med. 2017;45(9):2019-27.

135. Kim JH, Kim DJ, Lee HJ, Kim BK, Kim YS. Atelocollagen Injection Improves Tendon Integrity in Partial-Thickness Rotator Cuff Tears: A Prospective Comparative Study. Orthop J Sports Med. 2020;8(2):2325967120904012.

136. Chae SH, Won JY, Yoo JC. Clinical outcome of ultrasound-guided atelocollagen injection for patients with partial rotator cuff tear in an outpatient clinic: a preliminary study. Clinics in Shoulder and Elbow. 2020;23(2):80-5.

137. Chae SH, Won JY, Yoo JC. Clinical outcome of ultrasound-guided atelocollagen injection for patients with partial rotator cuff tear in an outpatient clinic: a preliminary study. Clin Shoulder Elb. 2020;23(2):80-5.

138. Hurst LC, Badalamente MA, Hentz VR, et al. Injectable collagenase clostridium histolyticum for Dupuytren's contracture. N Engl J Med. 2009;361(10):968-79.

139. Karahan N, Ozdemir G, Kolukısa D, Duman S, Arslanoğlu F, Çetin M. Can Collagenase Be Used in the Treatment of Adhesive Capsulitis? Med Princ Pract. 2020;29(2):174-80.

140. Rodeo SA, Hannafin JA, Tom J, Warren RF, Wickiewicz TL. Immunolocalization of cytokines and their receptors in adhesive capsulitis of the shoulder. J Orthop Res. 1997;15(3):427-36.

141. Badalamente MA, Wang ED. CORR(®) ORS Richard A. Brand Award: Clinical Trials of a New Treatment Method for Adhesive Capsulitis. Clin Orthop Relat Res. 2016;474(11):2327-36.

142. Fitzpatrick J, Richardson C, Klaber I, Richardson MD. Clostridium histolyticum (AA4500) for the Treatment of Adhesive Capsulitis of the Shoulder: A Randomised Double-Blind, Placebo-Controlled Study for the Safety and Efficacy of Collagenase - Single Site Report. Drug Des Devel Ther. 2020;14:2707-13.

143. Squadrito F, Bitto A, Irrera N, et al. Pharmacological Activity and Clinical Use of PDRN. Frontiers in pharmacology. 2017;8:224-.

144. Hwang JT, Lee SS, Han SH, Sherchan B, Panakkal JJ. Polydeoxyribonucleotide and Polynucleotide Improve Tendon Healing and Decrease Fatty Degeneration in a Rat Cuff Repair Model. Tissue Eng Regen Med. 2021;18(6):1009-20.

145. Gwak DW, Hwang JM, Kim AR, Park D. Does polydeoxyribonucleotide has an effect on patients with tendon or ligament pain?: A PRISMA-compliant meta-analysis. Medicine (Baltimore). 2021;100(19):e25792.

146. Ryu K, Ko D, Lim G, Kim E, Lee SH. Ultrasound-Guided Prolotherapy with Polydeoxyribonucleotide for Painful Rotator Cuff Tendinopathy. Pain Res Manag. 2018;2018:8286190.

147. Park D, Yu KJ, Cho JY, et al. The effectiveness of 2 consecutive intra-articular polydeoxyribonucleotide injections compared with intra-articular triamcinolone for hemiplegic shoulder pain: A STROBE-complaint retrospective study. Medicine. 2017;96(46):e8741-e.

148. Rizk TE, Gavant ML, Pinals RS. Treatment of adhesive capsulitis (frozen shoulder) with arthrographic capsular distension and rupture. Archives of Physical Medicine and Rehabilitation. 1994;75(7):803-7.

149. Rymaruk S, Peach C. Indications for hydrodilatation for frozen shoulder. EFORT Open Reviews. 2017;2(11):462-8.

150. Saltychev M, Laimi K, Virolainen P, Fredericson M. Effectiveness of Hydrodilatation in Adhesive Capsulitis of Shoulder: A Systematic

Review and Meta-Analysis. Scandinavian Journal of Surgery. 2018;107(4):285-93.

151. Makki D, Al-Yaseen M, Almari F, et al. Shoulder hydrodilatation for primary, post-traumatic and post-operative adhesive capsulitis. Shoulder Elbow. 2021;13(6):649-55.

152. Arirachakaran A, Boonard M, Yamaphai S, Prommahachai A, Kesprayura S, Kongtharvonskul J. Extracorporeal shock wave therapy, ultrasound-guided percutaneous lavage, corticosteroid injection and combined treatment for the treatment of rotator cuff calcific tendinopathy: a network meta-analysis of RCTs. European Journal of Orthopaedic Surgery & Traumatology. 2017;27(3):381-90.

153. Del Cura JL, Torre I, Zabala R, Legórburu A. Sonographically Guided Percutaneous Needle Lavage in Calcific Tendinitis of the Shoulder: Short- and Long-Term Results. American Journal of Roentgenology. 2007;189(3):W128-W34.

154. Yoo JC, Koh KH, Park WH, Park JC, Kim SM, Yoon YC. The outcome of ultrasound-guided needle decompression and steroid injection in calcific tendinitis. J Shoulder Elbow Surg. 2010;19(4):596-600.

155. de Witte PB, Selten JW, Navas A, et al. Calcific tendinitis of the rotator cuff: a randomized controlled trial of ultrasound-guided needling and lavage versus subacromial corticosteroids. Am J Sports Med. 2013;41(7):1665-73.

156. Krasny C, Enenkel M, Aigner N, Wlk M, Landsiedl F. Ultrasound-guided needling combined with shock-wave therapy for the treatment of calcifying tendonitis of the shoulder. J Bone Joint Surg Br. 2005;87(4):501-7.

157. Checcucci G, Allegra A, Bigazzi P, Gianesello L, Ceruso M, Gritti G. A new technique for regional anesthesia for arthroscopic shoulder surgery based on a suprascapular nerve block and an axillary nerve block: an evaluation of the first results. Arthroscopy : the journal of arthroscopic & related surgery : official publication of the Arthroscopy Association of North America and the International Arthroscopy Association. 2008;24(6):689-96.

158. Sun C, Zhang X, Ji X, Yu P, Cai X, Yang H. Suprascapular nerve block and axillary nerve block versus interscalene nerve block for arthroscopic shoulder surgery: A meta-analysis of randomized controlled trials. Medicine (Baltimore). 2021;100(44):e27661.

159. Fernandes MR, Barbosa MA, Sousa ALL, Ramos GC. Suprascapular Nerve Block: Important Procedure in Clinical Practice. Brazilian Journal of Anesthesiology. 2012;62(1):96-104.

160. Dangoisse MJ, Wilson DJ, Glynn CJ. MRI and clinical study of an easy and safe technique of suprascapular nerve blockade. Acta Anaesthesiol Belg. 1994;45(2):49-54.

161. Chang KV, Hung CY, Wu WT, Han DS, Yang RS, Lin CP. Comparison of the Effectiveness of Suprascapular Nerve Block With Physical Therapy, Placebo, and Intra-Articular Injection in Management of Chronic Shoulder Pain: A Meta-Analysis of Randomized Controlled Trials. Arch Phys Med Rehabil. 2016;97(8):1366-80.

수술 후 기능회복 치료
Postoperative rehabilitation

임재영

1. 서론

사회 전반적으로 고령화가 지속되면서, 어깨관절질환의 발생과 유병률이 증가하고 동시에 수술적 치료 또한 현저하게 증가하고 있다. 수술치료 후 시간적 경과에 따라 상처 치유와 기능적 회복이 적절하게 진행되어야 수술적 치료의 목적을 달성할 수 있다. 질환의 특성과 수술 방법, 수술 후 시기, 연령 등에 따라 회복 과정과 기간이 다양하고, 재활 방법도 다르게 된다. 수술 후 재활의 목표는 통증 없는 기능적 회복이다. 재활치료의 원칙으로는 통증을 조절하고, 조기에 손상을 주지 않는 동작(early atraumatic motion)을 시작하여 어깨관절형상학적 정상화(normal shoulder arthrokinematics)를 도모하는 것이다. 그와 함께 흉곽-견갑(scapulothoracic) 운동역학적 사슬 기반(Kinetic chain based) 동작과 신경근(neuromuscular) 조절을 통한 적절한 기능적 양상을 회복하는 것이다.[1]

본 장에서는 어깨질환 중에 수술적 치료가 많이 시행되고, 수술 후 기능장애가 흔하게 나타나 기능 회복을 위한 재활 수요가 높은 회전근 개 질환의 수술 후 재활, 어깨 주위 골절 수술 및 어깨관절 인공관절술 후 재활에 대해 논하고자 한다.

2. 회전근 개 질환 수술 후 기능회복 치료

어깨관절 회전근 개 파열은 흔한 어깨질환으로 통증과 기능장애를 초래하여 중고령기 삶의 질을 떨어뜨리는 대표적 근골격계 질환이다. 회전근 개 질환에 대해 다양한 비수술적 치료가 시행되고 있지만, 수술적 치료 적응증에 해당되는 경우에는 회전근 개 건 일차 봉합(rotator cuff repair), 견봉하 감압술(subacromial decompression), 견봉성형술(acromioplasty) 등이 시행된다. 회전근 개 봉합술 후 예후에는 파열의 크기, 술 전 근위축 또는 지방 변성 정도, 술 전 관절운동범위, 나이, 전신질환 상태 등이 영향을 미치는 것으로 알려져 있다.[2] 수술 후 조직학적 치유가 충분하게 이루어지지 않으면, 봉합 부위의 재파열이 발생하게 되는데, 파열의 크기가 클수록, 회전근 개 근육의 위축, 지방 변성의 정도가 심할수록 발생 위험이 높아 수술 후 예후에 부정적 영향을 미친다고 볼 수 있다.[3] 또한, 수술 전 강직이 심하거나, 기능장애가 큰 경우, 고령 환자에서 수술한 경우 불량한 예후가 우려된다. 하지만, 내과적 동반질환에 따라 수술 후 성과가 유의하게 차이가 나지 않는다는 보고[4]도 있고, 최근에는 고령의 동반질환을 가진 환자들에게도 봉합술이 많이 시행되어 성공적인 결과를 얻고 있다. 최근 회전근 개 봉합술 후 예후인자에 대한 체계적 문헌고찰을 통해 재파열 위험은 고령이거나 크기가 큰 파열에서 높고, 기능적 결과에는 수술 전 기능과 산재배상유무(work compensation claim)가 가장 유의한 영향을 미치는 것으로 나타났다.[5]

수술 후 재활의 목적은 봉합된 회전근 개 건의 조직학적 치유를 얻으면서, 통증 없는 관절범위와 어깨 기능을 회복하는 것이다. 수술 후 재활 방법과 시기 등에 영향을 미치는 요인은 조직의 질(tissue quality)에 해당하는 파열의 크기, 근위축, 지방변성 등이 있고, 환자 변수로서 연령, 재활 의지, 전신 상태 등이 대표적이다.[6] 관절경 수술, 개방(open) 수술, 소절개(miniopen) 봉합술 등 수술적 접근 방법도 재활 과정에서 고려해야 하지만, 대부분 관절경 수술이 시행되기 때문에 실제 주요 고려사항이 되진 않는다. 그 밖에 여러 술기를 동시에 시행한다든지, 어떤 방법으로 봉합하는지 등도 재활 방법과 시기에 고려사항이 될 수 있다. 현재까지는 파열 크기를 기준으로 소파열, 중파열, 대파열, 광범위 파열에 따라 수술 후 고정과 재활 시기와 강도를 조절하는 방법이 가장 널리 통용되는 재활 프로토콜이다.

1) 회전근 개 수술 후 재활 시기

스포츠 재활에서 손상 또는 수술 후 4-5단계의 재활을 위한 시기적 단계를 나누고 있다(그림 2-1). 각 시기에 대한 기간, 재활치료 내용과 방법은 질환별, 제공자별 조금씩 차이가 있지만, 대체적으로 수술 직후 보호 단계(immediate protection phase), 초기 재활 단계(early rehabilitation phase), 본격 재활 단계(controlled activity phase), 적극적 재활운동 단계(advanced activity phase), 활동 복귀(return to sports) 단계로 구분한다. 회전근 개 수술 후 6주까지가 보호 단계가 되며, 파열 크기와 범위에 따라 시기가 조금씩 다르지만, 이 단계에서는 대부분 어깨보조기를 착용하여 수술 부위 치유에 집중하면서, 안전하고 적절한 가동을 도모하게 된다. 보조기를 풀고 봉을 이용한 능동 보조 관절운동을 시행하면서 관절가동범위의 점진적 증가와 견갑

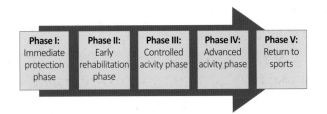

그림 2-1 스포츠 재활에서 손상 또는 수술 후 재활을 위한 시기적 단계

골 중심 재활(scapular rehabilitation)을 시작하는 단계가 초기 재활 단계이다(수술 후 6-10주). 초기 재활과정을 통한 관절운동범위 증가와 근위부위 조절력(proximal segment control)을 회복하면, 치유 중인 회전근 개 건에 점진적인 부하를 줄 수 있고 운동역학적 사슬 기반의 동작들을 훈련하면서 어깨 기능을 회복하는 단계가 본격적 재활 단계이다(수술 후 9-14주). 이후에는 어깨 근력 강화와 신경근 조절 기능 회복을 위한 적극적 재활운동을 시행하는 단계를 6개월까지 지속하여 일상활동 또는 스포츠활동으로 복귀할 수 있도록 돕는다.[3]

2) 시기별 재활운동 방법

(1) 1단계 수술 직후 보호 단계

어깨보조기를 착용한 상태에서 손가락, 손목, 팔꿈치 운동을 시행한다. 근위부위 조절력을 향상시키는 동작들을 시행한다. 어깨보조기를 착용한 채로 몸통을 수술한 쪽과 반대쪽으로 각각 회전하기(trunk rotation), 어깨뼈 후당김(scapular retraction) 등의 동작들을 수행한다(그림 2-2).

(2) 2단계 초기 재활 단계

어깨관절운동범위를 회복하기 위해 봉운동을 시행한다. 전방굴곡, 외전, 외회전, 내회전 방향으로 각각 운동을 시행하면서 점진적으로 각 방향의 관절범위를 증가시킨다. 또한 하부승모근운동(lower trapezius retraining)과 낮은 노젓기(low row)운동을 시행하여 초기 견갑 안정화를 도모한다(그림 2-3).

(3) 3단계 본격 재활 단계

2단계 봉운동을 지속하여 관절운동범위를 계속 향상하도록 하면서, 본격적인 견갑 안정화 운동과 상완와(glenohmeral) 관절에 점진적인 부하를 가하는 운동역학적 사슬기반 운동을 시행한다. 대표적인 운동방법으로 펀치운동(scapular punch), 벽닦기운동(wall washes), 위협주기운동(robbery), 잔디깎기운동(lawn mower), 실꿰기운동(thread-the-needle) 등이 있다(그림 2-4).

그림 2-2 몸통회전운동

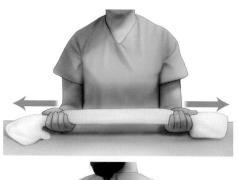

그림 2-3 하부승모근훈련

그림 2-4 벽닦기운동(wall washes)

(4) 4단계 적극적 재활 단계

수술 3개월 이후 관절운동범위가 적절하게 회복되면, 운동역학적 사슬기반 동작 훈련을 지속하면서, 적극적인 근력 강화와 신경근 조절 훈련을 시행한다. 근력을 향상시키기 위해 탄력밴드를 이용한 저항성 운동을 시행한다. 전방

굴곡, 외전, 내회전, 외회전 방향 각각 시행한다(그림 2-5). 운동역학적 사슬과 고유수용체감각 되먹이기 등을 고려한 다양한 각도의 사선회전운동(rotation diagonals), 메디신볼(medicine ball)운동, 플라이오메트릭(plyometric)운동 등을 시행할 수 있다. 이 단계를 시작할 때 관절운동범위가

그림 2-5 탄력밴드를 이용한 외회전근 강화운동

여전히 제한되어 있으면, 적극적 재활치료가 적절하게 시행되기 어렵다. 따라서 관절 강직이 지속될 경우, 관절운동범위 회복을 위한 적절한 치료가 우선되어야 한다.

3) 수술 후 재활치료의 성과(outcome)

수술적 치료 후 통증 없는 기능적 회복이 재활의 목표인 만큼 수술 후 재활의 성과는 통증, 관절운동범위, 근력, 어깨 또는 상지기능, 삶의 질 등으로 평가할 수 있다. 재활치료 전후 평가를 통해 재활치료 성과를 객관적으로 파악할 수 있다. 여건에 따라 정기적인 검진이 가능하다면 주기적인 평가와 장단기 추적 관찰을 통해 재활치료 과정을 모니터링하고, 재활치료 성과를 평가할 수 있다. 통상적 외래 방문 일정에 맞추어 수술 전, 수술 후 6주, 12주, 6개월, 그리고 1년까지 주기적으로 평가를 시행한다.

(1) 통증 평가

시각상사척도(visual analog scale)를 널리 사용하고 있으며, 좀 더 간단하게 평가할 수 있는 숫자통증척도(numeric rating scale), 얼굴표정척도(face pain rating scale) 등을 이용한다. 현재 시점, 지난 24시간 동안 최대, 최소, 평균 통증 또는 활동 시 통증, 안정 시 통증 등을 평가하여, 통증 양상, 강도, 악화요인, 완화요인 등을 파악한다.

(2) 관절운동범위 검사

관절운동범위는 어깨 전방굴곡, 외전, 내회전, 외회전 각 방향에 대한 운동범위를 각도기 등을 이용하여 능동적 운동범위와 수동적 운동범위를 측정한다. 정상 관절운동범위를 기준으로 관절운동제한 정도, 관절 구축, 강직 정도를 파악하여 회복의 성과를 판단할 수 있다.

(3) 근력(muscle strength)

근력은 어깨 기능과 상관관계가 높은 지표로 회전근 개 수술 후 성과를 평가하는 데 많이 사용되고 있다. 도수근력검사(manal muscle test)로 근력을 간단하게 측정할 수 있으나, 3등급(fair grade) 이상의 경우, 근력 변화를 세밀하게 파악하기 힘들고, 검사자에 따라 정확도가 떨어지는 단점이 있다. 정량적 검사 방법으로 등속성 근력 검사(isokinetic muscle performance test)를 많이 사용한다. 수술 전, 수술 후 6개월 또는 1년 시점에서 등속성 근력 검사를 통해 어깨 외전 및 내회전, 외회전 근력을 평가하여 수술 후 기능적 성과를 객관적으로 파악할 수 있다.[7]

(4) 기능적 평가

통증, 관절운동범위, 근력 요소들이 종합적으로 작용하는 기능적 결과를 평가하기 위한 다양한 평가도구들이 있다. 이 중 상지 전반의 기능장애를 평가할 때 DASH (Disabilities of the Arm, Shoulder, and Hand)가 많이 사용되며, 어깨 기능에 집중한 평가도구로 Simple Shoulder Test와 Shoulder Pain and Disability Index (SPADI) 등이 많이 사용되고 있다.

3. 상완골 골절(Proximal Humeral Fracture)

결절 및 경부 골절을 포함하는 상완골 근위부 골절은 노인에게 많고, 남자보다 여자에게, 전신 상태가 좋지 않은 상태에서 넘어질 때 많이 발생한다. 상완골 근위부는 쇄골, 견갑골과 어울려서 상지의 주요 운동에 중요한 구조이기 때문에 이 부위의 골절은 상지기능과 일상활동에 영향을 많이 미치게 된다. 재활의학적으로 가장 중요한 문제는 골절의 치유 과정에서 견관절 주위 관절범위의 제한과 이차적으로 유착성 관절낭염이 초래되어 상당 기간 동안 상지기능장해 상태에 놓이는 것이다.[8] 특히 노인에서 골절 후 장해 상태의 가능성이 높기 때문에 더욱 골절치료 과정에서 주의를 요한다.

또한, 골절과 동반하는 주위혈관과 신경의 손상들이 드물지 않게 발생하므로 세심하게 살펴보아야 한다. 상완골 근위부 골절의 5-30%에서 신경손상이 동반될 수 있다고 알려져 있고, 가장 흔한 손상은 액와신경손상이다. 일반적으로 초진 시에는 감각 및 운동신경에 대한 신경학적 검진으로 신경손상의 유무를 판단한다. 하지만, 골절로 인한 통증으로, 삼각근의 수축 가능 여부에 대한 판단이 쉽지 않다. 손상이 의심이 되면 수상 후 2-3주 정도 경과한 후에 전기진단 검사를 시행하여, 신경손상 유무를 확진하도록 한다. 이러한 불완전 신경손상이 통증과 견관절의 기능장애를 남기는 원인의 하나가 되기도 한다.[9]

대결절의 골절은 적절한 진단과 치료가 이루어지지 않으면 상당한 관절운동범위 제한을 초래할 수 있다. 보존적 치료 또는 수술 후 6주 정도까지는 외전 보조기하에서 보호를 하고, 추 운동 및 수동적 관절운동을 통해 통증과 관절 강직을 예방할 수 있다. 점진적으로 전방 거상 및 외회전운동을 증가시키지만, 조기 내회전이나 내전운동은 제한하도록 한다. 수술 6주 후부터는 능동적 관절운동을 중심으로 어깨관절 움직임을 증가시키면서 기능 회복 운동들을 시작한다. 수술 후 약 12주 정도에 정상적 관절운동범위가 회복되면 근력운동을 포함한 다양한 재활운동을 통해 기능 향상을 도모한다.

4. 견관절 관절성형술 후의 재활치료

견관절 관절성형술은 골관절염, 회전근 개 관절병증, 류마티스 관절염의 견관절 침범, 분쇄 골절, 괴사 등의 질환에서 통증 없고 유연한 관절운동범위를 얻는 방법으로 시행되고 있다.

1) 재활치료

견관절 관절성형술의 성공을 위해서는 주의 깊게 잘 짜인 수술 후 재활 프로그램이 필요하다. 견관절 관절성형술은 일반적인 전치환술(total shoulder arthroplasty)과 관절와(glenoid)를 골 두로 치환하는 역 전치환술(reverse total shoulder arthroplasty) 두 가지로 나눌 수 있다. 역 전치환술은 회전근 개가 완전 손상된 상태에서 관절의 가동성과 안정성을 제공할 수 있어 회전근 개 관절병증(rotator cuff arthropathy)등으로 통증과 관절기능의 심한 저하 상태에 적용하게 된다. 아래에 각 치환술에 따라 대표적인 재활 프로토콜을 소개하였다. 재활 프로그램은 단계적으로 잘 짜여진 프로토콜을 갖추는 것도 중요하지만, 환자의 연령, 임상적 회복 정도, 동반질환, 신체활동 수준 등에 따라 개별적, 단계적으로 제공되어야 한다.[10]

(1) 일반적 견관절 전치환술

수술 직후 주관절, 완관절의 운동부터 시작하여 수술 후 1일째부터 수동적 견관절운동을 시행한다. 최근의 견관절성형술에서는 견갑하근(subscapularis)만을 절개하므로 수술 후 즉시 운동을 시행할 수 있다. 재활치료는 시기에 따라 3가지 단계로 나눌 수 있다. 1단계는 수술 후 2일째부터 약 4주까지 해당하는데, 치환된 관절의 보존과 통증 조절, 순차적 관절운동범위의 증가가 목적이다. 물건을 들거나 능동 운동은 금기이며 과도한 내회전 또한 금기이다. 3-4주 동안 보조기(arm sling)를 착용하도록 하며 견관절 수동관절범위를 서서히 증가시켜 전방굴곡 90도, 외회전 45도, 내회전 70도까지 관절가동 운동을 시행한다. 주관절, 완관절에서는 능동 관절운동을 하도록 한다. 2단계는 수술 후 4-6주에 시작하여 수술 후 2개월까지 진행하는 단계로 수동 관절범위의 점진적 회복과 능동보조운동을 시작하는 시기이다. 굴곡 140도, 외회전 60도까지 수동 관절가동운동을 계속하며, 봉을 이용한 관절운동, 벽밀기(wall slides) 운동, 능동보조 운동, 그리고 도르래운동(pulley exercise)을 한다. 3단계는 수술 후 9-12주 시기로 빠르면 수술 후 6주 이후부터 시행할 수 있는데, 견관절 근력의 점진적 회복과 상지를 이용한 일상생활 동작의 정상화를 목표로 능동적 관절운동을 시행하는 시기이다. 초기의 무게는 3 kg을 넘지 않게 하고 10회 반복하여 들 수 있을 때까지 무게를 증가시키지 않도록 한다. 능동 관절가동 운동을 굴곡 140도, 내회전 70도, 외회전 60도까지 가능해지면 다음 단계로 진행할 수 있다. 4단계는 12주 이후에 시행하는데 통증 없는 관절 가동범위를 유지시키고 점진적 근력강화를 통해 기능적 활동으로 되돌아 가는 것이 목표이다. 일주일에 3-4회 정도 가정 내 운동 프로그램을 통해 근력 및 지구력을 강화하도록 한다.

(2) 관절 역 전치환술

앞서 말한 일반적 전치환술과는 다르게 역 전치환술에서는 삼각근이 치환된 관절의 일차적 안정화 근육으로 작용한다. 극상근의 손상으로 인한 초기 외전운동의 손해를 삼각근(특히 전 삼각근, anterior deltoid)의 근력으로 보상할 수 있기 때문이다. 또한 회전근 개가 없거나 아주 조금만 남아있어 전치환술보다 역 전치환술은 견관절 탈구의 위험성이 더 높으므로 수술 후 12주 동안 중립을 벗어난 견관절 신전, 내전과 내회전을 동시에 하지 않는 것이 중요하다. 수술 후 어깨관절의 안정화와 움직임에 있어 삼각근의 기능이 무엇보다 중요하므로 이를 기반으로 한 운동 및 재활치료의 중요성이 강조된다. 그러므로 적절한 훈련으로 움직임 및 장력의 증가를 통한 상지 활동의 증진을 기대할 수 있다. 그리고 함께 시행한 광배근 및 대흉근(latissimus dorsi or pectoralis major)의 건 전위술(tendon transfer) 등에 대한 정보도 중요하다. 이러한 추가적 수술을 하였을 때는 초기에 손상받은 근육 또는 건의 회복에 초점을 맞춘 재활 치료가 고려되어야 한다.

손상된 조직의 회복 정도에 따라 세 가지 단계로 나뉜다. 1단계는 수술 후 1-4주에 시작하며, 이 시기에는 수동 관절

가동 운동(protected PROM)을 하며 능동적 관절운동은 하지 않는다. 120도까지 굴곡, 30도까지 외회전, 45도까지 외전할 수 있도록 치료한다. 보조기(arm sling)를 이용한 부동 자세 유지도 이 시기에 중요하다. 진자(pendulum) 운동을 수술 후 24-48시간에 시작할 수 있으며 누운 자세에서 건측 팔을 이용한 수동적 견관절운동을 시작할 수 있다. 어깨 주위근 특히 근위부위의 조절, 몸통 관절의 움직임 등에 대해서도 평가하여 가동(mobilization)을 증진시킨다. 주관절, 완관절 등 상지 원위부 능동 관절운동도 시행한다. 2단계는 수술 후 5-12주 기간 동안의 관절운동범위 증진 및 초기 근력 회복 단계이다. 능동적 보조/능동 관절운동을 포함한다(AAROM/AROM). 봉을 이용한 점진적 관절가동범위 운동, 외회전 관절운동을 서서히 증가시키는데, 50도 이하로 가능한 만큼 시행한다. 내회전운동도 50도까지 서서히 운동범위를 증가시킨다. 전방굴곡은 140도 이하로 운동시킨다. 이 시기에 누운 자세에서 수술한 팔을 서서히 들어올려 삼각근 강화운동을 시행한다. 처음에는 작은 범위에서 시작하여 점차 각도를 증가시키면서 운동하도록 한다. 2단계 후반(9-12주)에는 앉은 자세에서 서서히 팔을 올려 삼각근 강화운동의 강도를 점진적으로 높여 간다. 운동역학적 사슬기반 근위부위 조절운동으로 하부승모근 운동(lower trapezius trainng)을 시행할 수 있다. 높은 강도의 스트레칭이나 외회전과 외전을 동시에 하지 않도록 유의한다. 팔보조기(arm sling)를 풀고 환측 팔을 이용한 일상생활 동작을 하도록 하되 각도를 벗어난 운동은 삼가도록 한다. 20도 이하의 외전 구축은 치료하지 않아도 괜찮다. 3단계는 수술 후 12주 이후에 시작하며 근력운동을 포함한다(AROM/strengthening). 그러나 3 kg 이상의 무게는 들지 않도록 하고 굴곡/외회전운동을 일차적으로 훈련시키며 삼각근을 포함한 어깨관절의 근력을 강화시킨다.

(3) 합병증

견관절성형술 후의 합병증으로 상완골 골절, 혈종, 회전근 개 파열, 불안정성(instability), 이소성 골화증, 신경손상, 감염, 상완 및 견갑부 치환물의 느슨해짐(loosening) 등이 있다.

참고문헌

1. Kibler WB, McMullen J, Uhl T. Shoulder rehabilitation strategies, guidelines, and practice. Orthop Clin North Am. 2001;32(3):527-538.

2. Kim J-H. Rehabilitation of Rotator Cuff Repair. Journal of the Korean Arthroscopy Society. 2008;12(2):82-86.

3. Lee I-S. Recent Update of Rehabilitation after Rotator Cuff Repair. Clinial Pain. 2015;12(2):59-65.

4. Boissonnault WG, Badke MB, Wooden MJ, Ekedahl S, Fly K. Patient outcome following rehabilitation for rotator cuff repair surgery: the impact of selected medical comorbidities. J Orthop Sports Phys Ther. 2007;37(6):312-319.

5. Saccomanno MF, Sircana G, Cazzato G, Donati F, Randelli P, Milano G. Prognostic factors influencing the outcome of rotator cuff repair: a systematic review. Knee Surg Sports Traumatol Arthrosc. 2016;24(12):3809-3819.

6. Thigpen CA, Shaffer MA, Gaunt BW, Leggin BG, Williams GR, Wilcox RB, 3rd. The American Society of Shoulder and Elbow Therapists' consensus statement on rehabilitation following arthroscopic rotator cuff repair. J Shoulder Elbow Surg. 2016;25(4):521-535.

7. Bigoni M, Gorla M, Guerrasio S, et al. Shoulder evaluation with isokinetic strength testing after arthroscopic rotator cuff repairs. J Shoulder Elbow Surg. 2009;18(2):178-183.

8. Rohun J, May P, Littlewood C. Rehabilitation following proximal humeral fracture in the UK National Health Service: A survey of publicly facing information. Musculoskeletal Care. 2021;19(2):193-198.

9. Stableforth PG. Four-part fractures of the neck of the humerus. J Bone Joint Surg Br. 1984;66(1):104-108.

10. Philippossian R, Luthi F, Farron A, Pichonnaz C. [Update on the rehabilitation following anatomic and reverse total shoulder arthroplasty]. Rev Med Suisse. 2019;15(657):1340-1349.

찾아보기(국문)

Index

ㅇ

ㅈ

ㅊ

ㅋ

찾아보기(영문)

Index

I

J

K